T0388502

Werner Bests korrespondance med Auswärtiges Amt og andre tyske akter vedrørende besættelsen af Danmark 1942-1945

Die Korrespondenz von Werner Best mit dem Auswärtigen Amt und andere Akten zur Besetzung von Dänemark 1942-1945

Danish Humanist Texts and Studies

Volume 43

Edited by Erland Kolding Nielsen

The Royal Library · Copenhagen

Werner Bests korrespondance med Auswärtiges Amt og andre tyske akter vedrørende besættelsen af Danmark 1942-1945

Udgivet af
John T. Lauridsen

Under medvirken af
Jakob K. Meile

BIND 4:

September – november 1943

DET KONGELIGE BIBLIOTEK
&
SELSKABET FOR UDGIVELSE AF KILDER TIL DANSK HISTORIE

I kommission hos Museum Tusculanum Press

KØBENHAVN 2012

Werner Bests korrespondance med Auswärtiges Amt
og andre tyske akter vedrørende besættelsen af Danmark 1942-1945
Udgivet af John T. Lauridsen under medvirken af Jakob K. Meile

© 2012 Det Kongelige Bibliotek & Selskabet for Udgivelse af Kilder til dansk Historie

Tilsynsførende: Knud J.V. Jespersen & Aage Trommer
Oversættelse: Johannes Wendland, LanguageWire A/s
Layout & sats: Forlagsbureauet/Ole Klitgaard (†)
Reproduktioner: Fotografisk Atelier, Det Kongelige Bibliotek

Bogen er sat med Adobe Garamond Pro
og trykt på 115g Scandia 2000 Smooth Ivory
Dette papir overholder de i ISO 9706:1994
fastsatte krav til langtidsholdbart papir.

Printed in Denmark by Special-Trykkeriet Viborg A/s

ISBN (værket) 978-87-7023-296-8
ISBN (dette bind) 978-87-7023-300-2
ISSN (DHTS) 0105 8746

Udgivet med støtte fra
Carlsbergfondet
Oticon Fonden
Kulturministeriets Forskningspulje
Det Kongelige Bibliotek

I kommission hos
Museum Tusculanum Press
University of Copenhagen
Njalsgade 126
DK-2300 Copenhagen S
www.mtp.dk

Die Korrespondenz von Werner Best mit dem Auswärtigen Amt und andere Akten zur Besetzung von Dänemark 1942-1945

Herausgegeben von
John T. Lauridsen

Unter der Mitarbeit von
Jakob K. Meile

BAND 4:

September – November 1943

Königliche Bibliothek
&
Gesellschaft für die Herausgabe von Quellen
zur dänischen Geschichte

In Kommission bei Museum Tusculanum Press

Kopenhagen 2012

Die Korrespondenz von Werner Best mit dem Auswärtigen Amt
und andere Akten zur Besetzung von Dänemark 1942-1945
Herausgegeben von Dr. phil. John T. Lauridsen
unter der Mitarbeit von M.A. Jakob K. Meile

© 2012 Königliche Bibliothek & Gesellschaft für die
Herausgabe von Quellen zur dänischen Geschichte

Herausgeberbeirat: Prof., Dr. phil. Knud J.V. Jespersen &
Rektor i. R., Dr. phil. Aage Trommer
Übersetzung: M.A. Johannes Wendland, LanguageWire A/s
Layout & Satz: Forlagsbureauet/M.A. Ole Klitgaard (†)
Repro: Fotografisk Atelier, Det Kongelige Bibliotek

Das Werk wurde in der Adobe Garamond Pro gesetzt
und auf 115g Scandia 2000 Smooth Ivory gedruckt.
Dieses Papier erfüllt die Anforderungen an
Nachhaltigkeit nach ISO 9706:1994.

Printed in Denmark by Special-Trykkeriet Viborg A/s

ISBN (ges. Werk) 978-87-7023-296-8
ISBN (dieser Band) 978-87-7023-300-2
ISSN (DHTS) 0105 8746

Herausgegeben mit Unterstützung von
Carlsbergfondet
Oticon Fonden
Forschungspool des Dänischen Kulturministeriums
Königliche Bibliothek

In Kommission bei
Museum Tusculanum Press
University of Copenhagen
Njalsgade 126
DK-2300 Copenhagen S
www.mtp.dk

Indhold

Inhalt

SEPTEMBER 1943

1. Werner Best an Joachim von Ribbentrop 1. September 1943

Best fulgte straks de nye politiske direktiver fra førerhovedkvarteret op med fremsættelsen af en række ønsker til den fremtidige administration med hensyn til tysk politi, jurisdiktion og økonomi, der mere end antyder, at dette i forvejen var gennemtænkt. Han ønskede at støtte sin fremtidige position med eget eksekutivapparat og øverste håndhævelse af den tyske jurisdiktion.

Best rykkede for svar med telegram nr. 1010, 3. september, med nr. 1051, 13. september og med nr. 1072, 16. september (Hæstrup, 1, 1966-71, s. 56f., Rosengreen 1982, 40f., Lundtofte 2003, s. 36).

Kilde: PA/AA R 29.567. RA, pk. 438a. LAK, Best-sagen (afskrift). PKB, 13, nr. 428. ADAP/E, 6, nr. 271. NORD, nr. 83.

Telegramm

Kopenhagen, den 1. September 1943 10.10 Uhr
Ankunft, den 1. September 1943 12.15 Uhr

Nr. 1001 vom 1.9.[43.] Citissime!

Für Herrn Reichsaußenminister persönlich.
Die Weisung, die Neuordnung in Dänemark im Sinne der ersten, in meinem Telegramm Nr. 995[1] vom 30.8.43 dargelegten Möglichkeit vorzubereiten, habe ich erhalten und das Erforderliche eingeleitet. Über den Fortgang werde ich laufend berichten.[2]

Bis zur Regierungsneubildung und zur Aufhebung des Ausnahmezustandes muß nun unbedingt eine ausreichende deutsche Polizeimacht in Dänemark etabliert sein. Denn wie bisher die im November 1942 begonnene Politik, Dänemark mit Hilfe der politischen Faktoren des Landes zu lenken, konsequent durchgeführt wurde, so muß nunmehr die am 29.8.43 begonnene Politik der harten Hand und des fühlbaren Einsatzes deutscher Macht ebenfalls mit eiserner Konsequenz durchgeführt werden. Mit dänischen Organen kann von jetzt an die Widerstandsbewegung nicht mehr bekämpft werden. Die dänische Polizei würde zwar nicht (wie Teile der norwegischen Polizei) die Annahme von Befehlen verweigern, aber sie würde keinerlei Erfolge zeitigen. Auch die beteiligten dänischen Departementschefs haben bereits der Auffassung Ausdruck gegeben, daß künftig Angriffe auf deutsche Interessen von deutscher Polizei verfolgt und von deutschen Gerichten abgeurteilt werden sollen, weil sie für die Wirksamkeit ihrer eigenen Maßnahmen nicht voll einstehen könnten.[3] (Damit ist also der 3½ jährige Kampf der Dänen um die ausschließliche Gerichtshoheit über ihre Staatsbürger mit einem Verzicht beendet). –

Ich halte es für unbedingt erforderlich, daß bis zur Aufhebung des Ausnahmezustandes die folgenden Maßnahmen durchgeführt werden:

1 bei Pol. VI. Trykt ovenfor.

2 Det gjorde Best med mellemrum i løbet af september.

3 Ifølge Svenningsens referat af samtalen udtalte han sig ikke derom (Hæstrup, 1, 1966-71, s. 76f.).

1.) Einrichtung von etwa 25 deutschen Polizeistationen, die zu einem Drittel mit Beamten der deutschen Sicherheitspolizei und zu zwei Drittel mit Beamten der deutschen Ordnungspolizei (nebst dänischem Hilfspersonal) zu besetzen sind; hierfür werden zwei weitere Polizeibataillone und 300 Beamte der deutschen Sicherheitspolizei benötigt.–
2.) Errichtung eines deutschen Sondergerichts mit dem Reichsbevollmächtigten als Gerichtsherrn, eine deutsche Rechtsgrundlage hierfür bieten die Bestimmungen über die SS-und Polizeigerichte.–
3.) Vereinbarung mit dem OKW, daß (wie z.B. in Frankreich) zur Vermeidung einer Konkurrenz zwischen deutscher Polizei und geheimer Feldpolizei die geheime Feldpolizei in den zivilen Polizeiapparat übernommen wird, der alsdann auch die Exekutivaufgaben für die militärische Abwehr erfüllt.–
4.) Aufhebung der neuen Gehaltsregelung für die abgeordneten Beamten (Erlaß Nr. Pers. B. 10203 vom 11.8.43)[4], auf Grund deren die deutschen Polizeibeamten, von deren Tätigkeit in Zukunft die Wahrung der deutschen Interessen in Dänemark abhängt, ihr Leben nicht fristen können.–
5.) Bereitstellung ausreichender Geldmittel für die Wahrnehmung aller Sicherheitsaufgaben, insbesondere für den Aufbau eines umfassenden Geheimdienstes. (Sofort erforderlich 2 Mill. Kronen).–[5]

Vor der Erfüllung dieser Notwendigkeiten ist nach meiner Auffassung die Aufhebung des Ausnahmezustandes in Dänemark nicht zu verantworten.

Best

2. Werner Best an das Auswärtige Amt 1. September 1943

Bests daglige indberetning var en anledning til at holde egne informationer op for AA over for von Hannekens, ligesom de gav anledning til at kritisere generalens dispositioner. I dette tilfælde den hurtige ophævelse af spærretiden.

Til gengæld blev AA ikke orienteret om, at Best aftenen før havde haft en drøftelse med Nils Svenningsen om den fremtidige administration af Danmark, hvor Best skitserede to muligheder: Enten en dansk embedsmandsregering eller indsættelse af en civil tysk forvaltningschef (Svenningsens referat trykt PKB, 4, s. 311).

Kilde: PA/AA R 29.567. RA, pk. 203.

Telegramm

Kopenhagen, den	1. September 1943	12.00 Uhr
Ankunft, den	1. September 1943	13.05 Uhr

Nr. 1002 vom 1.9.[43.] Citissime!

4 Dokumentet er ikke lokaliseret.

5 Se telegram nr. 1051, 13. september 1943.

Ich bitte, die folgenden Meldungen unverzüglich dem Herrn Reichsaußenminister zuzuleiten:

1.) Aus der Nacht vom 31.8. zum 1.9. sind die folgenden Vorfälle gemeldet worden: An der Eisenbahnstrecke Viborg-Aarhus ist der Schienenstrang an zwei Stellen durch Sprengung beschädigt worden.[6] –

In Aarhus wurden während der Nachtsperrzeit die Schaufenster zweier Geschäfte eingeschlagen, deren Inhaber als Nationalsozialisten gelten. –

In Kopenhagen hat die dänische Polizei einen Auflauf zerstreut und 26 Personen wegen Verletzung der Nachtverkehrssperre festgenommen. –

2.) Das bisherige dänische Kommunistenlager in Horseröd wird heute von mir übernommen, um künftig als Konzentrationslager verwendet zu werden. Die Wehrmachtswache wird durch eine Wache meines Polizei-Bataillons ersetzt. –[7]

In Kopenhagen befinden sich zurzeit 117 Personen in deutschen Polizeigewahrsam. In der Provinz ist ebenfalls eine größere Zahl von Personen auf mein Ersuchen von den Ortskommandanturen festgenommen worden. Es ist aber bisher noch nicht möglich gewesen, auf dem militärischen Dienstwege Meldungen über die Zahl und die Personen der Festgenommenen zu erhalten. –[8]

3.) Erst jetzt erhalte ich die Tagesmeldung, die der Befehlshaber der deutschen Truppen in Dänemark am Abend des 31.8.43 erstattet hat. Sie lautet: "Keine besonderen Vorkommnisse. Im ganzen Lande wieder Ruhe. Auch heute wurde überall gearbeitet. In den Städten herrscht normales Leben. Geschäfte sind geöffnet. Zeitungen sind wieder erschienen. Auf Grund des guten Verhaltens der Bevölkerung ist die Polizeistunde auf 22 Uhr, Ausgehsperrzeit auf 23-5 Uhr festgesetzt, bis auf einzelne Ausnahmen."

Von der Lockerung der Nachtverkehrssperre schon am zweiten Tage des Ausnahmezustandes hatte ich dringend abgeraten, da ich der Auffassung bin, daß so kurzfristige Einschränkungen von der Bevölkerung als inkonsequent und nicht ernsthaft aufgefaßt werden. –

Im übrigen verweise ich auf mein Telegramm Nr. 1000[9] vom 31.8.43, in dem ich Vorfälle gemeldet habe, die in der Tagesmeldung des Befehlshabers nicht erwähnt werden.

Best

3. Joachim von Ribbentrop an Werner Best 1. September 1943

Best fik ved et sent og efter sagens betydning kort natligt telegram ordre om at få dannet en upolitisk regering. Det indebar også, at Best fortsatte i stillingen.

Senere på natten blev telegrammet fulgt op af endnu et i samme sag (Hæstrup, 1, 1966-71, s. 52, 55, Thomsen 1971, s. 171, Herbert 1996, s. 357).

Kilde: PA/AA R 29.567. RA. pk. 203. LAK, Best-sagen (afskrift). PKB, 13, nr. 426.

6 Jfr. Hauerbach 1945, s. 23.

7 Tysk politi overtog 29. august 1943 Horserødlejren og brugte den til maj 1945.

8 Se Grundherrs optegnelse 24. september 1943.

9 bei Pol. VI (V.S.). Trykt ovenfor.

Telegramm

Sonderzug, den	1. September 1943	01.20 Uhr
Ankunft, den	1. September 1943	02.50 Uhr

Nr. 1294 vom 31.8.[43.]

Citissime!
Wolfschanze, den 31.8.1943.

Diplogerma Kopenhagen
Für M[inisterial] D[irektor] Best.

Ich bitte Sie, von den beiden in Ihrem Telegramm Nr. 995[10] vom 30.8. erwähnten Möglichkeiten der Neuordnung in Dänemark die erste vorzubereiten, nämlich die Bildung eines unpolitischen Kabinetts, das vom dänischen Reichstag mit umfassenden Ermächtigungen ausgestattet wird, um auf unseren Wunsch alle erforderlichen Maßnahmen treffen zu können.

Ribbentrop

Vermerk:
Unter Nr. 1164 an Diplogerma Kopenhagen weitergeleitet.
Berlin, 1.9.1943
Pers. Ch. Tel.

4. Joachim von Ribbentrop an Werner Best 1. September 1943

Det andet natlige telegram fra førerhovedkvarteret er rimeligvis fulgt efter en samtale mellem Hitler og Ribbentrop. Her blev Bests fremtidige rolle uddybet og yderligere præciseret. Der var tilsyneladende intet videre nyt deri, bortset fra at en ny regeringsdannelse skulle finde sted, som allerede dikteret i det foregående telegram, og at Best fortsat skulle regulere økonomi og erhvervsliv.

Best havde overlevet krisen, men hans rolle var blevet diskuteret, og det var besluttet, at han trods den militære undtagelsestilstand skulle varetage meget væsentlige politiske og erhvervsmæssige opgaver. Det var en reel desavouering af WB Dänemark, der forventeligt alene skulle have haft fuld kontrol med situationen under den militære undtagelsestilstand og i bedste fald have haft Best som underordnet. Nu forblev de reelt set sideordnede i en meget kritisk situation, og Best blev ikke frataget initiativet, selv om hans politik i én forstand havde spillet fallit.

Kanstein pegede i en efterkrigsforklaring 12. november 1946 på, at Best nogle dage efter 29. august 1943 fik et telegram fra Ribbentrop om, at han trods undtagelsestilstanden skulle fortsætte som befuldmægtiget, og at von Hanneken blev informeret derom af OKW (LAK, Best-sagen). Det var ikke et tilfælde, at Kanstein opholdt sig ved dette forhold, idet han 28. august var blevet udnævnt til chef for WB Dänemarks civilforvaltning.[11] Betydningen af denne stilling blev stærkt beskåret ved, at Best fortsatte som befuldmægtiget med væsentlige beføjelser, hvilket bidrog til at forværre forholdet mellem dem.

Best var heller ikke blind for sine muligheder, som det vil fremgå i det følgende af hans nye initiativer

10 bei Pol VI. Trykt ovenfor.

11 Von Hanneken havde 29. august i en tale til de danske departementschefer til slut gjort opmærksom på, at Kanstein under undtagelsestilstanden på tysk side ville have ledelsen af civilforvaltningen. Dog kom Kanstein kun til at spille en marginal og tidsmæssigt begrænset rolle i den funktion, bl.a. at overrække meddelelser fra von Hanneken til den danske administration (Kansteins forklaring 12. november 1946 (LAK, Best-sagen), Frisch, 3, 1945-48, s. 18, Kirchhoff, 2, 1979, s. 456).

i løbet af september. Overfor Nils Svenningsen udtalte han også 5. september, at selv om WB Dänemark havde den udøvende magt, så havde han dog selv stadig fuldmagter til at handle på det politiske og det økonomiske område, og det var hans hensigt skridt for skridt igen at få større indflydelse på disse områder (PKB, 4, s. 314).

Kilde: PA/AA R 29.567. RA pk. 203. LAK, Best-sagen (afskrift). PKB, 13, nr. 427. ADAP/E, 6, nr. 268.

Telegramm

Sonderzug, den	1. September 1943	03.15 Uhr
Ankunft, den	1. September 1943	03.55 Uhr

Nr. 1296 vom 31.8.[43.]

Wolfschanze, den 31. August 1943.

1.) G.-Schreiben Berlin
2.) Diplogerma Kopenhagen

Für den Reichsbevollmächtigten.
Auf Grund einer Entscheidung des Führers tragen Sie als Bevollmächtigter des Reiches auch während des Bestehen des militärischen Ausnahmezustandes die politische Verantwortung in Dänemark.

Daraus ergibt sich insbesondere, daß es allein Ihre Sache ist, eine an die Stelle der bisherigen dänischen Regierung tretende neue Zentralinstanz zu bilden und ihr die politischen Weisungen zu geben, die Beziehungen zum Königshaus zu regeln, Presse und Rundfunk zu leiten und die Wirtschaft Dänemarks zu regeln.[12] Sie haben zur gegebenen Zeit Vorschläge darüber zu machen, wie die politische Entwicklung in Dänemark gestaltet werden soll und ob und wann Änderungen an dem jetzigen Ausnahmezustand eintreten sollen.

In allen Fragen, in denen die von Ihnen auf Grund Ihrer politischen Verantwortung beabsichtigten Maßnahmen die militärischen Belange oder die sich aus dem militärischen Ausnahmezustand ergebenden besonderen Exekutivmaßnahmen des deutschen Militärbefehlshabers und sein diesbezügliches Verordnungsrecht zur Aufrechterhaltung von Ruhe und Ordnung berühren, haben Sie sich mit dem Militärbefehlshaber ins Benehmen zu setzen. Wird ein Einvernehmen nicht erzielt, ist die Entscheidung über das Auswärtige Amt herbeizuführen.

Das Oberkommando der Wehrmacht wird dem deutschen Militärbefehlshaber eine entsprechende Weisung zugehen lassen.

Ribbentrop

Vermerk:
Unter Nr. 1165 an Diplogerma Kopenhagen weiter geleitet.
Berlin, 1.9.1943
Pers. Ch. Tel.

12 Det sidste indebar ikke, at Best overtog de tysk-danske regeringsudvalgsforhandlinger. Ebner beklagede 20. oktober 1943 over for AA, at ordren til Best vedrørende erhvervslivet ikke var kommet tidligere.

5. Kriegstagebuch/Seekriegsleitung 1. September 1943

Situationen i Danmark var uforandret. Skaderne på "Niels Juel" var blevet undersøgt, skibet ville kunne bjærges på 20-25 dage. Der var for øjeblikket ingen mulighed for at videreføre Sundbevogtningen. Wurmbach havde haft kontakt med admiral Vedel. Det måtte anses for udelukket at få en del af den danske marine til at genoptage sin virksomhed, hvorfor minerydningen måtte etableres på halvmilitær eller civil basis.

Kilde: KTB/Skl 1. september 1943, s. 11f.

[...]
Eigene Lage:
[...]
Lage Dänemark unverändert. Auf allen Werften wird voll gearbeitet. Ausnahmezustand ist weiter aufgelockert. K.i.A. Nord- und Südjütland haben Standgerichte eingerichtet.

MOK Ost hat Untersuchungsergebnis der Schäden von "Niels Juel" gemeldet. Nach Taucherbericht sind vermutlich infolge Bombendetonation geringfügige Leckagen und schwache Einbeulungen zwischen den Spanten eingetreten. MOK Ost hält Versicherung dänischen Kommandanten für zutreffend, daß das Schiff nach vorsätzlichem Aufsetzen mit ca. 16 sm Fahrt durch Öffnen der Bodenventile und der Schotten geflutet wurde. Sprengungen sind nicht vorgenommen. Bergung wird in 20-25 Tagen für durchführbar gehalten (s. Fs. 1123).

MOK Ost meldet im einzelnen die von dänischer Kriegsmarine bisher durchgeführten kriegswichtigen Aufgaben, von denen die militärische Sundbewachung nunmehr unter allen Umständen fortfällt, da keine Möglichkeit besteht, künftige Fahrzeuge mit dänischer Besatzung hierfür einzusetzen. (s. Fs. 1148).

Weiter übermittelt MOK Ost folgende Meldung von Adm. Dänemark:

"1.) Dän. Marine arbeitete bisher absolut loyal in unserem Interesse. Fühlt sich daher in ihrer Ehre besonders empfindlich getroffen. Halte z.Zt. jeden Versuch, sie zur Wiederaufrichtung einer Restmarine zu veranlassen, für aussichtlos. Bestimmt mit Ablehnung zu rechnen. Diese Auffassung durch vorsichtiges, ganz kurzes Berühren der Frage mit Adm. Vedel erhärtet, der jeden Gedanken dieser Art weit von sich weist.

2.) Durchführung bisherigen dän. Minensuchdienstes erscheint nur möglich auf halbmilitärischer (Wasserschutzpolizei) oder ziviler Basis. In dieser Richtung anläuft Klärung.

3.) Leuchtfeuer und Seezeichendienst erfährt zunächst keine Unterbrechung. Zivile Regelung wahrscheinlich unschwer zu erreichen."

[...]

6. Werner Best an das Auswärtige Amt 2. September 1943

Dagsindberetning om situationen i Danmark.

Kilde: PA/AA R 29.567. RA, pk. 203.

Telegramm

Kopenhagen, den	2. September 1943	10.10 Uhr
Ankunft, den	2. September 1943	11.15 Uhr

Nr. 1005 vom 2.9.[43.] Citissime!

Ich bitte, die folgenden Meldungen unverzüglich dem Herrn Reichsaußenminister zuzuleiten:

1.) In der Nacht vom 1. zum 2. September 1943 ist bei Silkeborg die Bahnstrecke nach Wesenbro und nach Svebeck durch Sabotage (Sprengung) beschädigt worden.[13]
2.) In der Nacht vom 1. zum 2. September 1943 ist in Kopenhagen versucht worden, Brandbomben auf das Dach der Metallwarenfabrik "Ambi" zu werfen. Die Bomben entzündeten sich nicht.[14]
3.) In Esbjerg sind durch einen Beamten meiner dortigen Außenstelle 9 Saboteure ermittelt und festgenommen worden.[15]
4.) Der Befehlshaber der deutschen Truppen in Dänemark hat am 1. September 1943 die folgende Tagesmeldung erstattet: "2 Sabotagefälle: 1.) bei Aarhus Bahnsprengung, keine Transportbehinderung, 2.) Beschädigung dänischen Dampfers Hafen Kopenhagen durch Sprengung. Sonst im allgemeinen ruhig." (Ich verweise hierzu auf meine Telegramme Nr. 1000[16] vom 31. August und 1002[17] vom 1. September.)

Dr. Best

7. Werner Best an das Auswärtige Amt 2. September 1943

Dagsindberetning med omtale af bl.a. de danske gesandters stillingtagen efter 29. august.

Best forudsagde, at det danske gesandtskab i Stockholm ville komme til at danne skole, hvilket han fik ret i. Fire danske gesandter besluttede efter 29. august at handle på egen hånd (se telegrammerne nr. 1024, 6. september, nr. 1026, 7. september og nr. 1058, 14. september 1943 og Svenningsen 1970, s. 232).

Kilde: PA/AA R 29.567. RA, pk. 203. LAK, Best-sagen (afskrift).

Telegramm

Kopenhagen den	2. September 1943	13.50 Uhr
Ankunft, den	2. September 1943	15.00 Uhr

Nr. 1007 vom 2.9.[43.] Citissime!

Ich bitte, die folgenden Meldungen unverzüglich dem Herrn Reichsaußenminister zuzuleiten:

13 De to lokaliteter er henholdsvis Resenbro og Svejbæk. Fra tysk side reagerede man meget voldsomt på sabotagen. Først var det på tale at tage gidsler, påfølgende at beslaglægge alle radioapparater i byen, men det endte med lukning af alle forlystelser. De forblev lukkede til 14. september (von Hannekens optegnelser 2. og 3. september 1943 (Drostrup 1997, s. 336), Horskjær 1984, s. 84).

14 Det var BOPA, der forsøgte sabotage mod "Ambi" i Ryesgade (Kjeldbæk 1997, s. 467).

15 Det var medlemmer af en kommunistisk sabotagegruppe i Esbjerg, der blev anholdt. Flere anholdelser fulgte i de følgende dage (Trommer 1973, s. 123, Bests telegram nr. 1022, 5. september og nr. 1080, 17. september 1943).

16 bei Pol VI. Trykt ovenfor.

17 bei Pol VI. Trykt ovenfor.

1.) Der dänische Gesandte in Stockholm I.C.W. Kruse hat an das dänische Außenministerium das folgende Telegramm gerichtet:

"Da Seine Majestät der König auf Grund der Maßnahmen der deutschen Militärbehörden verhindert ist, seine verfassungsmäßigen Funktionen auszuüben und die konstitutionelle Regierung aufgehört hat zu fungieren, muß ich unter diesen Umständen mich als freigestellt von der Ausübung meiner Amtspflichten und der Wahrnehmung der dänischen Interessen in Schweden betrachten in Übereinstimmung mit den Voraussetzungen meiner Entsendung als dänischer Gesandter nach Stockholm. Die Beamten bei der Gesandtschaft Legationsrat E. Torp Pedersen und Legationssekretär A. Hessellund-Jensen treten dem Vorstehenden voll bei."

Von anderen dänischen Gesandtschaften liegen noch keine Nachrichten vor. Es ist aber zu erwarten, daß das Beispiel der wichtigen Stockholmer Gesandtschaft Schule machen wird. Es ist nach meiner Auffassung nicht ratsam, das dänische Außenministerium zu einer Einwirkung auf diese Gesandtschaften zu veranlassen, weil hierfür von unserer Seite Erklärungen über die Stellung des Königs und über die Aufrechterhaltung verfassungsmäßiger Zustände gegeben werden müßten, die politisch untunlich wären. Die Errichtung neuer Gesandtschaften kann erst ins Auge gefaßt werden, wenn die Regierungsfrage gelöst ist.

2.) Am heutigen Vormittag fand in dem Haus J.M. Thielesvej 13 in Kopenhagen eine Explosion statt, durch die zwei Dänen leicht verletzt wurden. In diesem Hause waren am 25.8.43 zwei Saboteure, die mit Sprengstoff experimentiert, sowie bei der Untersuchung ein Polizeibeamter und ein Mann vom Rettungskorps durch Explosionen getötet worden. Das Haus war daraufhin evakuiert worden. Die heute verletzten Männer sind ein mit der Untersuchung des Hauses beauftragter Ingenieur und sein Gehilfe.[18]

3.) Nach Meldungen meiner Außenstellen haben die Ortkommandanten einzelner Städte – z. B. Aalborg und Aarhus – die Sperrstunde für den Nachtverkehr wieder vorverlegt, weil sie dies nach den Erfahrungen der erfolgten Lockerung für erforderlich hielten. Ich verweise hierzu auf Ziffer 3 meines Telegramms Nr. 1002 vom 1.9.43.[19]

Dr. Best

8. Andor Hencke an Werner von Grundherr 2. September 1943

Hencke videregav et uddrag af en længere skildring af forholdene i Danmark, som han havde modtaget. Beretterens navn omtales ikke, men det er en person, der var meget sympatisk indstillet over for den af Best førte politik, og som mente, at den militære undtagelsestilstand havde været unødvendig. Personen kendte indgående til Bests henvendelser til socialdemokrater og fagforeningsfolk for at få strejkebevægelsen standset, ligesom sabotagernes skade for den tyske værnemagt blev betragtet som ringe. Det danske politi

18 SOE havde deponeret sprængstof i lejligheden. Depotet sprang i luften og dræbte i første omgang SOE-agenten Erik Boelskov og en modstandsmand fra Slagelse, Teddy Pedersen. Nogle dage efter blev yderligere to personer hårdt såret ved en eksplosion under gennemgang af lejligheden (Kieler, 2, 1993, s. 58 med der anf. henvisninger, KB, Bergstrøms dagbog 25. og 27. august og 2. september 1943).

19 Trykt ovenfor.

havde i visse tilfælde svigtet under urolighederne, men det var forståeligt fra et dansk synspunkt. Med undtagelsestilstanden havde von Hanneken fået det, som han ville, og det var opfattelsen i den danske befolkning, at han var skyld i, at det var kommet dertil. En ny dansk regering kunne næppe bringes på benene, og at bringe Frits Clausen på bane blev betragtet som helt udelukket. Best ville være den bedste til at få de danske myndigheder til at samarbejde, og den danske leveringsvillighed var ikke blevet mindre i de seneste måneder – tværtimod.

Skildringen er givetvis udarbejdet af en Best nærtstående person i eller med tilknytning til Det Tyske Gesandtskab (kilden er anvendt af Kirchhoff, 2, 1979 s. 451f. uden forsøg på identificering af den skrivende).

Kilde: RA, pk. 203.

U.St.S. Pol. Nr. 496 *Berlin, den 2. September 1943.*

Von einem Vertrauensmann habe ich die nachstehende Schilderung der Lage in Dänemark erhalten:

" ... Die Verhängung des militärischen Ausnahmezustandes geschah zu einem Zeitpunkt, als die Voraussetzungen für die Verhängung schon nicht mehr bestanden. Es darf, wenn man die Haltung der Dänen richtig verstehen will, nicht übersehen werden, daß am Sonnabend, dem 28. August d.J., die in den verschiedensten Städten in Dänemark ausgebrochenen Streiks, mit Ausnahme eines Teilstreiks in Aalborg, praktisch beendet waren und mit der Wiederaufnahme der Arbeit am Montag gerechnet werden konnte. Die Streikbewegung in den einzelnen Städten war, wie fast immer in solchen Fällen, aus kleinen Zwischenfällen entstanden, die sich nun einmal in einem besetzten Lande nicht vermeiden lassen. Ich glaube gerecht zu sein, wenn ich nach Untersuchung der einzelnen Vorfälle behaupte, daß die Schuld an dem Überhandnehmen der Streikbewegung in gleichem Masse die aufgehetzten dänischen Arbeiter, wie die übergriffslustigen deutschen Wehrmachtsangehörigen trifft. Es würde zu weit führen, hier alle Einzelheiten aufzuzählen, aber im großen und ganzen dürfte diese Schuldzumessung das Richtige treffen. Alle diese Streikbewegungen, die fast jede dänische Stadt nach und nach ergriffen hatten, wurden im wesentlichen beigelegt durch die geschickte Politik des Reichsbevollmächtigten, der zu diesem Zwecke sehr erfolgreich mit den Führern der dänischen Gewerkschaften und der dänischen Sozialdemokratie zusammenarbeitete, durch die Einsicht der Dänischen Regierung, diese Streiks unter Anwendung aller verfügbaren friedlichen Mittel zum Aufhören zu bringen, sowie durch die mit großem Geschick arbeitenden Sonderkommissionen deutsch-dänischer Beamter, in den von Streik bedrohten Städten. Diese drei Faktoren bewirkten, zusammen mit fortgesetzten Aufrufen aller dänischen offiziellen und offiziösen Stellen, daß die Arbeitsruhe am Ende der vergangenen Woche tatsächlich wieder eingekehrt war. Durch die Aufklärungsarbeit besonders der Gewerkschaftsführer und der sozialdemokratischen Vertrauensleute war die Arbeiterschaft außerdem hinreichend darüber aufgeklärt worden, daß sie das Opfer englischer Provokateure geworden seien, die mit kommunistischer Unterstützung als zahlenmäßig geringe Clique die große Masse mit in diese allgemein als Unglück angesehene Streikbewegung hineingerissen hatten. Aus dieser Erkenntnis konnte mit Recht geschlossen werden, daß weitere umfassende Streikbewegungen nicht mehr auftreten würden. Die Behörde des Bevollmächtigten des Reichs konnte daher am Ende der vergangenen Woche mit Erleichterung und Ruhe der kommenden Zeit entgegensehen.

Ein weiterer Grund für die Verhängung des militärischen Ausnahmezustands waren die zahlreichen Sabotagefälle, die anscheinend auch besonders bei den Beratungen im Hauptquartier eine große Rolle gespielt haben. Es ist hierzu zu sagen, daß der durch diese Sabotagefälle angerichtete Schaden in den wenigsten Fällen, und dann auch nur in ganz unbedeutendem Umfang, die deutsche Wehrmacht betraf und daß ferner nach den uns hier vorliegenden Unterlagen die Anzahl der hiesigen Sabotagefälle weit unter dem Durchschnitt anderer Länder liegt. Trotz allem muß zugegeben werden, daß die dänische Polizei bei der Verfolgung dieser Fälle und der Täter in vielen Fällen versagt hat, wie sie es ja auch bei den periodisch auftretenden Straßenunruhen in Kopenhagen selbst an der nötigen Energie hat fehlen lassen. Dieser Vorwurf muß der dänischen Polizei gemacht werden, die in ihren unteren Organen offensichtlich sehr empfänglich für die englische Propaganda war. Ob dieses teilweise Versagen allein die Verhängung des militärischen Ausnahmezustandes begründen konnte, steht dahin. In dänischen Augen jedenfalls nicht. Sollten andere, insbesondere militärische Gründe, für die Verhängung des Ausnahmezustandes maßgebend gewesen sein, so wäre es auch in diesem Falle, wie in vielen anderen Fällen der Vergangenheit, besser gewesen, diese wahren Gründe zu nennen, denen sich auch das dänische Volk gebeugt hätte. Wie bei den meisten anderen Völkern verträgt es auch das dänische Volk nur schlecht, wenn ihm für einschneidende Maßnahmen schlechte Begründungen gegeben werden.

Der militärische Ausnahmezustand gestattete dem Befehlshaber der deutschen Truppen endlich die Durchführung eines alten Wunsches von ihm, nämlich die Entwaffnung der dänischen Wehrmacht. In allen Bevölkerungskreisen Dänemarks wird diese im übrigen verhältnismäßig reibungslos verlaufene Entwaffnung als ein offener Bruch des am 9. April 1940 gegebenen Versprechens betrachtet. Die Reaktion ist entsprechend. Während das Vorhandensein eines dänischen Heeres mit einer Maximalstärke von 2-3.000 Mann mit minimaler Bewaffnung dem großdeutschen Reich wohl weder Schaden noch Nutzen bringen konnte, und daher die Auflösung des dänischen Heeres von uns, wenn man nun einmal diesen Entschluß gefaßt hatte, gleichgültig aufgenommen werden kann, so bedeutet die Entwaffnung der dänischen Marine und die damit in Zusammenhang stehende Versenkung bezw. Flucht ihrer Einheiten eine erhebliche Dezimierung der uns zur Bewachung der Küste und Fahrwässer zur Verfügung stehenden Einheiten. Ich brauche sie im einzelnen nicht aufzuführen, denn Sie kennen sie ja.

Die Reaktion im dänischen Volke ist, wenn sie naturgemäß auch unter den scharfen Bestimmungen des militärischen Ausnahmezustandes nicht offenkundig wird, sehr stark und geht in die Tiefe. Man darf hierbei nicht vergessen, daß das dänische Volk, ich möchte sagen bis zu 98 %, das Treiben der Saboteure aus innerstem Herzen abgelehnt hat und daher scharfen Maßnahmen, die sich auf dieses eine Ziel erstreckten, nämlich die Unterbindung der Tätigkeit der Saboteure, durchaus zugestimmt hätte. Es steht jedoch verständnislos der heutigen Entwicklung gegenüber, insbesondere der Entwaffnung der dänischen Wehrmacht. Man glaubt in diesem deutschen Vorgehen den Beweis dafür gefunden zu haben, daß man deutscherseits trotz aller Hoffnung doch nicht gewillt ist, die einmal gegebene Versprechung zu halten, und fühlt sich nunmehr in demselben Boot sitzend wie Holland, Belgien etc. Aus dieser Einstellung heraus darf man sich auch über die Ruhe der ersten Tage der Verhängung des Ausnahmezustandes nicht täuschen lassen. Es ist ein wirklich sehr naiver Gedanke, wenn man an gewissen deutschen Stellen glaubt, noch eine Dänische Regierung bilden zu können. Sollte der Ausnahmezustand wieder aufgehoben werden, so ist die Regierung des Landes lediglich möglich mit Hilfe von eingesetzten dänischen Kommissaren, die in die einzelnen Ministerien eingesetzt werden. Hierzu haben sich auch die dänischen Beamten grundsätzlich bereit erklärt. Eine Dänische Regierung wird man jedoch nach dem Vorgefallenen nicht mehr auf die Beine stellen können. Ich schalte hierbei eventuelle Überlegungen, Fritz Clausen wieder heranzuziehen, aus, da ein derartiger Schritt das völlige Chaos und die Verweigerung der Mitarbeit aller dänischen Beamten mit sich bringen würde. Der Reichsbevollmächtigte Dr. Best hat, wie ich aus kürzlichen Gesprächen mit den verschiedensten Kreisen der dänischen Bevölkerung habe feststellen können, nach wie vor das Vertrauen weitester dänischer Kreise. Die Entwicklung der Dinge schreibt man nicht ihm, sondern dem Befehlshaber der deutschen Truppen in Dänemark zu. Durch seine Fühlungnahme mit allen maßgebenden dänischen Kreisen, durch den persönlich sehr starken Eindruck, den er in diesen Kreisen gemacht hat, liegt in seiner Person eine gewisse Gewähr für ein fortgesetztes Zusammenarbeiten zwischen deutscher Behörde und den maßgeblichen dänischen Kreisen. Es wird sehr langer Arbeit bedürfen, um nach den Ereignissen der letzten Tage ein vernünftiges Verhältnis in der Zusammenarbeit wieder herzustellen, um das in fast jedem Sektor zerschlagene Porzellan wieder zusammenzuflicken. Ob dies überhaupt beabsichtigt ist, entzieht sich natürlich meiner Kenntnis. Wenn es beabsichtigt ist, hätte ohne Zweifel Dr. Best auf Grund der obenerwähnten Gründe die besten Voraussetzungen zur Durchführung einer solchen Arbeit.

Von der dänischen Marine ist so gut wie nichts übrig geblieben. Von den 12 U-Booten haben sich 9 gesprengt und dann versenkt, die restlichen 3 sind so zerstört, daß die nicht mehr gebrauchsfähig sind. 5 Torpedoboote und 5 Küstenwachschiffe sind nach Schweden geflohen und haben außerdem noch eine Anzahl Zivilpersonen mitgenommen.

Über die Dauer des militärischen Ausnahmezustandes herrschen hier verschiedene Auffassungen. Einige Erleichterungen in den Bestimmungen sind bereits eingetreten und General Hanneken scheint der Auffassung zu sein, daß, sofern Ruhe und Ordnung nicht wieder gestört werden, der Ausnahmezustand bald wieder aufgehoben werden kann. Ich persönlich bin gegenüber der weiteren Entwicklung recht skeptisch, da auf die Dauer mit einem Nachlassen der Aktivität der Saboteure kaum gerechnet werden kann und selbst bei Wiederaufnahme der Funktion der Behörde des Bevollmächtigten des Reiches der General jederzeit teilweise oder gänzlich den Ausnahmezustand wieder einführen kann. Er wird hiervon, wie die Dinge nun einmal liegen, sicherlich auch Gebrauch machen.

Wie vermutlich in allen anderen Ländern auch, ist das Problem der Aufrechterhaltung von Ruhe und Ordnung im Lande ganz überwiegend eine Frage unserer militärischen Erfolge bezw. Mißerfolge. Es liegt auf der Hand, daß die ausgewogenste und klügste Politik dann scheitern muß, wenn die gegnerischen Kräfte Schwächezeichen entdecken, die, insgesamt gesehen, wesentlich bedeutungsvoller sind, als die Ereignisse, die sich an Ort und Stelle abspielen.

Somit ist nach wie vor die Entwicklung in Dänemark, damit Haltung und Stimmung des dänischen Volkes uns gegenüber, abhängig von den großen Ereignissen dieses Krieges. Daß die Rückschläge der letzten Monate keine größeren Auswirkungen in Dänemark gehabt haben, und die Lieferfreudigkeit des Landes nicht nur nicht gelitten hat, sondern sogar größer geworden ist, ist ausschließlich auf die vernünftige und verständnisvolle Politik, die der Reichsbevollmächtigte in Dänemark zu vertreten hatte, zurückzuführen. Gerade in dieser Beziehung sehe ich daher bei einem völligen Herumwerfen des Steuers nicht sehr hoffnungsfroh in die Zukunft."

Hiermit über Dg.Pol. Herrn Gesandten von Grundherr mit der Bitte um vertrauliche Kenntnisnahme.

(gez.) **Hencke**

9. Albert van Scherpenberg: Aufzeichnung 2. September 1943

I den for Best meget vanskelige politiske situation kom statssekretær Herbert Backe fra REM ham til undsætning ved at understrege den danske landbrugseksports betydning for Tyskland og ved at opfordre til at undgå alt, der kunne besværliggøre Bests bestræbelser på at genoprette ordnede forhold.

Se endvidere Backes brev 22. september og van Scherpenbergs optegnelse 28. september (jfr. Herbert 1996, s. 375, Brandenborg Jensen 2005, s. 359).

Kilde: PA/AA R 29.567. RA, pk. 203. PKB, 13, nr. 429.

LR v. Scherpenberg — Ha Pol 3511/43 g

A u f z e i c h n u n g

Ministerialdirektor Walter teilt mit, Staatssekretär Backe habe nach Vortrag durch ihn entschieden, daß die gegenwärtige Situation in Dänemark seitens des Reichsernährungsministeriums keinesfalls dazu benützt werden würde irgendwelche zusätzlichen Wünsche auf dem Ernährungsgebiet in Dänemark durchzusetzen. Im Gegenteil sei das Reichsernährungsministerium sogar bereit vorübergehende kleinere Stockungen, die sich aus der politischen Situation ergeben könnten, vorläufig hinzunehmen.

Herr Backe ist bei dieser Entscheidung davon ausgegangen, daß die Erhaltung der Produktionsfreudigkeit und Fähigkeit der dänischen Landwirtschaft für Deutschland von so lebenswichtiger Bedeutung sei, daß alles vermieden werden müßte, was auf diesem Gebiet zu Dauerschädigungen führen und die Bemühungen des Reichsbevollmächtigten um Wiederherstellung geordneter Verhältnisse erschweren könnte.

Hiermit über Direktor Ha Pol Herrn Staatssekretär vorzulegen.

Berlin, den 2. September 1943

10. Seekriegsleitung an OKW/WFSt u.a. 2. September 1943

I forbindelse med drøftelserne om tilladelse til at lade de danske fiskere gå på havet igen udsendte Seekriegsleitung den meget knappe melding fra REM til en række centrale kommandosteder, at dansk fiskeri stod for mellem ¼ og ⅓ af den samlede årlige tyske fiskeimport.

Meldingen var ikke ledsaget af nogen kommentarer, men det skulle stå alle modtagerne klart, hvor stor en betydning denne import havde for Tyskland. Om REM overdrev den danske eksports størrelse, skal være usagt, men det er med denne og andre samtidige initiativer fra REM klart, at det var ministeriet meget om at gøre hurtigst muligt at få normaliseret den erhvervsmæssige situation i Danmark.[20]

Kilde: BArch, RM 7/1187.

Abschrift Geheim

Fernschreiben:

1.) M AU OKM/WFSt Op (M)

2.) OKW/WFSt/Op Adm. FHQu.

3.) Genst Heer/Op Ab.

4.) Vo Marine Obdl LW Fühaz/Ia KM

5.) MOK Ost

6.) MOK Nord

7.) MOK Norwegen

8.) Gruppe Nord/Flotte

– Geheim –

Betr.: Dän. Nordseefischerei.

Lt REM liefert dän. Fischerei für Deutschland rd. 100.000 t Seefische ¼ bis ⅓ der Gesamtjahreseinfuhr. Davon werden etwa 70 % in der Nordsee gefangen.

Seekriegsleitung

1. Abt. Skl. II 26476/43 g.

11. Kriegstagebuch/Seekriegsleitung 2. September 1943

Seekriegsleitung overlod det til MOK Ost at afgøre, hvornår de danske handelsskibe og fiskere igen måtte sejle ud. Wurmbach og Best ønskede af krigsøkonomiske grunde, at MOK Nord snarest frigav fiskeriet.

Se KTB/MOK Ost samme dag og 3. september og KTB/ADM Dän 7. september 1943.

Kilde: KTB/Skl 2. september 1943, s. 38.

[...]

Feindlage:

In Esbjerg wurden 8 Saboteure durch Zugriff auf Grund Ausnahmezustandes festgesetzt, 3 sind noch flüchtig, darunter der Anführer.[21]

[...]

20 Om diskussionen om betydningen og størrelsen af den danske fiskeeksport til Tyskland, se Brandenborg Jensen 2005, kap. 12 med henvisning til tidligere forskning og samme 2008, Lund 2008 og Nissen 2008.

21 Se Bests telegram nr. 1005, 2. september 1943.

Weiter erhält MOK Ost, nachr. Gruppe Nord/Flotte, MOKs Nord, Norwegen und OKW/WFSt. Op (M) folgende Weisung:

"MOK Ost bestimmt Zeitpunkt Freigabe und veranlaßt, Wiederanlaufen dän. Handelsschiffe und Fischerei. Über Adm. Dänemark Einvernehmen mit Reichsbevollmächtigtem, außerdem betr. Freigabe Fischerei mit MOK Nord herstellen. Kriegswirtschaftliche Gründe lassen baldiges Wiederanlaufen geboten erscheinen."

[...]

12. Kriegstagebuch/MOK Ost 2. September 1943

Seekriegsleitung havde meddelt, at det var MOK Ost der skulle afgøre, hvornår dansk skibsfart og fiskeri kunne frigives og hvilke foranstaltninger, der skulle træffes. Det var af krigsøkonomisk betydning, at det skete hurtigst muligt.

Se KTB/ADM Dän 7. september 1943.

Kilde: KTB/MOK Ost 2. september 1943, RA, Danica 628, sp. 9, nr. 7199.

[...]

Skl. gibt Weisung, den Zeitpunkt zur Freigabe und die notwendigen Maßnahmen zum Wiederanlaufen der dän. Handelsschiffahrt und dän. Fischerei von hier aus zu bestimmen. Aus kriegswirtschaftlichen Gründen ist baldiges Wiederanlaufen der Schiffahrt u. Fischerei erwünscht. Adm. Dän. u. die Kübefs werden hierzu um eine Beurteilung und Vorschläge gebeten. Da sich die Lage weiter beruhigt hat, genügt h.E. eine schriftliche Loyalitätserklärung des Kapitäns auch bezügl. der Zuverlässigkeit der Besatzung und die Verpflichtung, die erforderlichen Maßnahmen auf See und im Hafen zur Verhinderung von Sabotagen zu treffen.

[...]

13. Oswald Huene an das Auswärtige Amt 2. September 1943

Den tyske gesandt i Lissabon videresendte til AA det amerikanske gesandtskabs forklaring på, at den danske regering var trådt tilbage. Angiveligt skulle England stå bag.

Kilde: LAK, Best-sagen (afskrift).

T e l e g r a m m

Lissabon, den	2. September 1943	03.10 Uhr
Ankunft, den	3. September 1943	14.45 Uhr

Nr. 3077 vom 1.9.[43.]

Erfahre aus hiesiger amerikanischer Gesandtschaft, daß Vorgänge in Dänemark als wohlgelungedes Manöver britischer Politik angesehen werden. Durch Aufreizung der dänischen Bevölkerung sollte Deutschland die Möglichkeit genommen werden, auf Dänemark als Beispiel friedlicher Zusammenarbeit mit besetztem Land hinzuweisen.

In erster Linie wäre jedoch der Zweck verfolgt worden, durch Ereignisse in Dänemark öffentliche Meinung Schwedens aufzuputschen, um dadurch gegebenenfalls militärische Zwischenfälle mit dem Ziel des Kriegseintritts Schwedens zu provozieren, wodurch geplante englische Norwegenunternehmung wesentlich Erleichert würde.

Huene

14. Werner Best an das Auswärtige Amt 3. September 1943

Den daglige situationsberetning. Best forfulgte her sin kritik af von Hannekens ændring af spærretiden. Endvidere kunne han berette, at hans grænsepoliti havde fået fat i vigtigt spionagemateriale, især fotografier af en hemmelig genstand, der var styrtet ned på Bornholm.

Det drejede sig om et eksemplar af V-1 bomben, som var i forholdsvis uskadt stand. Fotografier og tegninger af bomben nåede ad andre kanaler til England (Barfod 1975, s. 86-88).

Kilde: PA/AA R 29.567. RA, pk. 203.

Telegramm

Kopenhagen, den	3. September 1943	11.35 Uhr
Ankunft, den	3. September 1943	12.25 Uhr

Nr. 1009 vom 3.9.[43.] Citissime!

Ich bitte, die folgendem Meldungen unverzüglich dem Herrn Reichsaußenminister zuzuleiten:

1.) Aus der Nacht vom 2. zum 3.9.43 sind aus Kopenhagen vier Sabotagefälle gemeldet worden. 21.45 Uhr wurde aus einer Straßenbahn in Richtung auf eine Bahnlinie ein Sprengkörper geworfen, der keinen Schaden anrichtete. 22.35, 22.36 und 22.45 Uhr wurden drei Transformatoren in verschiedenen Stadtteilen durch Sprengkörper beschädigt.[22] Es ist bezeichnend, daß diese vier Sabotageakte innerhalb der zwei Stunden begangen wurden, um die seit dem 2. Tage des Ausnahmezustandes die Nachtverkehrssperre gegen meinen Rat verkürzt wurde. In Kopenhagen wurden 36 Personen wegen Übertretung des Nachtverkehrsverbotes von der dänischen Polizei festgenommen.
2.) Aus dem ganzen Lande außerhalb Kopenhagen melden meine Außenstellen völlige Ruhe.
3.) Der Befehlshaber der deutschen Truppen in Dänemark hat für den 2.9.43 die folgende Tagesmeldung erstattet:
   "Bei Silkeborg zwei Bahnsprengungen. Verschärfter Ausnahmezustand dort angeordnet.

22 Der er registeret fire sabotager mod transformatorer denne nat i København: Finsensvej 106, Flintholms Allé 23, Borups Allé og Ane Katrinesvej 30-32, hvor Holger Danske stod for de tre første (Alkil, 2, 1945-46, s. 1220, Birkelund 2008, s. 671).

In Assens (Fünen) bei einem Kommunisten 60 Sprengkörper mit je 300 Pulversprengstücken gefunden und sichergestellt. Täter festgenommen.

Auf Bornholm ein dänisches Waffen- und Ausrüstungslager von kleiner Bande angegriffen. Angriff abgewehrt. Lager wird nach Kopenhagen überführt. Sonst keine besonderen Vorkommnisse."

Zu Silkeborg verweise ich auf ein Telegramm Nr. 1005 vom 2.9.43.[23] Über die beiden anderen Fälle habe ich keine eigenen Meldungen. Wenn ich näheres erfahre, berichte ich weiter.

4.) Einem Beamten meines Grenzpolizeipostens in Helsingör ist es gelungen, wichtiges Spionagematerial, das nach Schweden gebracht werden sollte, zu erfassen. Neben Angaben über die deutschen Truppen in Dänemark und die hiesigen Sicherungsbereiche handelt es sich insbesondere um die Fotografie eines Geheimgegenstandes, der kürzlich – von der deutschen Ostseeküste kommend – auf der Insel Bornholm niederging.[24]

Dr. Best

15. Werner Best an Joachim von Ribbentrop 3. September 1943

Best rykkede i henhold til sit ønske oversendt 1. september om at få den til ham tildelte leder af sikkerhedspolitiet udsendt hurtigst muligt, så videre foranstaltninger kunne forberedes.

Best foregreb her, at hans ønske ville blive opfyldt og tillige, at den pågældende politichef blev underlagt ham (Rosengreen 1982, s. 41, Lundtofte 2003, s. 37f.). Svaret til Best er ikke lokaliseret, men der blev kommanderet en chef for tysk sikkerhedspoliti til Danmark, se Geiger til Sonnleithner 18. september og Bests telegram nr. 1097, 20. september 1943 til AA.

Kilde: PA/AA R 29.567. RA, pk. 203, 233 og 438a. LAK, Best-sagen (afskrift).

Telegramm

Kopenhagen, den	3. September 1943	13.00 Uhr
Ankunft, den	3. September 1943	13.50 Uhr

Nr. 1010 vom 3.9.[43.] Citissime!

Für Herrn Reichsaußenminister persönlich.
Unter Bezugnahme auf mein Telegramm Nr. 1001 vom 1.9.43[25] bitte ich, zu veranlassen, daß möglichst sofort der mir zuzuteilende Befehlshaber der Sicherheitspolizei hierher entsandt wird, um die Einrichtung der neuen Polizeistation und alle sonst zu treffenden Maßnahmen vorzubereiten.

Dr. Best

23 Trykt ovenfor.
24 Best kunne af sikkerhedshensyn ikke nævne den hemmelige genstands navn.
25 Trykt ovenfor.

16. Werner Best an das Auswärtige Amt 3. September 1943

Best viderebragte indholdet af von Hannekens bekendtgørelse om våbenbesiddelse og oplyste, at generalen igen havde ændret spærretiden til kl. 21.

I Berlin skulle man bibringes den opfattelse, at Best var bedre til at sætte sig ind i situationen, idet han havde ret i sin tidligere forudsigelse om spærretiden.

Kilde: PA/AA R 29.567. RA, pk. 203.

Telegramm

Kopenhagen, den	3. September 1943	20.15 Uhr
Ankunft, den	3. September 1943	22.55 Uhr

Nr. 1015 vom 3.9.[43.] Citissime!

Ich bitte, die folgenden Meldungen unverzüglich dem Herrn Reichsaußenminister zuzuleiten:

1.) Der Befehlshaber der deutschen Truppen in Dänemark hat heute mit meiner Zustimmung die folgende Bekanntmachung über die Ablieferung von Schußwaffen, Munition und Sprengstoffen erlassen:[26]

"Auf Grund meiner Bekanntmachung vom 29. August 1943 über die Verhängung des Ausnahmezustandes in Dänemark ordne ich an:

Bis zum 7. September 1943 sind alle noch in dänischem Privatbesitz befindlichen automatischen und Handfeuerwaffen (Maschinengewehre, Maschinenpistolen, Gewehre, Pistolen, Revolver) einschließlich der dazugehörigen Munition bei der nächsten Dienststelle der dänischen Polizei abzuliefern.

Von der Ablieferungspflicht werden ausgenommen:

1.) Waffen, die mit polizeilicher Genehmigung zur Ausübung der Jagd benutzt werden.

2.) Kleinkaliber und Luftbüchsen bis zum Kaliber 6 mm ohne gezogenen Lauf.

3.) Waffen, die von den zur Bewachung von Wirtschaftsbetrieben, Eisenbahnanlagen usw. eingesetzten Wachmannschaften benutzt werden.

Bei den gleichen Dienststellen und bis zu demselben Zeitpunkt sind alle in dänischem Privatbesitz befindlichen Handgranaten, Bomben, Sprengmittel und Sprengstoffe abzuliefern. Hiervon ausgenommen werden behördlich angemeldete und nach den behördlichen Vorschriften gesicherte Sprengstofflager.

Wer die obengenannten Waffen, Munition und Sprengstoffe bis zum 7. September 1943 abliefert, geht straffrei aus. Wer nach dem 7. September 1943 im Besitz dieser Waffen, Munition und Sprengstoffe angetroffen wird, hat die Todesstrafe zu erwarten."

2.) Der Befehlshaber der deutschen Truppen in Dänemark hat für die Stadt Kopenhagen und für andere Städte die Nachtsperrzeit wieder auf 21 Uhr vorverlegt.

3.) Die Mannschaft des dänischen Dampfers "Erindring," der mit einer für Dänemark bestimmten Holzladung von Schweden nach Kopenhagen fuhr, hat in der Nähe

26 Trykt hos Alkil, 2, 1945-46, s. 843.

der schwedischen Küste den Kapitän des Schiffes mit Waffengewalt zum Halten gezwungen und hat geschlossen mit Ausnahme des ersten Offiziers und des leitenden Ingenieurs in Booten das Schiff verlassen. Das Schiff liegt vorläufig bewegungsunfähig vor der schwedischen Küste.[27]

Dr. Best

17. Kriegstagebuch/MOK Ost 3. September 1943

MOK Nord var af den opfattelse, at der skulle gå 14 dage, før det danske fiskeri kunne gives fri, for at sikre skærpede kontrolforanstaltninger. På grund af den anspændte ernæringssituation besluttede Seekriegsleitung at frigive fiskeriet, selv om ulemperne ved den manglende kontrol måtte tages med i købet.

Se KTB/ADM Dän 7. september 1943.

Kilde: KTB/MOK Ost 3. september 1943, RA, Danica 628, sp. 9, nr. 7199f.

[...]

OKM 1. Skl. drahtet auf Stellungnahme MOK Nord, wonach die neue innerpolitische Lage Dänemarks für die Wiederausübung der Fischerei eine schärfere Kontrolle zur Wahrung der militärischen Belange erfordert und bis dahin eine Frist von 14 Tagen zum Anlaufen der Kontrollmaßnahmen in Kauf genommen werden müsse, daß wegen der allgemein angespannten Ernährungslage diese Frist nicht tragbar sei. Skl. hat daher baldiges Ingangsetz[ung] der dän. Fischerei angeordnet unter Inkaufnahme entsprechender Nachteile durch die zunächst noch unvollständige Durchführung verschärfter militärischer Kontrolle.

[...]

18. MOK Ost an Seekriegsleitung 4. September 1943

MOK Ost havde indhentet Wurmbachs indstilling til flakbevæbning af de danske handelsskibe. Han frarådede det på grund af konsekvenserne både i forhold til danskerne og Danmarks folkeretlige stilling. MOK Ost bad om Seekriegsleitungs beslutning (jfr. KTB/MOK Ost 4. september 1943 (RA, Danica 628, sp. 9, nr. 7201)).

Seekriegsleitungs svar er ikke lokaliseret, men flakbevæbning blev ikke indført.

Kilde: BArch, Freiburg, RM 7/1187. RA, Danica 628, sp. 7, nr. 5359f.

+SSD MKOZ 679819 4/9 1017=
SSD OKM 1 Skl= Geheim

Betreffend Flakbewaffnung auf dänischen Handelsschiffen nimmt Adm Dän wie folgt Stellung.

Betr: Flakbewaffnung dän. Handelsschiffe

Hiesiger Vertreter REIKO SEE abrät von Flakbewaffnung aus folgenden Gründen:

1.) Bei letzten Verhandlungen waren Gewerkschaften entschlossen, bei Durchführung

27 Der foreligger ikke nærmere oplysninger om dette skibs skæbne.

Flakbewaffnung Fahrt einzustellen, Widerstand kann unter Ausnahmezustand durch Gewalt natürlich gebrochen werden, woraus sich aber für Zukunft keine erträgliche Zusammenarbeit ergeben dürfte. Mit Zunahme Sabotagegefahr wäre zu rechnen. Auf unvermeidliche Reaktion bei dän. Seeleuten in deutschen Diensten wurde besonders hingewiesen.

2.) Heutiger völkerrechtlicher Status Dänemark müßte vor Inangriffnahme Flakbewaffnung geklärt sein. Falls Beibehaltung Flagge und Neutralitätsabzeichen beabsichtigt, sind Schwierigkeiten mit Besatzungen unvermeidbar. Ausschaltung Flagge und Neutralitätsabzeichen schwierig, da Handelsschiffe dän. Eigentum verbleiben.

3.) Laut Meldung dän. Kapitäne Flakbewaffnung bei norw. Schiffen nur Teilweise durchgeführt.

4) Bish. Verluste verhältnismäßig gering (1446 Reisen, 7 Bombentreffer auf dän. Schiffe, wovon 3 verloren).

Um Entscheidung wird gebeten.

MOK Ost/Führstab

0830 A Eins K+

19. Werner Best an das Auswärtige Amt 4. September 1943

Samtidig med fremsendelsen af dagsrapporten orienterede Best om sin indstilling til, hvornår de internerede danske soldater skulle frigives. Endnu engang anslog han den hårde linje; den nye kurs skulle indebære angst for de interneredes skæbne som pressionsmiddel over for de danske myndigheder og den danske befolkning.

Der var på dette for Kriegsmarine vigtige punkt ikke fodslag mellem Wurmbach og Best.

Kilde: PA/AA R 29.567. RA, pk. 203. LAK, Best-sagen (afskrift).

Telegramm

Kopenhagen, den 4. September 1943 13.35 Uhr
Ankunft, den 4. September 1943 14.15 Uhr

Nr. 1017 vom 4.9.[43.] Citissime!

Ich bitte, die folgenden Meldungen unverzüglich dem Herrn Reichsaußenminister zuzuleiten:

1.) Aus der Nacht vom 3. zum 4.9.1943 sind aus Skagen 3 Sabotagefälle gemeldet worden: Eine Garage mit Kraftwagen dänischer Behörden ist abgebrannt. Ein Lastkraftwagen ist in einer Straße in Brand gesteckt worden, ob er für deutsche Interessen fuhr, ist noch nicht festgestellt. In dem Skagener Lotsenschiff ist das Bodenventil geöffnet worden, doch ist nach Auspumpen das Schiff wieder flott. Als angeblicher Täter ist der Steuermann des Schiffes festgenommen worden.[28]

28 Syv biler brændte i Skagensbanens garage, mens et hestekøretøj tilhørende værnemagten brændte på gaden. Lodsdamperen "Skagen" fik åbnet bundventilerne af dens styrmand. Det skete på en dansk søofficers

2.) Der Befehlshaber der deutschen Truppen in Dänemark hat für den 3.9.1943 die folgende Tagesmeldung erstattet: "Da in Kopenhagen und auf der Insel Fünen in der Nacht vom 2. zum 3.9.1943 einige Sabotageakte stattfanden, wurde in den betreffenden Gebieten der Ausnahmezustand wieder verschärft, in Esbjerg (Jütland) konnten alle Sabotagefälle der letzten Zeit aufgeklärt werden. 9 Saboteure wurden verhaftet."

Ich verweise hierzu auf meine Telegramme Nr. 1005[29] vom 2.9.1943 (Ziffer 3) und Nr. 1015[30] vom 3.9.1943 (Ziffer 2).

3.) In dem in meinem Telegramm Nr. 1000[31] vom 31.8.1943 unter Ziffer 2 gemeldeten Mordfall sind von meinen Beamten 2 dänische Freiwillige als Täter ermittelt worden. Sie werden im Einvernehmen mit dem Befehlshaber der deutschen Truppen in Dänemark heute ins Reich überführt und dem zuständigen Gericht der Waffen-SS übergeben.

4.) Der Befehlshaber der deutschen Truppen in Dänemark hat mich heute um Stellungnahme zu der weiteren Behandlung der internierten Angehörigen der bisherigen dänischen Wehrmacht gebeten. Ich erwiderte, daß ich es zur folgerichtigen Durchführung des neuen Kurses für notwendig halte, die Angst um das Schicksal dieser Internierten als Druckmittel gegenüber der dänischen Bevölkerung zu benützen. Die Internierung müsse deshalb bis auf weiteres, möglichst bis zur Beendigung des Ausnahmezustandes, aufrecht erhalten werden. Wenn eine Entlassung in Frage käme, so müßten von sämtlichen Offizieren und Soldaten Erklärungen unterschrieben werden, die ihre mögliche Wiedereinziehung zur Internierung vorsehe. Hingegen sei die baldige Verbringung der Internierten in das Reich nicht zu empfehlen, da hiermit das politische Druckmittel durch Verwirklichung der Drohung verbraucht werde. Der Befehlshaber stimmte meiner Stellungnahme zu und will in diesem Sinne an den Wehrmachtsführungsstab berichten.

Dr. Best

20. Kriegstagebuch/Seekriegsleitung 4. September 1943

Kriegsmarine havde 31. august foreslået, at de danske krigsskibe forblev dansk ejendom, men med tysk brugsret. Det forslag tilsluttede OKW/WFSt sig. Til gengæld kunne der ikke være tale om at videreføre resten af den danske marine under dansk flag. Der næredes ikke betænkeligheder mod en videreførelse af en dansk minerydningstjeneste eller et dansk søpoliti. Bestemmelserne skulle gennemføres i samarbejde med den rigsbefuldmægtigede.

Kilde: BArch, Freiburg, RM 7/1187. KTB/Skl 4. september 1943, s. 78.

[...]

II.) Betr. Dänemark

ordre. Samme officer havde også sat ild til garageanlægget (Alkil, 2, 1945-46, s. 1220, Brøndsted/Gedde, 2, 1946, s. 568, Schwartz 1995, s. 29). Se tillige telegram nr. 1024, 6. september 1943.

29 bei Pol. VI. Trykt ovenfor.

30 bei Pol. I M. Trykt ovenfor.

31 bei Pol. VI. Trykt ovenfor.

Bezügl. Vorschlags von Skl betr. dänischer Kriegsmarine (s. KTB 31/8.)[32] entscheidet OKW/WFSt.:

"1.) Im Einvernehmen mit Ausw. Amt mit Vorschlag Skl einverstanden, wonach dänische Kriegsfahrzeuge dänisches Eigentum verbleiben, jedoch unter Eigentumsvorbehalt von deutscher Marine in Benutzung genommen werden.

2.) Wiederaufrichtung dänischer Restmarine unter dänischer Kriegsflagge kommt nicht in Betracht. Gegen Weiterführung dänischen Minensuchdienstes auf ziviler Grundlage oder Einsatz als Wasserschutzpolizei bestehen keine Bedenken.

Durchführung der Regelung hat im Benehmen mit dem Reichsbevollmächtigten des Deutschen Reiches zu erfolgen."

[...]

21. Joseph Goebbels: Tagebuch 4. September 1943

Fra Ernst Bohle, leder af Auslandsorganisation der NSDAP, havde Goebbels fået en hemmelig rapport om situationen i Danmark. Af den kunne man slutte, at Bests slappe kurs delvis havde bidraget til krisen. Krisen var i øvrigt overstået, roen fuldstændig genoprettet, og de danske "flæskeædere" havde opgivet deres revolutionære forehavender i det øjeblik, de tyske bajonetter blinkede.

Goebbels' interesse for Danmark synes hastigt aftagende, men han vendte dog tilbage til emnet et par gange under undtagelsestilstanden, se 8. og 23. september 1943.

Kilde: *Die Tagebücher von Joseph Goebbels*, Teil II:9, s. 421.

[...]

Bohle gibt mir einen Geheimbericht seiner Vertrauensleute über die Lage in Dänemark. Daraus ist zu entnehmen, daß die schlappe Tour Bests zum Teil mit zu der Krise beigetragen hat. Best ist den Dänen etwas zu weit entgegengekommen, und das lohnt sich meistens nicht. Im übrigen ist in Dänemark jetzt wieder völlige Ruhe eingetreten. Die dänischen Speckverzehrer haben von ihren revolutionären Betrieben abgelassen in dem Augenblick, in dem sie deutsche Bajonette erblickten.

[...]

22. Werner Best an das Auswärtige Amt 5. September 1943

I dagsrapporten meldte Best fortsat fuldstændig ro over det ganske land.

Kilde: PA/AA R 29.567. RA, pk. 203, 228 og 438a.

Telegramm

Kopenhagen, den	5. September 1943	14.00 Uhr
Ankunft, den	5. September 1943	14.15 Uhr

Nr. 1022 vom 5.9.[43.] Citissime!

32 Trykt ovenfor.

Ich bitte, die folgenden Meldungen unverzüglich dem Herrn Reichsaußenminister zuzuleiten:

1.) Aus der Nacht vom 4. zum 5. September 1943 ist noch ein Sabotageakt aus Tondern gemeldet worden, wo auf dem Bahnhof eine Brandbombe englischen Ursprungs auf einen mit Barackenteilen beladenen Eisenbahnwaggon geworfen wurde. Das Feuer konnte sofort gelöscht werden. Es sind nur einige Bretter angekohlt.[33]

Sonst herrscht im ganzen Lande völlige Ruhe.

2.) In Esbjerg ist meiner Außenstelle die Festnahme von drei weiteren Saboteuren gelungen. Damit dürfte die Sabotagegruppe dieses Bezirks vollständig erfaßt sein.[34]

3.) Der Befehlshaber der deutschen Truppen in Dänemark hat für den 4. September 1943 die folgende Tagesmeldung erstattet:

"Seeland und Fünen keine besonderen Ereignisse. In Skagen (Jütland) von einem noch nicht inhaftierten Fregattenkapitän der dänischen Marine Sabotageakt durch Anlegen eines Brandes in einer Garage. Fregattenkapitän wird standrechtlicher Verurteilung zugeführt. In Skagen verschärfter Ausnahmezustand." Ich verweise hierzu auf mein Telegramm Nr. 1017[35] vom 4. September 1943, Ziffer 1.

Dr. Best

23. Heinrich Himmler: Notizkalender 5. September 1943

I breve 22. og 30. august havde Best over for Himmler udtrykt behovet for tysk politi til Danmark og havde tillige 30. august anmodet om Himmlers principielle beslutning i sagen. Der er imidlertid intet, der tyder på, at Best fik noget svar før i oktober. Imidlertid har Bjørn Rosengreen fremdraget Himmlers notitskalender og for 5. september fundet en ganske knap optegnelse, hvoraf det fremgår, at Gottlob Berger havde drøftet "Fall in Kopenhagen" med Himmler. Det sætter Rosengreen umiddelbart i forbindelse med politispørgsmålet og konstaterer: "Himmler havde altså fingeren på pulsen". Det er imidlertid ikke indlysende, at Himmler skulle drøfte tysk politi i Danmark med lederen af SS-Hauptamt, og notitsen giver overhovedet ikke belæg derfor. Himmler havde senere 5. september to telefonsamtaler med Kaltenbrunner, men det var om andre emner, selv om Kaltenbrunner var den, med hvem politispørgsmålet var den rette at drøfte. Himmler og Berger havde en anden sag sammen i Danmark, og det var Schalburgkorpset, som lige var blevet præsenteret for den danske offentlighed (Rosengreen 1982, s. 42 med note 12, hvor der fejlagtigt angives sp. 25).

Kilde: RA, Danica 1000, T-84, sp. 26 (uden billednr.).

Sonntag, den 5.IX.43 Hochwald

[...]

13.20 SS Gbf. Berger Fall in Kopenhagen

Wolfschanze

[...]

33 Der var tale om brandstiftelse mod en åben jernbanevogn på Tønder Banegård (Alkil, 2, 1945-46, s. 1220).

34 Se telegram nr. 1005, 2. september 1943.

35 bei Pol VI (V.S.). Trykt ovenfor.

24. Werner Best an das Auswärtige Amt 6. September 1943

Med sin dagsrapport sendte Best en redegørelse for forhandlingerne med de danske myndigheder om en regeringsdannelse. Han anslog den rent refererende tone, der ikke skulle antyde nogen egenpræference, men understregede, at der var liden tilbøjelighed til en regeringsdannelse fra dansk side, mens Best omvendt ikke ville give nogen mening til kende om, hvordan man fra tysk side foretrak regeringsspørgsmålet løst (Hæstrup, 1, 1966-71, s. 93, Rosengreen 1982, s. 32, 41).

Kilde: PA/AA R 29.567. PKB, 13, nr. 430. ADAP/E, 6, nr. 282.

Telegramm

Kopenhagen, den	6. September 1943	12.30 Uhr
Ankunft, den	6. September 1943	13.10 Uhr

Nr. 1023 vom 6.9.[43.] Citissime!

Ich bitte, die folgenden Meldungen unverzüglich dem Herrn Reichsaußenminister zuzuleiten:

1.) Vom 5.9.43 und aus der Nacht vom 5. zum 6.9.1943 sind zwei Sabotageakte gemeldet worden. An der Bahnstrecke Aarhus-Skanderborg sind zwei Sprengkörper zur Explosion gebracht worden.[36] In das Haus des Fabrikanten Thybring in Kopenhagen-Söborg ist durch ein Fenster eine Bombe geworfen worden, durch die das Haus fast völlig zerstört wurde. (Vor etwa 5 Monaten wurde auch die Fabrik des Thybring durch Sabotage zerstört, obwohl Thybring nicht für deutsche Aufträge arbeitet).[37]
   Sonst herrscht im ganzen Lande völlige Ruhe.
2.) Der Befehlshaber der deutschen Truppen in Dänemark hat für den 5.9.1943 die folgende Tagesmeldung erstattet: "An einigen Orten kleinere Sabotagefälle, mit Verschärfung des Ausnahmezustandes geahndet. – Gesamtlage ruhig."
3.) Unter Bezugnahme auf das dortige Telegramm Nr. 1164[38] vom 1.9.1943 berichte ich, daß mir der kommissarische Leiter des dänischen Außenministeriums Direktor Svenningsen einen ersten Bericht über seine Sondierungen hinsichtlich der Neubildung einer dänischen Regierung erstattet hat.[39] Hiernach besteht auf dänischer Seite wenig Neigung, noch einmal eine verfassungsmäßige Regierung zu bilden. Der König stellt sich auf den Standpunkt, daß er verfassungsrechtlich nicht ohne Zustimmung des Reichstages handeln kann. Der Reichstag bezw. die bisherigen Regierungsparteien sehen voraus, daß sie durch die Erteilung von Vollmachten an eine neue Regierung nur eine Mitverantwortung für die von deutscher Seite befohlenen Maßnahmen übernehmen sollen, ohne ein Recht oder eine Möglichkeit der Mitbestimmung zu erhalten. Sie neigen deshalb dazu, die Verantwortung für alles Kommende allein der Besatzungsmacht zu überlassen.
   Direktor Svenningsen gab zu verstehen, daß die Ministerien und die Verwal-

36 Ved Viby blev dobbeltsporet mellem Århus og Skanderborg sprængt.

37 Sabotagen foretaget af BOPA var mod Tybrings Radiofabrik, Sønderdalen 10, Søborg (Alkil, 2, 1945-46, s. 1220, Kjeldbæk 1997, s. 467).

38 Pol. VI (Sonderzug 1294). Trykt ovenfor som nr. 1294 anf. dato.

39 Svenningsens referat af mødet er trykt i PKB, 4, s. 313f.

tungszweige bereit seien, unter meiner unmittelbaren Leitung die Verwaltung fortzuführen, Rechtsetzung müsse allerdings dann durch Verordnungen des Reichsbevollmächtigten erfolgen.

Ich habe unter diesen Umständen bisher davon abgesehen, erkennen zu lassen, welcher Lösung der Regierungsfrage von deutscher Seite vorgezogen würde, denn ich halte es nicht für tragbar, daß auf eine deutsche Meinungsäußerung, daß eine verfassungsmäßige Regierung gebildet werden solle, eine Ablehnung der hierfür zuständigen Faktoren ausgesprochen wird. Ich habe deshalb dem Direktor Svenningsen erklärt, daß man vorläufig von deutscher Seite abwarte, welche Initiative von dänischer Seite zur Lösung der Regierungsfrage entwickelt werde.

Da eine Normalisierung der Verhältnisse und die Aufhebung des Ausnahmezustandes erst nach Schaffung einer ausreichenden deutschen Polizeimacht erfolgen kann, bleibt noch eine gewisse Zeitspanne offen, in der dänische Vorschläge abgewartet werden können.

Dr. Best

25. Werner Best an das Auswärtige Amt 6. September 1943

Dagsrapporten indeholdt oplysning om endnu en dansk gesandts stilling, detaljer om en af de tidligere nævnte sabotager i Skagen, hvor Best udtalte sig om dommen, og en viderebringelse af von Hannekens seneste bekendtgørelse om straffen for hjælp til sabotører og spioner m.v.

Kilde: PA/AA R 29.567. RA, pk. 203.

Telegramm

Kopenhagen, den	6. September 1943	20.15 Uhr
Ankunft, den	6. September 1943	21.45 Uhr

Nr. 1024 vom 6.9.[43.] Citissime!

Ich bitte, die folgenden Meldungen unverzüglich dem Herrn Reichsaußenminister zuzuleiten:

1.) Heute ist bei dem dänischen Außenministerium das folgende Telegramm des bisherigen dänischen Gesandten in Bern, Wichfeld, eingegangen:

"Bin solange mein Gewissen und mein feierliches Versprechen bei Ernennung es zuließen, König und seiner Regierung gefolgt. Wie Verhältnisse sich jetzt entwickelt haben, muß ich Grundlage für dieses Versprechen als weggefallen betrachten, weshalb ich mich nicht länger durch dieses gebunden fühlen kann. Ich sehe mich darum außerstande, in Zukunft Befehle des Außenministeriums entgegenzunehmen, und fühle mich berechtigt, auf eigene Hand solche Schritte zu unternehmen, die nach meiner tiefsten Überzeugung am besten Dänemarks Interessen dienen. Max Sörensen und die Damen der Gesandtschaft schließen sich meinem Standpunkt an. Moltke telegraphiert selbst später seine Stellungnahme."

Ich verweise hierzu auf meine Stellungnahme in meinem Telegramm Nr. 1007 vom 2.9.1943 unter Ziffer 1.[40]

2.) Als Täter der in meinem Telegramm Nr. 1017 vom 4.9.1943[41] unter Ziffer 1 gemeldeten Sabotagefälle in Skagen ist ein dänischer Kapitänleutnant festgestellt worden. Er wurde von dem zuständigen Standgericht zu 3 Jahren Gefängnis verurteilt, weil sich herausstellte, daß er sich in Ausführung eines von früher her geltenden Befehls der dänischen Wehrmacht bemüht hatte, dänisches Wehrmachtseigentum, soweit es noch nicht von den deutschen Truppen beschlagnahmt war, zu vernichten. Der kommandierende Admiral Dänemarks hat das Urteil nicht bestätigt, sondern läßt den Fall von seinem Gericht nachprüfen, weil die Auffassung besteht, daß der Offizier entweder zum Tode verurteilt oder freigesprochen werden müsse.[42]

3.) Der Befehlshaber der deutschen Truppen in Dänemark hat heute die folgende Bekanntmachung erlassen:[43]

"Bekanntmachung über die gesetzlichen Strafen für die Unterstützung von Landesverrätern, Spionen usw.

Zur Belehrung und Warnung der Bevölkerung gebe ich hiermit bekannt:

1.) Nach den gesetzlichen Bestimmungen wird mit Todesstrafe oder schwerer Freiheitsstrafe bestraft, wer nachstehenden Personen durch Beherbergung oder anderweitige Unterstützung Hilfe gewährt: Spionen, Personen, die deutsche Staatsgeheimnisse verraten haben oder zu verraten suchen, Saboteuren, sonstigen Personen, die es unternommen haben oder unternehmen, der Kriegsmacht des Deutschen Reiches oder seiner Bundesgenossen Nachteile zuzufügen oder einer – im Verhältnis zu Deutschland oder zu seinen Bundesgenossen – feindlichen Macht Vorschub zu leisten (Feindbegünstigung).

2.) Mit Todesstrafe oder schwerer Freiheitsstrafe wird bestraft, wer von dem Vorhaben der Spionage, des Geheimnisverrats, der Sabotage oder sonstigen Feindbegünstigung im Sinne von Nr. l glaubhafte Kenntnis erhält und es unterläßt, den deutschen Behörden unverzüglich Anzeige zu machen. Wer diese Anzeigepflicht bisher unterlassen hat, bleibt straffrei, wenn er das Versäumte so rechtzeitig – spätestens aber bis 8.9.1943 – nachholt, daß die geplante Tat noch verhindert werden kann. –

Kopenhagen, den 5. September 1943.
Der Befehlshaber der deutschen Truppen in Dänemark."

Dr. Best

40 Trykt ovenfor. Best fandt sin forudsigelse bekræftet og overlod det til ministeriet selv at konkludere om hans forudseenhed.

41 Trykt ovenfor.

42 Den danske søofficer, kommandørkaptajn Michelsen, der bl.a. havde beordret lodsdamperen "Skagen" sænket, fik sin sag prøvet ved en tysk krigsret i København og blev frifundet med den begrundelse, at han havde taget sit løfte om at forholde sig i ro tilbage og derpå var blevet interneret. Han var undsluppet interneringen og havde foretaget ødelæggelserne i henhold til ordren om flådens sænkning. Det var ikke gået ud over tysk materiel (Schwartz 1995, s. 29f.).

43 Trykt i Alkil, 2, 1945-46, s. 845f.

26. Walter Forstmann an Kurt Waeger 6. September 1943

Forstmann orienterede om afvæbningen af den danske hær og flåde og om den indførte undtagelsestilstand, der havde sendt en chokvirkning gennem den danske befolkning. Den rette behandling af befolkningen var nu særlig vigtig for at etablere de fremtidige politiske relationer. Von Hanneken blev citeret for, at mildhed skulle parres med strenghed. Udtalelsen var kommet på et møde, hvor von Hannekens stab, Best, Ebner og Forstmann havde deltaget.[44] Der skulle ikke skydes gidsler. Det viste alle erfaringer var virkningsløst, men der skulle indføres skærpet udgangsforbud. Sabotagen måtte ophøre eller formindskes, hvis de politiske relationer skulle genoprettes. Da de menige danske politifolk havde svigtet, var det tvingende nødvendigt, at der blev tilført tyske politifolk, før undtagelsestilstanden blev ophævet. Det var også nødvendigt, at man fra tysk side optrådte enigt over for danskerne. Von Hanneken havde erklæret, at det var sagens kerne. Den rigsbefuldmægtigedes embedsmænd måtte hurtigst muligt i arbejde igen. Hitler havde allerede givet den rigsbefuldmægtigede visse opgaver.

Der er ikke tvivl om, at Forstmann med dette brev arbejdede for Bests og sin egen, rustningsproduktionens, sag. Der var fuld støtte for de ønsker om tilførsel af mere tysk politi, som Best havde sendt til AA siden 1. september. Der var også støtte til den milde linje i forhold til befolkningen, ingen gidselskydninger, og Forstmann gjorde så meget ud af at betone den tyske enighed internt, at det er klart, at der var ikke så få spændinger endda trods de faldne udtalelser.

Kilde: BArch, Freiburg, RW 27/9. KTB/Rü Stab Dänemark 3. Vierteljahr 1943, Anlage 21.

Chef des Rüstungsstabes — *6. September 1943*
796/43 geh. III. Ang. — Anlage 21
Geheim

Bericht über die Lage in Dänemark am 6.9.1943.

An den Chef des Rüstungsamtes des Reichsministers für Bewaffnung u. Munition,
Herrn Generalleutnant Dr. Ing. e.h. Waeger,
Berlin – Charlottenburg 2
Verl. Jebenstraße, Befehlsbau am Zoo.

Wie bereits am 30.8.1943 berichtet,[45] erfolgte am 29.8.43 die Entwaffnung des dänischen Heeres und der dänischen Marine. Es handelte sich um rd. 6.000 Angehörige des Heeres und rd. 3.200 der Marine.

Die dänische Wehrmacht bildete wegen ihrer unsicheren Haltung eine Gefahr im Rücken der Besatzungstruppen bei einer Invasion in Dänemark. Sie war nicht fest in der Hand ihrer Generale und Admirale. In ihren Reihen hatte sich eine Geheimorganisation "Sidste Front" (die letzte Front) gebildet, die eine deutschfeindliche Einstellung hatte.

Die dänischen Truppen lagen ausschließlich auf den Inseln Fünen und Seeland, das

44 I Bests kalender er et sådant møde ved denne tid, hvor Forstmann nævnes, ikke nedfældet. Muligvis drejer det om det informationsmøde, der blev holdt hos von Hanneken på Nyboder Skole 4. september, og hvor Best ikke nævner de enkelte deltagere (Bests kalenderoptegnelser anf. dato). Hos Giltner 1998, s. 155 fremstår det som om, at det var på et møde med de ovenfor nævnte, at Forstmann fremkom med sit krav om Axel Odels afgang, fordi han angiveligt obstruerede de tyske bestræbelser for at opnå kontakter med danske firmaer. Giltner henviser som kilde til det her trykte brev, som end ikke nævner Odels navn. Kravet om Odels afgang blev først fremført af Best 8. september 1943. Det blev siden trukket tilbage efter, at Walter og Best havde talt med Forstmann om sagen (Giltner 1998, s. 155 med note 31-33. Jfr. Odels memorandum 17. februar 1945 (Alkil, 2, 1945-46, s. 1034)).

45 Trykt ovenfor.

Hauptkontingent der dänischen Flotte und des Marinepersonals befand sich in Kopenhagen. In Jütland lagen keine Truppen mehr. Eine kampflose Übergabe zu fordern kam nicht in Frage, weil bei den beiderseits dislozierten Streitkräften nach der Ablehnung der deutschen politischen Forderungen am 28.8.43 4 Uhr nachmittags eine schnelle Verständigung zwischen den vielen deutschen und dänischen militärischen Dienststellen unmöglich und auch keine Gewähr für eine kampflose Übergabe der Dänen gegeben war. Auch wurde am 28.8.43 nachmittags bekannt, daß die dänische Marine ½ stündige Bereitschaft für ihre Schiffe angeordnet habe. Es mußte deshalb versucht werden, im überraschenden Angriff unter geringsten Verlusten das gesteckte Ziel zu erreichen. Trotz des überraschenden Vorgehens unserer Wehrmacht, stieß sie auf vorbereiteten Widerstand, was auch daraus zu ersehen ist, daß dänische Pack geschossen hat. Im übrigen ist es auch verständlich, daß die Dänen für die Ehre ihrer Fahne kämpfen wollten. Auf deutscher Seite waren die Verluste 6 Tote, 13 Schwer- und 45 Leichtverwundete, auf dänischer Seite 15 Tote und 62 Verwundete.

In deutschen Besitz kamen aus Heeresbeständen rd. 60.000 Gewehre und viele Geschütze. 3 Minensuchboote je 270 to., 4 je 70 to. und ein kleines Torpedoboot fielen in deutsche Hand. Alle anderen Kriegsschiffe wurden von den Dänen auf Grund gesetzt, versenkt oder beschädigt. Der größte Teil wird gehoben werden können. Ein Torpedoboot von 110 to. entkam nach Schweden. Ferner gelang es etwa 50 kleinen Booten (Fischkutter), die im Dienst der dänischen Marine standen, zu entkommen.

Die ganze Aktion und die Erklärung des militärischen Ausnahmezustandes übt zunächst eine Schockwirkung auf die Bevölkerung aus. Die richtige Behandlung der dänischen Bevölkerung ist jetzt besonders wichtig für die Gestaltung der zukünftigen politischen Verhältnisse. Milde muß mit Strenge gepaart sein, führte General von Hanneken in einer Besprechung mit seinem Stabe, an der der Bevollmächtigte des Reiches, Dr. Best, Ministerialdirigent Dr. Ebner von der Wirtschaftsabteilung des Bevollmächtigten des Reiches und der Chef des Rüstungsstabes Dänemark teilnahmen, aus. Erschießen von Geiseln bei Sabotagehandlungen hat nach allen Erfahrungen in anderen besetzten Gebieten *keinen* durchschlagenden Erfolg gebracht. Verschärftes Ausgehverbot sei ein sehr gutes Mittel.

Am 29.8.43 war die Schließung der öffentlichen Lokale, Gaststätten, Kinos usw. auf 20 Uhr angeordnet worden. Am 31.8.43 abends traten bereits Erleichterungen ein, als keine Sabotageakte sich ereigneten. In der Nacht vom 2. zum 3.9.43 gab es aber in Kopenhagen wieder 4 Sabotagefälle, (Zerstörung von 3 Transformatoren und Brand in einer Fabrik), sodaß am 3.9. die Polizeistunde wieder auf 20 Uhr angesetzt werden mußte.[46] Dieser Zustand besteht heute noch. Ab 21 Uhr ruht jeder Verkehr.

Die Straße ist aber wieder der dänischen Polizei übergeben worden, weil die Truppen von der Straße müssen, um sie weiter ausbilden zu können. Sie sind Ersatz für die Ostfront und man kann diese Ausbildungstruppen ihrer Ausbildung nicht auf Wochen und Monate entziehen, wie General von Hanneken ausführte. Deshalb ist die Zusammenarbeit mit der dänischen Polizei erforderlich. Deutsche Stützpunkte sind aber gebildet worden, die bei einer Alarmierung schnellstens eingreifen können.

46 Se Bests telegram nr. 1009, 3. september 1943.

Die Gestaltung der politischen Verhältnisse Dänemarks hängt nun weitgehend davon ab, ob die Sabotagefälle aufhören bezw. auf ein Minimum eingeschränkt werden können. Da die dänischen unteren Polizeiorgane unsicher sind und den Kampf gegen die Saboteure nicht mit der erforderlichen Schärfe aufnehmen wollen, ist die Frage, welche deutschen Polizeikräfte nach Dänemark abgegeben werden können, vordringlichst. Es muß also abgewartet werden, wie sich die polizeiliche Exekutive durch die Zuführung von Polizeikräften aus Deutschland gestalten wird. Es kann auch sein, daß die Behandlung Jütlands bezüglich des Polizeischutzes anders vorgenommen wird, als die von Fünen und Seeland.

Die Aufhebung des militärischen Ausnahmezustandes kann erst nach Regelung der Polizeifrage vorgenommen werden. Er ist aber, wie die Bezeichnung schon sagt, ein *Ausnahmezustand*. Die Behörde des Bevollmächtigten des Reiches muß so schnell wie möglich wieder zu ihrer Arbeit kommen. Der Führer hat dem Bevollmächtigten des Reiches bereits gewisse Aufgaben, u.a. die politische Führung, den Verkehr mit dem Königshause und die Betreuung der dänischen Wirtschaft übertragen. Eine reibungslose Zusammenarbeit zwischen Besatzungstruppen und der Behörde des Bevollmächtigen des Reiches ist, wie General von Hanneken ausdrücklich erklärte, das Gebot der Stunde. Gegensätzlichkeiten müssen unter allen Umständen vermieden bezw. intern geregelt werden, denn bei Unstimmigkeiten nach außen, wäre nur der Däne der lachende Dritte. Alle deutschen Behörden müssen den dänischen Behörden und der dänischen Bevölkerung gegenüber ein einheitliches, geschlossenes Auftreten zeigen. In den letzten beiden Tagen ist außer einem unbedeutenden Versuch kein Sabotageakt vorgekommen.

In der Anlage werden beigefügt:

1.) Bekanntmachung des Befehlshaber der deutschen Truppen in Dänemark, betreffs Abgabe von Waffen, Sprengmitteln, Sprengstoffen usw.[47]
2.) Bekanntmachung des Befehlshaber der deutschen Truppen in Dänemark, betreffend Bestrafung aller Helfershelfer von Saboteuren und Spionen.[48]

Eine Bekanntmachung des Befehlshabers der deutschen Truppen in Dänemark, betreffend die Verpflichtung aller dänischen Firmen, Industrie, Handelsunternehmungen und Einzelhändler, auf Anfordern der Bedarfsstellen Lieferungs- und Leistungsaufträge der deutschen Wehrmacht in Dänemark und des Rüstungsstabes Dänemark im Rahmen der erreichbaren Lieferungs- und Leistungsmöglichkeit anzunehmen und ohne Verzug auszuführen, wird umgehend erscheinen. An der Ausarbeitung dieser Bekanntmachung ist Rüstungsstab Dänemark maßgeblich beteiligt gewesen. Die Bekanntmachung wird dem Rüstungsamt *sofort* nach Veröffentlichung zugehen.

Forstmann

2 Anlagen.[49]

47 Trykt på dansk hos Alkil, 2, 1945-46, s. 843.
48 Trykt på dansk hos Alkil, 2, 1945-46, s. 845f
49 Bilagene er ikke medtaget.

27. Kriegstagebuch/Admiral Dänemark 6. September 1943

Seekriegsleitung var sammen med AA indforstået med, at de danske krigsfartøjer forblev dansk ejendom, men kunne benyttes af den tyske marine. Minerydningen i Danmark kunne videreføres på civilt grundlag eller ved indsats af søpolitiet. Aftaler skulle indgås med inddragelse af Best.

Kilde: KTB/ADM Dän 6. september 1943, RA, Danica 628, sp. 3, s. 3048f.

Vom OKM 1 Skl ging folgende Weisung, die dänische Marine betreffend, ein:[50]

"1.) Im Einvernehmen mit Ausw.-Amt mit Vorschlag einverstanden, wonach dänische Kriegsfahrzeuge dänisches Eigentum verbleiben, jedoch unter Eigentumsvorbehalt von deutscher Marine in Benutzung genommen werden.

2.) Wiederaufrichtung dänischer Restmarine unter dänischer Kriegsflagge kommt nicht in Betracht. Gegen Weiterführung dänischen Minensuchdienstes auf ziviler Grundlage oder Einsatz als Wasserschutzpolizei bestehen keinen Bedenken.

Durchführung der Regelung hat im Benehmen mit dem Bevollmächtigten des Deutschen Reiches zu folgen."

[...]

28. Kriegstagebuch/MOK Ost 6. September 1943

Wurmbach oplyste, hvilke fartøjer han havde til rådighed fra den tidligere danske minerydningstjeneste. Der var en stor mangel på mandskab, og minerydningen kunne slet ikke opretholdes i sit tidligere omfang uden inddragelse af demobiliserede danske marinere. For sundbevogtningens vedkommende skulle der midlertidigt indsættes seks kuttere med mandskab fra et minerydningsskib. Senere skulle anvendes det danske kystpolitis både.

Admiral Schmundt bemærkede til meddelelsen, at det var magtpåliggende, at OKW hurtigst muligt traf afgørelse om demobilisering af det danske forsvar, så nogle af Kriegsmarines store problemer i Danmark kunne blive løst.

Kilde: KTB/MOK Ost 6. september 1943, RA, Danica 628, sp. 9, nr. 7205f.

[...]

Adm. Dän. meldet,[51] daß für den bisher von den Dänen durchgeführte Minensuchdienst z.Zt. eingesetzt werden können:

1.) 3 M-Boote, je 270 t.
2 alte T-Boote, je 110 t.
4 MS-Boote, je 70 t, davon 2 leicht beschädigt.
10 kleine Minensuchfahrzeuge.
25 Bojenfahrzeuge.

2.) die kleinen MS-Fahrzeuge können mit 12 m HFG räumen. Alle anderen mit 24 m HFG. HFGs sind vorhanden.

3.) Personalbedarf für vorhandene Minenräumboote etwa 300 Köpfe, dazu je Bojenfahrzeug 5 weitere. Personalfrage in Klärung begriffen, jedoch schwierig, ohne Teildemobilisierung völlig unmöglich, da andere Wege nichts bringen.

50 Punkt 1 og 2 er indført i KTB/Skl 4. september 1943, s. 78.

51 Jfr. KTB/ADM Dän 6. september 1943, RA, Danica 628, sp. 3, s. 3049.

Für die Küstenüberwachung sind 9 Boote vorhanden. Beabsichtigt ist, als Zwischenlösung für die Sundbewachung 6 Kutter in Helsingör vorübergehend mit Personal des Minenräumschiffs 11 zu besetzen. Später, zunächst versuchsweise in Aussicht genommen, Boote durch dänische Küstenpolizei besetzen zu lassen, die sich bisher gut bewährte. Vorbesprechung mit Chef dänischer Küstenpolizei hat stattgefunden.

Zur Besprechung aller dieser Fragen fährt morgen der Chef des Stabes nach Kopenhagen.

Es ist sehr bedauerlich, daß bisher seitens des OKW, dem durch die Seekriegsleitung die schwierige Lage, in der wir uns z.Zt. im dänischen Raum wegen Brachliegens des dän. MS- und R-Dienstes befinden, bekannt sein muß, keine Entscheidung über die Demobilmachung der dän. Wehrmacht und bestimmte Weisungen für die Wahrung unserer militär. Belange vorliegen.

Abgeschlossen
gez. **Schmundt**

29. Werner Best an das Auswärtige Amt 7. September 1943

Situationsrapport med bl.a. indberetning om to danske gesandters stilling.
Kilde: PA/AA R 29.567. RA, pk. 203.

Telegramm

Kopenhagen, den	7. September 1943	12.20 Uhr
Ankunft, den	7. September 1943	14.30 Uhr

Nr. 1026 vom 7.9.43. Citissime!

Ich bitte, die folgenden Meldungen unverzüglich dem Herrn Reichsaußenminister zuzuleiten:

1.) Aus der Nacht vom 6. zum 7.9.1943 ist nur ein Brand in einer kleinen Tischlerei in Tondern gemeldet worden, bei dem nicht feststeht, ob er auf Sabotage beruht. Sonst hat sich im ganzen Lande nichts ereignet.

2.) Der Befehlshaber der deutschen Truppen in Dänemark hat für den 6.9.1943 die folgende Tagesmeldung erstattet: "Außer einer Bahnsprengung bei Aarhus, deren Schaden inzwischen behoben und durch die Wehrmachtstransporte nicht beeinträchtigt wurden, keine wesentlichen Vorkommnisse."

Ich verweise hierzu auf Ziffer 1 meines Telegramms Nr. 1023[52] vom 6.9.1943.

3.) Der dänische Gesandte in Budapest Bolt-Jörgensen hat am 6.9.1943 telegraphisch folgende Loyalitätserklärung an das dänische Außenministerium gesandt: "Ich fühle mich in Übereinstimmung mit meinem bei der Thronbesteigung S.M. dem König als Offizier abgelegten Treueid und mit der bei der Ernennung zum Beamten des Au-

52 bei Pol. VI. Trykt ovenfor.

ßenministeriums unterschriebenen Erklärung, wenn ich nun der von der abgegangenen Regierung an die Staatsbeamten gerichteten, von S.M. dem König gebilligten Aufforderung Folge leiste."

4.) Der dänische Gesandte in Lissabon Boeck hat am 3.9.1943 telegraphisch um Unterrichtung über den Aufenthalt und das Befinden des Königs und der königlichen Familie gebeten. Er hat am selben Tage vom dänischen Außenministerium Bescheid erhalten, worauf er bis jetzt nichts mehr hören ließ.

5.) Ein zuverlässiger Vertrauensmann, der soeben aus Schweden hier eingetroffen ist, hat folgendes berichtet: "Der englische Vizekonsul in Helsingborg hat dänischen Offizieren und Soldaten, die sich an ihn wandten, mitgeteilt, daß England nur diejenigen Männer brauchen könne, die mindestens eine 1½ jährige Ausbildung als Flieger hinter sich hätten. England habe keine Zeit und kein Interesse dänische Soldaten neu auszubilden. Es käme allenfalls für sie ein Einsatz im Orient in Frage. Die dänischen Soldaten seien über diese Mitteilung so enttäuscht gewesen, daß viele von ihnen mit Tränen in den Augen die Besprechung verlassen hätten."

Dr. Best

30. Franz von Sonnleithner an Werner Best 7. September 1943

Ifølge Bests og von Sonnleithners efterkrigsforklaringer telefonerede sidstnævnte til Best 7. eller 8. september 1943 og meddelte, at det som Best frygtede, dvs. jødeaktionen, ville indtræffe. Der foreligger ikke samtidige vidnesbyrd om, at denne telefonsamtale har fundet sted, og Best huskede i sine første efterkrigsforklaringer ikke, hvem det var, han havde talt med. Det var den telefonsamtale, der skulle have foranlediget ham til at afsende telegram nr. 1032, 8. september 1943. Østre Landsret og siden Højesteret 1950 godkendte denne forklaring, mens senere historikere, herunder udgiveren, betragter det som en efterkrigsrekonstruktion. Imidlertid havde undtagelsestilstanden bragt Best under pres. Himmler havde 30. juni 1943 kun lovet at indstille forholdsregler i jødespørgsmålet i Danmark indtil videre (se Wagner til Kaltenbrunner 30. juni), men dengang tegnede situationen også lyserødt i landet (*Højesteretstidende* 1950, s. 53, Steengrachts forklaring i Nürnberg 25. juni 1948 (Best havde hemmeligt fra førerhovedkvarteret hørt, at Hitler ville gennemføre en jødeaktion (RA, Danica 234, pk. 88, læg 1148)), Bests forklaring 23. oktober 1948 (her nævnes Sonnleithner ikke) RA, Danica 234, pk. 88, læg 1157), Best 1988, s. 116, 286-288 (Sonnleithners forklaring 1949), Yahil 1967, s. 130f.).

31. Hermann von Hanneken an Walter Warlimont 7. September 1943

Von Hanneken orienterede Warlimont om sit syn på situationen i Danmark efter 29. august og forholdet til Best. Best gav von Hanneken skylden for, at Bests milde politiske linje var mislykkedes, hvilken von Hanneken imidlertid ikke ville påtage sig. Best var hele tiden blevet orienteret om, hvad von Hanneken indberettede til OKW og kunne have grebet ind. Med de givne beføjelser til Best vedrørende kongehuset og økonomien mente von Hanneken, at hans prærogativ under undtagelsestilstanden var gennemhullet. Best forsøgte at få dannet en ny regering, men von Hanneken så helst undtagelsestilstanden fortsat; det ville løse mange problemer og heller ikke kræve tilførsel af så meget tysk politi. Man skulle sørge for så rolige forhold i Danmark som muligt for at opretholde den nødvendige "leveringsglæde" hos danskerne (Kirchhoff, 2, 1979, s. 469).

I brevet kommer von Hanneken på den ene side af med sine frustrationer over Best og på den anden side får han fortalt, at han gerne så den status quo bibeholdt, hvori han havde de øverste magtbeføjelser.

Det turde dog være en lemfældig omgang med sandheden, når han gør sig til fortaler for rolige forhold i Danmark. Trusler, sanktioner og straf indgik vedvarende i hans form for magtudøvelse, og var der ikke blevet lagt en politisk dæmper på ham, havde han gerne udnyttet den militære undtagelsestilstand fuldt ud. Endnu 23. september kunne han over for Nils Svenningsen hævde, at der ikke hidtil havde været tale om nogen virkelig undtagelsestilstand – med den underliggende trussel, at dertil kunne det komme (Hæstrup, 1, 1966-71, s. 111).

Kilde: RA, Herman von Hannekens privatarkiv nr. 5533. EUHK nr. 106 (uddrag). Drostrup 1997, s. 136-138 (på dansk).

Herrn Generalleutnant Warlimont *7. Sept. 1943*
Wehrmachtführungsstab

Lieber Warlimont!
Der Besuch von Jordan und die Rücksprache mit ihm gibt mir Anlaß, Ihnen doch eine kurze Orientierung der hiesigen Verhältnisse zu Ihrer persönlichen Unterrichtung zu geben, wobei ich dankbar wäre, wenn Sie nur das meiner Orientierung weitergeben wollten, was Sie für besonders wichtig erachten.[53]

Der Reichsbevollmächtigte Dr. Best ist schwer gekränkt von seinem Besuch beim Außenminister zurückgekommen. Er hatte den Eindruck, als ob ich hinterrücks gegen ihn geschossen hätte, und seine milde Politik damit zu Fall gebracht wäre. Ich habe ihm nachweisen können, daß er sämtliche Meldungen und Lageberichte in der gleichen Weise wie Sie erhalten hätte und infolgedessen Gelegenheit hatte, entweder gegen mich Stellung zu nehmen oder aber sein Auswärtiges Amt rechtzeitig zu unterrichten. Versuche meinerseits, wieder in ein annehmbares Verhältnis zu kommen, sind einigermaßen geglückt, doch hatte ich den Eindruck, daß von seiner Seite aus alles getan wird, um gegen mich zu berichten. Während ich ihm alle Berichte und Unterlagen zur Verfügung stelle, hüllt er sich mir gegenüber in Schweigen.

Dadurch, daß der Führer auf Vortrag des Außenministers, trotz des Ausnahmezustandes, Dr. Best neue Vollmachten in Bezug auf die Führung der Politik, insbesondere Neubildung der dänischen Regierung, Regelung der Verhältnisses zwischen König und vor allen Dingen die Verantwortung der wirtschaftlichen Maßnahmen in Dänemark wieder übertragen hat, ist meines Erachtens die Befugnis des Befehlshabers beim Ausnahmezustand durchlöchert.[54] Ich muß allerdings feststellen, daß bisher kein Fall vorgekommen ist, daß Dr. Best, insbesondere bei meinen wirtschaftlichen Forderungen eine andere Stellungnahme eingenommen hat. Lediglich in der Anwendung von Strafen, bei Sabotagevorkommen gehen unsere Ansichten mitunter auseinander und bedarf es einer Aussprache und beiderseitigem Nachgeben, um eine Einigung zu erzielen.

Best kümmert sich im Augenblick am meisten um die Neubildung der Regierung;[55] und hier scheint mir die Orientierung, die er dem Auswärtigen Amt abgibt und die damit an den Führer herangetragen wird, in keiner Weise erschöpfend zu sein. Das Auswärtige Amt befürchtet, Dänemark als mehr oder weniger souveränen Staat und

53 Hans Jordan var tysk major og havde været på rejse i Danmark 1.-5. september (Kirchhoff, 3, 1979, s. 369 n. 6).

54 Se Ribbentrop til Best 1. september 1943.

55 Det var efter pålæg af Ribbentrop, hvilket von Hanneken undlader at nævne.

damit unter der Obhut des Auswärtigen Amtes liegend zu verlieren. Es möchte daher eigentlich die alten Verhältnisse wieder schaffen und gewissermaßen mit einer autoritären dänischen Regierung in alter Form weiterarbeiten. Das geht nun wirklich nicht!

Die Vergangenheit hat gezeigt, daß keine dänische Regierung, selbst die deutschfreundlichste, gewillt ist, unsere Forderungen zu erfüllen und daß sie auch gar nicht imstande ist, mit ihren Machtmitteln Saboteuren und Unruhestiftern wirksam gegenüberzutreten. Die Idee, daß sich eine Regierung findet, die ihr Sanktum vom Reichstag und König bekommt und die von diesen dann Vollmachten erhält, allein unter deutscher Obhut zu regieren, ist abwegig. Die Dänen fühlen sich nun einmal als demokratisches Volk, sie sehen in ihrem König das letzte Bollwerk und sie werden freiwillig keinesfalls auf den Einfluß, den Reichstag und König auf die Regierung nimmt, verzichten wollen. Die gesamten Verhandlungen bisher zeigen auch, daß sich hier wohl niemand findet, der unter diesen Gesichtspunkten eine deutschorientierte Regierung übernimmt. Es bleibt wohl nur übrig, eine Vollzugsregierung deutscherseits zu ernennen, die ohne Mitwirkung des Königs und Reichstages als deutschabhängige Regierung fungiert. Ob diese Regierung die Unterstützung der Beamten und vor allem der Polizei bekommt, bleibt abzuwarten. Sicher ist, daß all die Maßnahmen, die gegen Saboteure und Unruhestifter zu ergreifen sind, mit dänischen Kräften nicht mehr durchgeführt werden können.

Es müssen also nach Auffassung des Bevollmächtigten und nach Ausrechnung des Präsidenten Kanstein mindestens 3 Polizeibataillone und außerdem etwa 1.000 möglichst dänisch sprechende Polizeibeamte für den Einsatz bei den einzelnen Polizeidirektionen bereitgestellt werden. Dänemark wird damit in gleicher Weise regiert werden müssen, wie Norwegen. Das bedeutet, daß hier bestimmt mindestens die gleichen Widerstände auftreten werden und die Unruhe auf das stärkste zunehmen wird. Daß dabei die Lieferfreudigkeit der dänischen Landwirtschaft in die Binsen geht, brauche ich kaum zu erwähnen. Werden nicht genügend Polizeikräfte bereitgestellt, so wird die Truppe dauernd der Büttel für die Ausübung der Exekutive sein müssen und es werden sich starke Gegensätze zwischen Truppe und Bevollmächtigtem bzw. Reichskommissar bilden.

Ich würde es am glücklichsten halten, wenn man die politische Seite möglichst überhaupt nicht anrührte und den augenblicklichen Zustand stillschweigend bestehen lassen könnte, weil unter diesem Ausnahmezustand alle Möglichkeiten gegeben sind, andererseits aber Reichstag und König offiziell noch bestehen und nur durch den Ausnahmezustand in den Skat gelegt sind. Man kann auch auf diese Weise mit verhältnismäßig wenig neuen deutschen Polizeikräften auskommen, weil ja über den Apparat des Standortältesten vieles gesteuert und kontrolliert werden kann. Ich bin mir darüber klar, daß diese Idee nicht dem Wunsche des Auswärtigen Amtes und vielleicht auch nicht dem Wunsche des Führers entspricht. Ich glaube aber, man sollte rechtzeitig darauf aufmerksam machen, welche Schwierigkeiten hier eintreten werden und sollte Sorge tragen, daß die Verhältnisse hier so ruhig wie möglich bleiben, um die für die Ernährung des Reiches notwendige Lieferfreudigkeit der Dänen zu erhalten.

Über meine militärischen Wünsche wird Sie Jordan orientiert haben. Die verbesserte Ausstattung der 233. Panzerdivision ist von dem Kommandeur derselben beim Inspekteur der Panzertruppen in die Wege geleitet. Es ist notwendig, daß hier durchgreifend eine Verbesserung stattfindet, da nur dann im Ernstfalle wirklich diese Division einen Nutzen hat.

Daß es schwer ist, mit 2 Ausbildungsdivisionen und einer doch sehr schwachen Festungs-Inf. Division den Raum zu verteidigen, brauche ich Ihnen nicht auseinanderzusetzen. Eine gewisse Verbesserung kann eintreten, wenn die Auflösung der Luftwaffendivision es ermöglicht, die 416. Inf. Division besser auszustatten.

Ich hörte, daß Sie sich einer Bruchoperation unterziehen wollen und wünsche Ihnen recht baldige volle Genesung.

Ich würde mich sehr freuen, lieber Warlimont, wenn Sie gelegentlich einmal hierher kommen würden und nachprüften, ob nun alles so ist, wie Sie es beim OKW in diesem Raume wünschen.

Mit besten kameradschaftlichen Grüßen

Ihr

HvH 7/9

32. Kriegstagebuch/Admiral Dänemark 7. September 1943

MOK Ost frigav det danske fiskeri på en række nærmere angivne betingelser.

Kilde: KTB/ADM Dän 7. september 1943, RA, Danica 628, sp. 3, s. 3051.

[...]

MOK Nord gibt dänische Fischerei in der Nordsee unter Beachtung nachstehender Weisung wieder frei:

1.) Verschärfte Personen- und Materialkontrolle, Ein- und Auslaufen der Fischkutter durch Küsten- und Hafenüberwachungsstellen ist sicherzustellen.
2.) Fischerei im festgelegtem dän. und deutsch-dänischem Fischereigebiet ist uneingeschränkt freizugeben und Durchfahren des Minenwarngebietes zwecks Erreichen der Fischergründe der Doggerbank wie bisher stillschweigend zu dulden. Vor dem Fischen im deutschen Warngebiet ist dän. Fischerei besonders zu warnen.
3.) Überwachung dän. Fischkutter in See hat durch Sondermaßnahmen der Ast. Dän. zu erfolgen.

gez. **Wurmbach**

33. Werner Best an das Auswärtige Amt 8. September 1943

Telegrammet, hvormed Best udløste aktionen mod de danske jøder. Det var endnu et element i den nye kurs, dvs. hårdere kurs under den militære undtagelsestilstand, som Best gang på gang vendte tilbage til i sine telegrammer umiddelbart efter 29. august. Bests motiv til dette initiativ mod de danske jøder er omstridt.

Best fik svar på sit telegram den 17. september. Hitler havde besluttet, at aktionen skulle igangsættes. Se Bests telegram nr. 1094, 18. september 1943.

Som optakt til afsendelsen af dette telegram havde Best dagen forud haft besøg på Dagmarhus af to danskere med relevant specialviden om jøderne i Danmark. Om formiddagen af Paul Hennig, der ved medvirken ved indbrud på overretssagfører Arthur Henriques' kontor 31. august havde skaffet bl.a. det Mosaiske Trossamfunds protokoller til veje. Hennig havde forud skaffet oplysninger om jødiske danske forretningsfolk til veje for Det Tyske Handelskammer. Han blev tilknyttet Gestapos "Jødereferat" under Fritz Renner endnu i september og deltog i aktionen mod jøderne 1.-2. oktober. Lorenz Christensen kom på besøg om eftermiddagen, og trods en ansættelse ved gesandtskabet siden 1. januar 1942 var det det første møde med Best. Lorenz Christensen var ansat af gesandtskabet til bl.a. at indsamle navne og adresser på danske jøder og at skrive en bog om de danske jøder. Bogen *Det Tredje Thing* udkom umiddelbart efter jødeaktionen, det indsamlede navnestof blev givet til rette vedkommende forud. Når de to mænd ikke mødtes med Best samtidig, kan det være, fordi det var vidt forskellige ting, der skulle drøftes, eller fordi sagens delikate natur gjorde to forskellige møder hensigtsmæssigt set fra den rigsbefuldmægtigedes synspunkt.[56]

Kilde: PA/AA R 29.567 og R 100.864. LAK, Best-sagen (på dansk). Sabile 1949, 1, s. 10 (på fransk). PKB, 13, nr. 735. ADAP/E, 6, nr. 287. Uddrag i EUHK, nr. 108. Yahil 1967, s. 128f. (på dansk) og 1969, s. 138f. (på engelsk). Thomsen 1971, s. 181. Lauridsen 2007a, s. 440f. (på dansk).

Telegramm

Kopenhagen, den	8. September 1943	13.10 Uhr
Ankunft, den	8. September 1943	14.25 Uhr

Nr. 1032 vom 8.9.[43.] Citissime!

Ich bitte, den folgenden Bericht unverzüglich dem Herrn Reichsaußenminister zuzuleiten:

Unter Bezugnahme auf das dortige Telegramm Nr. 537[57] vom 19.4.1943 und auf meinen Bericht vom 24.4.1943 – II C 102/43[58] – berichte ich auf Grund der neuen Situation folgendes über die Judenfrage in Dänemark: Bei folgerichtiger Durchführung des neuen Kurses in Dänemark muß nach meiner Auffassung nunmehr auch eine Lösung der Judenfrage und der Freimaurerfrage in Dänemark ins Auge gefaßt werden.– Die hierfür erforderlichen Maßnahmen müßten noch während des gegenwärtigen Ausnahmezustandes getroffen werden, weil sie in einem späteren Stadium Reaktionen im Lande hervorrufen würden, die zur erneuten Verhängung des allgemeinen Ausnahmezustandes unter wahrscheinlich ungünstigeren Verhältnissen als heute führen würden. Insbesondere würde, wie ich aus zahlreichen Informationen weiß, eine etwa bestehende verfassungsmäßige Regierung zurücktreten, ebenso würden der König und der Reichstag ihre weitere Mitwirkung an der Regierung des Landes einstellen. Außerdem wäre wohl mit einem Generalstreik zu rechnen, weil auf Grund dieser Maßnahmen die Gewerkschaften ihre Tätigkeit und damit ihre mäßigende Beeinflussung der Arbeiter einstellen würden. – Werden die Maßnahmen während des jetzigen Ausnahmezustandes getroffen, so besteht allerdings die Möglichkeit, daß eine verfassungsmäßige Regierung nicht mehr gebildet werden kann, so daß ein Verwaltungsausschuß unter meiner Leitung gebildet und die Rechtsetzung von mir im Verordnungswege ausgeübt werden müßte. – Um etwa 6.000 Juden (einschließlich der Frauen und Kinder) schlagartig festzunehmen und

56 Besøgene fremgår af Bests kalenderoptegnelser, ifølge hvilke Paul Hennig først var hos Best igen den 6. september 1944.

57 Inl. II – V.S. –. Trykt ovenfor.

58 Trykt ovenfor.

abzutransportieren, wären die von mir in meinem Telegramm Nr. 1001[59] vom 1.9.1943 angeforderten Polizeikräfte erforderlich, die fast ausschließlich in Groß-Kopenhagen, wo die weitaus meisten hiesigen Juden leben, eingesetzt werden müßten. Ergänzende Kräfte müßten vom Befehlshaber der deutschen Truppen in Dänemark gestellt werden. Zum Abtransport kämen wohl in erster Linie Schiffe in Frage, die rechtzeitig hierher beordert werden müßten. – Hinsichtlich der Freimaurerei käme eine formale Auflösung aller Logen (denen alle führenden Leute des Landes angehören), die vorläufige Festnahme der wichtigsten Freimaurer und die Beschlagnahme des Logeneigentums in Frage. Auch hierfür wären starke Exekutivkräfte erforderlich. – Ich bitte um Entscheidung, welche Maßnahmen ich hinsichtlich der Judenfrage und der Freimaurerfrage treffen bzw. vorbereiten soll.

Dr. Best

34. Werner Best an das Auswärtige Amt 8. September 1943

Best orienterede AA om de forholdsregler, som han havde ladet træffe vedrørende den civile persontrafik mellem Sverige og Danmark efter indførelse af den militære undtagelsestilstand. Rejser til og fra Danmark skulle under alle omstændigheder finde sted efter tilladelse af de tyske konsulære myndigheder i Danmark. For indrejse til Danmark skulle der ske henvendelse til de tyske repræsentanter i Sverige, der skulle indhente en tilladelse på gesandtskabet i København. Best bad om, at Det Tyske Gesandtskab i Stockholm blev orienteret.

Med telegrammet markerede Best, hvor stærkt den indskrænkede legale persontrafik mellem Sverige og Danmark blev kontrolleret. Best fulgte op på i sagen med telegram nr. 1113, 22. september 1943.

Kilde: RA, pk. 289.

Telegramm

Kopenhagen, den	8. September 1943	18.50 Uhr
Ankunft, den	8. September 1943	21.15 Uhr

Nr. 1033 vom 8.9.[43.] Cito!

Auf Drahterlass 1199[60] vom 4.9.

Vom Befehlshaber der deutschen Truppen in Dänemark ist in Verbindung mit dem militärischen Ausnahmezustand am 29. August d.Js. für dänische Staatsangehörige die Ausreise nach Schweden gesperrt worden. Diese Ausreisesperre besteht zur Zeit noch. Für andere Personen ist der Zivile Reiseverkehr zwischen Dänemark und Schweden offen, vorausgesetzt, daß diese Personen im Besitz der normalerweise erforderlichen Reisepapiere sind. Der Einreise von Schweden nach Dänemark stehen jedoch zur Zeit große technische Schwierigkeiten entgegen, die sich daraus ergeben, daß infolge des Ausfalls der amtlichen dänischen Vertretung in Schweden Anträge auf Erteilung eines dänischen Einreisesichtvermerkes in Schweden nicht gestellt werden können. Da im

59 bei Pol. VI – V.S. –. Trykt ovenfor.
60 R D V Allg. Indberetningen er ikke lokaliseret.

Zusammenhang mit dem militärischen Ausnahmezustand auch die Post- Telegraphen- und Telefonverbindung zwischen Dänemark und Schweden gesperrt sind, besteht für einen Antragsteller in Schweden z.Zt. auch keine Möglichkeit, seinen Einreiseantrag über die hiesige diplomatische bezw. konsularische Vertretung seines Landes an die für die Erteilung des Einreisesichtvermerkes zuständige dänische Reichspolizei zu leiten. Vor Verhängung des militärischen Ausnahmezustandes galt für Einreisen von Schweden nach Dänemark folgendes Verfahren: Die Anträge wurden bei der dänischer Gesandtschaft in Stockholm oder bei den dänischen Konsulaten in Schweden gestellt und von diesen an die dänische Reichspolizei weitergeleitet, die dann ihrerseits die Antrage der Konsulatsabteilung meiner Behörde zur Entscheidung vorlegte. Dieses Verfahren kann aus den genannten Gründen zur Zeit nicht zur Anwendung gelangen.

Um in bestimmten dringenden Fällen eine Einreise aus Schweden nach Dänemark zu ermöglichen, sind am 6.9. d.Js. bis auf weiteres die folgenden Richtlinien festgelegt worden:

1.) Dänische Einreisesichtvermerke, die von der bisherigen dänischen Gesandtschaft in Stockholm oder den ihr bisher unterstellten dänischen Konsulaten in Schweden nach dem 2. September d.Js. ausgestellt worden sind, werden nicht mehr anerkannt.
2.) Dänische Staatsangehörige, die an ihren Wohnsitz in Dänemark zurückkehren wollen und nicht im Besitze eines gültigen dänische Einreisevisums sind, erhalten an der Grenze ein dänisches Notvisum, das von der dänischen Grenzstelle mit Genehmigung der deutschen Grenzaufsicht ausgestellt wird.
3.) Reichsdeutsche, die nicht im Besitze eines gültigen dänischen Einreisevisums sind, erhalten ebenfalls ein dänisches Notvisum, das von der dänischen Grenzstelle mit Genehmigung der deutschen Grenzaufsicht ausgestellt wird.
4.) In anderen Fällen kann ein dänisches Notvisum nur aus besonderen Gründen und ebenfalls nur mit Zustimmung der deutschen Grenzaufsicht, die ihrerseits Rückfrage bei der Behörde des Reichsbevollmächtigten halten wird, ausgestellt werden. Nach Aufhebung der Post-, Telegrafen- und Telefonsperre müßte – solange an dem Erfordernis eines dänischen Einreisesichtvermerkes festgehalten wird und solange eine von uns anerkannte amtliche dänische Vertretung in Schweden nicht besteht – u.U. eine Regelung dahingehend getroffen werden, daß in Schweden sich aufenthaltende Dänen den Einreiseantrag unmittelbar an die dänische Reichspolizei, Ausländer über die diplomatische bezw. konsularische Vertretung ihres Landes in Kopenhagen an die dänische Reichspolizei richten müßten. Reichsdeutsche würden zweckmäßig ihre Anträge bei der deutschen Gesandtschaft in Stockholm einreichen, von wo sie hierher, gegebenenfalls mit Fernschreiben, weitergegeben werden könnten.

Ich bitte um Unterrichtung der deutschen Gesandtschaft in Stockholm. Weiterer Bericht folgt zu gegebener Zeit.

Dr. Best

35. Werner Best an das Auswärtige Amt 8. September 1943

Dagsrapporten indeholdt meddelelse om et attentat med dødelig udgang mod en vagtmester i politibataljon "Cholm." Best viderebragte de forholdsregler, som von Hanneken agtede at indføre i den anledning, hvortil Best ikke undlod sine kritiske kommentarer. Han forelagde også et problem, der var opstået pga. von Hannekens undtagelsestilstandsbekendtgørelse, og som var forelagt af UMs direktør, Nils Svenningsen.

Kilde: PA/AA R 29.567. RA, pk. 203. LAK, Best-sagen (afskrift).

Telegramm

Kopenhagen, den	8. September 1943	19.35 Uhr
Ankunft, den	8. September 1943	21.15 Uhr

Nr. 1034 vom 8.9.[43.] Citissime!

Ich bitte, die folgenden Meldungen dem Herrn Reichsaußenminister unverzüglich zuzuleiten:

1.) Der Befehlshaber der deutschen Truppen in Dänemark hat für den 7.9.1943 die folgende Tagesmeldung erstattet: "Keine besonderen Vorkommnisse." –

Er hat im Hinblick auf diese Lage mit Wirkung vom 7.9.43 für Großkopenhagen die Nachtsperrstunden von 21 Uhr auf 22 Uhr verlegt, obwohl ich darauf aufmerksam machte, daß vermutlich am nächsten oder über-nächsten Tage wieder ein Anlaß zur Vorverlegung der Sperrstunde entstehen werde. –

2.) Aus der Nacht vom 7. zum 8.9.1943 ist eine Sprengung an einem Bahnkörper bei Horsens (Jütland) gemeldet worden, die jedoch den Verkehr nicht behindert. – In Großkopenhagen sind von der dänischen Polizei 64 Personen wegen Übertretung des Nachtverkehrverbotes festgenommen worden. –

3.) Am 7.9.1943 um 21.35 Uhr ist ein Wachtmeister des Polizeibataillons 65 "Cholm" auf der Vesterbrogade durch einen Schuß verletzt worden. An den Folgen der Verletzung ist er heute um 13.30 Uhr verstorben. Nach den ungestellten Ermittlungen schein[t] der Schuß von einem Radfahrer abgegeben worden zu sein. –

Der Befehlshaber der deutschen Truppen in Dänemark beabsichtigt, wegen dieses Vorfalles die folgenden Maßnahmen anzuordnen:

a.) Sühnezahlung der Stadt Kopenhagen in Höhe von einer Million Kronen,[61]

b.) Verbot des Verkehrs mit Fahrräder und Fahrzeugen von 20 bis 5 Uhr,

c.) Sperrung und Überwachung des Tatbezirkes. –

Ich habe den Befehlshaber der deutschen Truppen in Dänemark darauf hingewiesen, daß die Tat wiederum gerade in der Stunde, um die die Nachtsperrzeit seit gestern verkürzt worden war, begangen wurde und daß deshalb eine Vorverlegung der Nachtsperrstunde geboten sei, an der man bis auf weiteres festhalten müsse. Weiter habe ich darauf hingewiesen, daß bereits – für die Mißhandlung eines Wehrmachtsangehörigen in Odense eine Sühnezahlung von einer Million Kronen gefordert worden sei, so daß angesichts der Schwere des neuen Falles eine höhere Sühnesumme angebracht sei. –

61 Se herom Korff til Breyhan 24. september 1943, trykt nedenfor.

Der Befehlshader hat endgültige Entscheidung bis morgen früh zugesagt. Ich werde hierüber unverzüglich berichten. –

Ich selbst werde im Rahmen meiner Exekutivkräfte heute Nacht eine neue Festnahmeaktion gegen Personen, die deutschfeindlicher Haltung oder Betätigung verdächtigt sind, durchführen lassen. – Dieser Fall ist der erste Angriff auf das Leben eines deutschen Besatzungsangehörigen seit dem Beginn der Besetzung Dänemarks.[62]

4.) Der kommissarische Leiter des dänischen Außenministeriums Direktor Svenningsen hat am 7.9.1943 dem Chef der Zivilverwaltung beim Befehlshaber der deutschen Truppen in Dänemark erklärt, daß man auf Grund der Formulierung des Ausnahmezustands-Bekanntmachung des Befehlshabers der deutschen Truppen in Dänemark vom 29.8.1943 annehme, daß das deutsche Reich sich als mit Dänemark im Kriege befindlich betrachte. Der fragliche Satz lautet in dem veröffentlichten dänischen Wortlaut: "Jeg proklamerer derfor i henhold til artiklerne 42-56 i Haagerlandkrigsordningen militær undtagelsestilstand i hele Danmark." (Auf deutsch: "Ich proklamiere deshalb mit Bezug auf die Artikel 42-56 in der Haager Landkriegsordnung den militärischen Ausnahmezustand in ganz Dänemark.")

Ich bitte um Weisung, ob ich etwas zur Klarstellung dieser Frage unternehmen soll.[63]

Dr. Best

36. Joseph Goebbels: Tagebuch 8. September 1943

Heinrich Gernand havde fortalt Goebbels om situationen i Danmark, og Goebbels havde heraf fået det indtryk, at Bests politik havde gjort danskerne overmodige; de havde misforstået den gode behandling. Det førte Goebbels til den konklusion, at Bests politik var for veg, mens Terbovens i Norge var for hårdhændet. Forbilledet var i stedet Seyss-Inquart, der i Holland mesterligt havde formået at veksle mellem pisk og gulerod. Goebbels havde mistet troen på Best, Bests mission var brudt sammen, og Best havde vel ikke mere de nødvendige kvalifikationer.

Goebbels' vurdering af Bests fremtidsmuligheder synes at stå for hans egen regning og at være mere en forventning end en viden, han havde samlet op i Hitlers nærmeste omgivelser.

Kilde: *Die Tagebücher von Joseph Goebbels*, Teil II:9, s. 446f. *Goebbels Dagbøger*. 1948, s. 342 (på dansk).

[...]

Gernant[64] berichtet mir über die Lage in Dänemark. Aus einem Vortrag, den er mit im Auftrag von Best erstattet, ist zu entnehmen, daß durch die etwas laxe und schwächliche Behandlungsweise der Dänen durch den Reichsbevollmächtigten Dr. Best eine Lage entstanden war, die als kritisch bezeichnet werden mußte. Die Dänen haben die gute Behandlung, die wir ihnen zuteil werden ließen, falsch verstanden. Es haben sich vor allem in Kopenhagen Vorgänge abgespielt, die mehr als empörend sind. Deutsche Soldaten durften sich kaum noch auf der Straße sehen lassen, deutsche Mädchen bekamen ein Hakenkreuz auf den Leib gebrannt, die Sabotagehandlungen gegen Wehrmachtunter-

62 Det er ikke rigtigt.

63 Svaret er ikke kendt.

64 Skal være: Gernand.

künfte und Verkehrseinrichtungen nahmen von Tag zu Tag zu, und die Regierung war nicht willens und nicht in der Lage, etwas dagegen zu unternehmen. Best ist dann ins Führerhauptquartier bestellt worden und hat dort eine sehr energische Zurechtweisung erfahren. Daraufhin mußte er seine Befugnisse an den Militärbefehlshaber abgeben. Die Dänen haben sich zwar erst mit einigen dummen Scherzen gegen den Ausnahmezustand zur Wehr setzen wollen, aber beim Erscheinen deutscher Panzer sind sie dann in einigen Minuten sehr kleinlaut geworden. Seitdem geht alles wieder seinen normalen Gang. Der Militärbefehlshaber hebt die allzu scharfen Bestimmungen des Ausnahmezustandes nach und nach wieder auf; aber er geht, was ja auch richtig ist, in diesem Verfahren nur Schrittweise vor, damit der Übermut der Dänen nicht wieder überhand nimmt. Im übrigen glaube ich, daß es eine Kleinigkeit ist, mit den Dänen fertig zu werden, wie ja auch die Tatsachen beweisen. Das Beispiel Best hat sich als nicht erfolgreich erwiesen. Terboven ist in Norwegen zu hart und zu ungelenk, Best ist in Dänemark zu weich und zu unnachgiebig verfahren. Ich habe den Eindruck, daß die Behandlung der Bevölkerung eines besetzten Gebietes verhältnismäßig am besten in den Niederlanden gehandhabt wird. Seyss-Inquart versteht es meisterhaft, mit Zuckerbrot und Peitsche abzuwechseln und harte Maßnahmen mit einer großen Elastizität durchzuführen. Man merkt ihm doch die gute Habsburger Schule an. Die Österreicher haben jahrhundertelang einen Vielvölkerstaat zusammenhalten müssen. Dabei haben sie sich eine große Übung in der Behandlung von Völkern auch in kritischen Situationen erworben. Ich traue Best nicht allzuviel mehr zu. Er ist durch das Scheitern seiner Mission ziemlich gebrochen und wird wohl zu einer weitsichtigen Politik in Dänemark nicht mehr die nötige Qualifikation mitbringen.
[...]

37. Werner Best an das Auswärtige Amt 9. September 1943

Ud over dagsrapportens daglige danske småaktioner kunne Best oplyse, at von Hanneken ikke havde fulgt Bests råd med hensyn til forholdsregler i forbindelse med attentatet mod den tyske vagtmester.

Kilde: PA/AA R 29.567. RA, pk. 203.

Telegramm

Kopenhagen, den	9 September 1943	13.55 Uhr
Ankunft, den	9. September 1943	15.10 Uhr

Nr. 1039 vom 9.9.[43.] Citissime!

Ich bitte, die folgenden Meldungen unverzüglich dem Herrn Reichsaußenminister zuzuleiten:

1.) Aus der Nacht vom 8. zum 9. September 1943 sind die folgenden Ereignisse gemeldet worden:

a.) In Esbjerg ist es meiner Außenstelle gelungen, noch zwei wichtige Saboteure ohne jede Mitwirkung der dänischen Polizei festzunehmen.[65]
b.) In Odense ist ein Transformator durch einen Sprengkörper beschädigt worden, jedoch nicht wesentlich.[66]

2.) Der Befehlshaber der deutschen Truppen in Dänemark hat heute entschieden, daß wegen Anschlages auf den Wachtmeister des Polizeibataillons nur die schon gestern von ihm beabsichtigten Maßnahmen angeordnet werden:
a.) Sühnezahlung der Stadt Kopenhagen in Höhe von einer Million Kronen.[67]
b.) Bis auf weiteres Verbot des Verkehrs mit Fahrrädern und Fahrzeugen von 20.00-5.00 Uhr.
c.) Bis auf weiteres militärische Sperrung und Überwachung des Tatbezirkes von 21.00-5.00 Uhr. Meine Anregungen, die Sperrstunden wieder vorzuverlegen und eine höhere Sühnezahlung zu fordern, hat der Befehlshaber zurückgestellt, um bei neuen Vorfällen auf sie zur Verschärfung zurückzukommen.

3.) Der Befehlshaber der deutschen Truppen in Dänemark hat für den 8. September 1943 die folgende Tagesmeldung erstattet:
"In Kopenhagen wurde am 7. September 1943 abends ein Angehöriger des Polizeiverfügungsbataillons Dänemark mit schwerer Schußverletzung ins Lazarett eingeliefert. Er ist am 8. September 1943 nachmittags verstorben. Untersuchung hat Mord durch einen Dänen ergeben. Scharfe Maßnahmen werden ergriffen.
In Jütland bei Horsens eine kleine Schienensprengung, die keine Verkehrsstörung verursachte, im übrigen keine besonderen Ereignisse."

Zu der Formel "Mord durch einen Dänen" bemerke ich, daß die Ermittlungen bisher nur ergeben haben, daß der Schuß höchstwahrscheinlich von einem vorüberfahrenden Radfahrer abgegeben worden ist, über den Näheres bisher nicht ermittelt werden konnte.

Zu der Schienensprengung bei Horsens verweise ich auf Ziffer 2 meines Telegramms Nr. 1034[68] vom 8. September 1943.

Dr. Best

65 Se telegram nr. 1005, 2. september 1943.

66 Der var en mindre eksplosion ved en transformator på Grøndalsvej i Odense (Alkil, 2, 1945-46, s. 1220).

67 Foranlediget af bøden til København havde WB Dänemark 9. september 1943 et møde med Nils Svenningsen, hvor von Hanneken også spurgte, hvordan det gik med dannelsen af en regering. Svenningsen svarede henholdende, mens generalen skitserede den mulighed, at undtagelsestilstanden blev opretholdt og at administrationen førtes videre af departementscheferne, mens han selv beholdt magten (Svenningsens referat i PKB, 4, s. 325).

68 Pol VI (V.S.). Trykt ovenfor.

38. Werner Best an das Auswärtige Amt 9. September 1943

Best viderebragte indholdet af von Hannekens forordning om beslaglæggelser fra 4. september.
Kilde: PA/AA R 29.567. RA, pk. 203.

Telegramm

Kopenhagen, den	9. September 1943	20.00 Uhr
Ankunft, den	9. September 1943	22.10 Uhr

Nr. 1042 vom 9.9.43. Citissime!

Ich bitte, die folgende Meldung dem Herrn Reichsaußenminister unverzüglich zuzuleiten:

Der Befehlshaber der deutschen Truppen in Dänemark hat mit meinem Einverständnis die folgende Verordnung betreffend Beschlagnahme von Gebäuden und Grundstükken erlassen:[69]

"Verordnung betreffend Beschlagnahme von Gebäuden und Liegenschaften. Im Sinne der Art. 42-56 der Haager Landkriegsordnung wird mit sofortiger Wirkung für das Gebiet des Königreichs Dänemark folgendes verordnet:

Paragraph 1.) Zur Sicherstellung der von der deutschen Wehrmacht im Lande zu erfüllenden Aufgabe ist diese berechtigt, durch die Bedarfsstelle (Paragraph 5) Gebäude und Liegenschaften nebst Bestandteilen und Zubehör zu beschlagnahmen.

Paragraph 2.) Die Beschlagnahme hat, wenn nicht die Bedarfsstelle etwas anderes bestimmt, die Wirkung, daß nachträgliche Rechtsgeschäfte über die beschlagnahmten Gebäude im Verhältnis zur deutschen Wehrmacht unwirksam sind und daß ohne Genehmigung der beschlagnehmenden Bedarfsstellen keine Veränderungen an den Liegenschaften und Gebäuden vorgenommen werden dürfen. Den Rechtsgeschäften stehen Verfügungen gleich, die im Wege der Zwangsvollstreckung oder der Arrestvollstreckung erfolgen.

Paragraph 3.) Die Beschlagnahme erfolgt zur Nutznießung mit der Maßgabe, daß notwendige bauliche Änderungen von der deutschen Wehrmacht vorgenommen werden dürfen. Im übrigen wird der Schutz des privaten Eigentums im vollem Umfange gewährleistet.

Paragraph 4.) Die Bedarfsstelle gewährt für die Nutzung der beschlagnahmten Gebäude und Liegenschaften grundsätzlich eine Vergütung oder Entschädigung. Der Anspruch auf Vergütung oder Entschädigung ist bei der Bedarfstelle anzumelden.

Paragraph 5.) Die Bedarfsstelle der deutschen Wehrmacht, die zur Inanspruchnahme von Leistungen berechtigt, ist der Intendant beim Befehlshaber der deutschen Truppen in Dänemark.

Paragraph 6.) Von der Beschlagnahme nach dieser Verordnung sind ausländische Staatsangehörige befreit, soweit sie nicht einer Feindmacht angehören oder soweit nicht auf Grund von Staatsverträgen und von anerkannten Regeln des Völkerrechts Befreiungen bestehen.

69 Trykt på dansk hos Alkil, 2, 1945-46, s. 844.

Paragraph 7.) Zuwiderhandlungen gegen diese Verordnung sind strafbar und werden von dem deutschen Standgericht abgeurteilt.

Kopenhagen, den 4. September 1943
Der Befehlshaber der deutschen Truppen in Dänemark
gez. von Hanneken
General der Infanterie."

Dr. Best

39. Eberhard von Thadden an RAM 9. September 1943

Von Thadden videresendte de akter, der forelå i sagen Inl. II 2558 g (vedrørende jøder og frimurere i Danmark) til Ribbentrop med anmodning om at få en beslutning i sagen.

Hvilke akter, der blev fremsendt ud over Bests telegram nr. 1032, 8. september, er uvist. Büro RAM ved von Loesch sendte sagen retur til Inland II (von Thadden) 13. september. Returskrivelsen er trykt nedenfor (Yahil 1967, s. 132 med note 114).

Kilde: PA/AA R 100.864.

Ref.: LR v. Thadden zu Inl. II 2558 g

Hiermit nebst Vorgängen dem Büro RAM vorgelegt mit der Bitte, Inl. II von der Weisung des Herrn RAM in Kenntnis zu setzen.

Berlin, den 9. September 1943

v. Thadden

40. Rüstungsstab Dänemark: Besprechung mit der Sperrwaffeninspektion 9. September 1943

På Helsingør Værft var der udviklet minerydningsapparater, som Rüstungsstab Dänemark ønskede at få en fortsat og øget produktion af gennem underleverandører, og tre sådanne var fundet, men mangel på materialer havde indtil videre begrænset produktionen. Trods det håbede Forstmann på en månedlig produktion på 6-8 apparater.

Alle de involverede virksomheder var eller blev sabotagemål. Forstmann berettede om produktionen af apparaterne i Lagebericht 30. juni og 31. juli 1944.

Kilde: BArch, Freiburg, RW 27/9. RA, Danica 1000, T-77, sp. 696, KTB/Rü Stab Dänemark, 3. Vierteljahr 1943, Anlage 22.

Anlage 22

9.9.43 Besprechung mit der Sperrwaffeninspektion und dänischen Firmen über Steigerung der Fertigung in Hohlstab-Fernräumgeräten (HFG) im Raum Dänemark:

Zum Räumen von magnetischen Minen ist im Raum Dänemark ein Hohlstab-Fernräumgerät entwickelt worden, mit dem auf elektromagnetische Weise Minen bis zu einer Entfernung von 80 m zur Entzündung gebracht werden können. Die Herstellerfirma ist die Helsingör Skibsvärft, die 2 Typen fertigt, und zwar ein großes Gerät 24 m lang, das für offene Gewässer bestimmt ist und ein kleines Gerät von 12 m Länge, das für besondere Verhältnisse in engen Einfahrten und Häfen mit kleinen Schleppfahrzeugen günstiger verwendet werden kann als der 24 m Stab.

In Erkenntnis der Bedeutung dieses Gerätes fand zuerst am 16.10.41 zwischen Vertretern der SJ in Kiel und der Helsingör Skibsvärft eine Besprechung statt mit dem Ergebnis, daß der Werft ein Auftrag auf 40 Geräte 24 m lang erteilt wurde. Nach Empfang der wichtigsten Materialien sollten von der Werft monatlich 4 Geräte zur Auslieferung gebracht werden. Die Lieferungen begannen im Juli 1942 und liefen etwa im April 1943 aus.

Am 5.12.42 fand wiederum eine Besprechung bei der Werft Helsingör statt, auf der ein Anschlußauftrag von insgesamt 72 Geräten erteilt wurde. Wegen Auslaufens des ersten Auftrages über 40 Stück mußte das Material bereits Mitte Februar 1943 eintreffen, um den Arbeitsbeginn im April 1943 zu ermöglichen. Die Werft erklärt sich imstande, pro Monat 4 Geräte herauszubringen.

Die starke Verminung der Häfen jedoch machte im Sommer 1943 den Bau einer größeren monatlichen Stückzahl erforderlich. Die Bemühungen Rü Stb Dän., weitere Fertigungsstätten auf Jütland, eventuell Aalborg Skibsvärft und A/S Frichs, Aarhus einzuspannen, blieben ohne Erfolg wegen Überlastung dieser Firmen mit anderen Aufträgen. Es wurde deshalb geplant, eine Arbeitsgemeinschaft aufzuziehen, derart, daß Helsingörwerft als federführende Firma möglichst nur die Fertigmontage und das Wikkeln der Stäbe vornimmt, während andere dänische Firmen als Unterlieferant alle Zubehörteile liefern. Gegebenenfalls würde die Werft dann imstande sein, monatlich 10 HFG-Geräte herauszubringen. Als Unterlieferanten wurden die Firmen

Burmeister & Wain A/S, Kopenhagen,
Valby Maskinfabrik A/S, Kopenhagen und
A/S Völund, Kopenhagen

gewonnen. Trotzdem konnten aber nur 6 Geräte mit Bestimmtheit zugesagt werden, da die Unterlieferanten nicht im Stande waren, die Anzahl Zulieferungen zu machen, die ursprünglich erwartet wurde. Für den Fall jedoch, daß Stockungen im Bau der Schiffe für das Hansa-Programm wegen Fehlens von Material eintreten sollten, können vorübergehend pro Monat 8 Geräte gefertigt werden.

Z.Zt. werden für den Bedarf der SJ im Ganzen etwa 20 Geräte monatlich gefertigt. Davon entfallen auf den dänischen Raum 6, vielleicht in Kürze sogar 8 Stück.

41. Werner Best an das Auswärtige Amt 10. September 1943

Foruden de rutinemæssige oplysninger om sabotagehændelser viderebragte Best von Hannekens planer om at løslade den internerede danske resthær under visse betingelser. Her tillod han sig endvidere efter godt 10 dage at få luft og give den første helt klare melding om sit syn på indførelsen af de militære forholdsregler den 29. august: De havde været ganske overflødige, og resthæren kunne være sendt på orlov gennem kongen – her underforstået gennem forhandling via Best.

Best følte sig atter på sikker grund. Se tillige brevet til Himmler 10. september.

Kilde: PA/AA R 29.567. RA, pk. 203. LAK, Best-sagen (afskrift).

Telegramm

Kopenhagen, den	10. September 1943	13.15 Uhr
Ankunft, den	10. September 1943	14.10 Uhr

Nr. 1043 vom 10.9.[43.] Citissime!

Ich bitte, die folgenden Meldungen unverzüglich dem Herrn Reichsaußenminister zuzuleiten:

1.) Aus der Nacht vom 9. zum 10.9.1943 sind die folgenden Vorfälle gemeldet worden:
   a.) In Odense erfolgte in einer Seifenfabrik die nicht für deutsche Zwecke arbeitet, eine Explosion, deren Ursache noch nicht geklärt ist.[70]
   b.) In Aarhus explodierte ein Sprengkörper vor einer mit deutschem Militär belegten Schule, an der kein Schaden entstand.[71]
   c.) In Ringsted wurde an einem Pavillon, der heute für militärische Zwecke übernommen werden sollte, Feuer angelegt, das bald gelöscht werden konnte.[72]
   d.) In Großkopenhagen hat die dänische Polizei 25 Personen wegen Übertretung der Sperrstunde festgenommen.
2.) Für den 9.9.1943 hat der Befehlshaber der deutschen Truppen die folgende Tagesmeldung erstattet: "Keine besonderen Ereignisse. – Restteile 25. PZ Div. am 8.9. abgerollt."
3.) Der Befehlshaber der deutschen Truppen in Dänemark hat mir heute mitgeteilt, er habe vom Wehrmachtführungsstab die Weisung erhalten, daß die z.Zt. internierten Angehörigen der dänischen Restwehrmacht in der Weise entlassen werden sollen, daß sie vom König beurlaubt werden mit der Maßgabe, daß sie sich auf Anordnung des Königs oder des deutschen Befehlshabers wieder an ihren Standorten zu melden hätten. Der Befehlshaber wird darauf antworten, daß er bereits die Auflösung der dänischen Restwehrmacht erklärt habe, so daß der Weg einer Beurlaubung durch den König nicht mehr beschritten werden könne. Er schlägt erneut vor, daß zu einem späteren Zeitpunkt die Entlassung durch die deutschen Befehlsstellen gegen Unterzeichnung eines bestimmten Verpflichtungsscheines erfolgen soll.

   Ich bemerke hierzu, daß, wenn eine solche Beurlaubung der dänischen Restwehrmacht durch den König gewollt war – diese ohne weiteres auch ohne die militärischen Maßnahmen vom 29.8.1943 hätte erreicht und durchgeführt werden können.

Dr. Best

70 Der var en bombeeksplosion i Blumensaadts Fabriker, Nedergade 25, Odense (Alkil, 2, 1945-46, s. 1220).

71 Det var en bombeeksplosion ved Samsøgades skole (Hauerbach 1945, s. 23, Alkil, 2, 1945-46, s. 1220).

72 Sabotageforsøget i Ringsted var mod Pavillonen i lystanlægget (Alkil, 2, 1945-46, s. 1220).

42. Werner Best an das Auswärtige Amt 10. September 1943

Best genfremsendte med dette telegram det telegram, som han som det første havde fremsendt til Ribbentrop umiddelbart efter sin tilbagekomst fra førerhovedkvarteret den 27. august, og som indeholdt de befalinger, han havde fået.

Det oprindelige telegram kendes ikke, så muligvis skyldtes det kun en arkiveringsfejl, at det skulle genfremsendes, men det er måske snarere, fordi der var opstået tvivl om hans rolle efter tilbagekomsten.

Kilde: PA/AA R 29.567. RA, pk. 203.

Telegramm

Kopenhagen, den	10. September 1943	13.20 Uhr
Ankunft, den	10. September 1943	14.10 Uhr

Nr. 1044 vom 10.9.[43.]

Unter Bezugnahme auf die Besprechung zwischen Unterstaatssekretär Hencke und dem Regierungspräsident Kanstein am 9.9.1943 übermittle ich nachstehend den Wortlaut des ersten Telegramms, das ich am 27.8.1943[73] nach meiner Rückkehr aus dem Hauptquartier an den Herrn Reichsaußenminister gerichtet habe und aus dem sich ergibt, wie ich die Ausführung der mir in der Nacht vom 26. zum 27.8.1943 erteilten Befehle vorbereitete:

"Soeben habe ich mit General von Hanneken die Durchführung der mir befohlenen Maßnahmen besprochen. Er hält es für unbedingt erforderlich, daß gleichzeitig mit der Verhängung des Ausnahmezustandes die dänische Restwehrmacht aufgelöst wird. Dies kann aber aus militärischen Gründen (z.B. wegen des gegenwärtigen Standortes dänischer Marinefahrzeuge) erst in der Nacht vom 28. auf den 29.8. geschehen. Da General von Hanneken und ich es nicht für zweckmäßig halten, daß der dänischen Regierung eine zu lange Frist für die Beantwortung unserer Forderung gestellt wird oder daß gar zwischen einem negativen Ergebnis und den militärischen Maßnahmen eine Pause eintritt, halten wir es für zweckmäßig, daß die Forderung der dänischen Regierung erst am Vormittag des 28.8. mit Frist bis zu einer nach den militärischen Gesichtspunkten zweckmäßigen Abendstunde eröffnet wird. Bis dahin könnten auch alle sonstigen Maßnahmen (Gebäudesicherungen, Festnahmen usw.) vollständig vorbereitet sein. Ich schlage deshalb im Einvernehmen mit General von Hanneken das folgende Vorgehen vor:

1.) Am Vormittag des 28.8. Eröffnung unserer Forderung gegenüber der dänischen Regierung mit Fristsetzung bis zum Abend.
2.) Bei Annahme unserer Forderung keine militärischen Maßnahmen.
3.) Bei Ablehnung oder Rücktritt der Regierung Entwaffnung und Auflösung der dänischen Restwehrmacht und Verkündigung des militärischen Ausnahmezustandes in der Nacht vom 28. auf den 29.8. mit den weiter vorgesehenen Maßnahmen (Sicherungen, Festnahmen usw.).
4.) Alsdann Bildung eines Regierungsausschusses und anderer für die weitere Verwal-

73 Se Ribbentrops telegram til Best 27. august 1943.

tung des Landes erforderlicher Einrichtungen.
Ich bitte um Zustimmung."[74]

Dr. Best

43. Werner Best an Heinrich Himmler 10. September 1943

Best informerede i et notat RFSS om forhistorien til undtagelsestilstanden i Danmark, da han ud fra forskellige meddelelser fra Berlin havde fået det indtryk, at man knapt var orienteret derom. I følgebrevet orienterede han om to af WB Dänemarks nye tiltag. For det første skulle de danske soldater frigives fra internering i form af en orlov med den danske konges mellemkomst. Best kommenterede det med, at dette ikke lod sig gøre, da WB Dänemark allerede havde erklæret den danske hær for opløst, og havde man villet sende de danske soldater på orlov, kunne det være gjort uden den militære aktion 29. august. For det andet havde WB Dänemark over for Best åbent erklæret, at man udmærket kunne fortsætte den hidtidige undtagelsestilstand, idet de danske embedsmænd skulle følge hans anordninger. Best kommenterede det med, at det var den "løsning" WB Dänemark tilstræbte.

Kaltenbrunner og Berger fik kopi af brevet. Der er ikke tvivl om, hvor Best endnu på dette tidspunkt håbede at finde støtte.

Kilde: BArch, NS 19/3302. RA, Danica 1000, T-175, nr. 575.528f. RA, pk. 443 og 443a.

SS-Gruppenführer Dr. Werner Best *10.9.1943.*
Bevollmächtigter des Reiches in Dänemark

An den
Reichsführer-SS Heinrich Himmler
Berlin SW 11
Prinz Albrechtstr. 8.

Reichsführer,
Da ich verschiedenen Nachrichten aus Berlin entnehmen muß, daß man dort an vielen Stellen über die Vorgeschichte des Ausnahmezustandes in Dänemark kaum informiert ist, möchte ich Ihnen die anliegende Aufzeichnung als Mittel zur Aufklärung zur Verfügung stellen.[75]

Abschriften erhalten der SS-Obergruppenführer Dr. Kaltenbrunner und der SS-Obergruppenführer Berger.

Bei dieser Gelegenheit möchte ich Ihnen noch zwei Mitteilungen, die mir der General von Hanneken heute gemacht hat, übermitteln:

1.) Der Wehrmachtführungsstab hat befohlen, daß die Entlassung der internierten Angehörigen der dänischen Restwehrmacht aus der Internierung in der Weise erfolgen soll, daß sie vom König bis auf weiteres vom Dienst beurlaubt werden.

Dies kann schon aus dem Grunde nicht mehr durchgeführt werden, weil der General von Hanneken die dänische Wehrmacht bereits als aufgelöst erklärt hat.

Wenn man übrigens die Beurlaubung der dänischen Soldaten durch den König

74 Det fik Best med en enkelt korrektion af Ribbentrop samme dag, dvs. 27. august. Ribbentrops telegram er trykt ovenfor.

75 Det til brevet hørende notat er ikke lokaliseret.

gewünscht hat, so hätte man sich die militärische Aktion vom 29.8.1943 und die Toten auf beiden Seiten sparen können. Dieses Ziel hätte ich ohne einen Schuß leicht verwirklichen können.[76]

2.) Der General von Hanneken erzählte mir heute sehr befriedigt, daß ein dänischer Beamter ihm erklärt habe, man könne mit dem gegenwärtigen Ausnahmezustand gut weiterregieren. Den Dänen bleibe jede Verantwortung erspart und ihre wichtigsten Einrichtungen – König und Reichstag – bleiben gerade durch die gegenwärtige Suspension erhalten. Den Behörden aber könne kein Vorwurf aus dem gemacht werden, was sie auf Anordnung des Befehlshabers vollziehen.

Aus der Art, wie der General von Hanneken mir diese angebliche dänische Äußerung übermittelte, ist zu schließen, daß er sich um eine "Lösung" dieser Art bemühen wird.

Heil Hitler!
[Ihr **Werner Best**]

44. Das Auswärtige Amt an OKM u.a. 10. September 1943

AA meddelte via Best, at forsøget på at sælge de to danske skibe "Egholm" og "Skåne", der lå oplagt i Lissabon, til portugisiske redere, ikke havde ført til noget, og at de ikke var blevet taget alvorligt fra dansk side. Den danske regering ville også have nægtet at give en salgstilladelse.

Se AA til OKM og OKW 27. oktober 1943.

Kilde: BArch, Freiburg, RM 7/1187. RA, Danica 628, sp. 7, nr. 5364.

Auswärtiges Amt *Berlin, den 10. September 1943*
Ha Pol II 2195/43

Betr.: Dänische Schiffe "Egholm" und "Skaane".
Im Anschluß an mein Schreiben vom 3. d.M. – Ha Pol II 2124/43 –.[77]

An
das Oberkommando der Kriegsmarine
– 1. Abteilung Seekriegsleitung –
den Reichskommissar für die Seeschiffahrt
das Oberkommando der Wehrmacht
– Sonderstab HWK –
z.Hd. von Herrn Kapitän z.S. Vesper
– je besonders –

Der Bevollmächtigte des Reichs für Dänemark in Kopenhagen, der angewiesen war, festzustellen zu lassen, ob die Meldung über angebliche Verkaufsverhandlungen zwi-

76 Her fortæller Best åbent, hvad han over for AA kun havde skrevet underforstået om. Se telegram nr. 1043, 10. september 1943.

77 Skrivelsen er med et uddrag af en indberetning fra den tyske gesandt i Lissabon 1. september, hvorefter det ikke var udelukket, at skibene "Egholm" og "Skaane" ville forsøge at overgå til fjenden, mens Bisse orienterede om tyske forsøg på at købe skibene. Gesandtskabet i København skulle undersøge, om der allerede var salgsforhandlinger i gang med de danske redere (BArch, Freiburg, RM 7/1187).

schen den dänischen Besitzern der nebenbezeichneten Schiffe und portugiesischen Reedern zutrifft, berichtet unter dem 9. d.M., daß abgesehen von früheren unverbindlichen Anfragen von portugiesischer Seite, die von den Dänen jedoch nicht als seriös empfunden und daher negativ beantworten seien, keine Verkaufsverhandlungen wegen dieser in Lissabon liegenden Schiffe mit Portugiesen geführt worden seien. Weiter berichtet der Bevollmächtigte des Reichs für Dänemark, daß auch von der Dänischen Regierung eine Verkaufserlaubnis verweigert werden würde.

Im Auftrag
Bisse

45. Lagebetrachtung des MOK Nord über dänischer Fischer in der Nordsee 10. September 1943

MOK Nord overvejede, hvordan man skulle forholde sig til de danske fiskere efter den ændrede politiske situation i Danmark. Hidtil var der blev lagt mest vægt på deres ernæringsmæssige betydning, og der var blevet set igennem fingre med, at de fiskede i områder, de ikke måtte. Nu måtte militære overvejelser indtage en større betydning. Det var 24. august observeret, at danske kuttere havde kontakt med englænderne på havet. Den siden gennemførte flyovervågning havde som resultat, at de tyske advarselsområder ikke blev respekteret af de danske fiskere. Det var 29. august blevet forbudt fiskerne at sejle ud for at undgå, at de flygtede til England. Der var imidlertid intet, der tydede på, at de ville forsøge at flygte. Ved genoptagelse af fiskeriet skulle der indføres tysk overvågning og kontrol, og det måtte under alle omstændigheder hindres, at der blev fisket i advarselsområderne.

På dette tidspunkt var de tyske lempelser af fiskeforbuddene blevet kendt blandt de danske fiskeskippere. Esbjerg Fiskeriforening meddelte 8. september, at chefen for den tyske kystbevogtning samme dag igen havde givet de hidtidige fiskeriområder fri i uindskrænket omfang. Tillige var det tilladt at passere igennem de forbudte områder for at fiske på Doggerbanke. Meddelelsen måtte dog trækkes tilbage, da den var hemmelig. Officielt ville man fra tysk side ikke tilkendegive, at man ville se igennem overskridelser af forbuddet (Hjorth Rasmussen 1980, s. 21f.).

Kilde: BArch, Freiburg, RM 7/1187. RA, Danica 628, sp. 7, nr. 5366f.

Abschrift

L a g e b e t r a c h t u n g
des MOK Nord über dänische Fischer in der Nordsee.

Mit Übernahme der vollziehenden Gewalt in Dänemark durch die deutsche Wehrmacht tritt erneut die Frage in den Vordergrund, welche Stellung gegenüber der Ausübung der dänischen Fischerei im Nordseegebiet einzunehmen ist.

Entscheidend hierfür sind zwei Fragen:
1.) die militärische
2.) die ernährungswirtschaftliche.

Bisher traten die militärischen Belange den ernährungswirtschaftlichen Forderungen gegenüber zurück, indem stillschweigend das Durchfahren dänischer Fischer durch das Minenwarngebiet in der deutschen Bucht zwecks Erreichen der Fischgründe auf der Doggerbank geduldet wurde.

Inzwischen hat erstmalig am 24.8.1943 die beobachtete Ansammlung einer größeren Anzahl von Motorfahrzeugen im deutschen Warngebiet selbst, unter denen neben dänischen Fischerfahrzeugen auch eine Anzahl bewaffneter Fahrzeuge erkannt wurden und die Feststellung, daß diese Fahrzeuge durch engl. Flugzeuge geführt bezw. gesichert wurden,[78] einen Anhalt für folgende Mutmaßungen ergeben:

1.) Ausnutzung der dänischen Fischer für engl. Seenotdienstzwecke.
2.) Agentenaustauch zwischen England und Dänemark zur Aktivierung der Sabotagetätigkeit.
3.) Systematische Arbeiten zum Erkunden und Herstellen minenfreier Wege durch das deutsche Warngebiet.

Die auf Grund dieser Feststellungen angesetzte verstärkte Luftaufklärung im Seegebiet zwischen 54 und 56 Grad Nord und 2 bis 7 Grad Ost in der Zeit vom 24.8. bis zum 28.8.43 hat ergeben, daß sich von insgesamt 63 erfaßten dänischen Fischerfahrzeugen allein 33 im, die restlichen 30 westlich des deutschen Warngebietes aufhielten. (siehe Anlage).[79] Ostwärts 6 Grad Ost, also innerhalb des eigentlich frei gegebenen dänischen Fischereigebietes wurde kein Fahrzeug gesichtet. Es steht somit fest, daß das deutsche Warngebiet weder gegen ein Durchfahren, noch – und das ist das Entscheidende – gegen ein Fischen mit Netzen im demselben irgend eine abschreckende Wirkung bei den dänischen Fischern ausübt.

Am 29.8. wurde auf Grund der Maßnahmen zur Übernahme der vollziehenden Gewalt die dänische Fischerei in Nordseegebiet aus Häfen der dänischen Westküste einschließlich Skagen vorsorglich gesperrt, um eine möglicherweise geplante Flucht nach England zu verhindern. Die Sicherstellung auch der in See befindlichen dänischen Fischerfahrzeuge war nur im beschränkten Umfange möglich. Die am 29. und 30.8.1943 durchgeführte Luftaufklärung erfaßte 68 dänische Fischerfahrzeuge, davon 20 im Warngebiet, 20 westlich und 28 ostwärts davon. (siehe Anlage 2).[80] Anzeichen, daß die Ereignisse in Dänemark von besonderem Einfluß auf die übliche Fangtätigkeit waren, hatten sich hierbei nicht ergeben. Zusammenfassend ist festzustellen, daß von insgesamt rund 800 für den Einsatz im Nordseebereich infrage kommenden dänischen Fischerfahrzeugen bisher etwa 100 in See befindliche nicht erfaßt und eine Kontrolle über sie nicht möglich ist.

Aus dem bisherigen Verhalten der dänischen Fischer und der neugeschaffenen innerpolitischen Lage in Dänemark ist der Beschluß zu ziehen, daß es notwendig ist, zur Wahrung der militärischen Belange vor Wiederanlaufen der dänischen Fischerei im Nordseegebiet diese mehr als bisher zu überwachen und zu kontrollieren. Gleichzeitig soll den ernährungswirtschaftlichen Forderungen weitestgehend Rechnung getragen werden. Die Kontrollmaßnahmen sollen sich daher sowohl auf die Kontrolle fischender dänischer Fischerfahrzeuge in den zugestandenen Fanggebieten als auch ggfs. auf ihre Kontrolle beim Fischen westlich des Warngebietes erstrecken. Ein Fischen im Warngebiet muß aus militärischen Gründen durch diese Kontrolmaßnahmen unter allen Umstände wirksam verhindert werden.

78 Se KTB/Skl 26. august 1943.
79 Bilaget foreligger ikke.
80 Bilaget foreligger ikke.

Vorbereitungen für die Einrichtung zweckmäßiger Kontrollmaßnahmen werden im Einvernehmen mit Admiral Dänemark beschleunigt in Angriff genommen und die Seekriegsleitung über die eigenen Absichten fernschriftlich unterrichtet.

46. Werner Best an das Auswärtige Amt 11. September 1943

Dagsrapporten indeholdt ud over oplysninger om et par småsabotager Bests fremstilling af de løbende sonderinger om dannelsen af en ny dansk regering, hvor han fremstillede en taktik, hvorefter der fra tysk side ikke skulle fremsættes ønsker med hensyn til regeringsdannelsen.

Han undlod at indberette, at han tidligere på ugen havde stillet UMs direktør, Nils Svenningsen, tyske forslag i udsigt, men nu var af en anden mening (Hæstrup, 1, 1966-71, s. 93, Rosengreen 1982, s. 33).

Kilde: PA/AA R 29.567. PKB, 13, nr. 431.

Telegramm

Kopenhagen, den	11. September 1943	16.30 Uhr
Ankunft, den	11. September 1943	18.40 Uhr

Nr. 1047 vom 11.9.[43.] Citissime!

Ich bitte, die folgenden Meldungen unverzüglich dem Herrn Reichsaußenminister zuzuleiten:

1.) In der Nacht vom 10. zum 11.9.1943 sind ein Kran in einem Güterbahnhof und ein Personenkraftwagen der Firma Citroen durch Sprengkörper beschädigt worden.[81] Die dänische Polizei hat in Groß-Kopenhagen 71 Personen wegen Übertretung des Nachtverkehrs festgenommen. Aus dem Lande sind keinerlei Vorfälle gemeldet. Der Befehlshaber der deutschen Truppen in Dänemark hat für den 10.9.1943 die Tagesmeldung erstattet: "Keine besonderen Ereignisse."

2.) Der kommissarische Leiter des dänischen Außenministeriums Direktor Svenningsen hat mir erneut über die dänischen Erwägungen wegen der Neubildung einer Regierung Bericht erstattet. Der Wunsch, wieder eine verfassungsmäßige Regierung zu bilden, scheint zu wachsen. Der Reichstag ist nicht zur Mitwirkung geneigt, solange sich noch Reichstagsabgeordnete in deutscher Haft befinden. Konkrete Vorschläge sind nicht vor Ablauf von 8-10 Tagen zu erwarten. Ich bleibe bei der Taktik, keine deutsche Meinung über die Regierungsfrage erkennen zu lassen und stereotyp zu antworten, daß ich auf dänische Vorschläge warte. Von den 31 verhafteten Reichstagsabgeordneten der konservativen Partei sind bis jetzt 10 nach eingehender Vernehmung entlassen worden, die übrigen Haftfälle werden normal weiter bearbeitet.[82]

Dr. Best

81 Der blev forøvet sabotage mod en lossekran på godsbaneterrænet ved Nørrebrogade og mod en lastbil i montagehallen hos Citroën. BOPA stod bag sabotagen mod lossekranen (Alkil, 2, 1945-46, s. 1220f., Kjeldbæk 1997, s. 467).

82 Alle de resterende konservative rigsdagsmedlemmer blev løsladt i løbet af efteråret. Best forklarede 4. september 1945, at så forholdsvis mange konservative blev interneret, fordi man regnede det konservative parti som det mest aktive (Frisch, 1, 1945-48, s. 403).

47. Rüstungsstab Dänemark: Schwierigkeiten in der Stromversorgung 11. September 1943

Der havde været problemer med strømforsyningen til det tyske mindretals produktionsvirksomheder, der arbejdede til fordel for den tyske rustningsproduktion. Det havde vist sig ikke at være et energiproblem, kul manglede ikke, men et belastningsproblem for højspændingsværket i Åbenrå. Problemet var blevet løst ved indførelse af toskiftsdrift. Dog gjaldt dette ikke for værfterne, for hvilke der måtte laves individuelle aftaler.

Se Rüstungsstab Dänemark 15. september 1943.

Kilde: BArch, Freiburg, RW 27/9. KTB/Rü Stab Dän 3. Vierteljahr 1943, Anlage 27.

Rüstungsstab Dänemark — Anlage 27
Abt. TB — *11.9.1943*

Schwierigkeiten in der Stromversorgung der Betriebe der Liefergemeinschaft der deutschen Berufsgruppen in Nordschleswig.

Durch die allgemeine in Dänemark vorgenommene Drosselung der Stromzufuhr, ist die restlose Ausnutzung der volksdeutschen Betriebe für die Zwecke der deutschen Rüstungswirtschaft erschwert.

Die Auftrageverlagerung über die Liefergemeinschaft hat sich als besonders geeignet erwiesen, weil

1.) die Ausnutzung auch kleiner und kleinster Kapazitäten ermöglicht wurde, die sonst der Rüstungsproduktion verloren gegangen wäre.

2.) Eine laufende Überwachung der Fertigung und eine kaufmännische und technische Beratung der Betriebe durch die volksdeutsche Organisation gewährleistet ist.

Die Liefergemeinschaft der deutschen Berufsgruppen in Nordschleswig hat errechnet, daß den insgesamt 400 bis 500 Betrieben gegenwärtig durch die Einschränkungsmaßnahmen *nur* 600.000 kWh jährlich zur Verfügung stehen, während sie unbedingt 1.000.000 kwh benötigen.

Durch eine Besprechung des Rü Stab Dän. im Hochspannungswerk Apenrade wurde festgestellt, daß die Energielage im Bezirk Apenrade und an der jütländische Nadelschienen gegenwärtig kein Kohlenproblem sondern ein Leistungsproblem ist. An Hand der Belastungskurven wurde festgestellt, daß die Morgenspitze im Gegensatz zu Deutschland außerordentlich breit ist und in die Zeit von etwa 7.30 h bis 12 h fällt. Das Hochspannungswerk Apenrade hat daher den kommunalen Elektrizitätswerken Anweisung geben müssen, den Strombezug für gewisse Stunden des Tages zu sperren. Die Betriebe werden in zwei Gruppen unterteilt, die wechselnd von Woche zu Woche die Elektromotoren in der Zeit von 14 h bis 20.30 h bezw. von 6 bis 12 h nicht benutzen dürfen.

Die nach der Neuregelung sich ergebende Belastungskurve zeigte einen gehörigen Einfluß dieser Maßnahmen, die Belastung lag in allen Fällen unter der maximal auszuführenden Leistung.

Das Elektrizitätswerk Apenrade erklärte, daß der erhöhte Strombedarf der Betriebe der Liefergemeinschaft gedeckt werden kann, wenn die Betriebe sich dem durch die Sperrzeiten vorgeschriebenen Zwei-Schichten-Betrieb anpassen.

Bei dieser Gelegenheit wies Rü Stab Dän. auf die Schwierigkeiten eines Zwei-Schichten-Betriebes in Fertigungen mit Außenarbeiten hin (Werften) bei denen eine Verdunklung nicht möglich ist und wo die Einführung des Schichtbetriebes einen Produktionsrückgang mit sich bringen muß. Das Elektrizitätswerk Apenrade sagte dem Rü Stab Dän. zu, in diesem Falle durch persönliche Verhandlungen mit den antragstellenden Firmen eine Sonderregelung in der Ausnahme von den Sperrbestimmungen zu finden, sodaß die volle Produktion aufrecht erhalten werden kann.

48. Walter Forstmann an Kurt Waeger 11. September 1943

Forstmann fandt efter få dage anledning til atter at orientere Waeger om situationen i Danmark. Sabotagernes antal var faldet betydeligt siden undtagelsestilstandens indførelse. Dertil var kommet den første henrettelse, store belønninger for oplysninger om sabotager, indførelse af udgangsforbud m.m. I virksomhederne blev der arbejdet i fuld ro og orden. Der var udstedt en forordning, der krævede, at danske firmaer påtog sig værnemagtsopgaver og en anden vedrørende beslaglæggelse af bygninger og lignende, der skulle tjene værnemagtens formål.

Samme indberetning med bilag blev sendt til Generalleutnant Becker, chef for Wehrwirtschaftsstab, OKW.

Kilde: BArch, Freiburg, RW 27/9 og 10 (til Becker). KTB/Rü Stab Dänemark 3. Vierteljahr 1943, Anlage 26.

Der Chef des Rüstungsstabes — *11.9.1943.*
850/43 geh. — Anlage 26.
Geheim

Chef Rü Stab Dän., Nr. 796/43 v. 23.8., 28.8. und 6.9.1943.[83]
Bericht über die Lage in Dänemark am 11.9.1943.

An den Chef des Rüstungsamtes des Reichsministers für Bewaffnung und Munition,
Herrn Generalleutnant Dr. Ing. e.h. Waeger,
Berlin – Charlottenburg 2,
Verl. Jebenstraße, Behelfsbau am Zoo.

Aus Anlage 1 geht hervor, daß die Sabotageakte seit der Verhängung des militärischen Ausnahmezustandes am 29.8.43 erheblich nachgelassen haben.

Ein Däne wurde wegen Sabotage zum Tode verurteilt und erschossen.[84] Es ist dies das erste Todesurteil bei Sabotage in Dänemark (Anlage 2).

Der Befehlshaber der deutschen Truppen in Dänemark hat eine hohe Belohnung ausgesetzt für zweckdienliche Mitteilungen über geplante Sabotagen oder die Angabe von Saboteuren (Anlage 3).[85]

Am 7.9.43 wurde abends 21.30 Uhr ein deutscher Wachtmeister hinterrücks erschossen, was zu einer Verschärfung der allgemeinen Lage beitrug. Die öffentlichen Lokale, Theater und Kinos etc. schließen um 21 Uhr, ab 20 Uhr ist das Radfahren und ab

83 Alle trykt ovenfor.

84 Poul Edvin Kjær Sørensen blev henrettet 28. august 1943 (*Faldne i Danmarks frihedskamp*, 1970, s. 429f.).

85 Bekendtgørelsen er trykt på dansk hos Alkil, 2, 1945-46, s. 847.

22 Uhr bis morgens 5 Uhr das Betreten der Straße verboten (Anlage 4).[86]

In den Betrieben wird in voller Ruhe und Ordnung gearbeitet. Durch die Verordnung des Befehlshabers der deutschen Truppen in Dänemark vom 4.9.43, betr. Lieferung und Leistung dänischer Firmen für die deutsche Wehrmacht in Dänemark, (Anlage 5) ist festgelegt worden, daß alle dänischen Firmen im Rahmen der erreichbaren Leistungs- und Lieferungsmöglichkeit Aufträge des Rüstungsstabes Dänemark anzunehmen und ohne Verzug auszuführen haben.[87]

Eine Verordnung betr. Beschlagnahme von Gebäuden und Liegenschaften (Anlage 6) bestimmt, daß zur Sicherstellung der von der deutschen Wehrmacht im Lande zu erfüllenden Aufgaben, diese berechtigt ist, ggf. Gebäude und Liegenschaften zu beschlagnehmen.[88]

In Berichtigung des Schreibens vom 6. ds.Mts. wird gemeldet, daß von den Vorgängen am 29.8.43 nicht 15 sondern 23 Dänen gefallen sind. Aus Anlage 7 ist ersichtlich, in welchen Städten diese Verluste eintraten.

Forstmann

7 Anlagen[89]

Anlage 1

Betr.: Sabotagehandlungen in der Zeit vom 30.8.-10.9.1943.

30.8.43. 23.25 Uhr:
Fa A/S Glostrup, Chemische Werke, Glostrup, Vibeholmsvej 16:
Brand in einem kleinen Kontorraum, der sofort gelöscht werden konnte. Firma arbeitet für die deutsche Wehrmacht.[90]

31.8.43. 14.00 Uhr:
Motorschiff "Vedby":
Es explodierte auf dem dänischen Motorschiff, das an der Havnegade im Nyhavn liegt, zwei Sprengbomben und zwar eine im Achterschiff unter der Wasserlinie und die andere im vorderen Teil des Schiffes über der Wasserlinie. Deutsche Interessen wurden nicht berührt.[91]

2.9.43. 0.50 Uhr:
Sprengstoffanschlag gegen die Eisenbahnstrecke Silkeborg-Langaa:
Bei der Station Resenbro mehrere Sprengungen. Die Strecke wurde vorübergehend gesperrt.[92]

86 Se Bests telegram nr. 1034, 9. september 1943.
87 Bekendtgørelsen er trykt på dansk hos Alkil, 2, 1945-46, s. 845.
88 Bekendtgørelsen er trykt på dansk hos Alkil, 2, 1945-46, s. 844.
89 Kun bilag 1 er medtaget.
90 Hos Alkil, 2, 1945-46, s. 1220 henføres sabotageforsøget 31. august.
91 Sabotagen blev foretaget af BOPA (Kjeldbæk 1997, s. 467).
92 Se Bests telegram nr. 1005, 2. september 1943.

2.9.43. 4.00 Uhr:
Fa. Ambi. Kopenhagen, Ryesgade 60:
Sabotageversuch: Saboteure wurden vom Werkschutz überrascht, konnten aber entkommen. Kein Schaden entstanden.[93]

2.9.43. 23.25 Uhr:
Sb. Akt an 3 Transformatoren:
Die Transformatoren am Finsensvej 106, Flintholms Allé und Anne Katrinevej 30 wurden gesprengt. (Die Fa. Nordvärk wurde hauptsächlich betroffen.)[94]

5.9.43. 16.10 Uhr:
Metallwarenfabrik G. Johansen, Kopenhagen, Nörrebro
Eine Bombe wurde geworfen, die nicht zur Explosion kam. Schaden ist nicht entstanden. Firma arbeitet für die deutsche Wehrmacht.[95]

5.9.43. 18.40 Uhr:
Villa in Söborg, Sönderdalen 10:
Explosion einer Sprengbombe im Keller, wodurch das Haus zum Teil eingestürzt ist. Besitzer hat Radioapparate u. -Artikel an Italien geliefert.[96]

8.9.43. 23.30 Uhr:
Transformator in Odense, Gröndalsgade:
Eine kleine Bombe explodierte, richtete aber keinen Schaden an.[97]

9.9.43. 22.50 Uhr:
Seifenfabrik N.N. Blumensadt, Odense:
Starke Explosion durch Brandbombe, außerdem wurde eine weiter Bomben gefunden, die nicht zur Explosion kam. Brandschaden entstand nicht, Sachschaden ist noch nicht festgestellt. Die Fabrikation erlitt keine Störung.[98]

10.9.43:
Citroën Automobilen Akts., Kopenhagen, Sydhavnsg. 16:
Es wurde ein Spezialwagen der Luftwaffe durch Sprengung des Zylinders beschädigt.[99]

93 Det var BOPA, der stod for sabotageforsøget, som Kjeldbæk 1997, s. 467 henlægger til 4. september.

94 Det var Holger Danske, der foretog sprængningerne (Kieler, 2, 1993, s. 149, 151, Birkelund 2008, s. 671). Forstmann lod udarbejde en særlig beretning om afbrydelsen af strømmen til Nordværk og om, hvordan forsyningen få dage senere blev genoprettet (BArch, Freiburg, RW 27/9. KTB/Rü Stab Dän 3. Vierteljahr, Anlage 19). Se endvidere Rüstungsstab Dänemark: Lagebericht 30. september 1943.

95 Jfr. Alkil, 2, 1945-46, s. 1220.

96 Det var fabrikant Tybrings villa og fabrik, der blev saboteret af BOPA. Skaden androg 59.000 kr. (Kjeldbæk 1997, s. 467).

97 Jfr. Alkil, 2, 1945-46, s. 1220.

98 Jfr. Alkil, 2, 1945-46, s. 1220.

99 Jfr. Alkil, 2, 1945-46, s. 1220.

10.9.43. 21.30 Uhr:
Nörrebro Güterbahnhof:
Es wurde ein 20 to Kran der dän. Staatsbahn durch eine Sprengladung erheblich beschädigt.[100]

49. Hans Fritzsche an Heinrich Gernand 12. September 1943

På grund af oplysninger fra Best om radiosituationen i Danmark var det i RMVP besluttet at indstille de hidtidige danske udsendelser over stationerne i Bremen og Friesland. Til gengæld blev Gernand bedt om at udvirke, at Best indså nødvendigheden af, at de nemmest modtagelige radiosendere i Danmark mindst en gang om ugen bragte en udsendelse med et væsentligt tema fra Berlin.

Se Deutsche Rundfunk-Arbeitsgemeinschaft til RMVP 20. september 1943.

Kilde: RA, Danica 465: Moskva, Osobyj Archiv, 1363/1/163/143.

Zweite Ausfertigung.

Leiter Rundfunk im R.M.f.V.u.P.[101] *Berlin, den 12. Sept. 1943*

Herrn Gesandtschaftsrat Gernand
Kopenhagen

Die Reichsrundfunkgesellschaft hat aufgrund der meinem Sachbearbeiter für den Auslandsrundfunk, Referent Noack, vom Reichsbevollmächtigten, SS-Obergruppenführer Best, gegebenen Erläuterungen zur Rundfunklage in Dänemark die Anweisung erhalten, die bisherige dänische Sendung über die Sender Bremen und Friesland einzustellen. Es besteht nunmehr der Wunsch, wöchentlich einmal in einer viertelstündigen Sendung von Berlin aus den dänischen Rundfunk benutzen zu können.

Ich bitte Sie, einen entsprechenden Antrag dem Reichsbevollmächtigten vorzutragen und als Begründung die Notwendigkeit darzustellen, über die in Dänemark am besten zu hörenden Sender wenigstens einmal in der Woche zu einem wesentlichen Thema von Berlin aus Stellung nehmen zu können.

Heil Hitler!
gez. **Fritzsche**

50. Werner Best an das Auswärtige Amt 13. September 1943

Best anmodede om en forhøjelse af sin bevilling med den begrundelse, at de civile besættelsesomkostninger ville stige i takt med fremsendelsen af tysk politi, øget efterretningsvirksomhed, brug af danske hjælpere m.m. Han opgav ingen beløbsstørrelse,[102] men foreslog til gengæld under hvilken form, udgiftsforhøjelsen skulle dækkes, idet han indførte begrebet "civile besættelsesomkostninger" og ønskede, at der skulle rettes henvendelse til den danske regering om at få forskud hertil på samme måde, som de militære besættelsesomkostninger blev dækket.

100 BOPA stod for sprængningen af lossekranen (Kjeldbæk 1997, s. 467).
101 Reichsministerium für Volksaufklärung und Propaganda.
102 Det havde han gjort i telegram nr. 1001, 1. september: 2 mio. kroner.

Den 16. september rykkede han for svar (telegram nr. 1073, trykt nedenfor. Rosengreen 1982, s. 42, 44).

Best lod telegrammet afsende uden foregående konsultation med sin finansrådgiver Heinrich Esche, der først hørte om det derefter og straks kontaktede RFM, hvor der 15. september blev lavet et notat om forslaget, som Christian Breyhan telefonisk gik videre med til gesandtskabets anden finansrådgiver Hans Clausen Korff i Oslo 22. september (notat 15. og 23. september 1943 i BArch, R 2 11.598 og RA, Danica 201, pk. 81, læg 1083). Korff rekapitulerede i en skrivelse til Breyhan 24. september indholdet af deres samtale, trykt nedenfor.

RFMs repræsentanters aktivitet skyldtes ikke alene Bests egenrådighed i denne sag, men også at de var fundamentalt uenige i den valgte fremgangsmåde. Bests motiv til sin handlemåde synes også klar, nemlig at han på den måde ville søge at sikre sig, at det tyske politi finansielt kom under hans kontrol, hvilket var en måde at foregribe beslutningen om, hvem tysk politi i sidste ende skulle sortere under.

Kilde: PA/AA R 29.567. BArch, R 901 113.555. RA, pk. 203. LAK, Best-sagen (på dansk).

Telegramm

Kopenhagen, den	13. September 1943	12.40 Uhr
Ankunft, den	13. September 1943	13.15 Uhr

Nr. 1051 vom 13.9.[43.]

Ich bitte, den folgenden Bericht unverzüglich dem Herrn Reichsaußenminister zuzuleiten:

Die Ausgaben des Reichsbevollmächtigten in Dänemark sind bisher devisenmäßig aus Kronenbeträgen bestritten worden, die dem Auswärtigen Amt über das Devisenkonto IV zur Verfügung gestellt wurden. – Diese Kronenbeträge werden in Zukunft keinesfalls mehr ausreichen. Für die persönlichen und sachlichen Ausgaben der nach Dänemark zu entsendenden deutschen Polizeikräfte, für nachrichtendienstliche Zwecke, für dänische Hilfskräfte und für andere im Reichsinteresse notwendige Zwecke werden beträchtliche Mehrbeträge an Kronen benötigt werden. Diese Beträge werden in ähnlicher Weise wie die Kosten der militärischen Besatzung wechseln. Ihre voraussichtliche Höhe wird jeweils nur für einen verhältnismäßig kurzen Zeitabschnitt – etwa für ein Vierteljahr – vorausbestimmt werden können. – Es erscheint deshalb zweckmäßig, diese Mehrbeträge an Kronen nicht durch eine Erhöhung des Devisenkontos IV, sondern in gleicher Weise wie die Kosten der militärischen Besatzung zu beschaffen. Ich schlage vor, daß in Dänemark der Begriff "zivile Besatzungskosten" eingeführt und daß von der dänischen Regierung hierfür Vorschüsse in gleicher Weise wie für die militärischen Besatzungskosten gefordert werden, und bitte um Ermächtigung, diese Forderung an die dänische Regierung zu richten.

Dr. Best

51. Werner Best an das Auswärtige Amt 13. September 1943

I forbindelse med sin dagsrapport fortalte Best, at han havde foreslået von Hanneken indførelse af spærretid, udlovning af store dusører for oplysninger, der kunne føre til pågribelse af sabotører, og at det skulle bekendtgøres, at de internerede soldater ikke ville blive frigivet, så længe sabotagen pågik.

Forslagene, der alle ville være særdeles upopulære, var nok et led i den rigsbefuldmægtigedes nye politiske linje, de allerede internerede soldater skulle bruges som gidsler, mens de civile danskere, der var interneret, ikke blev nævnt med et ord. Dem ønskede Best ikke inddraget, ligesom de øvrige foreslåede foranstaltninger ikke var nye. Der var klare grænser for, hvor meget han ønskede at skærpe de tyske foranstaltninger (Rosengreen 1982, s. 42).

Kilde: PA/AA R 29.567. RA, pk. 203.

Telegramm

Kopenhagen, den 13. September 1943 12.45 Uhr
Ankunft, den 13. September 1943 13 40 Uhr

Nr. 1052 vom 13.9.[43.] Citissime!

Ich bitte, die folgenden Meldungen unverzüglich dem Herrn Reichsaußenminister zuzuleiten:

1.) Am 12. September und in der Nacht vom 12. zum 13. September 1943 haben sich in Dänemark die folgenden Vorfälle ereignet:[103]
   a.) In Kopenhagen Sabotageakte in einer Metallwarenfabrik, in einer Maschinenfabrik und auf einem Zimmerplatz.[104]
   b.) In Jütland eine Telefonleitung an 3 Stellen durchschnitten und 26 Isolierköpfe abgeschlagen.
   c.) In Viby Explosion eines Sprengkörpers vor einer Mechanikerwerkstatt (ohne Schaden).[105]
   d.) Großkopenhagen 35 Personen von der dänischen Polizei wegen Übertretung des Nachtverkehrsverbotes festgenommen.
2.) Wegen der Sabotageakte in Großkopenhagen habe ich dem Befehlshaber der deutschen Truppen in Dänemark die Vorverlegung der Nachtsperrstunde von 22 Uhr auf 21 Uhr vorgeschlagen. Im übrigen habe ich ihm vorgeschlagen, aus den Besatzungskosten hohe Geldbelohnungen für die Anzeige von Saboteuren auszuloben[106] und durch eine Verlautbarung darauf hinzuweisen, daß die Angehörigen der dänischen

103 Best er her begyndt at meddele andre detaljer om dagens hændelser end von Hanneken i Tagesmeldung for 13. september til OKW (RA, Danica 1069, sp. 4, nr. 6113).

104 Det var BOPA, der stod bag alle tre aktioner og yderligere en den nat: mod Emmeches Maskinfabrik, Grundtvigsvej 23, mod A/S Petersen & Wraaes Maskinfabrik, Heimdalsgade 32, mod Brdr. Hansens Maskinfabrik, Sundkrogsgade 15 og mod en tømmerhandel, Roskildevej 71 (Larsen 1982, s. 53-55, Kjeldbæk 1997, s. 467).

105 Det var i automekaniker Hørlycks værksted (Alkil, 2, 1945-46, s. 1221).

106 Der blev i forvejen udlovet store dusører fra tysk side for oplysninger, der kunne føre til pågribelse af gerningsmændene bag attentater mod medlemmer af værnemagten. Der blev udlovet 25.000 kr. den 8. september og 50.000 kr. den 21. september (via dansk politi) efter et attentat begået 18. september (Alkil, 2, 1945-46, s. 854f.).

Restwehrmacht nicht aus der Internierung entlassen werden, solange solche Vorfälle im Lande stattfinden.

3.) Die Tagesmeldung des Befehlshabers der deutschen Truppen in Dänemark für den 12. September 1943 lautet:

"In Kopenhagen bei 2 Maschinenfabriken Sabotageakte mit größerem Sachschaden. Ein Sabotageakt in Fünen, desgleichen 2 Sabotageakte auf Jütland mit unbedeutenden Sachschäden.

Sonst keine besonderen Vorkommnisse."

Dr. Best

52. Carl von Loesch an Eberhard von Thadden 13. September 1943

Legationsråd von Loesch fra Büro RAM bad von Thadden om afdeling Inland IIs holdning til en løsning af jøde- og frimurerproblemet i Danmark. Afdeling Protokoll skulle inddrages.

Von Thadden svarede den følgende dag (Yahil 1967, s. 132).

Kilde: PA/AA R 100.864.

Büro RAM zu Inl. II 2558 g

Herr LR von Thadden – Inland II – vorgelegt.

Büro RAM Westfalen bittet zu der Angelegenheit der Lösung der Juden- und Freimaurerfrage in Dänemark um eine Stellungnahme der Abt. II, wobei gegebenenfalls Abteilung Protokoll zu Beteilung wäre.

Berlin, den 13. September 1943

Loesch

53. 416. Infanterie Division: Festnahme abgesprungener feindlicher Agenten 13. September 1943

I anledning af de i den senere tid gentagne nedkastninger af materiel og agenter skulle der i otte nordjyske byer opstilles motoriserede særkommandoer, der skulle søge at pågribe agenterne og deres modtagegrupper. Der blev givet detaljerede anvisninger for, hvordan særkommandoerne skulle forholde sig.

Særkommandoerne blev ophævet med virkning fra 29. november 1943. Nogen begrundelse blev ikke givet, men det skete sandsynligvis efter det større antal tyske politifolks ankomst (ordre af 28. november 1943 (RA, Danica 201, pk. 66, læg 874, RA, Danica 1069, sp. 5, nr. 6271). Der var også i foråret 1943 opstillet særkommandoer i Nordjylland med samme formål, se von Bodenhausen 27. maj 1943.

Kilde: RA, Danica 201, pk. 66, læg 874.

Geheime Kommandosache Anlage 13

416. Infanterie Division *Div.St.Qu., den 13.9.1943.*

Abteilung Ic/Br. B. Nr. 811/43 g.Kdos. Geheime Kommandosache!

37 Ausfertigungen

37. Ausfertigung

Betr.: Festnahme abgesprungener feindlicher Agenten, Sicherstellung von abgeworfenem Agenten-Material.
Anl.: – 1[107] (offen) –

Es ist in letzter Zeit wiederholt vorgekommen, daß feindliche Flugzeuge Material und Agenten absetzen. Das abgeworfene Material wird von dänischen Kommandos in Empfang genommen. Vor kurzem konnte ein derartiges Kommando – aus 10 Mann bestehend, die mit Pistole ausgerüstet waren und eine Lkw. zur Verfügung hatten – an der Abwurfstelle gefaßt werden.

Die Division hat zur Festnahme abgesprungener feindlicher Agenten und zur Sicherstellung des abgeworfenen Materials motorisierte Sonderkommandos an folgenden Plätzen aufgestellt:

Giver
Rebild
Trölstrup
Hobro
Hammerskoj
Randers
Viborg
Skive

Der Einsatz dieser Sonderkommandos gegen die jeweils gemeldeten Abwurfstellen erfolgt durch die Flukos Aalborg bzw. Aarhus in Zusammenarbeit mit der Division. Die Kommandos haben Sonderanweisungen.

Da das Abfangen der Abholkommandos und das Auffinden der *Abwurfstellen* äußerst schwierig ist, muß weiter versucht werden, die das Material abfahrenden Fahrzeuge beim Einfahren in ihren Standort zu fassen. Hierzu sollen die nahe dem vermutlichen Abwurfgebiet liegenden Orte gesperrt werden. Mit der Vorbereitung und Durchführung derartiger Sperrmaßnahmen werden die Abschnitts-Kommandeure zunächst für die Standorte

Frederikshavn, Hjörring, Brönderslev, Aalborg, Hobro, Hadsund, Viborg, Nyköbing, Holstebro, Thisted und Skive beauftragt.

Die Absperrung ist nach folgenden Richtlinien vorzubereiten und vorzunehmen:

1.) Bei dem Einsatz der Sperrmannschaften ist grundsätzlich äußerste Eile geboten. Die aufzustellenden Posten müssen daher alarmbereit und beweglich sein. Befehlsübermittlung ist sicherzustellen.
2.) Dir Auslösung der oben angeordneten Maßnahmen erfolgt durch die Division durch das Stichwort: "Susi kommt" unmittelbar für die Standorte, in deren Nähe Abwurf wahrscheinlich ist. Die Standortältesten haben die Heeresvermittlungen in Hjörring, Aalborg, Hobro, Viborg, Holstebro und Thisted zu voranlassen, auf Durchgabe des Stichwortes den zuständigen Diensthabenden (O.v.D., U.v.D.) des StOÄ *sofort* zu benachrichtigen. Die Division wird über den Nachr. Bereichsführer die Heeresvermittlungen unterrichten. In den Standorten Brönderslev, Hadsund, Nyköbing

107 Trykt nedenfor.

sind die Standort-Vermittlungen entsprechend anzuweisen. Bezüglich Frederikshavn wird K.i.A. Nord ersucht, der Marine-Vermittlung entsprechende Anordnung zu erteilen.

3.) Zu sperren sind alle in den Ort führenden Straßen.

4.) *Stärke der Posten:* An jedem Eingang mindestens 1 Uffz., 4 Mann.

5.) *Ausrüstung:* M.P. und Karabiner

6.) *Wachzeit:* Die Posten sind erst nach Tagesanbruch einzuziehen, Ablösung der Posten kann daher erforderlich sein.

7.) *Anweisung der Posten:* Die Posten haben die Aufgabe, sämtliche in den Ort einfahrenden Fahrzeuge anzuhalten und auf Agenten bzw. Agenten-Material zu durchsuchen. Falls Material gefunden wird, ist das Begleitkommando festzunehmen und das Fahrzeug zunächst zu beschlagnahmen
Auf Befehl 416. Inf. Div. Abt. Ic off. v. 18.3.43 (s. Anlage) wird hingewiesen.

8.) *Anweisung für beschlagnahmtes Material:* Beschlagnahmtes Material (z.B. Abwurfbehälter aus Metall oder Stoff an Fallschirmen bezw. Einsätze aus den Abwurfbehältern) ist vom Standortältesten sicherzustellen.

9.) *Meldungen:* Beschlagnahme von Material bezw. Festsetzung von Agenten oder dänischen Helfershelfern ist der Division (Offz. v. Dienst) *sofort* fernmündlich unter dem Stichwort: "Susi eingetroffen" zu melden. Schriftlicher Bericht ist nachzureichen. Alle anderen *fernmündlichen* Durchsagen haben möglichst zu unterbleiben.

T. Die Abschnitte melden *zum 25.9.1943* die Durchführung der Vorbereitungen. Der Meldung ist ein Sperrplan der angegebenen Orte beizufügen.

Gemachte Erfahrungen und Vorschläge sind der Division einzureichen.

Um zu verhüten, daß die Agenten unmittelbar oder durch Abhören von Ferngesprächen Kenntnis von diesen Anordnungen erhalten, sind fernmündliche Aussprachen hierüber grundsätzlich verboten.

Im Entwurf:
(gez.) **Pflieger**

F.d.R.
[underskrift]
Oblt. u. Ic.
Verteiler: Nur im Entwurf.

Anlage (offen) zu 416. Inf. Div.,
Abt. Ic Br. B. Nr. 811/43 g.Kdos.
vom 13.9.1943.

Abschrift.

416. Infanterie Division *Div.St.Qu., den 18.3.1943.*
Abt. Ic

Betr.: Verhalten von Posten und Streifen in Spannungszeiten.

In *normalen* Zeiten sind nur dänische Polizisten befugt, Zivilpersonen auf Ausweise zu prüfen.

In *Spannungszeiten*, also bei Wachverstärkung oder Bereitschaftsstufen, sowie bei Fahndung nach Flüchtlingen oder im Umkreis abgesetzten Feindagenten gilt folgende Regelung: Können dänische Polizisten auf Anforderung von den Polizeimeistern nicht als Begleiter gestellt werden, so haben deutsche Posten und Sicherheitsstreifen selbständig jeden verdächtig erscheinenden Zivilisten anzuhalten und dessen Ausweis zu prüfen. Sich weigernde Zivilisten sind zur nächsten dänischen Polizeistation zu bringen, wo Einsicht in die Ausweise zu fordern ist. Verhalten der Posten und Streifen: höflich, aber bestimmt,, gegebenenfalls Anwendung von Gewalt. Jede Schikane ist zu vermeiden.

Grundsatz: In Zeiten erhöhter Gefahr ist die Wehrmacht zu jeder Maßnahme befugt, die der schnellen Abwendung der Gefahr und der wirksamen Sicherung des betreffenden Abschnittes dient.

Im Entwurf:
gez. **Brabänder**

F.d.R.d.A.
[underskrift]
Oberlt. u. [...]

54. Werner Best an das Auswärtige Amt 14. September 1943

Best forespurgte, om der i anledning af Christian 10.s fødselsdag kunne udgives et frimærke af denne iført garderuniform.

Svartelegrammet er ikke lokaliseret, men et sådant frimærke udkom ikke.
Kilde: PA/AA R 29.567. RA, pk. 203.

Telegramm

Kopenhagen, den	14. September 1943	17.40 Uhr
Ankunft, den	14. September 1943	19.00 Uhr

Nr. 1056 vom 14.9.[43.] Citissime!

Ich bitte, den folgenden Bericht unverzüglich dem Herrn Reichsaußenminister zuzuleiten:

Die dänische Postverwaltung hat zum Geburtstag des Königs am 26.9.1943 die Herausgabe einer Marke vorbereitet, die den König in Gardeuniform darstellt. Da nach den Äußerungen des Herrn Reichsaußenministers in seinen letzten Besprechungen mit mir jede Berücksichtigung und Hervorhebung des dänischen Königs unerwünscht ist, andererseits aber eine legale dänische Regierung nur mit seiner Mitwirkung geschaffen werden kann, bitte ich um Entscheidung, wie zu solchen Ehrungen des König anläßlich seines Geburtstags (öffentliche Veranstaltungen und Kundgebungen scheiden nach der Sachlage selbstverständlich aus) Stellung zu nehmen ist.

Dr. Best

55. Werner Best an das Auswärtige Amt 14. September 1943

Ud over sabotagetilfældene kunne Best bl.a. fortælle, at SS-Sturmbannführer Karl Heinz Hoffmann var kommet til København og ville blive fulgt af ca. 200 politifolk.

Hoffmann blev chef for Gestapo i Danmark (om ham Lundtofte 2003 og samme i *Hvem var Hvem 1940-1945*, 2005, s. 154f.).

Kilde: PA/AA R 29.567. RA, pk. 203 og 233.

Telegramm

Kopenhagen, den	14. September 1943	17.35 Uhr
Ankunft, den	14. September 1943	19.00 Uhr

Nr. 1058 vom 14.9.[43.] Citissime!

Ich bitte, die folgenden Meldungen unverzüglich dem Herrn Reichsaußenminister zuzuleiten:

1.) Aus der Nacht vom 13. zum 14.9.1943 sind die folgenden Vorfälle gemeldet worden:
   a.) In Kopenhagen sind eine Autoreparaturwerkstatt und ein Lager mit Reservetransformatoren durch Sprengung zerstört worden.[108]
   b.) In Odense ist ein Schuppen, in dem Lastkraftwagen des dänischen Heeres untergestellt sind, durch einen Sprengkörper unerheblich beschädigt worden.
   c.) In und bei Aalborg erfolgten Sabotageversuche an einer Baggermaschine sowie mehrere Sprengungen an Bahngleisen.[109]
   d.) In Kopenhagen sind von der dänischen Polizei 30 Personen wegen Übertretung des Nachtverkehrsverbotes festgenommen worden.
   e.) In Kopenhagen sind von meinen Vollzugsbeamten 5 Gruppen (je 2–3 Mann) von Flugblattverteilern festgenommen worden.
2.) Der Befehlshaber der deutschen Truppen in Dänemark hat für den 13.9.1943 die folgende Tagesmeldung erstattet:
   "In Kopenhagen drei Sabotageakte gegen Firmen, die ganz oder teilweise für deutsche Wehrmacht arbeiten. Die bisher erfaßten dänischen Waffenbestände zeigen klar, daß dänisches Oberkommando sich nicht an Abmachungen gehalten hatte. Nach noch nicht abgeschlossenen Feststellungen sind über die zugelassenen Bestände mehr vorhanden: Rund 20.000 Gewehre, 8 mm, 2.300 Pistolen 9 und 11 mm.
   97 Geschütze verschiedenen Kalibers. Die Zahl an Überständen dürfte sich noch erhöhen. – Sonst keine Besonderen Vorkommnisse."
3.) Der Befehlshaber der deutschen Truppen in Dänemark hat für Großkopenhagen die Nachtsperrstunde auf 21.00 und für Aalborg auf 20.00 Uhr vorverlegt.
4.) Der dänische Gesandte in Lissabon Boeck hat an das dänische Außenministerium

108 Det var BOPA, der rettede sabotage mod Autofirmaet Skovgaard-Mortensen, Ålekistevej 150 (Kjeldbæk 1997, s. 467).

109 Der blev forøvet sabotage mod en bygning og bedding i Vester Bådehavn; desuden sprængtes en vandkran på Ålborg havn (Alkil, 2, 1945-46, s. 1221, Trommer 1971, s. 73).

das folgende Telegramm gerichtet:[110]

"Die portugiesische Regierung hat erklärt, mich weiterhin als diplomatischen Vertreter S.M. des Königs in Portugal anerkennen zu wollen. Ich betrachte mich selbst als solcher und wünsche aufs neue meine unerschütterliche Loyalität gegenüber Seiner Majestät auszusprechen. In Anbetracht dessen, daß der unkonstitutionelle Zustand, der Dänemark aufgezwungen wurde, ständig andauert, muß ich mir indessen, solange dieser Zustand fortgesetzt wird, vorbehalten zu beurteilen, wie weit die Instruktionen, die mir zugehen sollten, solcher Art sind, daß sie mir auch von einer freien und konstitutionellen dänischen Regierung erteilt worden waren, und im entgegengesetzten Fall Ihre Befolgung unterlassen."

5.) Heute ist der SS-Sturmbannführer Regierungsrat Hoffmann vom Reichssicherheitshauptamt hier eingetroffen, um für etwa 200 Beamte der deutschen Sicherheitspolizei, die in den nächsten Tagen nach Dänemark kommen werden, Unterkünfte und Diensträume bereitzustellen.[111]

Dr. Best

56. Eberhard von Thadden: Aufzeichnung 14. September 1943

Von Thadden tilsluttede sig RSHAs opfattelse, at det eneste mulige tidspunkt for en aktion mod de danske jøder inden for en overskuelig fremtid var nu, men henviste samtidig til de tungtvejende politiske betænkeligheder fremstillet af von Grundherr.

Thaddens indstillinger blev uden betydning, da den endelige beslutning allerede var blevet truffet, hvorfor notatet fik påskriften, at den sagligt var overhalet, da der allerede var truffet en beslutning (Yahil 1967, s. 132f., Rosengreen 1982, s. 50, Herbert 1996, s. 366). Forløbet af denne beslutningsproces blev taget op i AA i oktober i forbindelse med, at selve jødeaktionens resultat blev undersøgt. Se von Thadden til Wagner 6. og 12. oktober 1943. Optegnelsen er imidlertid vigtig, da den som påpeget først af Yahil godtgør, at forslaget om jødeaktionen kom som en overraskelse i AA, og at såvel von Thadden som RAM blev taget på sengen. Endvidere at von Thadden havde kontaktet den relevante medarbejder i RSHA (Eichmann) for at høre hans mening. Det tyder, som også påpeget af Yahil, ikke på, at initiativet til aktionen var udgået fra RSHA.

Kilde: PA/AA R 100.864.

Ref.: LR v. Thadden zu Inl. II 2558 g
Geheim

Inl. II im Einvernehmen mit den zuständigen Bearbeitern des Reichssicherheitshauptamtes hält den gegenwärtigen Zeitpunkt für den einzig möglichen, wenn eine Lösung der Juden- und Freimaurerfrage in Dänemark in absehbaren Zeit erzwungen werden soll.

Hinsichtlich der nach Ansicht der Pol. Abteilung jedoch gegen eine Zwangslösung

110 Jfr. Svenningsen 1970, s. 232.

111 Gestapo indrettede sig i forretningsejendommen Dagmarhus på hjørnet af Vestre Boulevard og Jernbanegade i København. Ejendommen var blevet benyttet af besættelsesmagten fra april 1940. I marts 1944 flyttede Gestapo til Shellhuset, mens Best med sin administration forblev i det stærkt befæstede Dagmarhus (Lundtofte 2003, s. 39f.).

sprechenden schwerwiegenden politischen Bedenken wird auf die abschriftlich beigefügte Stellungnahme von Herrn Gesandten v. Grundherr verwiesen.[112]

Hiermit dem Büro RAM weisungsgemäß wieder vorgelegt.

Berlin, den 14. September 1943

Thadden

Sachl. überholt. Entspr. Weisung bereits ergangen.

57. Joachim von Ribbentrop an die Gesandtschaft in Helsinki 14. September 1943

Ribbentrop tog kraftigt til genmæle mod den kritik, der i Finland havde været af den tyske fremfærd i Danmark 29. august 1943. Han havde i Finland forventet at finde forståelse for den tyske situation, når kommunister og engelske agenter organiserede strejker, sabotager og angreb på den tyske værnemagt. Det var nu op til den danske befolkning selv, om de indførte foranstaltninger skulle ophæves igen.

AA var sårbare for den finske kritik, da man i Finland fortsat betragtede den tyske fremfærd i Danmark som test for den behandling, der kunne blive alle de nordiske lande til del ved en fremtid under tysk overherredømme (Ahtola Nielsen 2002, s. 204f. med referater af den tyske gesandt Blüchers telegrammer fra Helsingfors til AA).

Kilde: ADAP/E, 6, nr. 319.

Telegramm

"Wolfsschanze," den	14. September 1943	16.25 Uhr
Ankunft, den	14. September 1943	17.50 Uhr

Ohne Nummer vom 14.9.[43.]
Nur als Verschlußsache zu behandeln

Auf Telegramm Nr. 1854 vom 8.9.[113]

Ich bitte Sie, jede Gelegenheit zu benutzen, um der finnischen Kritik an unserem Vorgehen in Dänemark mit größtem Nachdruck entgegenzutreten und eine derartige Kritik in schärfster Form zurückzuweisen. Man sollte annehmen, daß man gerade in Finnland Verständnis dafür hat, daß wir es nicht ruhig hinnehmen können, wenn es in Dänemark nicht nur zu Streiks und Sabotageakten, sondern in wiederholten Fällen zu direkten tätlichen Angriffen auf die deutsche Wehrmacht gekommen ist. Alle diese Erscheinungen sind plötzlich Mitte August d.J. eingetreten, da es englischen und kommunistischen Agenten gelungen ist, kommunistisch gesinnte Kreise in Dänemark zur Auflehnung gegen die deutsche Wehrmacht zu verleiten. Die dänische Regierung zeigte sich außerstande, den früheren Zustand wiederherzustellen. Es war daher eine pure Selbstverständlichkeit, daß die deutsche Wehrmacht der Bedrohung und für ihr Ansehen unerträglichen Entwicklung nicht tatenlos zuschaute, sondern mit den gebote-

112 Grundherrs redegørelse er ikke lokaliseret (jfr. Yahil 1967, s. 414 note 117).

113 Se ADAP/E, 6, s. 454 note 2.

nen Maßnahmen eingriff. Ob und wann diese Maßnahmen wieder aufgehoben werden können, hängt ausschließlich von dem Verhalten der dänischen Bevölkerung selbst ab.

Ribbentrop

58. Partei-Kanzlei der NSDAP an das Auswärtige Amt 14. September 1943

Partei-Kanzlei der NSDAP udbad sig nærmere oplysninger om den tyskfjendtlige præst Kaj Munk, der skulle være arresteret.

Partei-Kanzlei der NSDAP rykkede AA for svar 21. oktober 1944.

Kilde: NHWE, Id. dok.: APK-007072.

Nationalsozialistische Deutsche Arbeiterpartei
Partei-Kanzlei

München 33, den 14. September 1943
Führerbau III D 3 – Khn
3315/0/80

An das Auswärtige Amt
zu Hd. SA-Brigadeführer Parteigenossen Frenzel
Berlin W 8
Wilhelmstr. 75

Betrifft: Politisch-konfessionelle Verhältnisse in Dänemark.

Nach einer Meldung soll der dänische Pfarrer Kaj Munk als Verfasser deutschfeindlicher Schriften verhaftet worden sein. Er soll einen Brief, der eine offene Herausforderung war, an das dänische Ministerium für Kirchliche Angelegenheiten geschrieben haben. Darin hat er sich geweigert, den Anweisungen des Ministerpräsidenten Scavenius nachzukommen, die es der Geistlichkeit verboten, den Kampf der norwegischen Kirche gegen die Deutschen zu erwähnen.

Es wird um nähere Mitteilung des dieser Meldung zu Grunde liegenden Sachverhalts gebeten.

Heil Hitler
I.A.
Krüger

59. Kriegstagebuch/Admiral Dänemark 14. September 1943

Wurmbach havde haft drøftelser med repræsentanter for OKM om demobiliseringen af den danske marine, anvendelsen af de danske krigsskibe og krigsmateriellet samt om hævning og genanvendelse af de sænkede danske skibe. Man ville forsøge særskilt straks at få løsladt marinereservisterne med den begrundelse, at den danske marine havde arbejdet loyalt sammen med værnemagten. De frigivne skulle hverves til at forestå minerydningen. Spørgsmålet om den tyske marines ret til at bruge de danske krigsskibe var afklaret, men det blev foreslået, at man fra tysk side i det hele taget lod de danske værn beholde ejendomsretten til deres våben og materiel, men forbeholdt Tyskland brugsretten, så længe krigen varede. Det blev foreslået, at artilleriet fra "Niels Juel" og "Peder Skram" blev anvendt ved vestkystforsvaret. Flere tilknyttede spørgsmål blev drøftet.

Dr. Kurt Eckhardt sendte 14. september kl. 16.00 en fjernskrivermeddelelse med hele Wurmbachs meddelelse (der er i BArch, Freiburg, RM 7/1187) til MOK Ost og MOK Nord til OKM, idet han afsluttende tilføjede: “Heute nachmittag Besprechung mit Reichsbevollmächtigten.” (BArch, Freiburg, RM 7/1187. RA, Danica 628, sp. 7, nr. 5378-84).

Kilde: KTB/ADM Dän 14. september 1943, RA, Danica 628, sp. 3, s. 3058-61

[...]

Am 13. und 14.9. fanden eingehende Besprechungen mit Vertreter des OKM über Demobilmachungsfragen der dänischen Marine, die Verwendung der in unsere Hand gefallenen dänischen Schiffe und des Kriegsmaterials sowie über die Hebung und Weiterverwendung auf Grund gesetzter bezw. versenkter Schiffe statt. Das Ergebnis der Besprechungen ist wie folgt zusammenzufassen:

1.) Die Gesamtmaßnahmen sind unter dem Gesichtswinkel zu betrachten, daß starkes deutsches Interesse vorliegt an:
   a.) einem weiteren Absuchen der dänischen Schiffahrtswege durch die Dänen selbst. Diese Wege werden vielfach von deutschen Schiffen aus Versorgungsgründen der Heimat oder aus wehrwirtschaftlichen Gründen benutzt.
   b.) Der Aufrechthaltung der innerdänischen Schiffahrt im Interesse der Inganghaltung der dänischen Wirtschaft. Davon sind in starkem Masse die dänischen Lieferungen für die Ernährung der Heimat abhängig.
2.) Das Aufziehen einer zivilen Minensuchflotte wird nur möglich, wenn die evtl. in Frage kommenden dänischen Stellen, Eisenbahnverwaltung und Handelsministerium, in die Lage versetzt werden aus den zu entlassenden dänischen Marineangehörigen zivile Besatzungen zu gewinnen. Aufforderungen deutscherseits, sich für diesen Dienst bereitzustellen, sind nicht gangbar. Sie würden ergebnislos bleiben. Daher ist zum mindesten die sofortige Entlassung der Reservisten erforderlich, die etwa 40 % der Inhaftierten ausmachen, um einen Grundstock für die Besetzung der Minensuchflotte zu gewinnen. Eine Motivierung für die bevorzugte Behandlung der Marine gegenüber dem dänischen Heer ist dem bisherigen loyalen Verhalten und der wesentlichen Mitarbeit der dänischen Marine gegeben. Die Marine-Reserveoffiziere sind nach Vorgang des Trubef. Dän. bereits entlassen.
3.) Grundlage für die Behandlung der dänischen Kriegsschiffe ist in einer Verfügung des OKW/WFSt gegeben, wonach diese dänischer Eigentum verbleiben, jedoch unter Eigentumsvorbehalt von der deutschen Marine in Benutzung genommen werden. Für den dänischen Minensuchdient wären die dazu erforderlichen Fahrzeuge auszusondern und an dän. Staat wieder auszuhändigen, sobald ein dänischer ziviler Minensuchdienst sichergestellt ist. Sonstige verwendungsbereite Fahrzeuge, soweit sie nicht für das dänische Tonnen- und Fahrwasserwesen benötigt werden, wären von der deutschen Marine zu übernehmen unter Abgabe einer Erklärung zur Bereitwilligkeit, sie nach Kriegsende zurückzugeben bezw. gegebenenfalls eine Entschädigung im Verlustfalle zu zahlen.
4.) An den versenkten oder auf Grund gesetzten Schiffen hat der dänische Staat fraglos noch Eigentumsrecht, aber z.Zt. nur geringes Interesse an einer Hebung oder Wiederinstandsetzung. Dies ist höchstens bei Minensuchfahrzeugen anzunehmen. Die-

ses Interesse ist dagegen auch an Schiffen wie "Niels Juel" oder "Peder Skram" vorliegend, deren Artillerie zur Küstenverteidigung verwendbar ist, während die Schiffe selbst ev. als Wohnschiffe oder schwimmende Flakträger in Frage kommen. Bei den U-Booten ist evt. die Materialausschlachtung gegeben (Kommand. A.d.U. verzichtet auf die U-Boote insgesamt). In diesem Falle ist die Frage des Eigentumsvorbehaltes schwierig zu regeln, wegen ev. Aufrechnung von Bergungs- und Instandsetzungskosten. Die möglichen Schwierigkeiten sind als so groß anzusehen, daß die Frage aufzuwerfen ist, ob nicht sämtliche Fahrzeuge, die nicht den Dänen zum Minensuchen pp. verbleiben, besser durch eine Pauschalabfindung von Deutschland zu erwerben wären, deren Realisierung nach Kriegsende in Sachwerten vertraglich vorzusehen ist. Dies würde zudem eine Geste sein, die weiteres notwendiges Zusammenarbeiten mit den Dänen erleichtern könnte.

5.) Die dän. Küstenschutzpolizei ist bereit, die Sundbewachung, die früher von der dänischen Marine durchgeführt wurde, zu übernehmen, wenn ihr Fahrzeuge zugeteilt werden und sie Möglichkeit erhält, ehemaliges dänisches Marinepersonal einzustellen.

6.) Da kein Kriegszustand mit Dänemark besteht, so tritt die Frage auf, ob Waffen, Geräte, Nachrichtenmittel, Intendantur- und Schiffsausrüstungsgegenstände als Beute anzusprechen sind. Sind sie keine Beute, so müßte käuflicher Erwerb dessen erfolgen, was nach Aussonderung für zivile Minensuchflotte pp. verfügbar bleibt. Ich vertrete den Standpunkt, daß diejenigen Waffen und Geräte, die bei Besetzung der Orlogswerft und der Flottenstation kämpfend in unsere Hand fielen, entschädigungslos zu behalten sind. Anderen Orts ist es zu wesentlichen Kampfhandlungen nicht gekommen, so daß dort vorstehende Überlegung nicht Platz greift.

7.) Die Orlogswerft hat wegen ihrer geringen Möglichkeit keine größere Bedeutung für Deutschland, wohl aber als Reparaturwerft für eine dän. Minensuchflotte, für Tonnenleger usw. Daher ist es gegeben, die Werft möglichst dem Handelsministerium anzugliedern, dessen Sorge dann die Besetzung der leitenden Stellen wäre, in denen jetzt dänische Offiziere sind. Der Materialbestand wäre der Orlogswerft zu belassen.

8.) Am Seeminenwesen kann dänisches Interesse vorausgesetzt werden, da die Instandhaltung und Entwicklung eigener Minensuchgeräte erforderlich sind. Eine Angliederung an die Orlogswerft unter ziviler Leitung ist anzustreben.

9.) Der Vorschlag für die Verwendung der Schiffsartillerie von "Niels Juel" und "Peder Skram" geht dahin, die Mittelartillerie an der jütischen Küste einzusetzen. Dafür ist es unerläßlich, daß das zivilmäßig zu besetzende Arsenal der dänischen See- und Küstenartillerie mitwirkt, um die Geschütze wieder in Stand zu setzen und die Munition bereitzustellen. Das Interesse der Dänen wird jedoch nur dann zu wecken sein, wenn die Geschütze ausschließlich zur Verteidigung Dänemarks eingesetzt werden. Eine Mitwirkung bei der Bereitstellung von Geschützen zur Verwendung außerhalb Dänemarks wird aus Gründen der Neutralität nicht herbeizuführen sein.

10.) Eine Klärung der aufgeworfenen Rechtsfragen ist zwingende Voraussetzung für das Vorantreiben der Errichtung einer zivilen Minensuchflotte, wobei noch nicht zu übersehen ist, ob Verhandlungen darüber zum Erfolge führen werden, wenn die dänischen Marineangehörigen noch inhaftiert sind.

11.) Unabhängig von der Klärung der Rechtsfragen sind die bergungswürdigen Fahrzeuge zunächst auf deutsche Rechnung zu bergen und instandzusetzen. Für Instandsetzung und Herrichtung kommen voraussichtlich nur dänische Privatwerften oder deutsche Werften in Betracht.

12.) Die beiden auf der Orlogswerft in Bau befindlichen großen Torpedoboote sind weiter zu bauen mit dem Ziel, sie evtl. ohne Armierung für Deutschland als Fangboote zu erwerben.

13.) Bei Adm. Dän. liegt ein dringender Bedarf an 2 cm-Flak, LMGs, Gewehren und Pistolen vor. Entsprechende Übernahme aus dänischen Beständen ist erwünscht.

14.) Gesamtplan zielt auf die Mitwirkung der Dänen ab, ohne die das Absuchen der Mehrzahl der dänischen Schiffahrtswege künftig nicht möglich ist. Die Dänen werden zur Mitarbeit aber nur zu bewegen sein, wenn ein wesentliches Interesse des eigenen Staates vorliegt oder erweckt werden kann.

Eine anschließend mit dem Bevollmächtigten des deutschen Reiches stattgehabte Besprechung wegen der Weiterverwendung der dänischen Schiffe und des Kriegsmaterials im Hinblick auf die grundsätzliche Anordnung von OKW/WFSt führt dazu, den Vorschlag zu erwägen, ob es zweckmäßig sei, an Dänemark eine Erklärung des Inhalts zu geben, daß alles in Dänemark vorhandene Kriegsmaterial für Deutschland in Gebrauch genommen würde. Eine endgültige Regelung der Frage mit dem dänischen Staate würde nach dem Kriege erfolgen.

Diese Anregung, der ich prinzipiell zustimmte, wurde dem Befehlshaber der deutschen Truppen in Dänemark zugeleitet.

gez. **Wurmbach**

60. Kurt Eckhardt an OKM 14. September 1943

Kurt Eckhardt videresendte resultatet af de drøftelser, som Wurmbach havde haft med Best i København. De foreslog, at Tyskland i sin helhed fik brugsretten til det danske krigsmateriel, mens danskerne beholdt ejendomsretten, og at en endelig aftale derom skulle afsluttes efter krigen. Det blev bedt om, at WB Dänemark på lignende vis arbejdede for den samme beslutning.

WB Dänemarks stilling kom frem i Bests telegram nr. 1062, 15. september 1943 og i MOK Ost til Seekriegsleitung 19. september, hvor von Hannekens skrivelse til Wurmbach 15. september 1943 citeres. Det var OKM, der 31. august til AA o.a. først foreslog, at der ikke skulle være tale om krigsbytte.

Kilde: RA, Danica 628, sp. 7, nr. 5376f.

+SSD MDKP 96203 14/9 1820=
SSD OKM Eins Skl= Geheim

Im Anschluß an Fernschr. betr. Kopenhagener Besprechung über Demobilisierung der dän. Marine folgende Unterrichtung auf Grund stattgehabter Besprechung mit Bevollmächtigten des Deutschen Reiches. Adm Dän har zur Vorgangsmeldung an MOK Ost und Nord weiter gemeldet.[114]

1.) Zu Punkt 6.) Als Ergebnis der Besprechung mit Bevollmächtigten des Deutschen

114 Wurmbachs skrivelse af 14. september 1943 er i BArch, Freiburg, RM 7/1187.

Reiches wird Regelung dahingehend vorgeschlagen daß an Dänemark eine Erklärung etwa des Inhalts gegeben wird, daß alles in Dänemark vorhandene Kriegsmaterial für Deutschland in Gebrauch genommen wird. Endgültige Regelung mit dem dänischen Staate würde nach dem Kriege erfolgen.

2.) Bef Dän wird um entsprechende Weiterverfolgung dieses Punktes gebeten.

3.) Regelung erscheint gangbarster Weg um alle Weiterungen mit dänischem Staate zu vermeiden. Morgen abschließende Besprechung mit Trubef.

Min Rat **Dr. Eckhardt** (Adm Dän) +

61. Werner Best an das Auswärtige Amt 15. September 1943

Med dagsrapporten fulgte Bests stillingtagen til, om den danske hærs materiel kunne betragtes som krigsbytte: Det mente han ikke.

Best kom i endnu en sag på kollisionskurs med von Hanneken. Se telegram nr. 1087, 18. september 1943.

Kilde: PA/AA R 29.567. RA, pk. 203, 228 og 438a. LAK, Best-sagen (afskrift).

Telegramm

Kopenhagen. den	15. September 1943	13.20 Uhr
Ankunft, den	15. September 1943	14.10 Uhr

Nr. 1062 vom 15.9.43. Citissime!

Ich bitte, die folgenden Meldungen unverzüglich dem Herrn Reichsaußenminister zuzuleiten:

1.) Aus der Nacht vom 14. zum 15.9.1943 ist nur ein Sabotageakt gemeldet worden. Auf der Strecke Svendstrup-Skalborg ist ein Sprengkörper unter einem dänischen Güterzug zur Explosion gebracht worden. Der Zug blieb unbeschädigt. Ein Schienenfuß wurde leicht beschädigt. Der Betrieb ist nicht behindert.

2.) Der Befehlshaber der deutschen Truppen in Dänemark hat für den 14.9.1943 die folgende Tagesmeldung erstattet: "In Kopenhagen und Aalborg hat neue Sabotagewelle eingesetzt. Es erfolgten in Kopenhagen 3 Anschläge, u.a. auf eine Kraftfahrzeugreparaturwerkstatt (Vertragswerkstatt des HKP). In Aalborg und südlich an 2 Stellen Sprengungen der Eisenbahnstrecke. In Odense (Fünen) Sabotageakt in einem mit dänischen Beutefahrzeugen belegten Lager. Geringer Sachschaden. Verschärfte Maßnahmen sind in Durchführung." Ich verweise hierzu auf mein Telegramm Nr. 1058 vom 14.9.1943.[115]

3.) Der kommandierende Admiral Dänemark hat mir am 14.9.1943 über die Behandlung des Materials der aufgelösten dänischen Restwehrmacht folgendes mitgeteilt: Der Oberbefehlshaber der deutschen Truppen in Dänemark betrachte alles Material des dänischen Heeres als Kriegsbeute. Er – der kommandierende Admiral – wolle nur

115 Trykt ovenfor.

das während der Entwaffnungsaktion unter Brechung von Widerstand genommene Material der bisherigen dänischen Marine als Kriegsbeute betrachten. Hinsichtlich des übrigen Materials habe er seiner Dienststelle vorgeschlagen, mit den Dänen eine Übernahme gegen Vergütung oder Ersatz zu vereinbaren. Ich habe hierzu wie folgt Stellung genommen: Die Bezeichnung des fraglichen Materials als Kriegsbeute ist sachlich unrichtig. Eine Verhandlung mit den Dänen über eine Übernahme gegen Vergütung oder Ersatz ist politisch unangebracht. Richtig ist allein die einseitige deutsche Erklärung, daß alles Kriegsmaterial auf dänischem Boden für die deutsche Kriegsführung in Gebrauch genommen wird und daß eine endgültige Regelung der hiermit zusammenhängenden Fragen nach Kriegsschluß erfolgen soll.

Dr. Best

62. Das Auswärtige Amt an OKM und OKW 15. September 1943

Efter uroen i Danmark var de tre oplagte danske skibe "Slesvig", "Thyra" og "Linda" i den neutrale havn i Las Palmas begyndt at gøre forberedelser til at sejle ud. Best havde af AA fået besked på at foranledige, at de danske rederier beordrede skibene til at blive i havnen. Den engelskvenlige danske vicekonsul havde hindret, at den derværende kommanderende spanske admiral havde taget motordele fra skibene med den begrundelse, at Danmark nu var besat af Tyskland og den danske regering ikke længere fri. Best skulle gennem UM påvirke det danske gesandtskab i Madrid til at træffe foranstaltninger, så skibene forblev i havnen.

Fra tysk side ønskede man, at skibene sejlede til Danmark, mens allierede og danske repræsentanter i London tilskyndede dem til at søge allieret havn. Det var en kamp om skibstonnage, der havde stået på i årevis, men blev skærpet efter den danske regerings afgang.

Se AA til OKM og OKW 18. september 1943.

Kilde: BArch, Freiburg, RM 7/1187.

Geheim
Auswärtiges Amt
Ha Pol 5751/43 g

Berlin, den 15. September 1943.

An
das Oberkommando der Kriegsmarine
– 1. Abteilung Seekriegsleitung –
das Oberkommando der Wehrmacht
– Sonderstab HWK –
z.Hd. von Herrn Kapitän zur See Vesper
– je besonders –

Betr.: Dänische Schiffe in Las Palmas.

Die Deutsche Botschaft in Madrid berichtet unter dem 6. d.M., daß dem Deutschen Konsulat in Las Palmas aus zuverlässiger Quelle die Nachricht zugegangen sei, daß der Kapitän des dänischen Schiffes "Slesvig" sich gelegentlich der kürzlichen Unruhen in Dänemark dem britischen Konsul in Las Palmas zur Verfügung gestellt habe. Der britische Konsul habe dem dänischen Kapitän versprochen, das Schiff mit Proviant und

Brennstoff zu versorgen, damit er in einer der nächsten Nächte nach Casablanca auslaufen könne. Das Deutsche Konsulat in Las Palmas sei angewiesen worden, beim spanischen kommandierenden Admiral des Auslaufverbot durchzusetzen.

Der Bevollmächtigte des Reichs für Dänemark in Kopenhagen erhielt daraufhin die Weisung, unverzüglich zu veranlassen, daß die Reederei des Dampfers "Slesvig" dem Kapitän des Schiffes den Befehl erteilt, nicht auszulaufen, sondern in Las Palmas zu verbleiben. Die Reederei des dänischen Schiffes "Slesvig" gab einen entsprechenden Befehl an den Kapitän am 9. d.M. auf telegrafischem Wege.

Am heutigen Tage ging eine weitere Meldung des Deutschen Konsulats in Las Palmas ein, wonach auch die dänischen Schiffe "Linda" und "Tyras" Vorbereitungen zum Auslaufen getroffen haben. Das Deutsche Konsulat in Las Palmas berichtet, daß der dortige spanische kommandierende Admiral auf Ersuchen des Deutschen Konsulats hin auf diesen beiden Schiffen wie auch auf dem Dampfer "Slesvig" Maschinenteile habe entfernen lassen, wogegen der englandfreundliche dänische Vizekonsul Einspruch erhoben habe, da Dänemark von Deutschland besetzt und die Dänische Regierung in ihren Entscheidungen nicht mehr frei sei.

Der Bevollmächtigte des Reichs für Dänemark ist daraufhin telegrafisch angewiesen, sofort zu veranlassen, daß die betreffenden Reedereien an die Kapitäne der Dampfer "Linda" und "Tyras" ebenfalls Weisungen erteilen, nicht auszulaufen, sondern im Hafen Las Palmas zu verbleiben. – Gleichzeitig wurde der Bevollmächtigte des Reichs für Dänemark angewiesen, entsprechende Weisungen des Dänischen Außenministeriums an den dänischen Gesandten in Madrid zu erwirken.

Weitere Mitteilungen bleiben vorbehalten.

Im Auftrag
W. Bisse

63. Karl Schnurre: Aufzeichnung 15. September 1943

Schnurre refererede en drøftelse med Emil Wiehl. Wiehl havde rejst tre spørgsmål: 1) nødvendigheden af gennemførelse af aftaler om de fremtidige danske leverancer til Tyskland, 2) Danmarks fremtidige handelsaftaler med tredjelande, hvor Finland var af særlig betydning, 3) Bests vægring ved at udstede forordninger på det erhvervsmæssige områder, selv om den beføjelse var tillagt ham og ikke von Hanneken. Best mente ikke, at magten under den militære undtagelsestilstand kunne deles (Giltner 1998, s. 155 med s. 225 n. 28 et misvisende referat af indholdet).

Best var enig med von Hanneken i, at magten under undtagelsestilstanden ikke kunne være delt, von Hanneken havde givet udtryk for noget tilsvarende i sit brev til Warlimont 7. september, men deres motiver til at indtage den holdning var ganske forskellige. Der havde 7. september været en drøftelse på et dansk-tysk møde, hvor både Best og værnemagten havde været repræsenteret. På mødet var den forordning, som von Hanneken havde udstedt 4. september, hvorefter det var forbudt danske forretninger at nægte salg til værnemagten og forbudt dansk industri at nægte at udføre ordrer for værnemagten, blevet kraftigt kritiseret fra dansk side. Man så heri et tegn på, at det fredelige samarbejde og den frivillige medvirken blev afløst af kraftige trusler (op til 15 års tugthus). Mødet førte til, at sagen skulle tages op igen, når den var blevet nærmere drøftet mellem UM og Best (Jensen 1971, s. 218). Med andre ord havde von Hanneken, ikke så snart undtagelsestilstanden var indført, opført sig som en hund i et spil kegler, og havde på et område, der var helt centralt i det tysk-danske forhold, ageret negativt. Det var ikke en lejlighed, som Best lod gå fra sig. Hans modvilje mod at tage over på dette område, skulle udnyttes til at rulle von Hannekens initiativer tilbage og stække ham. I det spil havde Best adskillige allierede, både i København og Berlin.

Se von Mirbach til Sonnleithner 17. september og Herbert Backe til AA 22. september.

Kilde: RA, pk. 203 (meget dårlig kopi – læsning usikker).

Ges. Schnurre Nr. 38
Büro RAM mit der Bitte um Weiterleitung mit Kurier.

Aufzeichnung

In einer Besprechung mit den Leiter der Wirtschaftsabteilung des Reichsbevollmächtigten in Dänemark, Min. Dirig. Ebner, haben sich folgende 3 Fragen ergeben:

1.) Es besteht [a]n sich die Notwendigkeit, gewisse Fragen des deutsch-dänischen Warenverkehrs, insbesondere die Festlegung der dänischen Lieferkontingente auf dem Ernährungsgebiete mit den dänischen etlichen Stellen durchzusprechen. Dies wäre Sache der beiderseitigen Regierungsausschüsse. Wenn auch die Dänische Regierung mangels einer handlungsfähigen Dänischen Regierung nicht in der Lage ist, Verhandlungen im eigentlichen Sinne zu führen, so wäre doch zu überlegen, diese sehr auf dem technischen Gebiet liegenden Besprechungen durch die Regierungsausschüsse führen zu lassen. Insbesondere wäre dies dann zu empfehlen, wenn nach außen hin der Eindruck einer fortschreitenden Normalisierung der Verhältnisse in Dänemark bestärkt werden soll. Die andere Möglichkeit, diese Fragen zu regeln, wären Besprechungen der Wirtschaftsabteilung des Reichsbevollmächtigten mit den Sachbearbeitern des dänischen Außenministeriums.

   Ich bitte um Weisung, welche der beiden Alternativen gewählt werden soll. Im Einvernehmen mit der Politischen Abteilung bin ich der Meinung, daß der ersten Alternative der Vorzug zu geben ist.

2.) Dänemark hat eine Reihe von handelspolitischen Vereinbarungen mit dritten Staaten, die in der nächsten Zeit zum Teil ablaufen, zum Teil überprüft werden müssen. In diesen Fällen [dürfte] keine Möglichkeit bestehen, Dänemark derartige Besprechungen führen zu lassen, da Dänemark zweifellos gegenüber dem dritten Ausland handlungsunfähig ist.

   Da diese [Fra]gen, bis auf die dänischen handelspolitischen Beziehungen zu Finnland, von keiner besonderen Bedeutung sind, kann der Nachteil, der mit einer vorübergehenden Lahmlegung der dänischen Außenhandelspolitik verbunden ist, in Kauf genommen werden. Im Verhältnis Dänemark/Finnland werden wir von uns aus die notwendigen Verfügungen, insbesondere auf dem Gebiet der Lebensmittellieferungen an Finnland treffen müssen.

3.) Bei der Besprechung mit Min. Dirig. Ebner hat sich herausgestellt, daß wirtschaftliche Anordnungen und Verordnungen nach wie vor von General v. Hanneken erlassen werden, trotzdem die Führerweisung (Drahterlaß Nr. [1296/1165] vom 1.9.) die Regelung der Wirtschaft Dänemarks der Zuständigkeit des Reichsbevollmächtigten zuweist.[116] Materiell werden die wirtschaftlichen Fragen von dem Reichbevollmächtigten und seiner Wirtschaftsabteilung verwaltet. In [...] steht jedoch der Reichs-

116 Trykt ovenfor.

bevollmächtigte auf dem Standpunkt, daß die vollziehende Gewalt nach außen hin einheitlich auf den Befehlshaber der deutschen Truppen übergegangen ist und eine Teilung der vollziehenden Gewalt nach außen in der Art, daß die wirtschaftlichen Anordnungen und Verordnungen vom Reichsbevollmächtigten zu erlassen wären, nicht angängig sei.

Nach Ansicht der beteiligten Abteilungen des Auswärtigen Amts sollte dieser Auffassung des Reichsbevollmächtigten widersprochen werden. Wenn der Führererlass die Wirtschaft Dänemarks aus [...] Gründen dem Reichsbevollmächtigten zuweist, trägt er auch nach außen hin die Verantwortung dafür. Verfügungen[?] über die dänische Wirtschaft sollten daher die Unterschrift von Dr. Best und nicht von General von Hanneken tragen.

Es darf um Weisung gebeten werden, ob die Frage der Teilung der vollziehenden Gewalt auf dieser Grundlage mit Dr. Best und der OKW aufgenommen werden soll.

Hiermit über den Herrn Stellv. Staatssekretär dem Herrn Reichsaußenminister vorzulegen.

Berlin, den 15. September 1943.

gez. **Schnurre**

64. Rüstungsstab Dänemark: Beschleunigte Erledigung 15. September 1943

Rüstungsstab Dänemark havde fået gennemtrumfet (se Forstmann til Best 26. maj 1943), at der trods rationering blev taget særligt hensyn til, at virksomheder, der havde værnemagtsopgaver, fik den tilstrækkelige strøm dertil. Imidlertid gik det langsomt med at få de nødvendige tildelinger gennem de danske myndigheder, hvilket der flere gange var blevet klaget til Best over. Nu var der opnået det, at UM øjeblikkeligt bevilgede alle anmodninger om strøm.

Kilde: BArch, Freiburg, RW 27/9. KTB/Rü Stab Dän 3. Vierteljahr 1943, Anlage 28.

Rüstungsstab Dänemark
Abt. TB

Anlage 28
15.9.1943

Beschleunigte Erledigung
der Anträge auf Aufrechterhaltung der Elektrizitätsversorgung
dänischer Betriebe mit Wehrmachtaufträgen.

Rü Stab Dän. hatte mehrfach beim Reichsbevollmächtigten in Dänemark darauf hingewiesen, daß die Bearbeitung der Anträge auf ausreichende Stromversorgung für dänische Betriebe mit Wehrmachtaufträgen durch die dänische Regierung zu lange dauert (bis zu 2 Monaten). Es wurde erreicht, daß das dänische Außenministerium alle zugeleiteten Anträge *unverzüglich* genehmigt. Man hat sich aber dänischerseits vorbehalten, nach näherer Prüfung des Sachverhalts auf die Angelegenheit zurückzukommen.

Mit dieser Regelung ist eine Wiederholung der Fälle ausgeschlossen, daß die Elektrizitätsversorgung eingeschränkt oder gesperrt wird, weil die Entscheidung der zuständigen dänischen Stellen über die Neuregelung der Zuteilung zu lange Zeit in Anspruch nimmt.

65. Seekriegsleitung an OKW 15. September 1943

Seekriegsleitung orienterede OKW om en meddelelse fra Wurmbach. Wurmbach gjorde det klart, at minerydningen i Danmark kun kunne genoptages ved hjælp af de internerede danske marinere, hvorfor det var nødvendigt, at de straks særskilt blev frigivet. Begrundelsen kunne være den danske marines hidtidige loyale optræden.

Seekriegsleitungs egen indstilling blev ikke givet, men den fik svar fra OKW/WFSt 16. september, hvorefter enkelthederne om oprettelsen af et "Wasserschutz" kunne aftales direkte med WB Dänemark. Den besked lod Seekriegsleitung gå direkte videre til WB Dänemark 17. september (skrivelse af sidstnævnte dato i BArch, Freiburg, RM 7/1187).

Kilde: BArch, Freiburg, RM 7/1187. RA, Danica 628, sp. 7, nr. 5374 (med enkelte ulæselige håndskrevne rettelser).

B. Nr. 1/Skl. I Ia 27 841/43 g. *Berlin, den 15.9.1943*
hv. 1/Skl. 27 824/43 g Geheim

SSD Fernschreiben an: OKW/Wolfsschanze
z.Hd. Freg. Kapt. Meier

Betr.: Einsatz dänischer Marineangehöriger für Minensuchaufgaben.

1.) Aus Meldung Adm. Dänemark ergibt sich:
a.) Ohne Mitwirkung Dänen Absuchen der Mehrzahl dänischer Schiffahrtswege künftig nicht möglich. Benutzung Schiffahrtswege erforderlich sowohl für deutsche als für innerdänische Schiffahrt, Aufrechterhaltung der letzteren im Interesse Inganghaltung dän. Wirtschaft und damit auch im Interesse dän. Ernährungslieferungen für Deutschland.
b.) Dän. Küstenschutzpolizei bereit, Sund-Bewachung zu übernehmen, wenn sie Möglichkeit erhält, ehem. dän. Marinepersonal einzustellen.
c.) Aufziehen ziviler Minensuchflotte nur möglich, wenn ev. in Frage kommende dän. Stellen, Eisenbahnverwaltung und Handelsministerium in Lage versetzt werden, aus zu entlassenden dän. Marineangehörigen zivile Besatzungen zu gewinnen. Aufforderung von deutscher Seite, sich für diesen Dienst bereitzustellen, würde ergebnislos bleiben. Daher zum mindesten sofortige Entlassung Reservisten erforderlich, die etwa 40 % der Inhaftierten ausmachen, um Grundstock für Besatzung Minensuchflotte zu finden. Motivierung für bevorzugte Behandlung Marine gegenüber dän. Heer im bisherigen loyalen Verhalten und wesentlicher Mitarbeit dän. Marine gegeben. Marinereserveoffiziere nach Vorgang des Trubef. Dän. bereits entlassen.

Seekriegsleitung 1/Skl. I Ia 27841/43 g.

66. Werner Best an das Auswärtige Amt 16. September 1943

I forbindelse med dagsrapporten kunne Best meddele, at der var ankommet tysk politi til Danmark med angivelse af i hvilke byer, de skulle placeres (Kreth/Mogensen 1995, s. 23, Lundtofte 2003, s. 44f., 48).

Denne dagsrapport er et karakteristisk eksempel på, at Best ikke nøjedes med hverken at gengive WB Dänemarks Tagesmeldungen eller komme med sine egne oplysninger, men at han bragte begge, så de stod modstillet i AA.

Kilde: PA/AA R 29.567. RA, pk. 203.

Telegramm

Kopenhagen, den	16. September 1943	12.20 Uhr
Ankunft, den	16. September 1943	12.40 Uhr

Nr. 1071 vom 16.9.43. Citissime!

Ich bitte, die folgenden Meldungen unverzüglich dem Herrn Reichsaußenminister zuzuleiten:

1.) Aus der Nacht vom 15. zum 16.9.1943 sind die folgenden Ereignisse gemeldet worden:
   a.) Zwei Masten einer Hochspannungsleitung sind 8 km von Kopenhagen durch Sprengung zerstört worden, ohne daß eine Stromunterbrechung eintrat.[117]
   b.) In Kopenhagen ist ein 15 jähriger Lehrling festgenommen worden, als er eine Schaufensterscheibe einschlug und eine Brandbombe in den Laden werfen wollte.
   c.) In Aarhus ist ein 20 jähriger Typograph von der dänischen Polizei festgenommen worden, der 5 Pakete Sprengstoff, 7 Zeitzünder und ein Paar Gummihandschuhe bei sich trug.
   d.) In Kopenhagen hat die dänische Polizei 23 Personen wegen Übertretung des Nachtverkehrsverbotes festgenommen.
2.) Der Befehlshaber der deutschen Truppen in Dänemark hat für den 15.9.1943 die folgende Tagesmeldung erstattet: "Keine besonderen Vorkommnisse."
3.) Am 15.9.1943 sind etwa 120 Beamte der deutschen Sicherheitspolizei und eine Kompagnie deutscher Ordnungspolizei in Dänemark eingetroffen. Die Beamten der Sicherheitspolizei werden auf die folgenden Standorte verteilt: Kopenhagen, Odense, Aarhus, Aalborg, Kolding und Esbjerg.

   Die Polizeikompagnie bleibt vorläufig in Kopenhagen bis nach Eintreffen der gesamten Ordnungspolizeikräfte die Standorte bestimmt werden können.

Dr. Best

67. Werner Best an das Auswärtige Amt 16. September 1943

Med de tyske politifolks ankomst havde Best fået sit første ønske fra 1. september opfyldt, og han pressede nu på for en beslutning vedrørende de fire øvrige.

Ritter svarede på et enkelt af dem 19. september.

Kilde: PA/AA R 29.567. RA, pk. 203 og 233.

117 To elektricitetsmaster ved Lyngby blev udsat for sabotage af BOPA (Kjeldbæk 1997, s. 468).

Telegramm

Kopenhagen, den	16. September 1943	12.15 Uhr
Ankunft, den	16. September 1943	12.40 Uhr

Nr. 1072 vom 16.9.[43.] Citissime

Ich bitte, den folgenden Bericht unverzüglich dem Herrn Reichsaußenminister zuzuleiten:

Unter Bezugnahme auf mein Telegramm Nr. 1001 vom 1.9.43[118] weise ich darauf hin, daß, da die zur Verwendung in Dänemark bestimmten deutschen Polizeikräfte z.Zt. anrücken, auch die Durchführung meiner unter den Ziffern 2 bis 5 des bezeichneten Telegramms gemachten Vorschläge dringlich wird. Für baldige Entscheidung wäre ich deshalb sehr dankbar.

Dr. Best

68. Werner Best an das Auswärtige Amt 16. September 1943

Best pressede efter de tyske politifolks ankomst på for at få svar på sin anmodning vedr. civile besættelsesomkostninger. Med vished for at han skulle stå for betalingen, kunne han være mere sikker på, at det var "hans" politifolk, som han omtalte dem 1. september.

Best fik svar af Schnurre med telegram nr. 1264, 17. september 1943.

Kilde: PA/AA R 29.567. BArch, R 901 113.555. RA, pk. 203, 233, 271 og 438a.

Telegramm

Kopenhagen, den	16. September 1943	12.20 Uhr
Ankunft, den	16. September 1943	12.40 Uhr

Nr. 1073 vom 16.9.[43.] Citissime!

Ich bitte, den folgenden Bericht dem Herrn Reichsaußenminister unverzüglich zuzuleiten:

Unter Bezugnahme auf mein Telegramm Nr. 1051 vom 13.9.43[119] berichte ich, daß mit dem Eintreffen der neuen deutschen Polizeikräfte in Dänemark (vergl. mein Telegramm 1071 vom 16.9.43)[120] die Frage der "Zivilen Besatzungskosten" bereits brennend wird. Ich bitte deshalb um baldige Entscheidung, damit die für die neuen Polizeikräfte erforderlichen Kronenbeträge beschafft werden können.

Dr. Best

118 Trykt ovenfor.
119 Trykt ovenfor.
120 Trykt ovenfor.

69. Hans-Heinrich Wurmbach an MOK Ost und MOK Nord 16. September 1943

Wurmbach sendte MOK Ost og MOK Nord en fjernskrivermeddelelse af samme indhold, som Kurt Eckhardt 14. september havde sendt til OKM. Se denne.

Kilde: RA, Danica 628, sp. 7, nr. 5373.

Admiral Dänemark — Geheim!
B. Nr. G 17346/43 AI — *14.9.43*

Adm. Dän. an:
SSD – MOK Ost
SSD – MOK Nord

Schnellkurzbrief nachr.: Befehlshaber der deutschen Truppen in Dänemark
– – Bevollmächtigter des deutschen Reiches in Dänemark

1.) Zu Adm. Dän. G 17343/43 AI v. 14.9. wird zu Punkt 6.) als Ergebnis der Besprechung mit Bevollmächtigter des deutschen Reiches Regelung dahingehend vorgeschlagen, daß an Dänemark eine Erklärung etwa des Inhalts gegeben wird, daß alles in Dänemark vorhandene Kriegsmaterial für Deutschland in Gebrauch genommen wird. Endgültige Regelung mit dem dänischen Staate würde nach dem Kriege erfolgen.
2.) Bef. Dän wird um entsprechende Weiterverfolgung dieses Punktes gebeten.
3.) Regelung erscheint gangbarster Weg um alle Weiterungen mit dänischen Staate zu vermeiden.

Adm. Dän. G 17346/43 AI

70. Wilhelm Keitel an das Auswärtige Amt 16. September 1943

Keitel udstak retningslinjerne for frigivelsen af de danske værns personel. Alle skulle være frigivne senest 15. november 1943.

Kilde: BArch, Freiburg, RM 7/1187 (afskrift). RA, pk. 203. RA, Danica 628, sp. 10, nr. 9199 (afskrift). LAK, Best-sagen (afskrift).

Telegramm

SSD GWNOL, den	16. September 1943	18.45 Uhr
Ankunft, den	17. September 1943	02.00 Uhr

Ohne Nummer QEM

An Nachr. Ausw. Amt z.Hd. Herrn Botschafter Ritter.
Gltd.: Befh. d. dt. Truppen in Dänemark.
Nachr. OKM/ SKL.
Nachr. Chef H. Rüst – U. B. D. E.

Geheime Kommandosache.

Betr.: Behandlung der Angehörigen der bisherigen dänischen Wehrmacht.

Dem durch Oberst v. Collani unterbreiteten Vorschlag der Entlassung der festgenommenen ehemaligen dänischen Wehrmachtsangehörigen in folgender Reihenfolge wird zugestimmt:

1.) Volksdeutsche.
2.) Landwirtschaftliche Arbeitskräfte.
3.) Kurzfristig Einberufene.
4.) Freiwillige für Wasserschutz- und Bahnschutzdienst.

Wegen der Behandlung der ehemaligen dänischen Offiziere und Berufssoldaten ist durch Befehlshaber der deutschen Truppen in Dänemark alsbald ein endgültiger Vorschlag vorzulegen. – Die Entlassungen der gesamten dänischen Wehrmachtsangehörigen sind bis zum 15.11.43 durchzuführen und mit ihrem Ergebnis zu diesem Zeitpunkt an OKW/WFST zu melden. – Karteimäßige Erfassung der Entlassenen durch die vom Befehlshaber der deutschen Truppen in Dänemark beauftragten Abwicklungsstellen sowie Feststellung des jeweiligen Aufenthaltsortes sind zu gewährleisten.

gez. **Keitel**
OKW/ WFST / QU. 2 (N)
Nr. 005233/42 g.Kdos.

71. Werner Best an das Auswärtige Amt 17. September 1943

Best havde siden 2. september flere gange omtalt, hvordan "hans politiembedsmænd" havde oprullet en sabotagegruppe i Esbjerg. Denne sags betydning slog han fast i denne dagsrapport, hvor han konkluderede, at sabotagegruppen havde stået bag næsten al sabotage i Midtjylland siden juli.

Det var en overdrivelse, der skulle vise Berlin, hvor effektive Bests folk var, hvad angik sabotagebekæmpelse.

Kilde: PA/AA R 29.567. RA, pk. 203.

Telegramm

Kopenhagen, den	17. September 1943	11.50 Uhr
Ankunft, den	17. September 1943	13.45 Uhr

Nr. 1080 vom 17.9.[43.] Citissime!

Ich bitte, die folgenden Meldungen unverzüglich dem Herrn Reichsaußenminister zuzuleiten:

1.) Aus der Nacht vom 16. zum 17. September 1943 ist nur ein Sabotageakt aus Kopenhagen gemeldet worden, wo in einer Automobilreparaturwerkstatt, die nicht für deutsche Zwecke arbeitet, ein Sprengkörper zur Explosion gebracht wurde. Die dänische Polizei hat in Kopenhagen 53 Personen wegen Übertretung des Nachtverkehrsverbotes festgenommen und ein Fahrrad sichergestellt.

2.) Der Befehlshaber der deutschen Truppen in Dänemark hat für dem 16. September 1943 die folgende Tagesmeldung erstattet: "Keine besonderen Ereignisse."
3.) Die Untersuchung gegen die 14 Saboteure, die von meiner Außenstelle in Esbjerg festgenommen worden sind, hat bis jetzt ergeben, daß diese Gruppe seit Mitte Juli 40 Sabotageakte verübt hat.[121] Damit sind für diese Zeit fast alle Sabotageakte in Mitteljütland aufgeklärt. Es ist außerdem wieder einmal erwiesen, daß die Sabotage, wie ich schon immer festgestellt habe, von kleinen, organisierten Gruppen und nicht von der Bevölkerung im ganzen ausgeübt wird. In diesem Zusammenhang ist weiter zu erwähnen, daß nach Mitteilung der Abwehrstelle Dänemark allein in der Umgebung von Aalborg bis jetzt über 3.000 kg Sprengmaterial mit Behältern und Fallschirmen nach dem Abwurf durch feindliche Flugzeuge erfaßt worden sind. In einem vor zwei Tagen bei Esbjerg abgeschossenen amerikanischen Flugzeug wurden die Leichen zweier Zivilisten gefunden, die in ihren Gürteln eingenäht 180.000,- amerikanische Dollars mit sich führten.
4.) Der Befehlshaber der deutschen Truppen in Dänemark hat mir heute mitgeteilt, daß das OKW entschieden habe, daß die internierten Angehörigen der bisherigen dänischen Restwehrmacht in den nächsten 6-8 Wochen nach und nach gegen Unterzeichnung eines Verpflichtungsscheines entlassen werden sollen.[122]

Dr. Best

72. Werner Best an das Auswärtige Amt 17. September 1943

Von Hanneken havde henvendt sig til Best med henblik på en snarlig ophævelse af den militære undtagelsestilstand. Best ønskede ikke, at den fandt sted, før der i AA var taget stilling til hans tidligere fremsendte forslag af 1., 8. og 13. september. Det var forslagene vedrørende hans doms- og politimyndighed, jødeaktionen og ønsket om en forøget bevilling.

Med hensyn til jødeaktionen svarede Hencke Best samme dag. Wagner svarede med telegram nr. 1382, 23. september. I mellemtiden havde AA modtaget et telegram fra OKW 20. september i samme sag (Yahil 1967, s. 143, Rosengreen 1982, s. 33f., 38).

Kilde: PA/AA R 29.567. RA, pk. 203. LAK, Best-sagen (afskrift).

Telegramm

Kopenhagen, den	17. September 1943	13.30 Uhr
Ankunft, den	17. September 1943	13.45 Uhr

Nr. 1081 vom 17.9.[43.] Citissime!

Ich bitte, den folgenden Bericht unverzüglich dem Herrn Reichsaußenminister zuzuleiten:

Der Befehlshaber der deutschen Truppen in Dänemark General der Infanterie von

121 Se telegram nr. 1005, 2. september 1943.
122 Se telegram nr. 1261, 15. oktober 1943.

Hanneken hat mich am 16. September 1943 aufgesucht und mir folgendes erklärt: Er halte die baldige Aufhebung des militärischen Ausnahmezustandes in Dänemark für angebracht. Die Lage im Lande sei vom ersten Tage an absolut ruhig gewesen. Die Bekämpfung der Sabotage, die auch während des Ausnahmezustandes fortgesetzt wurde, sei eine polizeiliche und keine militärische Aufgabe. Der militärische Ausnahmezustand nutze sich ab, wenn er zu lange aufrecht erhalten werde. Er schlage deshalb vor, daß der Ausnahmezustand aufgehoben werde, nachdem noch eine Großrazzia in einem Kopenhagener Stadtviertel, in dem Kommunisten und Saboteure vermutet werden, mit den sich etwa aus ihr ergebenden Standgerichtverfahren durchgeführt worden sei. Nach diesen Gesichtspunkten könne bis gegen Ende der nächsten Woche der Ausnahmezustand aufgehoben werden. Ich erwiderte, daß für mich die Voraussetzung der Beendigung des militärischen Ausnahmezustandes sei, daß mir die erforderlichen Mittel zur künftigen Wahrung der deutschen Interessen in Dänemark zur Verfügung stehen. Nach meiner Auffassung könne dies, wenn die von mir erbetenen Entscheidungen rechtzeitig getroffen werden, etwa bis zu dem von dem Befehlshaber vorgeschlagenen Zeitpunkt geschehen. Dabei würde zweckmäßigerweise der 26. September, der Geburtstag des Königs, noch in den Ausnahmezustand einzubeziehen sein, um das allgemeine Verbot der Ansammlung von mehr als 5 Personen an diesem Tage noch wirken zu lassen. Der Befehlshaber erklärte mir weiter, daß er für die Zeit nach der Beendigung des Ausnahmezustandes fordern müsse, daß alle Forderungen, die er für militärische Bedürfnisse stellen werde, unverzüglich und ohne Eingehen auf dänische Einwendungen erfüllt werden. Ich erwiderte, daß auch nach meiner Auffassung künftig alle deutschen Forderungen von den Dänen ohne Widerspruch erfüllt werden müssen. Ich sei bereit, in diesem Sinne alle militärischen Forderungen zu vertreten, soweit diese mit den von mir zu vertretenden Reichsinteressen (z. B. kriegswirtschaftlicher Art) vereinbar seien. Bevor ich endgültig die Beendigung des militärischen Ausnahmezustandes in Dänemark beantragen kann, ist Entscheidung über meine Vorschläge in meinen Telegramm Nr. 1001[123] vom 1. September 1943, Nr. 1032[124] vom 8. September 1943 und Nr. 1051[125] vom 13. September 1943 erforderlich.

Dr. Best

73. Werner Best an das Auswärtige Amt 17. September 1943

Best foreslog, at den danske stat kom til at bære en del af omkostningerne ved den tyske besættelse. Samtidig med at den tyske gæld steg, var der voksende pengerigelighed i Danmark.

Når Best stillede dette forslag under den militære undtagelsestilstand, kunne det være i forventning om, at kravet under alle omstændigheder før eller siden ville blive stillet, og skulle det gennemføres, ville det være gunstigst for Bests politiske stilling, at det skete under undtagelsestilstanden og ikke senere.

Hans Clausen Korff tog 24. september 1943 over for Christian Breyhan æren af at have givet Best ideen til forslaget (se nedenfor). Se endvidere Scherpenbergs notat om forslaget 25. september 1943.

Kilde: BArch, R 901 113.554. RA, pk. 271.

123 Pol VI. Trykt ovenfor.
124 Inl I (V.S.). Trykt ovenfor.
125 Pol VI (V.S.). trykt ovenfor.

Der Bevollmächtigte des Reiches in Dänemark *Kopenhagen, den 17. September 1943.*
Gesch. Zeich.: III/5376/43

An das Auswärtige Amt,
Berlin

Betrifft: Besatzungskosten in Dänemark.

Die Kosten der deutschen Wehrmacht in Dänemark werden auf Grund eines Abkommens zwischen der Hauptverwaltung der Reichskreditkassen und Danmarks Nationalbank von letzterer vorgeschossen. Für diesen Kredit hat der dänische Staat eine Garantie ausgesprochen. Mit den Anforderungen der Wehrmacht, die am 31. August d. Js. 2 Milliarden Kronen erreichten, wird formell die Hauptverwaltung der Reichskreditkassen belastet, für die sich wiederum das Reich verbürgt hat.

Bei dem jetzigen Zustand wächst die mittelbare Verpflichtung des Reiches, zu der noch die unmittelbare Clearingverschuldung tritt, ständig. Die gleichzeitige Folge dieser Kredite, die zusammen 3,6 Milliarden Kronen überschritten haben, ist ein stetiges Anwachsen der Geldreichlichkeit in Dänemark.

Es erscheint angezeigt, unter diesen Umständen die Frage eines Beitrages des dänischen Staates zu den Besatzungskosten aufzugreifen.

Die Höhe der Beiträge müßte jeweils der Leistungsfähigkeit und der Währungssituation Dänemarks angepaßt werden. Im Hinblick auf die günstige Finanzlage Dänemarks könnte dem dänischen Staat ein wesentlicher Teil der Besatzungskosten auferlegt und damit ein Beitrag zur Konsolidierung der Auslandsverpflichtungen des Reiches erzielt werden. Gleichzeitig würde daraus für Dänemark der Zwang erwachsen, die besitzenden Kreise mehr als bisher zu Leistungen an den Staat herauszuziehen und somit die bisher schon getroffenen Maßnahmen zur Abschöpfung der überschüssigen Kaufkraft zu erweitern. Die Beanspruchung des Kredites der Nationalbank für den gesamten laufenden Besatzungskostenbedarf könnte in der bisherigen Form beibehalten werden. Durch die Beiträge des dänischen Staates würde sich die Schuld der Hauptverwaltung der Reichskreditkasse entsprechend verringern.

Dem gegenüber bliebe zu überlegen, ob eine solche grundsätzliche Änderung in Anbetracht der zu befürchtenden Beeinflussung des Vertrauens der dänischen Wirtschaft zur Währung mit ihren unter Umständen nachteiligen Folgen für die Versorgung des Reiches zur Zeit als im Reichsinteresse liegend anerkannt werden kann.

Ich bitte, eine Entscheidung darüber herbeizuführen, ob unter der obwaltenden Umständen vom dänischen Staat ein Beitrag zu den Besatzungskosten gefordert werden soll.

Best

74. Karl Schnurre an Werner Best 17. September 1943

AA accepterede den af Best foreslåede model for finansiering af tysk politi, idet han dog ikke skulle anvende begrebet "civile besættelsesomkostninger".

Best svarede med telegram nr. 1096, 20. september 1943.

Kilde: BArch, R 901 113.555.

Ref.: LR van Scherpenberg — *Berlin, den 16. September 1943*
Fernschreiben — zu Ha Pol VI 3852/43
Offen über G-Schreiber
Nr. 137 17.9. 12.00 ERH DG Kopenh. LE

Diplogerma Kopenhagen
Nr. 1264 — Cito!

Auf 1051 vom 13.9.[126]
Für Reichsbevollmächtigten.

Sie sind ermächtigt, Dänischer Regierung mitzuteilen, daß die durch das dänische Versagen in der Frage der Sabotagebekämpfung für uns entstehenden Mehraufwendungen für Entsendung deutscher Polizeikräfte usw. aus Besatzungskostenkonto gedeckt werden müssen. Von der vorgeschlagenen Einführung des Begriffes "zivile Besatzungskosten" bitte ich abzusehen, da dadurch Unklarheiten und unerwünschte Erörterungen hervorgerufen werden würden. Die technische Durchführung bitte ich, im Rahmen der Vereinbarung über die Besatzungskosten vom August 1940 mit der Nationalbank zu regeln. Über das Veranlaßte bitte ich zu berichten.

Schnurre

75. Dietrich von Mirbach an Franz von Sonnleithner 17. September 1943

Statssekretær von Steengracht havde taget stilling til Schnurres drøftelser med Emil Wiehl: Von Hanneken havde bevæget sig ind på det økonomiske område, og von Steengracht lod meddele, at Best skulle instrueres om, at det ifølge Hitlers ordre fortsat var hans ansvarsområde.

Kilde: PA/AA R 29.567. RA, pk. 203 (uddrag, kun sagen vedr. Danmark er medtaget).

Berlin den 17. September 1943.

F e r n s c h r e i b e n

Herr Gesandten von Sonnleithner
Wolfsschanze

Stellungnahme des Herrn Staatssekretärs zu den Aufzeichnungen des Gesandten Schnurre Nr. 38 und 39.[127]

Zu Nr. 38, Ziffer 3: Der Herr Staatssekretär ist der Ansicht, daß die Tätigkeit des Gene-

126 Trykt ovenfor.
127 Schnurres optegnelse nr. 38, 15. september 1943 er trykt ovenfor. Nr. 39 er ikke lokaliseret.

rals von Hanneken auf wirtschaftlichem Gebiet in Dänemark der Führerweisung widerspricht. M.D. Best wäre anzuweisen, daß er durch die Führerweisung die Zuständigkeit zur Regelung der Wirtschaft Dänemark erhalten habe und auch nach außen hin dafür die Verantwortung trage.
[...]

Mirbach

76. Emil Geiger: Aktennotiz 17. September 1943

Best havde 3. juni afgivet en længere beretning om den tyske jurisdiktion, men siden intet hørt. Geiger rekapitulerede til Inland II sagens videre forløb. Jurisdiktionen var for øjeblikket hos SS-Hauptamt i München. I den anledning ville AAs retsafdeling ikke foretage sig videre. Når Wagner kom tilbage, skulle der ske henvendelse til retsafdelingen.

12. Januar 1944 skrev Rudolf Stehr til VOMI, da der stadig ikke var sket noget i sagen (RA, pk. 442), men endnu i marts var der ingen afklaring. Se VOMIs notat 14. marts 1944.

Kilde: RA, pk. 233.

Inl. II B

Aktennotiz

Wie ich aus den Akten der Abt. R entnehme, hat der Bevollmächtigte des Reichs in Kopenhagen am 3.6. d.J. in einem ausführlichen Bericht die Sachlage über die deutsche Gerichtsbarkeit in Dänemark niedergelegt.[128]

Dieser Bericht ist bei Abt. R unter der Nr. 56839/43 registriert. Dieser Bericht ist von der Abt. R am 12.8.43 unter der Nr. R. 58949 dem RF-SS und Chef d. Dtsch. Pol. im Reichministerium des Innern mit der Bitte um Äußerung übersandt worden.

Der Chef der Sicherheitspolizei und des SD teilte mit Schreiben vom 1.9.43 – I D 2 allg. B 274/43 – dem AA mit, daß der Bericht dem Hauptamt SS-Gericht in München zugeleitet worden sei. Weiteres ist von der Abt. R in der Angelegenheit nicht veranlaßt worden.

Berlin, den 17.9.1943.

Geiger

V.
Wv. Nach Rückkehr d. Leiters d. Gruppe Inl. II zwecks nochmaliger Anforderung d. Vorgge. bei Abt. R (Sachbearbeiter AR Dahms.)

77. Andor Hencke an Werner Best 17. September 1943

Med dette telegram fik Best formelt besked om, at aktionen mod de danske jøder skulle gennemføres, og han blev bedt om forslag til, hvordan borttransporten skulle finde sted, specielt hvor mange politifolk, der skulle til.

Best svarede samme dag (telegrammet er ikke bevaret), men uddybede sit svar dagen efter med telegram nr. 1094 (Yahil 1967, s. 144, Thomsen 1971, s. 182, Rosengreen 1982, s. 50f., Best 1988 s. 47, Herbert

128 Trykt ovenfor.

1996, s. 366 (med fejlnummerering af telegrammet i note 122)).
Kilde: PA/AA R 100.864. Poliakov/Wulf 1956, s. 102.

Telegramm

Berlin, den 17. September 1943

Diplogerma
Consugerma Kopenhagen
Nr. 1265
Referent: Ges. v. Grundherr

Betreff.: Abtransport von Juden aus Dänemark
Unter Bezugnahme auf Drahtbericht 1032 v. 8.9.[129]

Für Reichsbevollmächtigten.
Reichsaußenminister ersucht Sie, über die Art der Durchführung des Abtransports der Juden, der im Prinzip beschlossen ist, genaue Vorschläge zu machen, die insbesondere auch enthalten sollen, wieviel Polizeikräfte Sie dazu benötigen, damit hier diese Polizeiabteilungen in Besprechungen mit der SS freigemacht werden können.

Die Angelegenheit ist streng vertraulich zu behandeln.

Hencke

78. Walter Forstmann an Kurt Waeger 17. September 1943

I forlængelse af sin foregående situationsberetning slog Forstmann fast, at antallet af sabotager var gået betydeligt tilbage. Det og strejkernes fuldstændige ophør tillagde han de af besættelsesmagten indførte forholdsregler. Den danske regerings foranstaltninger havde ikke været tilstrækkelige. Afvæbningen af den danske hær havde vist, at den havde haft flere våben end forud oplyst, ligesom den allerede 1941 var begyndt at opruste. Afvæbningen var derfor fuldt ud berettiget. Imidlertid skulle undtagelsestilstanden afsluttes hurtigst muligt for at skaffe plads for normale tilstande. Der forventedes dannet en ny regering. Uanset denne regerings sammensætning måtte den efter von Hannekens mening være forpligtet til at efterkomme alle de militære fordringer, som Best ville være indforstået med. Fra tysk side tog man for første gang offentligt stilling til den indenrigspolitiske situation i Danmark, hvilket blev belagt med henvisning til avisudklip. Til sidst kom den nyhed, at der blev oprettet en stilling som HSSPF i Danmark.

Forstmann ønskede en tilbagevenden til "normale forhold". Det var også formålet at give Waeger det indtryk, at det var muligt. Det var kun von Hanneken, der blev citeret direkte for en holdning, mens det var Bests, der lå bag. Forstmann var den første til at være ude med nyheden om en HSSPF i Danmark. Den er først omtalt hos AA i Berlin den følgende dag i det kendte materiale.

Samme indberetning med bilag blev sendt til Generalleutnant Becker, chef for Wehrwirtschaftsstabes, OKW.

Kilde: BArch, Freiburg, RW 27/9 og 10 (til Becker). KTB/Rü Stab Dänemark 3. Vierteljahr 1943, Anlage 29.

129 Trykt ovenfor.

Der Chef des Rüstungsstabes *17.9.1943.*
850/43 geh. II. Ang. Anlage 29
Geheim

Chef Rü Stab Dän., Nr. 796/43 v. 23.8., 28.8. u. 6.9. und Nr. 850/43 geh. v. 11.9. 43.[130]
Bericht über die Lage in Dänemark.

An den Chef des Rüstungsamtes des Reichsministers für Bewaffnung und Munition,
Herrn Generalleutnant Dr. Ing. e.h. Waeger,
Berlin – Charlottenburg 2,
Verl. Jebenstraße, Behelfsbau am Zoo.

Als Folge des militärischen Ausnahmezustandes ist festzustellen, daß die Streikwelle, die im August durch Dänemark ging, vollständig abgeebbt ist und die Sabotagefälle erheblich zurückgegangen sind. Damit ist der Beweis erbracht, daß die von der Dänischen Regierung vor dem Ausnahmezustand angewandten Maßnahmen nicht genügten, um dieses Ergebnis von sich zu erreichen.

Anlage 1[131] bringt die Sabotagefälle, die sich in der Zeit vom 11.-17.9.43 ereigneten. Der Befehlshaber der deutschen Truppen in Dänemark greift bei Sabotagefällen scharf durch und hat am 14.9.43 als Gegenmaßnahme die Sperrstunde in Groß-Kopenhagen für alle öffentlichen Lokale, Kinos, Theater, Gast- und Vergnügungsstätten wieder auf 20 Uhr (zuletzt 21 Uhr) festgesetzt. Am gleichen Tage wurde angeordnet, daß ab sofort Soldaten im Stadtgebiet Kopenhagen nur zu Zweit und mit Seitenwaffe ausgehen dürfen.[132]

Der militärische Ausnahmezustand soll aber möglichst bald wieder normalen Verhältnissen Platz machen. Die Bildung einer neuen dänischen Regierung wird erwartet. Jede dänische Regierung, wie sie sich auch zusammensetzen mag, muß nach Ansicht des Bef. Dän. verpflichtet werden, allen militärischen Forderungen, die vom "Bevollmächtigten des Reiches in Dänemark" anerkannt worden sind, unverzüglich zu entsprechen.

Die Erfassung der Bestände des dänischen Militärs hat gezeigt, daß sie grösser sind als der dänische Generalstab angegeben hatte. So war z.B. ein Mehr von rd. 22.000 Gewehren und 100 Geschützen vorhanden. Insgesamt wurden u.a. rd. 74.000 Gewehre und 296 Geschütze erfaßt. Es hat sich ferner herausgestellt, daß die dänische Armee bereits 1942 begann, ihre Ausrüstung zu verstärken und es fertiggebracht hat, trotz des Rohstoffmangels eine vollständig neue Bekleidung für rd. 100.000 Mann hinzulegen. – Es ist also durchaus richtig gewesen, die dänische Wehrmacht in Rücken der Besatzungstruppen zu entwaffnen.

Die deutschen Stellen treten jetzt – eigentlich zum ersten Mal seit der Besetzung des Landes – mit Stellungnahmen zu der innerpolitischen Lage Dänemarks und mit Hin-

130 Alle trykt ovenfor.
131 Trykt nedenfor.
132 Se Bests telegram nr. 1062, 15. september 1944.

weisen an die Bevölkerung in der Tagespresse in Erscheinung (Anlage 2, 3, 4)[133]. Auch finden sich Dänen, die mutig in Presse und Rundfunk ihrem Volk die Wahrheit sagen (Anlage 5).[134]

Eine Verordnung des Bef. Dän., betr. Abgabe dänischen Heereseigentums aus privatem Besitz, wird in Anlage 6 beigefügt.[135]

Abschließend wird gemeldet, daß für Dänemark die Stelle eines höheren SS-Führers und Chef der Polizei eingerichtet wird, Sitz Kopenhagen.[136] Bisher sind zu seiner Verfügung 120 Mann einschl. Stab eingetroffen.

Forstmann

6 Anlagen

Anlage 1

Sabotagehandlungen
in der Zeit vom 11.-17. Sept. 1943

11.9.43: Odense, Solsikkevej:
Durch Explosion am Transformator wurde ein Kabel zerstört. Die Anlage war in 2 Stunden wieder betriebsfähig.[137]

11.9.43. 21.00 Uhr:
Maschinenfabrik Hartmann, Kopenhagen, Vermundsgade 5:
Ein Sprengkörper mit starker Ladung wurde durch ein Fenster in die Fabrik geworfen. Fensterscheiben, Fensterrahmen und Mauerteile sind herausgebrochen. Der an den Maschinen entstandene Schaden konnte noch nicht festgestellt werden. Firma hat keine direkten Wehrmachtaufträge.[138]

12.9.43. 9.15 Uhr:
Maschinenfabrik Gebr. Hansen. Kopenhagen. Sundkrogsg.:
Das Maschinengebäude wurde durch eine Sprengladung vollständig vernichtet. Firma hat keine Wehrmachtaufträge.[139]

12.9.43. 17.18 Uhr:
Fa. A.P. Hansen. Kopenhagen, Roskildevej:
Es brach ein Feuer aus, wodurch 2 Holzlager vernichtet wurden. Firma arbeitet für die

133 Presseklippene er ikke medtaget.
134 Der bringes et udklip vedr. Ejnar Krenchel. Det er ikke medtaget.
135 Trykt på dansk hos Alkil, 2, 1945-46, s. 852.
136 Se Geiger til Sonnleithner 18. september og Brandt til Berger 25. september 1943.
137 Jfr. Alkil, 2, 1945-46, s. 1221.
138 BOPA saboterede virksomheden ved at kaste sprængbomber. Skaden androg 72.000 kr. (Kjeldbæk 1997, s. 467).
139 Brdr. Hansens Maskinfabrik var underleverandør til Nordbjærg & Wedell. Det var BOPA, der foretog sabotagen, hvorved skaden androg 78.000 kr. (Kjeldbæk 1997, s. 467).

Deutsche Wehrmacht.[140]

12.9.43. 19.40 Uhr:
Maschinenfabr. Emmeches E. Metalvare Fabr. A/S. Kopenhagen, Grundtvigsvej 23: Starke Zerstörung durch Bombenexplosion. Schaden z.Zt. noch nicht festgestellt. Firma arbeitet für die Deutsche Wehrmacht.[141]

12.9.43. 22.00 Uhr:
Maskinfabrik Petersen & Wrae. A/S. Kopenhagen. Heimdalsg. 30
2 Bomben explodierten, wodurch Gebäudeschaden und unwesentlicher Maschinenschaden entstand. Firma arbeitet für die Deutsche Wehrmacht.[142]

13.9.43. 7.00 Uhr:
Brdr. Skovgaard Mortensen, Autorep. Werkstatt, Kopenhagen, Aalekistevej 150: Drei Bomben wurden durch die Fenster geworfen. Es verbrannten mehrere Wehrmachtkraftwegen. Ein Sabotagewächter wurde durch Splitter verwundet. Täter sind entkommen.[143]

13.9.43 21.35 Uhr: Odense, Pjentedamsgade 21:
In einem ehemaligen Lager des dänischen Militärs, welches durch dänische Polizei bewacht und Wehrmachtstreifen kontrolliert wird, explodierte unter einem deutschem LKW eine Bombe. Der Wagen wurde stark beschädigt, einige andere leicht.[144]

13./14.9.43: Aalborg:
Verschiedene Anschläge auf Eisenbahnstrecken in der Nähe von Aalborg.

14.9.43. 7.00 Uhr: Frederiksbergvej 81:
Es wurde durch Bombenexplosion und Feuer ein Lager mit Transformatorenanlagen der Kommunalverwaltung stark zerstört. Es handelt sich hierbei um ein Lager mit Reservetransformatoren. Täter sind unerkannt entkommen.[145]

14.9.43: Tranagervej (Valby):
Es wurden durch Brandstiftung Schulbaracken vernichtet. In den Baracken lagerten Bettzubehörteile für Ferienkinder.[146]

16.9.43. 19.35 Uhr: Lyngbyvej:
Anschlag gegen 2 Masten des Lyngby-Kraftwerkes bei Örnegaard Lyngbyvej, 7/8 km

140 Også denne sabotage blev foretaget af BOPA (Kjeldbæk 1997, s. 467).

141 Det var endnu en BOPA-sabotage. Skaden androg 92.000 kr. (Kjeldbæk 1997, s. 467).

142 Skaden ved denne sabotage androg 172.000 kr. og var også foretaget af BOPA (Kjeldbæk 1997, s. 467).

143 BOPA stod for sabotagen, hvor skaden beløb sig til 90.000 kr. (Kjeldbæk 1997, s. 467).

144 Jfr. Alkil, 2, 1945-46. s. 1221.

145 BOPA foretog sabotagen, hvor der angiveligt skulle repareres transformatorer (Kjeldbæk 1997, s. 467f.).

146 Der er ikke fundet nærmere oplysninger om brandstiftelsen.

vom Werk entfernt. Beide Masten sind durch Explosion umgestürzt. 3 weitere Bomben, die nicht explodierten wurden in der Nähe des Tatortes gefunden.[147]

79. Kriegstagebuch/Admiral Dänemark 17. September 1943

Wurmbach havde haft en drøftelse med Nils Svenningsen om Danmarks indenrigspolitiske situation i sammenhæng med den civile minerydningstjeneste. Svenningsen mente, at det ville blive svært at få oprettet en civil minerydningstjeneste med dansk deltagelse. Det ville kræve hurtig frigivelse af de internerede, mens opfordringer gennem presse og radio næppe ville virke. Ligeledes var WB Dänemarks avisartikel 14. september ikke egnet til at bedre stemningen i Danmark, når han knyttede en hurtig frigivelse af de internerede sammen med sabotagen. Ikke desto mindre forsikrede Svenningsen, at danske myndigheder ville arbejde for sagen.

Det fik Wurmbach til at skubbe på for at få gang i løsladelserne.

Kilde: KTB/ADM Dän 17. september 1943, RA, Danica 628, sp. 3, s. 3066f.

[...]

Ich hatte eine Lange Aussprache mit dem Direktor im Außenministerium, Staatssekretär Svenningsen, über die innerpolitische Lage in Dänemark in Verbindung mit dem Fragenkomplex des zivilen Minensuchdienstes. Die Aussprache hatte folgendes Ergebnis:

1.) Die von mir ressortmäßig angesprochenen dänischen Zivilstellen (Handelsministerium, Reichsbahn und AA) anerkennen dänisches Interesse an Zwangswegen Nyborg-Korsör, Smaalands-Fahrwasser, Gewässer südlich Fünen und Isefjord, die von Dänen übernommen werden sollen.
2.) In Vorbesprechung sei allgemein zum Ausdruck gebracht, daß Personalgewinnung in Hinblick auf Stimmung im Lande äußerst schwierig sein würde, zumal zweckentspreche Propaganda durch Zeitung und Rundfunk wenig verspräche, da diese infolge Ausnahmezustand unter deutscher Kontrolle stehen und damit im dänischen Sinne nicht mehr für objektiv angesehen werden.
3.) Weiter sei ein vom Truppenbefehlshaber in Tagespresse lancierter Artikel, wonach Frage der Entlassung inhaftierter Mannschaften voraussichtlich mit Haltung Bevölkerung gegenüber Sabotageakten verquickt werden soll,[148] zur Besserung der allgemeinen Stimmung nicht geeignet, da man Repressalien gegen einen Teil der Bevölkerung (Angehörige der Inhaftierten) androhe, der in dieser Richtung unbeteiligt sei. Ich hatte in Voraussicht dieser Auswirkungen dem Truppenbefehlshaber vor Erscheinen dieses Artikels meine Bedenken ausdrücklich persönlich vorgetragen. Dieser glaubt an ihnen vorbeigehen zu können, da er sich an die von ihm ausgesprochene Drohung nicht gebunden fühle, wenn er die Entlassungsbestimmungen durch OKW erhalten habe. Inzwischen ist in gleicher Richtung ein schriftlicher Protest gegen diese im Widerspruch zur allgemeinen Rechtsauffassung angekündigten Repressalien vom Admiral Vedel bei mir eingegangen.
4.) Direktor Svenningsen gab die Versicherung ab, daß er trotz vorstehend skizzierter großer Schwierigkeiten Mitarbeit dänischer Zivilstellen weiterhin vermitteln werde.

147 BOPA foretog sabotagen, som af Kieler, 2, 1993, s. 112 henføres til 16. september, mens Kjeldbæk 1997, s. 468 henlægger den til 15. september.

148 14. september 1943, gengivet på dansk hos Alkil, 2, 1945-46, s. 851f.

Aus dem Vorstehenden ergeben sich folgende Konsequenzen:

a.) Die Ingangsetzung des dänischen Minensuchdienstes wird lange Zeit in Anspruch nehmen, zumal es bei längerer Inhaftierung, die bis 15.11. (letzter Entlassungstermin) dauern soll, sehr schwer fallen wird, vor allem geeignete dänische Offiziere zu finden.

b.) Aufstellung einer personellen Mindestforderung für die Organisation (Spitze im Handelsministerium und der Flottillen).

c.) In Zusammenarbeit mit BSO Ausarbeitung eines Planes als Überbrückungsmaßnahme, um mit den dänischen Fahrzeugen und aus eigenen Flottillen vorübergehend herausgezogenes Personals eine Küstenschutzflottille Großer Belt für die Minensuch-Aufgaben auf den dänischen Schiffahrtswegen zu bilden.

d.) Gesamtlage in fraglichen Räumen z.Zt. günstig, da seit Ende April keine Großverminungen.[149]

gez. **Wurmbach**

80. Werner Best an das Auswärtige Amt 18. September 1943

Dagsrapport.

Kilde: PA/AA R 29.567. RA, pk. 203.

T e l e g r a m m

Kopenhagen, den	18. September 1943	12.30 Uhr
Ankunft, den	18. September 1943	13.10 Uhr

Nr. 1086 vom 18.9.[43.] Citissime!

Ich bitte die folgenden Meldungen unverzüglich dem Herrn Reichsaußenminister zuzuleiten:

1.) Am 17.9.1943 ist gegen Mittag in einen stehenden Kraftwagen des Polizei-Bataillons "Cholm" von einem Radfahrer ein Sprengkörper geworfen worden, der den Führersitz zerstörte. Der Fahrer befand sich außerhalb des Wagens und wurde nicht verletzt.[150] – Aus der Nacht vom 17. zum 18.9.1943 ist aus dem ganzen Lande kein Vorfall gemeldet worden. – Die dänische Polizei nahm in Kopenhagen 39 Personen wegen Übertretung des Nachtverkehrsverbotes fest.

2.) Der Befehlshaber der deutschen Truppen in Dänemark hat für den 17.9.1943 die folgende Tagesmeldung erstattet: "Keine besonderen Vorkommnisse."

Dr. Best

149 MOK Ost videresendte Wurmbachs skrivelse samme dag til 1. Seekriegsleitung med denne tilføjelse: "e.) Stellungnahme zu eben eingegangenem Entlassungsbefehl des OKW erfolgt in Verfolg vorstehender Feststellungen gesondert." (BArch, Freiburg, RM 7/1187).

150 Aktionen mod den tyske vogn ud for Falkoner Allé 35 i København blev udført af BOPA (Sabotagehandlungen in der Zeit vom 17.9.-7.10.1943 (bilag til Forstmann til Waeger 8. oktober 1943, trykt nedenfor), Kjeldbæk 1997, s. 468).

81. Werner Best an das Auswärtige Amt 18. September 1943

Best viderebragte uoverensstemmelsen mellem ham og von Hanneken vedr. den danske hærs krigsmateriels status, som var kommet op første gang i telegram nr. 1062, 15. september. De fastholdt hver deres standpunkt, men von Hanneken havde støtte hos OKW.

Se Bests telegram nr. 1098, 20. september (Rosengreen 1982, s. 33).

Kilde: PA/AA R 29.567. LAK, Best-sagen (afskrift). PKB, 13, nr. 667.

Telegramm

Kopenhagen, den	18. September 1943	12.15 Uhr
Ankunft, den	18. September 1943	13.10 Uhr

Nr. 1087 vom 18.9.[43.] Citissime!

Ich bitte, den folgenden Bericht unverzüglich dem Herrn Reichsaußenminister zuzuleiten:

Unter Bezugnahme auf Ziffer 3 meines Telegramms Nr. 1061[151] vom 15.9.1943 berichte ich, daß der Befehlshaber der deutschen Truppen in Dänemark unter dem 15.9.1943 das folgende Schreiben an den kommandierenden Admiral Dänemark gerichtet hat, das mir nachrichtlich zugegangen ist: “Der Auffassung des Admiral Dänemark kann nicht in allen Punkten beigetreten werden – wenn auch durch g.Kdos. – Fernschreiben OKW/ WFST/QU 2 (N) Nr. 004954/43 dänische Kriegsfahrzeuge dänisches Eigentum verbleiben, indem sie unter Eigentumsvorbehalt von deutscher Marine in Benutzung genommen werden können, sind aber Waffen und Ausrüstung jeder Art von Heer und Marine nicht mehr Eigentum dänischen Staates, sondern sind in ihrer Gesamtheit Beute, da Dänemark kein befreundetes, sondern uns feindlich eingestelltes Land ist. Daher finden Artikel 42-46 Haager Landkriegsordnung entsprechend Anwendung. Aus den oben genannten Gründen kann auch der Auffassung des Bevollmächtigten des deutschen Reiches in Dänemark nicht beigetreten werden, wonach alles in Dänemark vorhandene Kriegsmaterial für Deutschland nur in Gebrauch genommen werden soll, bis endgültige Regelung mit dem dänischen Staat nach dem Krieg erfolgt. OKW Wehrmachtführungsstab ist unterrichtet und wird weitere Weisungen, insbesondere auch wegen der Entlassung der Internierten des dänischen Heeres und der Marine, erteilen.”

Ich halte nunmehr doch – insbesondere auch im Hinblick auf die künftige politische und verwaltungsmäßige Behandlung Dänemarks – eine grundsätzliche Klärung für notwendig, ob das deutsche Reich sich mit Dänemark, da dieses “kein befreundetes, sondern uns feindlich eingestelltes Land ist,” im Kriege befindet, so daß die Waffen und Ausrüstungsgegenstände der dänischen Wehrmacht als Kriegsbeute zu bezeichnen sind. Nach meiner Auffassung liegt es im deutschen Interesse, das politische und rechtliche Verhältnis zwischen dem Reich und Dänemark bewußt unklar zu lassen und jede Präzisierung im einen oder anderen Sinne sorgfältig zu vermeiden. Deshalb hatte ich gegenüber dem kommandierenden Admiral Dänemark die Formel vorgeschlagen, daß alles

151 RU betr. Verbesserung des Programms des Staatsrundfunks. Telegram nr. 1061 er ikke lokaliseret, men se nr. 1062, trykt ovenfor vedr. samme sag.

in Dänemark vorhandene Kriegsmaterial für die deutsche Kriegsführung in Gebrauch genommen werden und daß eine endgültige Regelung bis nach dem Kriege vorbehalten bleiben soll.

Dr. Best

82. Werner Best an das Auswärtige Amt 18. September 1943

Best viderebragte den ordre, som von Hanneken havde modtaget fra OKW vedr. det tyske forsvar af Danmark, samt von Hannekens kommentarer til konsekvenserne heraf. Foranstaltningerne ville berøre civilbefolkningen og kunne skade regeringsdannelsen. Best stillede ministeriet sin egen vurdering i udsigt.

Kilde: PA/AA R 29.567. RA, pk. 203.

Telegramm

Kopenhagen, den 18. September 1943 15.35 Uhr
Ankunft, den 18. September 1943 17.15 Uhr

Nr. 1092 vom 18.9.[43.] Citissime!

Ich bitte, den folgenden Bericht unverzüglich dem Herrn Reichsaußenminister zuzuleiten:

Der Befehlshaber der Deutschen Truppen in Dänemark hat mir soeben die folgende fernschriftliche Anordnung des OKW mitgeteilt:

"Die für die Verteidigung Dänemarks erforderlichen Maßnahmen müssen unter Zurückstellung politischer und wirtschaftlicher Rücksichten unter allen Umständen in vollem Umfange durchgeführt werden. Der gegenwärtige Ausnahmezustand ist hierzu auszunutzen.

Im einzelnen wird befohlen: Bei der Unterbringung der Truppen müssen die Bedürfnisse der Verteidigung einwandfrei im Vordergrund stehen, d.h. Stützpunktbesatzungen gehören in ihre Stützpunkte bezw., solange das Beziehen der Stützpunkte infolge von Bauarbeiten noch nicht möglich ist, in ihre unmittelbare Nähe in Unterstände, Barakken oder nötigenfalls in von der Zivilbevölkerung zu räumende Häuser. Reserven sind dorthin zu legen, wo es ihre taktische Aufgabe erfordert. Auseinandergezogene Baracken und Unterstände sind dabei im Hinblick auf die Fliegergefahr für die Unterbringen zweckmäßiger als Kasernen, Schulen und dergl. nötigenfalls sind auch hier vorübergehend Häuser von der Zivilbevölkerung zu räumen.

Die zur Beweglichmachung der Truppe erforderlichen Fahrräder sind von der dänischen Regierung zu fordern bezw. nötigenfalls zu beschlagnahmen.

Divisions- und Regimentsstäbe gehören auf ihre Gefechtsstände oder wenigstens in unmittelbare Nähe der hierfür vorgesehenen Plätze. Die erforderlichen Führungs-Nachrichtenverbindungen hat die dänische Post sicherzustellen.

Zum 25.9. ist OKW/WFST mit Karte die beabsichtigte Gliederung der Verteidigung (einschließlich Gefechtsständen) nach Eingliederung der 20. LW. Feld-Div. in die 416. U.D. und Eintreffen der Genesenden-Bataillons zu melden."

Der Befehlshaber hat hieran die folgende Mitteilung angefügt: "Hiernach wird eine teilweise Dislozierung der Truppen notwendig werden und die bisherigen Rücksichten auf die Zivilbevölkerung hintangestellt werden müssen.

Da Baracken für die Unterbringung des Truppen nicht zur Verfügung stehen, wird weitgehender Gebrauch von der Räumung Zivilhäuser gemacht werden. Insbesondere wird in Skagen, Hirtshals, Lökken, Thisted, Lemvig, Ringköbing, an den Küstenorten bis Skallingen, Varde, Esbjerg und Ribe sowie in Aalborg die Beschlagnahme von Zivilwohnraum erheblichen Umfang annehmen. Teilweise werden insbesondere die am unmittelbaren Kampfgebiet liegenden Ortschaften völlig geräumt werden müssen.

Ich weise vorsorglich auf diese Notwendigkeiten hin, da ich befürchte, daß die von mir sofort zu ergreifenden Maßnahmen bei der Regierungsbildung empfindliche Störungen hervorrufen."

Über die politischen Auswirkungen der militärische Maßnahmen werde ich zu gegebener Zeit berichten.

Dr. Best

83. Werner Best an das Auswärtige Amt 18. September 1943

Best benyttede Christian 10.s fødselsdag og planen om udsendelse af et frimærke med ham i garderuniform til at afæske AA en stilling til det danske kongehus i det hele taget, herunder om der skulle ske yderligere foranstaltninger mod kongen, så som afsættelse eller tilfangetagelse.

Best havde ikke modtaget et svar 22. september, da han med telegram nr. 1117 kunne meddele AA, at von Hanneken selvstændigt havde taget affære vedrørende markeringen af kongens fødselsdag.

Kilde: PA/AA R 29.567. RA, pk. 203.

Telegramm

Kopenhagen, den	18. September 1943	16.45 Uhr
Ankunft, den	18. September 1943	17.15 Uhr

Nr. 1093 vom 18.9.[43.] Citissime!

Auf das Telegramm Nr. 1270[152] vom 17.9.1943 berichte ich folgenden:

Eine ganze Reihe dänischer Briefmarken zeigt das Bild des Königs. Es sind auch schon früher zu bestimmten Tagen neue Marken dieser Art herausgegeben worden. In der schon seit einiger Zeit geplanten Herausgabe einer neuen Briefmarke ist nach meiner Auffassung keine Demonstration zu erblicken. Praktische Schwierigkeiten können durch die Marke nicht verursacht werden.

Meine Anfrage zielte auf die grundsätzliche Klärung, ob von jetzt, an jede Erwähnung des Königs und damit auch jede Berücksichtigung seines Geburtstages unterdrückt werden soll, weil vielleicht – wie ich aus Äußerungen des Herrn Reichsaußenministers zu verstehen glaubte – weitere Maßnahmen gegen den König (Absetzung oder Gefangennahme) beabsichtigt seien.

Dr. Best

152 Pol VI 9201 g. Dette telegram er ikke lokaliseret.

84. Werner Best an das Auswärtige Amt 18. September 1943

Som ønsket af AA kom Best med praktiske oplysninger om og forslag til, hvordan deporteringen af de danske jøder kunne finde sted. Samtidig udtrykte han uopfordret den vurdering, at aktionen ville skærpe den politiske situation meget betydeligt. Det kunne komme til uroligheder eller generalstrejke. Derfor ønskede han, at der ikke kun var tilstrækkeligt med politifolk til selve aktionen, men også efterfølgende.

Ribbentrop gjorde 23. september 1943 i en notits til Hitler brug af telegrammet på en helt anden måde, end det havde været Bests hensigt, se nedenfor (PKB, 13, nr. 736, Yahil 1967, s. 144, Thomsen 1971, s. 182, Rosengreen 1982, s. 50f., Best 1988, s. 47, Kreth/Mogensen 1995, s. 24f.).

Kilde: PA/AA R 29.567. LAK, Best-sagen (på dansk). PKB, 13, nr. 737.

Telegramm

Kopenhagen, den	18. September 1943	16.55 Uhr
Ankunft, den	18. September 1943	17.30 Uhr

Nr. 1094 vom 18.9.[43.] Citissime!

Auf das Telegramm Nr. 1265[153] vom 17.9.1943 berichte ich, daß für den Abtransport der Juden aus Dänemark zusätzlich 50 Beamte der Sicherheitspolizei aus dem Reichsgebiet benötigt werden. Verstärkungen der Ordnungspolizei sind nicht erforderlich, wenn die erwarteten drei weiteren Kompagnien des zweiten Polizei-Bataillons rechtzeitig eintreffen. Fahrzeuge können aus hiesigen Beständen der Ordnungspolizei und der Wehrmacht gestellt werden.

Der Abtransport von Seeland (mit Großkopenhagen) wird am besten auf einem Schiff erfolgen. Es müßte also ein Schiff, das mindestens 5.000 Menschen fassen kann, rechtzeitig nach Kopenhagen beordert werden. Von Fünen und aus Jütland kann der Abtransport in Zügen erfolgen. Nach den hier vorliegenden Unterlagen befinden sich in Großkopenhagen 1.673 jüdische Familien, im Lande etwa 33 Familien sowie insgesamt 1.208 aus Deutschland zugewanderte Familien. Dazu kommen noch etwa 110 jüdische Familien, die nicht mehr der jüdischen Glaubensgemeinschaft angehören.

Die hiesigen Vorbereitungen zur Durchführung des Abtransportes können in 9-10 Tagen abgeschlossen sein. Bis dahin sollten die oben bezeichneten Polizeikräfte und das Schiff sowie die erforderlichen Aufnahmelager in Deutschland bereitgestellt sein.

Politisch wird der Abtransport der Juden zweifellos die Lage in Dänemark außerordentlich verschärfen. Mit der Bildung einer legalen Regierung wird nicht mehr zu rechnen sein. Im Lande kann es zu Unruhen und gegebenenfalls zum Generalstreik kommen. Deshalb bitte ich, sicherzustellen daß die zur Durchführung der Aktion abgeordneten Polizeibeamten auch über die Aktion hinaus zur Überwindung etwaiger Schwierigkeiten zu meiner Verfügung bleiben.

Dr. Best

153 Pol VI 1872 gRs. Trykt ovenfor.

85. Franz von Sonnleithner: Aufzeichnung 18. September 1943

Skønt Best den 17. september fra AA havde fået besked på at komme med forslag til jødeaktionens gennemførelse, kom samme besked fra Büro RAM dagen efter.

Kilde: PA/AA R 100.864. Sabile 1949, 1, s. 10 (på fransk). PKB, 13, nr. 736. Best 1988, s. 290.

Büro RAM U.St.S. Pol. 218.

Ges. v. Grundherr
LR v. Thadden
je bes. vorgelegt:

Der Führer hat angeordnet, daß der Abtransport der Juden aus Dänemark durchgeführt werden soll.

Der Herr RAM bittet, MD Dr. Best um Vorschläge, wie der Abtransport durchgeführt werden soll, insbesondere um Angabe der nötigen Polizeikräfte, damit dies von hier aus angefordert werden können.

"Westfalen," den 18.9.1943

gez. **Sonnleithner**

Berlin, 18.9.1943

Secher

86. Cecil von Renthe-Fink: Aufzeichnung 18. September 1943

Renthe-Fink refererede en samtale, han havde haft med den danske gesandt Mohr. De havde drøftet udviklingen op til 29. august. Uden at være ganske enig fastholdt Renthe-Fink, at de tyske forholdsregler havde været nødvendige på grund af hetzere, rygtemagere og fjender af Tyskland, det danske politi havde ikke gjort tilstrækkeligt. Mohr tillagde kommunister skylden for urolighederne, og han var overbevist om, at flertallet af de kommunistiske elementer havde tilsluttet sig nazisterne (!). Endvidere forsvarede han politiet, der trods alt havde fået fat i to tredjedele af sabotørerne. Renthe-Fink henviste til, at Danmark havde skæbnen i sin egen hånd og kunne vælge sin lykke selv eller tage et medansvar for situationen.

Renthe-Fink var på dette tidspunkt tysk repræsentant hos den franske Vichyregering.

Kilde: PA/AA Nachlässe Renthe-Fink, bd. 6. RA, pk. 305.

Aufzeichnung

Bei meinem gestrigen Zusammentreffen mit Gesandten Mohr fand ich diesen durch die Entwicklung in Dänemark sehr niedergeschlagen. Wie sich im Gespräch ergab stand er unter dem Eindruck, daß der 29. August für Dänemarks Schicksal von sehr viel schwerwiegenderer Bedeutung sei als der 9. April 1940 und sprach als seine Überzeugung aus, daß der durch die Ereignisse am 29. August aufgerissene Gegensatz zwischen Deutschen und Dänen sich schwer wieder überbrücken lassen würde. Er hielt unter diesen Umständen die Bildung einer neuen Regierung in Dänemark für ein fast unlösbares Problem. Seinen Pessimismus charakterisiert am besten der Zweifel, wie lange überhaupt noch ein dänischer Gesandter in Berlin sein würde.

Ich habe Mohr daran erinnert, daß ich seit dem Beginn der Besetzung der dänischen Regierung ständig vorgehalten hätte, daß es nicht genügte, praktisch mit uns zusammenzuarbeiten, sondern daß die dänische Regierung und alle politisch maßgebenden Faktoren in Dänemark auf die innere Einstellung der dänischen Bevölkerung Einfluß nehmen müßten. Das sei leider unzureichend geschehen. Vor allem hätten sich die Presse und die politischen Parteien hartnäckig versagt. Mohr wisse, daß ich immer ein energischeres Eingreifen der dänischen Polizei und der dänischen Justiz gegen Gerüchtemacher, Hetzer und Deutschfeinde im allgemeinen gefordert und keinen Hehl daraus gemacht hätte, daß ich mit der Haltung des Justizministers Thune Jakobsen, dessen Deutschfreundlichkeit ich nicht bezweifelte, den ich aber für zu schwach hielt, unzufrieden gewesen sei. Ich erinnerte auch Mohr daran, daß ich es schon im Sommer 1942 für notwendig gehalten hätte, mit der dänischen Regierung über die Einführung der Todesstrafe zu sprechen. Man könnte sich in Dänemark nicht wundern, daß wir, nachdem alle Ermahnungen nicht gefruchtet hätten und die Sabotageakte sich erschrekkend mehrten, selbst zu energischen Maßnahmen geschritten wären.

Mohr, der den Stimmungsumschwung in Dänemark vom April dieses Jahres her datierte, gab mir bis zu einem gewissen Grade Recht. Er sagte, daß er selbst im Herbst vorigen Jahres in Kopenhagen ausgesprochen hätte, daß energischer zugepackt werden müßte. Sein Eindruck wäre gewesen, daß die Zwischenfälle zum großen Teil von kommunistischen Elementen ins Werk gesetzt worden seien, mit dem Ziel, die deutsch-dänische Zusammenarbeit zu stören. Er sei auch überzeugt, daß sich ein größerer Teil kommunistischer Elemente in die Reihen der dänischen Nationalsozialisten eingeschlichen hat. Seiner Ansicht nach müßte mehr geschehen, um den von der feindlichen Seite verbreiteten tendenziösen Meldungen und Greuelmärchen entgegenzutreten. Im übrigen meinte Mohr, daß es die dänische Polizei immerhin doch erhebliche Erfolge aufzuweisen hätte, und daß es ihr gelungen sei, etwa zwei Drittel der Saboteure dingfest zu machen.

Als ich im Gespräch – wie mit Gesandten v. Grundherr vereinbart – darauf hinwies, daß Dänemark sein Schicksal in seinen eigenen Händen hätte und die Wahl habe, entweder die Lücke selbst auszufüllen oder im wohlverstandenen eigenen Interesse mutig die Verantwortung auf sich zu nehmen und das zu tun, was die Lage erfordere, bemerkte Mohr, daß er wahrscheinlich in der nächsten Woche mit seiner Frau nach Dänemark reisen und dabei Gelegenheit nehmen würde, die Lage mit den maßgebenden dänischen Persönlichkeiten zu besprechen.

Berlin, den 18. September 1943

gez. v. **Renthe-Fink**

87. Emil Geiger an Franz von Sonnleithner [18.] September 1943

Fra førerhovedkvarteret kunne Geiger meddele AA, at Himmler havde bevilget to politibataljoner og 300 sikkerhedspolitifolk til København. Endvidere at der var foreslået chefer for både ordens- og sikkerhedspolitiet. Tilbage stod spørgsmålet om, hvem der skulle være HSSPF. Geiger så en fordel for AA i, at det blev Best (Rosengreen 1982, s. 44).

Ved en afhøring 23. oktober 1948 udtalte Best, at han aldrig selv havde foreslået sig som HSSPF, men at det var blevet foreslået, at enten han selv eller Paul Kanstein skulle overtage posten, men at det var blevet afvist af RFSS (RA, Danica 234, pk. 88, læg 1157).

Kilde: RA, pk. 229. LAK, Best-sagen (afskrift). Afskrift i HSB Hovedgruppe 24A.

Wolfschanze *Berlin, den ... Sept. 1943*
Referent: VK Geiger.

Für Gesandten von Sonnleithner

Auf die zu dem Telegramm Nr. 1001 vom 1. September d.J.[154] des Bevollmächtigten des Reiches in Kopenhagen erteilte Weisung berichte ich folgendes: Wie beim Chef Sicherheitspolizei festgestellt worden ist, ist Reichsführer-SS bereit zur Abstellung der von den Bevollmächtigten in Kopenhagen erbetenen 2 Polizeibataillons und 300 Beamten des Sicherheitspolizei.

Als Befehlshaber für die Polizeibataillons wird vom Chef Ordnungspolizei der Generalmajor von Heimburg vorgeschlagen; als Befehlshaber der Sicherheitspolizei und des SD der Ober-Sturmbannführer Mildner, der bisher in Kattowitz war und zum Standartenführer befördert werden soll.

Wegen der Einsetzung eines Höheren SS- und Polizeiführers in Dänemark erhebt sich hier die Frage, ob dieses Amt nicht dem Bevollmächtigten Dr. Best selbst übertragen werden soll, was hiesiger Ansicht nach im Interesse des AA liegen würde. Diese Frage kann hiesigen Erachtens jedoch nur durch persönliche Abmachung zwischen dem Herrn RAM und Reichsführer-SS Lösung finden. Erbitte Unterrichtung des Herrn Reichaußenministers und Weisung, ob an Reichsführung-SS bezw. Chef Sicherheitspolizei wegen Durchführung der Abstellung der Polizeikräfte usw. nach Dänemark herangetreten werden soll.

Erbitte gleichzeitig Einholung grundsätzlicher Zustimmung des Herrn Reichaußenministers zur Bereitstellung der erforderlich werdenden Geldmittel (Punkt 5 des Drahtberichts Kopenhagen Nr. 1001).

Wegen Errichtung eines deutschen Sondergerichts mit dem Reichsbevollmächtigten als Gerichtsherrn wird bei Abteilung R besondere Vorlage veranlaßt werden.[155]

Geiger

88. MOK Ost an Seekriegsleitung 18. September 1943

Wurmbach havde ved en situationsdrøftelse underrettet om, at WB Dänemark mente at have uigendrivelige beviser for, at general Görtz med alle midler havde drevet på med reorganisering og mobilisering af den danske hær.[156] Endvidere skulle danske officerer være blevet forbudt at indtræde i den tyske hær. Desuden blev der regnet med ophævelse af undtagelsestilstanden umiddelbart efter 26. september. Det danske regeringsspørgsmål var uafklaret.

Von Hannekens insisteren på den danske hærs fjendtlige hensigter var ikke kun en retfærdiggørelse af den militære undtagelsestilstand, men et led i hans forsøg på at gøre Danmark til et fjendtligt land. Det kunne bane vejen for ham som leder af en militærforvaltning i Danmark.

Kilde: BArch, Freiburg, RM 7/1187. RA, Danica 628, sp. 7, s. 5388.

154 Trykt ovenfor.

155 Se Geigers notits 17. september 1943.

156 Dette havde von Hanneken allerede noteret i sine kalenderoptegnelser 1. september 1943 (trykt hos Drostrup 1997, s. 336). Forstmann videregav 17. september til Waeger denne opfattelse.

Abschrift Geheim
Eingegangen am 18.9.43 – 02.12 Uhr
Fernschreiben von
S MMOZ 689940 17.9. 1842= 1/Skl=
– Geheim –

Adm. Dän. drahtet zur Unterrichtung:
1.) Bef. Dänemark ausführte heute bei Lagebesprechung, einwandfreie Beweise lägen vor, das General Görtz mit allen Mitteln Reorganisation dänischen Heeres betrieben und Mobilisierung vorbereitet habe, um Armee gegebenfalls gegen uns einzusetzen, fertige neue Monturen für ungefähr 100.000 Mann vorgefunden, die erst in letzten 2 Jahren beschafft. Anfallenden Bestände an Waffen und Munition monatlich grösser als sie Dänemark vertragsmäßig zugestanden waren. Aus aufgefundener Rede des Generals Görtz an Stabsoffz. geht hervor, daß er den dän. Offz. gewissermaßen verboten in deutschen Wehrmacht einzutreten, während er nach außen genau Gegenteil behauptete.
2.) Mit Aufhebung Ausnahmezustandes unmittelbar nach dem 26.9. zu rechnen. 26.9. Geburtstag des Königs. An diesem Tage sollen Demonstrationen verhindert werden.
3.) Dän. Regierungsfrage noch ungeklärt.

MOK Ost/Führstab 944

89. Das Auswärtige Amt an OKM und OKW 18. September 1943

AA meddelte, at Best oplyste, at de danske kaptajner på de i Las Palmas oplagte danske skibe “Linda” og “Thyra S” endnu engang af rederiet havde fået besked på at blive i havnen og ikke sejle ud.

Se AA til OKM og OKW 20. september 1943.

Kilde: BArch, Freiburg, RM 7/1187. RA, Danica 628, sp. 7, s. 5389.

Auswärtiges Amt *Berlin, den 18. September 1943*
Ha Pol 5777/43 g II

Betr.: Dänische Schiffe in Las Palmas.
Im Anschluß an mein Schreiben vom 15. September d.J. – Ha Pol 5751/43 g[157]

An
das Oberkommando der Kriegsmarine
– 1. Abteilung Seekriegsleitung –
das Oberkommando der Wehrmacht
– Sonderstab HWK –
z.Hd. von Herrn Kapt. z.S. Vesper

Der Bevollmächtigte des Reichs für Dänemark in Kopenhagen berichtet, daß die Ree-

157 Trykt ovenfor.

derei der in Las Palmas liegenden dänischen Schiffe "Linda" und "Thyra S" die Kapitäne nochmals angewiesen habe, im Hafen zu verbleiben und nicht auszulaufen.

Im Auftrag

W. Bisse

90. Karl Ritter an Werner Best 19. September 1943

Best havde 1. september ønsket, at det hemmelige feltpoliti skulle underlægges det civile politi, dvs. at von Hanneken og OKW skulle afgive det. Det svar han fik, var ikke opmuntrende. Han fik besked på at indberette, om en sådan aftale var indgået lokalt, og hvis ikke, hvilke grunde der var dertil (Rosengreen 1982, s. 44).

Hermed havde Best fortsat ikke fået svar på alle sine forslag i telegram nr. 1001. Han svarede Ritter vedrørende feltpolitiet med telegram nr. 1099, 20. september 1943.

Kilde: PA/AA R 29.567. RA, pk. 203, 233 og 438a.

Telegramm

Sonderzug, den	19. September 1943	15.10 Uhr
Ankunft, den	19. September 1943	15.50 Uhr

Nr. 1463 vom 19.9.[43.]

1.) Telko
2.) Deutsche Gesandtschaft Kopenhagen

Zu Ziffer drei des Drahtberichts Nummer 1001 vom 1. September.[158]

Wegen Eingliederung der geheimen Feldpolizei in Dänemark in die Organisation der Ordnungspolizei kann ich nur dann an das Oberkommando der Wehrmacht appellieren, wenn an Ort und Stelle eine Einigung mit der zuständigen militärischen Stelle nicht möglich ist. Ich bitte daher zunächst um telegraphischen Bericht, ob wegen einer solchen Vereinbarung mit der zuständigen militärischen Stelle in Dänemark verhandelt worden ist und gegebenenfalls, aus welchen Gründen eine solche Vereinbarung von der zuständigen militärischen Stelle abgelehnt worden ist.

Ritter

Vermerk:
Unter Nr. 1281 an Diplogerma Kopenhagen weitergeleitet.
Tel. Ktr., 19.9.

91. MOK Ost an Seekriegsleitung 19. September 1943

MOK Ost videregav WB Dänemarks stillingtagen til, at alt dansk krigsmateriel forblev dansk ejendom, men med tysk brugsret. Det kunne von Hanneken ikke tilslutte sig: Krigsmateriellet var i sin helhed krigsbytte, og Danmark ikke et venligtsindet land, men var fjendtligtsindet over for Tyskland.

158 Trykt ovenfor.

Med sin holdning lagde von Hanneken sig på en kurs, der gav ham større mulighed for at få en fremtidig løsning af regeringsspørgsmålet i hans favør.

OKWs stilling kom frem 23. september.

Kilde: BArch, Freiburg, RM 7/1187. RA, Danica 628, sp. 7, s. 5391.

Abschrift Geheim
Marinenachrichtendienst
MBBZ 7888

Eingegangen am 19.9.43 22.58 Uhr
Fernschreiben von: SSD MKOZ 691435 19.9. 22.21= SSD OKM 1 Skl =
– Geheim –

Adm. Dän. drahtet mit G 17608 v. 19. heute mit Datum v. 15.9. folgendes Schr. des Bef. Dän. hier eingeg.:

Der Auffassung des Adm. Dän. kann nicht in allen Punkten beigetreten werden. Wenn auch durch Gkdos FS OKW/WFSt/Qu 2 (N) Nr. 004954/43 dän. Kriegsfahrzeuge dän. Eigentum verbleiben, indem sie unter Eigentumsvorbehalt von deutscher Marine in Benützung genommen werden können, sind aber Waffen und Ausrüstung jeder Art von Heer und Marine nicht mehr Eigentum dän. Staates, sind in ihrer Gesamtheit Beute, da Dän. kein befreundetes, sind uns feindl. eingestelltes Land ist. Daher finden Artikel 42-46 Haager Landkriegsordnung entspr. Anwendung.

Aus den obengenannten Gründen kann auch der Auffassung des Bevollmächtigten des deutschen Reiches in Dän. nicht beigetr. werden, wonach alles in Dän. vorhandene Kr.-Material für Deutschland nur in Gebrauch genommen werden soll, bis endgültige Regelung mit dem dän. Staat nach dem Kriege erfolgt.

OKW Wehrmachtführungsstab ist unterrichtet.

MOK Ost Op 0957
1/Skl. 26 468/43 g

92. Paul Barandon an das Auswärtige Amt 20. September 1943

Best orienterede først 20. september von Hanneken om Hitlers ordre om gennemførelsen af jødeaktionen. Det fik von Hanneken til endnu samme dag at sende et telegram til OKW, hvor han udtrykte sin modstand mod aktionen.

På bagsiden af fjernskrivermeddelelsen havde Jodl skrevet: "Ich weiß davon nichts; wenn eine politische Maßnahme durch den Befehlshaber von Dänemark durchgeführt werden soll, dann muß das OKW durch das Auswärtige Amt unterrichtet werden." (IMT, 15, s. 537f.).

Barandon orienterede samme dag AA ved at fremsende telegrammets tekst. Det er et vidnesbyrd om, at der i denne sag var et nært samspil mellem Best og von Hanneken (Yahil 1967, s. 141 med note 21 side 417, Rosengreen 1982, s. 51).

Kilde: RA, pk. 456. IMT, 35, s. 152. PKB, 13, nr. 738 (hvor det ikke fremgår, at der er tale om von Hannekens telegram, men det fremstår som Barandons). Poliakov/Wulf 1956, s. 391. Yahil 1967, s. 141f. og 1969, s. 153f.

Heeres-Fernschreibnetz
Geheime Kommandosache!
Chefsache!
Nur durch Offizier!

Fernschreiben

SSD- HXKO Nr. 01608 20.9.43 1750

An OKW/WFST
Auf Telegramm Dr. Best, Judenfrage in Dänemark durch Deportation alsbald zu bereinigen, hat der Führer im Prinzip zugestimmt.

Durchführung soll nach Vorschlag Best noch während des militärischen Ausnahmezustandes erfolgen.

Ob ausreichende Polizeikräfte für Ergreifung der Juden und ihrer Familien – etwa 6.000 Personen, die vorwiegend in Kopenhagen wohnen, – zur Verfügung gestellt werden, steht noch nicht fest. –

Truppe würde mit Durchführung stärkstens belastet und wird, zumal in Kopenhagen und auf Fünen hauptsächlich junge Rekruten dafür eingesetzt werden müssen, nicht schlagkräftig durchgreifen können.

Folgen der Deportierung erscheinen mir bedenklich. Mitarbeit des dänischen Beamten- und Polizei-Apparates wird für später nicht mehr zu erwarten sein. Lieferung auf dem Ernährungsgebiet stark in Frage gestellt.

Lieferungsfreudigkeit der Rüstungsindustrie wird beeinträchtigt. Größere Unruhen, die Einsatz der Truppe verlangen, sind zu erwarten.

Befh. Dän. I C 350/43 G KDOS.

Barandon

93. Werner Best an das Auswärtige Amt 20. September 1943

Best orienterede om den tekniske side ved finansieringen af det nye tyske politi i Danmark, idet han efterkom AAs ønske om, at han ikke anvendte begrebet "civile besættelsesomkostninger".

Det var et skridt på vejen i bestræbelserne på, at tysk politi skulle forblive under hans myndighed.

Se endvidere Korff til Breyhan 24. september 1943. AA reagerede på Bests telegram ved Schröder 15. oktober 1943, trykt nedenfor.

Kilde: BArch, R 901 113.555. RA, pk. 203.

Abschrift zu Ha Pol VI 3939/43

Telegramm aus Kopenhagen Nr. 117 20.9. 10.50 [Uhr] =
Auswärtig Berlin

Nr. 1096 vom 20.9.43.

Auf 1264 vom 17.9.[159]

159 Schnurre til Best, trykt ovenfor.

Im Rahmen der Vereinbarung zwischen Hauptverwaltung der Reichskreditkassen und Danmarks Nationalbank wird Ende dieses Monats über den neuen Wehrmachtsbedarf für das 4. Quartal verhandelt werden. Dabei wird auch der neu aufgetretene Bedarf für die deutschen Polizeikräfte usw. mit angemeldet, und zwar als Besatzungskosten. Die technische Durchführung wird im Rahmen der Vereinbarung erfolgen. Die für diese Zwecke zur Verfügung gestellten Beträge werden jedoch nicht dem Konto der Feldkasse sondern einem besonderen Konto meiner Behörde bei der Nationalbank gutgebracht. Für eine ausreichende sachliche und zahlungstechnische Kontrolle wird Sorge getragen. – Danmarks Nationalbank hat zur Befriedigung des bereits aufgetretenen Bedarfs 500.000 Kronen vorschußweise zur Verfügung gestellt. –

Dr. Best

94. Werner Best an das Auswärtige Amt 20. September 1943

Dagsindberetning med meddelelse om, at von Hanneken havde pålagt byerne København og Odense bøder for attentater mod tyskere. Sidst kunne Best oplyse, at den ham tildelte leder af det tyske sikkerhedspoliti i Danmark, SS-Standartenführer Rudolf Mildner, var ankommet til København (Rosengreen 1982, s. 42, Lundtofte 2003, s. 37f. Om Mildner Lundtofte sst. og samme i *Hvem var hvem 1940-1945*, 2005, s. 253f.).[160]

Kilde: PA/AA R 29.567. RA, pk. 203.

Telegramm

Kopenhagen, den	20. September 1943	12.25 Uhr
Ankunft, den	20. September 1943	12.40 Uhr

Nr. 1097 vom 20.9.43. Citissime!

Ich bitte, die folgenden Meldungen unverzüglich dem Herrn Reichsaußenminister zuzuleiten:

1.) In der Nacht vom 19. zum 20.9.43 haben sich die folgenden Vorfälle ereignet:
   a.) In Kopenhagen haben in 2 Maschinenfabriken Sabotageakte stattgefunden.[161]
   b.) In Odense ist ein deutscher Unteroffizier von unbekannten Tätern erschossen worden.[162]
2.) Der Befehlshaber der deutschen Truppen in Dänemark hat wegen der Erschießung

160 Den 27. september 1943 lod Heinrich Müller til AA meddele, at Anton Fest blev hjemkaldt, og at Mildner overtog hans opgaver i Danmark (RA, pk. 438a). Af Bests kalenderoptegnelser fremgår det også, at Mildner ankom til København 20. september, mens Duckwitz som led i sin argumentation i 1945 henlægger Mildners ankomst til 11. september (ABA, Duckwitz 1945-46a, s. 5).

161 BOPA forøvede sabotage mod Glud & Marstrands Fabrikker, Rentemestervej 5-9 og mod Maskinfabrikken AJCO, Jagtvej 157. Ifølge Rü Stab Dänemark arbejdede Glud & Marstrand for Abteilung Heer, men der skete ingen værnemagtsskader, mens der på Jagtvej skete værnemagtsskader for 1.600 kr. (Sabotagehandlungen in der Zeit vom 17.9.-7.10.194 (bilag til Forstmann til Waeger 8. oktober 1943, trykt nedenfor), Larsen 1982, s. 98-100, Kjeldbæk 1997, s. 468).

162 Den tyske underofficerer blev skudt ned på hjørnet af Vestergade og Mageløs. Gerningsmanden blev aldrig fundet.

des Unteroffiziers in Odense und wegen der Verletzung des Zeitfreiwilligen in Kopenhagen (siehe mein Telegramm Nr. 1095 vom 19.9.43)[163] die folgenden Maßnahmen angeordnet:

a.) In ganz Dänemark wird von heute ab bis auf weiteres der Ausschank von Alkohol in Gaststätten von 17 Uhr nachmittags bis 10 Uhr vormittags verboten.

b.) Für Kopenhagen wird angeordnet: Eine Sühnezahlung von 500.000 Kronen, Auslobung von 50.000 Kronen für die Ergreifung der Täter, für vier Tage Vorverlegung der Sperrstunde auf 20 Uhr und der Polizeistunde der Gaststätten auf 19 Uhr.

c.) Für Odense wird angeordnet: Eine Sühnezahlung von 1 Mill. Kronen,[164] Auslobung von 50.000 Kronen für die Ergreifung der Täter, für vier Tage Vorverlegung der Sperrstunde auf 19 Uhr und der Polizeistunde der Gaststätten auf 18 Uhr, Schließung der Vergnügungsstätten, Schließung der Gaststätte "Regina" (vor der der tödliche Schuß abgegeben wurde) und allgemeines Radfahrverbot.

3.) Der Befehlshaber der deutschen Truppen in Dänemark hat für den 19.9.43 die folgende Tagesmeldung erstattet: "In Kopenhagen am 18.9. abends ein zeitfreiwilliger volksdeutscher Däne in Wehrmachtsuniform von rückwärts angeschossen. Keine lebensgefährliche Verletzung. Täter entkommen. Bahnsprengung bei Brönderslev, Wehrmachtsinteressen nicht beeinträchtigt. Verschärfung des Ausnahmezustandes ist angeordnet."

4.) Der mir zugeteilte Befehlshaber der Sicherheitspolizei und des SD SS-Standartenführer Dr. Mildner ist am 19.9.43 hier eingetroffen.[165]

Dr. Best

95. Werner Best an das Auswärtige Amt 20. September 1943

I sagen om tysk overtagelse af den danske hærs krigsmateriel var Best nået frem til, at der ingen officiel erklæring burde gives herom.

Han fik svar med telegram nr. 1490, 23. september.

Kilde: PA/AA R 29.567. RA, pk. 203. LAK, Best-sagen (afskrift).

Telegramm

Kopenhagen, den	20. September 1943	13.05 Uhr
Ankunft, den	20. September 1943	13.50 Uhr

Nr. 1098 vom 20.9.[43.] Citissime!

Ich bitte, den folgenden Bericht unverzüglich dem Herrn Reichsaußenminister zuzuleiten:

163 Dette telegram er ikke lokaliseret.

164 Bøden på en million kroner blev betalt af Odenses magistrat med en check, der dog aldrig blev indløst fra tysk side (Hæstrup 1979, s. 307f.).

165 Rudolf Mildner kom fra en stilling som chef for Gestapo i Katowice i Polen.

Auf das Telegramm Nr. 1280[166] vom 19.9.1943 erwidere ich unter Bezugnahme auf meine Telegramme Nr. 1062[167] vom 15.9.43 und Nr. 1087[168] vom 18.9.43, daß auch ich der Auffassung bin, daß am besten gegenüber den Dänen überhaupt keine Erklärung abgegeben wird, unter welchen Gesichtspunkten das Material der dänischen Restwehrmacht weggenommen wird, da aber, wie ich in meinem Telegramm Nr. 1062 vom 15.9. berichtet habe, der kommandierende Admiral Dänemark diese Frage anschneiden wollte, habe ich es für richtig gehalten, ihm die nach meiner Auffassung zweckmäßigste Formel zu empfehlen. Ich schlage nunmehr vor, über das OKW zu veranlassen, daß – soweit möglich – wegen der "Kriegsbeute" gegenüber den Dänen überhaupt keine Erklärung abgegeben wird und daß – soweit erforderlich – die von mir empfohlene nichtssagende Formel verwendet wird.

Dr. Best

96. Werner Best an das Auswärtige Amt 20. September 1943

Efter Ritters telegram nr. 1463, 19. september undersøgte Best, om det hemmelige feltpoliti ved lokal aftale kunne overgå til politiet under SS. Det blev klart afvist, og Best foreslog derfor, at Himmler blev spurgt i sagen.

Om det skete, er uvist. Sammenlægningen blev ikke til noget på dette tidspunkt (Rosengreen 1982, s. 44)

Kilde: PA/AA R 29.567. RA, pk. 203 og 233.

Telegramm

Kopenhagen, den	20. September 1943	12.35 Uhr
Ankunft, den	20. September 1943	12.50 Uhr

Nr. 1099 vom 20.9.[43.] Citissime!

Auf das Telegramm Nr. 1281[169] vom 19.9.43 erwidere ich, daß die Frage der Eingliederung der geheimen Feldpolizei in die Sicherheitspolizei mit dem Leiter der hiesigen Abwehrstelle Oberst von Engelmann besprochen worden ist. Dieser lehnte entschieden ab und erklärte, daß die ihm unterstellte geheime Feldpolizei sogar durch eine weitere Gruppe verstärkt werden soll. –

Ich halte es für zweckmäßig, daß – wie seinerzeit für Frankreich – die Forderung der Eingliederung der geheimen Feldpolizei in die Sicherheitspolizei von dem Reichsführer-SS gegenüber dem OKW erhoben wird, da der Reichsführer-SS in erster Linie daran interessiert ist, daß hier nicht zwei Exekutiven in der Verfolgung der gleichen Straftaten miteinander in Konkurrenz treten.

Dr. Best

166 Pol. VI 1165. Telegrammet er ikke lokaliseret.
167 bei Pol. VI. Trykt ovenfor.
168 bei Pol. VI. Trykt ovenfor.
169 Pol. VI. Ritter til Best, trykt ovenfor.

97. Werner Best an das Auswärtige Amt 20. September 1943

Efter Mussolinis fald og Italiens kapitulation valgte den italienske gesandt i Danmark, markis Pasquale Diana, at slutte op bag den legale italienske regering og ikke slutte sig til Mussolini, da han 14. september var blevet befriet fra fangenskab af tyskerne.

Det italienske gesandtskab blev påfølgende interneret. Se telegrammerne nr. 1498 og 1511, 6. og 8. december 1943.

Kilde: PA/AA R 29.567. RA, pk. 203.

Telegramm

Kopenhagen den	20. September 1943	12.40 Uhr
Ankunft, den	20. September 1943	12.50 Uhr

Nr. 1100 vom 20.9.43. Citissime!

Soeben habe ich dem hiesigen italienischen Gesandten Marchese Diana den Inhalt des dortigen Telegramms Nr. 1276[170] vom 18.9.43 eröffnet. Er erklärte hierauf, daß er sich als Beamter an die legale italienische Regierung gebunden fühle und deshalb nicht in der Lage sei, dem Duce seine Gefolgschaftstreue zu versichern.

Ich bitte um Weisung, wie weiter mit dem Marchese Diana und den übrigen Gesandtschaftspersonal zu verfahren ist.

Dr. Best

98. Werner Best an das Auswärtige Amt 20. September 1943

Best orienterede om status for udsigterne til en regeringsdannelse, som han vurderede meget negativt. Kun fhv. statsminister Erik Scavenius ønskede en sådan. Derfor drøftede Best andre forvaltningsmuligheder under sin egen ledelse (Hæstrup, 1, 1966-71, s. 105, 125-127, Rosengreen 1982, s. 34f.).

Kilde: PA/AA R 29.567. LAK, Best-sagen (afskrift). PKB, 13, nr. 433. ADAP/E, 6, nr. 332.

Telegramm

Kopenhagen, den	20. September 1943	19.50 Uhr
Ankunft, den	20. September 1943	20.30 Uhr

Nr. 1102 vom 20.9.[43.] Citissime!

Ich bitte, den folgenden Bericht unverzüglich dem Herrn Reichsaußenminister zuzuleiten:

Wie mir vertraulich mitgeteilt worden ist, haben vorgestern beim dänischen König Besprechungen mit den Führern der bisherigen Regierungsparteien über die Frage einer Regierungsbildung stattgefunden. Dabei soll der bisherige Staatsminister von Scavenius eindringlich zur sofortigen Bildung einer Regierung geraten haben. Der König soll je-

170 Pol IV a. Telegrammet er ikke lokaliseret.

doch erklärt haben, daß er sich in der Ausübung seiner Funktionen behindert fühle und deshalb nicht in der Lage sei, eine Regierung zu ernennen. Die Parteiführer sollen zum Ausdruck gebracht haben, daß ihre Parteien jede Mitverantwortung an der weiteren Verwaltung Dänemarks ablehnen und daß deshalb eine Zustimmung des Reichstags zur Einsetzung einer neuen Regierung sowie die Erteilung von Vollmachten an eine solche nicht zu erwarten sei.

Amtlich ist mir eine Stellungnahme des Königs und des Reichstags zur Frage der Regierungsbildung noch immer nicht mitgeteilt worden. Der kommissarische Leiter des dänischen Außenministeriums stellt immer wieder nur fest, daß Vorschläge für eine Regierungsbildung noch nicht vorliegen.

Da die Feindpropaganda in den letzten Tagen in ständig wachsendem Maße mit der Behauptung operiert daß ich dem König ein Ultimatum zur Bildung einer Regierung gestellt und daß ich bestimmte Personen für die Bildung einer Regierung vorgeschlagen hätte, ist anzunehmen, daß man von dänischer wie von feindlicher Seite die Regierungsfrage als eine Nervenprobe betrachtet, in der man uns zu ungeduldigen Vorstößen verlocken möchte, um dann entweder Bedingungen auszuhandeln oder aber aus einer dänischen Ablehnung eine deutsche politische Niederlage zu konstruieren. Es war deshalb zweifellos richtig, daß ich bis heute keine deutsche Meinung zu der Regierungsfrage habe erkennen lassen und daß ich immer wieder erklärt habe, die Initiative liege bei den Dänen und man möge mir Vorschläge unterbreiten.

Es muß aber nunmehr Vorsorge für den Fall getroffen werden, daß tatsächlich keine verfassungsmäßige dänische Regierung mehr gebildet wird, was ich für sicher halte, wenn die rigorosen militärischen Maßnahmen, über die ich in meinem Telegramm Nr. 1092 vom 18.9.43[171] berichtet habe, durchgeführt werden und wenn der Abtransport der Juden aus Dänemark erfolgt, da für die so gestaltete Lage niemand in Dänemark eine politische Mitverantwortung übernehmen wird.

Der dänische Staatsapparat und die übrigen öffentlichen Einrichtungen werden auch nach der Aufhebung des militärischen Ausnahmezustandes weiter arbeiten wie während desselben, wenn sie auch weiterhin durch deutsche Anordnung dazu gezwungen und hierdurch zugleich von persönlicher Verantwortung entlastet werden. Diese Anordnungen müßten von mir erlassen werden, wie sie während des militärischen Ausnahmezustandes vom Befehlshaber der deutschen Truppen erlassen wurden. Ebenso müßten einzelne Sanktionsmaßnahmen (wie die in meinem heutigen Telegramm Nr. 1097[172] gemeldeten Maßnahmen des Befehlshabers) sowie andere Maßnahmen (wie z.B. die örtliche Verhängung eines "zivilen Ausnahmezustandes") künftig von mir angeordnet werden. Schließlich müßte ich durch Verordnungen allgemeines Recht setzen, soweit dies entweder im deutschen Interesse erforderlich ist oder im Rahmen der Befugnisse der dänischen Verwaltungsbehörden nicht erfolgen kann. Die Ankündigung, daß ich von der Aufhebung des militärischen Ausnahmezustandes an in dieser Weise namens des Reiches in Dänemark öffentliche Gewalt ausüben werde, wäre an die kommissarischen Leiter der dänischen Ministerien zu richten und gleichzeitig zu veröffentlichen.

171 Trykt ovenfor.
172 Trykt ovenfor.

Zur Durchführung meiner Maßnahmen würde ich mich der dänischen Verwaltung, der mir unterstellten deutschen Vollzugskräfte, sowie erforderlichenfalls angeforderter Kräfte der deutschen Wehrmacht bedienen.

Nach meiner Auffassung sollte bei dieser neuen Lenkung der hiesigen Verwaltung jede formale Klärung und Festlegung des neuen Systems vermieden werden. Ich würde weiter als Reichsbevollmächtigter handeln (welcher Begriff ja von vornherein den Umfang der Vollmachten offen ließ) und hinsichtlich des politischen Status und der verfassungsrechtlichen Struktur Dänemarks keinerlei Erklärungen abgeben. Der König und der Reichstag würden durch ihre Untätigkeit weiter ausgeschaltet bleiben, wie sie schon seit der Verhängung des militärischen Ausnahmezustandes ausgeschaltet sind.

Ich bitte um grundsätzliche Entscheidung, ob gegebenenfalls nach den hier vorgetragenen Gesichtspunkten verfahren werden soll, wenn der militärische Ausnahmezustand in Dänemark aufgehoben wird. Diese Aufhebung, die (wie ich in meinem Telegramm Nr. 1089 vom 17.9.43[173] berichtete) vom Befehlshaber der deutschen Truppen und mir für den 27.9.43 oder 28.9.43 ins Auge gefaßt war, wird noch um die Zeit hinausgeschoben werden müssen, die für die Durchführung der Judenaktion (siehe mein Telegramm Nr. 1094 vom 18.9.43)[174] erforderlich ist.

Dr. Best

99. Werner Best an das Auswärtige Amt 20. September 1943

Best orienterede om holdningen hos de danske gesandter i udlandet, og om UMs stilling til dem. Best havde presset ministeriet for at gribe ind over for de uregerlige gesandtskaber.

Kilde: PA/AA R 29.567. RA, pk. 203.

T e l e g r a m m

Kopenhagen, den	20. September 1943	18.35 Uhr
Ankunft, den	20. September 1943	19.15 Uhr

Nr. 1103 vom 20.9.43.

Auf das Telegramm Nr. 1216[175] vom 8. d.M. berichte ich folgendes:

1.) Auf das mit meinem telegrafischen Lagebericht Nr. 1024[176] vom 6.9.1943 mitgeteilte Telegramm des dänischen Gesandten Wichfeld in Bern, worin dieser u.a. erklärt, in Zukunft Befehle des Außenministeriums nicht entgegenzunehmen, hat das Außenministerium heute an den Gesandten Wichfeld den folgenden Drahterlaß gerichtet:

“Das Außenministerium kann nicht die in Ihrem Telegramm vom 3. September enthaltene Erklärung entgegennehmen. Die Beamten in Dänemark sind in ihren Stellun-

173 Dette telegram er ikke lokaliseret.

174 Trykt ovenfor.

175 Pol VI V.S. Telegrammet er ikke lokaliseret.

176 Pol VI 9099 g II (Verhalten dän. Gesandten). Trykt ovenfor.

gen verblieben unter Leitung der für die Zentraladministration verantwortlichen Chefs, wodurch sie in Übereinstimmung mit dem König und der Regierung ausgesprochenem Wunsch gehandelt haben, vergl. Telegramm 187 des Außenministeriums. Das Ministerium erwartet, daß sie in Übereinstimmung hiermit ihren Dienst wie bisher unter Verantwortlichkeit gegenüber dem Außenministerium fortsetzen und dessen Instruktionen befolgen, indem man darauf hinweist, daß Ihnen keine Instruktionen zugegangen sind, die Sie nicht haben befolgen können."

Diesen Drahterlaß hat das Außenministerium als Mahnung heute sämtlichen dänischen Missionen und Berufskonsulaten mitgeteilt, auch den Gesandtschaften in Stockholm, Lissabon und Madrid.

2.) Der Gesandte Kruse in Stockholm hat in seinem mit meinem drahtlichen Lagebericht Nr. 1007[177] vom 2.9.1943 mitgeteilten Telegramm an das dänische Außenministerium nach dessen Auffassung nicht den Gehorsam aufgesagt. Wie inzwischen durch einen dänischen Vertrauensmann festgestellt worden ist, hat Kammerherr Kruse sich nicht den "freien Dänen" angeschlossen und auch keine Verbindung mit Kaufmann oder Reventlow gesucht.[178] Das dänische Außenministerium, hält es daher zunächst für hinreichend und vielleicht erfolgversprechend, wenn Kruse in derselben Form wie die anderen dänischen Missionen davon in Kenntnis gesetzt wird, daß das Außenministerium den Schritt Wichfelds verurteilt und die Erwartung ausspricht, daß alle Missionschefs und Auslandsbeamten den aus Kopenhagen an sie ergehenden Weisungen folgen werden.

3.) Auch der Gesandte Boeck in Lissabon hat in seinem mit meinem telegrafischen Lagebericht Nr. 1053[179] vom 14. d.M. mitgeteilten Telegramm an das dänische Außenministerium diesem nicht den Gehorsam aufgekündigt, sondern sich vorbehalten zu beurteilen, wieweit er den Instruktionen aus Kopenhagen nach eigenem pflichtmäßigen Ermessen folgen kann. Das Außenministerium hält daher auch in diesem Falle die an die übrigen Missionen gerichtete Mahnung für hinreichend, zumal in dem Telegramm an Wichfeld ausdrücklich betont wird, daß den Missionen niemals Weisungen zugegangen sind, die diese nicht befolgen können.

4.) Schließlich ist von dem Gesandten Monrad-Hansen in Madrid am 17. d.M. das folgende Telegramm eingegangen:

"Da es noch immer keine dänische Regierung gibt – vergl. Telegramm des Außenministeriums Nr. 57 – muß ich mich als ermächtigt betrachten, in meiner Eigenschaft als bevollmächtigter Minister in Madrid meine Beamtenpflichten und die dänischen Interessen in Spanien nach bestem Ermessen zu wahren. Obgleich ich Vorstehendes als selbstverständlich betrachten muß, meine ich, meinen Standpunkt mitteilen zu müssen. Der Legationssekretär ist mit Vorstehendem einig."

Auch in diesem Falle hält das dänische Außenministerium es für hinreichend, wenn Monrad-Hansen in derselben Weise wie die übrigen Missionen ermahnt wird. Es läßt sich nicht verkennen, daß der Kammerherr Kruse sofort zum mindesten wegen seiner an die Presse gegebenen Erklärung hätte zur Rede gestellt werden müssen. Auch hat es

177 Pol VI V.S. Trykt ovenfor.

178 Den danske gesandt i Washington, Henrik Kauffmann, og den danske gesandt i London, Eduard Reventlow, havde begge langt tidligere sagt fra over for den danske regering og betragtede sig som uafhængige.

179 Pol VI V.S. Telegrammet er ikke lokaliseret.

reichlich lange gedauert, bis das dänische Außenministerium trotz meiner häufig wiederholten Mahnungen sich zu dem hier berichteten Schritt entschlossen hat. Um weitere Verzögerungen zu vermeiden, habe ich der Expedierung des heute herausgehenden Runderlasses in der oben zitierten Form zugestimmt. Nach endgültiger Klärung der Regierungsfragen wird über die Behandlung der dänischen Gesandtschaften neue Entschließung zu treffen sein.

Dr. Best

100. OKW an das Auswärtige Amt 20. September 1943

OKW meddelte, at Hitler var indforstået med den militære undtagelsestilstands ophævelse, når von Hanneken og Best fandt situationen egnet dertil.

Kilde: RA, pk. 203. LAK, Best-sagen (afskrift). ADAP/E, 6, nr. 330.

Telegramm

Geheime Reichssache
Nur als Verschlußsache zu behandeln
Geheime Kommandosache

SSD GWNOL, den	20. September 1943	00.15 Uhr
Ankunft, den	20. September 1943	02.15 Uhr

Bezug: Befh. Dänemark Abt. IA Nr. 842/43 g.Kdos. vom 17.9.43.[180]
Betr.: Aufhebung des militärischen Ausnahmezustandes.

Der Führer ist mit Aufhebung des militärischen Ausnahmezustandes grundsätzlich dann einverstanden, wenn Befh. d. dt. Truppen in Dänemark im Einvernehmen mit Reichsbevollmächtigten die Lage für genügend befriedigt hält.[181]

Endgültige Entscheidung erfolgt nach Vorliegen Stellungnahme Ausw. Amts in einigen Tagen.

OKW/WFSt/Qu. 2 (N) Nr. 005431/43 g. Kdos.
gez. i.A. v. **Buttlar**

101. Kurt Daluege an Werner Best 20. September 1943

Best modtog besked om, at en politivagtbataljon fra Stettin var underlagt ham og var på vej til København.

Kilde: PA/AA R 100.758. RA, pk. 233.

Rvst B[er]l[i]n Nr. 4328	20/9	15.00 [Uhr]

– Gem –

180 Befalingen er ikke lokaliseret.
181 Se Bests telegram nr. 1081, 17. september.

An den Bevollmächtigten des deutschen Reiches in Kopenhagen.
– Geheim –

Betr.: Verlegung Pol.-Wachbataillon Dänemark.
1.) Pol.-Wachbataillon Dänemark wird sofort im Bahntransport nach Kopenhagen verlegt und dem Bevollmächtigten des deutschen Reiches unterstellt.
2) Transportanmeldung ist durch Hauptamt Ordnungspolizei (to) veranlaßt. Zuteilung der Fahrtnummer erfolgt an Ido. Stettin. Abmarsch ist mir und dem deutschen Bevollmächtigten unter Angabe der erteilten Fahrtnummer durch Ido. Stettin fernschriftlich zu melden. Eintreffen und Einsatzort teilt deutscher Bevollmächtigte in Kopenhagen mit.
3) Marschverpflegung mitgeben.
4) Für die wirtschaftliche Versorgung gilt das in Ziffer 4 meines Erlasses vom 18.6.43 Kdo. g. 2 (o 3) Nr. 110 / II / 43 angeordnete.
5) Offizierstellenbesetzung ist mir durch Ido.-Stettin vorzulegen.

Der Chef der Ordnungspolizei
Kdo. I g Ia(1) nr. 694 II/ 43 (g)
gez. **Flade**

102. Kriegstagebuch/Admiral Dänemark 20. September 1943

Admiral Wurmbach modtog Seekriegsleitungs meddelelse om, at den tilsluttede sig Wurmbachs og Bests opfattelse af det danske krigsmateriels retlige status.

Samme dag havde Seekriegsleitung orienteret OKW/WFSt om sin holdning i en meddelelse af samme indhold (BArch, Freiburg, RM 7/1187 og RW 4/895. RA, Danica 628, sp. 7, s. 5394f.).

Kilde: KTB/ADM Dän 20. september 1943, RA, Danica 628, sp. 3, s. 3072.

[…]
19.30 Von OKM 1. Skl. geht folgende Unterrichtung ein:
“Gemäß Führerentscheidung OKW/WFSt/Qu 2 (N) Nr. 00 4954/43 Gkdos vom 30.8.43 betr. Abwicklung dän. Wehrmacht ist das gesamte Kr.-Material unter Leitung des Befehlshabers der deutschen Truppen durch die entsprechenden deutschen Wehrmachtsteile zu übernehmen.

Diese Weisung läßt nach ds.A. offen, unter welchem Rechtstitel die Übernahme erfolgt. Adm. Dän. vertritt in Übereinstimmung mit dem Bevollmächtigten des deutschen Reiches in Dänemark den Standpunkt, daß alles Kr.-Material von deutscher Wehrmacht in Gebrauch zu nehmen ist, daß an endgültige Regelung mit dem dän. Staat bis nach dem Kriege vorbehalten bleibt. Die deutsche Wehrmacht erhält damit gesamtes Kr.-Material zum beliebigen Gebrauch und Verbrauch.

Der Vorbehalt der Regelung nach dem Kriege verpflichtet die deutsche Reichsregierung zu nichts, bewahrt die Wehrmacht aber vor dem in Dänemark bereits gesprächsweise laut gewordenen Verdacht, den Ausnahmezustand nur proklamiert zu haben, um sich an dänischem Staatsgut zu bereichern. Befehlshaber der deutschen Truppen vertritt demgegenüber den Standpunkt, daß dän. Kriegsgerät Kriegsbeute sei, da Dänemark kein befreundetes, sondern uns feindlich eingestelltes Land sei und daß daher Artikel 42-46 Haager Landkriegsordnung Anwendung finde. Letztere Auffassung ist unzutreffend, da sich Deutschland völkerrechtlich nicht im Kriegszustand mit Dänemark befindet und daher für den kriegsrechtlichen Begriff der Kriegsbeute kein Platz ist. Inanspruchnahme des Kriegsgerätes als Kriegsbeute würde daher in Dänemark und darüber hinaus auch in anderen Nationen als Willkürakt empfunden werden und uns daher psychologisch jetzt und in Zukunft unnötigerweise schaden."

103. Deutsche Rundfunk-Arbeitsgemeinschaft an das Reichspropagandaministerium 20. September 1943

Det blev fra København meddelt, at den danske radio nu stod under tysk indflydelse, og at der i nyhedsudsendelserne ikke mere forekom skjulte hentydninger. Musikprogrammerne indeholdt også mere tysk musik end tidligere. Engelsk radio blev fortsat aflyttet i store dele af befolkningen. På dansk blev befolkningen ophidset mod værnemagten. De engelske udsendelsers virkning var lige så stærk som tidligere. Sabotagen fortsatte under undtagelsestilstanden og kunne først og fremmest føres tilbage til radiohetzen. Det skulle undersøges, hvilke tekniske midler der kunne tages i brug for mest muligt at forhindre de engelske udsendelser.

Der er næppe tvivl om, at kilden til oplysningerne om radiosituationen i Danmark var Heinrich Gernand i København, der ikke alene skrev direkte til RMVP, men også til tyske radioorganisationer for at påvirke dem til at gøre noget ved propagandaen i Danmark. Som i dette tilfælde ved at søge at påvirke RMVP til handling.

Se Fritzsche til Gernand 21. september 1943.

Kilde: RA, Danica 465, Moskva: Osobyj Archiv: 1363/1/163/143.

Deutsche Rundfunk-Arbeitsgemeinschaft *Berlin Wilmersdorf, den 20.9.1943*
Der Geschäftsführer Vertraulich!

An das Reichsministerium für Volksaufklärung und Propaganda, Abteilung Rundfunk
Berlin W 8
Wilhelmplatz 8-9

Betr.: Programmgestaltung des dänischen Rundfunks.

Aus Kopenhagen wird mitgeteilt, daß nunmehr das dänische Rundfunkwesen dem deutschen Einfluß untersteht und die Tagesnachrichten so gehalten sind, daß keine versteckten Anmerkungen mehr vorkommen. Auch das Musikprogramm enthält jetzt mehr deutsche Musik als früher.

Der englische Rundfunk wird weiterhin in breiten Kreisen der Bevölkerung gehört. Die in dänischer Sprache gegebenen Hetzsendungen laufen darauf hinaus, die dänische Bevölkerung systematisch aufzufordern, den Anordnungen der deutschen Wehrmacht nicht Folge zu leisten. Die Auswirkungen der englischen Sendungen sind nach wie vor stark. Trotz des Ausnahmezustandes sind weiterhin viele Sabotageakte vorgekommen, die in erster Linie auf die englische Hetze im Rundfunk zurückzuführen sind.

Es wäre zu prüfen, ob geeignete technische Gegenmittel vorhanden sind, um das Einfallen englischer Sendungen stärkstens zu behindern.

Heil Hitler

Dr. Pridat-Guzatis

104. Das Auswärtige Amt an OKM und OKW 20. September 1943

AA kunne fra Best meddele: Der var forhandlinger i gang om, at Argentina købte det oplagte danske skib "Linda". Der skulle foreligge en engelsk garantierklæring om ikke at opbringe skibet. I det tilfælde kunne der næppe rejses indvendinger imod, at skibet sejlede til Argentina.

Kilde: BArch, Freiburg, RM 7/1187. RA, Danica 628, sp. 7, s. 5397.

Auswärtiges Amt
Ha Pol 5853/43 g

Berlin, den 20. September 1943

Betr.: Dänischer Dampfer "Linda".
Mit Beziehung auf meine Schreiben vom 15. Juni d.J. – Ha Pol 3729/43 II g – und vom 18. d.M. – Ha Pol 5777/43 II g.[182]

An
das Oberkommando der Kriegsmarine
– 1. Abteilung Seekriegsleitung –
das Oberkommando der Wehrmacht
– Sonderstab HWK –
z.Hd. von Herrn Kapitän zur See Vesper

Der Bevollmächtigte des Reichs für Dänemark in Kopenhagen berichtet unter dem 20. d.M. nachstehendes:

(Der nachstehende Text darf unter keinen Umständen im Wortlaut weitergegeben werden.)

"Reederei dänischen Dampfers "Linda" weist darauf hin, daß vorbereitende Auslaufmaßnahmen dieses Schiffes auf Verkaufsverhandlungen mit Argentinien zurückzuführen sind, die bis auf englische Garantieerklärung gegen Aufbringen des Schiffes abgeschlossen sind. Liegt diese formelle Erklärung vor, was in kurzem erwartet wird, können deutscherseits gegen das Auslaufen des Schiffes nach Argentinien kaum Bedenken erhoben werden. Die Rückgabe der Sichergestellten Maschinenteile müßte sodann erfolgen.[183]

Kapitän ist von Reederei nochmals darauf hingewiesen worden, daß ein Auslaufen außer zu oben genanntem Zweck nicht stattfinden darf."

Im Auftrag

Bisse

182 Skrivelserne er ikke lokaliseret.

183 Der var bragt maskindele i land for at hindre, at skibet skulle forsøge at sejle ud uden tilladelse.

105. Werner Best an das Auswärtige Amt 21. September 1943

Dagsindberetning.

Kilde: PA/AA R 29.567. RA, pk. 203.

Telegramm

Kopenhagen, den	21. September 1943	10.45 Uhr
Ankunft, den	21. September 1943	11.30 Uhr

Nr. 1105 vom 21.9.[43.]

Ich bitte, die folgenden Meldungen dem Herrn Reichsaußenminister unverzüglich zuzuleiten:

1.) In der Nacht vom 20. zum 21.9 ist in Kopenhagen der Fahrersitz eines Kraftwagens der ehemaligen dänischen Marine, der in einer Ersatzteil-Fabrik eingestellt war, durch eine Brandbombe beschädigt worden.[184] –

Die dänische Polizei hat in Kopenhagen 38 Personen wegen Übertretung des Nachtverkehrsverbots festgenommen. Sonst sind aus dem Lande keine Vorfalle gemeldet. –

2.) Der Befehlshaber der deutschen Truppen in Dänemark hat für den 20.9.43 die folgende Tagesmeldung erstattet: "Zwei Sabotagefälle an für deutsche Wehrmacht arbeitenden Fabriken in Kopenhagen. Ein Unteroffizier der Luftwaffe von einem unbekannten Täter auf offener Straße in Odense nach Einbruch der Dunkelheit erschossen. Verschärfte Maßnahmen angeordnet. Für den erschossenen Unteroffizier eine Million Kronen Buße der Stadt auferlegt." – Ich verweise hierzu auf mein Telegramm Nr. 1097[185] vom 20.9.43.

Dr. Best

106. Werner Best an das Auswärtige Amt 21. September 1943

Best havde stadig ikke fået svar på sine spørgsmål angående forholdet til det danske kongehus, og da Christian 10.s fødselsdag nu nærmede sig, rykkede han for en stillingtagen, idet han forudskikkede, hvad han ville gøre, hvis han ikke modtog et svar i løbet af den følgende dag.

Kilde: PA/AA R 29.567. RA, pk. 203.

Telegramm

Kopenhagen, den	21. September 1943	13.30 Uhr
Ankunft, den	21. September 1943	13.45 Uhr

184 Der var af BOPA anbragt en brandbombe i en tysk radiovogn, der tidligere havde tilhørt den danske marine. Vognen holdt hos A/S Magneto, Jagtvej 155D (Sabotagehandlungen in der Zeit vom 17.9.-7.10.1943 (bilag til Forstmann til Waeger 8. oktober 1943, trykt nedenfor), Kjeldbæk 1997, s. 468).

185 bei Pol. VI. Trykt ovenfor.

Nr. 1106 vom 21.9.[43.] Citissime!

Im Anschluß an mein Telegramm Nr. 1093[186] vom 18. September 1943 teile ich mit, das nunmehr meine Pressezensur um Entscheidung bittet, ob in der Presse Aufsätze zum Geburtstag des Königs veröffentlicht werden dürfen. Ich bitte deshalb um baldige Stellungnahme zu der Behandlung des Geburtstages des Königs. Wenn ich nicht rechtzeitig – d.h. spätestens im Laufe des 22. September 1943 – eine solche Stellungnahme erhalte, beabsichtige ich die Erwähnung des Königs und seines Geburtstages in einem maßvollen Rahmen zuzulassen, um eine Präjudiz der Behandlung der Königsfrage zu vermeiden. Denn die völlige Unterdrückung der Erwähnung würde schlechthin als negatives Präjudiz wirken.

Dr. Best

107. Werner Best an das Auswärtige Amt 21. September 1943

Best anmodede om at få bevilget fem erfarne embedsmænd til sin stab. De skulle udstationeres som hans befuldmægtigede i fem store provinsbyer. Det var i de samme byer, hvor Gestapo oprettede Außendienststellen.

Svaret er ikke lokaliseret, men Best fik i den følgende tid repræsentanter i flere byer, hvad enten det så var efter aftale med AA eller ikke. Bl.a. udnyttede han muligvis de tyske konsulater i provinsen til formålet. Således blev Hugo Hensel fra gesandtskabet i efteråret 1943 generalkonsul og forflyttet til Århus. Da von Hanneken forlagde hovedkvarteret til Silkeborg blev Landrat Wilh. Casper påfølgende Bests faste forbindelsesled hos den øverstbefalende. Og i Außenstelle Åbenrå blev Helmuth Langer Bests repræsentant, da Ewald Lanwer fratrådte i juli 1943 (se tillæg 4).

Kilde: PA/AA R 29.567. RA, pk. 203, 228 og 438a.

Telegramm

Kopenhagen, den	21. September 1943	20.00 Uhr
Ankunft, den	21. September 1943	20.50 Uhr

Nr. 1109 vom 21.9.[43.] Citissime!

Ich bitte, den folgenden Bericht unverzüglich dem Herrn Reichsaußenminister zuzuleiten:

Unter Bezugnahme auf mein Telegramm Nr. 1102[187] vom 20.9.1943, bitte ich, vom Reichsinnenministerium fünf höhere Verwaltungsbeamte möglichst erfahrene Landräte anzufordern und zu meiner Behörde abzuordnen. Ich beabsichtige, diese Beamten als meine Beauftragten für die Aufsicht über die dänische Verwaltung in fünf Bezirken (mit Sitz in Odense, Aarhus, Aalborg, Kolding und Esbjerg) einzusetzen; dies erscheint unter zwei Gesichtspunkten dringend erforderlich. Einerseits muß in Zukunft damit gerechnet werden, daß einzelne dänische Behörden und Beamte der Ausführung deutscher Anordnungen passiven Widerstand entgegen setzen, so daß eine Aufsicht über

186 Pol VI (V.S.). Trykt ovenfor.

187 Pol VI. Trykt ovenfor.

die dänische Verwaltung in übersehbaren Bezirken erforderlich erscheint. Andererseits werden die erhöhten Forderungen der deutschen Wehrmacht an die dänischen Behörden und an die dänische Zivilbevölkerung (siehe meine Telegramme Nr. 1081 vom 17.9. und Nr. 1092 vom 18.9.43)[188] zu vielen örtlichen Konflikten führen, die durch die Einschaltung meiner Beauftragten geordnet werden müssen. Auch der Befehlshaber der deutschen Truppen in Dänemark hat mir gegenüber den Wunsch geäußert, daß seinen Befehlsstellen in Lande entsprechende Partner von meiner Seite gegenübergestellt werden möchten. Die Bezirke der Beauftragten für die Verwaltungsaufsicht und ihre Sitze werden sich mit den Bezirken und Sitzen der deutschen Sicherheitspolizei und Ordnungspolizei decken, für Seeland werden diese Aufgaben von meiner Behörde in Kopenhagen aus wahrgenommen.

Dr. Best

108. OKW an Karl Ritter 21. September 1943

OKW bad AA om at oplyse, hvilket foranstaltninger man forudså ved deportationen af 6.000 jøder fra Danmark, samt hvem der skulle gennemføre den.

AAs svar er ikke lokaliseret, og muligvis nåede det ikke at blive afsendt, før Jodl dagen efter kunne orientere bl.a. AA om Hitlers ordrer vedrørende sagen.

Kilde: Poliakov/Wulf 1956, s. 387.

WFSt/Qu. 2 (N)/Verw. *21.9.1943*
SSD-Fernschreiben.

Geheime Kommandosache
1. Ausfertigung
Chefsache
Nur durch Offiziere!

An Ausw. Amt.
z.Hd. Botschafter Ritter

Befh. d. Dt. Truppen in Dänemark meldet angeblich beabsichtigte Deportation von 6.000 Juden aus Dänemark noch während des militärischen Ausnahmezustandes. OKW erbittet Aufklärung, welche Maßnahmen beabsichtigt sind und durch wen sie durchgeführt werden sollen.

Gez. OKW/WFSt/Qu 2 (N)/Verw.
Nr. 662 331/43 g. Kdos. Chefs.

Handschriftlich:
QU 2 (N)
Nach Angabe von Oberst v. Buttlar bereits dem Führer vorgetragen.
Deportation soll noch während des Aufnahmezustandes erfolgen. Aufhebung des Ausnahmezustandes bleibt solange ausgesetzt. Oberst v. Collani ist unterrichtet

gez.: S 21.9.

188 Begge trykt ovenfor.

109. Werner Best an Heinrich Himmler 21. September 1943

For at skaffe udrustning til Schalburgkorpset henvendte Best sig direkte til RFSS, da von Hanneken havde afslået at afgive materiel frataget den danske hær. Himmler blev bedt om enten at henvende sig til OKW eller Hitler selv for at skaffe et resultat.

Svaret er ikke lokaliseret, men brevet er et vidnesbyrd om, at Best fremdeles arbejdede for den germansk-völkische sag i Danmark. Schalburgkorpset forblev Himmlers, Bergers og Bests fælles sag.

Samme dag som denne henvendelse fandt sted, besatte tysk politi sammen med kaptajn Poul Sommer Frimurerlogen i København. Frimurerlogen blev fire dage senere overtaget af Schalburgkorpset (Drostrup 1997, s. 338f., Monrad Pedersen 2000, s. 36).

Kilde: BArch, NS 19/3302. RA, Danica 1000, T-175, sp. 59, nr. 575.526f. RA, pk. 443 og 443a.

SS-Gruppenführer Dr. Werner Best
Bevollmächtigter des Reiches in Dänemark

Kopenhagen, den 21.9.1943.
Persönlich.

An den Reichsführer-SS Heinrich Himmler,
Berlin SW 11
Prinz Albrechtstr. 8.

Reichsführer!

Auf Vorschlag des SS-Obersturmbannführers Martinsen in seiner Eigenschaft als Führer des "Schalburg-Korps" habe ich am 17.9.43 an den General von Hanneken die Bitte gerichtet, für das "Schalburg-Korps" aus den Beständen der bisherigen dänischen Wehrmacht die aus der anliegenden Aufstellung ersichtlichen Waffen, Ausrüstungsstücke, Geräte und Unterkünfte zur Verfügung zu stellen, damit nach dem geplanten Ausbau des Korps die Mannschaft ggf. einmal wirksam eingesetzt werden kann.

Der General von Hanneken hat mir heute mitgeteilt, daß er nicht in der Lage sei, Waffen, Ausrüstungsstücke und Geräte abzugeben, da nach einem Führerbefehl vom 1.9.43 der Einsatz dänischer Waffen in Dänemark verboten sei und die gesamte "Beute" in das Reich überführt werde, ein Abnahmestab sei bereits eingetroffen. Über eine Kaserne könne er erst entscheiden, wenn er die gemäß Führerbefehl unterzubringenden 20.000 Genesenden unterbracht habe.

Um die einmalige Gelegenheit, größere Bestände an Waffen, Ausrüstung und Gerät für uns zu erhalten, nicht vorübergehen zu lassen, bitte ich Sie, Reichsführer, entweder mit dem OKW die Überlassung der in der anliegenden Aufstellung aufgezählten Gegenstände zu vereinbaren oder einen entsprechenden Befehl des Führers herbeizuführen.

Heil Hitler!
[Ihr **Werner Best**]

110. Werner von Grundherr: Aufzeichnung 21. September 1943

Barandon meddelte telefonisk AA, at den nyankomne leder af det tyske sikkerhedspoliti og SD, Rudolf Mildner, var imod jødeaktionen og ville henvende sig til Himmler.

Mildner var tydeligvis præpareret af Best, han havde efter få dage i Danmark ikke kunnet danne sig en selvstændig mening om forholdene, og tog også til Berlin i forsøget på at opnå en ændring af beslutningen (Yahil 1967, s. 139-141 med note 18, Lundtofte 2003, s. 104f. (hvor der gives en overbevisende forklaring på Mildners handlemåde)).

Kilde: PA/AA R 29.567 og R 100.864. LAK, Best-sagen (på dansk). PKB, 13, nr. 739.

Pol VI
Ges. v. Grundherr.

Aufzeichnung

Gesandter Barandon, Kopenhagen, teilte mir soeben telefonisch (auf der Wehrmachtsleitung) mit, daß der vor einigen Tagen in Kopenhagen neu eingetroffene Befehlshaber der Sicherheitspolizei und des SD, Standartenführer Dr. Mildner, gegen den Abtransport der Juden aus Dänemark Stellung genommen und sich deshalb mit der Ermächtigung von Dr. Best an den Reichsführer SS gewandt habe.

Berlin, den 21. September 1943.

gez. **Grundherr**

111. Hans Fritzsche an Heinrich Gernand 21. September 1943

Fritzsche havde skrevet til Gernand 12. september for at formå ham til at overtale Best til at lade et kvarters udsendelse ugentligt fra Berlin fremkomme i dansk radio. Nu skrev han igen i samme sag og bad om svar senest 5. oktober.

Rühle svarede Fritzsche 14. oktober 1943.

Kilde: RA, Danica 465: Moskva, Osobyj Archiv, 1363/1/163/143.

Durchschlag für Abteilung A,
Ministerialdirektor Fritzsche
im R.M.f.V.u.P.
Rfk. A

Rfk/A 3000 6.1.43/708-1,2
[uden afsenderdato][189]

Herrn Gesandtschaftsrat Gernand,
Kopenhagen.

Lieber Parteigenosse Gernand!

Die Reichsrundfunkgesellschaft hat aufgrund der meinem Sachbearbeiter für den Auslandsrundfunk, Referent Noack, vom Reichsbevollmächtigten, SS-Obergruppenführer Best, gegebenen Erläuterungen zur Rundfunklage in Dänemark Anweisung erhalten, die bisherige dänische Sendung über die Sender Bremen und Friesland einzustellen.

Es besteht nunmehr der Wunsch, wöchentlich einmal in einer viertelstündigen Sendung von Berlin aus den dänischen Rundfunk zu benutzen.

Ich bitte Sie, einen entsprechenden Antrag dem Reichsbevollmächtigten vorzutragen und als Begründung die Notwendigkeit darzustellen, über die in Dänemark am besten zu hörenden Sender einmal in der Woche zu einem wesentlichen Thema von Berlin aus Stellung nehmen zu können. Bitte geben Sie bis zum 5.10. Bericht.

Heil Hitler!
gez. **Fritzsche**

189 Dato bestemt vha. Gernand til Fritzsche 14. oktober 1943.

112. Rüstungsstab Dänemark: Lagebericht 21. September 1943

Forstmann både forklarede det berettigede i det tyske indgreb overfor den danske regering og de danske værn og nødvendigheden af hurtigst muligt at få genoprettet stabile tilstande, dvs. få dannet en ny regering og få ophævet den militære undtagelsestilstand. Hensynet gjaldt først og fremmest dansk landbrug.

Kilde: BArch, Freiburg, RW 27/10. RA, Danica 1000, T-77, sp. 696, KTB/Rü Stab Dänemark, 3. Vierteljahr 1943, Anlage.

Abteilung Wehrwirtschaft im Rü Stab Dänemark *Kopenhagen, den 21.9.1943*
Gr. Ia Az. 66d 1 Nr. 2680/43g

Bezug: OKW Az. 1 e 24 Wi Amt Z 1/II Nr. 1143/43 geh. v. 20.2.43

An den Wehrwirtschaftsstab
im Oberkommando der Wehrmacht
Berlin W 62
Kurfürstenstr. 63/69.

Abt. Wwi im Rü Stab Dänemark übersendet in der Anlage Lagebericht gemäß o.a. Bezugsverfügung.

I.V.
Lambert

Abteilung Wehrwirtschaft im Rü Stab Dänemark *Kopenhagen, den 21.9.1943*
Gr. Ia Az. 66d 1 Nr. 2680/43g Geheim!

Vordringliches
Die sich häufenden Sabotagefälle, die von feindlichen Agenten hervorgerufenen Unruhen, Aufforderungen zum Generalstreik, feindliche Strömungen in der dänischen Wehrmacht, vor allem in der Marine, hatten gezeigt, daß die Dänische Regierung nicht mehr imstande war, die von ihr für die Sicherheit der Besatzungstruppe garantierte Ruhe und Ordnung im Lande aufrecht zu erhalten. In der Nacht vom 28. zum 29. August 1943 wurde deshalb vom Befehlshaber der deutschen Truppen in Dänemark unter Hinweis auf Artikel 42-56 der Haager Landkriegsverordnung der militärische Ausnahmezustand in ganz Dänemark proklamiert. In derselben Nacht wurden das dän. Heer und die dän. Marine entwaffnet. Führende Mitglieder des Königshauses, der Regierung und der dän. Wirtschaft wurden in Schutzhaft genommen. Offiziere und Beamte der Abt. Wwi waren an dieser Aktion beteiligt. Die Dänische Regierung ist zurückgetreten; eine Neubildung ist bisher noch nicht erfolgt. Die dän. Polizei stellte sich am 29.8.43 zur Mitarbeit zur Verfügung und erklärte ihre Bereitwilligkeit zur Dienstaufnahme, um Ruhe und Ordnung aufrecht zu erhalten. Sie wurde dann auf Befehl des Befehlshabers wieder eingesetzt und die von der Truppe gestellten Sicherheitsposten – tagsüber ganz, nachts teilweise – zurückgezogen.

Durch die zunehmenden Sabotagefälle bei Firmen, die deutsche Aufträge ausführen bezw. Lieferungen an die Wehrmacht übernehmen sollen, entstand bei diesen eine gewisse Angstpsychose, die ihren Ausdruck in zunehmender Ablehnung solcher Aufträge fand. Deshalb wurde zur Sicherstellung von Lieferungen und Leistungen dänischer Firmen an die deutsche Wehrmacht in Dänemark am 4.9.43 folgende Verordnung erlassen:[190]

§ 1

Alle dänischen Firmen, Industrie-, Handelsunternehmen und Einzelhändler sind verpflichtet, auf Anfordern der Bedarfsstellen (§ 3) gegen angemessene Vergütung Lieferungs- und Leistungsaufträge der deutschen Wehrmacht in Dänemark einschl. der ihr angeschlossenen Verbände, der Organisation Todt (OT) und des Rüstungsstabes Dänemark im Rahmen der erreichbaren Leistungs- und Lieferungsmöglichkeit anzunehmen und ohne Verzug auszuführen.

Kündigungen des Arbeitsverhältnisses [ulæseligt ord] bei solchen Firmen, die mit Aufträgen der Bedarfsstellen in Anspruch genommen oder über eine künftige Inanspruchnahme benachrichtigt sind, nur in üblichem Umfange ausgesprochen und angenommen werden.

Die Bekanntmachung des Ministeriums für Handel, Industrie und Seefahrt Nr. 639 vom 11.12.40 über den Verkauf von Waren an die deutsche Wehrmacht und einzelne Angehörige wird hierdurch nicht berührt. Ebenso bleiben die bestehenden Bestimmungen über das Anmelde- und Preisprüfungsverfahren in Kraft.

§ 2

Wenn dänische Firmen, Industrie-, Handelsunternehmen und Einzelhändler die vorgeschriebene Verkaufsgenehmigung des Dänischen Außenministeriums nicht einholen oder von der erteilten Genehmigung keinen Gebrauch machen, können die Bedarfsstellen Beschlagnahmen gegen angemessene Gebühr veranlassen.

§ 3

Bedarfsstellen sind:
a.) der Intendant beim Befehlshaber der deutschen Truppen in Dänemark
b.) der Rüstungsstab Dänemark.

§ 4

Zuwiderhandlungen gegen diese Verordnung sind strafbar und werden von dem deutschen Standgericht abgeurteilt.

Infolge der lt. Ausnahmezustand angeordneten Maßnahmen gelang es, die Ruhe und Ordnung im Land wieder herzustellen, Streiks zu verhindern und vor allem das wirtschaftliche Leben voll und reibungslos in Gang zu halten. Als weitere Folge ist festzustellen, daß die Sabotagefälle wesentlich zurückgingen und in den letzten 5 Tagen nur

190 Trykt på dansk hos Alkil, 2, 1945-46, s. 845. Jfr. den danske administrations reaktion 7. september (Jensen 1971, s. 218).

noch vereinzelt auftraten wie folgende Übersicht zeigt:

Am 30. und 31.8. – je 1 Fall, am 2.9. – 3 Fälle, am 5.9. – 2 Fälle, am 8.9. und 9.9. – je 1 Fall, am 10.9. und 11.9. – je 2 Fälle, am 12.9. – 4 Fälle, am 13. u. 14.9. – je 2 Fälle, vom 15.-20.9. nur noch vereinzelt.[191] Somit ist der Beweis erbracht, daß die Dänische Regierung nicht in der Lage gewesen ist, dieses Ergebnis von sich aus herbeizuführen. Es hat sich ferner bei der Erfassung der Bestände des dänischen Militärs gezeigt, daß sie größer sind, als sie vom dänischen Generalstab angegeben waren. So war ein Mehr von rd. 22.000 Gewehren und 100 Geschützen vorhanden.

Der militärische Ausnahmezustand soll jedoch möglichst bald wieder normalen Verhältnissen Platz machen, um auch fernerhin in keiner Weise die für Deutschland wichtige Wirtschaft, vor allem die Landwirtschaft, zu beeinträchtigen. Deshalb wird in Kürze die Bildung einer neuen Dänischen Regierung erwartet, ohne die eine Aufhebung des Ausnahmezustandes nicht möglich ist.

Von den zugesagten 233.000 to Kohlen und Koks sind im August 172.000 to Kohle (davon 27.700 to für die Staatsbahn) und 38.000 to Koks geliefert; außerdem 8.900 to Braunkohlenstaub aus dem Sudetenland. Für September sind fest vorgesehen 84.000 to Kohle und 4.000 to Koks; ferner sind vorgemerkt 134.000[192] to Kohle und Koks. Bei diesen Mengen steht das Lieferungsverhältnis für Kohle und Koks jedoch noch nicht fest. Die für die nunmehr freigegebenen dänischen Rationierungsmarken nötigen Koksmengen konnten wegen der ungenügenden Anlieferungen von Koks in den letzten Monaten nicht annähernd gedeckt werden, sodaß sich die Dänische Regierung zu noch größeren Einschränkungen gezwungen sehen wird. Die dänische Braunkohlenproduktion beträgt im Sommerhalbjahr durchschnittlich 210.000 to monatlich.

1a. Aufträge der Besatzungstruppe

Von der Abt. Wwi wurden im Monat August 1943 Rohstoffsicherungen von Fertigungs- und Bauaufträgen sowie Wareneinkaufen der Besatzungstruppe in Dänemark, soweit hierzu Eisen, Stahl, NE-Metalle sowie Kautschuk benötigt wurden, in Höhe von 2.824 Mill. RM durchgeführt.

1c. Holzversorgung

Für Aufträge der Besatzungstruppe in Dänemark sind im Monat August von Abt. Wwi Bedarfsbescheinigungen über 11.087 cbm Nadelholz für die vorschußweise Freigabe aus den Beständen der dänischen Wirtschaft ausgestellt worden.

Der Verbrauch der einzelnen Wehrmachtteile war wie folgt: Heer 1.366 cbm, Kriegsmarine 1.555 cbm, Luftwaffe 2.366 cbm, Festungspionierstab 1.385 cbm, Organisation Todt u. Sonderbaustab 4.415 cbm.

5. Arbeitseinsatz

Die Zahl der Arbeitslosen betrug Ende August 19.605, und zwar 12.497 Männer und

191 Listen hos Alkil, 2, 1945-46, s. 1235f. har gennemgående flere aktioner de pågældende dage, men det kan ikke tages til indtægt for, at Forstmann underspillede aktionernes antal. Hos Alkil er medtaget aktioner af en karakter, som Forstmann aldrig ville medtage.

192 Læsningen af 3. ciffer er usikker.

7.108 Frauen. Es ist eine Zunahme von 2.225 zu verzeichnen. Die Gesamtzahl der in Norwegen eingesetzten dänischen Arbeiter beträgt 10.543, Zugang im Monat August 146. Für die Aufträge des Neubauamtes der Luftwaffe sind z.Zt. in Dänemark 5.291, für die des Festungspionierstabs 31 und der OT 8.740 und für Sonderbaustab Struer 4.598 Arbeiter und 222 Angestellte eingesetzt, sodaß im Festungsbau Jütland 18.851 dän. Arbeiter und Angestellte tätig sind (Im Juli 18.891). Dem Reich wurden im Monat August 1.314 Arbeiter zugeführt (im Juli 1.620), davon für Rü 181, für Bergbau keine, für Verkehr 131, für Land- und Forstwirtschaft 5, für Bau 651, für Haushaltungen 15 und für die sonstige Wirtschaft 331.

6. Verkehrslage

Der Fährbetrieb verlief im Monat August normal. Die Streckenbelastung Warnemünde-Gedser-Kopenhagen-Helsingör ist nach wie vor groß, ebenfalls auf Jütland.

Für Nachschub nach Norwegen und Finnland werden weiterhin täglich 60 Waggons gestellt.

Der Verkehr auf der Strecke Nyborg-Korsör war normal.

Die Waggongestellung innerhalb Dänemarks ist für die Deutsche Wehrmacht zu 100 %, für den zivilen Bedarf aber nur zu 30 % gedeckt worden.

Die starke dänische Reiseverkehr ist dadurch beschränkt worden, daß für Schnellzüge nur ein festgesetztes Kontingent von Fahrkarten ausgegeben wird.

Vordringlich werden z.Zt. Torf, Braunkohlen und Ernteerzeugnisse gefahren.

Die dänische Schiffahrt war tonnagemäßig in folgender Rangfolge eingesetzt:

1.) Erzfahrt von Schweden nach Deutschland
2.) Kohlenfahrt nach Dänemark
3.) Innerdänische Fahrt
4.) Holzfahrt nach Dänemark

Für die OT wurden vom 1.-31.8.43 4.440 to Zement befördert, davon 2.700 to mit dän. Schiffen, der Rest mit deutscher Tonnage, außerdem 18.155 to Kies, davon 16.285 to mit deutschen Schiffen, der Rest mit dänischen Schiffen.

7a. Ernährungslage

Die Getreideernte in Dänemark ist als gute Mittelernte zu bezeichnen. Es liegen jetzt Durchschnittsdruschergebnisse aus dem ganzen Lande vor. Weizen 30-33 Dztn., Roggen 20-22, Gerste 30-33 und Hafer 30 Dztn. pro Hektar. Die Hackfruchternte verspricht nach dem heutigen Stande ebenfalls ein besseres Ergebnis als im Vorjahre. Die Obsternte ist als gut zu bezeichnen.

Nach Deutschland wurden im Monat August 1.848 to Fleisch mit 155 LKW-Transporten verladen, außerdem 5.522 to Fisch mit 502-LKW-Transporten.

Wertmäßig wurden im Monat August 43 aus den Lebensmittelbeständen des Landes entnommen:

für die deutschen Truppen in Dänemark 4,5 Mill. d.Kr.
für die deutschen Truppen in Norwegen 1,8 Mill. d.Kr.

113. Werner Best an das Auswärtige Amt 22. September 1943

Dagsindberetning. Bl.a. kunne Best meddele, at der var ankommet endnu et kompagni af den anden tyske politibataljon til København.

Kilde: PA/AA R 29.567. RA, pk. 203.

Telegramm

Kopenhagen, den	22. September 1943	11.00 Uhr
Ankunft, den	22. September 1943	11.20 Uhr

Nr. 1112 vom 22.9.[43.] Citissime!

Ich bitte, die folgenden Meldungen unverzüglich dem Herrn Reichsaußenminister zuzuleiten:

1.) In einem Heereskraftfahrpark in Kopenhagen wurden 8 kg Sprengstoff gefunden. Der Täter konnte festgenommen werden.

Bei Thyborön (Jütland) wurden aus einer Wehrmachtsleitung 20 m Telefondraht herausgeschnitten.

In Kopenhagen wurden 15 Personen wegen Übertretung des Nachtverkehrsverbots festgenommen.

2.) Der Befehlshaber der deutschen Truppen in Dänemark hat für den 21. September 1943 die folgende Tagesmeldung erstattet: "Außer einem Sabotagefall in Kopenhagen mit unbedeutendem Sachschaden keine besonderen Vorkommnisse."

3.) Am 21. September ist eine weitere Kompanie des zweiten Polizeibataillons in Kopenhagen eingetroffen.

Dr. Best

114. Werner Best an das Auswärtige Amt 22. September 1943

Best meddelte, at bestemmelserne for den civile persontrafik mellem Sverige og Danmark var blevet lempet, efter at de danske konsuler i Stockholm, Göteborg og Malmö havde besluttet at fortsætte deres arbejde. Best ønskede AAs skriftlige indstilling til den nye ordning.

Svaret er ikke lokaliseret.

Kilde: RA, pk. 289.

Telegramm

Kopenhagen, den	22. September 1943	10.10 Uhr
Ankunft, den	22. September 1943	11.00 Uhr

Nr. 1113 vom 22.9.43.

Auf Drahterlaß Nr. 1231[193] vom 10.9. und mit Bezugnahme auf Drahtbericht Nr. 1103[194] vom 20.9. d.J.

193 R 6156 g. Indberetningen er ikke lokaliseret.

194 Pol VI. Trykt ovenfor.

I.) Nach einer Mitteilung des dänischen Außenministeriums, das in der vergangenen Woche mit meinen Einverständnis einen Beamten von Kopenhagen nach Stockholm entsandt hatte, hat sich der dänische Generalkonsul (Wahlkonsul) Jöhnke in Stockholm an der politischen Distanzierung des dänischen Gesandten Kruse in Stockholm vom dänischen Außenministerium nicht beteiligt. Jöhnke habe vielmehr den Wunsch geäußert, auch weiterhin in loyaler Zusammenarbeit mit dem dänischen Außenministerium seine konsularische Tätigkeit, die er als unpolitisch betrachte, ausüben zu können. Dieselbe Haltung werde von den dänischen Wahlkonsuln in Gotenburg und Malmö eingenommen.

Unter diesen Umständen habe ich keine Bedenken dagegen, daß den dänischen Konsuln in Stockholm, Gotenburg und Malmö die Ausübung ihrer bisherigen konsularischen Befugnisse vorläufig wieder zugestanden wird, bis die Regierungsfrage geklärt ist. Damit würden die z.Zt. bestehenden technischen Schwierigkeiten betr. Stellung von Sichtvermerksanträgen in Schweden zur Einreise nach und Durchreise durch Dänemark bis auf weiteres behoben werden, da dann das bisherige im Drahtbericht Nr. 1033[195] von 8. d.M. Abs. 2 erwähnte Verfahren wieder Anwendung finden wurde, das eine wirksame Kontrolle des Reiseverkehrs von Schweden nach Dänemark durch uns gewährleistet.

II.) Für den Fall, daß dieser Lösung nicht zugestimmt wird, schlage ich für den Reiseverkehr von Schweden nach Dänemark die Einführung von mit Lichtbildern versehenen Durchlaßscheinen vor, die von der deutschen Gesandtschaft in Stockholm nach vorheriger Rückfrage bei meiner Behörde auszustellen wären und in Verbindung mit dem Reisepaß und dem auf hiesiges Ersuchen von der dänischen Grenzbehörde auszustellenden dänischen Sichtvermerk die Einreise bzw. Durchreise ermöglichen würden. Einzelheiten dieses Verfahrens könnten von hier aus unmittelbar mit der deutschen Gesandtschaft in Stockholm geregelt werden.

Erbitte drahtliche Entscheidung.

Dr. Best

115. Werner Best an das Auswärtige Amt 22. September 1943

Udenom Best og AA gav von Hanneken gennem pressen meddelelse om, hvordan den danske befolkning skulle forholde sig i forbindelse med Christian 10.s fødselsdag. Det var til Bests store fortrydelse, da han ikke selv havde hørt fra AA vedrørende sagen, som han havde spurgt til 18. september (telegram nr. 1093).

Kilde: PA/AA R 29.567. RA, pk. 203.

Telegramm

Kopenhagen, den	22. September 1943	20.15 Uhr
Ankunft, den	22. September 1943	21.10 Uhr

Nr. 1117 vom 22.9.[43.] Citissime!

195 R D V. Trykt ovenfor.

Im Anschluß an mein Telegramm Nr. 1106[196] vom 21.9.43 teile ich mit, daß der Befehlshaber der deutschen Truppen in Dänemark heute, ohne mich davon zu benachrichtigen, die folgende Mitteilung an die Presse gegeben hat:

"Von kompetenter deutscher militärischer Seite wird gemeldet: Es kann überall in gewöhnlichem Umfang am Geburtstag des dänischen Königs am Sonntag, den 26.9.1943, geflaggt werden. – Ausstellungsfenster und dergl. können in der gewöhnlichen Weise geschmückt werden. – Öffentliche Transportmittel können mit Flaggen geschmückt werden. – Die Bestimmungen über Versammlungsverbot während des Ausnahmezustandes bleiben in vollem Umfang für Sonntag, den 26. September gültig." –

Da durch diesen Schritt des Befehlshabers die deutsche Stellungnahme zu dem Geburtstag des Königs festgelegt ist, werde ich nunmehr hinsichtlich der Herausgabe der Briefmarken und hinsichtlich der Presse im Sinne meines Telegrammes Nr. 1106 vom 21.9.43 verfahren.

Dr. Best

116. Franz von Sonnleithner an Werner Best 22. September 1943

Best fik samme meddelelse som von Hanneken om, hvad der skulle ske med de internerede danske soldater. Efter RFSS' ønske havde Hitler bevilget, at man skulle "nøjes" med at forsøge at hverve de 4.000 unge rekrutter, der skulle føres til Tyskland.

Meddelelsen kom som et lyn fra en klar himmel for Best. Han kunne ikke være i tvivl om, at en effektuering af ordren ville ødelægge enhver mulighed for en forhandlingsordning med danskerne, der i forvejen havde modsat sig, at dømte danske modstandsfolk blev sendt til Tyskland. Han arbejdede i de følgende dage effektivt for at få omgjort Himmlers ønske. Se Berger til Himmler 26. september 1943 og Horst Wagners telegram den 29. september 1943 (Yahil 1967, s. 145).

Kilde: PA/AA R 29.567. RA, pk. 203 og 225. LAK, Best-sagen (afskrift). Best 1988, s. 45f.

Telegramm

Sonderzug, den	22. September 1943	23.33 Uhr
Ankunft, den	23. September 1943	01.10 Uhr

Nr. 1482 vom 22.9.[43.] Geheime Reichssache
– Bram 374/43 –
Geheimvermerk für Geheime Reichssachen.

Deutsche Gesandtschaft Kopenhagen
Für Reichsbevollmächtigten persönlich.

Am 21. September 1943 wurde während der Lagebesprechung an den Führer die Frage gestellt, was mit den internierten dänischen Wehrmachtsangehörigen zu geschehen habe. Es handelt sich um etwa 2.500 Offiziere und Unteroffiziere und etwa 12.000 Mannschaften, von denen etwa 4.000 junge Rekruten seien. Der Reichsführer-SS hat

196 bei Pol. VI (V.S.). Trykt ovenfor.

den Führer gebeten, daß die 4.000 jungen Leute ihm überstellt würden. Er beabsichtigt sie nach Deutschland zu überbringen und will sie in der Nähe der germanischen Division internieren in der Hoffnung, einen großen Teil von diesen Männern für die SS gewinnen zu können.

Die Marine hat den Reichsführer-SS gebeten, die Marineangehörigen aus den 12.000 Mannschaften ebenfalls herauszuziehen, mit den 4.000 zu übernehmen und zusammenzulegen, um sie für die Marine auszurichten.

Was mit den übrigen 8.000 geschehen soll, ist noch nicht endgültig bestimmt; sie werden voraussichtlich nach und nach entlassen werden. Der Führer hat zugestimmt.

Ein vor einigen Tagen anderslautender Befehl des Führers ist durch diese neue Entscheidung überholt.[197] Herr Reichsaußenminister hat mich beauftragt, Ihnen Vorstehendes nur zu Ihrer persönlichen Information zugehen zu lassen.

Sonnleithner

Vermerk:
Unter Nr. 1297 an Deutsche Gesandtschaft Kopenhagen weitergeleitet.
Berlin, 23.9.43
Tel. Ktr.

117. Alfred Jodl an das Auswärtige Amt 22. September 1943

Best og von Hanneken fik samme dag besked om Hitlers overraskende ordre om RFSS' tilladelse til at hverve frivillige blandt danske soldater og at transportere 4.000 af de yngste årgange til Tyskland. Von Hanneken fik desuden besked om, at SS stod for aktionen mod de danske jøder.

Det var Alfred Jodl, der sendte det "berømte telegram" (Yahil 1967, s. 145) til von Hanneken. Ordren var en fuldkommen overraskelse for de tyske instanser i Danmark, og det forenede Best og von Hanneken i en sjælden grad i bestræbelsen på at mindske skadevirkningerne. Von Hanneken forsøgte øjeblikkeligt at få ordren omstødt, men uden held. Først i løbet af den følgende tid lykkedes det skridt for skridt Best og von Hanneken at få forpurret overførslen af de 4.000 danske rekrutter til Tyskland, herunder hjulpet af Gottlob Berger og andre underordnede instanser i SS, som det vil fremgå af det følgende (Yahil 1967, s. 145-147, Rosengreen 1982, s. 51).

Kilde: PA/AA R 29.567 og R 100.864. RA, pk. 203 og 456. LAK, Best-sagen (afskrift). IMT, 35, s. 153. Sabile 1949, 2, s. 6 (på fransk). PKB, 13, nr. 740. Poliakov/Wulf 1956, s. 388. ADAP/E, 6, nr. 341.

Telegramm

OKW, den	22. September 1943	19.20 Uhr
Ankunft, den	22. September 1943	21.20 Uhr

Ohne Nummer vom 22.9.[43.] Geheime Kommandosache
Chefsache – Nur durch Offizier.

Auswärtiges Amt,
z.Hd. Herrn Botschafter Ritter.
nachr. Reichsführer-SS u. Chef d. Deutschen Polizei

197 Se Keitel til AA 16. september 1943.

SS-Kommandostab Hochwald
nachr. Chef H Rüst. und BDE.
Gleichlautend: Befehlshaber der Deutschen Truppen in Dänemark.

Der Führer hat angeordnet:
1.) Reichsführer-SS hat die Genehmigung, aus den zu entlassenden ehemaligen dänischen Wehrmachtangehörigen Freiwillige zu werben und bis zu 4.000 Mann der jüngsten Jahrgänge in SS-Lager ins Reich abzubefördern.
2.) Die Judendeportation wird durch Reichsführer-SS durchgeführt, der zu diesem Zweck 2 Pol. Btl. nach Dänemark verlegt.
3.) Der militärische Ausnahmezustand bleibt zumindest bis zum Abschluß der Aktionen zu Ziff. 1 und 2 bestehen. Über seine Aufhebung ergeht besonderer Befehl.
4.) Reichsbevollmächtigter ist über Auswärtiges Amt in gleichem Sinne unterrichtet.[198]

i.A. gez. **Jodl**
OKW/WFST/QU. 2 (N).–
Nr. 66 23 33/43 Gkdos. Chefs.

118. Herbert Backe an Adolf von Steengracht 22. September 1943

Statssekretær i REM, Herbert Backe, pressede stærkt på AA for at få forhandlingerne i det tysk-danske regeringsudvalg genoptaget straks, da de hidtil indgåede aftaler udløb 30. september. Backe gjorde detaljeret rede for den danske landbrugs- og fødevareeksports store betydning for Tyskland. Blandt meget andet kaldte han den danske eksport af friske fisk for rygraden i den tyske forsyning med fisk "und damit eine wertvolle Ergänzung der Fleischversorgung."

Best havde brugt en tilsvarende formulering i sin første halvårsrapport maj 1943 og en noget tilsvarende formulering blev genanvendt af Forstmann i Rüstungsstab Dänemarks aktivitetsberetninger 10. februar og 31. marts 1944. Hvem, der først kom med denne vurdering, mangler endnu at blive undersøgt. Det er blevet antaget, at den stammer fra enten Rüstungsstab Dänemark (Jensen 1971, s. 181) eller REM (Kirchhoff, 1, 1979, 105f., Lund 2003, s. 180), men kan også være blevet til hos Ebner og med Bests velsignelse i Det Tyske Gesandtskab i København. Formuleringens rigtighed er blevet kraftigt bestridt (Brandenborg Jensen 2005, s. 357ff. og 2008 med gensvar af Lund 2008 og Nissen 2008), men det står tilbage at udnytte det store eksisterende samlede materiale, især før Bests ankomst til Danmark, systematisk.

Backes kraftige rykker til AA gav resultat.[199] Se optegnelserne af Schnurre 23. september, Scherpenberg 28. september og Schnurre 3. oktober 1943.

Kilde: RA, pk. 203.

Abschrift
Der Reichsminister für Ernährung und Landwirtschaft *Berlin, den 22. September 1943*
M.d.F.d.G.b.
V B 4 – 950
M – 5007/43

198 Se Sonnleithner til Best 22. september.

199 I en erklæring 8. maj 1947 udtrykte Best bl.a., at regeringsudvalgs-systemet blev genindført ved hans hjælp efter undtagelsestilstanden (LAK, Best-sagen). Der er næppe tvivl om, at Best spillede den rolle i bestræbelserne på at få genoprettet for besættelsesmagten stabile tilstande. Det huskede Alex Walter intet om afhørt 11. juni 1947, mens han selv havde været virksom for at få regeringsudvalget i funktion igen (sst.).

Schnellbrief

Herrn Staatssekretär Frhrn. von Steengracht,
Auswärtiges Amt,
Berlin W 8.

Sehr geehrter Herr von Steengracht!
Unter Bezugnahme auf unsere heutige Besprechung wiederhole ich meine Bitte, dafür einzutreten, daß die Verhandlungen der deutsch-dänischen Regierungsausschüsse in geeigneter Form möglichst sofort wieder aufgenommen werden. Die mit der früheren dänischen Regierung getroffenen Vereinbarungen über die Lieferung landwirtschaftlicher Erzeugnisse aus Dänemark nach Deutschland laufen am 30.9. ab. Es ist deshalb unbedingt erforderlich, daß die für das 5. Kriegswirtschaftsjahr notwendigen Vereinbarungen so schnell wie möglich getroffen werden, um eine Unterbrechung der Lieferungen zu vermeiden. Entsprechend den bisher gemachten Erfahrungen erscheint mir der Weg von Besprechungen mit den Dänen der einzig mögliche zu sein, um einerseits die volle Durchführung der Vereinbarungen ohne deutschen Zwang sicherzustellen und andererseits, um die Produktionsfreudigkeit und Lieferwilligkeit der dänischen Landwirtschaft nicht zu beeinträchtigen.

Mit Rücksicht darauf, daß durch das Aufgeben von Gebieten im Osten erhebliche Liefermöglichkeiten für die deutsche Ernährung verlorengehen, ist die dänische Landwirtschaft in noch stärkerem Masse als bisher einer der wichtigsten Lieferanten für die Ernährung des deutschen Volkes. Es hat sich gezeigt, daß die im Benehmen zwischen deutscher und dänischer Regierung gelenkte Produktionspolitik bei der dänischen Landwirtschaft volles Verständnis und größte Bereitwilligkeit zur Mitarbeit gefunden hat. Während z.B. die Schweinezucht in nahezu allen europäischen Ländern stark zurückgegangen ist, ist durch gleichzeitige Steigerung der Futtermittelerzeugung der Schweinebestand in Dänemark von 1.2 Mill. Stück im Juni 1942 auf über 2 Mill. im Juli 1943 gestiegen, obwohl Dänemark keine Futtermittelzufuhren aus dem Ausland hatte. Gleichzeitig ist das Durchschnittsschlachtgewicht der Schweine von rd. 64 kg im März 1942 auf annähernd 95 kg im Juni 1943 gestiegen. Den Vorteil dieser Produktionssteigerung hat so gut wie ausschließlich Deutschland gehabt. Die Schweinefleischlieferungen im 4. Kriegswirtschaftsjahr waren mit rd. 60.000 t veranschlagt; sie werden voraussichtlich annähernd eingehalten werden, wenn die durch Verkehrsstörungen der letzten Wochen wesentlich [mit?] verursachten Marktschwierigkeiten behoben sein werden. Für das 5. Kriegswirtschaftsjahr kann infolge der gestiegenen Bestände mit Schweinefleischlieferungen aus Dänemark gerechnet werden, die mindestens 80.000 t, wahrscheinlich mehr, betragen werden.

Die Rindfleischlieferungen werden im 4. Kriegswirtschaftsjahr um etwa 10-15.000 t geringer sein, als veranschlagt wurde. Abgesehen von den Verkehrsschwierigkeiten der letzten Wochen ist dieses Ergebnis im wesentlichen auf die besonders günstigen Weideverhältnisse dieses Jahres zurückzuführen, die aber keinen Ausfall dieser Lieferungen herbeiführen, sondern nur eine wahrscheinlich nicht al zu große zeitliche Verschiebung zur Folge haben werden. Auf alle Fälle hat der ebenfalls nicht unerheblich gestiegene Rinderbestand die Folge gehabt, daß wir in diesem 4. Kriegswirtschaftsjahr anstelle der veranschlagten 28.000 t Butter etwa 35-36.000 t bekommen werden, was an sich ernährungsmäßig gesehen den Fleischausfall mehr als ausgleicht, und daß im 5. Kriegswirtschaftsjahr mit wahrscheinlich nicht unerheblich größeren Rinderlieferungen als im abgelaufenen Jahr gerechnet werden kann.

Diese Fleischlieferungen Dänemarks von etwa 1.000-110.000 t werden im 5. Kriegswirtschaftsjahr unbedingt erforderlich sein, wenn die gegenwärtige Fleischration aufrechterhalten werden soll. Müßte dagegen mit einem wesentlichen Rückgang gerechnet werden, so würde das zwangsläufig ungünstige Rückwirkungen größten Ausmaßes für die deutsche Fleischversorgung haben müssen.

Sie werden deshalb verstehen, sehr geehrter Herr von Steengracht, wenn ich Sie nochmals bitte, unter allen Umständen dafür zu sorgen, daß durch sofortige Wiederaufnahme der Besprechungen der deutsch-dänischen Regierungsausschüsse die Fragen der dänischen Lieferungen auf landwirtschaftlichem Gebiet einer positiven Regelung zugeführt werden können.

Zu Ihrer Unterrichtung möchte ich noch auf zwei wichtige Lieferungen Dänemarks nach Deutschland hinweisen. Die dänischen Fischlieferungen werden im 4. Kriegswirtschaftsjahr nicht weniger als 90.000 t ausmachen. Das ist ein Mehrfaches der dänischen Fischausfuhr im Frieden. Diese Lieferungen bilden das Rückgrat der Frischfischversorgung in Deutschland und damit eine wertvolle Ergänzung der Fleischversorgung. Deshalb muß ich auch hier entscheidenden Wert darauf legen, daß diese Fischlieferungen Dänemarks auch im 5. Kriegswirtschaftsjahr nicht gefährdet, sondern möglichst gesteigert werden.

Endlich darf ich auf die Bedeutung der Pferdeeinfuhr aus Dänemark hinweisen. Diese Pferde werden so gut wie ausschließlich für die Wehrmacht aufgekauft. Im 3. Kriegswirtschaftsjahr sind rd. 15.000 Stück geliefert worden, im 4. Kriegswirtschaftsjahr wird sich diese Menge auf 25.000 Stück erhöhen. Es ist anzunehmen, daß die gleiche Menge auch im 5. Kriegswirtschaftsjahr erreicht werden wird. Bei der Schwierigkeit der Pferdebeschaffung für die Wehrmacht kann auch auf diese Lieferungen keinesfalls, auch nicht teilweise, verzichtet werden.

Zusammenfassend möchte ich sagen, daß die Lieferungen Dänemarks im 5. Kriegswirtschaftsjahr für die deutsche Versorgung von entscheidender Bedeutung sind, daß die dänische Landwirtschaft infolge richtigen Vorgehens einen in jeder Beziehung anerkennenswerten Willen zur Produktionssteigerung und zur Ablieferung ihrer Erzeugnisse gezeigt hat und daß es deshalb im wohlverstandenen deutschen Interesse liegt, wenn hierin auch in Zukunft Änderungen nicht eintreten.

Ich wäre Ihnen sehr dankbar, wenn Sie mir möglichst sofort die Stellungnahme des Herrn Reichsministers des Auswärtigen mitteilen würden; ich hoffe, daß die Verhandlungen dann in wenigen Tagen aufgenommen werden können.

Mit den besten Empfehlungen

Heil Hitler!
Ihr
gez. **Backe**

119. Hermann von Hanneken an OKW 22. September 1943

Von Hanneken foreslog OKW, at aktionen mod de danske jøder skulle udsættes til efter den militære undtagelsestilstands ophør, så Best kom til at bære det fulde ansvar for dens gennemførelse. Endvidere fandt von Hanneken det ikke hensigtsmæssigt, at tyske tropper deltog i en ren politisk aktion. Han anså det også for løftebrud, hvis de internerede danske soldater ikke blev frigivet uden tilbageholdelse af nogen af dem.

Keitel svarede von Hanneken dagen efter (Rosengreen 1982, s. 52).

Kilde: Sabile 1949, 2, s. 6 (på fransk). Poliakov/Wulf 1956, s. 390.

Abschrift

Chefsache! Geheime Kommandosache
Nur durch Offizier!
Fernschreiben Chefsache
SSD Nur durch Offizier!

An OKW/WFSt

Ferngespräch Oberstlt. Polek/Oberst v. Collani
Betr: Entlassung dänischer Armee

1.) Gegenüber dänischen militärischen Abwicklungsstabes bereits geäußert, daß Entlassung in absehbarer Zeit erfolgt. Da Entlassung der internierten dänischen Armee auf Grund Fernschreiben OKW/WFSt/Qu 2 (N) Nr. 005233/43 g. Kdos. vom 16.9.43 bis zum 15.11. durchgeführt werden sollte, zum Ausdruck gebracht, *daß Entlassung ohne Zurückhaltung von Soldaten erfolgt.* Aufbau des Minensuchkorps sowie des Bahnschutzes nach Vereinbarung mit Marine sollte von *dänischer Seite durch Aufruf und Werbung erfolgen.* Daher Zurücknahme dieser Anordnung nicht möglich. Müssen als Wortbruch aufgefaßt werden und machen Zusammenarbeit mit dänischer Beamtenregierung und dänischer Polizei äußerst schwierig.[200]
2.) Durchführung der Judendeportation während des militärischen Ausnahmezustandes belastet Prestige der Wehrmacht nach außen.
3.) Vorschlag: Judendeportation nach Aufhebung des militärischen Ausnahmezustandes unter alleiniger Verantwortung des Bevollmächtigten durchführen. Mitwirkung der Truppe, da reine politische Angelegenheit, hierbei nicht zweckentsprechend.
Falls auf Befehl zu 1.) und 2.) bestanden wird, muß Versagen der Versorgung des Reiches mit Fleisch und Fett in Kauf genommen werden.[201]

Bfh. Dänemark Abt. Ia/Qu 332/43 g. Kdos

200 Ud for det kursiverede i afsnit 1.) har Keitel med håndskrift tilføjet: "es ist ein Grund zu suchen und zu finden, der diese Zusage aufhebt. Gez. K."

201 Ud for afsnit 3.) "Falls auf Befehl ..." har Keitel med håndskrift tilføjet: "es bleibt dabei! K."

120. Emil Geiger an Karl Ritter 22. September 1943

Det var ikke lykkedes Best ved forhandling i København at få det hemmelige feltpoliti indordnet i ordenspolitiet. Derfor skulle spørgsmålet bringes op for Himmler, så snart Ribbentrops samlede forslag vedrørende politiet i Danmark forelå.

Resultatet er ikke lokaliseret, men da Himmlers beslutning vedrørende det tyske politis stilling i begyndelsen af oktober forelå, mistede sagen givetvis interesse for Best.

Kilde: RA, pk. 233.

Zu Inl. II 2668 g
Geheim 2669 g

Gesandter von Grundherr teilte zu dem Telegramm Nr. 1463 vom 19. d.M.[202] an die Gesandtschaft in Kopenhagen mit, daß Inland II die Angelegenheit der Eingliederung der geheimen Feldpolizei in die Organisation der Ordnungspolizei in Berlin klären solle, falls Dr. Best in Kopenhagen eine Klärung nicht erreichen kann.

Auf die von der Gesandtschaft in Kopenhagen nunmehr eingegangene Antwort (Telegramm Nr. 1099 vom 20. September)[203] hin wird Gruppe Inland II die Angelegenheit bei der Reichsführung-SS zur Sprache bringen, sobald die Entscheidung des Herrn Reichsaußenministers zu den gesamten Polizeiverschlägen für Dänemark vorliegt.

Hiermit über den Leiter der Gruppe Inland II Herrn Botschafter Ritter mit der Bitte um Kenntnisnahme vorgelegt.

Berlin, den 22. September 1943
Inl. II B

gez. **Geiger**

121. Werner Best an das Auswärtige Amt 23. September 1943

Dagsindberetning. Best kunne meddele, at to kompagnier af den anden tildelte politibataljon var ankommet.

Kilde: PA/AA R 29.567. RA, pk. 203.

Telegramm

Kopenhagen, den 23. September 1943 12.00 Uhr
Ankunft, den 23. September 1943 12.20 Uhr

Nr. 1118 vom 23.9.[43.] Citissime!

Ich bitte, die nachstehenden Meldungen unverzüglich dem Herrn Reichsaußenminister zuzuleiten:

1.) In der Nacht vom 22. zum 23.9.43 ist am Stadtrand von Aarhus ein Wasserturm durch Explosion beschädigt worden,[204] sonst sind aus dem ganzen Lande keine Vor-

202 Sendt af Karl Ritter, trykt ovenfor.

203 Trykt ovenfor.

204 Det var et bombeattentat mod DSBs vandtårn, Augustenborggade, i Århus foretaget af en sabotage-

fälle gemeldet.

2.) Die 3. und 4. Kompagnie des zweiten Polizeibataillons sind heute in Kopenhagen eingetroffen.

3.) Der Befehlshaber der deutschen Truppen in Dänemark hat für den 22.9.43 folgende Tagesmeldung erstattet: "Keine besonderen Vorkommnisse."

Dr. Best

122. Werner Best an Joachim von Ribbentrop 23. September 1943

Best kunne ikke kommentere førerordren vedrørende de internerede danske soldater, men korrigerede de opgivne talstørrelser i telegrammet fra dagen før.

Kilde: PA/AA R 29.567. RA, pk. 203 og 225.

Telegramm

Kopenhagen, den	23. September 1943	12.00 Uhr
Ankunft, den	23. September 1943	12.30 Uhr

Nr. 1119 vom 23.9.[43.] Citissime!

Für Reichsaußenminister persönlich.

Zu dem Telegramm Nr. 1297[205] vom 22.9.43 bemerke ich, daß die dort angegebenen Zahlen der internierten dänischen Wehrmachtsangehörigen falsch sind. Nach dem Stand vom 13.9. sind interniert: Vom dänischen Heer: 612 Offiziere, 710 Offizianten, 5.047 Unteroffiziere und Mannschaften, von der dänischen Marine: 218 Offiziere und 3.310 Unteroffiziere und Mannschaften.

Dr. Best

123. Werner Best an das Auswärtige Amt 23. September 1943

Best bad AA om en stillingtagen til, hvordan man skulle forholde sig til de danske ambassader i udlandet og de udenlandske ambassader i København. Skulle der handles som i andre besatte lande eller skulle fiktionen opretholdes?

Svaret blev det sidste (PKB, 13, Beretning 1954, s. 114).

Kilde: PA/AA R 29.567. PKB, 13, nr. 473.

Telegramm

Kopenhagen, den	23. September 1943	17.20 Uhr
Ankunft, den	23. September 1943	18.15 Uhr

gruppe under Willy Samsing (Alkil, 2, 1945-46, s. 1221, Andrésen 1945, s. 274, Trommer 1971, s. 73).

205 Inl. II gRs. (Sonderzug 1482). Trykt ovenfor.

Nr. 1121 vom 23.9.[43.] Citissime.

Im Anschluß an mein Telegramm Nr. 1103[206] vom 20.9.43 berichte ich folgendes: Wenn der in meinem Telegramm Nr. 1102 vom 20.9.43 erörterte Zustand in Dänemark eintritt, muß eine Entscheidung über die weitere Behandlung der dänischen Gesandtschaften in anderen Ländern und der fremden Gesandtschaften in Kopenhagen getroffen werden. Für diese Entscheidung gibt es zwei Möglichkeiten. Entweder wird Dänemark künftig behandelt wie die kriegerisch besetzten Länder, dann wären die dänischen Gesandtschaften aufzuheben und die fremden Gesandtschaften nach Hause zu schicken. Oder aber die Fiktion einer außenpolitischen Souveränität (unter deutscher Aufsicht) soll aufrechterhalten bleiben und aufrechterhalten werden, dann würden die dänischen Gesandtschaften bestehen bleiben und weiter ihre Weisungen von dem von uns beaufsichtigten dänischen Außenministerium erhalten, während die fremden Gesandtschaften in Kopenhagen nicht nur mit dem dänischen Außenministerium sondern auch mit dem dänischen König den üblichen Verkehr aufrechterhalten. Im letzten Fall müßte folgerichtig veranlaßt werden, daß diejenigen dänischen Gesandtschaften, die während der gegenwärtigen Krise eine zweifelhafte Haltung gezeigt haben, entlassen und daß an ihrer Stelle neue Gesandte ernannt werden. Ob die fraglichen Staaten – insbesondere Schweden und die Schweiz – neuen dänischen Gesandten das Agrément erteilen würden, ist ein außenpolitisches Problem, das auch das Verhältnis zwischen dem Reich und den fraglichen Staaten berührt. Ich bitte um Prüfung dieser Fragen und um Mitteilung einer grundsätzlichen Stellungnahme, auf Grund deren ich zu gegebener Zeit konkrete Vorschläge vorlegen werde.

Dr. Best

124. Horst Wagner an Werner Best 23. September 1943

Best fik af AA gentaget ordren om, at RFSS kunne hverve frivillige blandt de yngste årgange af internerede danske soldater i et antal indtil 4.000 og føre dem til Tyskland. Endvidere at jødedeportationen skulle gennemføres via Himmler, og at der til formålet blev forlagt to politibataljoner til Danmark. Endelig at undtagelsestilstandens ophævelse skulle vente til efter gennemførelsen af ovenstående.

Der var ikke lagt op til diskussion.

Kilde: PA/AA R 100.864. RA, pk. 226. Best 1988, s. 294 (faksimile).

Telegramm

Berlin, den 23. September 1943

Nr. 1382

Diplogerma Kopenhagen
Referent: LR v. Thadden

206 bei Pol VI. Trykt ovenfor.

General Jodl teilt mit: Der Führer hat angeordnet

1.) Reichsführer-SS hat die Genehmigung, aus den zu entlassenden ehemaligen dänischen Wehrmachtangehörigen Freiwillige zu werben und bis zu 4.000 Mann der jüngsten Jahrgänge in SS-Lager ins Reich abzubefördern.
2.) Die Judendeportation wird durch Reichsführer-SS durchgeführt, der zu diesem Zweck 2 Po. Btl.[207] nach Dänemark verlegt.[208]
3.) Der militärische Ausnahmezustand bleibt zumindest bis zum Abschluß der Aktionen zu Ziff. 1 und 2 bestehen. Über seine Aufhebung ergeht besonderer Befehl.

Wagner

125. Karl Ritter an Werner Best 23. September 1943

Best fik svar på sit telegram nr. 1098 fra 20. september, vedrørende hvilken status beslaglagt dansk krigsmateriel skulle have. OKW var ligeglad med, om det blev betragtet som krigsbytte eller om det var tysk ejendom, blot det kunne tages i brug af værnemagten.

Selv udtrykte AA ingen holdning, så Best var lige vidt med hensyn til fastlæggelsen af Danmarks legale status efter 29. august. Han tog det op igen i telegram 1156, 29. september, pkt. 4.

Kilde: PA/AA R 29.567. RA, pk. 203.

Telegramm

S Westfalen, den	23. September 1943	19.25 Uhr
Ankunft, den	23. September 1943	20.20 Uhr

Nr. 1490 vom 23.9.[43.]

Telko
Diplogerma Kopenhagen

Auf Drahtberichte Nr. 1062[209] und Nr. 1087[210] vom 15. und 18. September.

1.) Das Oberkommando der Wehrmacht ist gleichfalls der Auffassung, daß die Rechtsfrage, ob das Kriegsmaterial der früheren dänischen Wehrmacht als Beute zu betrachten und ob es in das deutsche Eigentum übergegangen ist, jetzt offen gelassen werden kann. Das wesentliche ist, daß das dänische Kriegsmaterial in vollem Umfang von der deutschen Wehrmacht in Gebrauch genommen wird. Nicht berührt davon wird die bereits ergangene besondere Entscheidung des Oberkommandos der Wehrmacht über die dänischen Kriegsfahrzeuge. Das Oberkommando der Wehrmacht wird den Befehlshaber der deutschen Truppen in Dänemark entsprechend verständigen.

207 Polizei-Bataillons.
208 Det var Polizei-Wachbtl. Dänemark (major Zuschneid) og Polizei-Btl. 15 (major Fass).
209 Pol VI. Trykt ovenfor.
210 Pol VI. Trykt ovenfor.

2.) Die in Ziffer 4 Ihres Drahtberichts 1080 vom 17. September[211] erwähnte Entscheidung des Oberkommandos der Wehrmacht wegen der Entlassung der Angehörigen der ehemaligen dänischen Wehrmacht ist Ihnen im Wortlaut durch das Auswärtige Amt in Berlin inzwischen bereits zugegangen.

Ritter

Vermerk:
Unter Nr. 1305 an Diplogerma Kopenhagen weitergeleitet.
Tel. Ktr., 24.9.43., 1.00 [Uhr]

126. Wilhelm Keitel an Hermann von Hanneken 23. September 1943

Keitel meddelte von Hanneken, at det besluttede stod ved magt. Jødeaktionen skulle finde sted under den militære undtagelsestilstand. Endvidere skulle indstillingen af løsladelserne af internerede danske soldater begrundes med de sidste dages sabotage, så SS kunne afslutte sin hvervning. Det stod også fast, at 4.000 danske rekrutter af de yngste årgange skulle overføres til Tyskland. Endelig var det Berger, der skulle forestå jødedeportationen.

Det sidste var en fejloplysning, der senere blev rettet, men heller ikke planen om overførslen af danske rekrutter gik upåtalt hen. Von Hanneken skrev til OKW igen i sagen 25. september (Rosengreen 1982, s. 52).

Kilde: Sabile 1949, 2, s. 6 (på fransk). Poliakov/Wulf 1956, s. 389.

Chefsache
WFSt/Qu 2 (N)

Nur durch Offizier!
23.9.1943
Geheime Kommandosache
1. Ausfertigung

SSD-Fernschreiben an
1.) Befehlshaber d. dt. Truppen in Dänemark
nachr.: 2.) Ausw. Amt. z.Hd. Herrn Botschafter Ritter
3.) Reichführer SS und Chef der dt. Polizei
– SS-Kommandostab Hochwald –
z.Hd. Herrn SS-Standartenführer Rohde
4.) Chef H. Rüst. u. BdE

Bezug: FS Bfh. Dänemark I a/Qu Nr. 332/43 g. K. v. 22.9.43[212]
Betr.: Entlassung dänischer Wehrmacht

1.) Maßnahmen gemäß FS OKW/WFSt/Qu 2 (N) Nr. 662333/43 g. Kdos Chefs. Vom 22.9.43 sind durchzuführen.
2.) Dänen gegenüber sind im Einvernehmen mit Reichsbevollmächtigten Vorfälle aus den letzten Tagen (Sabotage oder ähnl.) als Anlaß zur vorläufigen Zurückstellung der Entlassung zu nehmen, bis Werbung des Reichsführers-SS abgeschlossen.
3.) Die Überführung von 4.000 Rekruten jüngster Jahrgänge in Auffanglager der SS

211 Trykt ovenfor.
212 Trykt ovenfor.

ist als Maßnahme zur Aufklärung über die kommunistische Zersetzungspropaganda und die Gefahren des Bolschewismus zu bezeichnen.

4.) Mit der Judendeportation ist der SS-Obergruppenführer Berger beauftragt.

Gez. **Keitel**
OKW/WFSt/Qu 2 (N)
Nr. 662345/43 g. Kdos. Chefs

127. Karl Schnurre: Vortragsnotiz 23. September 1943

Statssekretær Backes henvendelse til AA om at få de tysk-danske regeringsudvalgsforhandlinger genoptaget pga. dansk erhvervslivs meget store betydning for den tyske ernæringsforsyning blev positivt modtaget i AA, Backe skulle have et positivt svar. Best havde dagen før telefonisk henvendt sig til AA i samme anliggende.

Det var sandsynligvis på Bests opfordring, at Backe henvendte sig til AA for at få genoptaget forhandlingerne i regeringsudvalget. Det første møde kom i stand 2. oktober (Jensen 1971, s. 219f. Herbert 1996, s. 375. Giltner 1998, s. 225f. note 29 daterer optegnelsen til 24. september, og gør den til et referat af regeringsudvalgets forhandlinger).

Kilde: PA/AA R 29.567. RA, pk. 203.

Ges. Schnurre Nr. 46

Vortragsnotiz

In anliegendem Schreiben des Staatssekretär Backe an Herrn Staatssekretär von Steengracht[213] wird die überragende Bedeutung der dänischen Wirtschaft für die deutsche Ernährungswirtschaft im fünften Kriegsjahr behandelt. Staatssekretär Backe bittet um Mitteilung der Stellungnahme des Herrn RAM zu der Frage, ob möglichst bald die Wirtschaftsverhandlungen der Regierungsausschüsse wieder aufgenommen werden können. Entsprechend der mir gestern durch Botschaftsrat [Gustav] Hilger fernmündlich übermittelten Weisung des Herrn RAM zu Punkt 1.) meiner Aufzeichnung Nr. 38 vom 15. September[214] werde ich Herrn Staatssekretär Backe antworten, daß gegen die Aufnahme der Regierungsausschußverhandlungen keine Bedenken bestehen. Der Reichsbevollmächtigte in Dänemark hat mir gestern gleichfalls fernmündlich dem Wunsch übermittelt, das weitere Funktionieren der beiderseitigen Regierungsausschüsse tunlichst zu beschleunigen.

Hiermit über den Herrn Staatssekretär dem Herrn Reichsaußenminister vorzulegen.

Berlin, den 23. September 1943

gez. **Schnurre**

213 Skrivelsen er trykt ovenfor 22. september.

214 Trykt ovenfor.

128. Joachim von Ribbentrop: Notiz für den Führer 23. September 1943

En bekymret Ribbentrop spurgte Hitler, om jødeaktionen i Danmark stadig skulle gennemføres, idet han resumerede de praktiske foranstaltninger, som Best havde meldt måtte tages, men desuden byggede videre på de skærpede politiske problemer, som Best i sit telegram nr. 1094, 18. september havde forudset ville opstå i Danmark. Ribbentrop inddrog den danske konges mulige abdikation, hvilket Best ikke havde omtalt.

Når Ribbentrop tog et så alvorligt skridt som at prøve en allerede given førerordre med en notits som denne, kan det kun være fordi han frygtede for AAs fremtidige stilling i Danmark. Et ustabilt land med politisk kaos ville spille Danmark helt i SS' og værnemagtens hænder. Udsigten til tvangsoverførslen af 4.000 danske rekrutter til Tyskland med deraf følgende konsekvenser kan meget vel have spillet ind her, som påpeget af Yahil.

Hitler tog ikke Ribbentrops henvendelse til følge, idet han var af den opfattelse, at den politiske situation i Danmark ikke i den grad ville blive skærpet, som det fremgår af de håndskrevne tilføjelser til notitsen (Yahil 1967, s. 147f., Rosengreen 1982, s. 51).[215] Büro RAM lod 25. september beskeden gå videre til Wagner, trykt nedenfor.

Kilde: PA/AA R 100.864. RA, pk. 226. RA, Danica 234, pk. 89, læg 1163 (afskrift). LAK, Best-sagen (afskrift). ADAP/E, 6, s. 582f. Yahil 1967, s. 150f. (på dansk) og 1969, s. 162f. (på engelsk). Best 1988, s. 47.

Inl II 2715 g *"Westfalen", den 23. September 1943*

N o t i z
für den Führer

Betr.: Judenaktion in Dänemark.[216]

Gemäß der Weisung des Führers, daß der Abtransport der Juden aus Dänemark durchgeführt werden soll, wurde Dr. Best zunächst ersucht, über die Art der Durchführung des Abtransports der Juden sowie über die Zahl der für die Aktion erforderlichen zusätzlichen Polizeikräfte genaue Angaben zu machen.

Dr. Best hat berichtet, daß er zur Durchführung der Judenaktion zusätzlich 50 Beamte der Sicherheitspolizei benötige. Eine Vermehrung der Ordnungspolizei sei nicht erforderlich, da bereits Verstärkungen vorgesehen seien. Für den Abtransport der Juden aus Groß-Kopenhagen werde ein Schiff benötigt, daß mindestens 5.000 Personen fassen müsse. Im übrigen könne der Abtransport der restlichen 2.000 Juden in Eisenbahnzügen erfolgen.

Dr. Best hat noch darauf hingewiesen, daß die Durchführung der Judenaktion die politische Lage in Dänemark wesentlich verschärfen werde. Man dürfe dann nicht mehr damit rechnen, eine verfassungsmäßige Regierung in nächster Zeit bilden zu können. Es könnte zu Unruhen und gegebenenfalls zum Generalstreik kommen. Möglicherweise würde der König und der Reichstag ihre weitere Mitwirkung an der Regierung des Lan-

215 Notitsen fik senere stor betydning for Best, idet den var med til at frikende ham for ansvaret for jødeaktionen. Østre Landsret fandt, at notitsen godtgjorde, at Hitler ikke forinden havde set Bests telegram nr. 1032, 8. september, og at dette var et bevis på, at Best ikke havde været initiativtageren til jødeforfølgelsen. Som allerede påpeget af Yahil 1967, s. 148 kan det på ingen måde udledes af sammenhængen, at indholdet af telegrammet 8. september ikke forud skulle være Hitler bekendt. Understregningen og gentagelser af argumenter fra det telegram var ikke det samme som, at Hitler ikke havde set det, men en fremgangsmåde brugt for at henlede opmærksomheden på dem.

216 Med Hewels håndskrift er tilføjet "Soll, wie befohlen durchgeführt werden."

des einstellen, vielleicht danke der König auch ganz ab.[217]

Im Hinblick auf die Bedenken des Reichsvertreters in Dänemark bitte ich um Weisung, ob der Führer die Judenaktion jetzt durchgeführt zu sehen wünscht.[218] Bejahendenfalls wäre es dann richtig, die Aktion noch während des Ausnahmezustandes vorzunehmen.

gez. **R**

129. OKW/WFSt an Hermann von Hanneken 23. September 1943

Keitel meddelte von Hanneken, at OKW/WFSt delte AAs syn på, at det danske krigsmateriel ikke skulle betragtes som krigsbytte, men at forholdet skulle endeligt afgøres efter krigen.

Der blev efterfølgende stillet spørgsmål ved denne beslutning, se Seekriegsleitung til OKW 16. november 1943, men der kom forud en direkte kontraordre fra OKW/WFSt 27. september 1943 til AA.

Kilde: BArch, Freiburg, RM 7/1187. RA, Danica 628, sp. 7, s. 5399.

WFSt/Qu (Verw.) *23.9.1943*
Fernschreiben

An Befh. d. dt. Truppen in Dänemark.

Das von dänischer Wehrmacht übernommene Material ist in Übereinstimmung mit Ausw. Amt nicht als Kriegsbeute zu betrachten, sondern wird unter Vorbehalt endgültiger Regelung nach Kriegsende durch Deutsche Wehrmacht in Gebrauch genommen.

gez. **Keitel**
OKW/WFSt/Qu. (Verw.)
Nr. 806/43

130. Seekriegsleitung: Entlassung dän. Marineangehöriger zum Zwecke der Minenräumung 23. September 1943

Wurmbach havde dagen før meddelt, at påbegyndelsen af frigivelsen af de danske marinere af ukendte årsager var indstillet af OKW/WFSt. Han bad Seekriegsleitung om at intervenere hos OKW.

Seekriegsleitung fulgte opfordringen og skrev til OKW/WFSt, at påbegyndelsen af løsladelsen af de danske marinere, trods trufne aftaler, var indstillet. Da marinerne var meget nødvendige for genoptagelsen af minerydningen, bad Seekriegsleitung oplyst, hvornår ophævelsen af løsladelsesstoppet kunne forventes.

Et svar er ikke direkte lokaliseret, men Wurmbach vidste fuld besked næste dag, og den 25. september refererede han en forespørgsel fra OKW vedrørende minerydningen og brugen af løsladte internerede danskere dertil. Se KTB/ADM Dän 24. og 25. september.

Kilde: BArch, Freiburg, RM 7/1187. RA, Danica 628, sp. 7, s. 5398.

217 I margen er med Hewels håndskrift skrevet: "Der Führer bezweifelt, daß die Aktion diese Folgen haben wird."

218 I margen med Hewels håndskrift: "Ja."

Seekriegsleitung *Berlin, den 23.9.1943*
Neu! B-Nr. 1. Skl. I i 28 826/43 geh. Geheim

I.) Vermerk
Betr.: Entlassung dän. Marineangehöriger zum Zwecke der Minenräumung.

Der I a von Admiral Dänemark teilte am 22.9. an Ii fernmündlich mit, der mit Trubef. verabredete Beginn der Entlassung dänischen Marineangehörigen sei aus unbekannten Gründen durch OKW/FüStb. wieder gedrosselt worden. Admiral Dänemark bittet um Intervention der 1. Skl. bei OKW. Irgendeine Änderung der Lage ist bei Admiral Dänemark nicht bekannt.

II.) Geheim – Fernschreiben an: – SSD – Geheim –

OKW/FüStb.

Admiral Dänemark meldet, daß der mit Trubef. vereinbarte Beginn der Entlassung dänischer Marineangehöriger aus unbekannten Gründen auf Weisung OKW/FüStb. wieder gedrosselt sei. Einrichtung zivilen Minenräumdienstes sehr dringlich, da notwendigste Minenräumung mit deutschen Kräften nur vorübergehend und unter Zurückstellung anderer wichtiger Aufgaben möglich ist. Mitteilung erbeten, von wann ab mit Wiederaufhebung des Stopbefehls gerechnet werden kann.

Seekriegsleitung B-Nr. 1. Skl. Ii 28828/43 geh.

131. Joseph Goebbels: Tagebuch 23. September 1943

Hitler havde rost Seyss-Inquart for hans besættelsespolitik i Holland, og Goebbels fulgte op ved at gentage, hvad han allerede havde skrevet 8. september om Best, Terboven og Seyss-Inquart vurderet i forhold til hinanden. Goebbels fandt nu en særlig kvalifikation i personer fra Ostmark (tidligere Østrig), når det gjaldt forvaltningen af folkeslag, Tyskland havde underlagt sig.

Det var kun få måneder siden, at det havde været en særlig kvalifikation at være lærling af Heydrich. Det var nu glemt.

Kilde: *Die Tagebücher von Joseph Goebbels*, Teil II:9, s. 577. *Goebbels Dagbøger*. 1948, s. 382f. (på dansk).

[...]
Voll des Lobes ist der Führer über Seyss-Inquart. Dieser führt die Niederlande außerordentlich geschickt und elastisch; er wechselt klug zwischen Milde und Härte ab und verrät damit beste österreichische Schule. Im Gegensatz dazu stehen Terboven, der nur eine harte Hand kennt, und Best in Dänemark, der nur die weiche Hand kennt. Im übrigen hat unser Eingreifen in Dänemark sehr schnell wieder Ruhe und Ordnung herbeigeführt. Der Führer hält die Ostmärker für denkbar gut geeignet zur Verwaltung unterworfener Völkerschaften. Überall, wo die Ostmärker eingesetzt worden sind, haben sie sich auf das beste bewährt.
[...]

132. Werner Best an das Auswärtige Amt 24. September 1943

Dagsindberetning. Best oplyste atter om "sine" politifolks succes med pågribelser.

Til gengæld fik AA ikke en orientering om den drøftelse, Best dagen før havde haft med Nils Svenningsen om det fremtidige styre af Danmark efter undtagelsestilstandens ophævelse (Svenningsens referat i PKB, 4, s. 322-324).

Kilde: PA/AA R 29.567. RA, pk. 203.

Telegramm

Kopenhagen, den	24. September 1943	11.00 Uhr
Ankunft, den	24. September 1943	11.25 Uhr

Nr. 1123 vom 24.9.[43.] Citissime!

Ich bitte, die folgenden Meldungen unverzüglich dem Herrn Reichsaußenminister zuzuleiten:

1.) In der Nacht vom 23. zum 24.9.43 drangen in Kopenhagen mehrere unbekannte Personen in ein dänisches Nebengefängnis ein, überwältigten die Wache und entwendeten einen Teil der dort seit der ersten Waffenablieferung (vor drei Jahren) deponierten Waffen aus Privatbesitz.[219]

In Esbjerg wurden von meiner Außenstelle zwei Kommunisten wegen Verteilung illegalen Propagandamaterials festgenommen.[220]

2.) Seit dem 20.9.43 sind in Kopenhagen von meiner Exekutive 12 Personen wegen kommunistischer Betätigung und Verbreitung illegalen Propagandamaterials festgenommen und eine illegale Druckerei und etwa 5.000 illegale Druckschriften beschlagnahmt worden. Weiter wurden 8 Personen wegen Sabotageverdachts und wegen Besitzes von Schußwaffen festgenommen.

3.) Der Befehlshaber der deutschen Truppen in Dänemark hat für den 23.9.43 die folgende Tagesmeldung erstattet: "Ein Sabotagefall in Aarhus, Sprengung eines Wasserturms auf Bahngelände.[221] Sonst keine besonderen Vorkommnisse."

Dr. Best

133. Heinrich Müller an das Auswärtige Amt 24. September 1943

Müller erklærede sig indforstået med proceduren for anbringelse af udbombede rigstyskere fra Hamburg hos slægtninge blandt det tyske mindretal i Nordslesvig. Dog bad han om, at der blev udfærdiget lister over dem, og at listerne blev sendt til RSHA.

Kilde: RA, pk. 289.

219 Fem mænd fjernede 23. september de våben, der var deponeret på Ting- og Arresthuset på Blegdamsvej (Brøndsted/Gedde, 2, 1946, s. 569).

220 Det var Ude Rich og Sigfred Jensen. Ude Rich var blevet anholdt først 7. august, men det tog nogen tid, før der kom gang i sagen. Deres anholdelse førte til oprulning af en hel modstandsgruppe, der blev dømt i begyndelsen af november (PKB, 7, s. 370, Henningsen 1955, s. 206, Christensen 1976, s. 104, Alkil, 2, 1945-46, s. 858f.).

221 Se Bests telegram nr. 1118, 23. september 1943.

Der Reichsführer-SS
und Chef der Deutschen Polizei
S IV F 2 Nr. 1428/43-485-.

Berlin SW 11, den 24. September 43.

Schnellbrief

An das Auswärtige Amt
– Rechtsabteilung –
z.Hd. von Herrn Vortragenden Legationsrat C. Roediger
– oder Vertreter –
in Berlin.

Betrifft: Ausreise bombengeschädigter deutscher Reichsangehörige aus Hamburg nach Dänemark.
Bezug: Schreiben vom 30.8.1943 –R 59 938/1943 –.[222]

Gegen das vom Bevollmächtigten des Reichs in Dänemark vorgeschlagene Verfahren zur Erteilung von Sichtvermerken an bombengeschädigte deutsche Reichsangehörige aus Hamburg zwecks vorläufiger Unterbringung bei ihren volksdeutschen Verwandten in Nordschleswig bestehen keine Bedenken. Es wird jedoch gebeten zu veranlassen, daß die Deutsche Volksgruppe in Nordschleswig Listen über die in Nordschleswig unterzubringenden Personen in dreifacher Ausfertigung aufstellt und je eine Ausfertigung davon dem Reichssicherheitshauptamt, Referat IV F 5 (z.Hd. von Polizeirat Jarosch – o.V.–) in Berlin SW 11, Prinz-Albrecht-Str. 8, der Staatspolizeistelle Kiel und der Polizeidirektion Flensburg übersendet; die Listen müssen fortlaufend numeriert sein und Familiennamen, Vornamen, Geburtstag und -ort sowie den Wohnort dieser Personen enthalten.

Die Staatspolizeistelle Kiel und die Polizeidirektion Flensburg werden von hier verständigt.

Im Auftrage:
gez. **Müller**

134. Werner von Grundherr: Aufzeichnung 24. September 1943

Besættelsesmagten internerede et antal civile danskere efter 29. august. Barandon havde efter von Thaddens anmodning givet oplysninger om de internerede og om hvor mange, der var blevet løsladt (Yahil 1967, s. 417 note 19).

Interneringerne var foretaget efter en liste hos tysk politi. Denne liste skulle ifølge Kriminalrat Hans Hermannsens efterkrigsforklaring 29. januar 1946 være udarbejdet "vistnok" i juni/juli 1943 på ordre af Best. Listen skulle rumme ca. 300 danskere inden for alle dele af det offentlige liv med henblik på en "spændt situation", hvor de pågældende skulle anholdes, såfremt situationen krævede det. Den færdige liste blev forevist Best af Anton Fest, og Best slettede flere navne, bl.a. på socialdemokratiske redaktører[223] (LAK, Best-sagen).

Kilde: PA/AA R 100.758. RA, pk. 233.

222 Roedigers brev er ikke medtaget. Det er i pk. 289.
223 Der er flere modstridende forklaringer vedrørende interneringslistens udarbejdelse, og hvem der gjorde hvad, da alle de afhørte var klar over, at det var en forbrydelse at have medvirket til arrestationerne.

Pol VI Ges. v. Grundherr

Gesandter Barandon teilte telefonisch (auf der Wehrmachtsleitung) heute folgendes mit:

I.) Auf meine diesbezügliche Anfrage vor einigen Tagen: Insgesamt seien in Dänemark 274 Zivilpersonen von uns festgenommen worden, davon seien bis zum 15.9. 91 entlassen worden, so daß also noch 183 sitzen.
In einzelnen verteilen sich die Zahlen wie folgt:

in Kopenhagen	183 festgenommen,	davon	38 entlassen
in der Provinz	91 –	–	53 –
nach Personengruppen:			
konservative Abgeordnete	27 festgenommen,	davon	17 entlassen
Redakteure und Journalisten	32 –	–	17 –
höhere Beamte	4 –	–	4 –
Persönlichkeiten des Geisteslebens			
Universitäten, Schulen	10 –	–	7 –
Großkaufleute, Großbankiers	9 –	–	6 –

II.) Der Befehlshaber der Sicherheitspolizei und des SD, SS-Standartenführer Dr. Mildner, fliegt morgen nach Berlin zwecks Vortrag beim Reichsführer-SS.[224] Er wird begleitet von Obersturmbannführer Dr. Riedweg, SS-Hauptamt, der heute in Kopenhagen ist.[225]

Berlin, den 24. September 1943.

gez. **Grundherr**

135. Hans Clausen Korff an Christian Breyhan 24. September 1943

Korff rekapitulerede i tre punkter sin telefonsamtale med Breyhan 22. september vedrørende verserende danske finanssager. For det første var Korff imod den af Best gennemførte form for finansiering af det tyske politi i Danmark og det indførte begreb "civile besættelsesomkostninger". Splittelsen af kontiene på den måde burde ikke finde sted, og det var ikke nødvendigt. For det andet mente Korff at de bøder, der blev pålagt danske byer skulle indsættes på en særlig konto under WB Dänemark, hvis de skulle have karakter af straffeforanstaltning. Endelig havde Korff foreslået Best, at der blev pålagt Danmark et bidrag til besættelsesomkostningerne, hvilket Best var gået ind på som led i den nye politiske linje, hvorefter Korff og Heinrich Esche skulle forberede en indberetning derom til AA. Dette havde imidlertid vakt heftig modstand, og den endelig indberetning havde fået en meget afsvækket form, men nu skulle AA tage stilling til forslaget. Korff bad sluttelig RFM om at vente med at meddele sin stillingtagen i sagen, til han i oktober havde været i Berlin.

224 Mildner rejste til Berlin for at søge at ændre beslutningen om aktionen mod de danske jøder.

225 Franz Riedweg var i København på Gottlob Bergers foranledning, se Bergers brev til Himmler 26. september. Under besøget overbeviste Best Riedweg om, at det ville være en politisk katastrofe tvangsmæssigt at føre 4.000 danske rekrutter til Tyskland (Yahil 1967, s. 147).

Korff forventede, at Bests endelige aftale om formen for finansiering af tysk politi skulle have RFMs godkendelse, hvilket måske var baggrunden for, at han foreløbigt ikke gik videre med sagen. AA søgte 28. september RFMs billigelse af Bests aftale med Nationalbanken om betalingen for tysk politi. Se Scherpenberg til RFM anf. dato.

Korffs forslag om at påføre Danmark andel i betalingen af besættelsesomkostninger som i andre besatte lande havde vakt heftig modstand, men Korff nævner ikke fra hvem. Dog kan der peges på, at Franz Ebner har været en af modstanderne med henvisning til, at det kunne skade den danske eksport til Tyskland.[226] Når Best gik ind for forslaget som led i den "nye politiske linje", har grunden givetvis været, at forslaget skulle kastes på bordet, mens undtagelsestilstanden varede, hvad resultatet end blev, så han ikke efter undtagelsestilstanden skulle trækkes med en så negativ sag i forhold til danskerne.

Se Scherpenbergs optegnelse om forslaget om et dansk besættelsesomkostningsbidrag 25. september 1943.

Kilde: BArch, R 2 11.598. RA, Danica 201, pk. 81, læg 1083.

Abschrift

Regierungsrat Korff — *Oslo, 24. September 1943*

Abteilungsleiter beim Bevollmächtigten des Reichs in Dänemark

Herrn Ministerialrat Dr. Breyhan, RFM
Berlin

Betr.: Dänemark, hier: Finanzlagen im Zusammenhäng mit der veränderten politischen Lage

Sehr geehrter Herr Breyhan!
Ich bestätige unser Ferngespräch vom 22. d.Mts. wie folgt:

I.) Finanzierung der Behörde des Reichsbevollmächtigten
Der Aufbau einer deutschen Polizeiorganisation in Dänemark erfordert Beträge, die mit dem Devisenkonto IV bei der Nationalbank, das eine Abzweigung des Clearingkontos darstellt und dem bisher die Ausgaben für den Reichsbevollmächtigten entnommen worden sind, nicht mehr gedeckt werden können. Infolgedessen sah sich der Reichsbevollmächtigte gezwungen, dem Auswärtigen Amt vorzuschlagen, die über die Leistungsfähigkeit des Devisenkontos IV hinausgehenden Kosten von der Nationalbank vorschießen zu lassen. Hierfür ist der Begriff "zivile Besatzungskosten" geprägt worden. Es ist beabsichtigt, hierüber eine Vereinbarung zwischen der Hauptverwaltung der Reichskreditkassen und der Nationalbank zu treffen, die der Zustimmung des Reichsministers der Finanzen bedarf.

Für die zivilen Besatzungskosten soll ein 2. Konto der Hauptverwaltung der Reichskreditkassen bei der Nationalbank eingerichtet werden. Wie ich bereits fernmündlich mitteilte, halte ich diese Sonderung nicht für zweckmäßig, weil daraus Schwierigkeiten bei etwaigen späteren Abzahlungen durch den Dänischen Staat entstehen können. Deshalb ist m.E. vorzuziehen, das Wehrmachtkonto auch mit den zivilen Kosten zu belasten. Die Aufteilung der Kosten auf Wehrmacht und zivilen Sektor kann wie in

226 Se Korff til Breyhan 28. december 1943. G.F. Duckwitz kunne være endnu en modstander pga. samarbejdet med dansk skibsfart.

Norwegen ohne Schwierigkeiten durch verschiedenfarbige Schecks gesichert werden.

Nach Mitteilung von Reg. Rat Esche geht die Absicht des Reichsbevollmächtigten dahin, nach diesen Grundsätzen nur die zusätzlichen Polizeikosten zu finanzieren, für die übrigen Ausgaben dagegen die bisherige Regelung bestehen zu lassen. Wenn jedoch eine Umstellung erfolgt, halte ich es aus finanziellen Gründen für zweckmäßig, sämtliche Ausgaben der Behörde des Reichsbevollmächtigten durch die Nationalbank bevorschussen zu lassen. Das Devisenkonto IV kann für besondere Zahlungen, die jetzt zu den Besatzungskosten gehören, z.B. für die deutsche Minderheit in Nordschleswig bestehen bleiben.

Ich habe RR Esche gebeten, diesen Standpunkt zu vertreten.

Im übrigen gehe ich davon aus, daß sich durch die neuartige Finanzierung haushaltsmäßig nichts ändert. Die Ausgaben des Reichsbevollmächtigten sind m.E. nach wie vor auf dem Haushaltsplan des Auswärtigen Amts zu führen. Die Polizeiausgaben werden auf den Haushaltsplan der Polizei zu übernehmen sein.

Ich habe RR Esche veranlaßt, die Entwicklung dieser Ausgaben laufend zu beobachten.

II.) Kontributionen
Die Kontributionen würden ihren Zweck als Strafmaßnahme verfehlen, wenn sie zur Entlastung des Kontos der Hauptverwaltung der Reichskreditkassen verwendet würden. Sie sind zwar von der Stelle, die sie auferlegt hat, als Reichseinnahme zu verbuchen, d.i. hinsichtlich der Kontribution von 1 Mill.Kr., die der Stadt Kopenhagen auferlegt ist,[227] die Feldkasse des Befehlshabers der deutschen Truppen in Dänemark. Es müßte aber mit der Wehrmacht vereinbart werden, daß dieser Betrag einem Sonderkonto zugeführt wird, das für besondere Ausgaben zu verwenden ist.

Sie teilten mir mit, daß Sie sich deshalb mit dem OKW in Verbindung setzen würden.

III.) Besatzungskostenbeiträge
Ich habe bei meinen letzten Aufenthalt in Kopenhagen diese Frage dem Reichsbevollmächtigten gegenüber angeschnitten und ausführlich erörtert.[228] Der Reichsbevollmächtigte erklärte sich darauf mit meinem Vorschlag im Hinblick auf die neue politische Linie, die in Dänemark verfolgt werden soll, einverstanden und beauftragte RR Esche und mich, einen Bericht für das Auswärtige Amt vorzubereiten.

Hiergegen erhoben sich heftige Widerstände. Es ist jedoch gelungen, den Bericht, wenn auch in stark abgeschwächter Form, hinausgehen zu lassen. Nach der Neufassung wird das Auswärtige Amt um Stellungnahme zu der Frage eines Besatzungskostenbeitrags gebeten.[229]

227 Se Bests telegram nr. 1034, 8. september 1943. Når Korff kun nævnte bøden til København på en mio. kr., skyldtes det givetvis, at han ikke havde kendskab til de to følgende bøder 18. og 19. september på ½ mio. og en mio. kr. til henholdsvis København og Odense, hvortil knytter sig det forhold for i hvert fald Odense-bødens vedkommende, at man fra tysk side valgte ikke at indkassere pengene (Hæstrup 1979, s. 307f.).
228 Korff havde sidst været i København 11. september 1943 (Bests kalenderoptegnelser, anf. dato).
229 Det udgik i Bests navn til AA 17. september, trykt ovenfor.

Ich bat Sie, eine endgültige Stellungnahme des RFM zu verschieben, bis ich nach dort komme. Dem Wunsche von Herrn Min. Dir. Berger gemäß werde ich am 15. Oktober in Berlin eintreffen.

Heil Hitler!
Ihr
gez. **Korff**

136. Kriegstagebuch/Admiral Dänemark 24. September 1943

Wurmbach havde modtaget besked om, at det danske militære personels løsladelse ikke ville blive påbegyndt 27. september, at en aktion mod de danske jøder var forestående, at RFSS måtte hverve indtil 4.000 frivillige blandt de danske soldater, og at disse skulle føres til Tyskland. Igangsættelsen af jødeaktionen kom som en overraskelse, og Bests fremstød var først blevet Wurmbach bekendt på denne dag. Han drog straks konsekvensen af disse ordrer for Kriegsmarine i Danmark: Det ville udskyde hvervningen af danske marinere til såvel minerydning, sundbevogtning som uskadeliggørelse af ilanddrevne miner. De trufne beslutninger kom på tværs af de bestræbelser, som Wurmbach havde udfoldet siden 29. august for at få forholdene normaliseret så vidt som muligt, og WB Dänemark havde vist forståelse herfor, selv om han havde set anderledes på krigsbyttespørgsmålet og ville afvente, hvordan den nye styreform i Danmark skulle være. Wurmbach lod skinne igennem, at jødeaktionen ville få konsekvenser, at det efter 29. august var det psykologisk set forkerte tidspunkt, og at det også ville give negative pressereaktioner i udlandet, men at disse måtte tages med i købet pga. jødespørgsmålets "uhyre vigtighed". RFSS' hvervning af frivillige blandt de danske soldater forudså Wurmbach ville slå fuldstændig fejl, danskerne var imod alle former for tvang. Derfor forudså han også, at Bests forsøg på at få organiseret en frivillig dansk arbejdstjeneste ville slå fejl.

Wurmbachs udmeldinger var både usædvanligt direkte og politiske af indhold. Han kritiserede både en førerordre og en befaling af RFSS, der havde fået førerens tilslutning. Dog rettede kritikken sig ikke mod føreren. Wurmbach mente, at Best stod bag beslutningen om jødeaktionen, så det var ham, der stod til kritik for at have valgt et psykologisk forkert tidspunkt for iværksættelsen. Selve beslutningens nødvendighed anfægtede Wurmbach ikke på nogen måde, endsige var imod den.[230] Med hensyn til kritikken af RFSS' ordre kan Wurmbach have været klar over, at han ikke var ene om synspunktet, og at den dermed forbundne risiko for at udtrykke den var mindre eller begrænset, eller han var overbevist om, at den alene ville blive kendt i Kriegsmarine. Den kritik kombinerede han i øvrigt med endnu en kritik af Best, når det gjaldt mulighederne for opstillingen af en frivillig arbejdstjeneste, en sag som Wurmbach ikke var blevet sat til at tage stilling til. Det er tydeligt, at interessekonflikterne mellem den rigsbefuldmægtigede og admiral Dänemark var blevet skærpet mere end på noget tidligere tidspunkt.

Se endvidere KTB/ADM Dänemark 29. september 1943.

Wurmbachs meddelelser om udsættelsen af frigivelsen af de danske soldater, om aktionen mod de danske jøder og om SS-hvervningen blandt de danske soldater var en nyhed hos Seekriegsleitung (Se KTB/Skl 24. september 1943, s. 487).

Kilde: KTB/ADM Dän 24. september 1943, RA, Danica 628, sp. 3, s. 3076-79.

16.00 Die Entlassung der dänischen Wehrmacht, die in dringendstem Marineinteresse liegt und deren Beginn auf den 27.9. gelegt war, ist durch die überraschende Aufwerfung der Judenfrage sowie der SS-Werbung in Verbindung mit dem militärischen Ausnahmezustand seitens des Reichsbevollmächtigten vorläufig hinausgeschoben worden. Es liegt bereits eine Führerentscheidung vor, die folgendes besagt:

230 Jens Andersen har bedømt Wurmbach som en skarp modstander af jødeaktionen, hvad der ikke er belæg for (*Hvem var hvem 1940-1945*, 2005, s. 389).

a.) Reichsführer SS kann aus zu entlassenden dänischen Wehrmachtsangehörigen bis zu 4.000 Mann Freiwillige werben, die in SS-Lagern im Reich zusammengefaßt werden sollen.
b.) Judendeportation wird von SS durchgeführt.
c.) Militärischer Ausnahmezustand bleibt bis zur Durchführung der Maßnahmen zu a.) und b.) bestehen.

Aus dieser Entscheidung sind für die Marine folgende Folgerungen zu ziehen:
1.) Die Besetzung der KSFL. Gr Belt (2 dän. T-Boote, 2 M-Boote, 4 MS-Boote und 16 Fischkutter) durch dän. Personal wird auf unbestimmte Zeit verschoben, da eine Freiwilligenwerbung erst nach Entlassung der dänischen Marine in Frage kommt.
2.) Eine Besetzung der für die küstenpolizeiliche Sundbewachung vorgesehenen Logger mit Dänen fällt ebenfalls zunächst fort. Solange Minenräumschiff 11 nicht zu anderen Aufgaben herangezogen werden muß, sind diese Logger noch durch Personal dieses Schiffes besetzt.
3.) Das Sprengen bzw. Beseitigen der an den Küsten antriebenden Minen erleidet dort, wo bisher dänisches Personal, das jetzt inhaftiert ist, diese Aufgabe durchführte, erhebliche Verzögerungen, da mit dem vorhandenen deutschen Personal die Minenbeseitigung nur in beschränktem Umfange durchführbar und auf abseits liegenden dänischen Inseln sehr erschwert ist.

Der von dem Reichsbevollmächtigten Dr. Best erfolgte Vorstoß ist erst heute zu meiner Kenntnis gekommen, als die Führerentscheidung bereits vorlag. Wenn ich *vor* Abgang des Antrages um meine Ansicht gefragt worden wäre, hätte ich zu der dadurch geschaffenen Lage wie folgt Stellung genommen: Ich halte den gegenwärtigen Augenblick für die Aufrollung und Abwicklung derartiger Fragen aus psychologischen Gründen für ungünstig, da das Land nach dem Schock vom 29.8. dringend der Beruhigung bedarf, um auch weiterhin eine loyale Mitarbeit des dänischen Beamtenkörpers, der Polizeiorgane und der Wirtschaft sicherzustellen. Dies liegt im dänischen, aber nicht zuletzt auch im deutschen Interesse. Aus dieser Überlegung heraus habe ich mit dem Bef. Dän. öfters die Frage besprochen, den militärischen Ausnahmezustand baldmöglichst zu beenden und die Entlassung der dänischen Wehrmacht vorwärts zu treiben. An der Entlassung der dänischen Marine war ich besonders interessiert, sowohl aus sachlichen Gründen (ziviles dänisches Minensuchen), wie auch aus moralischen Gründen, da die Auswertung der von der Abwehr beschlagnahmten dienstlichen dänischen Schriftstücke die bisherige loyale Zusammenarbeit mit uns – im Großen gesehen – einwandfrei unter Beweis gestellt hat.

Der Bef. Dän. stimmte mir hinsichtlich der Aufhebung des Ausnahmezustandes im Prinzip zu, war jedoch in seinen Entschlüssen noch nicht frei, weil höheren Orts noch keine Entscheidung gefallen war, in welcher Form (Reichsbevollmächtigter, Reichskommissar pp.) weiter regiert werden sollte. Hinsichtlich der Entlassung des dänischen Heeres bestand beim Bef. Dän. verständlicherweise Zurückhaltung auf Grund der aus Beutermaterial gemachten Feststellungen über dänische personelle und materielle Mobilmachungsmaßnahmen des Heeres. In gemeinsamer Sitzung war schließlich am 20. der Beginn der Entlassungsaktion für den 27.9. vorgesehen, nachdem hierzu grundsätzliches Einverständnis des OKW eingegangen war. Die Dänen waren hierüber in loser und unverbindlicher Form vorbereitend unterrichtet worden.

Die bevorstehende Deportation der Juden wird, zumal die Presse infolge des Ausnahmezustandes noch weiter unter deutscher Kontrolle steht, voraussichtlich keine allzu große Unruhe im Lande hervorrufen, zumal es sich nur um rund 5.000 Personen handelt und die Juden keine wesentlichen Schlüsselstellungen im dänischen Verwaltungsapparat und Wirtschaftsleben einnehmen. Das Reagieren des feindlichen und schwedischen Rundfunks bleibt abzuwarten. Es muß im Hinblick auf die ungeheure Wichtigkeit der Judenfrage im deutschen Schicksalskampf selbstverständlich in Kauf genommen werden.

Die Werbung der SS wird m.E. ein völliger Fehlschlag werden, sofern an dem Begriff der Freiwilligenwerbung gemäß Führerweisung festgehalten wird. Ich begründe diese Auffassung damit, daß die bei der dänischen SS eingesetzten Dänen von ihren Landsleuten als Landesverräter bezeichnet werden und die bisherige Werbung für die Wehrmacht unter dem Motto "artsverwandte Völker" praktisch nur sehr dürftige Ergebnisse gezeitigt hat. Das Soldatische und Kämpferische entspricht nicht der dänischen Mentalität. Die Gefahren des Bolschewismus werden bewußt nicht gesehen. In einer früher stattgehabten Besprechung mit dem deutschfreundlichen Generaldirektor der dänischen Staatsbahnen, Knutzen, führte dieser aus, daß die breite Masse des Volkes dieser Gefahr völlig verständnislos gegenüberstehe und sie auch gar nicht sehen wolle.

In Ablehnung allen Zwanges seitens der Dänen wird m.E. auch ein gleichzeitig laufender Versuch des Reichsbevollmächtigten, einen freiwilligen dänischen Arbeitsdienst aufzuziehen, zum Scheitern verurteilt sein.[231]

Nachdem der dänischen Wehrmacht die am 27.9. beginnende Woche als wahrscheinlicher Entlassungstermin in Aussicht gestellt ist und dementsprechend dänischerseits alle Demob.-Vorbereitungen laufen, wird es vor allem mir in Hinblick auf die zwangsläufig notwendige weitere Zusammenarbeit mit Admiral Vedel schwer sein, ihn von der Notwendigkeit der in Aussicht genommenen Maßnahmen etwa durch den vorgeschobenen Grund der Sabotage zu überzeugen, zumal er früher bereits auf Grund einer Zeitungsnotiz offiziellen Einspruch dagegen erhoben hatte, die Frage der Entlassung inhaftierter Mannschaften mit der Haltung der dänischen Bevölkerung gegenüber Sabotageakten zu verquicken, da man Repressalien gegen einen Teil der Bevölkerung (Angehörige der Inhaftierten) androhe, der an diesen Vorfällen unbeteiligt sei.

Die jetzt notwendig gewordene Verzögerung des Entlassungstermins wird ihre Wirkung auf die an nur 3 Stellen eng zusammengefaßten dänischen Marine-Inhaftierten nicht verfehlen. Die rechtzeitige Vorbereitung der Unterkünfte der Flottenstation Kopenhagen für die 9. E.M.A.A. wird durch die beabsichtigten Maßnahmen gleichfalls in Mitleidenschaft gezogen werden.

231 Oprettelsen af en frivillig dansk arbejdstjeneste havde i længere tid stået på Werner Bests ønskeseddel, og han havde flere gange søgt danske partnere til projekter, som ikke udgik direkte fra det nazistiske miljø. Minister Gunnar Larsen var forespurgt i begyndelsen af april 1943, om han kunne være behjælpelig, men uagtet om Gunnar Larsen muligvis var positivt indstillet for sagen, kom der ikke mere ud af det (KB, Gunnar Larsens dagbog 2. april 1943, Lauridsen 2006a, s. 13, 19f.). Senere søgte Best støtte hos gymnastikfører Niels Bukh, men heller ikke Bukhs positive indstilling rakte (Bonde 2001, s. 549-551 og Bests telegram nr. 1131, 25. september 1943), så den finansielle og politiske støtte til den af DNSAP oprettede og siden løsrevne landsarbejdstjeneste (LAT) fortsatte (Lauridsen 2002a, s. 515).

137. Büro RAM an Horst Wagner 25. September 1943

Büro RAM lod Wagner vide, at jødeaktionen skulle gennemføres i henhold til Hitlers ordre. Ribbentrop bad dog samtidigt om, at aktionen efter omstændighederne blev gennemført sådan, at en større ophidselse i den danske befolkning blev undgået (Yahil 1967, s. 148f.).

Derved søgte Ribbentrop på trods af, at førerordren skulle gennemføres, i al knaphed at tage højde for de betænkeligheder, som både Best og han selv havde fremført. Ribbentrop havde med sin besked åbnet for, at Best med udenrigsministeren i ryggen kunne tage passiviserende forholdsregler, der forebyggede, at det kom til større demonstrationer eller storstrejker. Imidlertid er der ikke fra Wagner eller andre i AA lokaliseret en skriftlig besked til Best i København af ovenstående indhold. Da Erdmannsdorff den 28. skrev til Best i samme sag, var der ikke antydning af, at en større ophidselse skulle undgås i Danmark. Imidlertid foreligger der den oplagte mulighed, at Best fik beskeden telefonisk af Wagner, eller at den skriftlige meddelelse siden er gået til grunde. Det kan nemlig konstateres, at Best under alle omstændigheder handlede i henhold til Ribbentrops besked. Han søgte på adskillige måder at imødegå et folkeligt røre.[232] Hertil kan føjes, at von Thadden 28. september lod RAMs ønske om at undgå folkelig opstand i forbindelse med jødeaktionen gå videre til Heinrich Müller, trykt nedenfor.

Den tyske bekymring for en folkelig dansk vrede kan også spores i det tyske ordenspolitis chef, Erik von Heimburgs udtalelse 2. oktober og den nævnes efterfølgende af Franz Ebner 20. oktober til AA (begge trykt nedenfor).

Kilde: PA/AA R 100.864.

Inl II 2715g

Büro RAM — Über St.S. U.St.S. Pol — LR Wagner vorgelegt

Der Herr RAM hat gemäß Führerweisung den Abtransport der Juden aus Dänemark angeordnet.

Der Herr RAM bittet jedoch gleichzeitig, die Aktion nach Möglichkeit so durchzuführen, daß eine größere Aufregung in der dänischen Bevölkerung vermieden wird.

Westfalen, 25.9.43.

Steg

138. Werner Best an das Auswärtige Amt 25. September 1943

Dagsindberetning.

Kilde: PA/AA R 29.567. RA, pk. 203.

Telegramm

Kopenhagen, den	25. September 1943	10.50 Uhr
Ankunft, den	25. September 1943	11.45 Uhr

Nr. 1129 vom 25.9.[43.] — Citissime!

232 Det gælder den forudgående skjulte advarsel om aktionen gennem Duckwitz, det gælder instrukserne til de tyske politifolk, der ikke måtte bryde ind i jødernes lejligheder, beslutningen om ikke at beslaglægge jødiske formuer, samt at jøder gift med ikke-jøder ikke skulle være omfattet af aktionen.

Ich bitte, die folgenden Meldungen unverzüglich dem Herrn Reichsaußenminister zuzuleiten:

1.) Aus der Nacht vom 24. zum 25. September 1943 sind (außer 31 Festnahmen der dänischen Polizei wegen Übertretung des Nachtverkehrsverbots in Kopenhagen) aus dem ganzen Lande keine Vorfälle gemeldet.
2.) Der Befehlshaber der deutschen Truppen in Dänemark hat für den 24. September 1943 die folgende Tagesmeldung erstattet: "Keine besonderen Ereignisse."

Dr. Best

139. Werner Best an das Auswärtige Amt 25. September 1943

Best bad om en beslutning, om den spanske gesandt kunne varetage de italienske statsborgeres interesser i Danmark.

Svaret er ikke lokaliseret.

Kilde: PA/AA R 29.567. RA, pk. 203.

Telegramm

Kopenhagen, den	25. September 1943	19.30 Uhr
Ankunft, den	25. September 1943	20.25 Uhr

Nr. 1130 vom 25.9.[43.]

Der kommissarische Leiter des dänischen Außenministeriums hat mir mitgeteilt, der spanische Gesandte Agramonte habe ihm erklärt, daß der italienische Gesandte Diana ihn vor seiner Konfinierung gebeten habe, bis auf weiteres die Interessen der italienischen Staatsangehörigen in Dänemark zu vertreten. Der spanische Gesandte hat diesen Auftrag angenommen. Das dänische Außenministerium bittet um meine Stellungnahme, bevor es dem spanischen Gesandten eine Antwort erteilt.

Ich bitte um Mitteilung, wie die Vertretung der italienischen Interessen in den Ländern, in denen die italienischen Vertretungen nicht mehr tätig sind, geregelt werden, gegebenenfalls bitte ich um Weisung, welchen Bescheid ich dem dänischen Außenministerium mitteilen soll.

Dr. Best

140. Werner Best an das Auswärtige Amt 25. September 1943

Best bad om, at AA udvirkede, at Ollerup Gymnastikhøjskole ikke blev beslaglagt af Kriegsmarine, da forstanderen Niels Bukh ville stille sig i spidsen for en frivillig arbejdstjeneste.

Delvis kopi af Bests telegram blev af AA sendt til OKW og OKM 29. september (BArch, Freiburg, RM 7/1188. RA, Danica 628, sp. 7, nr. 5439). Best fik svar direkte fra Ribbentrop i telegram nr. 1543, 30. september, trykt nedenfor.

Best greb ind til fordel for gymnastikhøjskolen efter en direkte henvendelse fra skolens forstander,

Niels Bukh, der længe havde næret sympati for den tyske nazisme. For Best kan to momenter have spillet ind: Bestræbelsen på ikke at skabe en negativ stemning hos dele af den danske befolkning og ønsket om at skaffe en base for en dansk arbejdstjeneste. Det sidstnævnte er det mest sandsynlige ud fra Bests forudgående bestræbelser, da DNSAPs tidligere arbejdstjeneste nu var blevet hans direkte anliggende og dermed en "politisk" sag, som von Hanneken skulle holde sig fra (KTB/ADM Dän 24. september 1944. Se også Bonde 2001, s. 550, 578f.).

For sagens videre forløb, se Seekriegsleitungs notat 5. oktober 1943.

Kilde: PA/AA R 29.567. RA, pk. 203.

Telegramm

Kopenhagen, den	25. September 1943	19.35 Uhr
Ankunft, den	25. September 1943	20.25 Uhr

Nr. 1131 vom 25.9.[43.]

Der kommandierende Admiral Dänemark betreibt zur Zeit die Beschlagnahme der Gymnastik-Schule des Niels Bukh in Ollerup (Fünen), um dort 1.500 Marinesoldaten unterzubringen. Ich habe aus politischen Gründen gegen diese Beschlagnahme Einspruch erhoben. Niels Bukh und seine Schule genießen in ganz Dänemark und insbesondere in der dänischen Bauernschaft besonderes Ansehen, so daß die Beschlagnahme schon deshalb aus politischen Gründen eine ungünstige Wirkung auslösen würde. Grotesk aber würde die Beschlagnahme aus dem Grunde wirken, weil Niels Bukh als ausgesprochen deutschfreundlich bekannt ist. Niels Bukh ist von mir seit einiger Zeit dazu ausersehen, zu einem gegebenen Zeitpunkt an die Spitze eines freiwilligen dänischen Arbeitsdienstes gestellt zu werden. Er hat noch vor einigen Tagen mir gegenüber seine grundsätzliche Bereitschaft hierzu bestätigt.[233] Wenn ihm nun seine Schule weggenommen und durch den ständigen Aufenthalt von 1.500 Marinesoldaten ruiniert wird, so geht uns dieser Mann mit den in seiner Person gegebenen politischen Möglichkeiten verloren. Die Beschlagnahme der Schule für die Wehrmacht ist übrigens keineswegs eine der berühmten "militärische Notwendigkeiten," da auf Fünen genügend Raum für die Unterbringungen der Marinesoldaten zur Verfügung steht. Die Schule sticht nur den Vertretern der Marine durch ihren guten Zustand und ihre Lage in die Augen, so daß man sie anderen Objekten vorzieht. Ich bitte dringend, über OKW zu veranlassen, daß hier einmal der politische Gesichtspunkt berücksichtigt und daß verhütet wird, daß in Dänemark durch die zur Zeit herrschende Willkür der Wehrmacht auch noch die letzten politischen Möglichkeiten zerschlagen werden.

gez. **Dr. Best**

233 Niels Bukh var hos Best 19. september 1943 (Bests kalenderoptegnelser anf. dato). Hans Bonde hævder 2001, s. 577, at samtalen drejede sig om beslaglæggelsesplanerne. Det er muligt, men sikkert er det, at de i hvert fald drøftede oprettelsen af en frivillig dansk arbejdstjeneste, og at Bukh havde indvilget i at deltage.

141. Hermann von Hanneken an OKW 25. September 1943

Von Hanneken frarådede OKW at støtte, at danske rekrutter blev overført til Tyskland på grund af de politiske og erhvervsmæssige skader, det ville medføre.

Kilde: IMT, 35, s. 154-156.

Abschrift

KR-Fernschreiben *25.9.1943*
HXKO 01740 23.15 Uhr

Geheime Kommandosache

An OKW/WFSt. 1 Abschrift
nachr.: Chef H. Rüst. u. B.d.E. Chefsache!
Nur durch Offizier!

Im Auftrage des Obergruppenführers Berger war Obersturmbannführer Riedweg bei Bevollmächtigten und Befehlshaber zur Rücksprache in Angelegenheit der Übernahme von Freiwilligen der dänischen Armee in die SS. Im Gegensatz zu der uns von OKW zugegangenen Weisung, die Werbung von Freiwilligen für die SS in den jetzigen Internierten-Lagern in Dänemark vorzunehmen, teilte Riedweg mit, daß eine derartige Werbung, da völlig zwecklos, nicht beabsichtigt sei. Reichsführer-SS habe angeordnet, daß 4.000 Mann der jüngsten Jahrgänge geschlossen nach Deutschland in dort zu errichtende Schulungslager überführt werden sollten. Nach einigen Wochen der Schulung sollte dann die Freiwilligenwerbung erst einsetzen.

Gesamtmannschaftsbestand des internierten dänischen Heeres beträgt 5.075 Köpfe. Aus diesen internierten Heeresmannschaften war beabsichtigt, eine Bahnpolizei auf freiwilliger Basis unter Werbung und Anstellung durch die dänische Staatsbahn aufzustellen. Aufgabe dieses Bahnschutzes sollte die Sicherung und Bewachung der bahneigenen Anlagen insbesondere gegen Sabotage sein. Nach bisherigen Überlegungen werden hierzu etwa 800 Mann benötigt. Somit verbleiben, falls der Abzug dieser 800 Mann dortseits genehmigt wird, nur rund 4.275 Soldaten übrig. Das heißt, eigentlich wird die gesamte dänische Armee mit Ausnahme der 800 Bahnpolizisten nach Deutschland überführt werden müssen. Eine Entlassung der Berufssoldaten, 612 Offiziere und 629 Offizianten, kommt diesseitigen Erachtens infolge des Abtransportes der Soldaten nicht in Frage. Offiziere würden unter diesen Umständen dauernden Unruheherd bilden und voraussichtlich Hauptkontingent der feindlichen Provokateure sein. Da SS aus kriegsgefangenen Soldaten keine Freiwilligen werben kann, wird vorgeschlagen, dänische Soldaten zum Arbeitseinsatz und zur Schulung im antibolschewistischen Sinne auf eine befristete Zeit nach Deutschland zu überführen. Da dänisches Offizierskorps sich in seinem Gesamtverhalten durchaus feindlich gegenüber der Deutschen Wehrmacht eingestellt hat, und nachweisbar insbesondere aus den höheren Chargen bewußt Propaganda gegen unsere Kriegführung betrieben wurde, außerdem Waffen und Geräte sowie Bekleidung weit über das zugelassene Maß hinaus gefunden wurden und damit von der dänischen Heeresleitung bewußt gegen die Abmachungen verstoßen wurde, schlage ich vor, die Berufssoldaten (Offiziere und Offizianten) als Kriegsgefangene nach Deutschland zu überführen. Sobald Vorschläge des Admirals Dänemark über Entlassung dänischer Marine vorliegen, folgen dieselben mit Stellungnahme umgehend im Nachgang.

Ich mache darauf aufmerksam, daß durch Entscheidung OKW in Verbindung mit Ausw. Amt für das Kriegsgerät der dänischen Armee erklärt wurde, daß dieses nicht als Kriegsbeute zu betrachten sei, sondern nur in Gebrauch genommen werden soll. Behandlung der Kriegsbeute und beabsichtigte Behandlung der internierten dänischen Soldaten steht diesseitigen Erachtens in Widerspruch. Obersturmbannführer Riedweg hat hiesige Auffassung der einzelnen Dienststellen in einem Fernschreiben an Obergruppenführer Berger zum Ausdruck gebracht, das etwa folgenden Inhalt hat:

Überführung der dänischen Soldaten nach Deutschland würde doch wohl schwere politische und wirtschaftliche Schädigungen herbeiführen, außerdem sei es fraglich, ob selbst nach eingehender Schulung bei der Eigenart der Dänen die Werbung von Erfolg gekrönt sei. R. schlägt daher vor, auf die geplante Aktion zu verzichten.

Dieser Auffassung kann, wie ich das bereits mehrfach zum Ausdruck gebracht habe, nur beigepflichtet werden. Die vorstehend von mir angegebenen Gründe zur Überführung der dänischen Armee nach Deutschland und Gefangensetzung der Offiziere sind nur gesuchte Gründe, um die Maßnahmen politisch in Dänemark vertreten zu können.

Befh. Dänemark
Nr. 27/43 g.Kdos. Chefs.

F.d. R.
MVJ.
Unterschrift (unl.)

142. Werner von Grundherr: Aufzeichnung 25. September 1943

Grundherr refererede et møde, der havde været afholdt i AA med Frants Hvass fra UM og gesandt Mohr. Hvass medbragte en genpart af en skrivelse, som Nils Svenningsen to dage før havde overrakt Best i København (PKB, 4, s. 322-324). Skrivelsen omhandlede, hvilken politisk ordning der skulle indføres i Danmark efter undtagelsestilstandens ophævelse. Hvass gengav skrivelsens indhold: Der kunne ikke være tale om en ny regeringsdannelse. I stedet havde UM efter forhandling med de politiske partier, justitsvæsenet m.m. det forslag, at den danske forvaltning blev ført videre af departementscheferne for hver deres ressortområde, men uden dannelse af et administrationsråd. Man ville gå ud fra, at domstolene ville anerkende de lovbestemmelser, som forvaltningen ville udstede. Herefter udtalte Hvass sig om en række andre aktuelle sager, bl.a. arrestationen af ritmester Lunding og flere danske ambassadørers optræden efter 29. august.

Best havde endnu ikke videresendt Svenningsens skrivelse, da Hvass og Mohr mødte op i AA, så det var på denne vis, at ministeriet fik den første besked om denne vigtige sag. Best orienterede først derom 28. september med telegram nr. 1145 (Hæstrup, 1, 1966-71, s. 109, 112).

Von Hanneken fik Nils Svenningsens skrivelse den 23. september om aftenen (PKB, 4, s. 324) og videresendte den dagen efter til OKW, hvor det i WFSt 25. september blev besluttet, at det var AAs anliggende, hvorefter skrivelsen 27. september blev sendt til AA (BArch, Freiburg, RM 4/639. RA, Danica 1069, sp. 1, nr. 00.201-207).

Kilde: RA, pk. 203.

Pol VI Ges. v. Grundherr

Aufzeichnung

1.) Heute suchte Herr Legationsrat Hvass, Leiter der politisch-juristischen Abteilung im dänischen Außenministerium in Kopenhagen in Begleitung des Gesandten Mohr Herrn Unterstaatssekretär Hencke auf, wobei Gesandter v. Grundherr zugegen war. Er verlas ein Schreiben, das Direktor Svenningsen, Generalsekretär im dänischen Außenministerium, vor zwei Tagen dem Reichsbevollmächtigten übersandt hatte.[234] Die wesentlichsten Punkte waren die folgenden:

Regierungsbildung und Ausnahmezustand sind unvereinbar. Auch Regierungsbildung und wichtige Einschränkungen, die auch nach Aufhebung des Ausnahmezustandes wohl aufrecht erhalten bleiben müssen, wie Auflösung des Heeres und Übernahme der Flotte, Radio- und Pressezensur, Aufhebung der Versammlungsfreiheit, sind unvereinbar, da sich der Reichstag und die politischen Parteiführer hierzu nicht bereitfinden würden.

Dagegen hat das dänische Außenministerium in Verhandlungen mit den Parteien und den Justizbehörden erreicht, daß die politisch führenden Kreise in Dänemark und das Justizwesen folgende Lösung gutheißen würden: Es können "Gesetzanordnungen" erlassen und befolgt werden, wenn die Gesetze normaler Art sind, d.h. dazu dienen, Ruhe und Ordnung und das Gemeinschaftsleben im Lande aufrecht zu erhalten und wenn die Anordnungen nicht gegen das dänische Rechtsgefühl verstoßen. Auch können auf diese Weise Beamte ernannt und entlassen werden, so daß ein geregeltes laufendes Arbeiten dieses Verwaltungsapparates, auch mit den deutschen Behörden, gewährleistet sei.

Nach Ansicht von Herrn Hvass ist dies angesichts der derzeitigen Lage das Maximum des Erreichbaren. Er war offensichtlich befriedigt, daß es dem dänischen Außenministerium gelungen war, diese Regelung bei den dänischen Stellen durchzusetzen.

Unterstaatssekretär Hencke und Gesandter v. Grundherr verhielten sich bei diesen Ausführungen rezeptiv, da es sich ganz vorwiegend um dänische Interessen hierbei handelte.

2.) Die dänischen Herren wurden von Unterstaatssekretär Hencke und Gesandten v. Grundherr darauf hingewiesen, daß in den vergangenen Jahren die dänische Regierung nicht genügend Aktivität gezeigt hat, um die Volksmeinung in Dänemark zu einer schärferen als einer nur platonischen und lauen Verurteilung der Sabotageakte und zu größerem Verständnis einer deutsch-dänischen Politik positiver Zusammenarbeit zu bringen. Das Volk sei nicht genügend "immun" gegen die Propagandaeinflüsse aus England gemacht worden.

3.) Herr Hvass meinte, daß die von der Zivilverwaltung vorgenommenen Verhaftungen besonders böses Blut gemacht hätten, da unter den Verhafteten viele Persönlichkeiten gewesen wären, die als notorisch ungefährlich und harmlos zu betrachten wären. Es wurde ihm erwidert, daß etwa 50% der Verhafteten schon wieder entlassen seien, daß nach allem Vorgefallenen aber ein energisches Durchgreifen nötig gewesen wäre. Herr Hvass bat um Beschleunigung der Vernehmungen und bedauerte, daß an einzelnen Orten von deutscher militärischer Seite von der Festnahme von "Geiseln," fälschlicher-

234 Se gengivelsen hos Hæstrup, 1, 1966-71, s. 106-108 og PKB, 4, s. 335f., 340.

weise, wie er wisse, gesprochen worden sei.

4.) Herr Hvass wurde darauf hingewiesen, daß nach unserer Ansicht das dänische Außenministerium nicht genügend scharf und nicht schnell genug durch geeignete Runderlasse das eigenmächtige und disziplinwidrige Vorgehen der dänischen Gesandten in Stockholm, Bern usw. verurteilt habe. Herr Hvass versuchte das Verhalten der Gesandten mit entstandener Nervosität zu entschuldigen.

5.) Herr Hvass führte weiter aus, er habe gerüchtweise erfahren, daß angeblich deutsche Verwundete in den von der Wehrmacht beschlagnahmten, von der dänischen Bevölkerung geräumten Gebäuden untergebracht werden sollen. Er wies darauf hin, daß eine gütliche Zusammenarbeit mit deutschen militärischen Stellen bei der Erledigung dieser Frage mehr praktischen Erfolg versprechen würde.

6.) Gesandter Mohr führte an, daß ein Rittmeister Lunding, tätig in der Nachrichtenabteilung des dänischen Kriegsministeriums verhaftet und dieser Tage nach Deutschland geführt worden sei. Herr Lunding habe nur auftragsgemäß seine Tätigkeit ausgeübt, und es werde dänischerseits großer Wert darauf gelegt, daß der Fall bald geklärt wird. Gesandter Mohr wird uns noch eine entsprechende Notiz zusenden.[235]

7.) Zu dem Drahtbericht Nr. 5485 vom 24.9. aus Madrid machte Herr Unterstaatssekretär Hencke Herrn Hvass darauf aufmerksam, daß der dänische Gesandte in Madrid am 24.9. Gesandten v. Bibra erklärt habe, daß er seit 25.8. vom dänischen Außenministerium vollkommen abgeschnitten sei und keinerlei Weisung mehr empfange. Herr Hvass erklärte, daß die allgemeinen Runderlasse auch an Madrid gerichtet worden seien.

Herr Hvass wurde gebeten, möglichst umgehend nach seiner heute erfolgenden Rückkehr nach Kopenhagen für eine telegrafische Weisung nach Madrid betreffend die drei dänischen Schiffe in Las Palmas zu sorgen. Er sagte dies zu.[236]

Unterstaatssekretär Hencke knüpfte hieran die Anregung, das dänische Außenministerium möge im allgemeinen die dänischen Missionen im Auslande gut auf dem Laufenden halten.[237]

8.) Herr Hvass wurde auf die Veröffentlichung der Berichte des Gesandten Zahle von Anfang April 1940 in der schwedischen Zeitschrift "NU" hingewiesen. Er bezeichnete sie als im wesentlichen richtig wiedergegeben.

Berlin, den 25. September 1943.

Grundherr

235 Se vedr. Lunding, von Erdmannsdorffs notits 22. oktober 1943.

236 Se AA til OKM og OKW 15., 18. og 20. september 1943.

237 UM fulgte op på dette 7. og 19. oktober 1943 (se PKB, 4, s. 341).

143. Albert van Scherpenberg: Aufzeichnung 25. September 1943

Scherpenberg drøftede det af Best 17. september fremsatte forslag om at lade Danmark betale en del af besættelsesomkostningerne. Han gjorde opmærksom på, at det ville ændre lidt ved den reelle situation. Nu var der tale om et af Danmark ydet tilskud, som skulle tilbagebetales, og om tilbagebetalingen var der intet aftalt. Det drejede sig i sidste ende mere om et politisk end et finansielt anliggende, da beslutningen afhang af, om Tyskland i fremtiden ville tage hensyn til danskernes selvstændighed og danske politiske ønsker.

I AA fik forslaget foreløbigt lov til at ligge. Grunden er uvis, men også der kan det have mødt modstand. Scherpenberg vendte tilbage til spørgsmålet i en optegnelse 29. oktober 1943.

Kilde: PA/AA R 105.211. BArch, R 901 113.554. RA, pk. 271 og 281.

LR van Scherpenberg — Ha Pol VI 3963/43

A u f z e i c h n u n g

Zu der Anregung des Reichsbevollmächtigten vom dänischen Staat einen Beitrag zu den Besatzungskosten zu verlangen, ist folgendes zu bemerken:

Unter der bisherigen Regelung trägt Dänemark bereits de facto die gesamten Besatzungskosten, wenn auch formell die Verwaltung der Reichskreditkassen zugunsten der dänischen Nationalbank belastet wird.

In der seinerzeit getroffenen Vereinbarung ist eine Abrede über die Rückzahlung nicht aufgenommen. Ein dahingehender dänischer Wunsch ist seinerzeit abgelehnt worden, soweit ich mich entsinne mit der Begründung, daß die Rückzahlungsfrage nach dem Kriegsende geregelt werden könne.

Die dänische Regierung hat bisher unmittelbar keine haushaltsmäßigen Maßnahmen zur Deckung der von der Nationalbank unter Staatsgarantie vorgeschossenen Besatzungskosten getroffen. Indirekt hat sie jedoch im zunehmenden Maße durch Immobilisierung von Bankguthaben, Steuererhöhungen und Anleihen der Inflationsgefahr, die in der bisherigen Art der Finanzierung der Besatzungskosten zweifellos liegt, entgegengewirkt. Insbesondere die diesjährige Finanzgesetzgebung, die unmittelbar die Bildung staatlicher Reservefonds zum Gegenstand hatte, kommt dem Gedanken einer staatlichen Deckung des Notenbankkredits an Deutschland bereits sehr nahe.

Durch die Festsetzung einer dänischen Beitragspflicht würde sich somit sachlich zunächst verhältnismäßig wenig ändern. Es ließe sich jedoch nicht vermeiden, daß durch eine solche Maßnahme die Frage nach dem Schicksal des bisherigen Vorschusses aufgeworfen werden würde. Es würde dadurch zweifellos für die übrigen, insbesondere für den bisher aufgelaufenen Betrag, der Vorschußcharakter und damit auch die Möglichkeit einer Rückzahlung durch Deutschland betont werden.

Es wäre unter diesem Gesichtspunkt wohl vorzuziehen von den Dänen zu verlangen, daß sie im eigenen Interesse und zur Vermeidung inflatorischer Wirkungen von jetzt ab der Nationalbank gegenüber in Höhe ihrer Garantie haushaltsmäßige Deckung für die von der Nationalbank an uns gegebenen Vorschüsse finden. Sie können das sowohl durch Steuermaßnahmen als durch Anleihen machen.

Die Frage der schließlichen Regelung des Vorschusses würde dann nicht präjudiziert worden. Auch würde eine solche Forderung zweifellos politisch leichter zu verwirklichen sein und geringere innenpolitische Auswirkungen haben als eine direkte Forderung auf Beteiligung an den Besatzungskosten.

Letzten Endes handelt es sich mehr um eine politische als um eine finanzielle Frage, da die Entscheidung davon abhängen muß, inwieweit wir in Zukunft noch auf die dänische Selbständigkeit und dänischen politischen Wünschen und Überlegung Rücksicht nehmen wollen.

Hiermit über Pol VI Herrn Gesandten Schnurre mit der Bitte um Weisung vorgelegt.

Berlin, den 25. September 1943

van Scherpenberg

144. Rudolf Brandt an Gottlob Berger 25. September 1943

Berger fik besked om, at Günther Pancke ville indfinde sig to dage senere for at sætte sig nøje ind i danske forhold.

Det var efter alt at dømme med henblik på at forflytte ham til tjeneste i Danmark. Pancke var forud, den 16. september, udnævnt til fører i RFSS' stab, hvilket i det mindste kan tages til udtryk for, at det allerede da var besluttet, at han ikke skulle tilbage til Kiev. Muligvis var han allerede på det tidspunkt udset til en post i Danmark, da Himmler vidste, at der bl.a. var planer om en aktion mod de danske jøder (Lundtofte 2003, s. 51).

Kilde: RA, pk. 443a (Akt Pancke, koncept).

F e r n s c h r e i b e n

Dringend!

SS-Obergruppenführer Berger
Chef des SS-Hauptamtes
Berlin

Lieber Obergruppenführer!
Der Reichsführer-SS hat SS-Gruppenführer Pancke mitteilen lassen, das er sich nicht nach Kiew zurückbegeben, sondern sich am Montag, dem 27.9.1943 bei Ihnen einfinden solle, um die dänischen Dinge sehr genau zu studieren.

Heil Hitler!
Ihr
gez. **R. Brandt**
SS-Obersturmbannführer

25.9.1943
Bra/H.

145. Kriegstagebuch/Admiral Dänemark 25. September 1943

Der var taget nogle danske fiskekuttere i brug af Kriegsmarine, og Wurmbach gjorde opmærksom på, at det endnu ikke var besluttet, på hvilken måde den danske marine skulle have at vide, at Kriegsmarine havde taget det samlede krigsmateriel i brug. Da andre beslaglæggelser af danske skibe var i vente, fandt Wurmbach det hastende, at danskerne fik besked. Gennem WB Dänemark havde OKW spurgt, om Wurmbach havde et forslag til, hvordan personalet til minerydningen i Danmark kunne skaffes. Wurmbach fandt det for tiden udsigtsløst at forsøge at hverve nogle af de internerede. Enhver yderligere skærpelse af den politiske situation ville sandsynligvis udskyde den frivillige hvervning på ubestemt tid. WB Dänemark delte den opfattelse.

Kilde: KTB/ADM Dän 25. september 1943, RA, Danica 628, sp. 3, s. 3080-82.

[...]

10.00 h Zur Behandlung der dänischen Kriegsfahrzeuge:

1.) Mit Schreiben vom 17.9. war von der dänischen Marine Auskunft erbeten, wann die von ihr gecharterten Fischkutter, die von uns beschlagnahmt worden sind, zurückgegeben würden, damit sie den Eignern wieder ausgehändigt werden könnten.

2.) OKM 1. Skl. hat hierzu am 20.9. entschieden, daß diese Fischkutter wie die übrigen Kriegsschiffe zu behandeln sind, daß wir also nicht in die Chartervortrage einzutreten haben, sondern daß die Abfindung der Eigner weiter Angelegenheit des dänischen Staates sei. Eine endgültige Regelung dieser Frage unsererseits hätte mit dem dän. Staate wie bei den Kriegsschiffen erst nach dem Kriege zu erfolgen.

3.) Eine Entscheidung darüber, in welcher Form die dänische Marine davon in Kenntnis zu setzen ist, daß das gesamte Kriegsmaterial einschließlich der Schiffe von der deutschen Marine zu beliebigem Gebrauch und Verbrauch in Besitz zu nehmen ist, ist bis heute noch nicht ergangen.

4.) Inzwischen sind jedoch schon 3 Fischkutter an den Netsperrverband Finnenbusen abgegeben. Da die Rechtslage den Dänen gegenüber noch immer nicht geklärt ist, hat dies seine Bedenken, weil hierdurch der dänischen Agitation – wir raugten ihnen ihr Kriegsmaterial – Nahrung gegeben wird.

5.) Weiter werden von verschiedenen Marinedienststellen beschlagnahmte Schiffe auf Veranlassung des OKM besichtigt, um festzustellen, wo sie weiter Verwendung finden können. Es ist also damit zu rechnen, daß sie in nächster Zeit aus dem dänischen Raum in deutschen Häfen überführt werden. Auch diesem Grunde ist es dringend erwünscht, daß die Entscheidung über die Verwendung des Kriegsmaterials baldigst den Dänen zur Kenntnis gebracht werden kann.

19.00 h Bef. Dän. ließ mich wissen, das OKW, Wehrmachtsführungsstab angefragt habe, ob ich einen Vorschlag machen können, ob und wie der Personalbedarf für eine dänische, zivile Minensuchflottille vorweg vor den sonstigen Entlassung der dänischen Restwehrmacht gedeckt werden könne. Ich habe hierzu wie folgt Stellung genommen:

1.) Vorzeitige Herausziehen etwa für ziviles Minensuchen williger Elemente aus Inhaftierten völlig aussichtslos.

2.) Dänische Marine in der Hauptsache an nur 3 Stellen in Kopenhagen inhaftiert, daher z.Zt. untereinander völlig solidarisch, bestärkt durch für sie ungeklärte Rechtslage seit 29.8.

3.) Aussicht, erforderliche Kräfte von etwa 500-600 Mann zu gewinnen, nur gegeben, nach baldiger Freigabe *sämtlicher* Inhaftierten und nach Ablauf einer gewissen Beruhigungszeit, wenn ferner persönliche wirtschaftliche Nöte für den Einzelnen mitzusprechen beginnen, und wenn schließlich Aufruf ausschließlich durch dänische Zivilbehörde erfolgt, die dänisches Interesse besonders herausstellen muß.

4.) Annehme, daß sich Marine bei jetziger Volksstimmung mit Heer solidarisch erklärt, so daß mögliche Absage im Interesse des Ansehens des deutschen Reiches vermieden werden muß.

5.) Jede weitere politische Verschärfung wird wahrscheinlich Gesamtaktion freiwilliger Werbung auf unbestimmte Zeit verzögern.

Der Truppenbefehlshaber Dänemark schloß sich meinem Standpunkt uneingeschränkt an und berichtete entsprechend an OKW/WFSt.[238]

gez. **Wurmbach**

146. Das Auswärtige Amt an OKM und OKW 25. September 1943

Af den tyske gesandt i Madrid, Sigismund von Bibra, havde AA fået oplyst, at der var risiko for, at de tre oplagte danske skibe i Las Palmas ville sejle ud. Fortroligt havde gesandten fået at vide, at de spanske myndigheder ikke længere ville hindre skibenes afsejling. Gesandt von Bibra havde derfor henvendt sig til den danske gesandt K.A. Monrad-Hansen for at få ham til at opsøge det spanske udenrigsministerium for at hindre afsejlingen. Det havde den danske gesandt afvist, da han ikke havde modtaget instrukser fra Danmark siden 25. august. Det Tyske Gesandtskab i København havde nu fået besked om at få UM til at henvende sig til den danske gesandt i Madrid for at få ham til at opsøge de spanske myndigheder.

Se OKM til Marineattaché samme dag.

Kilde: BArch, Freiburg, RM 7/1187. RA, Danica 628, sp. 7, s. 5405f.

Auswärtiges Amt
Ha Pol 5943/43 g II

Berlin, den 25. September 1943

Schnellbrief

An
das Oberkommando der Kriegsmarine
– 1. Abteilung Seekriegsleitung –
das Oberkommando der Wehrmacht
– Sonderstab HWK –
z.Hd. von Herrn Kapt. zur See Vesper
– je besonders –

Betr.: Dänische Schiffe in Las Palmas.
Mit Beziehung auf meine Schreiben vom 18. September d.J. – Ha Pol 5777/43g – und vom 20. September d.J. – Ha Pol 5853/43 g –[239]

238 WB Dänemark skrev til OKW/WFSt samme dag og gengav Wurmbachs synspunkter, som han gjorde til sine egne (BArch, Freiburg, RW 4/639).

239 Begge skrivelser er trykt ovenfor.

Von der Deutschen Botschaft in Madrid ging der nachstehende Drahtbericht ein:
(Der nachstehende Text darf unter keinen Umständen im Wortlaut weitergegeben werden).

"Konsul Las Palmas meldet, daß Gefahr besteht, daß die drei dänischen Schiffe schon sehr bald auslaufen. Der dänische und der englische Konsul haben wegen Entfernung von Maschinenteilen protestiert und insbesondere geltend gemacht, daß Reederei in Kopenhagen wegen deutscher Okkupation Dänemarks unfrei, sei und daß sich die Kapitäne deshalb den Befehlen der Reedereiniederlassung in New York zu unterwerfen hätten.

Wie Marineattaché streng vertraulich in spanischem Handelsschiffahrtsamt erfahren hat, soll spanischer Außenminister Weisung gegeben haben, daß die dänischen Schiffe nicht mehr wie bisher befohlen durch spanische Marinebehörde am Auslaufen verhindern werden. Ferner soll ein englischer Dampfer am 22. September in Las Palmas einen Norweger, sieben Engländer und dreiundvierzig Dänen ausgeschifft haben, die zur Auffüllung Besatzung dänischer Schiffe dienen sollen.[240]

Gesandter von Bibra aufsuchten heute in meinem Auftrag dänischen Gesandten, um ihn zu veranlassen, bei spanischem Außenministerium Verhinderung des Auslaufens durch spanische Marinebehörden in Las Palmas zu erbitten. Gesandter erklärte, daß er seit fünfundzwanzigsten August von seinem Ministerium vollkommen abgeschnitten sei und keinerlei Weisungen mehr empfange. Ohne Befehl dänischen Außenministeriums wird er nichts unternehmen. Anheimstelle daher unverzüglich entsprechende Weisung dänischen Außenministeriums an hiesigen dänischen Gesandten zu veranlassen. Ich habe heute spanisches Außenministerium unter Hinweis auf entsprechende Anordnungen der dänischen Reederei und der dänischen Regierung, die den Kapitänen das Auslaufen verbieten, gebeten, durch entsprechende Weisungen an spanische Hafenbehörden Las Palmas Auslaufen zu verhindern.

Es erscheint mir sehr zweifelhaft, ob dieser Schritt Ergebnis zeitigen wird."

Die Deutsche Gesandtschaft in Kopenhagen hat Weisung erhalten, unverzüglich das Außenministerium zu veranlassen, dem dänischen Gesandten in Madrid Weisung zu erteilen, bei spanischem Außenministerium Verhinderung des Auslaufens durch spanische Marinebehörde in Las Palmas zu erbitten.

Weitere Nachrichten bleiben vorbehalten.

Im Auftrag
Bisse

147. OKM an Marineattaché 25. September 1943

OKM orienterede den tyske marineattaché i Madrid om situationen vedrørende de oplagte danske handelsskibe i Las Palmas. AA regnede med, at den danske gesandt i Madrid ville følge de instrukser, han ville få fra UM modsat den tyske marineattaché. Det var ikke umiddelbart muligt at bringe tysk ret i anvendelse i sagen, da Danmarks statsretlige stilling var uafklaret.

Se AA til OKM og OKW 28. september 1943.

Kilde: BArch, Freiburg, RM 7/1187. RA, Danica 628, sp. 7, s. 5408f.

240 Den tyske marineattaché i Madrid sendte en fjernskrivermeddelelse derom 23. september. Den er i afskrift i BArch, Freiburg, RM 7/1187.

Oberkommando der Kriegsmarine *Berlin, den 25.9.43*
Neu B. Nr. 1/Skl. Ii 26911/43 g.Kdos. Geheime Kommandosache

An M. Att. Prf. Nr. 1
nachr. M – – 2
OKM/Ausl. – – 3

Vorg.: M. Att. III 2409 [2282]/43 g.Kdos. vom 25.9.1943
Betr.: Dänische Handelsschiffe in Las Palmas.

Nach weiterer mündlicher Mitteilung des Ausw. Amtes (Gesandter Dr. Leitner) hat das Ausw. Amt inzwischen noch den Reichsbevollmächtigten Dr. Best in Kopenhagen angewiesen, das dänische Außenamt zu veranlassen, den dänischen Gesandten in Madrid anzuweisen, bei dem spanischen Außenminister sicherzustellen, daß das Auslaufen der dänischen Schiffe auch in Zukunft verhindert wird. Die Deutsche Gesandtschaft in Madrid ist entsprechend unterrichtet worden.

Nach Auffassung des Ausw. Amtes kann damit gerechnet werden, daß der dänische Gesandte in Madrid dem Ersuchen des dänischen Außenamtes Folge leisten wird. Die von Marineattaché ausgesprochene Befürchtung, daß die Weisungen des dänischen Außenamtes infolge der neuen Verhältnisse in Dänemark in Madrid nicht mehr befolgt werden, wird vom Ausw. Amt nicht geteilt.

Sonstige unmittelbare Einwirkungsmöglichkeiten auf die Spanische Regierung aus eigenem deutschen Recht werden z.Zt. nicht gesehen, da bisher noch nicht klar ist, ob und in welcher Weise sich die bisherige staatsrechtliche Lage Dänemarks auf Grund des vorläufig nur als vorübergehend bezeichneten Ausnahmezustandes ändert.

C/Skl. i.A.
1/Skl

148. Werner Best an das Auswärtige Amt 26. September 1943

Dagsindberetning.
Kilde: PA/AA R 29.567. RA, pk. 203.

Telegramm

Kopenhagen, den 26. September 1943 16.00 Uhr
Ankunft, den 26. September 1943 16.40 Uhr

Nr. 1132 vom 26.9.[43.] Citissime!

Ich bitte, die folgenden Meldungen unverzüglich dem Herrn Reichsaußenminister zuzuleiten:
1.) Aus der Nacht vom 25. zum 26.9.43 sind die folgenden Vorfälle gemeldet worden:

a.) In Kopenhagen Sabotage in einer Autoreparaturwerkstatt, die nicht für deutsche Zwecke arbeitete.[241]
b.) In Odense Beschädigung eines Hochspannungsturmes durch Sprengung.[242]
c.) In Jütland 8 Fälle von Bahnsabotage. Der Befehlshaber der deutschen Truppen in Dänemark hat wegen dieser Fälle für Jütland die Nachtsperrstunde von 21 auf 20 Uhr vorverlegt.[243]

2.) Der Befehlshaber der deutschen Truppen in Dänemark hat für den 25.9.43 die folgende Tagesmeldung erstattet: "Keine besonderen Ereignisse."

Dr. Best

149. Gottlob Berger an Heinrich Himmler 26. September 1943

Efter ordren om, at 4.000 danske rekrutter tvangsmæssigt skulle sendes til Tyskland, sendte Berger to repræsentanter for at forhøre sig om stemningen i Danmark. De kom hjem med det indtryk, at ordren ikke burde udføres, hvilket Berger med sin anbefaling lod gå videre til Himmler. Skulle der vindes danske soldater for Tyskland, måtte det ske via Schalburgkorpset. Med sin brutale fremfærd havde WB Dänemark ødelagt arbejdet for at skaffe frivillige fra det danske officerskorps.

Givetvis havde Best formået at overbevise Bergers repræsentanter om sin indstilling. Han mødtes i hver fald med dem, og Berger støttede denne forklaring 24. april 1948 (LAK, Best-sagen). Der er næppe tvivl om, at Himmler godt kunne finde ud af, at Best havde været blandt modstanderne af hans plan, selv om Berger ikke nævnte Best i sit brev. Det har kun kunnet forværre Bests forhold til RFSS, selv om han i øvrigt gjorde, hvad han kunne for at imødekomme RFSS' ønsker. Det var en pris, som Best måtte betale. I dette tilfælde kunne han ikke både sikre en fremtidig tålelig situation for at arbejde for tyske interesser i Danmark og imødekomme RFSS. Det skulle komme til at koste ham dyrt.[244]

Så let lod Himmler imidlertid ikke sagen falde, se Bests telegram nr. 1156, 29. september og AA til Best 1. oktober 1943 (Bests kalenderoptegnelser 24. og 25. september 1943, Yahil 1967, s. 147. Moll 1997, s. 218 note 46 har misforstået indholdet af telegrammet).

Kilde: BArch, NS 19/3473. RA, Danica 1069, sp. 6, nr. 7070f. RA, Danica 1000, T-175, sp. 521.032f. RA, pk. 443. LAK, Best-sagen (afskrift).

Der Reichsführer-SS
Chef des SS-Hauptamtes
Douglasstr. 7/11
VS-Tgb. Nr. 6092/43 geh.
Adjtr-Tgb. Nr. 3025/43 geh.

Berlin-Grünewald, den 26.9.1943

Betr.: Werbung Dänemark.

241 Der blev brugt brandbomber mod "Simo"s Autoværksteder, Jernbane Allé 5-7, København. Tyske interesser blev ifølge Rü Stab Dänemark ikke berørt (Sabotagehandlungen in der Zeit vom 17.9.-7.10.1943 (bilag til Forstmann til Waeger 8. oktober 1943, trykt nedenfor), Alkil, 2, 1945-46, s. 1221).

242 Der indtraf en eksplosion ved stærkstrømsledningen fra Havnecentralen ved Odense Kanal. Ifølge Rü Stab Dänemark førte det ikke til en strømafbrydelse, idet kun cementsoklen blev stærkt beskadiget (Sabotagehandlungen in der Zeit vom 17.9.-7.10.1943 (bilag til Forstmann til Waeger 8. oktober 1943, trykt nedenfor), Alkil, 2, 1945-46, s. 1221).

243 Lokale sabotagegrupper havde aftalt en koordineret aktionsserie (Trommer 1971, s. 74).

244 Duckwitz har i sine erindringer blik for, at Bests stilling i denne sag forværrede forholdet til RFSS (Duckwitzs erindringer u.å. kap. VI, s. 16 (PA/AA, Nachlass Georg F. Duckwitz, bd. 29)).

Bezug: Befehl Reichsführer-SS vom 24.9.1943

An Reichsführer-SS und Reichsminister des Inneren
Berlin SW 11
Prinz-Albrecht-Str. 8

Reichsführer!
Da es mir aus dienstlicher Überlastung nicht möglich war, selbst nach Dänemark zu fliegen, schickte ich SS-Obersturmbannführer Dr. Riedweg und SS-Standartenführer Dr. Jacobsen nach dort, und zwar mit dem Auftrag, daß Dr. Riedweg mit den amtlichen Stellen, Dr. Jacobsen mit seinen vielen Freunden, die er in Dänemark hat, Verbindung aufnimmt, um ein klares Bild von der tatsächlichen Lage zu erhalten. Beide sind gestern zurückgekehrt und melden folgendes:

Der größte Teil der Internierten betrachtet sich als Kriegsgefangene und – nachdem die Ereignisse der letzten Wochen beiderseits zum Blutvergießen geführt haben – im Kriegszustand mit Deutschland. Die besten Kräfte pochen auf ihre soldatische Ehre und weigern sich, aus der Internierung entlassen zu werden. Vor allem Dingen verhalten sich die früheren deutschfreundlichen Elemente nach den Geschehnissen restlos abweisend. Bei der Deportation nach Deutschland, die noch in Frage kommen würde, handelt es sich um insgesamt 5.000 Heeresangehörige, dazu 600 Offiziere und 700 Offiziersanten. Der Wehrmachtsbefehlshaber wehrt sich dagegen, daß nur ein Teil nach Deutschland gebracht wird. Wenn schon damit begonnen, müssen wir alle nehmen. Die Deportation nach Deutschland würde aber in Dänemark als endgültige Erklärung des Kriegszustandes aufgefaßt werden.

Aus diesem Grunde bitte ich, davon absehen zu wollen, daß wir uns vorerst in diese Angelegenheit mischen.

Es ist für mich kein Zweifel darüber, daß aus reinen Prestige-Gründen der Wehrmachtsbefehlshaber zusammen mit dem Wehrmachts-Führungsstab hier in politische Dinge eingriffen hat, ohne die Folgen zu übersehen.

Ich war mit dem Schalburg-Korps bereits so weit, daß wir Freiwillige aus den Kreisen des dänischen Offiziers- und Unteroffiziers-Korps für uns gewonnen haben. Die brutalen Maßnahmen des Herrn General von Hanneken haben diese Aufbauarbeit zerstört. Wenn wir uns jetzt in diese Angelegenheit mischen, müssen wir letzten Endes die Verantwortung übernehmen, und ich bitte Reichsführer-SS, hiervon Abstand nehmen zu wollen.

Der Weg über das Schalburg-Korps ist der einzige noch übrig gebliebene Weg der Verständigung mit Dänemark.

Wir sind nun in den germanischen Ländern mit unserem Latein zu Ende, ausgenommen Flandern, wo die Arbeit – trotz der im Augenblick nicht rosigen Lage Deutschlands – stetig und still bewußt voranschreitet. Einzig und allein, weil wir in Flandern nicht von vornherein offiziell Schwierigkeiten gemacht wurden. Auch in anderen Ländern wären wir heute wesentlich weiter, wenn man uns diese Arbeit allein überlassen hätte und nicht die Herren, Auswärtiges Amt und Arbeitsstab der NSDAP die Arbeit erschwerten.

G. Berger
SS-Obergruppenführer

150. Kriegstagebuch/Seekriegsleitung 26. September 1943

Wurmbach nedfældede, at der havde været ca. 50 sabotager i anledning af den danske konges fødselsdag. Fra MOK Ost havde Wurmbach modtaget kopi af WB Dänemarks stillingtagen til muligheden af hvervning af internerede danskere til civil minerydning, en indstilling OKW/WFSt havde tilsluttet sig.

Denne indstilling var en omtrent ordret gengivelse af, hvad Wurmbach dagen før mente i den samme sag. Se KTB/ADM Dän 25. september 1943.

Kilde: KTB/Skl 25. september 1943, s. 525.

[...]

Eigene Lage:

[...]

Adm. Dänemark meldet, daß sich in der Nacht zum 26.9., dem Geburtstag des dänischen Königs, auf Jütland insges. rd. 50 Sabotagefälle an Verkehrs- und Versorgungsanlagen ereignet haben, deren Schadenwirkung an sich verhältnismäßig gering blieb. (s. Fs. 1209).

MOK Ost übermittelt zur Kenntnisnahme Stellungnahme von Adm. Dänemark, die Truppenbefh. Dänemark in Angelegenheit Behandlung dänischer Wehrmacht auf Anfrage OKW/WFSt vorgelegt und der er sich voll angeschlossen hat. Stellungnahme hat folgenden Wortlaut:

"1.) Vorzeitiges Herausziehen etwa für ziviles Minensuchen williger Elemente aus Inhaftierten völlig aussichtslos.

2.) Dänische Marine in der Hauptsache an nur drei Stellen in Kopenhagen inhaftiert, daher z.Zt. untereinander völlig solidarisch, bestärkt durch für sie ungeklärte Rechtslage seit 29.8.

3.) Aussicht, erforderliche Kräfte von etwa 500/600 Mann zu gewinnen, nur gegeben, nach baldiger Freigabe sämtlicher Inhaftierten und nach Ablauf einer gewissen Beruhigungszeit, wenn ferner persönliche wirtschaftliche Nöte für den Einzelnen mitzusprechen rechnen beginnen und wenn schließlich Aufruf ausschließlich durch dänische Zivilbehörde erfolgt, die dänisches Interesse besonders herausstellen muß.

4.) Annehme, daß sich Marine bei jetziger Volksstimmung mit Heer solidarisch erklärt, so daß mögliche Absage im Interesse des Ansehens des Deutschen Reiches vermieden werden muß.

5.) Jede weitere politische Verschärfung wird wahrscheinlich Gesamtaktion freiwilliger Werbung auf unbestimmte Zeit verzögern."

Fs. gem. 1/Skl 2936/43 Gkdos. Chefs. in KTB Teil C Heft III.

Truppenbefh. Dänemark hat sich demnach nunmehr Auffassung der Marine angeschlossen. Entscheidung des OKW bleibt abzuwarten.

[...]

151. Werner Best an das Auswärtige Amt 27. September 1943

Dagsindberetning.

Kilde: PA/AA R 29.567. RA, pk. 203.

Telegramm

Kopenhagen, den	27. September 1943	13.45 Uhr
Ankunft, den	27. September 1943	14.30 Uhr

Nr. 1134 vom 27.9.43. Citissime!

Ich bitte, dem Herrn Reichsaußenminister die folgenden Meldungen unverzüglich zuzuleiten:

1.) Der 26.9.43 73. Geburtstag des dänischen Königs ist im ganzen Lande ohne den geringsten Vorfall verlaufen. Es war allgemein im Rahmen der in meinem Telegramm Nr. 1117 vom 22.9.43[245] gemeldeten Anordnungen des Befehlshabers der deutschen Truppen in Dänemark geflaggt und dekoriert. In Presse und Rundfunk wurde der Geburtstag des Königs in maßvoller Weise erwähnt.

2.) In der Nacht vom 26. zum 27.9.43 ist in Taastrup bei Kopenhagen eine kleine Maschinentischlerei, die für die deutsche Wehrmacht arbeitet, durch Sabotagebrand zerstört worden.[246]

3.) Der Befehlshaber der deutschen Truppen in Dänemark hat für den 26.9.43 die folgende Tagesmeldung erstattet: "Zahlreiche Eisenbahnsprengungen an 23 Stellen in der Nacht vom 25. zum 26.9.43 auf Jütland. Schwerpunkte an Strecke Flensburg-Aalborg, bei und südlich Tingleff, ferner zwischen Horsens und Aarhus, bei Randers und bei Aalborg.

An Strecke Sonderburg-Tondern-Esbjerg Sprengungen westlich Sonderburg, ostwärts und nördlich Tondern. Sämtliche Hauptbahnstrecken wieder befahrbar. Strekke Randers-Hadsund und Strecke Vaarup-Viborg (Nebenbahnen) noch gesperrt.

Sprengpatronen sind englischen Ursprungs. Bei guter Anbringung der Sprengladung wurden Schienenstücke in Länge von 30 bis 50 cm herausgerissen. Bei schlechter Anlage Schienen nur gelockert, keine ernstlichen Beschädigungen von Bahndamm oder sonstigen Teilen des Bahnkörpers.[247]

In Kopenhagen und Odense/Fünen je ein unbedeutender Sabotagefall. Auf Jütland verschärfte Ausnahmebestimmungen angeordnet.

Wenn in meinem Telegramm Nr. 1132 vom 26.9.43[248] von acht Bahnsabotagen in Jütland die Rede war, so waren acht Plätze mit je mehreren Einzelsprengungen gemeint.

Dr. Best

245 Trykt ovenfor.

246 Det drejede sig om Taastrup Maskinsnedkeri (Alkil, 2, 1945-46, s. 1221).

247 Denne serie jernbanesabotager markerede Christian 10.s fødselsdag og blev udført af modstandsgrupper under J.M. Bøge fra Tønder, der anvendte materiel fra SOE (Trommer 1973, s. 129).

248 Trykt ovenfor.

152. Werner Best an das Auswärtige Amt 27. September 1943

Best rykkede AA for svar på sin anmodning om fem befuldmægtigede embedsmænd.

Kilde: PA/AA R 29.567. RA, pk. 203.

Telegramm

Kopenhagen, den	27. September 1943	20.10 Uhr
Ankunft, den	27. September 1943	20.55 Uhr

Nr. 1138 vom 27.9.[43.]

Unter Bezugnahme auf mein Telegramm Nr. 1109[249] vom 21. September bitte ich um Mitteilung, ob die von mir beantragten fünf höheren Verwaltungsbeamte vom Reichsinnenministerium angefordert sind. Ich möchte, sobald die Anforderung erfolgt ist, aus meiner Personalkenntnis der inneren Verwaltung auf die Auswahl der Beamten Einfluß nehmen.

Dr. Best

153. Werner Best an das Auswärtige Amt 27. September 1943

Best rykkede for svar vedrørende sit ønske om oprettelsen af en tysk særdomstol med ham selv som øverste instans.

Det fik han indtil videre ikke svar på (Rosengreen 1982, s. 44).

Kilde: PA/AA R 29.567. RA, pk. 203 og 233. LAK, Best-sagen (afskrift).

Telegramm

Kopenhagen, den	27. September 1943	20.10 Uhr
Ankunft, den	27. September 1943	20.55 Uhr

Nr. 1139 vom 27.9.[43.] Citissime!

Unter Bezugnahme auf mein Telegramm Nr. 1101[250] vom 1. September 1943 bitte ich, die Errichtung eines deutschen Sondergerichts mit mir als Gerichtsherrn möglichst bald zu veranlassen, damit das Gericht nach der Aufhebung des militärischen Ausnahmezustandes unverzüglich in Tätigkeit treten kann.

Dr. Best

249 Pol VI (V.S.). Trykt ovenfor.

250 wohl Drahtbericht Nr. 1001 vom 1.9.43 bei Pol VI (V.S.) betr. Neuordnung in Dänemark. Trykt ovenfor.

154. Franz Ebner an das Auswärtige Amt 27. September 1943

Ebner orienterede AA om den ændrede aftale, der efter WB Dänemarks ønske var indgået om priskontrol med visse byggearbejder og anlægsvirksomhed i Danmark (Jensen 1971, s. 218).

Kilde: BArch, R 901 113.554. RA, pk. 271.

Der Bevollmächtigte des Reiches in Dänemark *Kopenhagen, den 27. Sept. 1943*
Gesch. Zeich.: III/5482/43
2 Anlagen[251]

Betrifft: Bekanntmachung Nr. 553 vom 23. Dezember 1941, betreffend die Preisprüfung bei gewissen Unternehmer- und Bauarbeiten für die Deutsche Wehrmacht in Dänemark;[252] Abänderung des Verfahrens.[253]

An das Auswärtige Amt
Berlin

Im Nachgang zu meinen Berichten vom 29. Dezember 1941 –Wi/4552/41 – und vom 23. Januar 1942 –Wi/14/42[254]– berichte ich:
Anfangs April 1943 wurde vom Befehlshaber der deutschen Truppen in Dänemark der Wunsch geäußert, daß im Interesse der Geheimhaltung militärisch wichtiger Tatsachen die vom dänischen Handelsministerium einvernehmlich mit der Wehrmacht am 23. Dezember 1941 verlautbarte Bekanntmachung Nr. 553, betreffend Überprüfung der Kontraktpreise bei gewissen Unternehmer- und Bauarbeiten für die deutsche Wehrmacht in Dänemark, samt dem dazu gehörenden vertraulichen Notenwechsel vom 29. Dezember 1941/2. Januar 1942 aufgehoben und die Preiskontrolle künftig durch deutsche Kontrollstellen ausgeübt werden soll. Im Zuge der daraufhin mit den militärischen Dienststellen und dem dänischen Außenministerium aufgenommenen Verhandlungen kam ein Einvernehmen des Inhalts zustande, daß die Preiskontrolle auch künftig von der hierfür vorgesehenen dänischen Stelle (Beauftragter des dänischen Außenministeriums in Industriesachen) vorgenommen werden könne, wenn das zur Zeit gehandhabte Verfahren derart abgeändert werde, daß den militärischen Erfordernissen nach Geheimhaltung gewisser Aufträge Rechnung getragen wird.

Auf Grundlage dieses Einvernehmens ist der in Abschrift beigefügte Notenwechsel zwischen der Behörde des Reichsbevollmächtigten und dem dänischen Außenministerium vom 8./15. September 1943 durchgeführt worden, dessen Wortlaut der Befehlshaber der deutschen Truppen in Dänemark zugestimmt hat.

In Vertretung
Ebner

251 Bilagene er ikke eftersøgt.
252 Trykt hos Alkil, 1, 1945-46, s. 49.
253 Se Industrirådets cirkulære 24. september 1943, trykt hos Alkil, 1, 1945-46, s. 111.
254 De to indberetninger er ikke eftersøgt.

155. OKW/WFSt an das Auswärtige Amt 27. September 1943

OKW/WFSt meddelte, at Hitler ville have fremskyndet fremlæggelsen af et udkast til ordre til WB Dänemark vedrørende behandlingen af ca. 5.000 internerede danske soldater. Det skulle overvejes, om de enten for en tid skulle overføres til Tyskland til skoling eller, om de skulle samles og skoles af danske nazister (Frikorps Danmark), for efterhånden at vinde dem for Tyskland. AA blev bedt om et omgående svar.

Best afgiv sin indstilling til AA med telegram nr. 1156, 29. september 1943.

Kilde: RA, pk. 203. LAK, Best-sagen (afskrift).

Telegramm

GWNOL, den	27. September 1943	17.35 Uhr
Ankunft, den	27. September 1943	18.25 Uhr

Nr. ohne

Auswärtige Amt z.Hd. Botschafter Ritter "Westfalen."
Reichsführer SS und Chef der dt. Polizei
SS-Kommandostab Hochwald z.Hd. SS-Standartenführer Rohde.

Geheime Kommandosache
Chef OKW beabsichtigt, dem Führer beschleunigt Entwurf einer Weisung an Befehlshaber der deutschen Truppen in Dänemark für die Behandlungen der etwa 5.000 internierten dänischen Soldaten des Heeres (außer Berufssoldaten) vorzulegen. Zur Erwägung steht a.) ihre Überführung auf befristete Zeit zum Arbeitseinsatz und zur Schulung nach Deutschland, b.) ihre Zusammenfassung und Schulung durch dänische Nationalsozialisten (Korps Danmark), um aus ihnen nach und nach die benötigten Kräfte zu gewinnen.

Es wird um möglichst umgehende Stellungnahme gebeten.

gez. i.A. **Frhr. v. Buttlar**
OKW/WFST/Qu 2(N) Nr. 005713/43 gKdos

156. OKW/WFSt an das Auswärtige Amt 27. September 1943

OKW/WFSt sendte AA en meddelelse om, hvordan man ville forholde sig over for de danske officerer og den danske hærs krigsmateriel og begrundelsen derfor. Det danske officerskorps var tyskfjendtligt og havde forberedt krigsførelse mod Tyskland. Derfor skulle et antal officerer føres til Tyskland som krigsfanger, og den danske hærs materiel betragtes som krigsbytte.

Det fremgår, at von Hannekens opfattelse havde fundet lydhørhed i OKW, såvel med hensyn til den danske hærs fjendtlighed, som ønsket om at den danske hærs materiel blev taget som krigsbytte (se WB Dänemark citeret af MOK Ost til Seekriegsleitung 18. og 19. september 1943). Imidlertid må der enten have været et betydeligt kommunikationssvigt i OKW, for Keitel havde 4 dage tidligere på OKW/WFSts vegne over for WB Dänemark erklæret det danske krigsmateriel som fortsat dansk ejendom, men med tysk brugsret, eller Hitler havde på trods af alt grebet ind med en kontraordre. Det sidste var tilfældet, som det fremgår allerede af Buttlars foranstående telegram fra 27. september og af Seekriegsleitungs notat 29. september 1943 nedenfor. Denne førerindgriben gik på tværs af alle omhyggelige overvejelser og planer hos de underordnede, men det blev ikke derved, som det vil fremgå.

Best afgav sin indstilling til AA med telegram nr. 1156, 29. september 1943.
Kilde: LAK, Best-sagen (afskrift).

Telegramm

GWNOL, den	27. September 1943	17.35 Uhr
Ankunft, den	27. September 1943	18.25 Uhr

Ohne Nummer (37244)

Auswärtiges Amt
z.Hd. Botschafter Ritter, "Westfalen."

Da dänisches Offizierskorps sich in einem gesamten Verhalten durchaus feindlich gegenüber der deutschen Wehrmacht eingestellt hat und nachweisbar insbesondere aus den höheren Chargen bewußt Propaganda gegen unsere Kriegsführung betrieben wurde, außerdem Waffen und Gerät sowie Bekleidung weit über das zulässige Maß hinaus gefunden wurden und damit von der dänischen Heeresleitung bewußt gegen die Abmachungen verstoßen wurde, ist beabsichtigt, 1) die 1304 dänischen Berufssoldaten (Offiziere und Offizianten) als Kriegsgefangene nach Deutschland zu überführen, 2) das Kriegsgerät der dänischen Armee als Kriegsbeute zu behandeln.

Diese Maßnahmen sollen begründet werden mit dem Verstoß der dänischen Heeresleitung gegen die Abmachungen mit Deutschland.

Um beschleunigste Stellungnahme wird gebeten.

gez. i.A. **Frhr. v. Buttlar**

157. Helmut Scheel an H.W. Schacht 27. September 1943

Med AA som mellemled og kurér modtog Det Tyske Gesandtskabs kulturattaché Hans Werner Schacht et brev fra professor Helmut Scheel ved Det Preussiske Videnskabsakademi bilagt et referat af et møde i København 15. september, hvor foruden Scheel og Schacht også Best og præsidenten for Det Preussiske Videnskabsakademi, professor Hermann Grapow deltog. Dette anliggende på højt niveau drejede sig ene og alene om den danske statsborger Wolja Erichsens forlæggelse af sine studier til Danmark for en tid. Erichsen var siden 1925 som videnskabsmand og orientalist ansat ved Det Preussiske Videnskabsakademi i Berlin. Nu skulle der findes en ordning for ham, så han kunne rejse mellem Tyskland og Danmark og studere i Danmark. Der var stor velvilje fra alle sider, og også professor Johannes Pedersen fra Videnskabernes Selskab tilsagde sin støtte til et samarbejde, der havde stået på i næsten 20 år. Udgifterne i forbindelse med Erichsens ophold i Danmark blev afholdt af Carlsbergfondet.

Videreførelsen af dette samarbejde på det videnskabelige plan var en stor succes for kulturattaché Schacht og Best. Året 1943 havde i den henseende ellers mest været præget af skuffelser, den ene videnskabsmand efter den anden havde sagt fra til et samarbejde med tyske fagfæller endsige imødekommet indbydelser. Undtagelserne var arkæologen Mogens Mackeprang,[255] historikeren Louis Bobé,[256] juristerne dr. C. Popp-

255 Mackeprang opretholdt kontakten til bl.a. en række tyske arkæologer og modtog enkelte af dem i København (se Schreiber Pedersen 2007b, s. 548).
256 Hvor samarbejdet om en udgivelse af Klopstockbreve alligevel ikke blev til noget pga. devisemangel (se

Madsen[257] og Erik Reitzel-Nielsen,[258] afdelingsleder ved Carlsberg Laboratoriet dr. Niels Nielsen[259] og zoologen dr. Ingvald Lieberkind.[260] Som Hans Frebold ved Det Tyske Videnskabelige Institut konstaterede 18. maj 1943 i forbindelse med en forudsigelig forgæves invitation af professor Johannes Brøndum-Nielsen til Hamburg: "Im übrigen auch sonst kaum von wenigen Ausnahmen abgesehen mit der Annahme von Einladungen dänischer Wissenschaftler nach Deutschland gerechnet werden könne." (Hans Kirchhoff an Schacht 16. juli, 20. juli, 20. august, 4. september 1943, Hans Frebold Stellungnahme 18. maj 1943, alle aftrykt i Revsgaard Andersen u.å., der rummer gennemslag af Kirchhoffs interne akter fra Det Tyske Videnskabelige Institut i København).

Kilde: RA, Vesterdals nye pakker, pk. 1.

K Kult 606/43

Preußische Akademie der Wissenschaften
Der Direktor
Professor Dr. Scheel

Berlin, den 27. September 1943
NW 7 Unter den Linden 8
Fernsprecher: 16 26 18

Herrn Kulturattaché Dr. Schacht
Kopenhagen
Deutsche Gesandtschaft
Durch Kurier des Auswärtigen Amtes.

Sehr verehrter Herr Dr. Schacht!

In Verfolg unserer Abrede übersende ich Ihnen zunächst eine Aufzeichnung über unseren Empfang bei dem Bevollmächtigten des Reiches, Herrn Minister Dr. Best. Wenn Sie dieselbe in der vorliegenden Form verwenden können, ist es gut, sonst ändern Sie sie entsprechend Ihren Wünschen um. Ich habe es lediglich als Gedankenstütze verfaßt, um Sie der Arbeit der Abfassung zu entheben. Ein Reisebericht wird von Herrn Präsident Grapow nach seiner Rückkehr aus Agram noch verfaßt und Ihnen auf dem amtlichen Weg über das Auswärtige Amt zugehen, jedoch werde ich Ihnen schon vorher unmittelbar einen Durchschlag davon zusenden.

Herr Dr. Erichsen reist am 30. September nach Kopenhagen zurück und führt sein persönliches Eigentum, soweit es sich im Reisegepäck unterbringen läßt, mit. Die Kisten mit dem wissenschaftlichen Material senden wir an das Deutsche Wissenschaftliche Institut, von wo sie dann nach Seeland weiter befördert werden können.

Die Trennung der Arbeiten, die Herrn Dr. Erichsen obliegen, von Berlin führt, wie wir Ihnen schon gesagt haben, gewisse Unbequemlichkeiten mit sich, die aber in Kauf genommen werden müssen. Die notwendige gegenseitige Verständigung wird naturgemäß durch einen Briefwechsel immer etwas erschwert. Es ist unerläßlich, daß Herr Dr. Erichsen, wie ich schon in der Aufzeichnung angegeben habe, in gewissen Zeitabständen auf etwa 8 bis 10 Tage nach Berlin kommt, um mit uns offene Fragen zu bespre-

notits fra Det Tyske Videnskabelige Institut 20. juli 1943, trykt ovenfor).

257 Se Evald 2007.

258 Se PKB, især bd. VII, IX og XI, *Ugeskrift for Retsvæsen*, 82, 1948, s. 537-545.

259 Niels Nielsen var efter den tyske besættelse af Danmark i Berlin 1941 og i Berlin, Prag og München 1943.

260 Lieberkind var svoger til Gunnar Larsen og blev gennem ham sikret en lederstilling ved et nyoprettet laboratorium under F.L. Schmidt, hvorved han kunne opgive sine planer om at tage arbejde i Tyskland.

chen. Erstmalig wird er schon im Laufe des Oktober nach Berlin kommen müssen, um noch eine Reihe von Angelegenheiten zu erledigen, die mit seiner Wohnung usw. zusammenhängen. Sollte seine Frau den Wunsch haben, ihn bei einer derartigen Reise zu begleiten, wäre ich dankbar, wenn diesem Wunsche durch Erteilung des erforderlichen Sichtvermerks entsprochen werden könnte.

Die Kosten für den Aufenthalt von Dr. Erichsen in Dänemark trägt weiterhin der Carlsberg-Fonds; die Kosten, die Dr. Erichsen laufend in Deutschland erwachsen (Wohnungsmiete usw.) trägt die Preußische Akademie der Wissenschaften.

Sollte infolge eines Luftangriffs die Wohnung und das hier verbliebene persönliche Eigentum von Dr. Erichsen irgend welchen Schaden erleiden, werde ich sofort fernmündlich an Sie oder Professor Höfler Mitteilung machen, damit Herr Dr. Erichsen davon unterrichtet werden kann.

Unser Zusammensein mit Professor Höfler und seiner Frau am Donnerstagabend, bei dem auch Dr. Erichsen und seine Frau zugegen waren, ist sehr nett verlaufen und wir haben es nur bedauert, daß Sie wegen Ihrer Abwesenheit von Kopenhagen nicht dabei sein konnten.

Herr Präsident Grapow wird Ihnen nach seiner Rückkehr sicher noch persönlich schreiben. Ich darf Sie bitten, unseren Dank für Ihr freundliches Entgegenkommen anzunehmen und bitte Sie, sowohl Herrn Minister Dr. Best wie auch gelegentlich dem Landesgruppenleiter Daldorf meine besten Empfehlungen auszurichten.

Mit aufrichtigen Grüßen

Heil Hitler!
Ihr sehr ergebener
Scheel

Niederschrift

Am Mittwoch, dem 15. September 1943, empfing der Bevollmächtigte des Deutschen Reiches, Minister Dr. Best in Anwesenheit des Kulturattachés Dr. Schacht den im Auftrage des Reichsministeriums für Wissenschaft, Erziehung und Volksbildung und des Auswärtigen Amtes in Kopenhagen anwesende Präsident der Preußischen Akademie der Wissenschaften und Prorektor der Universität Berlin, Professor Dr. Hermann Grapow und den Direktor bei der Akademie, Professor Dr. Helmuth Scheel.

Herr Grapow unterrichtete den Bevollmächtigten über seine Aufträge für Kopenhagen. Er hat insbesondere mit dem geschäftsführenden Direktor der Königlichen Dänischen Akademie der Wissenschaften, Professor Johannes Pedersen über die Weiterführung der Gemeinschaftsarbeiten zwischen den beiden Akademien und die Stellung des von der Dänischen Akademie an die Preußische Akademie seit nahezu 20 Jahren abgeordneten dänischen Beamten Dr.phil.habil. Wolja Erichsen gesprochen. Es habe sich hierbei erwiesen, daß trotz der Ereignisse des 29. August und der zum Teil sehr ungünstigen Stimmung in Dänemark Professor Pedersen seine Verhandlungen in herkömmlicher Weise freundlich und entgegenkommend geführt hat. Er hat ausdrücklich betont, daß es selbstverständlich bei der weiteren engen Zusammenarbeit beider Akademien verbleibt, und daß er es ebenso wie wir für unsere Aufgabe ansehen, die wissenschaftliche Tätigkeit fortzuführen und, so gut es die Umstände irgend zulassen, durch den Krieg zu bringen. Er hat unseren Vorschlag hinsichtlich des dänischen Mitarbeiters Dr. Erichsen angenommen und erklärt, daß er zwar das Direktorium der Akademie noch befragen müßte, dies jedoch mehr formellen Charakter habe, und er schon jetzt versichern kann, daß er der Zustimmung des Direktoriums gewiß sei. Es handelt sich hierbei um folgendes: Dr. Erichsen hat mit seiner Frau und seinem dreijährigen Sohn in Berlin-Zehlendorf an einer erheblich luftgefährdeten Stelle eine Wohnung inne, die schon mehrmals beschädigt worden ist und bei dem Luftangriff vom 23./24. August erheblichen Schaden gelitten hat. Die Preußische Akademie möchte es nicht verantworten, wenn bei zukünftigen Angriffen noch größerer Schaden entstehen sollte, wobei insbesondere das wissenschaftliche Material und Eigentum von Dr. Erichsen vernichtet werden könnte. Im übrigen ist der Gesundheitszustand von Dr. Erichsen so, daß er in Berlin nicht mehr die nötige Ruhe zur intensiven Fortsetzung seiner Arbeit finden kann; obwohl er sich innerlich in Berlin, überhaupt an Deutschland sehr gebunden fühlt, haben wir ihn dennoch bestimmt, sich mit seiner Frau zunächst auf einige Monate nach Dänemark zu begeben. Durch das Entgegenkommen von langjährigen Freunden von Professor Scheel ist es möglich gewesen, daß Dr. Erichsen mit seiner Familie in Skärbygaard bei Nyköbing auf Seeland ein vollkommen eingerichtetes massives Haus mietfrei bis zum 1. Juli bewohnen kann. Er soll dorthin außer einem Teil seiner persönlichen Sachen, seine Bücher und sein wissenschaftliches Material mitnehmen und wird dort in der Lage sein, vor allem das demotische Wörterbuch im Rohbau bis Mitte nächsten Jahres fertigzustellen. Auf unsere Bitte hin hat Professor Pedersen sich bereit erklärt, Dr. Erichsen über seine bisherigen Bezüge hinaus wegen der Teuerung in Dänemark auch einen Zuschuß für seine Familie zu zahlen. Bei dieser Regelung ist es allerdings unerläßlich, daß Dr. Erichsen in gewissen Zeitabständen von etwa 4-6 Wochen zu Besprechungen auf einige Tage nach Berlin kommt.

Hr. Grapow wies dann auf die Bedeutung des Carlsberg-Fonds hin, der von der Dänischen Akademie verwaltet wird und dessen Kurator auch Professor Pedersen ist. Es sind gelegentlichen Anregungen zu Tage getreten, diesen Fonds zu verstaatlichen oder ihn jedenfalls der selbständigen Leitung der Akademie zu entziehen. Dies muß unter allen Umständen verhindert werden. Die Freiheit der Entscheidung muß aus Gründen der wissenschaftlichen Autorität dem Direktorium der Akademie verbleiben. Professor Grapow bat ausdrücklich, daß, für den Fall, daß der Herr Bevollmächtigte von Bestrebungen dieser Art erfahren sollte, er vor einer endgültigen Entscheidung dem Präsidenten der Preußischen Akademie Gelegenheit zur Stellungnahme oder Mitwirkung geben möge.

Herr Dr. Best stimmte diesen Vorschlägen zu.

Professor Grapow wies noch auf den entscheidenden Einfluß hin, den dänische Gelehrte auf die Wiederaufnahme der wissenschaftlichen Beziehungen zu deutschen Gelehrten nach dem Weltkrieg, insbesondere innerhalb der Union Académique Internationale, ausgeübt haben.

Gesprochen wurde dann noch über die allgemeine Lage in Dänemark, das Verhalten der Dänen, insbesondere der dänischen Gelehrtenkreise und über verschiedene andere Fragen.

Berlin, den 23. September 1943

158. Hermann von Hanneken an Rüstungsstab Dänemark u.a. 27. September 1943

WB Dänemark gav besked om, hvordan de tyske militære instanser i Danmark skulle forholde sig med hensyn til levering af varer og tjenesteydelser fra danske virksomheder efter 29. august. Der blev henvist til den udstedte forordning 4. september om levering af varer og ydelser, men der blev lagt vægt på, at leveringerne så vidt muligt blev gennemført ad frivillighedens og forhandlingens vej, jfr. bekendtgørelsen af 11. december 1940. Først hvis det ikke kunne ske, skulle der rettes henvendelse til WB Dänemark eller Rüstungsstab Dänemark med opgivelse af det pågældende firmas navn og grunden til, at det ikke kunne eller ville levere.

Skrivelsen var et klart signal om, at der fortsat ikke skulle fares hårdt frem over for danske firmaer trods den udstedte forordning. Havde von Hanneken haft ønske om at fare hårdt frem og håbet på at få Best udplaceret, havde han på dette tidspunkt for længst opgivet dette. Der var tværtimod behov for en besindig kurs over for leverandørerne forud for den kommende jødeaktion, som på ny kunne givet et voldsomt tilbageslag for samarbejdet.

Kilde: BArch, Freiburg, RW 27/10. KTB/Rü Stab Dänemark 3. Vierteljahr 1943, Anlage 6.

Der Befehlshaber der deutschen Truppen in Dänemark *Kopenhagen, den 27. September 1943*
Abt. Iva – Az. B 63 A

Betr.: Lieferung und Leistung dänischer Firmen für die deutsche Wehrmacht in Dänemark.

An General der Luftwaffe in Dänemark
Kommandierenden Admiral Dänemark
Division Nr. 160
Division Nr. 166
416. Inf. Division
233. Res. Panzer-Division
20. Luftwaffen-Felddivision
Rüstungsstab Dänemark
Organisation Todt
sämtl. H. Unterk. Verwaltungen
[sämtl.] H. Verpfl. Dienststellen
[sämtl.] Heeresbaudienststellen
im Hause:
Quartiermeister
H. Mot.
III
IVb
IVc
IV
WPrO

Zur Sicherstellung der Lieferungen und Leistungen dänischer Firmen für die Deutsche Wehrmacht in Dänemark hat der Befehlshaber der deutschen Truppen in Dänemark unter dem 4.9.43 die anliegende Verordnung erlassen.

Die Sicherstellung kann hiernach in der Weise erfolgen, daß:

1.) eine Verpflichtung zur Annahme und Ausführung von Lieferungs- und Leistungsaufträgen der deutschen Wehrmacht in Dänemark allen dänischen Firmen, Industrie-, Handelsunternehmen und Einzelhändlern im Rahmen ihrer Leistungs- und Lieferungsmöglichkeit auferlegt wird;
2.) eine Beschlagnahme ausgesprochen wird für den Fall, daß dänische Firmen, Industrie-, Handelsunternehmen und Einzelhändler die vorgeschriebene Verkaufsgenehmigung des dänischen Außenministeriums nicht einholen oder von der erteilten Genehmigung keinen Gebrauch machen.

Zur Verhängung dieser Zwangsmaßnahmen sind nur die im §3 der Verordnung genannten Bedarfsstellen zuständig.

In beiden Fällen der Sicherstellung ist eine angemessene Vergütung, respektive Gebühr vorgesehen.

Im einzelnen ist bei Anwendung der Verordnung folgendes zu beachten:

Nach Möglichkeit ist anzustreben, entsprechend der bisherigen Übung, auf dem Verhandlungswege die Annahme und Ausführung von Lieferungs- und Leistungsaufträgen zu erreichen. Hierbei ist insbesondere, soweit es sich um den Kauf von Waren durch die deutsche Wehrmacht und deren einzelne Angehörige handelt, die Bekanntmachung des dänischen Ministeriums für Handel, Industrie und Seefahrt vom 11. Dezember 1940 zu beachten.

Erst wenn der Verhandlungsweg nicht zum Ziele führt, sind Anträge auf Einleitung von Zwangsmaßnahmen vorzulegen, und zwar, je nach der im einzelnen Fall nach dem Gegenstand des Auftrages gegebenen Zuständigkeit, dem Intendanten beim Befehlshaber der deutschen Truppen in Dänemark oder dem Rüstungsstab Dänemark.

Diese Anträge haben zu enthalten:

1.) Name und Sitz der Firma;
2.) Wiedergabe des der Firma erteilten Auftrages;
3.) Grund der Nichtausführung des Auftrages (Ablehnung des Auftrages und seiner Ausführung oder Nichteinholung der Verkaufsgenehmigung, respektive Nichtbenutzung einer erteilten Verkaufsgenehmigung);
4.) Stellungnahme des Antragstellers zu der ablehnenden Haltung der Firma.

Für den Befehlshaber
der deutschen Truppen in Dänemark
Der Intendant
[**underskrift**]

1 Anlage[261]

261 Forordningen af 4. september 1943 foreligger som bilag oversat til tysk, men er trykt på dansk hos Alkil, 2, 1945-46, s. 845.

159. Otto von Erdmannsdorff an Werner Best 28. September 1943

Best fik besked om at oplyse AA om tidspunktet for aktionen mod de danske jøder. RAM forventede svar samme dag.

Best svarede med telegram nr. 1144, 28. september 1943 nedenfor.

Kilde: PA/AA R 100.864. RA, pk. 226. Sabile 1949, 1, s. 11 (på fransk).

Telegramm

Berlin, den 28. September 1943

Diplogerma Kopenhagen
Nr. 1328 Citissime mit Vorrang.
Referent: ...

Der Herr Reichsaußenminister hat angeordnet, daß der Abtransport der Juden aus Dänemark nunmehr erfolgen soll. Dabei sollen die letzten Eisenbahnzerstörungen zum Anlaß für diese Aktion genommen werden. Der Herr Reichsaußenminister erwartet noch heute einen Drahtbericht von Dr. Best, wann mit dem Abtransport begonnen werden kann.

Erdmannsdorff

160. Werner Best an das Auswärtige Amt 28. September 1943

Dagsindberetning.

Kilde: PA/AA R 29.567. RA, pk. 203.

Telegramm

Kopenhagen, den 28. September 1943 12.55 Uhr
Ankunft, den 29. September 1943 11.30 Uhr

Nr. 1143 von 28.9.[43.] Citissime!

Ich bitte, die folgenden Meldungen unverzüglich dem Herrn Reichsaußenminister zuzuleiten:

1.) In der Nacht vom 27. zum 28.9.43 ist in Kopenhagen eine Garage in Brand gesteckt worden. Schaden ist da der Besitzer den Brand sofort löschte, nicht entstanden. – Sonst sind aus dem ganzen Lande keine Vorkommnisse gemeldet.
2.) Der Befehlshaber der deutschen Truppen in Dänemark hat für den 27.9. folgende Tagesmeldung erstattet: "Außer kleineren Sabotagefällen in Odense und Kopenhagen keine besonderen Vorkommnisse."

Dr. Best

161. Werner Best an das Auswärtige Amt 28. September 1943

Best videregav til AA oplysning om, hvornår aktionen mod de danske jøder forventeligt skulle finde sted (Rosengreen 1982, s. 52f.).

Kilde: PA/AA R 29.567. RA, pk. 203 og 226. LAK, Best-sagen (afskrift). Sabile 1949, 1, s. 11 (på fransk). Best 1988, s. 48.

Telegramm

Kopenhagen, den	28. September 1943	13.45 Uhr
Ankunft, den	28. September 1943	14.35 Uhr

Nr. 1144 vom 28.9.[43.] Citissime!

Auf Telegramm vom 28. Nr. 1328[262] berichte ich, daß der Befehlshaber der Sicherheitspolizei gemäß der ihm vom Chef der Sicherheitspolizei erteilten Instruktionen den Abtransport der Juden noch in dieser Woche – voraussichtlich 1. auf 2. Oktober – durchführen wird. Der genaue Termin hängt davon ab, wann das zum Abtransport bestellte Schiff aus Hamburg in Kopenhagen eintrifft. Die Aktion soll in einer einzigen Nacht durchgeführt werden. Weiterer Bericht folgt.

Dr. Best

162. Werner Best an das Auswärtige Amt 28. September 1943

Best videregav resultatet af forhandlingerne om dannelsen af en ny dansk regering. Flertalspartierne ville ikke påtage sig ansvaret for den videre forvaltning, men Best var blevet forsikret om, at statsforvaltningen ville fungere videre til alles tilfredshed. Best bad derfor om, at hans forslag i telegram nr. 1102 af 20. september blev fulgt efter undtagelsestilstandens ophør (se telegram nr. 1169, 30. september 1943 og nr. 1214, 6. oktober 1943. Hæstrup, 1, 1966-71, s. 106-111, Rosengreen 1982, s. 35).

Kilde: PKB, 13, nr. 435. ADAP/E, 6, nr. 356.

Telegramm

Kopenhagen, den	28. September 1943	13.25 Uhr
Ankunft, den	28. September 1943	14.35 Uhr

Nr. 1145 vom 28.9.[43.] Citissime!

Ich bitte, den folgenden Bericht unverzüglich dem Herrn Reichsaußenminister zuzuleiten:

Unter Bezugnahme auf mein Telegramm Nr. 1102[263] vom 20.9.43 berichte ich, daß nach den mir in den letzten Tagen zugegangenen Informationen mit der Bildung einer verfassungsmäßigen dänischen Regierung nicht zu rechnen ist. Der Höchstgerichtsprä-

262 Pol. VI 9305 geh. Erdmannsdorff til Best, trykt ovenfor.

263 bei Pol. VI (V.S.) (Regierungsbildung in Dänemark). Trykt ovenfor.

sident Troels Jörgensen hat in einem Schreiben an den König den Standpunkt vertreten, daß der König nach der Verfassung verpflichtet sei, eine Regierung zu ernennen. Der König hat sich hingegen auf den Standpunkt gestellt, daß er ohne die Zustimmung des Reichstages keine Regierung ernennen könne.[264] Der Reichstag bezw. die Mehrheitsparteien beharren auf ihrem Standpunkt, daß sie jede Verantwortung für die weitere Verwaltung des Landes ablehnen. –

Der Kommissarische Leiter des dänischen Außenministeriums, Direktor Svenningsen, hat mir mitgeteilt, daß die dänischen Ministerien und die übrigen Verwaltungsbehörden nach Erörterungen mit den politischen Faktoren und mit den Gerichten bereit und in der Lage seien, die Staatsverwaltung "in einer sowohl für die Bevölkerung als auch für die Besatzungsmacht befriedigenden Weise" fortzuführen. Die bisher offene Frage der Rechtsetzung soll in der Weise gelöst werden, daß die Verwaltungschefs für ihre Bereiche kraft Notstandsrechtes sogenannte "Gesetzanordnungen" erlassen. Die Gerichte sind bereit, diese "Gesetzanordnungen" insoweit als gültig anzuerkennen, als sie "mit Rücksicht auf die ungestörte Fortführung des Lebens des Gemeinwesens und auf die Aufrechterhaltung von Ruhe und Ordnung eine Notwendigkeit sind" und als sie "nicht gegen das dänische Rechtsbewußtsein verstoßen." Beamte sollen, solange keine Ernennungen durch den König erfolgen, durch "kommissarische Bestellung" eingesetzt und durch "Rücktrittbewilligung" entlassen werden. Direktor Svenningsen erklärte mir auf Vorhalt, daß man sich auf der dänischen Seite darüber im Klaren sei, daß neben der in der dargestellten Weise arbeitenden dänischen Staatsverwaltung das Reich durch seine hiesige Vertretung die zur Wahrung der deutschen Interessen erforderlichen Maßnahmen treffen und Anordnungen erlassen werde. –

Ich bitte nunmehr um die Genehmigung, daß ich nach der Aufhebung des militärischen Ausnahmezustandes (über die nach Durchführung der Juden-Aktion besonders berichtet wird) nach den Vorschlägen meines Telegramms Nr. 1102[265] vom 20.9.43 verfahre.

Dr. Best

163. Werner Best an das Auswärtige Amt 28. September 1943

Best havde fra WB Dänemark modtaget den besked, at WFSt i anledning af de talrige tilfælde af jernbanesabotage i Jylland indtil videre udsatte løsladelsen af de internerede danske soldater. Best bad om at blive orienteret, gerne forud, hvis der kom yderligere foranstaltninger fra WFSt.

Se Bests telegram nr. 1537, 29. september 1943.

Kilde: PA/AA R 29.567. RA, pk. 203.

Telegramm

Kopenhagen, den	28. September 1943	18.55 Uhr
Ankunft, den	28. September 1943	19.20 Uhr

264 Troels G. Jørgensens brev 23. september til Christian 10. er trykt i PKB, 4a, s. 339.
265 bei Pol. VI (V.S.). Trykt ovenfor.

Nr. 1149 vom 28.9.[43.] Citissime!

Ich bitte, die folgende Meldung unverzüglich dem Herrn Reichsaußenminister zuzuleiten:

Der Befehlshaber der deutschen Truppen in Dänemark hat mir soeben mitgeteilt, daß er vom Wehrmachtsführungsstab durch Fernschreiben angewiesen sei, "den Dänen" unverzüglich folgendes zu eröffnen:

"In der Nacht vom 25. zum 26.9. sind in Jütland an 23 Stellen zahlreiche Eisenbahnstrecken, insbesondere die Hauptverkehrslinien durch Sprengungen beschädigt worden.[266]

Mit Rücksicht auf diese 23 Anschläge des 26.9. wird die Aufhebung des Ausnahmezustandes und die ab nächster Woche beabsichtigte Entlassung der dänischen Wehrmachtsangehörigen bis auf weiteres hinfällig. Weitergehende Maßnahmen bleiben vorbehalten."

Der Befehlshaber wird die befohlene Eröffnung vornehmen, indem er sich den Kommissarischen Leiter des dänischen Außenministeriums Direktor Svenningsen bestellt und diesen entsprechend unterrichtet.

Ich wäre dankbar, wenn ich über die vom Wehrmachtführungsstab etwa beabsichtigen "weitergehenden Maßnahmen" rechtzeitig unterrichtet würde und gegebenenfalls zu ihnen vorher gehört werden könnte.

Dr. Best

164. Das Auswärtige Amt an das Reichsfinanzministerium u.a. 28. September 1943

Scherpenberg orienterede om, at Best med den danske nationalbank havde aftalt afholdelsen af de udgifter, som det fremover krævede for en øget indsats af tysk politi, efterretningstjeneste m.m., efter at den danske regering havde nægtet at tage sig af sabotagebekæmpelsen.

RFM svarede 6. november 1943.

Kilde: BArch, R 2 11.598 og 30.515. BArch, R 901 113.555. RA, pk. 271. RA, Danica 201, pk. 81, læg 1083.

Abschrift zu Y 5104/1 – 324 V

Auswärtiges Amt *Berlin, den 28. September 1943*
Ha Pol VI 3909/43

An das Reichsfinanzministerium,
z.Hd. vom Herrn Ministerialdirektor Berger
An das Reichsministerium für Ernährung u. Landwirtschaft,
z.Hd. von Herrn Ministerialdirektor Walter
An das Reichswirtschaftsministerium,
z.Hd. Herrn Ministerialrat Ludwig
An das Reichsministerium des Innern

266 Se telegram nr. 1134, 27. september.

An das OKW – Wehrwirtschaftsstab –
An das Reichsbankdirektorium,
z.Hd. Herrn Vizepräsident Puhl
– je besonders –

Der Bevollmächtigte des Deutschen Reiches in Kopenhagen ist ermächtigt worden, der dänischen Regierung mitzuteilen, daß die durch das dänische Versagen in der Frage der Sabotagebekämpfung für uns entstehenden Mehraufwendungen für Entsendung deutscher Polizeikräfte, nachrichtendienstliche Zwecke, dänische Hilfskräfte und andere im Reichsinteresse notwendigen Zwecke aus Besatzungskostenkonto gedeckt werden müssen. Der Reichsbevollmächtigte war angewiesen worden die technische Durchführung im Rahmen der Vereinbarung über die Besatzungskosten vom August 1940 mit der Nationalbank zu regeln.

Wie der Reichsbevollmächtigte inzwischen berichtet hat, wird der neuaufgetretene Bedarf bei den Ende dieses Monats stattfindenden Besprechungen mit der Nationalbank über den neuen Wehrmachtsbedarf für das 4. Quartal als Besatzungskosten angemeldet werden. Die technische Durchführung wird im Rahmen der Vereinbarung von 1940 erfolgen. Die für diese Zwecke zur Verfügung gestellten Beträge werden jedoch nicht dem Konto der Feldkasse, sondern in einem besonderen Konto des Reichsbevollmächtigten bei der Nationalbank gutgebracht. Für eine ausreichende sachliche und zahlungstechnische Kontrolle wird Sorge getragen. Danmarks Nationalbank hat zur Befriedigung des aufgetretenen Bedarfs bereits 500.000 d.Kr. vorschußweise zur Verfügung gestellt.

Im Auftrag
gez. **van Scherpenberg**

165. Rolf Kassler an das Auswärtige Amt 28. September 1943

Best lod Kassler videresende en afskrift af et brev, som mindretalslederen Jens Møller havde skrevet om den politiske situation i Danmark til VOMI 21. september. Møller skildrede kort, hvordan forholdene havde udviklet sig positivt mellem danskere og det tyske mindretal, siden danske frivillige havde vist deres villighed til at kæmpe side om side med tyskerne. Det var lykkedes hos mindretallet at opnå følelsen af, at samhørigheden var stærkere end modsætningerne. Til gengæld ville det vare længe, før flertallet af danskerne ville nå samme indstilling. Det havde Best haft for øje og søgt forbindelse til danske kredse for at styrke samhørigheden, samarbejdet med statsminister Scavenius havde haft en positiv virkning. Desværre havde Bests virksomhed ikke udfoldet sig under en lykkelig stjerne; fjendtlig propaganda og sabotage havde sluttelig bragt den danske regering til fald. Møller så det ikke som en lykkelig udgang på krisen, men ville ikke stille spørgsmål ved resultatet. Best var fortsat den eneste tyske politiker af format, der nød danskernes tillid. Han var den eneste, der i den øjeblikkelige situation kunne styre forholdene i Danmark til fordel for Tyskland. Møller bad om, at RFSS gjorde sin store indflydelse gældende passende steder (Hvidtfeldt 1953, s. 55f., Noack 1975, s. 162f.).

Det var en uforbeholden opslutning om Bests politik såvel før som efter 29. august. Mindretalsledelsen havde knyttet deres sag til den rigsbefuldmægtigede, da han havde vist sig deres tillid værdig.

En tilsvarende situationsrapport videresendte Best året efter, nærmere betegnet 8. august 1944, denne gang med sig selv som underskriver.

Kilde: PA/AA R 100.356. PKB, 14, nr. 124.

Der Bevollmächtigte des Reiches in Dänemark *Kopenhagen, den 28. Sept. 1943.*
I C/Tgb. Nr. 310/43.
– 1 Anlage –
– 2 Durchdrucke –

An das Auswärtige Amt
Berlin.

In der Anlage wird Abschrift eines Schreibens des Führers der Deutschen Volksgruppe Dr. Möller an SS-Obergruppenführer Lorenz vom 21.9. d. J. vorgelegt, in dem Dr. Möller vom Standpunkt der Volksgruppe aus zu der gegenwärtigen politischen Lage in Dänemark Stellung nimmt.

Im Auftrag
Kassler

Abschrift.

den 21. September 1943.

An SS-Obergruppenführer Lorenz
Volksdeutsche Mittelstelle.
Berlin W 62
Keithstr. 29.

Obergruppenführer!
Da die politische Entwicklung in Dänemark die Lage der Volksgruppe in Nordschleswig berührt und beeinflußt, muß ich Ihnen, Obergruppenführer, ein Bild der Entwicklung der letzten Ereignisse in Dänemark geben, die meiner Ansicht nach für die künftige Deutsch-Dänische Verständigung von großer Bedeutung sind.

In den letzten Jahren, vor allen Dingen aber nach der Besetzung Dänemarks durch deutsche Truppen im Jahre 1940, hat sich die politische Sicht der Volksgruppe in Nordschleswig wesentlich geändert. Sie war vorher geprägt gewesen von einer scharfen nationalen Auseinandersetzung. Jetzt gewann immer mehr die Erkenntnis an Boden, daß auch in dieser politischen Auseinandersetzung die germanische Solidarität nicht übersehen werden konnte. Wir waren bis dahin gewohnt gewesen, im Dänen nur den nationalen Gegner, ja, in mancher Hinsicht sogar den Feind zu sehen, und unser Bestreben ging in erster Linie darauf hinaus, aus dem dänischen Staatsverband herausgelöst zu werden.

Nach der Besetzung aber, und nachdem die Volksgruppe in mancher Hinsicht vom schwersten Druck befreit worden war, wurde der Blick auch frei für größere Aufgaben. Das Gefühl, daß wir auch in irgend einer Form mit den dänischen Heimatgenossen verbunden seien, brach sich innerhalb unserer Volksgruppe immer stärker Bahn. Wir gelangten zu der Ansicht, im dänischen Volk den germanischen Bruder zu sehen, der wohl, aus gemeinsamer Wurzel kommend, eine andere volkliche Entwicklung durchgemacht hatte, mit dem wir aber doch früher oder später in eine gemeinsame Aufgabe hineinwachsen mußten. Ohne Zweifel hat hier die Bereitschaft der dänischen Freiwilligen auf unsere Volksgenossen einen maßgebenden Einfluß ausgeübt. Die Tatsache, daß Dänen für unsere Sache sich mit ihrem Leben einsetzten und in ihrer heiligen Überzeugung für ein gemeinsames Germanien sich ruhig Haß und Verfolgung von eigenen Landsleuten hinnahmen, hat auch allmählich dem verstocktesten Volksdeutschen in Nordschleswig die Augen dafür geöffnet, daß über alles Trennende das Gemeinsame doch das stärkere ist. Es darf wohl heute festgestellt werden, daß nach langer, planmäßiger Erziehung und Ausrichtung diese politische Erkenntnis Allgemeingut der Volksgruppe geworden ist. Aus der kleinlichen Enge des Grenzkampfes herausgelöst sieht die Volksgruppe heute die Anfänge einer germanischen Gemeinschaft mit den nordischen Völkern. Sie kann sich auch den Blick nicht trüben lassen durch Stimmen im dänischen Volk, die diese Entwicklung nicht sehen und nicht sehen wollen. Es muß heute mehr denn je erkannt werden, daß noch eine lange Entwicklung notwendig sein wird, bevor auch das dänische Volk in seiner Gesamtheit oder doch in überragender Mehrheit sich offen zu dieser gemeinsamen germanischen Wurzel bekennt. Es wäre sinnlos, nach kurzer Zeit hier schon in die Augen springende Erfolge sehen zu wollen.

Es war für diese Entwicklung in Dänemark von außerordentlicher Bedeutung, als mit SS-Gruppenführer Dr. Best ein Bevollmächtigter des Reiches nach Dänemark kam, der diese Linie in jeder Weise vertrat. Es kann heute nach kaum einjähriger Tätigkeit des Reichsbevollmächtigten schon festgestellt werden, daß es ihm gelungen ist, zu bestimmenden Kreisen des dänischen Volkes Verbindung zu bekommen und auch Verständnis für seine Aufgabe zu wecken. Es ist mir bekannt, daß Teile der ruhigen und sachlichen Kreise des dänischen Volkes Achtung vor der Persönlichkeit des Reichsbevollmächtigten empfinden und durch seine Auffassung seiner Aufgabe in Dänemark auch zum Verständnis der kommenden Entwicklung gelangten. Ich habe dieses durch meinen Verkehr mit dänischen Reichstagskreisen wiederholt feststellen können. Die Entwicklung, die in Dänemark durch die Zusammenarbeit des Reichsbevollmächtigten mit dem Ministerium Scavenius begonnen hatte, hätte sich im Laufe der Zeit sicher überaus glücklich auswirken können. Die Ansatzpunkte für eine positive Wechselwirkung waren auf alle Fälle vorhanden. Daran ändert auch nicht, daß selbstverständlich erhebliche Teile des dänischen Volkes ablehnend oder zum Mindestens an dieser Entwicklung uninteressiert waren und ein kleiner Teil immer wieder versuchte, das gute Verhältnis zu stören und zu torpedieren.

Grade aus Gesprächen mit Staatsminister v. Scavenius, der in diesen Dingen mir gegenüber merkwürdig offen war, weiß ich, wie fruchtbar die Zusammenarbeit Dr. Bests mit den dänischen Ministerien war.

Scavenius hob dabei den Willen Dr. Bests hervor, stets das Gemeinsame herauszustellen, zu unterstreichen und zu vertreten. Es würde in diesem Rahmen zu weit führen, Einzelheiten über die Erfolge dieser Politik aufzuzählen. Es mag genügen zu unterstreichen, daß Dr. Best die deutschen Forderungen durchdrückte und dabei durchaus das Vertrauen der maßgebenden dänischen Kreise bewahrte.

Dabei stand das Jahr der Tätigkeit von Dr. Best in Dänemark durchaus nicht unter einem günstigen Stern. Zwei Monate nach seinem Amtsantritt traten unsere militärischen Rückschläge im Osten und Mittelmeer ein. Diese vor allem gaben der englischen Propaganda in Dänemark ungeahnte Möglichkeiten. Diese Propaganda setzte im vorigen Winter ein und war darauf abgestellt, im dänischen Volk jeden Glauben an einen deutschen Sieg abzutöten und ferner eine Bereitschaft zu schaffen, zusammen mit englischen Agenten Sabotage gegen die deutsche Wehrmacht zu üben, um indirekt am alliierten Sieg teilzuhaben. Diese Propaganda ist leider auf allzu fruchtbaren Boden gefallen. Die Ergebnisse sind in den letzten Monaten allzu offenbar gewesen, und die letzte Folge ist die nunmehrige Verhängung des allgemeinen Ausnahmezustandes.

Damit hat England sein Ziel erreicht. Die englische Propaganda war vor allem gegen Dr. Best und seine Arbeit gerichtet, weil man vom englischen Standpunkt natürlich das Gefährliche dieser Haltung erkannt hatte. Es ist ohne Zweifel, daß dieser allgemeine Ausnahmezustand nichts weniger als eine deutsche Niederlage bedeutet.

Der große Verlust in dieser Niederlage besteht vor allem darin, daß nun die letzte dänische Regierung verschwunden ist, die parlamentarisch getragen wurde und damit doch weitgehend das Vertrauen des dänischen Volkes genoß. Als v. Scavenius im Herbst 1942 die Geschäfte der Regierung übernahm, wurde er weitgehend im dänischen Volk abgelehnt und gar als Verräter verschrieen.

Aber ebenso sicher ist die Tatsache, daß er im verflossenen Jahr ungeahnte Bedeutung gewonnen hatte und nun auch von seinen Gegnern anerkannt wurde als der Mann, der unter den gegebenen Verhältnissen das Beste für das dänische Volk herausgeholt hatte. Ich habe mit großer Freude diese Entwicklung in maßgebenden dänischen Kreisen feststellen können. Jetzt sagt der Däne allgemein, daß der Zustand von heute ohne Scavenius schon vor einem Jahr eingetreten wäre!

Angesichts des deutschen Verlustes in Dänemark fragen wir uns natürlich, ob es nötig gewesen wäre, mit so drastischen Mitteln vorzugehen, die den Rücktritt der letzten dänischen parlamentarischen Regierung zur Folge hatte. Ich bin natürlich nicht befugt, darauf zu antworten, ob ein Ausnahmezustand in den Städten des Hauptwiderstandes genügt hätte oder ob andere Maßnahmen hätten getroffen werden können, die nicht den Verlust der dänischen Regierung im Gefolge gehabt hätten.

Dazu fehlen mir natürlich der Überblick und die nötige Einsicht. Aber eins sehe ich ganz deutlich: die deutsche Niederlage.

Was soll nun werden? Das ist die bange Frage, die auch wir Volksdeutschen in Nordschleswig uns stellen. Unsere Arbeit als Brückenstellung zum Norden ist ja entscheidend davon abhängig, wie das Reich die Politik zu Dänemark ausrichtet. Wir sehen ein gut Stück unserer Arbeit in Gefahr. Es ist mir unvorstellbar, wie die Regierung Scavenius nach Aufhebung des Ausnahmezustandes wiederkommen könnte, so sehr man das auch im deutschen Interesse wünschen möchte. Man kann das Rad der Entwicklung nicht zurückdrehen. Aber eins kann man tun, und dieses zwingt mich, mich an Sie zu wenden. Man kann den andern Faktor der gedeihlichen deutsch-dänischen Zusammenarbeit des vergangenen Jahres mit neuen Vollmachten ausstatten und weiter segensreiche deutsche Arbeit tun lassen. Dr. Best ist heute der einzige deutsche Politiker von Format, der heute das große dänische Vertrauen genießt. Er allein kann meiner Ansicht nach das dänische Volk in der augenblicklichen Situation lenken und damit aus Dänemark herausholen, was im Kriegszustande für die deutsche Wehrmacht und die deutsche Wirtschaft herausgeholt werden kann. Ich brauche nicht betonen, was in dieser Beziehung Dänemark für uns bedeutet und wie wichtig es ist, daß weder aktiver noch passiver Widerstand uns hierin Schaden zufügen.

Obergruppenführer, in Sorge um die Entwicklung unserer deutschen Sache in Dänemark wende ich mich an Sie und bitte Sie höflichst – wenn Sie sich meinen Ausführungen anschließen können –, sich an unsern Reichsführer zu wenden mit der Bitte, seinen großen Einfluß an maßgebender Stelle in die Waagschale zu legen, um hier in Dänemark Verhältnisse zu schaffen, die grade seiner groß angelegten germanischen Linie Rechnung tragen.

Heil Hitler!
Ihr ergebener
gez. **J. Möller**

166. Albert van Scherpenberg: Aufzeichnung 28. September 1943

Scherpenberg gjorde status over, hvad der fra Danmark var leveret af landbrugsprodukter i krigsåret september 1942-september 1943, samt kom med forudsigelser om leverancerne for det følgende krigsår.

Se endvidere Schnurres optegnelse 3. oktober (Brandenborg 2005, s. 368).

Kilde: PA/AA R 29.567. RA, pk. 203.

LR van Scherpenberg

Ha Pol 6006/43 g II

Büro RAM mit der Bitte um Weiterleitung
über Fernschreiber

A u f z e i c h n u n g

Die dänischen Lebensmittellieferungen nach Deutschland auf den wichtigsten in Frage kommenden Gebieten haben im vierten Kriegswirtschaftsjahr (1. September 1942 bis 31. August 1943) folgende Höhe erreicht:

1.) Fleisch: 85.000 t
bei einem Gesamtbedarf der deutschen Zivilbevölkerung von 825.000 t. das sind etwa 10 % der Gesamtmenge oder der Bedarf von etwas über 5 Wochen.

2.) Butter: 41.000 t
nach Deutschland, daß 10.000 t nach Norwegen und Finnland, die sonst zu Lasten der deutschen Butterversorgung hätten geliefert werden müssen. Im ganzen also 51.000 t bei einem Gesamtbedarf der deutschen Zivilbevölkerung von 494.000 t. Die dänischen Lieferungen deckten somit etwas über 10 % des Gesamtbedarfs und entsprechen einer Versorgung von etwas über 5 Wochen.

3.) Fisch und Fischerzeugnisse:
Mit fast 100.000 t decken die dänischen Einfuhren 17,6 % des gesamten deutschen Seefischenfalle aus in- und ausländischen Fängen (einschl. der norwegischen). Die dänischen Fänge kommen fast in voller Höhe als Frischfische dem deutschen Markt zugute und decken 90 % des deutschen Frischfischbedarfs.

4.) Zucker:

Lieferungen nach Norwegen und Finnland die sonst zu Lasten der deutschen Versorgung hätten gehen müssen – 50.000 t das sind etwa 11 % der deutschen Gesamterzeugung von 450.000 t.

Für das 5. Kriegswirtschaftsjahr 1943/44 ist bei Butter, Fischen und Zucker etwa mit den gleichen Absoluten und Verhältniszahlen zu rechnen.

Bei Fleisch ist eine Erhöhung der dänischen Lieferungen von 110.000 t, das sind etwa 13 % des deutschen Gesamtbedarfs der deutschen Zivilbevölkerung zu rechnen, entsprechend einer Versorgung von fast 6 Wochen.

Sämtliche deutsche Bedarfszahlen sind unter Ausschluß des Protektorats errechnet, da dieser sich selbst versorgt.

Hiermit über Herrn Staatssekretär dem Herrn Reichsaußenminister auf Weisung vom 25. September in Ergänzung der Aufzeichnung Nr. 46 vorzulegen.

Berlin, den 28. September 1943

gez. **Schnurre**

167. Das Auswärtige Amt an OKM und OKW 28. September 1943

AA meddelte, at det argentinske forsøg på at købe det i Las Palmas oplagte danske skib "Linda" var slået endegyldigt fejl. Grunden var sandsynligvis, at England ikke ville garantere ikke at opbringe skibet. For en sikkerheds skyld var UM blevet bedt om at sørge for at hindre, at skibene ville afsejle.

Se AA til OKM og OKW 29. september 1943.

Kilde: BArch, Freiburg, RM 7/1187. RA, Danica 628, sp. 7, s. 5389.

Auswärtiges Amt *Berlin W 8, den 28. September 1943*
Ha Pol 5996/43 g II Geheim

Schnellbrief

Im Anschluß an mein Schreiben vom 27. September d.J. – Ha Pol 5968/43g[267]

An
das Oberkommando der Kriegsmarine
– 1. Abteilung Seekriegsleitung –
das Oberkommando der Wehrmacht
– Sonderstab HWK –

Betr.: Dänisches Schiff "Linda" in Las Palmas.

Der Bevollmächtigte des Reichs für Dänemark in Kopenhagen berichtet unter dem 27. September d.J. nachstehendes:

(Der nachstehende Text darf unter keinen Umständen im Wortlaut weitergegeben werde).

"Argentinischer Repräsentant der Reederei Lauritzen teilt telegrafisch mit, daß sich die Verhandlungen mit der Argentinischen Regierung über Verkauf des in Las Palmas

267 Skrivelsen er ikke lokaliseret.

liegenden Schiffes "Linda" endgültig zerschlagen haben. Der Grund hierfür liegt wahrscheinlich in der Verweigerung der Nichtaufbringungserklärung durch die Engländer. Reederei Lauritzen hat daraufhin Kapitän "Linda" angewiesen, nicht aus Las Palmas auszulaufen. Dänisches Außenministerium beauftragt, sofort den hier vorliegenden Nachrichten über Auslaufabsicht der Schiffe "Slesvig", "Thyra" und "Linda" nachzugehen und, sofern sich vorliegender Verdacht bestätigt, die notwendigen Schritte zur Verhinderung des Auslaufens zu unternehmen."

Die Deutsche Botschaft Madrid wurde angewiesen, festzustellen und darüber zu berichten, welche Schritte seitens des dänischen Gesandten in Madrid unternommen worden sind.

Weitere Mitteilungen bleiben vorbehalten.

Im Auftrag
Bisse

168. Wilhelm Keitel an Hermann von Hanneken 28. September 1943

Med begrundelse i et stort antal gennemførte sabotager 26. september blev det af Hitler med Bests tilslutning besluttet at udsætte ophævelsen af undtagelsestilstanden indtil videre. Der kunne blive tale om yderligere foranstaltninger.

KTB/OKW 28. september 1943 gengav delvis ordret Keitels ordre, dog blev de yderligere foranstaltninger ikke omtalt, men tilføjede til gengæld følgende: "Die vorgesehenen Aktionen gegen die Juden sowie gegen die Armee sollen nunmehr beschleunigt durchgeführt werden."(KTB/OKW 28. september 1943 (III:2, 1963, s. 1149)).

De 23 sabotager, der blev omtalt som baggrund for den ændrede ordre, var jernbanesabotagerne den 26. september i anledning af Christian 10.s fødselsdag (se Ritter til Best 29. september). Efter det foreliggende at dømme havde det bragt Hitler i en sådan affekt, at de her citerede vidtgående ordrer blev resultatet. I forvejen havde de talrige jernbanesabotager i Jylland mellem 25. og 26. september ført til indførelse af spærretid i hele Jylland (Alkil, 2, 1945-46, s. 856).

Det var ikke standardpraksis, at OKWs ordrer afgik med kopi til RFSS, men i dette tilfælde havde det Himmlers særlige interesse, da han var blevet stillet en stor del af de danske soldater i udsigt som frivillige. Hertil kom aktionen mod de danske jøder.

Kilde: RA, Danica 1069, sp. 12, nr. 15.215. RA, pk. 203.

WFSt/Qu. 2 (N) *28.9.1943*

Geheime Kommandosache
6. Ausfertigungen
Ausfertigung

KR-Fernschreiben

An 1.) Befh. d. dt. Truppen in Dänemark
nachr.: 2.) Ausw. Amt
z.Hd. Botschafter Ritter
"Westfalen"
mit Anschriftenübermittlung.

Auf Anordnung des Führers ist im Einvernehmen mit dem Bevollmächtigten des Reiches den Dänen beschleunigt folgendes mitzuteilen:

Mit Rücksicht auf die 23 Anschläge des 26.9. wird die Aufhebung des Ausnahmezustandes und die ab nächster Woche beabsichtigte Entlassung der dänischen Wehrmachtangehörigen bis auf weiteres hinfällig. Weitergehende Maßnahmen bleiben vorbehalten.

Der Chef OKW
gez. **Keitel**
OKW/WFSt/Qu. 2(N)
Nr. 005731/43 g.Kdos.

Nach Abgang:
Reichsführer-SS u. Chef d. Dt. Polizei
– SS Kommandostab Hochwald –
z.Hd. Herrn SS-Standartenführer Rohde
Chef W. [Chef K. Rüst?]

169. Eberhard von Thadden an Heinrich Müller 28. September 1943

AA meddelte RSHA, at RAM var indforstået med jødeaktionen i kraft af førerordren, men bad om, at den blev gennemført på en måde, der gav mindst mulig ophidselse i befolkningen, og at det skete i nær forståelse med Best (Yahil 1967, s. 149, Kreth/Mogensen 1995, s. 21 m. note 14).

Med von Thaddens brev til Müller blev det ikke alene Bests egen opgave at overbevise RSHA og ikke mindst dets repræsentanter i Danmark om, hvad der var RAMs ønske i sagen. Dog var det stadig op til RSHA, om det ville følge dette ønske. I fraværet af tilgængelig kommunikation mellem RSHA og dets repræsentanter i Danmark (Mildner og udsendinge fra Eichmanns afdeling) synes det følgende forløb at vise, at Best havde formået at overbevise om sine synspunkter (Mildner var allerede vundet for Bests syn).

Kilde: PA/AA R 100.864. RA, pk. 226.

Durchdruck als Konzept
Reinschrift 1. b Hb.

Inl. II 2715 g
Berlin, den 28. September 1943

Schnellbrief!

An das Reichssicherheitshauptamt
z.Hd. von Gruppenführer Müller
o.V.i.A.
Kurfürstenstr. 116

Gemäß Führerweisung ist der Herr Reichsaußenminister mit der Erfassung und dem Abtransport der Juden aus Dänemark einverstanden.

Der Herr Reichsaußenminister bittet jedoch, die Aktion möglichst so durchzuführen, daß eine größere Aufregung in der dänischen Bevölkerung vermieden wird.

Es darf gebeten werden, die Judenaktion in Dänemark im engsten Einvernehmen mit dem Bevollmächtigten des Reichs in Dänemark, Gesandten Best, vorzunehmen, der bereits unmittelbar nähere Weisungen erhalten hat.

Im Auftrag
gez. v. **Thadden**

170. Hafenkommandant Aarhus: Kampfauftrag für den Hafenkommandanten Aarhus 28. September 1943

I de danske østkystbyer samt på øerne var der ikke, som langs vestkysten, de store fiskerflåder at tage hensyn til. I stedet drejede det sig om værnemagtens lagre og de i havnene liggende krigs- og handelsskibe. Det afspejler sig eksempelvis i den kampopgave, som var lagt på havnekommandanten i Århus. Århus var en af de centrale udskibningshavne for tyske forsyninger til Norge, hvorfor der til stadighed befandt sig store mængder af materiel og talrige skibe i havnen. Havnen var både et potentielt mål for luftangreb og angreb fra sø- eller landsiden. De tyske lagre skulle forsvares og, når det ikke var muligt, ødelægges tillige med selve havneanlægget, mens skibene skulle sejle ud af havnen. Om muligt skulle skibene medtage alle de "Marinehelferinnen", der var i byen, ligesom havnekommandanten skulle tage højde for den eventualitet, at det kunne komme til opstand fra byens befolkning.

Kilde: RA, Danica 203, pk. 29, læg 297.

Geheime Kommandosache
Hafenkommandant Aarhus — *Aarhus, den 28. September 1943.*
B. Nr. Gkdos 292/43.

K a m p f a u f t r a g
für den Hafenkommandanten Aarhus.

Die Aufgaben des Hafenkommandanten Aarhus sind folgende:
1.) Sicherung des Wehrmachtseigentums im Hafengebiet und der im Hafen liegenden Schiffe gegen Feindeinwirkung.
Durchführung der befohlenen Bereitschafts- und Alarmstufen.
2.) Vernichtung des Wehrmachteigentums, Auslaufen der im Hafen liegenden Schiffe.

Zu 1.) Die hierfür durchzuführenden Maßnahmen sind in der beigefügten Alarmordnung (Anlage 1) kalendermäßig aufgestellt. Es wird hierbei von der Annahme ausgegangen, daß Feindhandlungen gegen Aarhus durch Annäherung feindlicher Flugzeuge eingeleitet werden, und daß hierdurch die für Luftgefahr zu treffenden Maßnahmen ausgelöst werden.

Die Alarmordnung wird allen den Hafen anlaufenden Schiffen ausgehändigt und ist dementsprechend abgefaßt. Eine Ausgabe von Anordnungen erst bei Eingang eines Bereitschaftsbefehles würde zu spät erfolgen, da jeder Schiffsführer diese im voraus zu kennen und vorzubereiten hat.

Die Alarmordnung sieht die in den Bereitschaftsbefehlen erlassenen Anordnungen vor unter besonderer Berücksichtigung der Verhältnisse im Hafen in Aarhus.

Hierbei ist besonders berücksichtigt die große Zahl von Lägern wertvollen Marineeigentums und der einzelnen Dienststellen, die durch verstärkte Posten zu bewachen und zu verteidigen sind, unter gleichzeitiger Sicherung gegen Feuersgefahr infolge von Luftangriffen. Die sich hieraus ergebene Zersplitterung der wenigen verfügbaren Kräfte muß in Kauf genommen werden.

Die beiden Stoßtrupps, die zeitweilig aus den Besatzungen von Schiffe, die AKB im Hafen liegen, verstärkt werden können, stehen zunächst dem Hafenkommandanten zur Verfügung. Außerdem hat der Hafenkommandant das Zugriffsrecht auf die Besatzungen sämtlicher, auch der fahrbereiten Schiffe – BSO- Einheiten jedoch nur soweit, als diese keine Auslaufbefehle vom BSO erhalten – wenn die Gefechtslage dies erfordert.

Mit den Stoßtrupps ist zunächst der Hafen gegen die Stadt – z.B. bei Aufständen der Bevölkerung – zu sichern.

Bei einem Angriff von See übernehmen die Stoßtrupps bis zum Eintreffen von Truppen des Heeres die Verteidigung nach See zu. Der "Stoßtrupp Hafenkommandant rückt auf die Ostmole und verhindert Eindringen von Fahrzeugen in die Osteinfahrt. Der "Stoßtrupp BSO" entsendet hierzu zwei 2 cm-Flak in Räderlafetten mit 2 Lkw. mit Munition zur Ostmole, die auf der Ölpier in Feuerstellung gehen. Der Stoßtrupp BSO verteidigt die westliche Einfahrt und bringt die weiteren verfügbaren 2 cm-Flak (je nach Anzahl der greifbaren Rohre bis zu 3 Geschützen) im Barackenhof in Feuerstellung.

Bei Anmarsch des Feindes von Westen werden die Stoßtrupps dem Befehlshaber der Heeres- und Luftwaffenverbände unterstellt, während Posten und Wachen im Hafen bleiben, um Wehrmachtseigentum weiter gegen Feuer und Luftlandetruppen zu sichern.

Bei bedrohlicher Feindannäherung oder, wenn ein ernsthafter Luftangriff bevorzustehen scheint, hat der Hafenkommandant zu entscheiden, ob die im Hafen liegenden fahrbereiten Schiffe beschleunigt die Maschinen klarzumachen und sich zum Auslaufen bereitzuhalten haben.

Wenn die Möglichkeit besteht, daß der Hafen geräumt werden muß, haben sich sämtliche Marinehelferinnen auf dem nächstgelegenen fahrbereiten Schiff (Pier 2) einzuschiffen. Auf Befehl des Hafenkommandanten laufen sämtliche fahrbereiten Schiffe aus dem Hafen aus.

Zu 2.) Die zur Sprengung und Vernichtung des Marineeigentums und der Hafenanlagen getroffenen Maßnahmen und erlassenen Befehle sind in den Sprengbefehlen 1-4 (Anlage 2-3-4) niedergelegt.

[**underskrift**]

171. Werner Best an das Auswärtige Amt 29. September 1943

Dagsindberetning.

Kilde: PA/AA R 29.567. RA, pk. 203.

Telegramm

Kopenhagen, den	29. September 1943	14.15 Uhr
Ankunft, den	29. September 1943	15.25 Uhr

Nr. 1155 vom 29.9.[43.] Citissime!

Ich bitte, dem Herrn Reichsaußenminister die folgenden Meldungen unverzüglich zuzuleiten:

1.) In der Nacht vom 28. zum 29. September ist in Kopenhagen eine kleine Autowerkstatt (4 Arbeiter) durch Sprengung zerstört worden. In Odense wurden an einem Transformator zwei Sprengbomben gefunden und unschädlich gemacht.[268] Im übrigen sind aus dem ganzen Lande keine Vorfälle gemeldet worden.
2.) Der Befehlshaber der deutschen Truppen in Dänemark hat für den 28. September 1943 die folgende Tagesmeldung erstattet: "Aushebung eines kleinen Waffenlagers in Kopenhagen (43 dänische Pistolen mit Munition). Sonst keine besonderen Vorkommnisse."

Dr. Best

172. Werner Best an das Auswärtige Amt 29. September 1943

Best orienterede om de alvorlige konsekvenser af at overføre internerede danske soldater til Tyskland. Hvervningen blandt de danske soldater ønskede han overladt til Schalburgkorpset. De danske officerer anså han for en særlig farlig gruppe, der måtte foretages særlige foranstaltninger overfor. Endelig fastholdt han sin tidligere fremsatte opfattelse, at situationen efter 29. august ikke skulle opfattes, som om der var krigstilstand mellem Tyskland og Danmark.

Bests synspunkt med hensyn til Schalburgkorpsets rolle var i tråd med Gottlob Bergers. Se videre AA til Best 1. oktober (Hæstrup, 1, 1966-71, s. 155f.).

Kilde: PA/AA R 29.567. RA, pk. 203 og 226. LAK, Best-sagen (afskrift).

Telegramm

Kopenhagen, den	29. September 1943	14.20 Uhr
Ankunft, den	29. September 1943	15.25 Uhr

Nr. 1156 vom 29.9.[43.] Cito!

Auf das Telegramm Nr. 1329[269] vom 28. September 1943 berichte ich:

1.) Die Überführung der internierten Soldaten des ehemaligen dänischen Heeres in das Reich würde in Dänemark die nachteiligsten politischen Wirkungen hervorrufen. Die Erregung der Bevölkerung würde sich in Formen äußern, die verstärkten Einsatz deutscher Gewalt erforderlich machen. Ich würde eine Verdreifachung der mir zugeteilten Polizeikräfte für erforderlich halten. Da der größte Teil der eingezogenen Soldaten Bauernsöhne sind, würden zum ersten Mal die dänischen Bauern, die bisher von al-

268 De ueksploderede bomber blev fundet i Dansk Akkumulatorfabrik, Odense. Bomberne blev fundet og uskadeliggjort af sabotagevagterne. Fabrikken havde leverancer til Abteilung Marine (Sabotagehandlungen in der Zeit vom 17.9.-7.10.1943 (bilag til Forstmann til Waeger 8. oktober 1943, trykt nedenfor), Alkil, 2, 1945-46, s. 1221).

269 Pol I M 2116 gRs. Telegrammet er ikke lokaliseret.

len Ereignissen wenig berührt wurden, in ihren Gefühlen aufs tiefste verletzt, was sich höchst nachteilig auf die künftige landwirtschaftliche Produktion auswirken würde. Im übrigen wäre auf diesem Wege nach meiner Überzeugung unmöglich ein Werbeergebnis zu zeitigen, das die Nachteile dieser Maßnahme auch nur einigermaßen lohnte. Im Gegenteil würden die letzten Möglichkeiten freiwilliger Werbung und Mitarbeit hier im Lande zerstört, da insbesondere gerade die dänischen Freiwilligen auf diese Maßnahme mit tiefer Empörung reagieren und sich von jeder Mitwirkung an weiterer Werbung zurückziehen würden.

2.) Der einzige Weg, aus den Soldaten des ehemaligen dänischen Heeres eine Anzahl von Freiwilligen zu gewinnen, besteht darin, daß diese Soldaten nach ihrer baldigen Entlassung von dem Schalburg-Korps systematisch bearbeitet werden. Der stellvertretende Führer des Schalburg-Korps Hauptmann der Luftwaffe Sommer (dänischer Freiwilliger)[270] hat bereits einen Plan entworfen, wie nach den Listen der Internierten, die vom Befehlshaber der deutschen Truppen beschafft werden, nach der Entlassung die Werbearbeit durchgeführt werden soll. Wenn man dabei durchblicken lassen könnte, daß das Schalburg-Korps und die dänischen Freiwilligen sich besonders für die Freilassung ihrer Kameraden vom dänischen Heer eingesetzt haben, wäre auf diesem Wege das relativ beste Werbeergebnis und zugleich ein großer politischer Erfolg des Schalburg-Korps zu erzielen.

3.) Die dänischen Berufssoldaten (Offiziere und Offizianten) halte auch ich insofern für gefährlich, als sie durch die Vorgänge des 29. August besonders tief betroffen sind und in der nächsten Zeit ihrer erzwungenen Untätigkeit zweifellos von diesen Gefühlen beherrscht werden. Es muß deshalb damit gerechnet werden, daß ein Teil von ihnen sich nach ihrer Freilassung an Widerstandsbestrebungen beteiligen würde, so daß – wie in anderen Ländern – vielleicht ihre erneute Internierung erforderlich würde. Andererseits würde mit der sofortigen Überführung der Offiziere und Offizianten in das Reich jede Möglichkeit, durch sie einen gewissen Druck auszuüben, aus der Hand gegeben. Dieser Druck könnte dadurch ausgeübt werden, daß die Offiziere und Offizianten zunächst in Dänemark interniert bleiben mit der Bekanntgabe, daß sie bei völliger Beruhigung der Verhältnisse entlassen, bei Verschärfung der Verhältnisse ins Reich überführt werden sollen. Im Falle einer Entlassung könnte festgesetzt werden, daß, wenn einer der Entlassenen feindselige Handlungen begeht, alle Entlassenen neu interniert werden.

4.) Zu der Behandlung des Kriegsgeräts der dänischen Wehrmacht wiederhole ich meine schon mehrfach geäußerte Auffassung, daß es nicht im deutschen Interesse liegt, die Vorgänge vom 29.8.43 als Krieg, das weggenommene Gerät als Kriegsbeute und damit das Verhältnis zwischen dem Reich und Dänemark als Kriegszustand zu bezeichnen. Das Verhältnis zwischen dem Reich und Dänemark sollte bis auf weiteres politisch und rechtlich überhaupt nicht genauer präzisiert werden. Deshalb genügt die von mir schon früher empfohlene Feststellung, daß alles Kriegsgerät auf dänischem Boden für die deutsche Kriegführung in Gebrauch genommen wird.[271]

Dr. Best

270 Flyverkaptajn Poul Sommer var en kort periode i ledelsen af Schalburgkorpset.
271 Se Karl Ritter til Best 23. september.

173. Werner Best an das Auswärtige Amt 29. September 1943

Best bad om tilladelse til at tage til et møde med RFSS i Poznan den 4. oktober.

AAs svar er ikke lokaliseret, men Best kom ikke til mødet. Det er bemærkelsesværdigt, at Best overhovedet ansøgte om tilladelse til at tage til mødet på baggrund af, at der skulle foregå en meget vigtig aktion i Danmark to dage før, der krævede hans absolutte tilstedeværelse, og hvor han ikke kunne være sikker på den påfølgende reaktion i den danske befolkning. Det var åbenbart meget vigtigt for Best at komme til mødet, og rimeligvis forventede han af Himmler at få besked vedrørende tysk politis fremtidige øverste leder i Danmark. *Det* var yderst vigtigt for ham.

På mødet i Poznan holdt Himmler for de inviterede højere SS-officerer fra hele Europa sin berygtede tale om masseudryddelse af jøder. Han talte også om den besættelsespolitik, der skulle føres, brug af modterror i stedet for moderation. Best blev inviteret i sin egenskab af SS-officer i øverste kategori, men der kan have været endnu en grund til invitationen, nemlig at Best af Himmler selv skulle præsenteres for de kommende planer for det tyske politi i Danmark. Himmlers sekretær Rudolf Brandt havde nemlig forud, den 25. september, meddelt, at Günther Pancke skulle indfinde sig hos Berger for meget nøje at studere de danske forhold. Pancke var også til stede ved mødet i Poznan, Himmler omtalte hans udnævnelse, og Pancke fik efter det foretræde for Himmler den 6. oktober, hvorpå han begyndte at sætte sig ind i forholdene i Danmark. Da Best ikke kunne møde frem, sendte Himmler ham "omkring den 5. oktober" et brev i stedet (Panckes forklaring 9. og 12. juni 1947 (hvor han i øvrigt henlægger mødet i Poznan til begyndelsen af december 1943, uden at det har nogen betydning i denne sammenhæng (LAK, Best-sagen)), Yahil 1967, s. 175, Rosengreen 1982, s. 58, Lundtofte 2003, s. 51f. og Himmlers brev til Best [1./2.] oktober 1943).

Kilde: PA/AA R 29.567. RA, pk. 203. LAK, Best-sagen (afskrift).

Telegramm

Kopenhagen, den	29. September 1943	14.40 Uhr
Ankunft, den	29. September 1943	15.25 Uhr

Nr. 1157 vom 29.9.43.

Der Reichsführer-SS, Himmler, hat mich zum 4.10.43 zu einer in Posen stattfindenden Besprechung gebeten. Ich bitte um Genehmigung der hierfür erforderlichen Dienstreise.

Dr. Best

174. Werner Best an das Auswärtige Amt 29. September 1943

Direktøren for Dansk Røde Kors, Helmer Rosting, havde været hos Best og orienteret om holdningen hos de internerede danske soldater, der var frustrerede over ikke at blive løsladt, men at blive holdt tilbage på grund af sabotageaktioner, som de ikke havde noget med at gøre. Rosting havde foreslået Best, at soldaterne blev løsladt, og at de danske jøder blev anbragt i de samme lejre i stedet. De skulle da i et antal på 50 eller 100 deporteres til Tyskland, hver gang der fandt en sabotageaktion sted.

Ribbentrops stilling til Rostings forslag fremgår af Sonnleithner til von Thadden 1. oktober (Yahil 1967, s. 161).

Kilde: PA/AA R 29.567. PKB, 13, nr. 741. ADAP/E, 6, nr. 357.

Telegramm

Kopenhagen, den	29. September 1943	19.10 Uhr
Ankunft, den	29. September 1943	19.35 Uhr

Nr. 1161 vom 29.9.43. Citissime!

Im Anschluß an mein Telegr. Nr. 1156[272] vom 29.9.43 berichte ich als einen immerhin interessanten Beitrag zur Beurteilung der Frage der internierten dänischen Wehrmachtsangehörigen folgendes: Heute hat mich auf eigenen Wunsch der Direktor des dänischen Roten Kreuzes Helmer Rosting aufgesucht, der als ehemaliger Völkerbundskommissar in Danzig wie auch aus seiner hiesigen Tätigkeit als einer der zuverlässigsten Freunde des Reiches bekannt ist. Rosting hat im Zuge seiner Betreuung der internierten dänischen Wehrmachtsangehörigen sämtliche Lager besucht und berichtet, daß vor wenigen Tagen die Bekanntgabe, daß die Internierten in Kürze entlassen werden sollen, insbesondere bei den Bauernsöhnen, die den größeren Teil der internierten Soldaten ausmachen, große Freude ausgelöst habe. Umso größer werde aber nunmehr die Enttäuschung und später die Verbitterung sein, wenn jetzt bekanntgegeben werde, daß wegen der Sabotageakte, für die die Internierten doch in keiner Weise verantwortlich seien, die Entlassung verzögert werde. Rosting bemerkte weiter, daß bei den Offizieren selbstverständlich mit einer hartnäckigeren und feindseligeren Haltung gerechnet werden müsse, und daß man es eher verstünde, wenn die Offiziere länger festgehalten würden. Dagegen würde es nicht verstanden werden und würde, insbesondere in der ländlichen Bevölkerung große Erregung auslösen, wenn man die jungen Soldaten nicht nach Hause zurückkehren lasse.

Schließlich machte Rosting noch einen Vorschlag, der für die Abfassung der nationalsozialistischen Kreise in Dänemark bezeichnend ist: Man solle doch zu ein und demselben Zeitpunkt die dänischen Soldaten entlassen und in die hierdurch freigewordenen Lager alle Juden aus Dänemark einsperren. Dies würde die breite Maße in Dänemark – insbesondere der Bauer – durchaus verstehen, da Deutschland mit dem Judentum, nicht aber mit Dänemark im Kriege liege. Man solle aber die eingesperrten Juden nicht sofort und nicht auf einmal aus Dänemark abtransportieren, sondern man solle bekanntgeben, daß für jeden weiteren Sabotageakt 50 oder 100 Juden deportiert würden. Rosting ist der Meinung, daß die Saboteure und ihre Auftraggeber allenfalls auf das Leben der hiesigen Juden, keinesfalls auf die Leiden der dänischen Bevölkerung Rücksicht nehmen würden.

Dr. Best

272 Pol I M (V.S.). Trykt ovenfor.

175. Werner Best an das Auswärtige Amt 29. September 1943

Best indberettede, at der i København verserede rygter om den forestående jødeaktion med angivelse af det korrekte tidspunkt for dens gennemførelse. I den anledning var han blev opsøgt af departementscheferne Nils Svenningsen og Eivind Larsen, men havde ikke villet dementere rygterne. Best lod AA forstå, at lækagen om aktionen f. eks. kunne stamme fra de fra Norge nyankomne politibataljoner (Hæstrup, 1, 1966-71, s. 154f., Yahil 1967, s. 160f., Rosengreen 1982, s. 53, Kreth/Mogensen 1995, s. 23).[273]

Kilde: PA/AA R 29.567. LAK, Best-sagen (afskrift). ADAP/E, 6, nr. 358. Yahil 1967, s. 160f. (på dansk) og 1969, s. 174f. (på engelsk).

Telegramm

Kopenhagen, den	29. September 1943	19.50 Uhr
Ankunft, den	29. September 1943	20.45 Uhr

Nr. 1162 vom 29.9.[43.] Citissime

Soeben (29.9.43, 17 Uhr) ist der kommissarische Leiter des dänischen Außenministeriums Direktor Svenningsen in Begleitung des kommissarischen Leiters des dänischen Justizministeriums Departementschefs Eivind Larsen bei mir erschienen und hat an mich die Frage gerichtet, ob von deutscher Seite eine Evakuierung der Juden aus Dänemark beabsichtigt sei. Die Stadt Kopenhagen sei voll von Gerüchten, in denen zum Teil sehr konkrete Einzelheiten genannt würden. So werde die Nacht vom 1. auf 2.10.43 als Zeitpunkt der Aktion genannt. Weiter werde behauptet, daß bereits Schiffe zum Abtransport der Juden im Kopenhagener Hafen angekommen seien. Diese Gerüchte seien geeignet, eine außerordentliche Unruhe in die dänische Bevölkerung zu tragen. Denn eine Durchführung der Judenaktion würde das dänische Rechtsbewußtsein ins Zentrum treffen und Folgen auslösen, die nicht übersehbar seien. Deshalb bitte er – Svenningsen – um eine Erklärung, ob von deutscher Seite eine Evakuierung der Juden beabsichtigt sei. Ein Dementi, das selbstverständlich nicht publiziert werden solle, werde zweifellos sehr beruhigend wirken und der dänischen Verwaltung ihre Arbeit erleichtern.

Ich erwiderte, daß das gewünschte Dementi eine politische Festlegung bedeuten würde, zu der ich ohne Weisung der Reichsregierung nicht befugt sei. Ich würde über die Besprechungen nach Berlin berichten und ggf. später einen Bescheid übermitteln.

Es ist richtig, daß seit der Verhängung des Ausnahmezustandes in und insbesondere in den letzten Tagen in Kopenhagen eine deutsche Aktion gegen die Juden in Dänemark erwartet und erörtert wird. Wie konkrete Einzelheiten, die durchaus zutreffen (Angabe des Zeitpunktes, Ankunft eines Schiffes), bekannt werden konnten, ist nicht festzustellen. Wo ich auf Unvorsichtigkeiten stieß (z.B. Äußerungen von Angehörigen des aus Norwegen hierher verlegten Polizeibataillons, sie seien zur Judenaktion hierher gekommen), habe ich diese abgestellt.

Dr. Best

273 G.F. Duckwitz viderebragte 28. september advarslen om den forestående aktion til H.C. Hansen, der straks lod den gå videre til Mosaisk Trossamfunds formand, C.B. Henriques (ABA, Duckwitz 1945-46a, s. 10 (uden datoangivelse), jfr. ovenfor anførte litteratur). På det tidspunkt havde rygterne om en aktion svirret i det meste af september og fået næring af både et indbrud hos Arthur Henriques 31. august og en tysk razzia hos Mosaisk Trossamfund 17. september. Journalist Vilhelm Bergstrøm noterede 24. september i sin dagbog, hvilken skræk der blandt jøder var for en aktion endnu den samme nat (KB, Bergstrøms dagbog 24. september 1944).

176. Werner Best an das Auswärtige Amt 29. September 1943

Best meddelte, at WB Dänemark ikke ville lade enheder fra værnemagten (feltpoliti og feltgendarmeri) deltage i jødeaktionen og bad om, at AA henvendte sig til OKW for at få dette forbud ophævet.

Det skete næste dag, se Ribbentrops telegram nr. 1549, trykt nedenfor (Hæstrup, 1, 1966-71, s. 142, Kreth/Mogensen 1995, s. 30. ABA, Duckwitz 1945-46a, s. 9 fremstiller det sådan, at von Hanneken uden videre stillede tropper til rådighed for aktionen, hvilket enten var mod bedre vidende eller skyldtes uvidenhed).

Kilde: PA/AA R 29.567. RA, pk. 203 og 226. LAK, Best-sagen (afskrift).

Telegramm

Kopenhagen, den 29. September 1943
Ankunft, den 29. September 1943 20.45 Uhr

Nr. 1163 vom 29.9.43. Citissime!

Der Befehlshaber der Sicherheitspolizei hat mir soeben gemeldet, daß der Befehlshaber der deutschen Truppen in Dänemark es abgelehnt habe, geheime Feldpolizei und Feldgendarmerie zur Unterstützung der deutschen Sicherheitspolizei bei der Judenaktion zur Verfügung zu stellen. Die Ablehnung sei damit begründet worden, daß das OKW die Mitwirkung dieser Wehrmachtskräfte bei der Judenaktion verboten habe.

Ohne die Hilfe der geheimen Feldpolizei und der Feldgendarmerie kann die Judenaktion in Jütland und Fünen nicht durchgeführt werden, da alle Kräfte der deutschen Ordnungspolizei zur Unterstützung der deutschen Sicherheitspolizei in Kopenhagen eingesetzt werden müssen. Ich bitte deshalb, das OKW zur Aufhebung seines Verbotes des Einsatzes von Wehrmachtskräften für die Judenaktion zu veranlassen.

Best

177. Karl Ritter an Werner Best 29. September 1943

De videregående foranstaltninger, som von Hanneken havde stillet i udsigt efter jernbanesabotagerne den 26. september, blev hermed konkretiseret (se telegram nr. 1149, 28. september).

Kilde: PA/AA R 29.567. RA, pk. 203.

Telegramm

S Westfalen, den 29. September 1943 16.30 Uhr
Ankunft, den 29. September 1943 16.45 Uhr

Nr. 1537 vom 29.9.[43.] Citissime!

Telko Geheimvermerk für geh. Reichssachen
Deutsche Gesandtschaft Kopenhagen

Der Befehlshaber der deutschen Truppen in Dänemark hat vom OKW folgendes Fernschreiben erhalten:

"Auf Anordnung des Führers ist im Einvernehmen mit dem Bevollmächtigten des Reichs den Dänen beschleunigt folgendes mitzuteilen: Mit Rücksicht auf die 23 Anschläge des 26. September wird die Aufhebung des Ausnahmezustandes und die ab nächster Woche beabsichtigte Entlassung der dänischen Wehrmachtsangehörigen bis auf weiteres hinfällig. Weitergehende Maßnahmen bleiben vorbehalten."

Schluß des Fernschreibens des OKW. Bitte sich mit Befehlshaber der deutschen Truppen in Dänemark deswegen alsbald in Verbindung zu setzen und zu berichten.

Ritter

Vermerk:
Unter Nr. 1337 an Diplogerma Kopenhagen weitergeleitet.
Tel. Ktr., 29.9.43. 17.50 [Uhr]

178. Paul von Behr an Werner Best 29. September 1943

AA blev orienteret om en ny anordning fra OKW vedrørende tjenesterejser til og fra Danmark og hvor mange penge, den rejsende måtte medføre.

OKW havde forudgående reguleret ordningen 5. juni 1943, trykt ovenfor.

Kilde: RA, pk. 271.

Durchdruck
Auswärtiges Amt *Berlin, den 29. Sept. 1943*
Ha Pol VI 3961/43

Betrifft: Zahlungsregelung für die Wehrmacht in Dänemark.

An den Bevollmächtigten des Reiches in Dänemark
Kopenhagen

Das Oberkommando der Wehrmacht hat das Auswärtige Amt von der folgenden neuen Anordnung in der nebenbezeichneten Angelegenheit in Kenntnis gesetzt:

"Dienstreisende dürfen neben der Reisefreigrenze die für die voraussichtliche Dauer der Dienstreise zustehenden Reisegebührnisse und den für das laufende Monatsdrittel noch zustehenden Wehrsold in RKK-Scheinen mit sich führen. Von den danach zur Mitnahme zugelassenen Reisegebührnissen dürfen bis zu drei Tagessätze in Zahlungsmittel der dänischen Währung höchstens jedoch 100 dänische Kronen mitgeführt werden.

Die über diese Beträge hinaus im Besitz jedes Wehrmachtangehörigen oder der ihnen gleichgestellten Personen befindlichen Geldmittel sind vor Überschreitung der Grenze durch Feldpostanweisung in die Heimat zu überweisen bzw. spätestens an der Grenzwechselstelle abzugeben, die die Versendung in die Heimat veranlaßt.

Die hiernach den einzelnen Wehrmachtsangehörigen usw. zu belassenden deutschen Zahlungsmittel (Absatz 1) können in dänische Landeszahlungsmittel eingetauscht werden."

Im Auftrag
gez. v. **Behr**

179. Eberhard von Thadden: Aufzeichnung 29. September 1943

Da der efter 10 dage endnu ikke var fremkommet svar på Geigers telegram til Sonnleithner angående Ribbentrops indstilling til udnævnelsen af en HSSPF, rykkede Inland II for svar. Af von Thaddens optegnelse fremgår det, at afdelingen tilsyneladende ikke var klar over, at både Mildner og von Heimburg allerede var indsat i Danmark, mens det fortsat blev foreslået, at Best blev højere SS- og politifører.

Ribbentrops svar fulgte gennem Ritter 2. oktober (Rosengreen 1982, s. 46)

Kilde: PA/AA R 101.040. RA, pk. 229. LAK, Best-sagen (afskrift).

Abschrift

A u f z e i c h n u n g

Berlin, den 29. Sept. 43

Unter Bezugnahme auf die in der Frage der Abstellung von Polizeikräften und Beamten des Sicherheitsdienstes nach Dänemark erfolgten Besprechungen:

1.) Von Reichsführer SS wird als Befehlshaber der Polizeibataillons der Generalmajor von Heimburg und als Befehlshaber der Sicherheitspolizei und des SD Standartenführer Dr. Mildner, früher Kattowitz, vorgeschlagen.

2.) Ein Vorschlag wegen Bestellung eines Höheren SS- und Polizeiführers in Dänemark – der gemeinsamer Chef der unter Ziff. 1 genannten wäre – liegt bisher nicht vor. Hiesigen Erachtens dürfte es im Interesse des AA liegen, wenn Dr. Best selbst zum Höheren SS- und Polizeiführer bestellt wird. Soweit bekannt, ist ein solcher Plan auch bereits in der Reichsführung SS erörtert worden. Erbitte Einholung Ermächtigung des Herrn Reichaußenministers, der Reichsführer-SS die Zustimmung zu 1 mitteilen zu können. Sollte der Herr Reichaußenminister die Bestellung Dr. Bests zum Höheren SS- und Polizeiführer in Dänemark wünschen, erbitte Ermächtigung, diesen Wunsch des Herrn Reichaußenministers der Reichsführung-SS mitteilen zu können.

Thadden

180. Das Auswärtige Amt an OKM und OKW 29. September 1943

AA havde fået meddelelse fra den tyske gesandt, Sigismund von Bibra, i Madrid om, at de danske oplagte skibe i Las Palmas forberedte sig på at sejle ud. De danske myndigheder kunne ikke hindre det, da det drejede sig om et neutralt land, og den danske gesandt i Madrid, K.A. Monrad-Hansen, havde erklæret, at et tidligere dansk forbud mod afsejlingen ikke længere var gældende. Det første danske skib var allerede sejlet ud, og den tyske gesandt Bibra bad om at søge en forklaring i København på den danske gesandts forræderiske holdning. Påfølgende havde Best fået besked på hos UM at få at vide, hvorfor den danske gesandt havde handlet således og at få forhindret, at også de to resterende skibe sejlede ud.

Se AA til OKM og OKW 4. oktober 1943.

Kilde: BArch, Freiburg, RM 7/1187. RA, Danica 628, sp. 7, s. 5417f.

Auswärtiges Amt *Berlin, den 29. September 1943*
Ha Pol 6023/43 II g

Schnellbrief

An
das Oberkommando der Kriegsmarine
– 1. Abteilung Seekriegsleitung –
das Oberkommando der Wehrmacht
– Sonderstab HWK –

Betr.: Dänische Schiffe in Las Palmas.

Im Anschluß an mein Schreiben vom 28. September d.J. – Ha Pol 5996/43 II g –[274]
Die Deutsche Botschaft in Madrid berichtet unter dem 28. September d.J. nachstehendes:
(Der nachstehende Text darf unter keinen Umständen im Wortlaut weitergegeben werden).

"Da Marineattaché erfahren hatte, daß die drei dänischen Dampfer sich für Auslaufen in allernächster Zeit vorbereiten, habe ich heute durch Gesandten von Bibra nochmals den Unterstaatssekretär im Außenministerium bitten lassen, das spanischerseits das Auslaufen verhindert wird. Obwohl Herr von Bibra nochmals alle Argumente anführte, die die Spanische Regierung zum Verbot des Auslaufens berechtigen könnten, und nachdrücklich darauf hinwies, daß nach dem Eintreten von Seeleuten in Las Palmas zwecks Auffüllung der Besatzungen, den englischen Bemühungen um die Ausrüstung der Schiffe und den Äußerungen und Handlungen der Kapitäne selbst über die Absicht der Schiffe, zum Feinde überzugehen, kein Zweifel bestehen könne, und daß auf der anderen Seite klare Meldungen der Reedereien des dänischen Außenministeriums, die das Auslaufen verbieten, vorlägen, erklärte der Unterstaatssekretär, die Spanische Regierung bedaure, irgendwelche Maßnahmen (nicht) ergreifen zu können. Bei den drei Dampfern handle es sich um unter der Flagge eines neutralen Staates fahrende Schiffe, die nach dem Völkerrecht einen spanischen, also neutralen Hafen, jederzeit verlassen könnten. Bisher habe ein Verbot der Dänischen Regierung der Spanischen Regierung die Handhabe gegeben, das Auslaufen zu verhindern. Nachdem aber der dänische Gesandte kürzlich im Außenministerium erklärt habe, daß seine im Jahr 1941 übergebene Note, in der er die Spanische Regierung gebeten habe, ein Auslaufen der 3 Dampfer zu verhindern, gegenstandslos geworden sei, habe jetzt die Spanische Regierung keine Möglichkeit mehr, das Auslaufen zu verhindern.

Auf die verräterische Haltung des dänischen Gesandten ist es somit zurückzuführen, daß die dänischen Schiffe, deren erstes heute nachmittag um 19 Uhr – wie mir soeben gemeldet wird – aus Las Palmas ausgelaufen ist, die spanischen Hoheitsgewässer verlassen können. Ich bitte dringend, in Kopenhagen festzustellen, wie man sich dort diese Haltung des dänischen Gesandten erklärt."

Der Bevollmächtigte des Reichs für Dänemark in Kopenhagen wurde angewiesen feststellen zu lassen, ob das dänische Außenministerium den dänischen Gesandten in

274 Trykt ovenfor.

Madrid am 23. d.M. tatsächlich beauftragt hat, die notwendigen Schritte zur Verhinderung des Auslaufens der dänischen Schiffe zu unternehmen.

Gleichzeitig wurde die Weisung erteilt, auf das dänische Außenministerium dahin zu wirken, daß der dänische Gesandte in Madrid Schritte bei der Spanischen Regierung unternimmt, um das Auslaufen der beiden restlichen dänischen Schiffe zu unterbinden.

Weitere Mitteilungen bleiben vorbehalten.

Im Auftrag
Bisse

181. Seekriegsleitung: Vermerk betr. dänische Marineangehörige 29. September 1943

Seekriegsleitung nedfældede en besked fra OKW/WFSt fra samme dag. Der var forekommet 23 sabotager, hvad der havde fået Keitel til at ændre sin holdning til løsladelse af de internere danske soldater og marinere. Det var sandsynligvis sket efter Hitlers ordre. Nu skulle de hvervede soldater ikke løslades, men behandles som krigsfanger og føres til Tyskland. De øvrige skulle hurtigst muligt gennem en skolingslejr af 3-4 ugers varighed og derefter stå til rådighed for tyske formål. Den sidste beslutning var endnu ikke endeligt afgjort, da AAs stillingtagen manglede. For de næste uger var det ikke muligt at anvende danske marinere til Kriegsmarines formål.

Den 2. oktober fremkom der en ny ordre vedrørende de internerede danske soldater og marinere, se Seekriegsleitungs notat anf. dato.

Kilde: BArch, Freiburg, RM 7/1187. RA, Danica 628, sp. 7, s. 5421.

Neu B. Nr. 1/Skl. Ii 27382/43 gKdos. *Berlin, den 29.9.1943*
Geheime Kommandosache

Vermerk betr.: dänische Marineangehörige

OKW/WFSt rief am 29. d.Mts. an, um folgendes mitzuteilen:
Die Entlassung der dän. Marineangehörigen war am 26. d.Mts. beabsichtigt. Da inzwischen 23 Sabotageakte vorgenommen wurden, hat Generalfeldmarschall Keitel, vermutlich auf Weisung des Führers, seine Stellungnahme wieder geändert.[275] Es ist nunmehr folgendes beabsichtigt:

Die Berufssoldaten (1.524 Marineangehörige) sollen nicht entlassen, sondern als Kriegsgefangene behandelt und nach Deutschland verbracht werden. Die Nichtberufssoldaten, d.h. also die eingezogenen Reservisten und die z.Zt. aktiv Dienenden (im ganzen 2.392 Marineangehörige) sollen möglichst beschleunigt durch ein Schulungslager gehen (Dauer 3-4 Wochen) und danach entlassen werden, um für deutsche Zwecke zur Verfügung zu stehen. Die letztere Entscheidung sei noch nicht endgültig, da die Stellungnahme des AA hierzu noch ausstehe.

Für die nächsten Wochen besteht danach keine Möglichkeit, dän. Marineangehörige für die Zwecke der Marine einzusetzen.

275 Se Keitel til von Hanneken 28. september 1943.

182. Kriegstagebuch/Admiral Dänemark 29. September 1943

Wurmbach var af WB Dänemark blevet orienteret om førerordren af 22. september og drog straks konsekvenserne: Det ville i lang tid ikke være muligt at hverve personale til en civil dansk minerydning, og det ville herefter være betænkeligt at overlade danskerne skibe til patruljering og minerydning, da man risikerede, at de sejlede til Sverige. Der stod kun et begrænset antal skibe til rådighed til den mest nødvendige minerydning og sundbevogtning. Flere problemer skulle stadig klares, bl.a. vedr. orlogsværftet, og så var der endnu nogle spørgsmål, som de foresatte skulle tage stilling til.

Wurmbach fik svar dagen efter, se KTB/ADM Dänemark 30. september 1943.

Kilde: KTB/ADM Dän 29. september 1943, RA, Danica 628, sp. 3, s. 3087-89. Wurmbachs enslydende fjernskrivermeddelelse i BArch, Freiburg, RM 7/1187.

10.00 h Bef. Dän. unterrichtet mich über folgenden Führerbefehl:

1.) Reichsführer SS hat die Genehmigung, aus den zu entlassenden ehemaligen dänischen Wehrmachtsangehörigen Freiwillige zu werben und bis zu 4.000 Mann der jüngsten Jahrgänge in SS-Lager ins Reich abzubefördern.
2.) Die Judendeportation wird durch Reichsführer SS durchgeführt, der zu diesem Zweck zwei Pol. Batl. nach Dänemark verlegt.
3.) Der militärische Ausnahmezustand bleibt zumindest bis zum Abschluß der Aktion zu Ziff. 1 und 2 bestehen. Über seine Aufhebung ergeht besonderer Befehl.
4.) Reichsbevollmächtigter ist über Auswärtiges Amt in gleichem Sinne unterrichtet.

Auf Grund dieser Führerentscheidung kann die SS nunmehr auch auf die dänische Marine zurückgreifen, während bisher Freiwillige nur im Heer gewonnen werden sollten.

Für uns müssen hieraus folgende Folgerungen gezogen werden:

1.) Mit Gewinnung von Personal für eine zivile dänische Minensuchflottille ist auf lange Zeit nicht mehr zu rechnen, desgl. nicht zur Besetzung von Polizeibooten für die Kontrolle der Sundküste.
2.) Die bisherige Entwicklung der Dinge führt zudem zu größten Bedenken, den Dänen Fahrzeuge für Minensuchen und Polizeidienst später wieder zu übereigen, da jetzt mit erheblicher Neigung, Fahrzeuge nach Schweden in Sicherheit zu bringen, gerechnet werden muß.
3.) Für KSfl. Gr. Belt sind z.Zt. zugewiesen:
M 1 und 4, MS 2, 3, 5, 6, S 1 und 3, P 1, 3, 4, 6, 7, 8, 13, 14, als Minensuchboot, P 2, 9, 19,
21, 28, 29, 32, 35 als Bojenboote, P 15 und 17 als Reserve.
4.) An Netzsperrverband Finnenbuse zugeteilt:
P 33, 36, 38 für diesen vorgesehen: P 11, 23 und 24, Z.Zt. in Fredericia.
5.) für Hsfl Khagen vorgesehen: K 18.
6.) für Kia dänische Inseln 1 Verkehrsboot für Batterien auf Inseln.
7.) Die dann noch vorhandenen Reserven betragen: 1 M-Boot, 16 P-Boote und 8 K-Boote. Von letzteren sind z.Zt. 6 durch Besatzung des MR-Schiffes 11 besetzt. Die Fahrzeuge werden materiell benötigt, um den Minenräumdienst auf dänischen Schiffahrtswegen in vollem Umfange mit einiger Sicherheit durchführen zu können, zum Minenbeseitigungsdienst von treibenden Minen und zum Polizeidienst im Sund.
8.) Die Unterrichtung der dän. Marine, daß ihre sämtlichen Marinefahrzeuge ein-

schließlich der Fischkutter von Deutschland in Gebrauch genommen werden, ist nunmehr durchzuführen.

9.) Nachdem OKW inzwischen im Sinne des OKM Standpunktes dahingehend entschieden hat, daß sichergestellte Waffen pp. keine Beute, sondern nur in Gebrauch zu nehmen sind, wird über die Arsenalbestände Orlogswerft von hier weiter zu verfügen sein.[276]

An der Orlogswerft selbst besteht von hier nach Neuregelung der Werft-Organisation kein Interesse.

Der Landesbeauftragte Dänemark vom Hauptausschuß Schiffbau ist von mir dahingehend unterrichtet, daß er weitere Verfügungen über die Werft treffen muß. Mit Abtreten der bisherigen Werftleitung (dän. Offiziere) ist ab 1.10. zu rechnen.

gez. **Wurmbach**

10.) Klärung folgender Fragen für notwendig erachtet:

a.) Kann Ksfl. Gr. Belt mit deutschem Personal ständig unterhalten werden?

b.) Kann deutschen Personal für Polizeiboote im Sund bereitgestellt werden?

c.) Was soll mit den sonstigen Reserven gemäß Abs. 7 geschehen?

Auf Entscheidung 1 Skl eins I 29455/43 G v. 20.9. wird dabei Bezug genommen.

Ost gKdos 202961 Qu drei

183. Kriegstagebuch/Seekriegsleitung 29. September 1943

Førerordren af 22. september nåede via Wurmbach, der havde den fra WB Dänemark, til MOK Ost, der lod den gå videre til Seekriegsleitung, hvor den endnu var ubekendt 29. september. Det fik Seekriegsleitung til at indføre en bemærkning i krigsdagbogen om, at den slags var sket tidligere, og at man hos OKW skulle bede om at undgå den form for ordregivning.

Når førerordren af 22. september først nåede Seekriegsleitung på så fremskredent et tidspunkt, er det et vidnesbyrd om, at Seekriegsleitung på ingen måde var inddraget i planlægningen af jødeaktionen og heller ikke var blevet bedt om at følge op med henblik på at hindre en flugt til Sverige. Kriegsmarine var ikke tiltænkt nogen rolle hverken under eller efter 2. oktober 1943.

Kilde: KTB/Skl 29. september 1943, s. 571f. og RA, Danica 628, sp. 7, nr. 5419f. (afskrift af fjernskrivermeddelelse).

MOK Ost meldet:

"Der Führer hat angeordnet:

1.) Reichsführer SS hat die Genehmigung, aus den zu entlassenden ehemaligen dänischen Wehrmachtsangehörigen Freiwillige zu werben und bis zu 4.000 Mann der jüngsten Jahrgänge in SS-Lager ins Reich abzubefördern.

2.) Die Judendeportation wird durch Reichsführer SS durchgeführt, der zu diesem Zweck zwei Pol. Batl. nach Dänemark verlegt.

3.) Der milit. Ausnahmezustand bleibt zumindest bis zum Abschluß der Aktion zu Ziff. 1 und 2 bestehen. Über seine Aufhebung ergeht besonderer Befehl.

4.) Reichsbevollmächtiger ist über Ausw. Amt in gleichem Sinne unterrichtet. Es wird

276 Det var sket 23. september.

darauf hingewiesen, daß damit Werbung für Minensuchzwecke bis zum Abschluß der Aktion ruht."

Es handelt sich offenbar um eine OKW-Weisung, die die Skl nicht unmittelbar, sondern auf dem Wege über unterstellte Dienststellen erfährt. Adm. F.H.Qu. ist bereits früher von Chef 1/Skl gebeten worden, bei OKW Abstellung der derartigen Methode der Befehlserteilung zu erwirken.

184. Eberhard von Thadden an Adolf Eichmann 30. September 1943

Best havde meddelt AA, at von Hanneken ikke ville stille personale til rådighed ved jødeaktionen, da OKW havde forbudt det. Aktionen kunne ikke gennemføres i Jylland uden den støtte, hvorfor RSHA blev bedt om at støtte AA med ophævelsen af forbuddet (Thomsen 1971, s. 184).

Forbuddet blev ophævet samme dag, se Best til AA, telegram nr. 1168.

Kilde: PA/AA 100.864. RA, pk. 226.

Durchdruck als Konzept (R'schrift 1b.) Ko.
Auswärtiges Amt *Berlin, 30. September 1943*
Inl. II 2737g Geheim

An den Chef der Sicherheitspolizei und des SD
z.Hd. von SS-Obersturmbannführer Eichmann

Schnellbrief

Der Bevollmächtigte des Reichs in Dänemark hat dem Auswärtigen Amt drahtlich mitgeteilt, daß der Befehlshaber der deutschen Truppen in Dänemark es abgelehnt habe, die Geheime Feldpolizei und Feldgendarmerie zur Unterstützung der deutschen Sicherheitspolizei bei der Judenaktion zur Verfügung zu stellen.[277] Die Ablehnung werde damit begründet, daß die Mitwirkung solcher Wehrmachtskräfte bei der Judenaktion durch das OKW verboten sei.

Der Bevollmächtigte des Reichs hat weiterhin mitgeteilt, daß ohne die Hilfe der Geheimen Feldpolizei und Feldgendarmerie die Judenaktion in Jütland und Fünen nicht durchgeführt werden könne, da alle Kräfte der Deutschen Ordnungspolizei zur Unterstützung der Deutschen Sicherheitspolizei in Kopenhagen gebraucht würden. Er bäte daher, die Aufhebung des Verbots beim OKW zu veranlassen.

Das Auswärtige Amt darf anheimstellen, die Angelegenheit auch von dort aus zu verfolgen.

Im Auftrag
gez. v. **Thadden**

277 Jfr. Best til AA telegram nr. 1163, 29. september.

185. Rüstungsstab Dänemark: Belegungsplan für Dansk Industri Syndikat 30. September 1943

For at øge Dansk Industri Syndikats produktivitet havde Rüstungsstab Dänemark opstillet en belægningsplan for virksomheden, hvorefter produktionen skulle lægges om. Rüstungsstab Dänemark fik en række tyske opdraggivere til at annullere deres kontrakter med DIS, der herefter ikke skulle producere enkeltdele, heller ikke 2 cm Madsen-kanonen, men udelukkende 3,7 cm Madsen-kanonen. Det ville øge produktiviteten, og man ville bedre kunne kontrollere, at den blev holdt. Undskyldninger med hensyn til anden produktion kunne ikke længere bruges. Dog skulle bestående kontrakter vedrørende reservedele, ombygning og istandsættelse af 2 cm kanonen med OKM opretholdes. Forhandlingerne med DIS stod på i tre måneder, og Rüstungsstab Dänemark fandt herunder ud af, at problemerne med at overholde leverancefrister ikke var af teknisk karakter, men skyldtes ingeniør Jenk, som man derfor så sig tvunget til at kræve afskediget.

DIS var den eneste store danske våbenproducent af betydning, og Rüstungsstab Dänemarks interesse for den gik tilbage til den tyske besættelses begyndelse og før endnu. Fabrikken havde kun tyske ordrer, og de var af et omfang som ingen anden dansk industris, værftsindustrien undtaget. Det var på den baggrund, at Rüstungsstab Dänemark kunne gribe direkte ind i fabrikkens produktion og diktere produktionsændringer. I 1942 havde der fra tysk side været presset på for en bedre udnyttelse af produktionskapaciteten. De i 1943 tilkomne rationaliseringsbestræbelser var dikteret af Rüstungsamt, der fra 1943 tilstræbte at få forenklet og standardiseret ordrerne på fabrikkerne både i Tyskland og i de besatte lande (Giltner 1998, s. 99, 101, Müller 1999, s. 303-318 og passim, Jensen, Kristiansen og Nielsen 2000, kap. 3 og 4 (uden kendskab til de omtalte bestræbelser i 1943).

Kilde: BArch, Freiburg, RW 27/9, KTB Rü Stab Dän 3. Vierteljahr 1943, Anlage 3.

Rüstungsstab Dänemark — Anlage 3
Abt. TB

Aufstellung eines Belegungsplans für Dansk Industri Syndikat,
Compagni Madsen A/S, Kopenhagen (DIS) durch Rüstungsstab Dänemark.

1.7.1943
Vom Rü Stab Dän. wurde ein neuer Belegungsplan für DIS aufgestellt. Die Neuaufstellung war notwendig, weil bei DIS eine überhöhter Auftragsbestand vorlag, der mit den zur Verfügung stehenden Fertigungskapazitäten abgestimmt werden mußte.

Rü Stab Dänemark vertrat den Standpunkt, daß es sich bei der Neuregelung nicht um die Erhaltung bezw. Steigerung der Fertigung einzelner WT unter dem Gesichtspunkt der zeitlichen Belegungsfolge handeln darf, sondern es muß die Aufstellung eines optimalen Belegungsplans angestrebt werden. Die Belegung mußte so geplant werden, daß eine möglichst gleichmäßige und vollkommene Auslastung des Maschinenparks unter Berücksichtigung der Dringlichkeitsfolge der vorliegenden Aufträge erreicht wurde.

Die Überprüfung der vorhandenen Aufträge und die Aufstellung eines neuen Belegungsplans erforderte die Kenntnis der Verteilung der vorliegenden Aufträge auf die verschiedenen Maschinenarten. Da DIS bisher keine Planung auf Grund vorhandener Arbeitszeitwerte vorgenommen hatte, mußte Rü Stab Dän. die Aufstellung der für eine Planung notwenigen Angaben erst erstellen lassen.

Eine von DIS vorgeschlagene Belegung sah in erster Linie die Fertigung der 2cm Madsen Waffe mit dem vom OKM geforderten neuen gesteigerten Programm vor, während alle anderen deutschen Auftraggeber (Rheinmetall, Maget, Bamag, Gollnow

& Sohn, Gebrüder Böhling, Elac, Fri-Te-We) mit ihrem monatlichen Ausstoß auf die Hälfte reduziert werden sollten.

Diesem Vorschlag konnte sich Rü Stab Dän. aus folgenden Gesichtspunkten nicht anschließen:

1.) Es ist besser, wenige Auftraggeber vollständig auszuschalten, als durch Kürzung zahlreicher Aufträge *alle* Auftraggeber zur Umstellung ihrer Gesamtplanung zu zwingen.
2.) Es ist ein Verzicht auf die gesteigerte Ausbringung einer kompletten Waffe (2cm Madsen) leichter tragbar, als das Absinken von Teillieferungen, deren Ausfall die ganze Geräte-Planung in Frage stellt.
3.) Bei der mangelnden Beweglichkeit der dänischen Industrie ist die Verlagerung weniger Teile oder Geräte in großen Serien anzustreben, damit in verstärktem Masse ein Anreiz zur Rationalisierung und damit zur Steigerung der Ausbringung vorhanden ist.
4.) Die Fertigungen mit der höchsten Dringlichkeitsstufe (Rheinmetall, Feinmechanische Gruppen) sind, soweit nur möglich, sicherzustellen.

Die Durchführung des neuen Belegungsplans erforderte das Einverständnis der deutschen Auftraggeber, somit mußte Rü Stab Dän. verhandeln:

1.) mit den Auftraggebern auf Einzelteile, deren Auftragshöhe gekürzt werden mußte (Gollnow & Sohn, Bamag, Elac, Fri-Te-We, Maget),
2.) mit dem OKM wegen Reduzierung bezw. Annullierung der 2cm Madsen Waffe. Rü Stab Dän. hielt die Fertigung dieser sowohl fabrikationsmäßig als auch im Einsatz nicht den Erfordernissen entsprechenden Waffe bei der geringen Ausbringung von DIS (geplante monatliche Ausbringung 40 Stck) gegenüber den Ausbringungszahlen deutscher Betriebe nicht mehr für vertretbar.

Die vom Rü Stab Dän. zu diesen Punkten geführten Verhandlungen brachten folgendes Ergebnis:

6.7.1943

Herr General Leyers (OKH) hatte sich anläßlich eines kurzen Aufenthaltes in Kopenhagen bereit erklärt, in der Frage der Reduzierung des OKM-Auftrages auf 2cm Madsen mit Admiral Matthes (OKM) in Berlin persönlich Fühlung zu nehmen. General Leyers konnte jetzt dem Rü Stab Dän. mitteilen, daß OKM auf die Fertigung der 2cm Waffe ganz verzichten will, wenn OKH eine entsprechende Mehrlieferung deutscher Flakwaffen vornehmen kann. Die Einzelheiten werden zwischen OKM und OKH direkt geregelt.

14.7.1943 bis 17.7.1943

In Berlin wurde durch Reg. Baurat Jeschke über die endgültige Belegung der Feinmechanischen Gruppen (Elac und Fri-Te-We) verhandelt.

Zunächst wurde beim Rüstungsamt (Ministerialrat Speh) über die aufgetretenen Probleme Vortrag gehalten und Einstimmigkeit darüber festgestellt, daß die persönlichen Verhandlungen des Rü Stab Dän. mit den Auftragsgebenden Firmen und Dienststellen einer direkten Entscheidung des OKW vorzuziehen sind.

Rü Stab Dän. brachte in gemeinsamer Verhandlung mit
OKH Wa J Rü (WuG VIII-20),
Sonderausschuß G1/F und G1/G,
den Firmen Elac und Fri-Te-We
zum Ausdruck, daß trotz der Wichtigkeit der feinmechanischen Fertigung (4900er-Nummer) sich eine Kürzung der beanspruchten Fertigungskapazität für die vorliegenden Aufträge nicht vermeiden läßt, da die benötigten Dreh – und Schleifstunden unter Berücksichtigung der Gesamtplanung nicht zur Verfügung stehen.

Rü Stab Dän. erbat Vorschläge der beteiligten Firmen im Rahmen der Kapazitäten, die in der Gesamtplanung vom Rü Stab Dän. zur Verfügung gestellt werden können.

Rü Stab Dän. schlug ferner vor, in der Planung nicht von der Festlegung von Stückzahlen für bestimmte Geräte auszugehen, sondern als Kapazität für die Feinmechanischen Gruppen die Maschinenstundenzahl der DIS zugrunde zu legen und diese Maschinenstunden für die feinmechanische Fertigung frei zu halten. Damit wird erreicht, daß DIS bei wissentlich falscher überhöhter Angabe des Maschinenbedarfs, den Ausbringungsanteil der Feinmechanischen Gruppen nicht zu Gunsten anderer ihnen angenehmer erscheinenden Fertigungen senken kann. Rü Stab Dän. überläßt die Verteilung und Auslastung der freigehaltenen Kapazität den beteiligten Firmen. Dieser Regelung kommt besondere Bedeutung in dem Augenblick zu, wenn Programmänderungen vorgenommen werden müssen.

18.7.1943
Auf Grund der Besprechung vom Vortage wird vom OKH Wa J Rü (Wu G 8-ZO) an Elac Anweisung erteilt, die Fertigung des Gebergetriebes und der RRH-Gruppen bei DIS zu annullieren.

23.7.1943
Dem Rü Stab Dän. wird vom Arbeitsausschuß F aus Berlin mitgeteilt, wie die in der Besprechung vom 17.7. 43 der feinmechanischen Fertigung zur Verfügung gestellte Kapazität ausgenutzt werden soll.

DIS soll in Kürze offiziell das neue Programm mitgeteilt werden.

26.7.1943
Firma Gollnow & Sohn teilt DIS mit, daß sie mit der vom Rü Stab Dän. vorgeschlagenen Programmkürzung einverstanden ist.

28.7.1943
Firma Bamag teilt Rü Stab Dän. mit, daß sie die vom Rü Stab Dän. vorgeschlagene Programmkürzung DIS in den nächsten Tagen verbindlich mitteilen wird.

3.8.1943
Telefongespräch mit Oberst Schröder (OKH), wonach es sicher ist, daß die Marine das 2cm Geschütz bei DIS in Zukunft nicht mehr fertigen wird. Die vom Rü Stab Dän. für eine reduzierte Fertigung vorgesehene Kapazität, wird durch Steigerung der 3.7cm Fertigung ausgenutzt.

7.8.1943
Es wird der Fa. DIS mitgeteilt, mit welchen Fertigungen sie in Zukunft im Rahmen ihrer Kapazität zu rechnen hat, damit die Vorarbeiten zur Fertigungsumsteuerung sofort in Angriff genommen werden können.

9.8.1943
Trotz ausdrücklicher Bestätigung durch Telefongespräch vom 3.8.43, daß die Fertigung der 2cm Waffe eingestellt wird, ging DIS am 9.8.43 ein Schreiben des OKM zu, worin die Einhaltung der geforderten Ausstoßzahlen ausdrücklich verlangt wird.

11.8.1943
Dieses Schreiben hatte zur Folge, daß DIS erklärte, ihren Arbeitsplan entsprechend der Forderung des Rü Stab Dän. erst dann ändern zu wollen, wenn sie vom OKM ausdrücklich die Bestätigung zu einer Auftragsreduzierung oder -streichung erhalten hat.

18.8.1943
Das Telefongespräch vom 3.8.43 wird inhaltlich bestätigt.

15.9.1943
Das Programm für die OKM-Aufträge wurde durch Besuch von Admiral Matthes (OKM) und Oberst Schröder (OKH) dahin festgelegt, daß die von Rü Stab Dän. angeregte Fertigungseinstellung der 2cm Waffe sofort ausgesprochen wird, in dem Auftrag und Material für den bereits angelaufenen Anschlußauftrag zurückgezogen werden. Die Aufträge über Reserveteile, Umbauten und Instandsetzung bleiben bestehen.

Damit sind die vom Rü Stab Dän. vorgeschlagenen Belegungsänderungen von allen Auftraggebern der Fa. DIS verbindlich mitgeteilt worden.

19.9.1943
Da die mit DIS seit drei Monaten geführten Verhandlungen beim Rü Stab Dän. und den deutschen Auftraggebern den Eindruck festigten, daß die aufgetretenen Schwierigkeiten in der terminlichen Ausbringung der Lieferungen nicht im technischen Charakter des Betriebes bedingt sind, sah sich Rü Stab Dän. gezwungen, die Entlassung des Ing. Jenk zu fordern. Alle deutschen Stellen waren sich einig, daß die mangelnden technischen Fähigkeiten und der schlechte Wille dieses Ingenieurs maßgeblich dazu beigetragen haben, daß Vorantreiben der deutschen Fertigungen zu hemmen.

186. Werner Best an das Auswärtige Amt 30. September 1943

Dagsindberetning.

Kilde: PA/AA R 29.567. RA, pk. 203.

Telegramm

Kopenhagen, den	30. September 1943	19.15 Uhr
Ankunft, den	30. September 1943	19.50 Uhr

Nr. 1166 vom 30.9.[43.] Citissime!

Ich bitte, die folgenden Meldungen dem Herrn Reichsaußenminister unverzüglich zuzuleiten:

1.) Aus der Nacht vom 29. zum 30.9.43 sind die folgenden Vorfälle gemeldet worden:
   a.) In Kopenhagen in einer Schuhfabrik infolge einer Explosion (vermutlich Sabotage) Feuer ausgebrochen.[278]
   b.) In Kopenhagen ist ein deutscher Soldat durch einen Schuß am Bein verletzt worden. Die Täter sind entkommen, jedoch liegen gewisse Anhaltspunkte für ihre Identifizierung vor.
   c.) In Kopenhagen ist ein dänischer Freiwilliger von einem unbekannten Täter mit seinem eigenen Seitengewehr in den linken Arm gestochen worden. Der Täter ist mit dem Seitengewehr entkommen.
   d.) In Varde (Jütland) ist ein in Reparatur befindlicher deutscher Lastkraftwagen der deutschen Wehrmacht durch einen Sprengkörper beschädigt worden.[279]
   e.) In Aarhus ist in einem beschlagnahmten Wanderheim Brand gelegt worden, der jedoch sofort gelöscht werden konnte.[280]
2.) Der Befehlshaber der deutschen Truppen in Dänemark hat für den 29.9.43 die folgende Tagesmeldung erstattet: "Werkstattschuppen einer Akkumulatorenfabrik und 9 Lkw in Autofabrik (beides Kopenhagen) durch Sabotage zerstört.[281] – Bombenfund in Ribe und Odense."
3.) Der Befehlshaber der Ordnungspolizei Generalmajor von Heimburg ist am 29.9. in Kopenhagen eingetroffen.[282]

Dr. Best

278 BOPA forøvede sabotage mod Ludvig Andersens Skotøjsfabrik, Stengade 5, København. Ifølge Rü Stab Dänemark trængte 10 pistolbevæbnede mænd ind i lageret og overmandede virksomhedens vagter, hvorpå de lagde to sprængbomber, der forårsagede betydelig skade. Firmaet arbejdede kun i ringe omfang for den civile tyske sektor (Sabotagehandlungen in der Zeit vom 17.9.-7.10.1943 (bilag til Forstmann til Waeger 8. oktober 1943, trykt nedenfor), Kjeldbæk 1997, s. 468).

279 Hos Ford Motor Service, Varde, var der en eksplosion i en tysk lastvogn (Alkil, 2, 1945-46, s. 1221).

280 Der var brand i et vandrerhjem den 29. september, men det var Odense Vandrerhjem, og skaden var ubetydelig. Tysk politi tog vandrerhjemmet i brug dagen efter (Sabotagehandlungen in der Zeit vom 17.9.-7.10.1943 (bilag til Forstmann til Waeger 8. oktober 1943, trykt nedenfor), der ligeledes fejlagtigt opgiver Århus og sikkert er kilden til Bests oplysning), Hansen 1945b, s. 88, Alkil, 2, 1945-46, s. 1221).

281 Se Bests telegram nr. 1155, 29. september 1943.

282 Politigeneral Erik von Heimburg var 19. september blevet udnævnt til Befehlshaber der Ordnungspolizei i Danmark. Best undlod at nævne, at der 29. september desuden var kommet seks SD-folk fra Berlin under ledelse af Sturmbannführer Rolf Günther, Eichmanns stedfortræder i "Judenreferat" i RSHA (BArch, R70 Dänemark 6 BdO KTB 29. september 1943, Rosengreen 1982, s. 44, Kreth/Mogensen 1995, s. 22f., Lundtofte 2003, s. 107, Klee 2005, s. 209).

187. Werner Best an das Auswärtige Amt 30. September 1943

Best meddelte, at von Hanneken havde ophævet sit forbud mod, at enheder fra værnemagten deltog i aktionen mod de danske jøder.

Kilde: PA/AA R 29.567. RA, pk. 203.

Telegramm

Kopenhagen, den	30. September 1943	20.45 Uhr
Ankunft, den	30. September 1943	21.20 Uhr

Nr. 1168 vom 30.9.[43.] Citissime!

Auf das Telegramm Nr. 1337[283] vom 29.9.43 berichte ich unter Bezugnahme auf mein Telegramm Nr. 1149[284] vom 28.9.43, daß der Befehlshaber der deutschen Truppen in Dänemark den ihm vom OKW erteilten Auftrag am 28.9.43 vollzogen hat.

Dr. Best

188. Werner Best an das Auswärtige Amt 30. September 1943

Best meddelte, at von Hanneken havde fået bibragt samme opfattelse af mulighederne for en dansk regeringsdannelse, som Best tidligere havde givet.

UMs direktør, Nils Svenningsen, havde særskilt orienteret von Hanneken (Hæstrup, 1, 1966-71, s. 111).

Kilde: RA, pk. 203 og 226.

Telegramm

Kopenhagen, den	30. September 1943	21.15 Uhr
Ankunft, den	30. September 1943	22.25 Uhr

Nr. 1169 vom 30.9.[43.]

Auf das Telegramm Nr. 1338[285] vom 29.9.43 berichte ich unter Bezugnahme auf mein Telegramm Nr. 1145[286] vom 28.9., daß der Befehlshaber der deutschen Truppen in Dänemark mich davon unterrichtet hat, daß er als Inhaber der vollziehenden Gewalt von dem Direktor Svenningsen in gleicher Weise unterrichtet worden ist wie ich.

Dr. Best

283 Pol. VI gRs. – Sonderzug 1537 –. Ritter til Best, trykt ovenfor.

284 bei Pol. VI (V.S.) (Sabotageakte in Dänemark). Trykt ovenfor.

285 Pol. VI 2015 gRs. (Mitt. Svenningsen an Befehlshaber d. dt. Truppen). Telegrammet er ikke lokaliseret.

286 bei Pol. VI. Trykt ovenfor.

189. Werner Best an das Auswärtige Amt 30. September 1943

Best meddelte, at nogle jøder prøvede at undslippe til Sverige med foreløbige svenske pas, men at han ikke ville lade dem udrejse, med mindre han fik ordre dertil fra AA.

Det fik han ikke (Yahil 1967, s. 167, Kirchhoff 1997, s. 103).

Kilde: PA/AA R 104.608. Yahil 1967, s. 425f. (på dansk) og 1969, s. 475f. (på engelsk).

Telegramm

Kopenhagen, den	30. September 1943	21.05 Uhr
Ankunft, den	30. September 1943	22.25 Uhr

Nr. 1170 vom 30.9.[43.]

Die Fremdenabteilung des dänischen Reichspolizeichefs hat mir ein Schreiben der schwedischen Gesandtschaft vom 29.9.43 zur Kenntnis gegeben, in dem mitgeteilt wird, das an 11 Juden, die Antrag auf Wiederverleihung der schwedischen Staatsangehörigkeit gestellt hätten, provisorische schwedische Pässe ausgestellt worden seien. Nach den Feststellungen des dänischen Reichspolizeichefs sind jedoch nicht nur 11, sondern etwa 45 provisorische schwedische Pässe in den letzten Tagen an hiesige Juden ausgegeben worden, die auf Grund dieser Pässe um die Ausreiseerlaubnis nach Schweden nachsuchen.

Ich verweigere diesen Antragstellern die Ausreiseerlaubnis und beabsichtige, sie auch nicht von der Evakuierung auszunehmen, wenn ich nicht von dort anders lautende Weisung erhalte.

Dr. Best

190. Werner Best an das Auswärtige Amt 30. September 1943

Best orienterede om, at der var oprettet en ny gruppe under Schalburgkorpset, der havde tilslutning fra lederne af de nazistiske partier og foreninger i Danmark. Gruppen stod under ledelse af Poul Sommer og havde som formål at tage sig af den politiske kamp mod terror og sabotage. Frits Clausen havde opfordret sine medlemmer til at samarbejde med den nye gruppe, mens han selv havde meldt sig som frivillig læge til Waffen-SS. Best konkluderede, at koncentrationen af alle nazistiske og tyskvenlige kræfter i Schalburgkorpset åbnede for både intensiveringen af hvervningen til Waffen-SS og for at stabilisere de i korpset samlede kræfter med henblik på at påvirke befolkningen politisk.

Tilslutningen til Schalburgkorpset var hidtil blevet begrænset af, at Frits Clausen havde forbudt medlemmer af DNSAP at indtræde i korpset. Nu søgte man fra tysk side på ny at samle alle danske nazister i en organisation, den nydannede Folkeværnet, som var tilsluttet Schalburgkorpset. Formålet var ifølge Best en politisk kamp mod terror og sabotage. Både DNSAP, Den Nationale Liga og foreningen Dansk Anti-Kommunisme gav deres tilslutning, men det var alligevel for hastigt, når Best til slut konkluderede, at alle nazistiske kræfter var koncentreret i Schalburgkorpset. Det var ønsketænkning og den tilsyneladende "koncentration" ganske skrøbelig (Alkil, 1, 1945-46, s. 729-31, Hæstrup, 1, 1966-71, s. 156, Monrad Pedersen 2000, s. 46f., Lauridsen 2003b, s. 357-359).

Det er bemærkelsesværdigt, at den tekniske inspektør i Rüstungsstab Dänemark samme dag udarbejdede et bilag med overskriften "Eine neue Organisation zur Sabotagebekämpfung in Dänemark", hvorefter Schalburgkorpsets opfordring i aviserne blev gengivet. Bilaget indgik som nr. 35 i Rüstungsstabs krigsdagbog for 3. kvartal 1943, så Forstmann har ikke taget det som en misforståelse, selv om han ikke omtalte det i sin situationsberetning for hverken september eller oktober. Rüstungsstab Dänemark havde på den ene eller anden måde fået den forventning, at Schalburgkorpset skulle bidrage til sabotagebekæmpelsen ved at knække den fjendtlige terror. Af Schalburgkorpsets opfordring til at indtræde i den nye kamporganisation kunne man også få det indtryk, at der var tale om mere end en ren politisk organisation, og at sabotagen skulle bekæmpes med andet end ord. Det fremgår også af det materiale, der i oktober blev udarbejdet om Folkeværnets formål (Alkil, 1, 1945-46, s. 730f.), at medlemmerne kunne få militær træning, hvilket unægtelig rakte ud over et rent politisk formål.

Folkeværnets levetid blev kun kortvarigt, det gik i december 1943 op i Landstormen, stadig som en særlig afdeling af Schalburgkorpset (sst. s. 748f.). Bestræbelserne på at samle og militarisere det nazistiske miljø udgik fra Werner Best, der atter koordinerede det med RFSS og Berger. HSSPF Hans Rauter i Holland organiserede samtidigt de hollandske nazister i en "selvbeskyttelsesorganisation", der fik navnet Landstorm Nederland (Rauter til Himmler 14. oktober 1943 (*De SS en Nederland*, 2, 1976, s. 1234-38)). I begge lande havde en tilspidset situation ført til oprettelsen af organisationer bestående af lokale nazister, der kunne indgå i terrorbekæmpelsen.

Kilde: PA/AA R 29.567. RA, pk. 203 og 225.

Telegramm

Kopenhagen, den	30. September 1943	20.50 Uhr
Ankunft, den	30. September 1943	22.25 Uhr

Nr. 1171 vom 30.9.[43.]

Im Rahmen des Schalburg-Korps ist eine neue Gruppe gebildet worden, in die gemäß Vereinbarung mit den Leitern aller nationalsozialistischen Parteien und Vereinigungen in Dänemark alle für politische Zwecke einsatzfähigen Männer eintreten sollen. Diese Gruppe steht unter der Führung des stellvertretenden Führers des Schalburg-Korps, Hauptmanns der Luftwaffe Poul Sommer (dänischer Freiwilliger). Sommer stellt als erste Aufgabe dieser neuen Gruppe den politischen Kampf gegen Terror und Sabotage heraus und hat am 29.9. den folgenden Aufruf erlassen, der heute in der gesamten dänischen Presse veröffentlicht worden ist:[287]

"Die ernste Lage, in der Dänemark sich heute befindet, zwingt alle dänischen Staatsbürger zu höchstem Verantwortungsbewußtsein. Kein verantwortungsbewußter Däne kann länger der sinnlosen Zerstörung dänischer Betriebsanlagen untätig zusehen. Kein verantwortungsbewußter Däne kann länger einer von fremden Agenten künstlich geförderten Entwicklung gegenüber gleichgültig bleiben, die notwendig im bolschewistischen Chaos enden müsse. Wir haben uns entschlossen, von dem heutigen Tage an mit einer neuen Kampforganisation im Rahmen des Schalburg-Korps den feindlichen Terror zu brechen.

Wir fordern alle Dänen, die bereit sind, in dieser ernsten Zeit einen positiven Einsatz zu leisten, zum Anschluß an diese neue Kampforganisation auf. Meldung an: Schalburg-Korps, Kopenhagen Ö, Blegdamsvej 23.

Gez. Sommer, Hauptmann."

287 Trykt på dansk hos Alkil, 1, 1945-46, s. 730.

Der Führer des Schalburg-Korps, SS-Obersturmbannführer Martinsen, hat am 30.9.43 im dänischen Staatsrundfunk einen ausführlichen Vortrag über das Schalburg-Korps gehalten.

Der Parteiführer der DNSAP, Dr. Frits Clausen, hat die Angehörigen seiner Partei zur Mitarbeit in der neuen Gruppe des Schalburg-Korps aufgefordert. Er selbst hat sich als freiwilliger Arzt zur Waffen-SS gemeldet und wird in den nächsten Tagen zum Dienstantritt in das Reich abreisen.[288] Er veröffentlicht heute in der Zeitung "Fädrelandet" den folgenden Aufruf:[289]

"Durch die Ereignisse, die dem 29. August d.J. vorausgingen, wurde unser Vaterland in politische Verhältnisse gebracht, deren Reichweite im Augenblick nicht übersehen werden kann. Die zusammenarbeitenden sozialdemokratischen Parteien haben nicht bekanntgegeben, wie sie einer Lösung zustreben, und als dänische politische Partei kann die DNSAP als Träger der nationalsozialistischen Lebensanschauung nur wirksam zu einer gesunden politischen Entwicklung unseres Landes beitragen, indem sie den Kampf auf die Art und Weise führt, die unsere Kameraden bewiesen, als sie antraten zum Waffenkampf gegen den Bolschewismus. – Ich habe mich deshalb als Führer dieser Partei zur aktiven Teilnahme in diesem Kampf zur Verfügung gestellt. Die Parteikameraden, die keinen aktiven Einsatz auf diese Weise leisten können, fordere ich auf, diesen in der neuerrichteten Gruppe des Schalburg-Korps zu leisten. Die DNSAP setzt unverändert und mit gleicher Kraft seinen bisher geführten Kampf für die nationalsozialistische Weltanschauung und für eine ehrenhafte Zukunft unseres Landes fort.

gez. Dr. Frits Clausen."

Die Konzentration aller nationalsozialistischen und deutsch-freundlichen Kräfte im Schalburg-Korps bietet Aussicht, einerseits die Werbung für die Waffen-SS, die ursprünglich die Hauptaufgabe des Schalburg-Korps war, wieder zu intensivieren und andererseits die in dem Korps gesammelten Kräfte allmählich zur Stabilisierung der hiesigen Verhältnisse und zur politischen Beeinflussung der Bevölkerung einzusetzen.

Dr. Best

191. Joachim von Ribbentrop an Werner Best 30. September 1943

Ribbentrop sendte Best en irettesættelse for den indberetning, han den 25. september havde sendt vedr. værnemagtens planer om at beslaglægge Ollerup Gymnastikhøjskole. AA skulle først inddrages i den slags enkeltsager, hvis en løsning ikke kunne opnås med WB Dänemark.

Best havde endnu ikke svaret, da Ribbentrop fulgte op på sagen med telegram nr. 1560, 1. oktober 1943.

Kilde: PA/AA R 29.567. RA, pk. 203.

288 Best "tilskyndede" eller tvang givetvis Frits Clausen til denne beslutning i forventning om, at det ville lette samlingen af alle danske nazister. Frits Clausen havde været hos Best to gange 13. september og var til middag hos Best med Hermann Bielstein samme aften, som Best sendte sit telegram til AA (Bests kalenderoptegnelser, anf. tidspunkter). Himmler roste 1./2. oktober Best for håndteringen af Frits Clausen.

289 Gengivet på dansk i *Føreren har ordet!* 2003, s. 731f.

Telegramm

Sonderzug, den	30. September 1943	01.10 Uhr
Ankunft, den	30. September 1943	01.50 Uhr

Nr. 1543 vom 29.9.[43.]
RAM 409/R

1.) Telko
2.) Reichsbevollmächtigten Dr. Best Kopenhagen.
Für Reichsbevollmächtigten persönlich.

Auf Tel. 1131[290] vom 25.9.
Die Frage der Beschlagnahme der Gymnastikschule in Ollerup wird von hier aus mit dem OKW geklärt werden. Zu dem Schlußsatz Ihres Telegramms, in dem Sie von der zurzeit herrschenden Willkür der Wehrmacht und der Zerschlagung der letzten politischen Möglichkeiten sprechen, muß ich jedoch bemerken, daß eine derartige allgemeine Kritik keinen Zweck hat. Es ist Ihre Aufgabe, dafür Sorge zu tragen, daß die aufgrund des Ausnahmezustandes getroffenen militärischen Maßnahmen im Einklang mit unseren politischen Zielen in Dänemark bleiben, und, falls Sie von einzelnen Maßnahmen eine Beeinträchtigung dieser Ziele befürchten, die Angelegenheit dem deutschen Militärbefehlshaber gegenüber aufzunehmen und alles zu tun, um ihren Standpunkt durchzusetzen. Erst wenn das nicht gelingt, ist darüber von Ihnen unter konkreter Angabe aller Einzelheiten des Falles an das Auswärtige Amt zu berichten, damit die Angelegenheit dann von ihm mit dem OKW geklärt werden kann.

Ribbentrop

Vermerk:
Unter Nr. 1342 an Reichsbevollmächtigten Dr. Best Kopenhagen weitergeleitet.
Telko 30.9.

192. Joachim von Ribbentrop an Werner Best 30. September 1943

Best fik ikke kun en irettesættelse den 30. september, men han fik også besked om at hans indberetning om, at OKW ikke ville lade enheder af værnemagten medvirke ved jødeaktionen var absolut urigtig. Derom havde OKW straks givet besked til von Hanneken. Ribbentrop ønskede fastslået, hvordan misforståelsen var opstået.

Det fik han med Bests telegram nr. 1175, 1. oktober.

Kilde: PA/AA R 29.567. RA, pk. 203 og 226. LAK, Best-sagen (afskrift). Sabile 1949, 2, s. 6 (på fransk).

290 bei Pol I M. Trykt ovenfor.

Telegramm

Sonderzug, den	30. September 1943	22.50 Uhr
Ankunft, den	30. September 1943	23.55 Uhr

Nr. 1549 vom 30.9.[43.] Citissime!
– RAM 413/R/43 – Geheime Reichssache!

Diplogerma Kopenhagen
Für Reichsbevollmächtigten.

Auf Nr. 1163[291] vom 29.9.43.
Gelegentlich der Vorlage Ihres obenbezeichneten Drahtberichts beim Führer wurde den Führer von Generalfeldmarschall Keitel gemeldet, es sei absolut unzutreffend, daß das OKW die Mitwirkung der geheimen Feldpolizei und der Feldgendarmerie zur Unterstützung der deutschen Sicherheitspolizei bei der Judenaktion verboten habe. Das OKW hat sofort telefonische Verbindung mit General von Hanneken zur Aufklärung dieses Mißverständnisses aufgenommen.

Ich bitte Sie, festzustellen, worauf dieses Mißverständnis beruht und darüber hierher zu berichten.

Ribbentrop

Vermerk:
Unter Nr. 1350 an Diplogerma Kopenhagen weitergeleitet.
Berlin, 1.10.1943.
Tel. Ktr.

193. SS-Obersturmbannführer Diederichsen: Entwicklungsbericht über die Germanische Leitstelle, Finanzen, Wirtschaft und Vermögensverwaltung 30. September 1943

Til brug for NSDAPs rigsskatmester Franz X. Schwarz udarbejdede Diederichsen fra Germanische Leitstelles afdeling for Finanzen, Wirtschaft und Vermögensverwaltung denne udviklingsoversigt, som blev videresendt samme dag. Den trak først de brede linjer for Germanische Leitstelles virke og opgaver op, for derefter at give en nærmere redegørelse for organisationens aktivitet i de enkelte lande, og hvad det kostede. I Danmark havde der været engangsudgifter på 86.000 RM til køb af et kammeratskabshus og en SS-skole, dertil yderligere udgifter til køb og indretning af en SS-førerskole, mens de månedlige udgifter i øvrigt beløb sig til ca. 40.000 RM, dog ungdomsarbejdet undtaget, der månedligt beløb sig til knapt 16.000 RM. RWM ville ikke være med til en forhøjelse af udgifterne fra 1. oktober 1943, hvorfor WB Dänemark havde lovet foreløbigt at stille de nødvendige midler til rådighed. Sagen skulle endeligt afgøres ved et møde i København i oktober. De årlige løbende udgifter androg under 200.000 RM.

Udgifterne til Germanische Leitstelle i Danmark var beskedne sammenlignet med f.eks. Hollands eller Norges, men der kan skjule sig udgifter for Danmarks vedkommende, som blev betalt af den rigsbefuldmægtigede og ikke er med i oversigten, først og fremmest udgifterne til SS-forsorgsofficeren.

291 bei Inl. II (V.S.) (Judenaktion). Trykt ovenfor.

Se endvidere Germanische Leitstelles budget for 1944/45, 24. april 1944, hvoraf det igen fremgår, at Germanische Leitstelle i Danmark brugte forholdsvis beskedne ressourcer sammenlignet med flere andre besatte lande.

Kilde: BArch, NS 1/524 (uddrag). Et delvist andet uddrag trykt i *De SS en Nederland*, 2, 1976, nr. 468.

Geheim!

Entwicklungsbericht über die Germanische Leitstelle
Finanzen, Wirtschaft und Vermögensverwaltung

Mit der Werbung der ersten germanischen Freiwilligen trat auch die Notwendigkeit des Ausbaues einer politischen Organisation an die mit der Werbung der Freiwilligen beauftragte Dienststelle, die Reichsführung-SS, SS-Hauptamt, heran. Hinzu kam die Erfüllung der Aufgabe des Reichsführer-SS als Beauftragter in Volkstumsfragen, zur Durchdringung der germanischen Nachbarvölker mit unserem nationalsozialistischem Gedankengut.

Diesen Auftrag erteilte der Chef des SS-Hauptamtes, SS-Obergruppenführer Berger, dem damaligen Amt VI des SS-Hauptamtes, der inzwischen zur Amtsgruppe D erhobenen und in Vertretung des Chefs des SS-Hauptamtes von SS-Obersturmbannführer Dr. Riedweg geführten Germanischen Leitstelle. Die Kosten der Werbung der germanischen Freiwilligen wurden aus Reichsmitteln (Waffen-SS) bezahlt. Mit der Intensivierung der politischen Arbeit und der Schaffung einer breiteren Basis für die Werbung der Waffen-SS waren Reichsmittel nicht zur Verfügung. Bis zur Anordnung des Reichsschatzmeisters der NSDAP, daß die politische Arbeit der Germanischen Leitstelle aus politischen Mitteln zu finanzieren ist, hat der VDA (Volksbund für das Deutschtum im Ausland) vorschußweise die inzwischen angelaufenen Aufgaben etatisiert. Dem VDA wurde dieser Vorschußbetrag in Höhe von RM 448.191.52 am 13.3.42 aus Parteimitteln zurückvergütet.

Am 13. Januar 1942 erteilte der Reichsschatzmeister der NSDAP als Generalbevollmächtigter des Führers in allen vermögensrechtlichen Angelegenheiten der Partei, dem Reichshauptamtsleiter Damson die in Abschrift beigefügte Vollmacht betr. Germanische Freiwilligen Leitstelle.

[...]

Es galt aus den primitiven und je nach Arbeitsanfall eingesetzten Arbeitsstäben innerhalb des germanischen Raumes eine festgefügte politische und verwaltungsmäßig nach den Richtlinien des Reichsschatzmeisters aufgebaute Verwaltung zu erstellen.

Abgesehen von den in den einzelnen Ländern durch die verschiedenen politischen Richtungen bestehenden, und oftmals an die persönliche Einstellung der in den einzelnen Ländern tätigen Reichsbeauftragten, Reichskommißaren etc. gebundenen Einstellungen gegenüber der Germanischen Leitstelle, mußte verwaltungsmäßig gesehen eine völlig neue Organisation ohne Anlehnungsmöglichkeiten an bisher bestehende Organisationen der NSDAP oder der Waffen-SS geschaffen werden. Diese Aufgabe kann, soweit die politischen Möglichkeiten vorliegen und es die derzeitige Personallage erlaubt, als erfüllt angesehen werden. Wie aus anliegendem Gliederungsplan der Germanischen

Leitstelle ersichtlich, korrespondiert die Gliederung der Germanischen Leitstelle, Finanzen, Wirtschaft und Vermögensverwaltung mit den Hauptabteilungen und Außenstellen der politischen Organisation. Es wurden im Laufe der Entwicklung selbständige Außenstellen in folgenden Ländern errichtet:

Germanische Leitstelle, Finanzen, Wirtschaft und Vermögensverwaltung, *Außenstelle Norwegen, Oslo*, Drammensveien 99, Feldpostnummer 47 260 H.

Germanische Leitstelle, Finanzen, Wirtschaft und Vermögensverwaltung, *Außenstelle Dänemark, Kopenhagen*, A.F. Kriegersvej 3, Feldpostnummer 25362 U.

Germanische Leitstelle, Finanzen, Wirtschaft und Vermögensverwaltung, *Außenstelle Niederlande, Den Haag*, Plein 1,

Germanische Leitstelle, Finanzen, Wirtschaft und Vermögensverwaltung, *Außenstelle Flandern, Brüssel*, Louisalaan 412, Feldpostnummer 07515 AP.

Dienststelle SS-Obersturmbannführer Nageler, Preßburg/*Slowakei*, Post über Engerau/Niederdonau, Postfach 10.

Die Verwaltungsarbeiten in *Finnland* werden in Personal-Union mit dem Fürsorge- und Versorgungsamt "Ausland" der Waffen-SS durchgeführt.

Für *Schweden, die Schweiz und Liechtenstein* bestehen eigene Verwaltungen nicht, da innerhalb dieser Länder eine legale Arbeit nicht möglich ist. Diese Aufgaben werden sporadisch von der Berliner Dienststelle verwaltet.

[…]

Die Finanzierung dieser Außenstellen erfolgt durch Vorschüsse zur Verrechnung im Rahmen von Etatvoranschlägen. Diese Etatvoranschläge werden von den einzelnen Außenstellen aufgestellt und von der Amtsgruppe D geprüft.

[…]

Die Vorveranschlagung der zu erwartenden Geldmittelanforderungen war insbesondere dadurch sehr schwierig, daß in den besetzten germanischen Gebieten die Beauftragten des Reiches (Reichskommißare, Militärbefehlshaber etc.) bereits vor Tätigkeit der Germanischen Leitstelle wesentliche Aufgaben insbesondere propagandistischer und kultureller Art finanziert oder erhebliche Zuschüsse an verschiedene für die Arbeit der Germanischen Leitstelle beachtenswerte Institutionen gaben.

[…]

Mit der Konzentrierung der Aufgaben auf die Germanische Leitstelle ist im kommenden Jahr mit einer weiteren Erhöhung des Etatsvoranschlages gegenüber dem Vorjahre zu rechnen. Eine höhere Geldmittelanforderung bis zum März 1944 dürfte kaum zu erwarten sein, da durch Mangel an geeigneten Führern und Personal nicht überall eine Übernahme bereits von anderer Seite veranlaßter Aufgaben von der Germanischen Leitstelle erfolgen kann.

Als Primat ihrer Aufgabe hat die Germanische Leitstelle die Werbung möglichst zahlreicher germanischer Freiwilliger für die Waffen-SS angesehen. Daher sind abgesehen von der kulturellen und propagandistischen Arbeit, von der aus Etatmittel der Germanischen Leitstelle finanzierten Schulen, für unmittelbare Werbungskosten zur Waffen-SS erhebliche Anteile beigetragen worden, da für diesen Zweck die der Waffen-SS zur Verfügung stehenden Reichsmittel meistens nicht ausreichen. Die Voraussetzungen für die Werbung eines germanischen Freiwilligen sind besonders bei der fortschreitenden

Entwicklung doch wesentlich andere als die Einberufung eines Reichsdeutschen.
[...]

5. Germanische Leitstelle Dänemark, Kopenhagen.
a.) Einmalige Ausgaben:
Ankauf von Gebäuden für Kameradschaftshaus in Kopenhagen und eine Schule der SS in Höveltegaard b. Kopenhagen
RM 86.000,-
b.) Monatliche Ausgaben:

Dienststelle		*Monatlich*			
a.)	Personal-Etat	2.400	Kr.		
b.)	Sach-Etat	8.500	–		
c.)	Arbeits-Etat	11.100	–	22.000	Kr.
Schule					
a.)	Personal-Etat	2.600	Kr.		
b.)	Sach-Etat	27.000	–		
c.)	Arbeits-Etat	400	–	30.000	–
Kameradschaftshaus					
a.)	Personal-Etat	1.300	Kr.		
b.)	Sach-Etat	6.200	–		
c.)	Arbeits-Etat	2.500	–	10.000	–
Schalburg-Korps					
(Allgemeine-SS)				14.000	–
				76.000	Kr.
			rd.	40.000	RM

Für die dänische Jugendarbeit:
Monatliche Ausgaben RM 15.920,-
Pro Jahr RM 192.000,-

Einmalige Ausgaben für den Ankauf und die Einrichtung einer Führer-Schule,[292] Dienstwagen und Motorrad RM 88.000,-

In wieweit sich die vorgesehenen Arbeiten in Dänemark aufgrund der neuesten Ereignisse verwirklichen lassen, ist zur Zeit noch nicht abzusehen.

Bisher wurden die erforderlichen und äußerst schwer zu beschaffenden Devisen durch Vermittlung des Fürsorge- und Versorgungsamtes "Ausland" der Waffen-SS zur Verfügung gestellt und dem Fürsorgeamt "Ausland" in Reichsmark zurückvergütet. Mit Wirkung vom 1.10. hat sich, da das Reichswirtschaftsministerium nach Verhandlungen über den Beauftragten des deutschen Reiches in Dänemark, eine Erhöhung der für diese Arbeit zur Verfügung gestellten Mittel abgelehnt hat, der Militärbefehlshaber in Dänemark bereit erklärt, aus den ihm zur Verfügung stehenden Mittel monatlich 120.000.- Kronen = ca. RM 62.500.-- ohne Rückvergütung der Germanische Leitstelle zur Verfügung zu stellen. Zwecks endgültiger Festlegung dieser Vereinbarung ist eine

292 NSU-førerskolen blev indrettet 1943 på "Breidablik", Vejlesøhusvej i Holte (Kirkebæk 2004, s. 190).

Besprechung Mitte Oktober in Kopenhagen vorgesehen. Im wesentlichen hat sich die Arbeit der Kopenhagener Dienststelle auf vorbereitende Aufgaben insbesondere propagandistischer Art erstreckt.

Es konnte in der Nähe Kopenhagens ein Anwesen erworben werden, das als Schulungsgelände vorzüglich geeignet ist. Die ersten Lehrgänge vormilitärischer und weltanschaulicher Ausbildung sind Mitte dieses Jahres angelaufen.

Die Einrichtung eines Kameradschaftshauses innerhalb Kopenhagens wird bis Ende dieses Jahres beendet sein.[293]

[…]

Berlin, den 30. September 1943.
Dd./Br.
Germanische Leitstelle
Finanzen, Wirtschaft und Vermögensverwaltung
(**Diederichsen**)
SS-Obersturmbannführer

194. Kriegstagebuch/Admiral Dänemark 30. September 1943

OKM havde på baggrund af ordren om, at der skulle være SS-hvervning hos den danske hær og flåde, besluttet, at besætte minerydningstjenesten i Storebælt med tysk personale. MOK Ost havde besluttet, at sundbevogtningen også indtil videre måtte varetages af tysk personale. Wurmbach foreslog, at der blev stationeret 10 kuttere langs kysten.

Wurmbach havde drøftet den tyske overtagelse af de danske krigsskibe med admiral Vedel, og Vedel havde skriftligt protesteret over, at den aftalte frigivelse af det internerede personale var udskudt.

Indtil videre havde Wurmbach indsat fem danske fiskekuttere med tysk mandskab til sundbevogtningen.

Der blev ikke fra Seekriegsleitung fulgt op på Wurmbachs forslag om kuttere til bevogtning af Øresundskysten før 2. oktober, og endnu ved udgangen af oktober måtte han konstatere, at der ikke var fundet en løsning. Se Admiral Dänemark: Lagebeurteilung 31. oktober 1943, trykt nedenfor.

Kilde: KTB/ADM Dän 30. september 1943, RA, Danica 628, sp. 3, s. 3090f.

[…]

OKM hat entschieden, daß mit Rücksicht auf die befohlene SS-Werbung unter der dänischen Wehrmacht und in Hinblick auf die stimmungsmäßige Auswirkung dieser Maßnahme die KSF1. Gr. Belt endgültig mit deutschem Personal besetzt werden soll. In Verfolg dieser Entscheidung ist es notwendig, Klärung über die weitere Durchführung der Sundüberwachung herbeizuführen. Es war bisher beabsichtigt, die dafür zur Verfügung stehenden dänischen Fischkutter der dänischen Küstenpolizei zu überlassen, sobald Besatzung aus ehemals dänischen Marineangehörigen zu Verfügung stehen würde. Nachdem hiermit in absehbarer Zeit nicht zu rechnen ist, beantrage ich bei MOK Ost, daß auch die Fahrzeuge für die Sundüberwachung mit deutschem Personal zu besetzen sind. Ich schlage vor, daß je ein Kutter in Hundested, Gilleleje, Hornbäk, Helsin-

293 Det var en bygning på Strandvejen nr. 32 B, der blev indrettet til formålet. Bygningen blev sprængt i luften 5. maj 1945 (Alkil, 2, 1945-46, s. 429).

gör, Humlebäk, Rungsted, Kastrup und Dragör, sowie 2 in Kopenhagen zu stationieren sind. Die Leitung der Sundüberwachung soll für die Häfen Hundested bis Rungsted dem Haka Helsingör, für die übrigen Häfen dem Haka Korsör übertragen werden.

Vizeadmiral Vedel wurde heute von mir davon unterrichtet, daß
1.) sämtliche Fahrzeuge der dän. Marine von der deutschen Kriegsmarine in Gebrauch genommen werden, ohne daß hierdurch die Eigentumsrechte des dän. Staates berührt werden,
2.) die P- und K-Boote (Fischkutter) von uns als Teil der dän. Marine angesehen werden, da sie unter dän. Kriegsflagge beschlagnahmt werden und daß auch diese unter Eigentumsvorbehalt der privaten Eigner von uns benutzt werden,
3.) das gesamte Kriegsmaterial der dän. Marine von uns in Gebrauch genommen wird. Endgültige Regelung mit dem dän. Staat bleibt bis nach dem Kriege vorbehalten.

Um hierfür einwandfreie Unterlagen zu haben, habe ich Vizeadmiral Vedel gebeten, für jedes einzelne Ressort bevollmächtigte Vertreter zu benennen und sie mit der ordnungsmäßigen Übergabe an die betreffenden Referenten meines Stabes zu beauftragen. Nur auf diesem Wege ist eine korrekte Übernahme sowohl der Fahrzeuge wie auch des Materials und Inventars möglich.

Vizeadmiral Vedel sandte mir einen Brief auf Grund einer dem Direktor des dänischen Außenministeriums vom Trubef. übergebenen Mitteilung, in der die am 20.9. offiziell in Aussicht gestellte Entlassung des internierten Personals der dänischen Marine als Folge von erneuten Sabotage-Handlungen in Jütland auf unbestimmte Zeit hinausgeschoben wurde. Vizeadmiral Vedel protestiert erneut gegen die Verbindung der Entlassungsfrage mit der Haltung der Bevölkerung gegenüber Sabotage-Akten, wogegen er am 15.9. bereits einmal protestiert hatte. Dieser erste Protest hatte dazu geführt, daß der Trubef. ausdrücklich diese Verkoppelung verneint hatte. Aus diesem Grunde hatte ich vorgeschlagen, die Verschiebung der Entlassung mit einer allgemein gehaltenen Begründung (etwa: aus aufgetretenen organisatorischen und technischen Schwierigkeiten) zu motivieren, wenngleich ich mir naturgemäß darüber im Klaren war, daß man auch diese Begründung nicht glauben würde. Der Trubef. fühlte sich aber durch die Weisung von OKW/WFSt gebunden und wählte dabei nochmals den von dort befohlenen Grund (Sabotage).

Vizeadmiral Vedel bittet mich ferner, nach Möglichkeit für die baldige Entlassung der wehrpflichtigen Mannschaften zu sorgen. Für den Fall, daß dieser in absehbarer Zeit nicht möglich ist, fordert er die Überführung der internierten dänischen Mannschaften aus ihren jetzigen bombengefährdeten Quartieren in ein Dauer-Internierungslager.

gez. **Wurmbach**

195. Rüstungsstab Dänemark: Darstellung der Rüstungswirtschaftlichen Entwicklung 30. September 1943

Forstmann indledte sin oversigt med en direkte gengivelse af en længere passage fra Bests *Politische Informationen* 1. november 1943 indeholdende en fremstilling af den politiske udvikling i Danmark siden 29. august. Det er bemærkelsesværdigt, at Bests fremstilling allerede skulle være udsendt til de tyske tjenestesteder. Der foreligger dog den mulighed, at Forstmann tog fejl, men troede at den var sendt ud. Det ville ikke ligne Best at udsende den samme fremstilling to gange til alle tjenestesteder. At Bests fremstilling var kommet Forstmann i hænde længe før den blev udsendt, vidner kun om det gode forhold mellem de to.

Oversigten er endvidere bemærkelsesværdig ved, at den både fremhæver grundlaget for Rüstungsstabs virke i Danmark siden 1940 med en udhævelse af førerordren af 18. april om, at der skulle gås frem på den venligste vis og uden tvang og dernæst opregner en lang række af de aktuelle problemer med at få kontrakter indgået og effektueret, problemer der både var at finde på dansk og tysk side. Forstmanns oversigt var uden den vanlige optimisme, men realistisk. Danmark var tyskfjendtlig, men der skulle alligevel gås frem med venlighed og forhandlingsvillighed, og anvendelse af tvang over for genstridige firmaer skulle så vidt muligt undgås.

Kilde: BArch, Freiburg, RW 27/9. KTB/Rü Stab Dänemark 3. Vierteljahr 1943, Anlage 38.

D a r s t e l l u n g
der rüstungswirtschaftlichen Entwicklung.

Zunächst eine zusammenhängende Darstellung der politischen Entwicklung in Dänemark seit August 1943, wie sie der Reichsbevollmächtigte in Dänemark den deutschen Dienststellen gegeben hat. Diese Ereignisse sind nicht ohne Einfluß auf die *rüstungswirtschaftliche* Entwicklung geblieben:

Da im Laufe des Monats August – offenbar geschürt von feindlichen Agenten – in Dänemark die Zahl der Sabotagehandlungen wuchs und in einigen Orten auch Streiks und Straßentumulte vorkamen, richtete der Reichsbevollmächtigte an den Staatsminister von Scavenius mehrfach dringende Aufforderungen, mit allen politischen und verwaltungsmäßigen Mitteln diese Störungen der Ordnung und Sicherheit zu unterbinden.

Die Regierung richtete – neben verschiedenen Einzelmaßnahmen – am 21.8.1943 mit dem ausdrücklichen Einverständnis des Königs und der Regierungsparteien eine eindringliche Mahnung an die dänische Bevölkerung zur Abwehr der Unruhestifter, wobei ausdrücklich betont wurde, daß es darum gehe, ob Dänemark eine eigene Regierung behalten werde oder nicht.[294]

Am 27.8.1943 erhielt der Reichsbevollmächtigte die Weisung, der dänischen Regierung die folgenden Forderungen der Reichsregierung zu übermitteln, was am 28. vormittags geschah:

Sofortige Verhängung eines Ausnahmezustandes über das ganze Land durch die dänische Regierung.

Der Ausnahmezustand soll die folgenden Einzelheiten umfassen:

1.) Verbot aller Ansammlungen von mehr als fünf Personen in der Öffentlichkeit.
2.) Verbot jedes Streiks und jeder Unterstützung von Streikenden.
3.) Verbot jeder Versammlung in geschlossenen Räumen oder unter freiem Himmel.

294 Opfordringen er optrykt hos Alkil, 1, 1945-46, s. 216f.

Verbot des Betretens der Straßen zwischen 20.30 und 5.30 Uhr, Schließung der Gaststätten um 19.30 Uhr.
Ablieferung aller noch vorhandenen Schußwaffen und Sprengstoffe bis zum 1.9.1943.

4.) Verbot jeder Beeinträchtigung dänischer Staatsbürger wegen ihrer oder ihrer Angehörigen Zusammenarbeit mit deutschen Stellen oder Verbindungen zu Deutschen.
5.) Einführung einer Pressezensur unter deutscher Beteiligung.
6.) Einsetzung dänischer Schnellgerichte zur Aburteilung von Zuwiderhandlungen gegen die zur Aufrechterhaltung der Sicherheit und Ordnung erlassenen Anordnungen.

Für Zuwiderhandlung gegen die vorstehend bezeichneten Anordnungen sind die nach dem zeitweiligen Gesetz über Ermächtigung für die Regierung, Bestimmungen zur Aufrechterhaltung von Ruhe, Ordnung und Sicherheit zu treffen, zulässigen Höchststrafen anzudrohen.

Für Sabotage und jeder Beihilfe hierzu, für Angriffe auf die deutsche Wehrmacht und ihre Angehörigen sowie für den Besitz von Schußwaffen und Sprengstoffen nach dem 1.9.1943 ist unverzüglich die Todesstrafe einzuführen.

Nachdem die dänische Regierung am Nachmittag des 28.8.1943 dem Reichsbevollmächtigten mitgeteilt hatte, daß "eine Bewerkstelligung der deutscherseits geforderten Maßnahmen die Möglichkeit der Regierung, die Bevölkerung in Ruhe zu halten, vernichtet würde und daß die Regierung es daher bedauere, es nicht richtig finden zu können, an der Durchführung dieser Maßnahmen mitzuwirken" wurde weisungsgemäß am 29.8.1943 vom Befehlshaber der deutschen Truppen in Dänemark der militärische Ausnahmezustand für das ganze Land erklärt.

Gleichzeitig wurden in den Morgenstunden des 29.8.1943 die noch bestehenden Einheiten der dänischen Wehrmacht entwaffnet, wobei an einigen Stellen Widerstand geleistet wurde und auf deutscher Seite 6 Mann und auf dänischer Seite 14 Mann getötet wurden.

Der Reichsbevollmächtigte ließ eine Anzahl von Personen, die als Gegner bekannt waren und ggf. Schwierigkeiten verursachen konnten, vorbeugend festnehmen.[295]

Die Regierung des Staatsministers von Scavenius reichte am 29.8.1943 dem König ihre Demission ein und hörte auf zu fungieren, nachdem sie als letzten Beschluß eine Aufforderung an die Bevölkerung, "Ruhe und Besonnenheit zu beweisen," und an die Beamten, "auf ihren Posten zu verbleiben und unter ihrer Verantwortung als Beamte des Staates ihre Tätigkeit fortzusetzen zum Besten des Landes und des Volkes in der Weise, daß man bestrebt ist, zu vermeiden, daß Reibungen entstehen zwischen den Organen des Staates und den deutschen Behörden" richtete.[296]

In der Folgezeit herrschte im Lande völlige Ruhe. Der Staatsapparat und die Wirtschaft arbeiten wie zuvor.

Die Sabotagehandlungen ließen in der ersten Zeit nach der Verkündung des mili-

295 Se Bests telegram nr. 1002, 1. september 1943 og von Grundherrs optegnelse 24. september 1943.
296 Trykt på dansk hos Alkil, 1, 1945-46, s. 217.

tärischen Ausnahmezustandes sehr stark nach, weil offenbar zahlreiche Saboteure aus Furcht vor einem deutschen Zugriff ihren bisherigen Wirkungskreis und zum Teil auch das Land verlassen hatten. Allmählich aber sammelten sie sich wieder und verübten erneut Sabotageakte, sodaß die Sabotagekurve wieder stieg. Zum ersten Mal seit der 3½ jährigen Besetzung wurden auch Anschläge auf das Leben von Besatzungsangehörigen verübt, die zwei Todesopfer forderten.[297]

An Schluß der Berichtszeit besteht der militärische Ausnahmezustand noch.

Rü Stab Dän. nutzte diese Entwicklung der politischen Lage zur Festigung seiner Stellung den dänischen gegenüber aus.

Gemäß OKW, Wi Rü Amt/Rü Ia Nr. 3094/40 g vom 18.4.1940[298] war lt. Entscheidung des Führers die rüstungswirtschaftliche Heranziehung des Landes Dänemark *auf freundschaftlichster Basis ohne jeden Druck* zu beginnen, d.h. es sollten Aufträge nach Dänemark auf dem Verhandlungswege mit den in Betracht kommenden dänischen Firmen abgeschlossen werden.

Nach dieser grundsätzlichen Verfügung ist dann die Auftragsverlagerung erfolgt. Es zeigte sich im allgemeinen kein ernstlicher Widerstand auf Seiten der dänischen Firmen, deutsche Rüstungsaufträge anzunehmen; aber es gab doch einige Firmen, die sich hartnäckig weigerten, mit dem Rü Stab Dän. zusammenzuarbeiten.[299] Der militärische Ausnahmezustand gab jetzt Rü Stab Dän. die Möglichkeit, den Widerstand dieser Firmen zu brechen und auf dem Verordnungswege durch den Befehlshaber der deutschen Truppen in Dänemark bestimmen zu lassen, daß alle dänischen Firmen, Industrie. und Handelsunternehmen und Einzelhändler verpflichtet sind, auf Anfordern der Bedarfsstellen (Intendant Bef. Dän. und Rü Stab Dän.) gegen angemessene Vergütung Lieferungs- und Leistungsaufträge der deutschen Wehrmacht in Dänemark einschließlich der ihr angeschlossenen Verbände, der Organisation Todt (OT) und des Rüstungsstabes Dänemark im Rahmen der erreichbaren Leistungs- und Lieferungsmöglichkeiten anzunehmen und ohne Verzug auszuführen.

Zuwiderhandlungen gegen diese Verordnung sind strafbar und werden vor dem deutschen Standgericht abgeurteilt.

Man muß sich aber darüber im klaren sein, daß es in diesem deutschfeindlichen Land trotz der einschneidenden Verordnung des Bef. Dän. auch weiterhin ganz erheblich auf die guten Willen der dänischer Auftragnehmer ankommt, damit einwandfreie Leistungen der dänischen Industrie erzielt werden. Um diesen guten Willen zu erreichen, muß von allen Angehörigen des Rü Stab Dän., die mit dänischen Firmen zu verhandeln haben, verlangt werden, daß sie gewandt und bestimmt, aber auch anpassungsfähig sind und sich mit der dänischen Sprache vertraut machen.

Der *Auftragszugang* im III. Quartal 1943 blieb unter dem Durchschnitt des I. und II. Quartals 1943. Das ist nicht nur auf die unsicheren politischen Verhältnisse in Dä-

297 Der havde været flere attentater på personer tilknyttet besættelsesmagten, heraf havde et i Århus 8. oktober og et andet i København 25. oktober haft døden til følge. Se Bests oversigt i telegram nr. 20, 5. januar 1944.

298 Førerordren er trykt ovenfor.

299 Blandt disse firmaer var Fisker & Nielsen, København (Giltner 1998, s. 137f.).

nemark zurückzuführen, welche deutsche Auftraggeber abschreckten, zur Auftragsverlagerung nach Dänemark zu kommen oder neue Geschäfte anzubahnen, sondern auch darauf, daß eine Reihe Auftragsgebender Betriebe im Reich durch Bombenschäden verwaltungsmäßig nicht in der Lage war, die bestehenden Geschäfte zu fördern bzw. zu erweitern. Einzelne Firmen mußten sich sogar an Rü Stab Dän. wenden, um sich die Unterlagen über schon bestehende Auftragsverlagerungen von den dänischen Firmen neu erstellen zu lassen.

Wesentlich für die termingerechte Auslieferung der vorliegenden Aufträge und als Anreiz für die dänischen Firmen, neue Aufträge hereinzunehmen, ist eine stärkere Beachtung der Materialzulieferung. Da die Bestellungen über das Fälleskontor, das die deutsche Bezugsrechte in dänische Bestellungen umwertet, erfahrungsgemäß eine sehr lange Zeit in Anspruch nehmen – teilweise bis zu einem Jahr –, ist eine Planung für die dänischen Firmen sehr erschwert. Es hat sich in allen Fällen auftragsfördernd ausgewirkt, wenn das Material in Natur beigestellt wird, da in diesem Falle freie Kapazitäten auch bei größeren Werken sofort ausgenutzt werden können. – Weitere Erschwerungen treten durch den unpünktlichen Eingang der Unterlieferungen (Halb- und Fertigteile) ein, da in diesem Falle häufig angearbeitete Teile monatelang in der Werkstatt liegen bleiben müssen und bei größeren Stücken den Fabrikationsablauf für andere Teile behindern. Auch von den dänischen Firmen wird bei Besprechungen an Ort und Stelle immer wieder betont, daß der schleppende Materialeingang der Auftragsverlagerung hindernd im Wege steht.

Forstmann

196. Admiral Dänemark: Lagebeurteilung für Monat September 1943, 30. September 1943

Der havde været roligt i Danmark i september, når der sås bort fra markeringen af Christian 10.s fødselsdag med et stort antal jernbanesabotager. Der blev arbejdet på værfterne, men produktiviteten var midlertidigt faldet med 30 %. Det var indtil videre ikke muligt at hverve danske til en civil minerydningstjeneste.

Kilde: KTB/ADM Dän 30. september 1943, RA, Danica 628, sp. 3, s. 3092-95.

L a g e b e u r t e i l u n g
für Monat September 1943

A. Feindlage

[...]

B. Lage in Dänemark

1.) Nach Verhängung des Ausnahmezustandes in Dänemark am 29.8. und nach Entwaffnung der dänischen Wehrmacht herrschte im Lande im allgemeinen Ruhe. Die Sabotagefälle ließen sofort merklich nach, nur in der Nacht zum Geburtstag des Königs (25./26.9.) wurden auf Jütland etwa 23 Sabotagefälle verübt, die durchwegs die Zerstörung von Eisenbahnschienen zum Ziele hatten. Der angerichtete Schaden war in der Gesamtheit verhältnismäßig gering.

Durch tatkräftigen Zugriff eines Offiziers der Küst. Esbjerg gelang es, 14 Saboteure dingfest zu machen. Dadurch fanden 40 in Esbjerg verübte Sabotagefälle ihre Aufklärung.[300]

2.) Auf den Werften traten keine Streike mehr auf. Bei beiden Neubauten ging die Arbeitsleistung vorübergehend um etwa 30 % zurück. Reparaturarbeiten werden im allgemeinen im früheren Umfang ordnungsmäßig durchgeführt.

3.) Die Bestrebungen, aus der dän. Marine Personal für die Aufnahme des zivilen Minensuchdienstes auf den dänischen Schiffahrtswegen zugewinnen, konnten zu keinem Ergebnis führen, da die Frage der Entlassung der inhaftierten dänischen Marineangehörigen bis zum Schluß des Monats offen bleibt. Dänischerseits wurde erklärt, daß aus diesem Grunde zunächst keine Möglichkeit gesehen wurde, einen zivilen Minensuchdienst einzurichten.

4). Die zum Teil verbreiteten Gerüchte, daß eine größere Anzahl dänischer Kriegsfahrzeuge nach Schweden entkommen sei, entsprechen nicht den Tatsachen. An der Hand aufgefundener amtlicher dänischer Listen konnte ermittelt werden, daß von den dänischen Kriegsfahrzeugen lediglich ein kleines Torpedo-Boot von 110 t und drei Minensuchboote von je 70 t fehlen. Fest steht, daß hiervon das Torpedo-Boot der Sundbewachung nach Schweden entkommen ist. Das Schicksal der Minensuchboote ist unbekannt. Es ist nicht ausgeschlossen, daß sich diese Fahrzeuge selbst versenkt haben. Die 38 Logger, welche die Dänen zum Minensuchdienst und Patrouillendienst eingesetzt hatten, befinden sich in unserer Hand. Von den 20 Fischkuttern, die für die Sundbewachung eingesetzt waren, fehlen dagegen 10. Es ist möglich, daß hiervon einige Fahrzeuge nach Schweden entkommen sind.

[...]

6.) Im Sabotage-Dienst traten anfänglich Störungen auf, die jedoch bald beseitigt werden konnten, nachdem das dänische Seefahrtkontor beim Handelsministerium die früher über die dänische Marine geleiteten Maßnahmen übernommen hatte.

7.) Der dänische Minenbeobachtungsdienst bei Einflügen ist z. Teil ausgefallen. Ersatz wird zunächst nicht beschafft werden können.

8.) Die Beseitigung der an den dänischen Küsten angetriebenen Minen erlitt dort, wo die Beseitigung bisher durch dänischen Personal erfolgt ist, erhebliche Störungen, da das bei den deutschen Sperrwaffenkommandos vorhandene Personal nicht ausreicht, um die an den dänischen Inseln angetriebenen Minen immer rechtzeitig zu beseitigen. Es muß damit gerechnet werden, daß eine Personalvermehrung bei den deutschen Sperrwaffenkommandos in Dänemark notwendig wird.

9.) Der Ausfall der früher durch dänische Patrouillenfahrzeuge ausgeübte Sundüberwachung, sowie der vorübergehende Ausfall der dänischen Küstenpolizei ermöglichten in zahlreichen Fällen die Flucht von dänischen Militär- und Zivilpersonen nach Schweden, in einem Falle erschienen Last- und Personenwagen mit 40 mit Maschinenpistolen und Gewehren bewaffneten Offizieren und Soldaten, überwältigten die beiden Polizeiposten und flüchteten mit einer Motoryacht nach Schweden. An anderer Stelle flüchteten Zivilpersonen und dänische Soldaten mit gestohlenen

300 Se Bests telegram nr. 1005, 2. september 1943.

Ruderbooten. Ferner flüchteten insgesamt 19 dänische Küstenpolizisten, da sie befürchteten, in die deutsche Wehrmacht eingereiht zu werden und ihrem Eid entsprechend nicht gegen die eigenen Soldaten kämpfen wollten. Einer dieser Flüchtlinge ist zurückgekehrt.

Zur Vermeidung weiterer Diebstähle von Yachten pp. zu Fluchtversuchszwecken wurden auf hiesige Veranlassung sämtliche Seeyachten an der Ostküste Seelands in polizeilichen Gewahrsam genommen. Außerdem ist veranlaßt, daß das Vertreten des Hafengeländes durch Unbefugte in kleineren zur Flucht geeigneten Häfen an der Ostküste Seelands polizeilich verboten.

10.) Nach der Anfang September wieder erfolgten Freigabe der dänischen Fischerei ist der Fischereibetrieb in der Nordsee wieder voll angelaufen. Die Kontrolle der ein- und auslaufenden Fischereifahrzeuge ist durch Personalverstärkung verschärft worden. 6 dänische Fischkutter wurden nach englischen Häfen aufgebracht. Nach Meldung des englischen Rundfunks sollen sie in der Nähe der englischen Küste gefischt haben.

C. Aufgabenstellung

1.) Die laufende Kontrolle der minenfreien Wege im Sund und Kl. Belt sowie vor Esbjerg wurde ohne Behinderung durchgeführt.

2.) Es wurden Vorbereitungen getroffen, mit den zunächst zur Verfügung stehenden dänischen Minensuchfahrzeugen eine Minensuchflottille Gr. Belt aufzuziehen. Dazu wurden von den HSFl. Skagen, Frederikshavn und Nyborg Boote außer Dienst gestellt, um die freiwerdenden Besatzungen für die KSFl. Gr. Belt zu gewinnen. Das Hauptkontingent für die erforderlichen Mannschaften für diese Flottille stellt der BSO aus vorübergehend von seinen Flottillen abkommandierten Soldaten. Es bestand zunächst die Absicht, diese Fahrzeuge an die dänische Marine zurückzugeben, sobald dänische Besatzungen zur Verfügung stehen würden. Inzwischen würde vom OKM befohlen, daß die Flottille endgültig mit deutscher Besatzung in Dienst zu stellen ist.

3.) Um die Küstenüberwachung im Sund wirksamer zu gestalten, wurden 5 dänische Fischlogger mit Mannschaften, die vom Minenräumschiff 11 abkommandiert wurden, in Dienst gestellt. Die damit durchgeführte Sundüberwachung wurde vom Haka Helsingör gesteuert. Es muß jedoch damit gerechnet werden, daß die Mannschaften dieser Fahrzeuge jeden Tag zurückgezogen werden können, sobald des Minenräumschiff 11 zu seiner eigentlichen Aufgabe herangezogen werden muß. Es wurde daher beantragt, auch für diese Fahrzeuge nunmehr deutsche Besatzungen bereitzustellen. Zur Verstärkung der Küstenüberwachung im Sund wurde eine Erhöhung des derzeitigen deutschen Personals um 90 Soldaten beantragt. Dem Antrag wurde stattgegeben. Mit dem Eintreffen der Soldaten wird demnächst gerechnet.

[…]

197. Rüstungsstab Dänemark: Lagebericht 30. September 1943

Efter en måned med undtagelsestilstand rapporterede Forstmann et fald i antallet af sabotager, ligesom der kun havde været enkelte tilfælde af overfald på værnemagtsmedlemmer, hvilket var blevet besvaret med skærpede forholdsregler. Der havde været tilbageholdenhed fra dansk side med at påtage sig nye rustningsordrer efter 29. august, hvilket Forstmann tilskrev engelsk propaganda og offentliggørelse af navne på firmaer, der arbejdede for værnemagten. Det havde fået von Hanneken til at udstede en forordning, der pålagde virksomhederne at påtage sig sådanne opgaver. Der havde også fra tysk side været et fald i antallet af udbudte rustningsopgaver til Danmark, hvilket blev forklaret med, at de fleste tyske virksomheder lå i bomberamte områder og var i gang med at flytte. Der blev omtalt forskellige enkeltprodukter, som i den kommende tid ville komme Tyskland til gode.

Kilde: BArch, Freiburg, RW 27/9. KTB/Rü Stab Dänemark 3. Vierteljahr 1943, Anlage 37.

Rüstungsstab Dänemark *Kopenhagen, den 30.9.1943.*
ZA/Ia Az. 66dl/Wi-Ber. Nr. 876/43 geh.

Bezug: OKW Wi Rü Amt / IIIB Nr. 21755/43 v. 9.5.42. Anlage 37
Betr.: Lagebericht Geheim

An den Reichsminister für Rüstung und Kriegsproduktion,
– Rüstungsstab –
Berlin – Charlottenburg 2,
Verlängerte Jebenstraße
Behelfsbau am Zoo.

Rü Stab Dänemark übersendet in der Anlage den Lagebericht für Monat September 1943.

I.V.
[**underskrift**]

Rüstungsstab Dänemark *Kopenhagen, den 30. 9. 1943.*
ZA/Ia Az. 66dl/Wi-Ber. Nr. 876/43 geh. Geheim!

Vordringliches
Über die Entwicklung der innerpolitischen Lage Dänemarks und die Verhängung des militärischen Ausnahmezustandes am 29.8.43 wurde gesondert berichtet. Vor dem Ausnahmezustand war es den dänischen Firmen freigestellt, deutsche Aufträge anzunehmen oder abzulehnen. Im allgemeinen erfolgte die Annahme. Bei der Zunahme der Sabotagefälle in den letzten Monaten zeigte sich aber allmählich eine Abnahme des Interesses für deutsche Aufträge. Dieses war darauf zurückzuführen, daß der englische Rundfunk und ungesetzliche dänische Zeitungen und Zeitschriften die Namen der dänischen Firmen veröffentlichten, die für die deutsche Wehrmacht arbeiteten. Um eine volle Ausnutzung der dänischen Rüstungskapazität zu gewährleisten, wurde daher vom Befehlshaber der deutschen Truppen in Dänemark *nach* Verhängung des militärischen Ausnahmezustandes eine Verordnung erlassen, die die Lieferung und Leistung däni-

scher Firmen für die deutsche Wehrmacht in Dänemark sicherstellte.[301] Danach sind alle dänische Firmen, wie Industrie- und Handelsunternehmen und Einzelhändler, verpflichtet, Lieferungs- und Leistungsaufträge der deutschen Wehrmacht in Rahmen der erreichbaren Lieferungsmöglichkeiten anzunehmen und unverzüglich durchzuführen. Zur deutschen Wehrmacht zählen die ihr angeschlossenen Verbände, Organisation Todt und Rüstungsstab Dänemark. Die bestehenden dänischen Bestimmungen über das Anmelden der Aufträge bei den zuständigen Behörden und das dänische Preisprüfverfahren blieben in Kraft.

Die *Sabotagefälle* sind während des noch anhaltenden Ausnahmezustandes wesentlich zurückgegangen. Unter Sabotagehandlungen hat die Fertigung im Berichtsmonat im allgemeinen nicht gelitten. Nur in einem Falle trat eine größere Schädigung ein, und zwar durch die Zerstörung von Transformatoren. Hierdurch war die Firma Nordvärk, die ausschließlich für deutsche Luftwaffen-Fertigung tätig ist, 14 Tage ohne Kraftstrom.[302] Durch Einschaltung des Rü Stab Dänemark wurde erreicht, daß der Firma wieder der gesamte, notwendige Strom geliefert wurde. Durch den Fertigungsausfall ergibt sich eine Lieferverzögerung von 2-3 Wochen.

Einige Zwischenfälle, wie die Erschießung eines deutschen Wachtmeisters in Kopenhagen, schwere Verletzung eines Angehörigen der deutschen Wehrmacht aus dem Hinterhalt, Ermordung eines deutschen Unteroffiziers in Odense, gaben dem Befehlshaber der deutschen Truppen in Dänemark Veranlassung, die zuerst auf 21 Uhr festgesetzte, jedoch auf 23 Uhr erweiterte Polizeistunde, für 3 Tage auf 20 Uhr, danach auf 21 Uhr, in Jütland verschiedentlich auf 18 Uhr, festzusetzen. Außerdem wurde der Stadt Kopenhagen als Busse für den erschossenen Wachtmeister 1 Mill. D.Kr. und für den verletzten Angehörigen der deutschen Wehrmacht ½ Mill. D.Kr. auferlegt. Die Stadt Odense mußte für den feigen Mord an dem deutschen Unteroffizier 1 Mill.D.Kr. zahlen.[303]

Die *Elektrizitäts- und Gasversorgung* war im Berichtsmonat im allgemeinen ausreichend. Anträge auf erhöhte Strom- und Gaszuteilung werden auch in Zukunft über den Bevollmächtigten des Reiches in Dänemark dem Dänischen Außenministerium zugeleitet. Dieses hat zugesagt, daß jeder Antrag zunächst unverzüglich genehmigt wird. Es hat sich jedoch vorbehalten, nach Genehmigung in eine nähere Prüfung des Sachverhaltes einzutreten und gegebenenfalls auf die Angelegenheit zurückzukommen. Durch diese Regelung soll vermieden werden, daß die Energieversorgung eingeschränkt oder gesperrt wird, weil die Entscheidung der zuständigen dänischen Stellen über die Neuregelung der Zuteilung zu lange Zeit in Anspruch nimmt.

Es muß abgewartet werden, ob das Dänische Außenministerium diese Verabredung in allen Fällen einhält.

Die *Anfertigung von "Neuffert"-Möbeln für bombengeschädigte Familien* ist jetzt angelaufen. Bisher sind Möbel für 320 Wohnungen (je 2½ Zimmer) ausgeliefert worden. Ab 1. Oktober 1943 gehen monatlich Einrichtungen für etwa 1.000 Wohnungen (je 2½ Zimmer) an die zuständigen Dienststellen des Reichswohnungskommissars. Der Preis

301 Forordning af 4. september 1943.

302 Det var sabotage mod en transformator på Finsensvej 2. september 1943, der forårsagede den midlertidige standsning af Nordværk. Se Forstmann til Waeger 11. september 1943.

303 Alle tilfælde er omtalt ovenfor.

für 1 Wohnungseinrichtung von 2½ Zimmer beträgt rund 2.000 D.Kr.

1a. Stand der Fertigung

Wertsumme der seit der Besetzung Dänemarks über Rü Stab Dän. erteilten *unmittelbaren und mittelbaren Wehrmachtaufträge:*

Am 31. 7. 1943	RM	447.118.111,-
Zugang im August 1943	RM	7.787.491,-
Am 31. 8. 1943	RM	454.905.602,-
Auslieferungen im August 43	RM	10.329.696,-

Aufträge des kriegswichtigen zivilen Bedarfs:

Am 31. 7. 1943	RM	67.343.438,-
Zugang im August 1943	RM	694.528,-
Am 31. 8. 1943	RM	68.037.966,-
Auslieferungen im August 43	RM	1.116.216,-

Im Berichtsmonat wurde endgültig entschieden, daß die Fertigung der 2 cm Madsen-Waffe (Kriegsmarine) bei Dansk Industri Syndikat A/S. Comp. Madsen nach Auslaufen des gegenwärtigen Auftrages (2 Monate) eingestellt wird.[304]

Wie bereits im Lagebericht vom 31.5.43 berichtet, hat OKM das Herausbringen einer wesentlich erhöhten Zahl von HFG-Geräten befohlen. Das Programm hat nunmehr feste Gestalt angenommen. Es werden monatlich mindestens 6 Geräte hergestellt, für die die Helsingör-Werft federführend ist, und zu denen insgesamt 3 weitere Firmen als Unterlieferanten hinzugezogen werden. Diese 6 monatlich zu fertigenden Geräte werden unabhängig vom Hansa-Programm hergestellt. Die Erhöhung auf 8 Stck. pr. Monat ist möglich, soweit die Fertigung innerhalb des Hansa-Programms als Füllarbeit infolge Fehlens von Material erfolgen kann. Hierüber wurde eine Einigung mit dem Hauptausschuß Schiffbau erzielt.

Die Auftragsverlagerung ist im Berichtsmonat abgesunken. Dieses ist mit darauf zurückzuführen, daß ein Großteil der nach Dänemark verlagernden Firmen ihren Sitz in den bombengeschädigten Gebieten hatte und vorerst mit der Verlegung ihrer eigenen Betriebe zu sehr in Anspruch genommen ist.

Die Fertigung von Geräten und Maschinen, für welche Engpaßmaterialien, wie Dynamo-Bleche, Spezialrohre usw. aus Deutschland eingeführt werden müssen, wird durch die schleppende Zulieferung beeinträchtigt.

Infolge der politischen Ereignisse in Dänemark ist die Zuweisung dänischer Arbeitskräfte an deutsche Marinebetriebe stark zurückgegangen. Im Berichtsmonat konnten nur 5 Arbeitskräfte vermittelt werden, während sonst im Durchschnitt monatlich 60 Arbeitskräfte vermittelt wurden.

1c. Versorgung der Betriebe mit Roh- und Betriebsstoffen

Deutscher Lieferungsrückstand an Eisen und Stahl am 31.7.43: 16.831 to Verringerung gegenüber Stand vom 31.5.43 um 808 to. Stand an NE-Metallen am 31.7.43: 200 to. Absinken gegenüber Stand vom 31.5.43 um 11 to. Aus Sonderzuteilung von 1941

304 Se KTB/Rüstungsstab Dänemark 30. september 1943.

der Reichsstelle Kautschuk verfügte Rü Stab Dänemark auf dem Lager Continental-Caoutchoue Comp. A/S. noch über einen Restbestand. Auf Veranlassung der Reichsstelle bezw. OKW/W Stab Inl. 2/III/1b ist dieser jetzt mit 1.700 kg Rohkautschuk an die dänische Industrie für dringende Verschnittzwecke ausgeliefert worden. Bei einer Besprechung mit der Eisen- und Metallverrechnungsstelle der Rüstungskontor GmbH, Berlin, hat sich herausgestellt, daß geplant war, über die noch nicht verbrauchten Mengen der Eisen- und Metall-Kontingentszuweisungen anderweitig zu verfügen. Von Rü Stab Dänemark vorgetragenen Bedenken ergaben das Fallenlassen dieser Absicht.

2b. Lage der Treibstoffversorgung

Treibstoffe konnten an die mit Wehrmachtaufträgen belegten dänischen Betriebe auch im Berichtsmonat in genügender Menge zugeteilt werden. Angefordert wurden 1.620 l Benzin und 69.725 kg Dieselöl. Zugewiesen wurden nach Prüfung durch Rü Stab Dänemark 1.470 l Benzin und 48.625 kg Dieselöl.

2c. Lage der Kohlenversorgung

Im August betrug die Einfuhr von Kohle und Koks insgesamt 210.400 to gegenüber 189.600 to im Juli 1943. Hinzu kommen noch 8.907 to Sudetenkohlen (Braunkohlenstaub). Von der Steinkohle wurden 27.670 to an die dänischen Staatsbahnen abgegeben. Diese Menge deckt bei dem bisher durchgeführten Verkehr den monatlichen Bedarf der dänischen Staatsbahnen nicht. Da im Berichtsmonat der Ausnahmezustand Einschränkungen des Reiseverkehrs und Ausfall von Zügen mit sich brachte, kann die Kohlenbilanz der dänischen Staatsbahnen im September nicht zur Beurteilung der Kohlenlage herangezogen werden.

Die dänische Braunkohlenproduktion beträgt zur Zeit 210.000 to pro Monat. Der Vorrat an Koks reicht zur Deckung der freigegebenen Rationierungsmarken nicht annähernd aus.

OKTOBER 1943

198. Das Auswärtige Amt an Werner Best 1. Oktober 1943

Best fik som orientering teksten til et telegram, som OKW havde sendt AA en uge før, idet han blev gjort opmærksom på, at det var Kaltenbrunner og ikke Gottlob Berger, der stod for jødeaktionen. Af telegrammet fremgik også, at ordren om oversendelsen af 4.000 af de yngste danske rekrutter til Tyskland fortsat stod ved magt og skulle forklares som forholdsregel mod den bolsjevistiske fare.

Imidlertid mødte Himmlers idé så megen modstand i OKW og indvendinger fra Best, at ordren om overførsel af de 4.000 soldater led en stille død (Yahil 1967, s. 146f.). Her var en sag, hvor Best kom RFSS på tværs.

Kilde: PA/AA R 100.692.

Auswärtiges Amt
Inl. II 423 gRs.

Berlin, den 1. Oktober 1943

Abschriftlich dem Bevollmächtigten des Reichs in Dänemark Kopenhagen mit der Bitte um Kenntnisnahme und dem Bemerken übersandt, daß nachträglich an Stelle des in Ziffer 4.) genannten SS-Obergruppenführers Berger SS-Obergruppenführer Kaltenbrunner getreten ist.

Im Auftrag
gez. v. **Thadden**

Abschrift

F e r n s c h r e i b e n

OKW, den 24. September 1943

Geheime Kommandosache
Chefsache – nur durch Offizier.

Befehlshaber der Deutschen Truppen in Dänemark.

Nachr.: Auswärtiges Amt, z.Hd. Herrn Botschafter Ritter.
nachr. Reichsführer-SS und Chef der deutschen Polizei
SS-Kommandostab Hochwald
z.Hd. Herrn SS-Standartenführer Rohde
nachr. Chef H Rüst. und BDE.

Bezug: Fernschreiben Befehlshaber Dänemark I A / Qu Nr. 332/43 g.K. v. 22.9.43.[1]
Betr.: Entlassung dänischer Wehrmacht.

1.) Maßnahmen gemäß Fernschreiben OKW/WFSt/Qu 2 (N) Nr. 662333/43 gKdos

1 Trykt ovenfor.

Chefs. v. 22.9.43 sind durchzuführen.

2.) Dänen gegenüber sind im Einvernehmen mit Reichsbevollmächtigten Vorfälle aus den letzten Tagen (Sabotage oder ähnl.) als Anlaß zur vorläufigen Zurückstellung der Entlassungen zu nehmen, bis Werbung des Reichsführers-SS abgeschlossen.

3.) Die Überführung von 4000 Rekruten jüngster Jahrgänge in Auffanglager der SS ist als Maßnahme zur Aufklärung über die kommunistische Zersetzungs-Propaganda und die Gefahren des Bolschewismus zu bezeichnen.

4.) Mit der Judendeportation ist der SS-Obergruppenführer Berger beauftragt.

gez. **Keitel**

OKW/WFSt/Qu 2 (N) Nr. 662345/43 gKdos. Chefs.

199. Werner Best an Joachim von Ribbentrop 1. Oktober 1943

Best forklarede, hvordan han kunne meddele, at OKW ikke ville lade enheder fra værnemagten deltage i aktionen mod de danske jøder. Han kunne henvise til oberst von Engelmann, der havde fået mundtlig besked derom, men også siden havde modtaget kontraordre.

Men det blev ikke ved dette. En time senere sendte Best endnu et telegram i samme anledning (se telegram nr. 1181).

Kilde: PA/AA R 29.567. RA, pk. 203 og 226. LAK, Best-sagen (afskrift).

Telegramm

Kopenhagen, den	1. Oktober 1943	10.15 Uhr
Ankunft, den	1. Oktober 1943	10.40 Uhr

Nr. 1175 vom 1.10.[43.] Citissime mit Vorrang.

Für Reichsaußenminister persönlich.

Auf das Telegramm Nr. 1350[2] vom 30.9. melde ich, daß der Generalfeldmarschall Keitel den Führer falsch unterrichtet hat. Der Leiter der Abwehrstelle Dänemark Oberst von Engelmann hat mir soeben bestätigt, daß er am 29.9.43 um 16.10 Uhr von dem OKW (Chef der Abwehrabteilung III, der sich auf seine Rücksprache mit dem Admiral Canaris berief) fernmündlich die Weisung erhalten habe, die Feldgendarmerie und die geheime Feldpolizei habe sich nicht an der Judenaktion zu beteiligen, sondern ausschließlich Angelegenheiten der eigenen Truppe zu bearbeiten. Der Oberst von Engelmann erklärte weiter, daß er soeben vom OKW die Mitteilung erhalten habe, daß der Befehl vom 29.9.43 aufgehoben sei und daß die Feldgendarmerie und die geheime Feldpolizei die deutsche Sicherheitspolizei zu unterstützen habe.

Dr. Best

2 Inl. II … (Sonderzug 1549). Trykt ovenfor som nr. 1549.

200. Werner Best an das Auswärtige Amt 1. Oktober 1943

Idet Best oplyste tidspunktet for gennemførelsen af aktionen mod de danske jøder, kom han også med en række forslag til, hvordan situationen i øvrigt skulle håndteres, ikke mindst over for offentligheden. Han ønskede ingen omtale af jødeaktionen i medierne, han ville lade de deporterede jøders formuer uberørt, og endelig ville han i forståelse med von Hanneken lade meddele, at frigivelsen af de internerede danske soldater ville blive påbegyndt. Dermed ville ulemperne ved jødeaktionen i offentligheden blive modvirket.

Von Hanneken videresendte samme dag Bests telegram i sin helhed til OKW, idet han til sidst alene tilføjede: "Die Ausführungen des Dr. Best zu punkt 4 werden von mir voll gebilligt." Ved OKW blev telegrammet påført spørgsmålet: "Weiss das RF-SS?" og svaret: "RF-SS hat Kenntnis und ist einverstanden." Tillige blev med Jodls håndskrift tilføjet: "Führer ist einverstanden." (IMT, 15, s. 538).

AAs svar er ikke lokaliseret, men det fremgår af forløbet de følgende dage, at Bests indstilling ikke på alle punkter blev fulgt. De jødiske formuer blev ikke rørt, men i offentligheden blev jødeaktionen håndteret helt anderledes og ikke tiet ihjel, som det vil fremgå af flere af de følgende telegrammer (Hæstrup, 1, 1966-71, s. 157).

Kilde: PA/AA R 29.567. RA, pk. 203 og 226. LAK, Best-sagen (afskrift). IMT, 35, s. 156-158 (von Hanneken til OKW 1. oktober).

Telegramm

Kopenhagen, den	1. Oktober 1943	10.15 Uhr
Ankunft, den	1. Oktober 1943	10.40 Uhr

Nr. 1176 vom 1.10.[43.] Citissime mit Vorrang.

Ich bitte, dem Herrn Reichsaußenminister den folgenden Bericht unverzüglich zuzuleiten:

1.) Die Festnahme der zu evakuierenden Juden erfolgt in der Nacht vom 1. zum 2.10.43. Der Abtransport wird von Seeland zu Schiff (ab Kopenhagen), von Fünen und Jütland mit der Bahn Sonderzug durchgeführt.
2.) Wenn ich keine gegenteilige Weisung erhalte, beabsichtige ich, weder im Rundfunk noch in der Presse die Judenaktion erwähnen zu lassen.
3.) Wenn ich keine gegenteilige Weisung erhalte, beabsichtige ich, die Vermögenswerte der evakuierten Juden unberührt zu lassen, damit nicht die Wegnahme dieser Vermögenswerte als Zweck oder Mitzweck der Aktion unterstellt werden kann.
4.) Den nachteiligen Auswirkungen der Judenaktion auf die Haltung der hiesigen Bevölkerung könnte durchschlagend entgegengewirkt werden, wenn morgen 2.10.43 in Rundfunk und Presse bekanntgegeben werden könnte, daß die internierten dänischen Soldaten in den nächsten Tagen nach und nach entlassen werden. Damit würde klargestellt, daß nicht – wie hier in den letzten Tagen schon behauptet wurde – von deutscher Seite die dänischen Bauernsöhne den Juden gleichgestellt und wie sie deportiert werden sollen, sondern daß für die in Dänemark entstandenen Schwierigkeiten in erster Linie, die Juden verantwortlich gemacht und entsprechend behandelt werden. Ich bitte deshalb im Einvernehmen mit dem Befehlshaber der deutschen Truppen in Dänemark um die Ermächtigung morgen – 2.10.43 – hier in Rundfunk und Presse mitteilen zu lassen, daß die Entlassung der internierten dänischen Soldaten (von den Offizieren braucht zunächst nicht gesprochen zu werden) in den nächsten Tagen beginnen werde.

Dr. Best

201. Werner Best an das Auswärtige Amt 1. Oktober 1943

Senest 1. oktober vidste Best, at der ville komme en HSSPF til Danmark. Da Best imidlertid ikke havde fået en afklaring på den status, som den kommende tilkommanderede politifører ville få i forhold til sig selv, forsøgte han en genvej til at opnå oplysning derom ved at spørge om, hvordan hans egen stedfortræders, Paul Barandons, status ville blive i forhold til denne og de to andre allerede ankomne politichefer.

Best fik først svar fra AA længe efter, at Himmler havde skrevet til ham, og da blev sagen drøftet, som var den ikke allerede afgjort. Se Altenburgs notits 16. oktober og telegram nr. 1444, 17. oktober 1943.

Kilde: PA/AA R 29.567. RA, pk. 203, 233 og 438a.

Telegramm

Kopenhagen, den	1. Oktober 1943	12.45 Uhr
Ankunft, den	1. Oktober 1943	13.05 Uhr

Nr. 1177 vom 1.10.[43.]

Nachdem die mir zugeteilten Befehlshaber der Ordnungspolizei und der Sicherheitspolizei hier eingetroffen sind,[3] muß geklärt werden, ob die bisher umfassende Befugnis des Gesandten Dr. Barandon, den Reichsbevollmächtigten bei Abwesenheit zu vertreten, auch gegenüber den beiden Befehlshabern und den noch einzusetzenden höheren SS- und Polizeiführer gelten oder ob hinsichtlich der Polizei eine andere Regelung eintreten soll. Ich bitte, diese Frage mit dem Reichsführer-SS zu klären und mich von dem Ergebnis zu unterrichten.

Dr. Best

202. Werner Best an das Auswärtige Amt 1. Oktober 1943

Dagsindberetning.

Kilde: PA/AA R 29.567. RA, pk. 203.

Telegramm

Kopenhagen, den	1. Oktober 1943	12.40 Uhr
Ankunft, den	1. Oktober 1943	13.05 Uhr

Nr. 1178 vom 1.10.[43.] Citissime!

Ich bitte, dem Herrn Reichsaußenminister die folgenden Meldungen unverzüglich zuzuleiten:

1.) Aus der Nacht vom 30.9. zum 1.10.43 aus Kopenhagen die Zerstörung einer Maschinentischlerei durch Brand (wahrscheinlich Sabotage, die anwesende Sabotagewache hat allerdings nichts bemerkt)[4] und aus Aarhus die Zerstörung eines Fehldruckmes-

3 Henholdsvis Erik von Heimburg og Rudolf Mildner.

4 Der var brand i tømrermester Henning Petersens værksted, Islevbrovej 4, Rødovre, der var indrettet i et barakbyggeri til værnemagten (RA, BdO Inf. nr. 1, 6. oktober 1943, Sabotagehandlungen in der Zeit vom 17.9.-7.10.1943 (bilag til Forstmann til Waeger 8. oktober 1943), Alkil, 2, 1945-46, s. 1221).

sers des Lichtnetzes durch Sprengung gemeldet worden.[5] Sonst keine Ereignisse.

2.) Der Befehlshaber der deutschen Truppen in Dänemark hat für den 30.9. die folgendes Tagesmeldung erstattet: "In Kopenhagen ein dem Freikorps Danmark angehöriger SS-Grenadier am 29.9. abends überfallen und durch Stich mit eigenem Seitengewehr leicht verletzt. – Auf Plattform Kopenhagen Straßenbahn am 29.9. abends Soldat der Luftwaffe von Dänen angeschossen, leicht verletzt. Tatbestand noch nicht völlig geklärt.[6] Außerdem zwei kleinere Sabotageakte."

Dr. Best

203. Werner Best an Joachim von Ribbentrop 1. Oktober 1943

Best ville ikke have siddende på sig, at han havde viderebragt falske meddelelser, så han forfulgte sagen om, hvorfra ordren om, at enheder fra værnemagten ikke skulle deltage i jødeaktionen, kom. Sporet førte ham til førerhovedkvarteret, hvilket han indberettede.

Derefter synes han ikke at have hørt mere til sagen.

Kilde: PA/AA R 29.567. RA, pk. 203 og 226.

Telegramm

Kopenhagen, den	1. Oktober 1943	11.15 Uhr
Ankunft, den	1. Oktober 1943	11.40 Uhr

Nr. 1181 vom 1.10.[43.] Citissime mit Vorrang.

Für Reichsaußenminister persönlich.

Im Anschluß an mein Telegramm Nr. 1175[7] vom 1.10.43 melde ich weiter, daß mir der Befehlshaber der deutschen Truppen in Dänemark General von Hanneken soeben mitgeteilt hat, daß der an die Abwehrstelle Dänemark vom OKW (Abwehr III) erteilte Befehl vom 29.9.43 – 16.10 Uhr – am Abend dieses Tages vom Wehrmachtführungsstab (Oberstleutnant Polens) ausdrücklich bestätigt worden ist. Am Abend des 30.9. sei vom Wehrmachtführungsstab fernmündlich mitgeteilt worden, daß der Befehl vom 29.9.43 auf Grund der inzwischen vom Reichsbevollmächtigten über den Reichsaußenminister erhobenen Vorstellungen aufgehoben werde.

Damit ist festgestellt, daß der fragliche Befehl nicht nur vom OKW (Abwehr III) an die Abwehrstelle Dänemark sondern sogar vom Wehrmachtführungsstab – also aus dem Führerhauptquartier – an den Befehlshaber selbst erteilt und daß er erst einen Tag später auf Grund der von mir erbetenen Intervention des Herrn Reichsaußenministers wieder aufgehoben worden ist.

Dr. Best

5 Der var en eksplosion i et olietrykskabel hos Statsbanerne i Århus, hvilket ifølge Rü Stab Dänemark ikke førte til en strømafbrydelse (RA, BdO Inf. nr. 1, 6. oktober 1943, Sabotagehandlungen in der Zeit vom 17.9.-7.10.1943 (bilag til Forstmann til Waeger 8. oktober 1943), Alkil, 2, 1945-46, s. 1221).

6 Episoderne er beskrevet i Bergstrøms dagbog 29. september 1943 (trykt udg. s. 765f.).

7 bei Inl. II (V.S.). Trykt ovenfor.

204. Werner Best an das Auswärtige Amt 1. Oktober 1943

Best videresendte en henvendelse, som han havde modtaget fra de store danske interesseorganisationer i anledning af rygterne om en forestående tysk aktion mod jøderne. Bests eneste kommentar var, at han ikke besvarede den (Hæstrup, 1, 1966-71, s. 157f.).

Kilde: PA/AA R 29.567. RA, pk. 203 og 226. LAK, Best-sagen (afskrift). Yahil 1967, s. 163f. (på dansk) og 1969, s. 474f. (på engelsk).

Telegramm

Kopenhagen, den	1. Oktober 1943	12.00 Uhr
Ankunft, den	1. Oktober 1943	12.20 Uhr

Nr. 1182 vom 1.10.[43.] Citissime!

Die Vorsitzenden aller zentralen dänischen Wirtschaftsverbände (Arbeitgebervereinigung, Vereinigte Gewerkschaften, Industrierat, Landwirtschaftsrat, Provinzhandelskammer, Reedereivereinigung und Großhändlervereinigung) haben am 30.9.43 an mich eine Eingabe gerichtet, in der sie "aus Anlaß der Gerüchte, die in den letzten Tagen aufgekommen sind, über eine deutsche Aktion gegen die Juden in Dänemark," folgendes ausführen:[8]

"Wir können nicht unterlassen darauf aufmerksam zu machen, daß – wenn eine solche Aktion vorgenommen wird, dies nach unserer Meinung in hohem Grade den Bestrebungen schaden wird, die von unserer Seite unternommen werden, um Ruhe und Ordnung in Dänemark zu schaffen. Ebenso wird diese unsere Bestrebungen, Produktion und Handel in Dänemark aufrechtzuerhalten, erschweren. Die Juden sind hier in Dänemark ein Teil der Bevölkerung des Landes und eine Maßnahme gegen sie wird das ganze dänische Volk treffen." Die Eingabe bleibt unbeantwortet.

Dr. Best

205. Werner Best an Joachim von Ribbentrop 1. Oktober 1943

Best videregav indholdet af den skrivelse, som Christian 10. havde sendt ham i anledning af rygterne om en aktion mod jøderne. Best fremstillede henvendelsen og panikstemningen i befolkningen som fremkaldt af von Hannekens meddelelse 28. september om, at undtagelsestilstanden blev forlænget, og at der kunne ventes yderligere foranstaltninger.

Bests egen andel i og hovedansvar for den opståede stemning skulle skjules ved nok en gang at pege på von Hanneken (Brøndsted/Gedde, 2, 1946, s. 584, Hæstrup, 1, 1966-71, s. 162).

Kilde: PA/AA R 29.567. RA, pk. 203. LAK, Best-sagen (på dansk). Best 1988, s. 298. *The Trial of Adolf Eichmann*, 2, 1992, s. 642 (på engelsk).

Telegramm

Kopenhagen, den	1. Oktober 1943	19.30 Uhr
Ankunft, den	1. Oktober 1943	20.10 Uhr

8 Trykt på dansk i sin helhed hos Brøndsted/Gedde, 2, 1946, s. 585 (Best udelod hele første afsnit).

Nr. 1187 vom 1.10.[43.] Citissime mit Vorrang!

Für Herrn Reichsaußenminister persönlich.
Der dänische König hat mir soeben – 1. Oktober 1943, 18.30 Uhr – ein von heute datiertes Schreiben des folgenden Inhalts zustellen lassen:

"Exzellenz, obwohl die vollziehende Gewalt gemäß der mir am 29. August d.Js. überbrachten Mitteilung des Herrn Befehlshabers der deutschen Truppen in Dänemark auf die deutsche Wehrmacht übergegangen ist, ist es mir jedoch – nachdem ich mit einem Vernehmen bekannt gemacht worden bin, wonach man deutscherseits beabsichtigen sollte, Schritte gegen die Juden in Dänemark zu unternehmen, – nicht nur aus menschlicher Sorge für die Bürger meines Landes, sondern auch aus der Furcht vor den weiteren Konsequenzen in den künftigen Beziehungen zwischen Deutschland und Dänemark daran gelegen, Ihnen gegenüber hervorzuheben, daß Sondermaßnahmen hinsichtlich einer Gruppe von Menschen, die seit mehr als 100 Jahren die vollen bürgerlichen Rechte in Dänemark genießen, die schwersten Folgen würden haben können. Christian X."

Dieser Schritt des Königs ist durch die Gerüchte über eine bevorstehende Judenaktion verursacht, die hier unmittelbar nach der Verhängung des Ausnahmezustandes entstanden und die sich bis zu einer Panikstimmung gesteigert haben, seit am 28. September 1943 der Befehlshaber der deutschen Truppen in Dänemark dem kommissarischen Leiter des dänischen Außenministeriums eröffnet hat, daß der Ausnahmezustand bis auf Weiteres bestehen bleibe und daß weitergehende Maßnahmen vorbehalten bleiben. Von unserer Seite ist alles nur mögliche getan worden, um – insbesondere gegenüber offiziellen und inoffiziellen Anfragen – die bevorstehende Aktion zu tarnen (z.B. durch meine mit Telegramm Nr. 1162[9] vom 29. September 1943 berichtete Antwort an den Direktor Svenningsen, daß ich wegen des von ihm gewünschten Dementis der Judengerüchte eine Weisung meiner Vorgesetzten erbitten werde). Dennoch wird die durch die Gerüchte erzeugte Panik die Aktion dadurch erschweren, daß zahlreiche Juden sich nicht in ihren eigenen Wohnungen aufhalten werden.

Die Aktion beginnt heute um 21.00 Uhr.

Dr. Best

206. Joachim von Ribbentrop an Werner Best 1. Oktober 1943

Ribbentrop tildelte Best en hel stribe irettesættelser. Best skulle have klaret en mindre betydende sag som Ollerup Gymnastikhøjskole direkte med von Hanneken og ikke bebyrdet AA med den. Det var Best, der havde ansvaret for forholdet til kongehuset, derfor skulle han også have taget sagen op direkte med von Hanneken. Ribbentrop forventede fremover en gnidningsløs og tæt personlig kontakt mellem Best og von Hanneken.

Best var ikke i høj kurs hos udenrigsministeren. Han gav et kort svar med telegram nr. 1207, 5. oktober 1943.

Kilde: PA/AA R 29.567. RA, pk. 203 og 226. LAK, Best-sagen (afskrift). ADAP/E, 7, nr. 3.

9 Inl. II V.S. Trykt ovenfor.

Telegramm

Sonderzug, den 1. Oktober 1943 21.07 Uhr
Ankunft, den 1. Oktober 1943 [!] 20.40 Uhr

Nr. 1560 vom 1.10.[43.]

1.) Telko
2.) Diplogerma Kopenhagen
Für den Reichsbevollmächtigten persönlich.

Im Anschluß an den Drahterlaß Nr. 1342[10] vom 29. September möchte ich Sie noch auf die in dem Drahterlaß Nr. 1165[11] vom 31. August mitgeteilte Führerentscheidung hinweisen. Diese Führerentscheidung gibt Ihnen auch während des militärischen Ausnahmezustandes sowohl generell wie besonders in den dort aufgeführten Einzelfragen eine starke Stellung gegenüber dem Befehlshaber der deutschen Truppen in Dänemark. Ich muß erwarten, daß Sie diese starke Stellung durch eine intensive persönliche Einwirkung auf den Befehlshaber selbst unmittelbar zur Geltung bringen. Bei der starken Inanspruchnahme des Auswärtigen Amts und des Oberkommandos der Wehrmacht mit Fragen von größerer Wichtigkeit ist es nicht erwünscht, wenn Sie mehrfach meine Intervention beim Oberkommando der Wehrmacht in Fragen von untergeordneter Wichtigkeit erbitten, deren Bereinigung an Ort und Stelle möglich sein müßte.

Ich vermisse zum Beispiel in Ihrem Drahtbericht Nr. 1131[12] vom 25. September wegen der Gymnastikschule Niels Bukh, daß Sie selbst diese Angelegenheit mit dem Befehlshaber der deutschen Truppen persönlich zu bereinigen versucht haben.

Das in Ihrem Drahtbericht Nr. 1117[13] vom 22. September gemeldete selbständige Vorgehen des Befehlshabers der deutschen Truppen anläßlich des Geburtstages des dänischen Königs hätte sich vermeiden lassen müssen, wenn Sie selbst den Befehlshaber der deutschen Truppen darauf aufmerksam gemacht hätten, daß in der erwähnten Entscheidung des Führers die Regelung der Beziehungen zum dänischen Königshaus ausdrücklich Ihnen vorbehalten ist. In dem Bericht Nr. 1163[14] vom 29. September teilen Sie nur mit, daß der Befehlshaber der Sicherheitspolizei Ihnen die betreffende Meldung erstattet hat. Ich entnehme diesem Berichte nicht, daß Sie deswegen mit dem Befehlshaber der deutschen Truppen selbst gesprochen haben.

Ich habe gestern mit dem OKW nachdrücklich in dem Sinne sprechen lassen, daß von OKW auf den Befehlshaber der deutschen Truppen eingewirkt wird, daß er die erwähnte Führerentscheidung einhält, und daß zwischen dem Bevollmächtigten und dem Befehlshaber der enge persönliche Kontakt gepflogen wird, der Voraussetzung für die reibungslose Durchführung der Führerentscheidung ist. Ich bitte, daß auch von Ihrer

10 Pol I M. Trykt ovenfor 30. september.
11 Pol VI (VS). Trykt ovenfor.
12 Pol I M. Trykt ovenfor.
13 Pol VI. Trykt ovenfor.
14 Inl. II (V.S.). Trykt ovenfor.

Seite aus alles geschieht, um einen solchen engen persönlichen Kontakt zu pflegen.

Ribbentrop

Vermerk:
Unter Nr. 1355 an Diplogerma Kopenhagen weitergeleitet.
Tel. Ktr., 2.10.

207. Franz von Sonnleithner an Eberhard von Thadden 1. Oktober 1943

Von Ribbentrop lod svare på Helmer Rostings forslag om at løslade de danske soldater og om at anbringe jøderne i lejr i stedet. Han afviste det med den begrundelse, at det ikke var at løse jødespørgsmålet, men at lade det bestå som mål for fjendtlig propaganda.

Kilde: PA/AA R 100.864. RA, pk. 226.

Büro RAM

LR von Thadden vorgelegt:
Der Herr RAM hat zu dem im Telegramm Kopenhagen Nr. 1161 vom 29.9.[15] wiedergebenen Vorschlag des Direktors des Dänischen Roten Kreuzes, Helmer Rosting, man solle die dänischen Soldaten freilassen und dafür Juden in die Lager bringen, geäußert, daß man eine solche Maßnahme nicht treffen könne. Man würde dann die Judenfrage, statt sie schlagartig zu lösen, ständig hinziehen und der Feindpropaganda immer wieder neuen Auftrieb geben.

Westfalen, den 1. Oktober 1943.

Sonnleithner

208. Adolf von Steengracht: Notiz 1. Oktober 1943

Rygterne om en aktion mod de danske jøder var nået Sverige, og den svenske gesandt A. Richert mødte op i AA for at tilbyde, at jøderne kunne blive interneret i Sverige. Tilbuddet blev afvist med den begrundelse, at man i AA ikke kendte noget til en sådan aktion (Yahil 1967, s. 286, Hæstrup, 1, 1966-71, s. 161, Kirchhoff 1997, s. 109f.).

Richert henvendte sig på ny i AA 4. oktober i samme sag.

Kilde: PA/AA R 100.864. RA, pk. 203 og 226.

St.S. Nr. 439 *Berlin, den 1. Oktober 1943.*

Heute suchte mich der Schwedische Gesandte auf. Er erklärte, daß der Schwedische Außenminister ihn beauftragt habe, sich zu mir zu begeben, da in Schweden das Gerücht umginge, Deutschland beabsichtige, 6.000 Juden aus Dänemark nach Deutschland zu verbringen. Diese Angelegenheit ginge die Schwedische Regierung nichts an. Dennoch wolle der Außenminister, falls die Absicht zu einer derartigen Maßnahme bestünde, das Auswärtige Amt darauf hinweisen, daß solche Maßnahmen psychologische Rückwir-

15 Trykt ovenfor.

kungen in Schweden haben würden, die nicht angenommen [?] wären. Falls ein Abtransport der Schweden aus Dänemark aus militärischen Gründen eventuell erforderlich sei, so sei man schwedischerseits bereit, um die evtl. zu befürchtenden Rückwirkungen zu mildern, die Juden in Schweden aufzunehmen und sie dort zu internieren.

Abschließend erklärte der Gesandte, daß dieser Schritt des Schwedischen Außenministers ausschließlich deshalb erfolge, weil Herr Günther aufrichtig befürchte, daß, falls eine Judenaktion in diesem Umfange geplant sei, sie große Reaktion in der schwedischen Öffentlichkeit auslösen würde.

Ich erklärte den Gesandten, daß in Dänemark Ausnahmezustand bestünde und ich deshalb nicht wisse, welche Maßnahmen militärischerseits für erforderlich gehalten werden. Von einer beabsichtigten Judenaktion sei mir nichts bekannt.

Hiermit Büro RAM mit der Bitte um sofortige telefonische Durchgäbe an den Herrn RAM.

gez. **Steengracht**

209. Kriegstagebuch/Admiral Dänemark 1. Oktober 1943

Wurmbach gengav den anordning, som WB Dänemark havde udsendt som begrundelse for at udskyde hjemsendelsen af de internerede danske værnepligtige, Kansteins skrivelse til UM i samme anledning, samt den skrivelse, som Wurmbach havde modtaget fra admiral Vedel, som reaktion derpå. Vedel betragtede udskydelsen af de værnepligtiges hjemsendelse med sabotagerne som begrundelse, som en repressalie rettet mod uskyldige og mod Genevekonventionen. Det fik Vedel til at protestere kraftigt over beslutningen.

Wurmbach kommenterede ikke Vedels skrivelse, men dens indhold gjorde det klart, at al genoptagelse af et samarbejde var udelukket i en overskuelig fremtid.

Kilde: KTB/ADM Dän 1. oktober 1943, RA, Danica 628, sp. 3, s. 3099-3101,

[...]

Vom Befehlshaber Dänemark ging folgende Wortregelung wegen Beibehaltung des Ausnahmezustandes ein:

1.) "Auf Anordnung des Führers war im Einvernehmen mit dem Bevollmächtigten des Reiches den Dänen folgendes mitzuteilen:

Mit Rücksicht auf die 23 Anschläge des 26.9. wird die Aufhebung des Ausnahmezustandes und die ab nächster Woche beabsichtigte Entlassung der dänischen Wehrmachtsangehörigen bis auf weiteres hinfällig. Weitergehende Maßnahmen bleiben vorbehalten."

2.) In Verfolg dieser Anweisung wurde in Gegenwart des Chefs der Zivilverwaltung, Brigadeführer Kanstein, dem Direktor Svenningsen am 28.9. 18.00 Uhr folgendes eröffnet:

"Bei Verhängung des Ausnahmezustandes wurde darauf hingewiesen, daß erwartet wurde, daß die dänische Bevölkerung den Ernst der Lage erkennen möge und sich jeder weiteren Sabotage enthalte. Sie wurde aufgefordert, keinerlei Vorschub an Saboteuren zu leisten. Weiter wurde in der Presse bekanntgegeben, daß die Entlassung der internierten Wehrmachtsangehörigen vom guten Verhalten der Bevölkerung und Rückgang der Sabotagen abhinge.

Es war beabsichtigt gewesen, im Laufe der nächsten Woche den militärischen Ausnahmezustand zu beenden und mit der Entlassung der internierten Wehrmachtsangehörigen zu beginnen.

In der Nacht vom 25. zum 26.9. sind in Jütland an 23 Stellen zahlreiche Eisenbahnstrecken, insbesondere die Hauptverkehrslinien durch Sprengungen beschädigt worden.

Mit Rücksicht auf diese 23 Anschläge des 26.9. wird die Aufhebung des Ausnahmezustandes und die ab nächster Woche beabsichtigte Entlassung der dänischen Wehrmachtsangehörigen bis auf weiteres hinfällig. Weitergehende Maßnahmen bleiben vorbehalten."

Vizeadmiral Vedel hat mir in einem Brief mitgeteilt, daß er über die eben genannten Vorgänge durch den Direktor des dänischen Außenministeriums unterrichtet worden sei, wodurch die ihm von mir durch den Verbindungs-Offizier am 10. d.M. offiziell in Aussicht gestellte Entlassung des internierten Personals der Kriegsmarine nun auf unbestimmte Zeit als Folge von in Jütland vorgefallenen Sb-Handlungen hinausgeschoben sei.

Admiral Vedel führte dann aus:

"Nach den beruhigenden Äußerungen in Pkt.1 und 2 in dem Schreiben des Herrn Admirals vom 20. d.M. an mich, und nachdem mir mitgeteilt wurde, daß Regierungsvizepräsident Kanstein auf Anfrage des dänischen Außenministeriums seinem Direktor gegenüber absolut Abstand von dem Gedankengang genommen hat, der in der Tagespresse von 15. d.M. zum Ausdruck gekommen war, wonach die Entlassung der internierten Militärpersonen in einer deutschen offiziellen Erklärung mit der Haltung der Bevölkerung gegenüber Sabotagehandlungen verknüpft war, und versprochen hat, dafür zu sorgen, daß Wiederholungen vermieden würden, ist mir die Mitteilung über die Aussetzung auf unbestimmte Zeit und besonders ihre Begründung als peinliche Überraschung gekommen. Anläßlich der genannten Mitteilung möchte ich den in meinem Schreiben vom 15. d.M. an den Herrn Admiral vorgebrachten Protest dagegen erneuern, daß auf diese Weise, im Widerspruch zu der allgemeinen Auffassung des Rechts, Repressalien gegen einen Teil der Bevölkerung angewandt werden, der in der angeführten Beziehung nach der Natur der Sache ganz unbeteiligt ist und Sie nachdrücklich (eindringlich) darum ersuchen, fortgesetzt Ihren ganzen Einfluß geltend zu machen, um die Entlassung der wehrpflichtigen Mannschaft baldigst zu erreichen.

Sofern eine baldige Entlassung nicht erreicht werden kann, ersuche ich darum, daß umgehend Anstalten für die Internierung des Personals des Söverns auf längere Zeit getroffen werden und weise in dieser Verbindung wieder auf mein Schreiben vom 15. d.M. hin, aus dem die wichtigsten Forderungen hervorgehen, die gem. der Genfer Konvention vom 27. Juli 1927 über die Behandlung der Kriegsgefangenen in dieser Beziehung erfüllt und verlangt werden können.

210. Heinrich Himmler an Werner Best [1./2.] Oktober 1943

Himmler skrev i oktober et udateret brev til Best, hvor han både tog stilling til Bests seneste initiativer og til, hvad der fremover skulle ske. Både med hensyn til brevets datering og tolkning af indholdet hersker der betydelig uenighed. Som det vil fremgå, hænger de to forhold nært sammen.

Yahil daterer brevet til efter jødeaktionen med den begrundelse, at det indgår i Himmlers afstraffelse af Best pga. den fejlslagne aktion, og at det er grunden til, at Pancke ikke underlægges, men sideordnes Best. Herbert daterer det uden begrundelse som en formodning til 12. oktober, mens Rosengreen placerer brevet til omkring 1. oktober, da det må være skrevet, før Himmler fik kendskab til jødeaktionens fiasko. Endelig har Lundtofte dateret brevet til før 6. oktober, da Panckes udnævnelse skrives i futurum. Best henførte ved en afhøring 23. oktober 1948 brevet til slutningen af oktober (RA, Danica 234, pk. 88, læg 1157), hvilket må tages som en fejlhuskning.

Som det fremgår af Best telegram nr. 1117 fra 1. oktober, vidste han senest den dag, at der ville blive indsat en HSSPF i Danmark, men ikke hvornår og tilsyneladende heller ikke hvilken status denne ville få i forhold til ham selv, hvorfor han endnu samme dag prøvede at finde ud af det ved at sende en forespørgsel til AA, der tog udgangspunkt i hans stedfortræder, Paul Barandons, fremtidige rolle (se telegram nr. 1177). Dette havde han ikke fået svar på den 4. oktober, da han anmodede AA om at de to allerede ankomne tyske politichefer måtte kommunikere direkte med RSHA (se telegram nr. 1201). Dette telegram burde være helt overflødigt, hvis han denne dato med sikkerhed vidste, at den kommende HSSPF ville blive sideordnet ham, for da ville det være selvindlysende, at det tyske politi i Danmark kommunikerede direkte med RSHA. Der foreligger imidlertid også den mere oplagte mulighed, at han havde fået Himmlers brev, men valgte at undlade at meddele det til AA, da der ikke var tale om en officiel meddelelse. Hans motiv skulle da være gennem AAs officielle kanaler alligevel at søge at få Himmlers afgørelse omstødt (hvilket faktisk siden blev forsøgt), idet han dog samtidig fik tysk politis kommunikation udskilt fra sin egen. Det ville være ubelejligt andet med den viden, han nu havde.

Det efterlader kun en smal tidsmargen for dateringen af Himmlers brev, når Panckes udnævnelse skulle følge samtidig med undtagelsestilstandens ophævelse den 6. oktober. Himmlers brev må være skrevet omkring den 1.-2. oktober, da Himmler ikke kendte til jødeaktionens fiasko. Havde han kendt til fiaskoen, havde brevet ikke haft den her anvendte venskabelige tone, der ikke rummer spor af straffeaktion, som Yahil mener.

Himmlers brevs vigtighed er alle enige om, men Herbert (s. 364), slår ned på det helt centrale punkt, når han tager Himmlers brev som bevis for, at Best tog initiativet til jødeaktionen. I brevet opregnes nemlig på en række efter hinanden Bests initiativer, som Himmler roser: Det gælder med hensyn til Frits Clausens afskibning til SS, med hensyn til Schalburgkorpset og så jødeaktionen, som Himmler finder rigtig.[16] Det ville han ikke have haft nødig at tilføje, hvis det havde været hans egen ide eller hvis det var en ordre fra Hitler. I sidstnævnte tilfælde ville det jo være selvindlysende. Der står intet om jødeaktionens resultat, hvilket kun kan skyldes, at Himmler ikke var informeret derom endnu, da brevet blev skrevet.

De meddelelser fra Best, som brevet er svar på, er ikke lokaliseret, men de har rummet løsninger af udeståender, som ikke hidtil var blevet bragt ud af verden i forhold til SS. Men nu under den militære undtagelsestilstand handlede Best og søgte at gøre RFSS så tilfreds, at Best kunne forvente at få noget til gengæld, nemlig bl.a. en status uden en sideordnet HSSPF.[17] Det ønske agtede RFSS imidlertid ikke at opfylde, som det fremgår af hans brev, selv om han tydeligvis vidste, at det ville komme Best på tværs.

Brevet indgik i retssagen mod Best, idet det ligger i sagen i afskrift uden angivelse af, hvem der var afsenderen. Det er muligvis uvisheden om afsenderen, der var skyld i, at brevet ikke fik større betydning for afdækningen af initiativet til aktionen mod de danske jøder (Yahil 1967, s. 123, Thomsen 1971, s. 192, Rosengreen 1982, s. 46f., Best 1988, s. 156, Herbert 1996, s. 364 m. s. 616 note 119, Lundtofte 2003, s. 246 note 9).

16 Den var kun indtil videre blevet udskudt i juni 1943 (se Wagner til Kaltenbrunner 30. juni 1943).

17 Best havde erfaring med og viden om konsekvenserne af indsættelse af en HSSPF fra Frankrig, hvor det bl.a. betød, at der blev taget meget mere drastisk fat på jødeforfølgelsen og deportationerne (Meyer 2005). Ved selv at iværksætte en jødeaktion i Danmark havde han vist, at en sideordnet HSSPF ikke var nødvendig, hvis en sådan overhovedet var påkrævet. Den rigsbefuldmægtigede kunne selv.

Kilde: BArch, NS 19/3302. RA, Danica 1000, pk. 59, nr. 575.521. RA, pk. 443 og 443a. LAK, Best-sagen (afskrift). Yahil 1967, s. 410 (på dansk) og Yahil 1969, s. 462f. (på engelsk).

RF/Rn *Okt. 1943.*

Feld-Kommandostelle

Mein lieber Best!

Zunächst meinen Dank für Ihre verschiedenen Briefe und Fernschreiben.[18] Ich habe die Gesamtentwicklung in Dänemark, die ja in der letzten Zeit nicht übertrieben glücklich in jeder Weise gelaufen ist, verfolgt. Die Lösung, daß Clausen sich zur Waffen-SS als Arzt gemeldet hat, finde ich sehr gut.[19] Das Vorantreiben des "Schalburg-Korps" ist richtig. Ebenfalls ist richtig die Judenaktion. Sie wird für einige Zeit Wellen aufwerfen, jedoch insgesamt dann die Hauptsaboteure und Hauptthetzer hinwegbringen. Mit Aufhebung des Ausnahmezustandes wird gleichseitig ein Höherer SS- und Polizeiführer ernannt in Person von SS-Gruppenführer Pancke. Ich glaube, es wird kein Wort darüber zu verlieren sein, daß die Arbeit zwischen Ihnen beiden die harmonischste sein wird und ich habe die feste Überzeugung, daß damit viele Dinge erheblich leichter sein werden.

Haben Sie, trotzdem ich den Höheren SS- und Polizeiführer Ihnen nicht unterstellt habe, die Größe, darüber nicht traurig zu sein. Die Form der Organisation ist so eine bessere.

Heil Hitler!

Ihr [signatur mangler]

211. Werner Best an das Auswärtige Amt 2. Oktober 1943

I takt med at det blev klart i den danske centraladministration, at en aktion mod de danske jøder var umiddelbart forestående, søgte man blandt departementscheferne veje til at afbøde den, og her fremkom tanken om at lade de danske jøder internere i Danmark. Nils Svenningsen forelagde forslaget for Best, men fik først foretræde på et så fremskredent tidspunkt, at aktionen var i gang, og selv om Best lovede at sende forslaget videre, lod han forstå at det ville være forgæves.

Til gengæld forklarede han Svenningsen, at aktionen "kun" var rettet mod heljøder og kun for så vidt disse ikke var arisk gift, samt at der næppe ville blive tale om beslaglæggelse af jødisk ejendom. Best mente dog ikke, at det var nødvendigt, at han i telegrammet til AA oplyste om, at han på den måde havde søgt at nedtone indtrykket af aktionen (Hæstrup, 1, 1966-71, s. 158-164, Kirchhoff 2002).

Kilde: PA/AA R 29.567. RA, pk. 203 og 226. LAK, Best-sagen (afskrift).

Telegramm

Kopenhagen, den	2. Oktober 1943	01.20 Uhr
Ankunft, den	2. Oktober 1943	01.35 Uhr

18 Der er bevaret Bests breve 10. og 21. september 1943 (trykt ovenfor), men der har foreligget flere for at kunne begrunde dette brevs indhold.

19 Best havde i løbet af september arbejdet for at skaffe sig af med "problemet" Frits Clausen. Frits Clausen var hos Best 13. og 30. september, sidste gang til middag (Bests kalenderoptegnelser, anf. datoer). Drøftelserne drejede sig dels om DNSAPs forhold til Schalburgkorpset, dels Frits Clausens egen fremtid (Lauridsen 2003b, s. 358f.).

Nr. 1188 vom 1.10.[43.] Citissime mit Vorrang!

Nachdem seit 21.00 Uhr die Judenaktion im Gange ist, ist soeben – 23.30 Uhr – der kommissarische Leiter des dänischen Außenministeriums Direktor Svenningsen bei mir erschienen und hat folgendes vorgetragen:

Er habe von der Festnahmeaktion erfahren und sei sich darüber im klaren, daß, nachdem alle Vorstellungen und selbst der Brief des Königs nicht verhindern konnten, diese Aktion eine Entscheidung der deutschen Macht sei, gegen die man nicht mehr ankämpfen könne. Er halte es aber für seine Pflicht, die Frage zu stellen, ob nicht die Deportation der Festgenommenen unterlassen werden könne, wenn die dänischen Behörden sich verpflichteten, die Juden selbst zu internieren. Bis zur Entscheidung über diese Frage bitte er von dem Abtransport der Festgenommenen abzusehen.

Ich gebe von diesem Vortrag des Direktors Svenningsen Kenntnis und bemerke hierzu, daß der Schiffstransport von Kopenhagen um 10.00 Uhr und der Bahntransport von Aalborg (Sammeltransport für Jütland) um 11.00 Uhr vormittags abgehen soll. Ich werde von mir aus an diesen Transportdispositionen nichts ändern.

Dr. Best

212. Werner Best an das Auswärtige Amt 2. Oktober 1943

Tidligt om morgenen meldte Best Danmark for "entjudet" eller jødefrit for så vidt, som der nu kun var få muligheder for at være jøde i Danmark på legal vis. Han opgav ikke antallet af pågrebne jøder, men videregav indholdet af en forordning, som von Hanneken ville offentliggøre senere på dagen om jøderne (det skete ikke, se telegram nr. 1208, 5. oktober) og en meddelelse om den forestående løsladelse af de internerede danske soldater, som var blevet til i forståelse med von Hanneken.

Best synes at have været forfatter til denne meddelelse, hvor jødeaktionen og løsladelsen af soldaterne for første gang knyttes tæt sammen, ligesom jøderne blev givet skylden for sabotagen (Kirchhoff 1994, s. 218f., Kreth/Mogensen 1995, s. 125f.). Når Best knyttede jøderne til sabotagen, kan det dels hænge sammen med hans erfaringer fra Frankrig, hvor det samme havde været tilfældet (og hvor det fra starten var lige så grundløst) og med en generel tysk beslutning om at knytte kommunister og jøder sammen ved modstandsbekæmpelsen og dermed give en begrundelse for deportationerne af jøder (se Meyer 1997 og 2000, Martin Luthers notits 24. september 1942 (Lauridsen 2008a, nr. 46) og Himmler til Müller 5. oktober 1942, trykt ovenfor.

Kilde: PA/AA R 29.567. LAK, Best-sagen (på dansk). ADAP/E, 7, nr. 7.

Telegramm

Kopenhagen, den	2. Oktober 1943	07.00 Uhr
Ankunft, den	2. Oktober 1943	07.30 Uhr

Nr. 1189 vom 2.10.43. Citissime

Ich bitte, den folgenden Bericht dem Herrn Reichsaußenminister unverzüglich zuzuleiten:

1.) Die Judenaktion in Dänemark ist in der Nacht vom 1. zum 2.10.43 ohne Zwischenfälle durchgeführt worden.

2.) Vom heutigen Tage an kann Dänemark als entjudet bezeichnet werden, da sich hier kein Jude mehr legal aufhalten und betätigen kann.

3.) Um die Erfassung derjenigen Juden, die nicht in der ersten Nacht festgenommen werden konnten, zu ermöglichen, erläßt der Befehlshaber der deutschen Truppen in Dänemark als Inhaber der vollziehenden Gewalt heute die folgende Verordnung:

"1.) Jeder Jude hat sich bis zum 5.10. zum Arbeitseinsatz bei der nächsten deutschen Wehrmachtdienststelle zu melden.

2.) Wer einen Juden beherbergt, hat dies bis zum 5.10. der nächsten deutschen Wehrmachtdienststelle zu melden.

3.) Als Jude im Sinne dieser Bekanntmachung gilt jeder Volljude, wenn er nicht mit einem nichtjüdischen Ehepartner verheiratet ist.

4.) Zuwiderhandlungen gegen die Bestimmungen dieser Bekanntmachung werden nach den Kriegsgesetzen bestraft."

Im Einvernehmen mit dem Befehlshaber der deutschen Truppen in Dänemark wird die bevorstehende Entlassung der internierten dänischen Soldaten nach der Ausschaltung des die dänische Atmosphäre vergifteten Judentums heute durch die folgende offizielle Mitteilung bekanntgegeben:[20]

"Offiziell wird mitgeteilt: Nachdem durch die von deutscher Seite getroffenen Maßnahmen die Juden, die durch ihre deutschfeindliche Hetztätigkeit und durch moralische und materielle Unterstützung von Terror- und Sabotagebestrebungen wesentlich zur Verschärfung der Lage in Dänemark beigetragen haben, aus dem öffentlichen Leben ausgeschaltet und an weiterer Vergiftung der Atmosphäre verhindert worden sind, wird zur Erfüllung der Wünsche weiter Kreise der dänischen Bevölkerung in den nächsten Tagen mit der Entlassung der internierten dänischen Soldaten begonnen und die Entlassung in dem durch die technischen Möglichkeiten gebotenen Tempo durchgeführt werden."

Für propagandistische Auswertung der erwähnten Maßnahmen im Sinne der hiermit aufgezeigten Tendenz wird gesorgt.

Dr. Best

213. Werner Best an das Auswärtige Amt 2. Oktober 1943

Best meldte om ro efter den overståede jødeaktion og tillagde det sammenkædningen med meddelelsen om den forestående frigivelse af de internerede soldater. Han meddelte endvidere, at han havde tilsluttet sig von Hannekens ønske om at ophæve undtagelsestilstanden den 6. oktober. De illegale aktioner var helt ubetydelige, og indberetningen kunne afslutte med endnu en god nyhed, at dansk landbrugs leveringsmuligheder var væsentligt større end forventet.

Best havde på denne dag hårdt brug for at kunne signalere succes både oven på Ribbentrops irettesættelser og med viden om, hvad der ville fremkomme om jødeaktionens resultat.

Kilde: PA/AA R 100.864. RA, pk. 226.

20 Trykt på dansk hos Alkil, 2, 1945-46, s. 856f.

Telegramm

Kopenhagen den	2. Oktober 1943	13.45 Uhr
Ankunft, den	2. Oktober 1943	14.30 Uhr

Nr. 1191 vom 2.10.[43.] Citissime!

Ich bitte, dem Herrn Reichsaußenminister die folgenden Meldungen unverzüglich zuzuleiten:

1.) Der bisherige Verlauf (bis 13.00 Uhr) des ersten Tages nach der Judenaktion in Dänemark hat gezeigt, daß die Ankündigung der bevorstehenden Freilassung der internierten dänischen Soldaten tatsächlich durchschlagend alle ungünstigen Reaktionen der dänischen Bevölkerung auf die Judenaktion kompensiert hat. Im Lande herrscht völlige Ruhe. Der Behördenapparat und die wirtschaftlichen Betriebe arbeiten. Aus der Masse der Bevölkerung werden zahlreiche Äußerungen gemeldet, die offen der Befriedigung darüber Ausdruck geben, daß statt der dänischen Soldaten die Juden deportiert worden sind und daß die jungen Dänen ihren Familien wiedergegeben werden.
2.) Der Befehlshaber der deutschen Truppen in Dänemark hat mir mitgeteilt, daß er unter den gegebenen Umständen die baldige Aufhebung des militärischen Ausnahmezustandes für möglich und erwünscht halte, und hat um meine Zustimmung zur Aufhebung am 6.10.43 gebeten. Ich habe diesem Vorschlag grundsätzlich zugestimmt mit dem Vorbehalt, daß die Aufhebung nur dann erfolgen soll, wenn die nächsten Tage keine weiteren Reaktionen auf die letzten Maßnahmen mehr zeitigen.
3.) Aus der Nacht vom 1. zum 2.10.43 ist als einziger besonderer Vorfall gemeldet worden, daß in Kolding (Jütland) von der deutschen Sicherheitspolizei ein Kommunist, in dessen Wohnung Propagandamaterial gefunden wurde, auf der Flucht erschossen worden ist.[21]
4.) Der Befehlshaber der deutschen Truppen in Dänemark hat für den 1.10.43 die folgende Tagesmeldung erstattet: "In Kopenhagen und Aarhus je ein unbedeutender Sabotage-Fall. – Sonst keine besonderen Vorkommnisse."
5.) Gestern (am 1.10.43) sind hier die Herbstbesprechungen der deutsch-dänischen Regierungsausschüsse abgeschlossen worden, in denen für das Wirtschaftsjahr 1943/44 überraschend günstige dänische Liefermöglichkeiten festgestellt worden sind. Für den wichtigsten Export: Fleisch wird mit 128.000 t und für Butter mit 50-52.000 t gerechnet, was insbesondere beim Fleisch eine wesentliche Steigerung gegenüber dem Vorjahre bedeutet. An Gras- und Futtersaaten, die für die deutsche und europäische Futtermittelversorgung besonders wichtig sind, wird Dänemark etwa 120 Prozent mehr als in dem schon guten Wirtschaftsjahr 1942/43 liefern. Die Pferdelieferungen werden vermehrt werden und auch hinsichtlich der Lieferung von Fischen, Obst und anderen landwirtschaftlichen Produkten ist mit einer guten Entwicklung zu rechnen.[22]

Dr. Best

21 Snedker Emanuel Alveen var medlem af en illegal bladgruppe og blev omringet af tysk feltpoliti efter tip fra en stikker (*Faldne i Danmarks Frihedskamp*, 1970, s. 22f.).

22 Denne forudsigelse kom til at holde stik, hvilket Best senere adskillige gange brugte i sine *Politische Informationen*. Se endvidere Schnurres optegnelse 3. oktober.

214. Werner Best an das Auswärtige Amt 2. Oktober 1943

Best videresendte uden kommentarer Karl Heinz Hoffmanns telegram til Staatspolizeistelle Kiel, hvoraf det fremgik, at resultatet af jødeaktionen var så pauvert, at det bestilte tog til deportationen til Theresienstadt ikke burde afgå, men at de grebne i stedet holdtes fangne i Kiel til senere viderebefordring.

Kilde: PA/AA R 100.864. RA, pk. 226.

Telegramm

DG Kopenhagen Nr. 20 2.10.[43.] 14.10 [Uhr]

Geheime Reichssache. Blitz-Fernschreiben.
Auswärtig Berlin Nr. 1193 vom 2.10.43.

Erbitte Weiterleitung nachstehenden Telegramms:

"An die Staatspolizeistelle Kiel z.Hd. von Herrn Oberreg[ierungs]Rat Henschke. Dringend – Sofort Vorlegen.

Um 11.10 Uhr heute Morgen ist der für den Transport der Juden vorgesehene Zug in Aalborg abgefahren und wird zwischen 5 und 6 Uhr die deutsche Grenzstation passieren. Da das Ergebnis der Festnahmen in keiner Weise die Durchführung des Zuges zum KL Theresienstadt rechtfertigt, bitte ich, mit der dortigen Reichsbahn sofort zu verhandeln, daß, falls die Weiterführung des Zuges wegen zu geringer Belegung nicht geboten erscheint, die Juden dort in Haft zu nehmen und mit der nächst möglichen Verschiebungsmöglichkeit nach Th[eresienstadt] zu verschieben sind. Ich bitte, mit der dortigen Reichsbahndirektion sicherzustellen, daß bei Ausfall des Zuges die Reichsbahndirektionen Hamburg, Hannover, Halle, Dresden, die Verwaltung der Ostbahnen in Berlin und der Bahn West in Koblenz vom Ausfall des Zuges verständigt werden. Ich bitte um Mitteilung durch Blitz-FS. der Befehlshaber der Sicherheitspolizei und des SD in Dänemark.

Dr. Hoffmann."

Dr. Best

215. Werner Best an das Auswärtige Amt 2. Oktober 1943

35 minutter efter det foregående videresendte Best endnu to telegrammer, denne gang fra Rudolf Mildner og en underordnet til Berlin, telegrammer der skulle videre til to sektioner i RSHA. Indholdet vidnede om, at jødeaktionen i København ikke havde givet noget videre resultat. Best kommenterede det ikke, heller ikke det først citerede telegrams meddelelse om, at man ikke vidste, hvordan aktionen var forløbet på Fyn og Jylland. Det vidste Best på dette tidspunkt udmærket efter afsendelsen af Hoffmanns telegram, men han indskrænkede sig til at være formidler. Reaktionen fra Berlin kunne tidligt nok komme.

I EUHK tilskrives det førststående telegram Best og det andet gøres til en tilføjelse af Mildner. Det fremgår af originalen, at dette ikke er tilfældet, ligesom Best ikke havde adkomst til at skrive direkte til RSHA i dette anliggende. Indholdet er i øvrigt udelukkende oplysninger af praktisk art. Han var alene viderebefordrer af tjenstlige telegrammer fra tysk politi i Danmark til RSHA. Se hans reaktion på den rolle i telegram nr. 1210, 4. oktober 1943.

Geiger videresendte 4. oktober telegrammet som "Schnellbrief" til hver af de to RSHA-afdelinger (kopi i PA/AA R 100.864).

Kilde: PA/AA R 29.567 og 100.864. RA, pk. 203 og 226. *The Trial of Adolf Eichmann*, 2, 1992, s. 642f. (uddrag på engelsk). EUHK, nr. 110.

Telegramm

Kopenhagen, den	2. Oktober 1943	14.45 Uhr
Ankunft, den	2. Oktober 1943	15.45 Uhr

Nr. 1194 vom 2.10.[43.]

Erbitte Weiterleitung nachstehenden Telegramms.

"An das Reichssicherheitshauptamt – nachrichtlich an das Referat D IV C 2 und IV B 4.[23]

Die Evakuierung der Juden aus dem Stadtgebiet Groß-Kopenhagen ist ohne Zwischenfälle abgeschlossen. Die Meldungen aus Jütland und von der Insel Fyn liegen durch Schwierigkeiten im Telefonverkehr noch nicht vor. Erfaßt wurden im Stadtgebiet Groß-Kopenhagen 202 Juden, unter ihnen der Ober-Rabbiner Friediger.[24] Der Dampfer "Wartheland" ist heute um 10 Uhr in Kopenhagen abgefahren und trifft am 3.10.43 um 8 Uhr in Swinemünde ein. Der Dampfer ist belegt mit 202 Juden, 143 Kommunisten und 7 Kommunistinnen.[25]

Der Transport wird begleitet von SS-Hauptsturmführer Kryschak, SS-Obersturmführer Pachow und SS-Oberscharführer Harteberg. SS-Oberscharführer Harteberg begleitet den Transport bis Theresienstadt.[26] SS-Hauptsturmführer Kryschak und SS-Obersturmführer Pachow kehren sofort nach Berlin zurück. Die Sicherung bis Theresienstadt übernimmt ein Zug des Polizeibataillons Cholm."

Zusatz für Referat IV C 2.

Ich bitte, für die Überführung der Kommunisten in das KL. Stutthof und der 7 Kommunistinnen in das KL Ravensbrück Sorge zu tragen. Die Liste der Kommunisten und Kommunistinnen überbringt SS-Hauptsturmführer Kryschak.[27] Ich bitte, über die Kommunisten und Kommunistinnen Schutzhaftbefehl zu erlassen. Der Befehlshaber der Sicherheitspolizei und des SD, Dr. Mildner, SS-Standartenführer."

Dr. Best

23 Sidstnævnte sektion havde ansvar for "emigration og evakuering" under ledelse af Adolf Eichmann, mens førstnævnte tog sig af "beskyttelsesarrest" (Schutzhaft).

24 Overrabbiner Max Friediger undlod at gå under jorden og blev arresteret sammen med sin søn.

25 Kommunisterne var fanger fra Horserødlejren.

26 En liste over de til Theresienstadt den 5. og 14. oktober 1943 deporterede jødiske danske og ikke-danske statsborgere er trykt hos Barfod 1969, s. 406-415.

27 En liste over de deporterede danske kommunister er trykt hos Barfod 1969, s. 403-406.

216. Werner Best an das Auswärtige Amt 2. Oktober 1943

Best sendte for kriminalkommissær Caspar Elpert et telegram til Kriminalrat Leibold i RSHA (afdelingen for de besatte områder i Nord- og Vesteuropa) via AA med besked om, at Karl Heinz Hoffmann ønskede kartotekskort til opbygning af et modstandskartotek i Danmark lig det i RSHA.

På dagen for jødeaktionens afslutning i Danmark kunne Gestapo påbegynde det systematiske arbejde med opbygningen af et modstandskartotek, som der allerede var et kommunistkartotek og et jødekartotek.

Kilde: PA/AA R 100.299.

Fernschreibstelle des Auswärtigen Amts

DG Kopenhagen Nr. 22 2.10.[43.] 14.40 [Uhr]

Auswärtig Berlin Nr. 1195 vom 2.10.43.

Erbitte Weiterleitung nachstehenden Telegramms.
Quote:
Für Reichssicherheitshauptamt, IV D 4 – Z HD
z.Hd. von Krim. Rat Leibold.
Reg. Rat Dr. Hoffmann bittet um Übersendung von etwa 1.000 Karteikarten, wie sie für die dortige Widerstandskartei verwendet werden. Die Karteikarten werden hier für die Einrichtung einer gleichen Kartei dringend benötigt. Ich bitte, sie zu Händen des Unterzeichneten übersenden.

Befehlshaber der SIPO u. des SD in Dänemark in Kopenhagen.
IV D Elpert, Krim.-Kommissar. Unquote:
Dr. Best

217. Erik von Heimburg: Überblick über die politische Lage in Dänemark 2. Oktober 1943

Generalmajor og Befehlshaber der Ordnungspolizei i Danmark Erik von Heimburg havde kun været kort tid i landet, da han skrev denne oversigt om den politiske situation i Danmark og dens virkning for det tyske politis aktivitet. Den blev til efter en drøftelse med Rudolf Mildner om formiddagen den 1. oktober og vedhæftet det tyske ordenspolitis krigsdagbog for 2. oktober. Oversigten var bestemt for RSHA, og det spores, at orienteringen i udpræget grad repræsenterer Mildners (og Bests) synspunkter. I hvert fald genfindes både Bests synspunkter og der fortælles om forhold, som kun en meget snæver kreds omkring Mildner og Best kunne vide noget om (at der havde været repræsentanter for den danske regering hos Best op til jødeaktionen). Fremstillingen af optakten til jødeaktionen er bemærkelsesværdig ved, at von Heimburg lader ankomsten af de to yderligere politibataljoner være et forhold, der fremkaldte frygt for en jødeaktion. Han omtaler også, at aktionen blev gennemført, selv om der var blevet gjort opmærksom på, at det kunne få følger for den samlede politiske situation. Beskrivelsen af jødeaktionens resultat er usminket og entydigt i betragtning af, at oversigten er skrevet endnu 2. oktober: Det var lig nul. Han havde også en forklaring: Jøderne havde forladt deres hjem. Hvordan det danske politi ville forholde sig efter ophævelsen af undtagelsestilstanden var uvist, men mest afgørende kunne virkningerne af jødeaktionen blive. Man måtte frygte, at det ville øge den tyskfjendtlige stemning, selv om den brede masse hidtil havde afholdt sig fra aktiv handling. Der ville komme en stærkere politisk frontdannelse, hvilket ville give det tyske sikkerhedspoliti et betydeligt arbejde. Derfor måtte det tyske sikkerhedspolitis udekommandoer styrkes, hvilket allerede var aftalt med Best (Lundtofte 2003, s. 113, 116).

Kilde: BArch, R 70 Dänemark 11 og sst. 6 KTB/BdO 1. oktober 1943. RA, Centralkartoteket, pk. 600.

Geheim

Überblick über die politische Lage in Dänemark und ihre Auswirkung auf die Tätigkeit der deutschen Polizei.

1.) Der am 29.8.1943 aufgrund von Sabotageakten und Unruhen verhängte Ausnahmezustand hat das Verhältnis zur dänischen Regierung und zur Krone grundlegend geändert. Das Kabinett trat zurück und der König erklärte sich in seinen Funktionen für behindert, die dänische Wehrmacht wurde aufgelöst und die Truppe interniert. Es war jedoch von deutscher Seite beabsichtigt, den Ausnahmezustand nach kurzer Zeit wieder aufzuheben und die dänische Regierung wieder wie vorher amtieren zu lassen. Jedenfalls ließ man Milde walten und handhabte die Gewalt in rücksichtsvoller Form. Die Entlassung der internierten Soldaten und Offiziere wurde bereits für Ende September in Aussicht gestellt.

2.) Die Stellung des Reichsbevollmächtigten Dr. Best blieb, soweit es die politische deutsche Führung anbetrifft, unangetastet. Als Chef der Zivilverwaltung trat der SS Brigadeführer Kanstein zum Befehlshaber der deutschen Truppen, General d. Inft. v. Hanneken. Die dänischen Behörden arbeiteten weiter und unter Führung der Leitenden Fachbeamten in den Ministerien.

3.) Die Lage erhielt jedoch ein völlig verändertes Gesicht, als infolge einer vom Reichaußenminister gestellten Anfrage, wie man sich die Lösung der Judenfrage denke, der Reichsbevollmächtigten dahin Stellung nahm, daß er nicht empfehle, die Judenfrage überhaupt anzurühren, wenn man aber doch ernstlich daran denke, dann sei der Zeitpunkt des Ausnahmezustandes hierfür gegeben, um sie radikal zu lösen. Daraufhin wurde von höchster Stelle befohlen, die Evakuierung nunmehr durchzuführen.

Weiterhin wurde vom RF SS gewünscht, aus den internierten Soldaten der dänischen Wehrmacht rund 4.000 Mann für die Waffen SS zu werben. Das konnte jedoch nur geschehen, solange diese Soldaten sich in der Internierung befanden.

Es wurde aus diesen Gründen erforderlich, den Ausnahmezustand bis zum Abschluß der Judenaktion, die auf den 1.10. festgesetzt wurde, zu verlängern und ferner die versprochene Entlassung der dänischen Wehrmacht aufzuschieben. Als Begründung für diese Maßnahmen wurde den Dänen gegenüber angegeben, daß es sich um Vergeltungsmaßnahmen für die Sprengstoffattentate auf die Eisenbahnen in Jütland und andere Ausschreitungen handele.

4.) Das Erscheinen stärkerer deutscher Pol. Kräfte (insgesamt 3 Pol. Batl.) löste bei den Dänen bereits die Befürchtung aus, daß man etwas gegen die Juden vorhabe. Entsprechende Gerüchte verstärkten sich und führten dazu, daß Vertreter dänischer Ministerien beim Reichsbevollmächtigten vorstellig wurden. Das Rechtsgefühl des dänischen Volkes werde durch eine Evakuierung der Juden auf das schwerste verletzt. Der Entschluß, die Aktion durchzuführen, blieb jedoch unverändert, obwohl von

Seiten der deutschen politischen Leitung auf zu erwartende unangenehme Folgen in der politischen Gesamtlage aufmerksam gemacht wurde.

Es wurden daher in der Nacht vom 1./2.10. die Juden im ganzen Lande, von denen etwa 5.000 in Kopenhagen, weitere etwa 1.000 in den übrigen Gebieten wohnen, festgenommen und abtransportiert. Hierzu sind in Kopenhagen alle 3 Pol. Batle. eingesetzt und der Sicherheitspolizei zur Verfügung gestellt worden. Das Ergebnis war gleich Null, da die Juden bereits ihre Wohnungen verlassen und sich anderweitig untergebracht hatten. Insgesamt wurden in Kopenhagen 200 Juden in dieser Nacht festgenommen.

5.) Die dänische uniformierte Polizei, deren Stärke etwa 10.000 Mann beträgt, hat sich seit der Verhängung des Ausnahmezustandes völlig von der Mitwirkung für deutsche Interessen zurückgezogen.

Ihr innerer Wert hat durch die schnelle Vermehrung auf die heutige Stärke gelitten. Die Ausbildung des Ersatzes ist noch sehr mangelhaft. Selbst deutschfeindliche Handlungen dänischer Polizisten sind vorgekommen. Ein Grußverhältnis zur deutschen Polizei besteht nicht. Die deutsche Ordnungspolizei und Sicherheitspolizei sind daher völlig auf sich selbst angewiesen. Ob bei einer Aufhebung des Ausnahmezustandes eine Änderung eintreten wird, bleibt dahingestellt. Es wird so oder so die Frage zu prüfen sein, ob und in welchem Umfang die dänische Polizei der deutschen Führung unterstellt werden kann.

6.) Die Auswirkung der Judenaktion wird vielleicht entscheidend für die ganze Lage im Lande sein. Allgemein befürchtet man eine weitere Steigerung der deutschfeindlichen Stimmung, die durch die feindliche Rundfunkpropaganda, die überall noch ungestraft abgehört werden kann, schon stark beeinflußt worden ist.

Die politischen Aktivisten sind in den Reihen der dänischen Jungkonservativen und der Kommunisten zu suchen. Diese arbeiten offensichtlich auf feindliche Anweisungen hin mit den ins Land gesetzten Agenten zusammen. Im Großen gesehen ist jedoch die breite Masse des Volkes bislang abgeneigt, eine aktive Haltung einzunehmen.

Jedenfalls bedarf es besonders von Seiten der Sicherheitspolizei erheblicher Arbeit, um sich gegenüber der sich verstärkenden politischen Front durchzusetzen. Es ist daher erforderlich geworden, den Außenstellen der Sicherheitspolizei in Odense, Kolding, Esbjerg, Aarhus und Aalborg einen Rückhalt zu geben und in diese Orte je eine Kompagnie deutscher Schutzpolizei zu legen. Diese Verlegung wird im Einvernehmen mit dem Reichsbevollmächtigten, der bereits die Zustimmung des Chefs der Ordnungspolizei herbeigeführt hat, in Kürze vor sich gehen.

Kopenhagen, den 2.10.1943

v. Hbg.

218. Karl Ritter: Notiz 2. Oktober 1943

Ritter viderebragte Ribbentrops beslutning vedrørende forholdet mellem den rigsbefuldmægtigede og den kommende HSSPF. Det blev kategorisk afvist, at Best kunne beklæde begge stillinger, ligesom det blev gjort klart, at HSSPF måtte være underlagt den rigsbefuldmægtigede.

Bjørn Rosengreen mener, at beslutningen var udtryk for en "påfaldende passivitet" fra Ribbentrops side i en situation, hvor AAs hovedressortområde Danmark kunne være på vippen. Han ville have forventet betydelig mere aktivitet og pågåenhed for at bevare status quo og sikre den bedst mulige udgangsposition ved undtagelsestilstandens ophævelse. Hvis Ribbentrop ville søge at bevare skæret af dansk selvstændighed, måtte han iflg. Rosengreen søge at undgå indførelse af tysk politi med eksekutive beføjelser på det civile område. Imidlertid er det spørgsmålet, om ikke Ribbentrop var vidende om, at Himmler allerede havde en kandidat til posten som HSSPF, og at det løb derfor var kørt. Rosengreen er selv inde derpå, men finder ikke belæg for, at Ribbentrop eller AA besad nogen viden derom. Best synes at være orienteret derom senest 1. oktober, se hans telegram nr. 1177 til Ribbentrop (Rosengreen 1982, s. 46).

Kilde: PA/AA R 101.040. RA, pk. 229.

Abschrift
Botschafter Ritter — Geheim
Nr. 437

Herrn Staatssekretär vorzulegen.
Der Herr Reichsminister hat mich beauftragt, Ihnen für die Weiterbehandlung der in der anliegenden Aufzeichnung Thadden vom 29. September[28] behandelten Frage folgende Richtlinien zu übermitteln:

I.) Der Herr Reichsminister lehnt es grundsätzlich und kategorisch ab, daß ein dem Auswärtigen Amt unterstehender Missionschef noch eine weitere Funktion übernimmt, die zur Folge hätte, daß er auch noch von einer anderen Stelle Weisungen entgegenzunehmen hätte. Der Vorschlag in Ziffer 2.) der Aufzeichnung Thadden, daß Dr. Best selbst zum Höheren SS- und Polizeiführer bestellt wird, ist daher entschieden und endgültig abzulehnen.

II.) Die Stellung eines Höheren SS- und Polizeiführers oder eines Befehlshabers der Polizei-Bataillone oder eines Befehlshabers der Sicherheitspolizei und des SD im Ausland:

1.) Es ist grundsätzlich der Standpunkt zu vertreten, daß solche Polizeiführer unter normalen Verhältnissen dem Missionschef als höchsten Vertreter des Reichs zu unterstellen sind.

2.) Als Ausnahme von diesem Grundsatz kann für nicht normale Verhältnisse zugelassen werden, daß Polizeiführer im Ausland anderen Stellen unterstellt werden, wie dies zum Beispiel jetzt im "Südosten" geschehen ist, wo der Polizeiführer der obersten militärischen Stelle unterstellt worden ist, weil nämlich der Südosten als "Quasi-Operationsgebiet" zu betrachten ist.

3.) Aber auch in einem solchen Fall hat der Vertreter des Auswärtigen Amts die politischen Weisungen an die Polizeiführer zu geben. In dem Fall Südosten ist dies durch die Verfügung des Führers vom 24. August über die Bestellung eines "Sonderbevollmächtigten des Auswärtigen Amts für den Südosten" festgelegt worden.

28 Trykt ovenfor.

4.) Die fachlichen Weisungen erhält der Polizeiführer von seiner vorgesetzten Dienststelle im Reich.

Für Dänemark ergibt sich daraus, daß der Polizeiführer oder die Polizeiführer dem Bevollmächtigten des Reichs in Dänemark zu unterstellen sind. Dies ist m.W. früher auch schon einmal festgelegt worden in der Weise, daß die Polizei dem Bevollmächtigten des Reichs untersteht, ausgenommen wenn militärische Kampfhandlungen in Dänemark stattfinden. In diesem Falle als Ausnahme kann der Befehlshaber der deutschen Truppen in Dänemark auch über die Polizeitruppen verfügen.

Es ist mir nicht bekannt, ob von militärischer Seite aus Anlaß des gegenwärtig in Dänemark bestehenden militärischen Ausnahmezustandes der Anspruch erhoben wird, daß während der Dauer des militärischen Ausnahmezustandes diese bereits bestehende Regelung geändert wird. Sollte ein solches Verlangen nicht gestellt worden sein und nicht gestellt werden, so hat es selbstverständlich bei der bisherigen Regelung zu bleiben.

Für den Fall, daß ein solches Verlangen aber gestellt worden ist oder gestellt werden sollte, ist der Herr RAM der Auffassung, daß wir ein solches Verlangen für die voraussichtlich kurze Dauer des militärischen Ausnahmezustandes nicht a limine ablehnen können. Es müßte daher für diese Zeit eine Ausnahmeregelung vereinbart werden.

Der Herr RAM bittet, die Frage Dänemark, soweit darüber Verhandlungen notwendig sind, durch LR Wagner mit dem Reichsführer-SS weiterbehandeln zu lassen.

"Westfalen," den 2. Oktober 1943.

gez. **Ritter.**

219. Karl Ogilvie: Reisebericht 2. Oktober 1943

Oberstløjtnant Ogilvie videregav sine indtryk af Danmark efter et kort ophold i København og en samtale med oberstløjtnant Friedrich von Heydebreck.[29] Det var et land endnu ikke mærket af krigen, med en befolkning, der var tilbageholdende over for besættelsesmagten, men ikke afvisende. Danskerne var ikke fanatiske frihedskæmpere, men chikanerede tyskerne i det små og afreagerede ved at hylde kongehuset. Undtagelsestilstanden havde næsten fået sabotagen til at ophøre, men den var blomstret op i forbindelse med kongens fødselsdag. Sabotagen var anstiftet af England med forholdsmæssig ringe folkelig opbakning. En hurtig ophævelse af undtagelsestilstanden var ønskelig og indførelse af en militærforvaltning lå lige for. Da Danmark leverede 1/12 af de tyske levnedsmidler, var det vigtigt, at produktionen fortsatte uhindret.

Rejseberetningen bærer trods det korte besøg tydeligt præg af, hvad der var holdningen i von Hannekens omgivelser. På den ene side så man der gerne en militærforvaltning, på den anden side var der forståelse for fødevareeksportens betydning. Sabotagen blev ikke vurderet højt, og det var opfattelsen, at den i givet fald kunne bekæmpes effektivt med skærpede foranstaltninger, der endnu ikke var prøvet (Rosengreen 1982, s. 39).

Kilde: RA, Danica 1069, sp. 2, nr. 002.012-16. EUHK, nr. 111 (uddrag).

29 Heydebreck var efterretningsofficer ved WB Dänemarks stab (c) fra april 1940 til udgangen af marts 1944. Hans svært dechifrerbare kalenderoptegnelser er bevaret fra april 1940 til oktober 1943 (Kirchhoff, 1, 1979, s. 20, Bests kalenderoptegnelser 31. marts 1944, *Gads leksikon om dansk besættelsestid 1940-1945*, 2002, s. 501 (hvor det fejlagtigt oplyses, at han forblev i Danmark til maj 1945)).

B e r i c h t
Oberstleutnant Ogilvie
Reise Schweden-Dänemark 18.9.-30.9.1943

1.) Zeiteinteilung
19.-22.9. Reisevorbereitungen
23.9. Reise Berlin-Kopenhagen
24.9. Reise Kopenhagen-Stockholm
25.-26.9. Aufenthalt Stockholm
26.-27.9. Reise Stockholm-Kopenhagen und Aufenthalt Kopenhagen
28.9. Reise Kopenhagen-Berlin
29.9. Berlin Besprechungen bei Fr. Heere West u. Marine
29.-30.9. Rückreise
2.) Schweden [ikke medtaget]
3.) Dänemark
a.) Gesamteindruck.
Das Land macht einen wohlhabenden Eindruck, die Bevölkerung hat offenbar noch keine Not gelitten. Ihre Haltung gegenüber der Besatzungsmacht scheint etwas störrisch, aber nicht unzugänglich zu sein. Man kann sich den behäbigen Dänen kaum als fanatischen Freiheitskämpfer und Partisanen vorstellen, obgleich er sehr darauf bedacht ist, seine Würde gegenüber den Deutschen zu wahren.

Paß- und Zollkontrolle wurde auch den Deutschen gegenüber mit allen Schikanen betrieben, ohne freilich die letzten Konsequenzen zu ziehen (desto rücksichtsloser ist man angeblich gegenüber den nach Deutschland gehenden Arbeitern, denen man alle neuen und wertvolleren Sachen abnimmt).

Zum Geburtstag des Königs waren fast alle Schaufenster der Innenstadt mit Bildern und Zeichen der Liebe und Verehrung für das Königshaus geschmückt.

Es dürfte darauf ankommen, daß man dem Dänen wie bisher die Gelegenheit gibt, seine beleidigten Gefühle in unschuldiger Weise wieder abzureagieren, und nicht das Recalcitrante und Unversöhnliche, das in seinem Wesen ähnlich wie in dem des Holländers zu schlummern scheint, hochzüchtet.
b.) Unterredung mit Ic beim Mil. Bef. Dänemark, Oberstlt. v. Heydebreck
Lage zurzeit undurchsichtig. Nachdem sich die dänische Regierung geweigert hatte, der gesteigerten Sabotagetätigkeit durch Verhängung des Belagerungszustandes mit Einführung der (bisher unbekannten) Todesstrafe sowie anderen scharf einschneidenden Maßnahmen ein Ende zu bereiten, (da man offenbar gegenüber den Westmächten diese Verantwortung nicht zu tragen wünschte), hat der schnell durchgeführte Ausnahmezustand unter dem deutschen Militärbefehlshaber durchaus günstig gewirkt. Sabotagefälle hörten zunächst fast ruckartig auf und haben erst in den letzten Tagen vom Geburtstag des Königs an wieder begonnen (Minierung jütländischer Bahnlinien an etwa 40–50 Stellen, Dauer der Ausbesserung etwa 1 Tag).[30] In den

30 Se Bests telegram nr. 1134, 27. september 1943. Ogilvies fremstilling falder i tråd med de dagsmeldinger, som WB Dänemark havde afgivet i tiden umiddelbart forud (dagsmeldingerne for perioden under undtagelsestilstanden er på RA, Danica 1069, sp. 5).

letzten Tagen sind auch wieder einige Anschläge auf Fabriken hinzugekommen. Die Durchführung der Anschläge weist nach wie vor auf englische Anstiftung bzw. engl. Leitung unter verhältnismäßig geringer Beteiligung der Bevölkerung hin.

Baldige Aufhebung des immer mehr erleichterten Ausnahmezustandes scheint erwünscht. Rückkehr zu alter Regierung offenbar unmöglich. Einsetzung eines Reichskommissars nach holländischem bzw. norwegischem Muster nicht ausgeschlossen, obwohl die Lösung der Einsetzung eines Militärbefehlshabers mit einer ihm unterstellten Zivilverwaltung, die sich im wesentlichen auf einheimische Kräfte stützt (entsprechend dem Muster in Belgien), am nächsten zu liegen scheint.

Auch über die Behandlung der etwa 5000 gefangenen Soldaten ist noch keine Entscheidung getroffen. (Laut schwedischem Rundfunk vom 2.10. sollen die Internierten dänischen Soldaten in den nächsten Tagen freigegeben werden.)

Dänemark hat etwa ein Zwölftel des Nahrungsmittelbedarfs Großdeutschlands im vergangenen Jahre geliefert; es erscheint daher wichtig, daß seine Produktion ungeschwächt weitergeht und nicht Ausfälle entstehen, wie sie die Verhältnisse in Holland mit sich gebracht haben.

220. Erik von Heimburg: Besprechung mit Rudolf Mildner 2. Oktober 1943

Morgenen efter aktionen mod de danske jøder, der var blevet ledet af Gestapo under Rolf Günther, aftalte von Heimburg det tyske ordenspolitis fremtidige arbejdsdeling med sikkerhedspolitiet under Rudolf Mildner.

Kilde: BArch, R 70 Dänemark 6, KTB/BdO 2. oktober 1943.

2.10.43 Kopenhagen 9.45 Uhr

Nach. mündl. Besprechung des Befehlshabers mit SS-Standartenführer Mildner übernimmt die Ordnungspolizei in Dänemark in Zusammenarbeit mit der Sicherheitspolizei folgende Aufgaben:

1.) Festnahmen.
2.) Überwachung festgenommener Personen.
3.) Abtransport der Festgenommenen in Durchgangslager oder ins Altreich.
4.) Einschreitung bei Aufruhr und Aufrechterhaltung der Ordnung.
5.) Katastropheneinsatz.
6.) Unterstützung der sicherheitspol. Stellen in nicht vorgesehenen Fällen auf besondere Anordnung.

221. Hermann von Hanneken an OKW 2. Oktober 1943

Von Hanneken meddelte, at aktionen mod de danske jøder var gennemført uden problemer. Han anbefalede nu ophævelse af undtagelsestilstanden fra 6. oktober, da Hitler havde tilladt løsladelsen af de danske soldater. Hvis ikke der kunne dannes en dansk regering, ville Best kunne regere i forbindelse med departementscheferne, hvis OKW og AA ville tillade det.

Anbefalingen af undtagelsestilstandens ophævelse blev fulgt, se KTB/OKW 6. september 1943.

Von Hanneken valgte ikke at kommentere, at ordren om overførsel af 4.000 danske rekrutter til Tyskland var bortfaldet. Han skyndte sig i stedet med at drage konsekvensen af den.

Von Hannekens skrivelse er refereret i KTB/OKW 2. oktober 1943 (III:2, 1963, s. 1165).

Kilde: BArch, Freiburg, RW 4/639. IMT, 35, s. 158f. Poliakov/Wulf 1956, s. 392.

Geheime Kommandosache
Chefsache – Nur durch Offizier

WFSt/Op. *F.H.Qu., den 2. Oktober 1943*

Abschrift 3 Abschriften
1. Abschrift

KR-Fernschreiben 01810 2.10.[43.] 13.20 [Uhr]
eingegangen: 2.10.[43.] 14.00 Uhr

(Nr. 662417/43 g.K. Chefs)

An OKW/WFSt.
Judenaktion in Nacht vom 1. zum 2. Oktober durch deutsche Polizei ohne Zwischenfall durchgeführt.

Da vom Führer die Entlassung der dänischen Wehrmacht genehmigt ist, scheint weitere Beibehaltung des militärischen Ausnahmezustandes nicht notwendig und zweckmäßig.

Wenn auch Vorschläge für eine Regierungsneubildung z.Zt. von dänischer Seite nicht gegeben werden, so kann entsprechend den Abmachungen des Bevollmächtigten mit dem Befehlshaber – genehmigt durch OKW u. Ausw. Amt – die Regierung zunächst durch den Bevollmächtigten in Verbindung mit den Departementschefs geführt werden.

Ich bitte daher im Einvernehmen mit dem Bevollmächtigten die Aufhebung des militärischen Ausnahmezustandes zum 6. Oktober genehmigen zu wollen.

Befh. Dänemark Ia Nr. 31/43 g.Kdos. Chefs.

Verteiler:

Chef	OKW	1.	Abschrift
Op.	(H)	2.	–
–	Qu.	3.	–

222. WB Dänemark: Tagesmeldung 2. Oktober 1943

Von Hanneken sluttede sig ved aftenstid den 2. oktober til den række af tyske instanser i Danmark, der kunne konstatere, at aktionen mod de danske jøder var gennemført uden nogen som helst særlige tildragelser.

Når alle instanser (tysk politi, den militære øverstbefalende og den rigsbefuldmægtigede) gjorde opmærksom på, at aktionen mod de danske jøder var foregået i ro og orden, synes det både at indikere, at det også havde været et væsentligt mål i sig selv, og at man ikke havde været sikre på at kunne opnå det.

Kilde: RA, Danica 1069, sp. 5, nr. 6196.

Heeres-Fernschreibstelle Silkeborg

HXKO 1811 2/10 17.10
Geheim

Tagesmeldung 2.10.1943
Außer der in der Nacht vom 1. zum 2. Oktober durch deutsche Polizei ohne Zwischenfälle durchgeführten Judenaktion keine besonderen Vorkommnisse.
Befh Dänemark I A – Nr. 2748/43 geh.

223. Kriegstagebuch/Seekriegsleitung 2. Oktober 1943

Seekriegsleitungs registrering af jødeaktionen i Danmark var knap, men klar. Jødeaktionen var slået fejl, og det skyldtes rygter i omløb, der havde fået jøderne til at gemme sig. En masseflugt til Sverige var i gang.

Masseflugten til Sverige blev konstateret, men der var ikke antydning af tilløb af ordre til at få masseflugten indstillet ved at indsætte enheder fra Kriegsmarine. Det var tydeligvis ikke marinens sag.

Kilde: KTB/Skl 2. oktober 1943.

[...]
MOK Ost übermittelt Meldung von Admiral Dänemark, wonach die in der Nacht zum 2/10. in Dänemark durchgeführte Judenrazzia zunächst ein Fehlschlag war, da sich der größte Teil der Juden auf Grund der umlaufenden Gerüchte versteckt hatte. Außerdem hat eine Massenflucht nach Schweden eingesetzt. Weiter meldet Adm. Dänemark, daß nach fernmündlicher Information seitens WFSt mit Beginn der Entlassung der dänischen Wehrmacht nächste Woche zu rechnen ist. Adm. Dänemark entnimmt hieraus, daß auf Werbung von SS-Freiwillige offenbar verzichtet wird.
[...]

224. Seekriegsleitung: Vermerk betr. Entlassung dänischer Wehrmachtsangehöriger 2. Oktober 1943

Seekriegsleitung var blevet ringet op fra WFSt om, at der forelå en ny ændring i spørgsmålet om løsladelse af de danske soldater og marinere. På forslag af Best skulle det efter gennemførelse af en anden foranstaltning offentliggøres, at løsladelsen af de internerede ville begynde i løbet af de næste dage. Om det var den endelige beslutning, var endnu uafklaret, men Seekriegsleitung skulle være underrettet om denne nye hensigt.

Den ikke ved navn omtalte foranstaltning var aktionen mod de danske jøder.

Kilde: RA, Danica 628, sp. 7, s. 5423.

Seekriegsleitung — *Berlin, den 2.10.1943.*
Neu! B-Nr. 1. Skl. — Geheime Kommandosache!

I.) Vermerk
Betr. Entlassung dänischer Wehrmachtsangehöriger.
Am 2.10.43 rief der Sachbearbeiter Wehrmachtsführungsstab, Hauptmann Klever (?)

an, um Skl. über folgendes zu unterrichten:
Inzwischen sei in der Frage der Entlassung dänischer Wehrmachtsangehöriger eine neue Änderung der Auffassung eingetreten. Auf Vorschlag von Dr. Best sei im Zusammenhang mit einer anderen Maßnahme beabsichtigt, zu veröffentlichen, daß die Entlassung der internierten Wehrmachtsangehörigen in den nächsten Tagen beginnen werde.

Auf Rückfrage wurde erklärt, daß dies sich auch auf Berufssoldaten beziehe. Auf die Frage, ob diese Entscheidung nun endgültig sei, antwortete Hauptm. K., daß er dies nicht sagen könne, er habe Skl. nur über die neue Absicht unterrichten wollen.

II.) 1./Skl vorzulegen

225. Kriegstagebuch/Admiral Dänemark 2. Oktober 1943

Wurmbach gengav Bests officielle begrundelse for, at aktionen mod de danske jøder var blevet gennemført.

Bests forslag om sammenkædningen af jødeaktionen og løsladelsen af internerede danske soldater og marinere var blevet fulgt.

Kilde: KTB/ADM Dän 1. oktober 1943, RA, Danica 628, sp. 3, s. 3101.

[...]
Durch eine in der dänischen Presse vom Reichsbevollmächtigten veröffentliche Mitteilung wird bekanntgeben, daß nach erfolgte Ausschaltung des jüdischen Elementes aus dem öffentlichen Leben und Beseitigung der von den Juden verursachten Unruhe, auf die ein Teil der Verschlechterung der deutsch-dänischen Beziehungen zurückgeführt wird, die Entlassung des gesamten internierten dänischen Militärs nunmehr erfolgen kann. Die Schnelligkeit wird nur durch die technischen Möglichkeiten bestimmt.

226. MOK Ost an Seekriegsleitung 2. Oktober 1943

Wurmbach havde meddelt MOK Ost, at aktionen mod de danske jøder var slået totalt fejl.[31] Der var opstået rygter om en jødedeportation, hvorefter jøderne åbenbart havde gemt sig eller var undsluppet til Sverige. Der blev også videregivet WFSts meddelelse om, at frigivelsen af de internerede danske soldater og marinere kunne begynde den følgende uge. Det blev bemærket, at hvervningen af SS-frivillige åbenbart var opgivet.

Den skriftlige ordre om løsladelsen fulgte 4. oktober, se KTB/ADM Dän anf. dato.

Kilde: RA, Danica 628, sp. 7, nr. 5424.

Abschrift

Eingeg. am: 2.10. um 15.01 Uhr
Fschrb. von: +SSD MKOZ 022112 2/10 14.20 = SSD Skl. =
– Gkdos –

Adm. Dän. meldet:

31 Denne formulering var væsentligt mildnet, da Wurmbach ved månedens slutning rekapitulerede begivenhederne i oktober, se Admiral Dänemark: Lagebeurteilung 31. oktober 1943.

1.) Die vom Reichsbevollmächtigten mit Hilfe der Deutschen Polizei heute Nacht durchgeführte Juden-Razzia ist völliger Fehlschlag gewesen. Nachdem aus Synagogen Listen vor einigen Tagen durch SS herausgeholt waren[32] schwedische Presse Veröffentlichungen über bereitgestellte Schiffe für Judentransport gebracht,[33] und demzufolge in Bevölkerung das Gerücht über eine Judendeportation umlief, haben sich diese offenbar – soweit nicht nach Schweden entkommen – im Lande selbst versteckt.

Insgesamt sind bisher statt 5.000 nur rund 200 festgenommen worden.

2.) Nach fernmündlichem Anruf WFSt ist mit Begin Entlassung dänischer Wehrmacht nächste Woche zu rechnen.[34] Schriftlicher Befehl folgt. – Auf Werbung SS-Freiwillige ist offenbar verzichtet worden.

MOK Ost/Führerstab op 01052

227. Werner Best an das Auswärtige Amt 3. Oktober 1943

Dagsindberetning.

Kilde: PA/AA R 29.567. RA, pk. 203.

Telegramm

Kopenhagen, den	3. Oktober 1943	15.00 Uhr
Ankunft, den	3. Oktober 1943	15.45 Uhr

Nr. 1198 vom 3.10.43.

Ich bitte, die folgenden Meldungen unverzüglich dem Herrn Reichsaußenminister zuzuleiten:

1.) Aus der Nacht vom 2. zum 3.10.43 ist aus dem ganzen Lande Dänemark kein einziger Vorfall gemeldet worden.[35]

2.) Der Befehlshaber der deutschen Truppen in Dänemark hat für den 2.10.43 die folgende Tagesmeldung erstattet:

"Außer der in der Nacht vom 1. zum 2. Oktober durch deutsche Polizei ohne Zwischenfälle durchgeführten Judenaktion keine besonderen Vorkommnisse."

gez. **Dr. Best**

32 Det Mosaiske Trossamfunds lokaler havde været udsat for en tysk razzia 17. september. Forud havde der 31. august været røveri af trossamfundets protokoller på overretssagfører Arthur Henriques' kontor.

33 Hvornår svensk presse kan have bragt oplysningen om skibene, der skulle bringe de danske jøder bort, fremkom, er uvist, men ved middagstid 2. oktober kunne man fra svensk side foreslå den tyske gesandt i Stockholm, Thomsen, at de skibe, der skulle transportere jøderne til Tyskland, blev omdirigeret til Sverige (Kirchhoff 1997, s. 111).

34 Trykt ovenfor.

35 Rüstungsstab Dänemark noterede for denne nat, at der kl. 21.10 i et vandværk i Fredericia eksploderede en bombe, der ødelagde en pumpe og forårsagede betydelig skade (Sabotagehandlungen in der Zeit vom 17.9.-7.10.1943 (bilag til Forstmann til Waeger 8. oktober 1943). Jfr. Alkil, 2, 1945-46, s. 1221, der opgiver, at det var i et pumpehus ved Østerstrand (Mælkekondenseringsfabrikken)).

228. Alfred Jodl an Karl Ritter 3. Oktober 1943

OKW meddelte AA, at løsladelsen af underofficerer og menige fra det danske forsvar kunne begynde, mens officererne indtil videre skulle holdes tilbage. Ved en skærpelse af situationen kunne de blive overført til Tyskland. Der skulle ske hvervning blandt underofficerer og menige til Schalburgkorpset o.a. efter løsladelsen af dem.

Kilde: BArch, Freiburg, RM 7/1188. RA, pk. 228 og 438a. LAK, Best-sagen (afskrift).

Telegramm

KR GWHOL, den	3. Oktober 1943	23.30 Uhr
Ankunft, den	4. Oktober 1943	00.30 Uhr

Ohne Nummer vom 30.8.[43.]

An nachr. Ausw. Amt z.Hd. Botschafter Ritter
Gltd.: An Befehl. d. dt. Truppen in Dänemark
An nachr.: Auswärtiges Amt
z.Hd. Botschafter Ritter
Reichführer SS z.Hd. Standartenführer Rohde
Chef H Rüst. und HDE.
OKW/Skl.

Geheime Kommandosache!

Die Entlassung der Internierten dänischen Wehrmachtsangehörigen, ausschließlich der Offiziere und Offizianten, ist nunmehr durchzuführen. Die Modalitäten der Entlassung sind nach den örtlichen Erfordernissen zu regeln. Abschluß der Entlassung ist zu melden.

Die Offiziere und Offizianten der dänischen Wehrmacht bleiben bis auf weiteres in Dänemark interniert. Ihnen ist zu eröffnen, daß bei völliger Beruhigung der Verhältnisse ihre Entlassung, bei Verschärfung der Lage ihre Überführung ins Reich vorgesehen ist. Ein Vorschlag über Behandlung der Frage der Entlassung der Offiziere und Offizianten ist nach Abschluß der Entlassung der Unteroffiziere und Mannschaften vorzulegen. Werbung für Schalburg-Korps, Wasserschutz und Bahnschutz ist nach Entlassung der Unteroffiziere und Mannschaften im Einvernehmen der beteiligten Dienststellen zu regeln. Eine Änderung der rechtlichen Behandlung des dänischen Kriegsgeräts ist nicht beabsichtigt.[36] Befehlshaber der deutschen Truppen in Dänemark wird ermächtigt, den militärischen Ausnahmezustand mit Wirkung vom 6.10.43, 0.00 Uhr aufzuheben.

gez. i.A. **Jodl**
OKW/WFST/QU 2 (N) Nr.005856/43 gKdos

36 Se om baggrunden for denne sætning Seekriegsleitung til Quartiermeisteramt 20. november 1943.

229. Hermann von Hanneken an OKW 3. Oktober 1943

På forespørgsel meddelte von Hanneken det tal på tilfangetagne jøder, som han kendte. Det var forbeholdt RFSS alene at kende det endelige tal, havde Best meddelt.

I marginen gjorde telegrammets modtager, Alfred Jodl, vedrørende det ringe antal pågrebne denne bemærkning: "Ist für uns gleichgültig." (IMT, 15, s. 540. Jfr. Yahil 1967, s. 427 note 125, Taylor 1993, s. 438).

Kilde: IMT, 35, s. 159f.

+HXKO 01818 3.10.[43.] 20.50 [Uhr]

An OKW/WFSt
Geheime Kommandosache
Unter Bezugnahme auf Anfrage Oberstleutnant I.G. Poleck wird gemeldet:

Laut Mitteilung des Reichsbevollmächtigten hat Reichsführer-SS befohlen, daß allein Reichsführer SS als Auftraggeber der Judenaktion die genauen Zahlen der Festnahmen bekommen soll! Bevollmächtigter hat daher keine Zahlenangaben an Befehlshaber der deutsch. Tr. in Dän. abgegeben. Über die vom Wach-Bataillon Kopenhagen eingerichteten Sammelplätze wurden von den Polizeitruppen 232 (Zweihundert Zweiunddreißig) Juden eingeliefert.

Befh. Dän. I A/QU Nr. 355/43 gKdos+

230. Karl Schnurre: Aufzeichnung 3. Oktober 1943

Schnurre orienterede om de netop afsluttede forhandlinger om de danske leverancer til Tyskland for krigsåret september 1943-september 1944 og konkluderede, at resultatet på ny vidnede om dansk erhvervslivs betydning for den tyske levnedsmiddelforsyning (Jensen 1971, s. 220, Herbert 1996, s. 375).

Kilde: PA/AA R 29.567. RA, pk. 203.

Gesandter Schnurre Nr. 50.
Büro RAM mit der Bitte um Weiterleitung über Fernschreiber.

Aufzeichnung

Im Anschluß an die Aufzeichnung vom 28. September 1943[37] – Ha Pol 6006/43 g – Ang. II.

Die soeben abgeschlossenen Besprechungen des Deutschen und des Dänischen Regierungsausschusses haben ergeben, daß sich die dänischen Liefermöglichkeiten für das Wirtschaftsjahr 1943/44 noch wie folgt verbessert haben:

Fleisch: 128.000 t (anstatt wie bisher angenommen 85.000 t),

Butter: 50-52.000 t (anstatt wie bisher angenommen 41.000 t)

An Gras- und Futtersätzen, die für die deutsche und europäische Futtermittelversorgung besonders wichtig sind, wird Dänemark etwa 120 % mehr als in dem schon guten Wirtschaftsjahr 1942/43 liefern. Die Pferdelieferungen werden vermehrt werden und

37 Scherpenbergs optegnelse er trykt 28. september ovenfor.

auch hinsichtlich der Lieferung von Fischen, Obst und anderen landwirtschaftlichen Produkten ist mit einer guten Entwicklung zu rechnen.

Die Zahlen zeigen erneut die Bedeutung einer Intakthaltung der dänischen Wirtschaft für die deutsche Ernährung.

Hiermit über den Herrn Staatssekretär dem Herrn Reichsaußenminister vorzulegen.

Berlin, den 3. Oktober 1943.

gez. **Schnurre**

231. Adolf von Steengracht: Aufzeichnung 4. Oktober 1943

Den svenske gesandt Arvid Gustav Richert mødte igen op i AA for på sin regerings vegne at tilbyde at overtage de danske jøder. Hvis deportationen allerede var en kendsgerning, ville man i Sverige gerne modtage fangernes børn. Steengracht svarede, at Sverige ikke skulle blande sig i danske forhold, ligesom han påtalte den svenske presses skarpe reaktion på aktionen i Danmark (Yahil 1967, s. 287, Hæstrup, 1, 1966-71, s. 161, Kirchhoff 1997, s. 111).

Kilde: RA, pk. 203. ADAP/E, 7, nr. 11.

St.S. Nr. 443 *Berlin, den 4. Oktober 1943*

Der schwedische Gesandte suchte mich heute im Anschluß an seinen Schritt am 1. d.M.,[38] mit dem er namens seiner Regierung die Bereitschaft zur Aufnahme der dänischen Juden erklärt hatte, erneut auf und teilte folgendes mit:

Nachdem nunmehr die Juden-Aktion in Dänemark, wie er von seiner Regierung erfahren habe, gestartet worden sei, nehme man in Schweden an, daß diese Maßnahme sowohl aus militärischen Gründen durchgeführt worden ist, wie auch durch die allgemeine Stimmung in Dänemark, die offenbar durch die Juden ungünstig beeinflußt worden ist, veranlaßt worden sei. Falls eine Großaktion durchgeführt worden sei, so befänden sich unter den zum Abtransport Bereitgestellten sicherlich auch Kinder. Die schwedische Regierung erklärte sich bereit, gegebenenfalls diesen Kindern eine Einreise nach Schweden zu genehmigen.

Auch dieser Vorschlag werde gemacht, um Rückwirkungen psychologischer Art, die bei dem nahen Verhältnis zwischen Dänemark und Schweden zweifellos eintreten würden, auf ein geringstmögliches Maß zu beschränken.

Ich entgegnete dem Gesandten, daß schwedischerseits keine Aktiv-Legitimation für irgendwelche Dänemark betreffenden Belange gegeben sei. Der Gesandte erwiderte, daß eine solche Legitimation auch nicht in Anspruch genommen werde; der Schritt erfolge nur aus den gleichen Gründen wie der ursprüngliche: man wolle amtlicher schwedischerseits alles ausschließen, was eventuell in der Öffentlichkeit eine unangenehme psychologische Auswirkung haben könne.

Mit scharfen Worten habe ich sodann die heutige schwedische Morgenpresse kritisiert und ihm gesagt, daß ich mir nicht vorstellen könne, welche weiteren Reaktionen in

38 Trykt ovenfor.

Schweden möglich seien, nachdem die Zeitungen derartige unerhörte Töne angeschlagen hätten. Diese Haltung werde uns gegebenenfalls zwingen, auf unmißverständliche Weise zu antworten. Es würde hier nicht verstanden werden, daß Schweden durch seine Presse eindeutig für die bolschewistische Seite Stellung nehme, wohingegen augenblicklich unser Blut ebenso wie das unserer Verbündeten im stärksten Maße eingesetzt werde, um die bolschewistische Gefahr von Europa und damit auch von den nordischen Ländern fernzuhalten. Der Gesandte erklärte, die heutige Morgenpresse noch nicht zu kennen und äußerte, daß man schwedischerseits auch bereit wäre, falls Unterlagen gegeben würden, Richtigstellungen vorzunehmen und die Zeitungen entsprechend zu belehren.

gez. **Steengracht**

232. Adolf von Steengracht: Notiz 4. Oktober 1943

Von Steengracht meddelte, at han var blevet opsøgt af den svenske gesandt Richert, der på den svenske regerings vegne havde tilbudt at give jødiske børn i Danmark indrejse til Sverige. Han bad om, at sagen blev forelagt Ribbentrop.

Svarskrivelsen er ikke lokaliseret, men der kom ikke noget ud af henvendelsen. Dog lod Ribbentrop 28. oktober Sonnleithner spørge Wagner, hvor mange jødiske børn af blandede ægteskaber, der var tale om (trykt nedenfor).

Kilde: RA, pk. 203.

St.S. Nr. 446 *Berlin, den 4. Oktober 1943*

Der Schwedische Gesandte suchte mich heute im Anschluß an seinen am 1. d.M. bei mir unternommenen Schritt wegen der Übernahme von Juden aus Dänemark nach Schweden erneut auf und erklärte im Auftrag seiner Regierung, daß, sofern es sich um eine Groß-Aktion in Dänemark handele, bei der sich unter den zum Abtransport Bereitgestellten sicherlich auch Kinder befinden würden, die Schwedische Regierung bereit sei, gegebenenfalls diesen Kindern eine Einreisegenehmigung nach Schweden zu erteilen.

Hiermit Herrn Ges. v. Sonnleithner mit der Bitte um Vortrag bei dem Herrn RAM.

gez. **Steengracht**

233. Albert van Scherpenberg: Aufzeichnung 4. Oktober 1943

Nils Svenningsen benyttede et møde i det tysk-danske regeringsudvalg 2. oktober til bagefter over for Scherpenberg at give udtryk for, hvor stor en skade den gennemførte aktion mod de danske jøder gjorde: Også kredse, der hidtil havde været positive for samarbejde, vendte sig nu mod det, og der ville venteligt komme en stigning i antallet af sabotager. Deportationen af de internerede kommunister i Horserødlejren gjorde den danske forvaltnings situation endnu vanskeligere. Besættelsesmagten foretog indgreb mod danske statsborgere, som den danske regering selv havde ladet internere. Skulle forvaltningen have mulighed for at skabe fred og ro, måtte besættelsesmagten lade være med at foretage indgreb, der kunne ryste befolkningens tillid yderligere. Svenningsen spurgte slutteligt, om det var muligt at komme til at drøfte Danmarks status med betydende tyske instanser, hvilket Scherpenberg ikke havde noget svar på. Til gengæld konkluderede Scherpenberg for egen regning til AA, at det herefter var hans opfattelse, at den danske forvaltning ikke ville lade det få konsekvenser for samarbejdet, hvad der var sket 1. og 2. oktober (Hæstrup, 1, 1966-71, s. 169f.).

Kilde: RA, pk. 203.

LR von Scherpenberg a.o. Ha Pol 6151/43 g

A u f z e i c h n u n g

Staatssekretär Svenningsen, der derzeitige Leiter der geschäftsführenden Regierung in Dänemark, mit dem ich aus seiner früheren Tätigkeit als Vorsitzender des dänischen Regierungsausschusse für Deutschland gut bekannt bin, bat mich am 2.10. nach Abschluß der Wirtschaftsbesprechungen (Herr Ministerialdirektor Walter war schon morgensfrüh zurückgereist) zu sich, um die, wie er sagte, rein persönlich und im Einblick auf unsere alten freundschaftlichen Beziehungen, mit mir kurz über die Ereignisse der vergangenen Nacht (Festnahme der dänischen Juden) zu besprechen. Ich erklärte ihm zugleich meinerseits ein solches Gespräch nicht führen zu können, da ich über die Angelegenheit nicht unterrichtet sei. Er beschränkte sich daraufhin auf folgende Darlegung, die ich soweit nichts anderes bemerkt entgegennahm, ohne mich sachlich dazu zu äußern.

Herr Svenningsen führte aus, die gegen die dänischen Juden durchgeführte Aktion werde von den Dänen als der bisher schwerste Eingriff in ihre inneren Verhältnisse aufs schärfste abgelehnt und werde auf die dänische Einstellung zu Deutschland nichtwiedergutzumachende Auswirkungen haben. Sie habe insbesondere den bisherigen Befürwortenden einer Zusammenarbeit mit Deutschland die weitere Verfolgung ihrer Linie völlig unmöglich gemacht und werde zur Folge haben, daß Deutschland jetzt auch dort, wo es bisher mit williger und überzeugter Mitarbeit rechnen konnte, auf innere Ablehnung und Wiederstand stoßen werde. Auf meine Frage, ob er annehme, daß diese Stimmung irgendwie äußeren Ausdruck finden werde, etwa in der Form von Kundgebungen oder Streiks, erklärte Herr Svenningsen, die Lage lasse sich in dieser Hinsicht gar nicht ohne weiteres übersehen, er halte jedoch solche Auswirkungen für äußerst unwahrscheinlich, eher halte er es für denkbar, daß in nächster Zeit ein Anwachsen der Sabotagefälle zu verzeichnen sein werden.

Was die Stellung der Regierung anlange, so sei diese fast noch mehr als durch die Judenaktion durch den gleichzeitigen Abtransport der in Horseröd internierten dänischen Kommunisten ungemein schwierig geworden. Während man sich bezüglich der Judenaktion dänischerseits auf den Standpunkt stellen können, es handele sich um ein Vorgehen deutscher Stellen, für das die Deutschen allein die Verantwortung tragen, so handele es sich aber bei den Insassen des Internierungslagers Horseröd um dänische Staatsangehörige die von der dänischen Regierung selbst auf Grund ad hoc erlassenen dänischen Gesetze in Gewahrsam genommen worden seien und für die sich die dänische Regierung daher unmittelbar dem König und dem dänischen Volk gegenüber verantwortlich fühle. Ihr Abtransport werde unter diesen Umständen nicht nur als ein Eingriff in dänische Verhältnisse, sondern als eine unmittelbar gegen die jetzige geschäftsführende Regierung gerichtete Maßnahme angesehen und man prüfe zurzeit noch, ob man nicht in diesem Punkt wenigstens durch diplomatische Schritte in Berlin ein Abhilfe anstreben soll.

Herr Svenningsen äußerte anschließend wiederholt in dringlichster Form die Bitte, man möchte doch nach diesen Ereignissen nunmehr deutscherseits der geschäftsführenden Regierung die Möglichkeit geben in aller Ruhe, ohne weitere deutscher Eingriffe in die innerdänischen Verhältnisse, zu versuchen, die Verwaltung des Landes in Ordnung zu halten und das schwer erschütterte Vertrauen der Bevölkerung in die Fähigkeit der Regierung zur Aufrechterhaltung geordneter Verhältnisse im Lande und zur Wahrnehmung der Interessen des Landes gegenüber deutschen Stellen allmählich wieder herzustellen.

Herr Svenningsen schloß seine Ausführungen mit der Frage, ob wohl eine Möglichkeit bestünde die Frage des Status von Dänemark in absehbarer Zeit einmal mit maßgebenden deutschen Stellen, sei es in Berlin, sei es im Hauptquartier, mündlich zu erörtern. Ich erklärte hierzu keinerlei Stellung nehmen zu können, eine solche Frage könne er nur mit dem Reichsbevollmächtigten erörtern.

Was der Unterhaltung besonderes Interesse verlieh war der Umstand, daß sie im unmittelbaren Anschluß an eine unter Herrn Svenningsens Vorsitz abgehaltene Sitzung der gesamten geschäftsführenden Regierung stattfand, so daß angenommen werden kann, daß sein Ausführungen, aus denen sich insbesondere auch ergibt, daß die Regierung trotz der Ereignisse vom 1. und 2. Oktober weiter im Amt bleiben will, im wesentlichen den Gang dieser internen Besprechungen wiederspiegelten.

Hiermit über Direktor Ha Pol Herrn Staatssekretär vorzulegen.

Berlin, den 4. Oktober 1943

Scherpenberg

Durchdruck an:

Büro St.S.
U.St.S. Ha Pol.
Herrn Ges. Schnurre
Herrn Ges. g. Grundherr
Ha Pol. VI

234. Werner Best an das Auswärtige Amt 4. Oktober 1943

Best forelagde problemet med bevogtningen af det danske kongehus efter undtagelsestilstandens ophævelse. Han anbefalede, at der ikke blev tale om en internering pga. de politiske implikationer og fordi det ikke var sandsynligt, at kongefamilien ville forsøge at flygte.

Svaret fremgår af Sonnleithners notits 6. oktober 1943.

Kilde: PA/AA R 29.567. RA, pk. 203, 228 og 438a.

Telegramm

Kopenhagen, den	4. Oktober 1943	19.20 Uhr
Ankunft, den	4. Oktober 1943	20.10 Uhr

Nr. 1192[39] vom 4.10.[43.] Citissime!

Ich bitte, den folgenden dem Herrn Reichsaußenminister unverzüglich zuzuleiten:

Der Befehlshaber der deutschen Truppen in Dänemark hat mir mitgeteilt, daß er mit der Aufhebung des militärischen Ausnahmezustandes am 6.10.43 auch die beim dänischen König und beim dänischen Kronprinzen gestellten militärischen Wachen zurückziehen werde. Ich habe daraufhin die Frage der künftigen Überwachung des Königs und des Kronprinzen mit dem Befehlshaber der Sicherheitspolizei besprochen. Dieser hat mir erklärt, daß die Polizei eine Verantwortung dafür, daß der König und der Kronprinz nicht fliehen, nur dann übernehmen könne, wenn eine regelrechte Internierung mit entsprechender Bewachung stattfinde. Eine geheime Überwachung könne keinesfalls so gestaltet werden, daß sie volle Sicherheit bietet. – Eine Internierung des Königs und des Kronprinzen wäre eine Maßnahme von grundsätzlicher politischer Bedeutung, über die an höherer Stelle entschieden werden müßte. – Zur Verhütung einer Flucht scheint mir die Internierung nicht notwendig zu sein, da bisher weder beim König noch beim Kronprinzen Anhaltspunkte für eine solche Absicht festzustellen waren. Beide scheinen vielmehr entschlossen zu sein, auch weiterhin im Lande zu bleiben und dadurch ihre Verbundenheit mit dem Volke zu beweisen.

Wenn keine Internierung angeordnet wird, wird hier in der nächsten Zeit eine sicherheitsdienstliche Beobachtung des Königs und des Kronprinzen ausgebaut werden, die zwar keine volle Sicherheit, aber doch eine gewisse Überwachung ermöglichen wird.

Dr. Best

235. Werner Best an das Auswärtige Amt 4. Oktober 1943

Dagsindberetning.

Kilde: PA/AA R 29.567. RA, pk. 203.

Telegramm

Kopenhagen, den	4. Oktober 1943	13.45 Uhr
Ankunft, den	4. Oktober 1943	14.30 Uhr

Nr. 1200 vom 4.10.43. Citissime!

Ich bitte, die folgenden Meldungen unverzüglich dem Herrn Reichsaußenminister zuzuleiten:

1.) In der Nacht vom 3. zum 4.10.43 sind in Hilleröd (Seeland) zwei Sabotageakte in einer Maschinenfabrik und in einem Gummiwarenlager verübt worden. Beide Firmen arbeiten nicht für deutsche Zwecke.[40]

39 Nummeret er formentlig en fejl, idet man allerede dagen forinden var nået til nr. 1198 (trykt ovenfor).

40 Der var en sprængning af Nordsteens Maskinfabrik, Nordstenvej, med betydelig skade til følge og på Hillerød Gummihjulsfabrik, Fredericiavej 13, hvorved en dynamo blev ødelagt. Ingen af virksomhederne

2.) Der Befehlshaber der deutschen Truppen in Dänemark hat für den 3.10.43 die folgende Tagesmeldung erstattet:

"Außer einem unbedeutenden Sabotagefall in Fredericia-Jütland keine besonderen Vorkommnisse."

Dr. Best

236. Werner Best an das Auswärtige Amt 4. Oktober 1943

Best ønskede at telegramkommunikationen mellem de tyske politienheder i Danmark og Himmler skulle foregå direkte og ikke over AA, der ville blive overbelastet derved. I Gruppe Inland II tilsluttede man sig tilsyneladende anmodningen, men et svartelegram er ikke lokaliseret, selv om det hastede stærkt.

Bests telegram nr. 1201 er bevaret i sin helhed i notatet i AA, Gruppe Inland II tillige med en del af afdelingens indstilling hertil.

Kilde: PA/AA R 101.040. RA, pk. 233 og 438a.

zu Inl. II B 7808
Eilt sehr!

Von dem Bevollmächtigten des Reichs in Kopenhagen, Dr. Best, ist nachstehender Drahtbericht eingegangen:

"Nr. 1201 vom 4.10.43.

Nachdem hier ein Befehlshaber der Sicherheitspolizei und ein Befehlshaber der Ordnungspolizei mit stärkeren Polizeikräften eingesetzt worden sind, ergibt sich die Notwendigkeit eines verhältnismäßig umfangreichen Dienstverkehrs zwischen diesen Befehlshabern einerseits und den Chefs der Sicherheitspolizei und der Ordnungspolizei sowie dem Reichsführer-SS und Reichsinnenminister andererseits. Wenn dieser Dienstverkehr gemäß den bisher geltenden Anordnungen, daß von hier mit keiner Reichsbehörde als dem Auswärtigen Amt dienstlich verkehrt werden darf, in vollem Umfang über das Auswärtige Amt geleitet würde, würde dies insbesondere hinsichtlich des Fernschreibverkehrs eine außerordentliche Belastung des Ausw. Amts mit reiner Übermittlungsarbeit bedeuten und zudem oft die Übermittlung dringender Nachrichten (z.B. auf sicherheitspolizeilichem Gebiete) stark verzögern. Ich schlage deshalb vor, daß im Einvernehmen mit dem Reichsführer-SS und Reichsinnenminister eine Regelung getroffen wird, nach Maßgabe welcher die hiesigen Befehlshaber der Sicherheitspolizei und der Ordnungspolizei unmittelbaren Dienstverkehr mit dem Reichsführer-SS und Reichsinnenminister bezw. mit dem Chefs der Sicherheitspolizei und der Ordnungspolizei unterhalten dürfen. – Für schnellen Bescheid wäre ich sehr dankbar."

Gruppe Inland II schlägt vor, dem Antrage des Bevollmächtigten Dr. Best, Kopenhagen, von seiten des AA stattzugeben. Es steht außer Zweifel, daß die Fernschreibstelle des AA

arbejdede for Rü Stab Dänemark (RA, BdO Inf. nr. 1, 6. oktober 1943, Sabotagehandlungen in der Zeit vom 17.9.-7.10.1943 (bilag til Forstmann til Waeger 8. oktober 1943), Alkil, 2, 1945-46, s. 1221).

eine überaus starke Belastung erfahren würde, wenn der gesamte Fernschreibverkehr des Befehlshabers der Sicherheitspolizei und des SD und des Befehlshabers der Ordnungspolizei in Dänemark über das AA geleitet werden müßte. Wie feststeht, handelt es sich bei den Berichten der beiden Befehlshaber vorwiegend um solche rein politischer Natur, d.h. daß politische Dinge oder solche, die in die Zuständigkeit oder den Geschäftsbereich des AA fallen würden, nicht berührt werden.

Analoge, direkte Fernschreiben, wie sie der Bevollmächtigte Dr. Best anregt, bestehen bereits mit den Befehlshabern, der Sicherheitspolizei und des SD usw. in Frankreich und den anderen besetzten Gebieten.

Im übrigen erscheint es nicht erforderlich, mit dem Chef der Sicherheitspolizei bezw. Reichsführung-SS eine diesbezügl. besondere Regelung herbeizuführen, wenn seitens des AA der Einrichtung des direkten Fernschreibverkehrs zugestimmt wird. Es genügt mündlich Unterrichtung des Chefs der Sicherheitspolizei und des SD, der dann die technische Durchführung veranlassen wird.

Hiermit den Leiter des Gruppe Inland II Pol VI und Herrn U.St.S. Pol. dem Herrn Staatssekretär m.d.B. um Weisung vorgelegt.

Eine Befassung des Herrn RAM mit der Angelegenheit wird von Gruppe Inland II nicht für erforderlich gehalten.

Berlin, den 5. Oktober 1943.

Geiger

237. Andor Hencke an Werner Best 4. Oktober 1943

Endnu to dage efter afslutningen af jødeaktionen havde Best ikke sendt en indberetning om dens resultat. RSHA havde indsendt oplysning til AA både om antallet af pågrebne jøder og om nogle af årsagerne til det ringe resultat. Best blev bedt om at afgive en slutindberetning (Rosengreen 1982, s. 54, *The Trial of Adolf Eichmann*, 2, 1992, s. 643 (telegrammet delvist refereret på engelsk)).

Den fulgte dagen efter, se Bests telegram nr. 1208, trykt nedenfor.

Tilsyneladende er telegrammet forfattet af Steengracht, men sendt af Hencke.

Kilde: PA/AA R 29.567 og R 100.865. RA, pk. 203 og 226. LAK, Best-sagen (afskrift).

Telegramm

Berlin, den 4. Oktober 1943

Diplogerma Kopenhagen
Nr. … [1367][41] Citissime.

Referent: LR v. Thadden
Betreff: Judenaktion.

Reichssicherheitshauptamt mitteilte, daß Judenaktion zur Erfassung von 284 Köpfen

41 Se telegram nr. 1208, 5. oktober 1943, trykt nedenfor.

insgesamt führte. Auf Befragen erklärte Sachbearbeiter, geringes Ergebnis sei u.a. darauf zurückzuführen, daß zwangsweise Durchsuchung Judenwohnungen untersagt war, so daß nur die Juden verhaftet werden konnten, die bei Klingeln oder Klopfen Wohnung freiwillig öffneten. Leider sei auch Verordnung gegen illegal zurückgebliebene Juden an Einspruch Militärbefehlshaber gescheitert.[42]

Da Reichssicherheitshauptamt vermutlich entsprechenden Abschlußbericht erstattet hat, erbitte Drahtbericht.

~~Steengracht~~
gez. **Hencke**

Vermerk:
Informationen stammen von Reichssicherheitshauptamt, welches entsprechende Meldung angeblich bereits nach oben gegeben hat.

238. Kriegstagebuch/Admiral Dänemark 4. Oktober 1943

Wurmbach noterede ordren om den kommende løsladelse af de internerede danske soldater og marinere. Der kunne påfølgende finde hvervning sted til Schalburgkorpset, Søpolitiet og Baneværnet. Den militære undtagelsestilstand ville blive ophævet 6. oktober.

Kilde: KTB/ADM Dän 4. oktober 1943, RA, Danica 628, sp. 3, s. 3103f.

[...]
Befehlshaber der deutschen Truppen in Dänemark übermittelt folgende Verfügung des OKW/WFSt:

"Die Entlassung der internierten dänischen Wehrmachtsangehörigen ausschließlich der Offiziere und Offizianten, ist nunmehr durchzuführen. Die Modalitäten der Entlassung sind nach den örtlichen Erfordernissen zu regeln. Abschluß der Entlassung ist zu melden.

Die Offiziere und Offizianten der dänischen Wehrmacht bleiben bis auf weiteres in Dänemark interniert. Ihnen ist zu eröffnen, daß bei völliger Beruhigung der Verhältnisse ihre Entlassung, bei Verschärfung der Lage ihre Überführung ins Reich vorgesehen ist. Ein Vorschlag über Behandlung der Frage der Entlassung der Offiziere und Offizianten ist nach Abschluß der Entlassung der Unteroffiziere und Mannschaften vorzulegen.

Werbung für Schalburg-Korps, Wasserschutz und Bahnschutz ist nach Entlassung der Unteroffiziere und Mannschaften im Einvernehmen der beteiligten Dienststellen zu regeln. – Eine Änderung der rechtlichen Behandlung des dänischen Kriegsgeräts ist nicht beabsichtigt.

Befehlshaber der deutschen Truppen in Dänemark wird ermächtigt, den militärischen Ausnahmezustand mit Wirkung vom 6.10.1943 0.00 Uhr aufzuheben."

Die Vorbereitungen zur Entlassung der dänischen Marinemannschaften sind soweit getroffen, daß unverzüglich mit der Entlassung begonnen wird.

42 Se om denne forordning Bests telegram nr. 1189, 2. oktober 1943, pkt. 3 og nr. 1208, 5. oktober 1943.

239. Das Auswärtige Amt an OKM und OKW 4. Oktober 1943

AA meddelte via Best, at den danske gesandt i Madrid, K.A. Monrad-Hansen, var blevet instrueret om hos det spanske udenrigsministerium at protestere over, at de danske skibe i Las Palmas havde fået tilladelse til at forberede afsejling.

Se AA til OKM og OKW 6. oktober 1943.

Kilde: BArch, Freiburg, RM 7/1187. RA, Danica 628, sp. 7, s. 5429.

Auswärtiges Amt — *Berlin W 8, den 4. Oktober 1943*
Ha Pol 6087/43 g III — Geheim

Betr.: Dänische Schiffe in Las Palmas.
Im Anschluß an mein Schreiben vom 29. September d.J. – Ha Pol 6023/43 g II[43]

An
das Oberkommando der Kriegsmarine
– 1. Abteilung Seekriegsleitung –
das Oberkommando der Wehrmacht
– Sonderstab HWK –

Der Bevollmächtigte des Reichs für Dänemark in Kopenhagen berichtet unter dem 30. September d.J., daß das Dänische Außenministerium am 29. September d.J. den Dänischen Gesandten in Madrid erneut angewiesen hat, in der Frage der Las Palmas-Schiffe zu intervenieren. Außerdem sei die Dänische Gesandtschaft beauftragt, beim Spanischen Außenministerium dagegen zu protestieren, daß dänische Schiffe Genehmigung zum Ausklarieren erhalten.

Im Auftrag
Bisse

240. Heinrich Himmler an Martin Bormann 4. Oktober 1943

I anledning af, at det var blevet en germansk frivillig i tysk krigstjeneste forbudt at gifte sig med en tysk kvinde, gjorde RFSS sig til talsmand for, at de germanske frivillige fik bevilget denne tilladelse, idet han argumenterede med, at de satte livet på spil for Tyskland, og at Hitler ønskede, at de germanske folk gled ind i det germanske rige.

Det lykkedes ikke RFSS at få truffet en beslutning om, at de germanske frivillige generelt kunne gifte sig med tyske kvinder, men 1. december 1944 gav Hitler tilslutning til, at de efter indhentning af hans tilladelse kunne gifte sig med rigstyskere og folketyskere.

Kilde: *De SS en Nederland*, 2, 1976, nr. 469.

4. Okt. 1943

Lieber Parteigenosse Bormann!
In der Anlage[44] übersende ich Ihnen Abschrift eines Vorganges, in dem die Heirat eines

43 Trykt ovenfor.
44 Bilaget foreligger ikke.

deutschen Mädchens mit einem Flamen von dem Gauamtsleiter Schön vom Rassenpolitischen Amt der Gauleitung Schwaben verboten wird.

Meiner Ansicht nach ist das Verbot, daß ein männlicher germanischer Ausländer ein deutsches Mädchen heiratet, allein schon deswegen falsch, weil wir bekanntlich nach dem Kriege keinen Männer- sondern einen Frauenüberschuß haben werden.

Es muß hier eine klare Entscheidung getroffen werden. Wünscht man einesteils, daß der Reichsführer-SS Flamen, Niederländer und andere Germanen zum Kämpfen und Sterben für das Großgermanische Reich heranbringt und sie für diesen Fall als gleichberechtigt erklärt, dann kann man die Ehe von Deutschen mit den Schwestern und Töchtern dieser Germanen bzw. von deutschen Mädchen mit Angehörigen dieser germanischen Völker nicht verbieten. Oder man steht auf dem Standpunkt, diese Ehen sind grundsätzlich zu verbieten, dann müssen wir auch so anständig sein, den germanischen Freiwilligen zu sagen: 'Geht nach Hause, wir erachten Euch als minderwertig', denn es muß auch darüber Klarheit herrschen, daß wir weder Norweger noch Niederländer oder sonst einen Germanen als Hilfswilligen, wie z.B. die russischen Hilfswilligen bekommen. Diese Männer weiterhin zu täuschen, wie ich es jetzt zu tun gezwungen bin, sehe ich mich außerstande. Meiner Ansicht nach ist es eine Täuschung und ein grober Betrug, wenn ich dem Mann vom germanischen Reich und der germanischen Rasse etwas erzähle, die Partei aber, in der ich Reichsleiter bin, durch den Mund eines Gauamtsleiters oder des Leiters des Rassenpolitischen Amtes in der beleidigenden Form das Gegenteil erklärt, nämlich: "Ihr seid rassenpolitisch nicht wertvoll, wir verbieten die Heirat mit Euch."

Auf einem völlig anderen Blatt steht die Frage, mit wem die Heirat genehmigt wird. Genau wie wir rassisch wertvolle und rassisch wertlose deutsche Männer und Mädchen haben, gibt es rassisch wertvolle und rassisch wertlose Angehörige anderer germanischer Völker.

Für unmöglich halte ich auf die Dauer die Divergenz, daß eine Dienststelle der Partei die Aufgabe hat, die Söhne und Männer dieser Länder zum Kämpfen und Sterben anzuwerben und die andere Dienststelle die Befugnis hat, jede sonstige Verbindung mit diesen Völkern abzulehnen. Beide Dienststellen arbeiten angeblich nach rassischen Gesichtspunkten, die eine, welche die SS-Männer heraussucht, offenkundig nicht so streng, obwohl sie ja eigentlich den Nachweis mit nach 15 Jahren immerhin nicht erfolgloser Arbeit auf dem Gebiet der praktischen rassischen Auslese und Bewährung bieten kann, die andere, welche noch nicht den geringsten Beweis ihrer praktischen Erprobung gegeben hat, mit einer geradezu scharfrichterischen Strenge, wenn sie den Großteil aller Gesuche ablehnt.

Der Führer selbst hat des öfteren geäußert, daß er die Eingliederung der germanischen Völker in ein germanisches Reich wünscht. Die SS wird dauernd angespornt, neue germanische Verbände aufzustellen. Außerdem wird die Menschennot der kommenden Monate uns zwingen, auf dieses Menschenreservoir zurückzugreifen. Germanen bekommt man aber nur mit innerer Überzeugung, mit Rechtlichkeit und allerdings auch Macht.

Was wir bisher auf diesem Gebiet gemacht haben, faßt jeder germanische Freiwillige als eine ihm ins Gesicht schlagende Beleidigung seines Volkes auf. Dies muß radikal abgestellt werden, da sonst ein durch nichts zu überbrückender innerer Bruch in den germanischen Verbänden auftritt.

Mein Vorschlag ist: Die ganze Frage der Heiratsgenehmigung mit deutschen Frauen und umgekehrt mit Angehörigen der germanischen Länder wird von dem Reichsführer-SS als dem für alle germanischen Fragen zuständigen Reichsleiter entschieden. Das Rassenpolitische Amt kann dabei für die Gaue draußen die bearbeitende Stelle sein. Die Entscheidung muß jedoch der Reichsführer-SS fällen. Auch auf die Art der Ablehnung, wie sie formuliert wird, muß der Reichsführer-SS Einfluß haben. Es ist ungefährlich, wenn eine Ehe abgelehnt wird, weil die ärztliche Untersuchung eine etwas schwache Lunge oder eine andere Erkrankung ergeben hat. Es ist gefährlich sie abzulehnen, weil das betreffende Mädchen als rassepolitisch wertlos bezeichnet wird.

Es kann doch keinen Sinn haben, daß auf der einen Seite ich mich durch Jahre hindurch unter schwierigsten Verhältnissen bemühe, einen germanischen Gedanken Leben zu geben und Menschen dafür zu gewinnen, während andere Stellen in Deutschland dann befugt sind, dies alles ebenso leichtfertig wie doktrinär zunichte zu machen.

Ich glaube, daß hier nunmehr eine klare Entscheidung gefällt werden muß.

Heil Hitler! Ihr

H. Himmler

241. Werner Best an Joachim von Ribbentrop 5. Oktober 1943

Best svarede efter fem dage meget kort på den irettesættelse, som Ribbentrop havde givet ham vedrørende samarbejdet med von Hanneken og indlod sig ikke på at tage til genmæle.

Kilde: PA/AA R 29.567. RA, pk. 203, 228 og 438a.

Telegramm

Kopenhagen, den	5. Oktober 1943	13.30 Uhr
Ankunft, den	5. Oktober 1943	13.45 Uhr

Nr. 1207 vom 5.10.43.

Für Herrn Reichsaußenminister persönlich.
Auf das Telegramm Nr. 1355[45] vom 1.10.43 berichte ich, daß ich mich gestern mit dem General von Hanneken im Sinne der Weisungen des Herrn Reichsaußenministers ausgesprochen habe, und daß ich hoffe, auf Grund dieser Aussprache weiterhin mit ihm reibungslos zusammenarbeiten zu können.

Dr. Best

45 Pol I M Sonderzug 1560. Trykt ovenfor.

242. Werner Best an das Auswärtige Amt 5. Oktober 1943

For det første fralagde Best sig ansvaret for selve jødeaktionen; det lå hos Rudolf Mildner. For det andet var det korrekt, at det var efter Mildners ordre, at lejligheder, der stod tomme, for ikke at give et dårligt indtryk ikke var blevet brudt op. Det var også efter Mildners ordre, at en forordning om anmeldelse af de tilbageværende jøder ikke blev udsendt. At kun et ringe antal jøder blev taget til fange, havde været forudset af både Best og Mildner selv. Forlængelsen af undtagelsestilstanden havde fået mange til at forlade deres hjem – dvs. dette var forårsaget af von Hanneken – og de var i stort tal flygtet til Sverige. Den 100 km lange grænse mellem Danmark og Sverige var der ikke tyske ressourcer til at bevogte. Målet for jødeaktionen, at gøre Danmark frit for jøder, anså Best for nået. Formålet havde ifølge Best aldrig været en hovedjagt.

Telegrammets sidste linjer vil blive indskrevet i Danmarks historie.

Best havde paraderne oppe, da han skulle forklare resultaterne af aktionen. På intet tidspunkt fra dens planlægning til dens afslutning nævnte han det samlede antal jøder i Danmark, og da slet ikke i dette dokument. Det ville have sat de 284 tilfangetagne i relief i forhold til det samlede antal danske jøder – der var 6.000 –, et antal, han havde undladt at nævne i forårets telegrammer.

Mildner stod på god fod med Best og kan antages, efter af være blevet briefet af ham, at have delt Bests syn på de mulige skadelige konsekvenser, som jødeaktionen kunne få for tysk politik i Danmark. Det er dog usandsynligt, at han frivilligt lod sig bruge som syndebuk for den fejlslagne aktion (Kempner 1961, s. 378 kalder telegrammet "einem geschickten und für die damaligen Zeit mutigen Telegramm", Hæstrup, 1, 1966-71, s. 172, Yahil 1967, s. 172f., Rosengreen 1982, s. 54, Kreth/Mogensen 1995, s. 126, 129. Telegrammet er refereret i *The Trial of Adolf Eichmann*, 2, 1992, s. 646 (på engelsk).).

Kilde: PA/AA R 29.567. RA, pk. 203 og 226. LAK, Best-sagen (på dansk). Kempner 1961, s. 379f. (uden telegramhovedet).

Telegramm

Kopenhagen, den	5. Oktober 1943	13.15 Uhr
Ankunft, den	5. Oktober 1943	13.45 Uhr

Nr. 1208 vom 5.10.43. Citissime!

Auf das Telegramm Nr. 1367[46] vom 4.10.43 berichte ich folgendes:

1.) Die Leitung der Judenaktion in Dänemark lag einheitlich in der Hand des Befehlshabers der Sicherheitspolizei SS-Standartenführers Dr. Mildner, der alle Anordnungen für die Durchführung erteilte.

2.) Es ist richtig, daß der Befehlshaber der Sicherheitspolizei angeordnet hatte, daß verschlossene Wohnungen nicht aufgebrochen werden sollten. Dies geschah deshalb, weil bereits bekannt war, daß der weitaus größte Teil der hiesigen Juden sich nicht mehr in ihren eigenen Wohnungen aufhielt, so daß das Aufbrechen leerer Wohnungen nur einen unerfreulichen Eindruck verursacht und zu Diebstählen usw. Gelegenheit gegeben hätte, die dann uns zur Last gelegt worden wären.

3.) Es ist richtig, daß der Befehlshaber der deutschen Truppen in Dänemark den Erlaß einer Verordnung über die Meldung von Juden, deren Wortlaut in meinem Telegramm Nr. 1189 vom 2.10.43[47] mitgeteilt worden war, abgelehnt hat, nachdem er in einer Vorbesprechung grundsätzlich zugestimmt hatte. Ich habe auf dem Erlaß der Verordnung dann nicht mehr bestanden, weil der Befehlshaber der Sicherheitspolizei

46 Inl II 2770. Trykt ovenfor.

47 Trykt ovenfor.

sich auf den Standpunkt stellte, daß die Verordnung nicht unbedingt notwendig sei, und daß er mit sicherheitspolizeilichen Mitteln die noch vorhandenen Juden nach und nach erfassen werde.

4.) Die Zahl von 284 Köpfen stellt nur das Ergebnis der in der Nacht vom 1. zum 2.10.43 durchgeführten Festnahmen dar. Seitdem werden noch laufend weitere Juden festgenommen, so in der Nacht vom 4. zum 5.10. 60 Juden beim Versuch, in Booten die Insel Seeland zu verlassen.

5.) Daß nur sehr wenige Juden gefaßt werden würden, hatten der Befehlshaber der Sicherheitspolizei und ich vorausgesehen. Ich hatte dies auch in früheren Berichten (Telegramm Nr. 1162 vom 29.9. und Nr. 1187 vom 1.10.43)[48] zum Ausdruck gebracht. In Vernehmungen durch die deutsche Sicherheitspolizei haben die festgenommenen Juden erklärt, daß bereits unmittelbar nach der Verhängung des Ausnahmezustandes die meisten Juden ihre Wohnungen verlassen hätten, weil sie mit einer solchen Aktion rechneten. Bis die deutschen Polizeikräfte hier eintrafen und die Aktion durchgeführt werden konnte, stand den Juden ein ganzer Monat zur Verfügung, um sich teils im Lande zu verbergen und teils illegal über den Sund das Land zu verlassen. Die Fluchten über den Sund konnten und können auch künftig kaum verhindert werden. Für eine ausreichende Überwachung der mehr als 100 km langen Küstenstrecke stehen weder polizeiliche noch militärische Kräfte in ausreichender Zahl zur Verfügung. Auf dem Wasser ist ebenfalls kaum eine Überwachung möglich, weil die deutsche Marine nicht genügend Fahrzeuge bezw. keine Mannschaften für die von der dänischen Marine übernommenen Fahrzeuge hat.

6.) Da das sachliche Ziel der Judenaktion in Dänemark die Entjudung des Landes und nicht eine möglichst erfolgreiche Kopfjagd war, muß festgestellt werden, daß die Judenaktion ihr Ziel erreicht hat. Dänemark ist entjudet, da sich hier kein Jude, der unter die einschlägigen Anordnungen fällt, mehr legal aufhalten und betätigen kann.

Dr. Best

243. Hans Frohwein an Werner Best 5. Oktober 1943

Beslaglæggelsen af Ollerup Gymnastikhøjskole var en af de sager, Best havde fået en irettesættelse af Ribbentrop for at have bebyrdet AA med. Nu slap AA den til gengæld ikke, da OKW også var indblandet, og Best blev bedt om at redegøre for sin holdning, at der kunne findes et andet egnet sted, hvad der var i modstrid med OKWs opfattelse. Tillige fik han klar besked om, at der ikke skulle oprettes en dansk arbejdstjeneste (Thomsen 1971, s. 177).

Best svarede med telegram nr. 1218, 7. oktober 1943.

Kilde: PA/AA R 29.567. RA, pk. 203.

Telegramm

Sonderzug, den	5. Oktober 1943	16.20 Uhr
Ankunft, den	5. Oktober 1943	16.40 Uhr

48 Begge trykt ovenfor.

Nr. 1592 vom 5.10.[43.]

1.) Telko
2.) Deutsche Gesandtschaft Kopenhagen

Auf Drahtbericht Nr. 1131[49] vom 25.9.

Bei Besprechung der Angelegenheit Gymnastikschule Niels Bukh wurde vom Oberkommando der Wehrmacht mitgeteilt, Führer habe bereits gelegentlich einer Intervention des Reichsarbeitsführers für Niels Bukh dahin entschieden, daß ein dänischer Arbeitsdienst nicht aufgebaut werden solle.[50] Es werde daher beim OKW ein Befehl vorbereitet, wonach die Beschlagnahme der Gymnastikschule trotz der von Ihnen und Reichsarbeitsführer geltend gemachten Bedenken durchgeführt und Niels Bukh nur in Frage Entschädigung entgegenkommend behandelt werden solle. Dieser habe bei der Marine keinen sehr deutschfreundlichen Eindruck gemacht. Außerdem habe der Befehlshaber der deutschen Truppen in den seitherigen monatelangen Erörterungen über diese Frage dem Reichsbevollmächtigten und dem Reichsarbeitsführer wiederholt erklärt, daß er bereit sei, an Stelle der Schule Niels Bukh ein anderes geeignetes Objekt zu beschlagnahmen, falls ihm ein solches nachgewiesen werde. Weder der Reichsbevollmächtigte, noch der Reichsarbeitsführer seien dazu jedoch bis jetzt in der Lage gewesen.

Die Besprechungen mit OKW werden fortgesetzt. Bitte um beschleunigte Mitteilung etwaiger weiterer Argumente, die zur Stützung Ihrer Auffassung dienen können, insbesondere um Äußerung zu der Behauptung, daß kein anderes geeignetes Objekt vorhanden sei, was in Widerspruch mit Ihrem Drahtbericht Nr. 1131 vom 25. 9. steht.

Frohwein

Vermerk:
Unter Nr. 1373 an Diplogerma Kopenhagen weitergeleitet.
Tel. Ktr., 5.10.

244. Seekriegsleitung: Vermerk 5. Oktober 1943

Det blev noteret, at Niels Bukhs sportshøjskole var blevet beslaglagt 2. oktober. Det var i Seekriegsleitung bekendt, at højskolen var verdensberømt og Bukh tyskvenlig. Det skulle undersøges, om den beslaglæggelse var nødvendig.

Den undersøgelse var foretaget 7. oktober, se Wurmbach til OKM anf. dato.
EMAA = Ersatz-Marineartillerieabteilung.
Kilde: RA, Danica 628, sp. 7, nr. 5438.

Seekriegsleitung
Zu B-Nr. 1. Skl. I i 29 644/43 geh.

Berlin, den 5.10.1943.
Geheim

49 bei Pol I M. Trykt ovenfor.
50 Tidspunktet for denne beslutning er ikke kendt.

I.) Zunächst bei I Nord
m.d.B. um militärische Beurteilung der Notwendigkeit der Beschlagnahme der Sportschule. Nach fernmündlicher Mitteilung des Korv. Kapt. Lechner (I a bei Admiral Dänemark) ist die Beschlagnahme der Schule am 2. ds.Mts. durchgeführt. Die Gebäudeanlagen usw. sind als Unterkunftsräume für die "EMAA" bestimmt. Eine anderwertige Unterbringung soll nach Angabe von Korv. Kapt. Lechner nur schwer möglich sein.

I i ist schon aus der Friedenszeit her bekannt, daß sich Niels Bukh sowohl in Dänemark selbst wie auch in der ganzen Welt durch seine Mustersportschule eines besonderen Rufes erfreut. Er ist als deutschfreundlich bekannt. Es wird daher d.E. sorgfältig überprüft werden müssen, ob die Unterbringung der "EMAA" gerade in dieser Schule so vordringlich ist, daß die Verärgerung ihres Besitzers in Kauf zu nehmen ist.

I i
[underskrift]

245. Werner Best an das Auswärtige Amt 6. Oktober 1943

Best meddelte, at den danske gesandt i Rio de Janeiro fremover afviste generelt at modtage ordrer fra UM, men ville skønne fra sag til sag, og at den danske chargé d'affaires (ikke gesandt) i Ankara ikke længere ville modtage ordrer fra UM.

Best fulgte op på sagen efter at have drøftet den med UM i telegram nr. 1224, 7. oktober 1943 (Svenningsen 1970, s. 232).

Kilde: PA/AA R 29.567. RA, pk. 203.

Telegramm

Kopenhagen, den	6. Oktober 1943	11.25 Uhr
Ankunft, den	6. Oktober 1943	12.05 Uhr

Nr. 1212 vom 6.10.[43.]

Im Anschluß an den Drahtbericht Nr. 1103[51] vom 20.9.1943.
Auf den Runderlaß des dänischen Außenministers vom 20.9.1943 hat der dänische Gesandte in Rio de Janeiro, Sehested, am 28.9.1943 die folgende Drahtantwort erteilt, die nunmehr im dänischen Außenministerium vorliegt.

"Nachdem S.M. seiner königlichen Befugnis beraubt worden und die dänische Nation ohne die letzten konstitutionellen Rechte ist, betrachte ich es als meine Pflicht, mein Amt auf eigene Verantwortung bis zu dem Tag auszuführen, da S.M. in voller Freiheit mir seine Befehle geben kann. Mein oben erwähnter Beschluß bleibt unwiderruflich."

Der dänische Gesandte in Ankara, Friis, hat am 1.10.43 auf den Runderlaß des dänischen Außenministeriums folgendermaßen geantwortet:

"Da S.M. der König infolge der Machtübernahme durch die deutschen Behörden verhindert ist, seine verfassungsmäßigen Funktionen auszuüben, und da die gesetzmäßige dänische Regierung nicht länger fungiert, sehe ich mich nicht länger im Stände, den

51 Pol VI. Trykt ovenfor.

Befehlen des Außenministeriums nachzukommen oder mich nach den zukünftigen Befehlen des Ministeriums zu richten, sondern ich will fortfahren, nach bestem Vermögen auf eigene Verantwortung die dänischen Interessen in der Türkei wahrzunehmen."

Dr. Best

246. Werner Best an das Auswärtige Amt 6. Oktober 1943

AA blev underrettet om, hvilke foranstaltninger Best havde taget ved undtagelsestilstandens ophævelse, samt at direktør Nils Svenningsen som repræsentant for statsforvaltningen havde fået at vide, at Best igen uindskrænket varetog alle tyske interesser.

Det sidste turde være en overdrivelse. Nok så vigtigt var den fremtidige forvaltning af landet, hvor Best nu trak et tidligere fremsat forslag tilbage og delvis holdt sig til de forordninger, som von Hanneken havde udstedt (Hæstrup, 1966-71, s. 175, Yahil 1967, s. 172).

Kilde: PA/AA R 29.567. RA, pk. 203. LAK, Best-sagen (afskrift).

Telegramm

Kopenhagen, den 6. Oktober 1943 12.30 Uhr
Ankunft, den 6. Oktober 1943 13.05 Uhr

Nr. 1214 vom 6.10.[43.] Citissime!

Ich bitte, die folgenden Meldungen dem Herrn Reichsaußenminister unverzüglich zuzuleiten:

1.) Der Befehlshaber der deutschen Truppen in Dänemark hat mit Wirkung vom heutigen Tage den militärischen Ausnahmezustand in Dänemark aufgehoben.
2.) Auf Antrag des Befehlshabers der deutschen Truppen in Dänemark habe ich heute durch Presse und Rundfunk bekanntgegeben,[52] daß die folgenden, von dem Befehlshaber während des Ausnahmezustandes erlassenen Anordnungen in Kraft bleiben bis ihre Aufhebung bekanntgegeben wird:
   a.) Die in der Bekanntmachung über die Verhängung des Ausnahmezustandes vom 29.8.43 enthaltenen Anordnungen betreffend Streikverbot und Versammlungsverbot,
   b.) die Verordnung über Beschlagnahme von Gebäuden und Liegenschaften vom 4.9.43,
   c.) die Verordnung über Lieferung und Leistung dänischer Firmen für die deutsche Wehrmacht in Dänemark vom 4.9.43,
   d.) die Bekanntmachung über das Verbot des Tragens dänischer Wehrmachtsuniform in der Öffentlichkeit vom 3.9.43,
   e.) die Verordnung über die Abgabe dänischen Heeresgerätes vom 16.9.43.
3.) Der dänischen Zentralverwaltung, vertreten durch den Leiter des Außenministeriums, Direktor Svenningsen, habe ich mündlich eröffnet, daß mit der Aufhebung des militärischen Ausnahmezustandes die Vertretung aller deutschen Interessen in

52 Trykt på dansk hos Alkil, 2, 1945-46, s. 857.

Dänemark wieder uneingeschränkt bei mir liegt. Zwischen der dänischen Zentralverwaltung und mir besteht Klarheit darüber, daß Maßnahmen, die zur Wahrung deutscher Interessen in Dänemark notwendig sind und zu deren Anordnung die dänische Zentralverwaltung sich nach der in meinem Telegramm Nr. 1145 vom 28.9.43[53] berichteten Auslegung ihrer Zuständigkeit nicht in der Lage fühlt, von mir angeordnet werden. Auf dieser Grundlage habe ich heute die unter 2.) erwähnte Fortgeltung von Anordnungen des Befehlshabers bekannt gemacht. Eine förmliche Ankündigung dieser Praxis, wie ich sie in meinem Telegramm Nr. 1102 vom 20.9.43[54] vorgeschlagen habe, ist deshalb nicht mehr erforderlich.

Dr. Best

247. Eberhard von Thadden an Adolf von Steengracht 6. Oktober 1943

Von Thadden videregav beskeden om RSHAs stilling til den mislykkede jødeaktion og om, at det skulle afgøres på højeste sted om og i hvilket omfang, der skulle gøres ansvar gældende. Bests opfattelse af aktionen blev refereret.

Von Thadden skrev samme dag en notits til Wagner, hvoraf det fremgår, at hele beslutningsforløbet blev drøftet indgående i AA.

Kilde: PA/AA R 100.865. Best 1988, s. 303 (faksimile).

Ref.: LR v. Thadden zu Inl. II 2788 g

Der zuständige Referent des Reichssicherheitshauptamts teilte mit, die Judenaktion in Dänemark habe aus verschiedenen Gründen zu einem Mißerfolg geführt. Einmal sei angeblich durch Polizeikräfte Verschiedenes durchgesickert. Eine Untersuchung in dieser Angelegenheit laufe noch. Zum andern habe man nur einen kleinen Bruchteil der Juden erfassen können, da der Bevollmächtigte des Reichs und der Militärbefehlshaber angeordnet hätten, es dürften keine Wohnungen erbrochen werden. Man habe daher nur diejenigen Juden festnehmen können, die bei Klingeln oder Klopfen freiwillig die Wohnungen geöffnet hätten.

Der Referent fügte hinzu, daß der Militärbefehlshaber sich schließlich auch geweigert habe, die Verordnung über die Meldepflicht von Juden, die Gesandter Best mit Telegramm Nr. 1189 vom 10.2.[55] hierher mitgeteilt hatte, zu erlassen.

Eine Meldung des Reichssicherheitshauptamtes über die ganze Angelegenheit sei bereits heraufgegeben worden[56] und es werde nunmehr von der Entschließung der ober-

53 Trykt ovenfor.

54 Trykt ovenfor.

55 Trykt ovenfor.

56 RSHAs udmelding er ikke lokaliseret, men se Wagners notits 22. oktober 1943 om en samtale med Heinrich Müller 16. oktober. – Rudolf Mildner forklarede 4. august 1945, at den totalt fejlslagne aktion vakte stor bitterhed hos Ernst Kaltenbrunner og Heinrich Müller mod Best og ham selv. Eichmann og Günther fortalte Mildner, at Hitler og Himmler havde været rasende, da de modtog RSHAs rapport. De mente at Best og Mildner var ansvarlige for den mislykkede aktion. Müller gav Mildner til opgave at udarbejde en rapport om årsagerne til, at aktionen mislykkedes. Mildner sendte rapporten direkte til Kaltenbrunner personligt (IfZG-PS-1465). Von Thadden afgav en erklæring 16. april 1948 i sagen mod Best,

sten Stellen abhängen, ob und inwieweit die für die einzelnen Maßnahmen Verantwortlichen sich zu rechtfertigen hätten.

Gesandter Best war um Stellungnahme zu diesen Ausführungen gebeten werden.

Wie sich aus seinem anliegenden Telegramm[57] ergibt, hat der Befehlshaber der Sicherheitspolizei angeordnet, von einem Erbrechen der Wohnungen abzusehen, da zum Zeitpunkt der Durchführung der Aktion bereits bekannt war, daß der weitaus größte Teil der Juden ihre Wohnungen verlassen hatte. Es sei auch richtig, daß der Militärbefehlshaber entgegen der ursprünglich erteilten Zustimmung zum Erlaß der Verordnung über Meldepflicht der Juden dieser nachher nicht in Kraft gesetzt habe. Gesandter Best habe jedoch auf ihrem Erlaß auch nicht bestanden, nachdem der Befehlshaber der Sicherheitspolizei sich dahin geäußert habe, er werde auch ohne diese Verordnung die in Dänemark zurückbleibenden Juden nach und nach erfassen.

Gesandter Best faßt sein Urteil sodann dahin zusammen, daß das Ziel der Aktion nicht die Erfassung einer großen Anzahl von Juden, sondern die Reinigung Dänemarks von Juden gewesen sei, und dieses Ziel sei erreicht worden.

Hiermit über Herrn U.St.S. Pol., Herrn Staatssekretär, den Büro RAM ergebenst vorgelegt.

Berlin, den 6. Oktober 1943

Thadden

248. Eberhard von Thadden an Horst Wagner 6. Oktober 1943

Von Thadden forklarede Wagner, hvorfor det var ham selv og ikke Wagner, der henvendte sig til RAM i sagen vedrørende jødeaktionen. Von Thadden havde fortroligt fået oplyst, at en indberetning vedrørende jødeaktionen sandsynligvis ville nå til Hitler, og havde da anset det for så hastende at RAM blev orienteret, at han selv havde undertegnet følgeskrivelsen i stedet for først at sende den til Westfalen til underskrift.

Dermed fik dette forløb ikke lov til at hvile i AA. Von Thadden fulgte igen op til Wagner 12. oktober 1943.

Kilde: PA/AA R 100.865. RA, pk. 226.

zu Inl II 2788 g

Herrn Gruppenleiter Inl. II VLR Wagner
mit der Bitte um Kenntnisnahme vorgelegt.

Da nach den mir vertraulich zugegangenen Nachrichten vermutlich ein Bericht in der Angelegenheit bis an den Führer gelangen wird, habe ich im Interesse der besonderen

hvori han bl.a. kom ind på den mislykkede jødeaktion. Herefter skulle Kaltenbrunner have reageret meget vredt og Günther have fortalt von Thadden, at Eichmann var ude efter hovederne på de sabotører, som var ansvarlige for, at dørene ikke var blevet slået ind (Grundherrs forklaring i LAK, Best-sagen, *The Trial of Adolf Eichmann*, 2, 1992, s. 643). Von Thaddens forklaring blev senere fremlagt i sagen mod Eichmann, hvor Eichmann imidlertid ikke selv kom nærmere ind på, hvordan RSHA reagerede på den mislykkede aktion. Dog fremkom han med nogle bemærkninger, hvori han udtrykte sin forbavselse over, at en tidligere afdelingsleder i RSHA – Best – kunne give problemer i sådan en sag (sst. s. 644). Selv om Mildners og von Thaddens efterkrigsforklaringer mere eller mindre skulle tjene til at pynte på deres egen rolle (ingen af dem var under anklage, da de afgav forklaring, von Thadden dog i rollen som forsvarer af sin foresatte), godtgør von Thaddens notat til Steengracht, at der i RSHA ikke var tilfredshed med aktionens resultat.

57 Telegram nr. 1208, 5. oktober 1943, trykt ovenfor.

Eilbedürftigkeit es für unumgänglich notwendig gehalten, die Vorlage [zur Unterrichtung des Herrn RAM][58] selbst zu unterzeichnen und nicht erst zur Vollziehung nach Westfalen zu schicken.

Um Rückgabe des für die Weiterbearbeitung der Angelegenheit benötigten Vorganges wird gebeten.

Berlin, den 6. Oktober 1943.

v. Thadden

249. Franz von Sonnleithner: Notiz 6. Oktober 1943

Ribbentrop tilsluttede sig Bests indstilling, at den danske konge og kronprinsen fremover blot skulle overvåges.

Kilde: PA/AA R 29.567. PKB, 13, nr. 436.

Büro RAM

Über St.S. U.St.S. Pol. vorgelegt.
Der Herr RAM ist damit einverstanden, daß der Dänische König und Kronprinz nicht interniert aber sicherheitsdienstlich beobachtet werden, so wie es im Telegramm Kopenhagen 1192 vom 4.10.[59] vorgeschlagen ist.

"Westfalen," den 6. Oktober 1943.

gez. **Sonnleithner**

Telefonische Durchgäbe von Westfalen. Original folgt mit nächstem Kurier.
Büro St.S., 6.10.

Durchdruck an Büro RAM z[ur] K[enntnisnahme]

250. Kriegstagebuch/OKW 6. Oktober 1943

OKW noterede den militære undtagelsestilstands ophævelse i Danmark, samt at aktionen mod de danske jøder havde givet et resultat, der ikke stod i forhold til forventningerne.

Kilde: KTB/OKW 6. oktober 1943 (III:2, 1963, s. 1176).

[...]
Der am 29.9. in Dänemark verhängte Belagerungszustand wird wieder aufgehoben. Auf die Deportation der Angehörigen der ehemaligen dänischen Wehrmacht ist verzichtet worden. Die Evakuierung der Juden hat Zahlen ergeben, die weit hinter der in Rechnung gestellten zurückgeblieben sind.
[...]

58 Tilføjet i håndskrift.
59 Trykt ovenfor.

251. Das Auswärtige Amt an OKM und OKW 6. Oktober 1943

AA orienterede om, at den tyske gesandt i Madrid havde været i det spanske udenrigsministerium, hvor han havde fået at vide, at afsejlingen af de i Las Palmas liggende skibe ikke kunne hindres, da den danske gesandt for ca. 10 dage siden skriftligt havde forlangt, at de fik tilladelse til at løbe ud. Den tyske gesandt havde gjort den spanske udenrigsminister opmærksom på, at den danske gesandt da havde handlet imod sin regerings ordre. Ministeren havde svaret, at han havde det indtryk, at den danske gesandt var gået over til fjenden eller var i færd dermed.

Se AA til OKM og OKW 15. oktober 1943.

Kilde: BArch, Freiburg, RM 7/1188. RA, Danica 628, sp. 7, nr. 5430.

Auswärtiges Amt
Ha Pol 6184/43 g II

Berlin, den 6. Oktober 1943

S c h n e l l b r i e f

Betr.: Dänische Schiffe in Las Palmas.

An
das Oberkommando der Kriegsmarine
– 1. Abteilung Seekriegsleitung
das Oberkommando der Wehrmacht
– Sonderstab HWK –
– im Anschluß an mein Schreiben vom 4. Oktober d.J. – Ha Pol 6087/43 g III –[60]
den Reichskommissar für die Seeschiffahrt
– auf das Schreiben vom 2. Oktober d.J. – S 6 Ria 3372/43 g[61]
– je besonders –

Die Deutsche Botschaft in Madrid berichtet unter dem 3. Oktober d.J. nachstehendes:

(Der nebenstehende Text darf unter keinen Umständen im Wortlaut weitergegeben werden).

"Das gestrige Gespräch mit dem Außenminister hat mir Gelegenheit gegeben, die Frage der dänischen Schiffe in Las Palmas dem Grafen Jordana gegenüber anzuschneiden. Er war über die Angelegenheit unterrichtet und sagte mir, daß die Spanische Regierung nicht anders habe handeln können, als sie gehandelt habe, weil der dänische Gesandte vor etwa 10 Tagen schriftlich mitgeteilt habe, daß die Dänische Regierung das Auslaufen der Schiffe verlange. Ich machte den Außenminister darauf aufmerksam, daß der dänische Gesandte, wenn er tatsächlich so gehandelt hat, sich in strikten Gegensatz zu den Weisungen seiner Regierung gesetzt hat. In Wirklichkeit sei er beauftragt gewesen, bei dem spanischen Außenministerium dagegen zu protestieren, daß die dänischen Schiffe die Genehmigung zum Ausklarieren erhalten. Der Minister sagte, daß er den Eindruck habe, als ob der dänische Gesandte entweder schon zum Feind übergegangen sei oder doch im Begriff sei, zum Feind übergehen. Einzelheiten zur Begründung dieser Annahme konnte der Minister mir aber nicht angeben. Ich behalten die Angelegenheit weiter im Auge.

60 Trykt ovenfor.
61 Skrivelsen er ikke lokaliseret.

Zugleich Bericht Marineattachés."[62]
Weitere Mitteilungen bleiben vorbehalten.

Im Auftrag
Bisse

252. Werner Best an das Auswärtige Amt 7. Oktober 1943

Kravet fra AA om, at Best fandt en løsning vedrørende værnemagtens ønske om beslaglæggelse af Ollerup Gymnastikhøjskole, bragte ham meget længere ud i beskæftigelsen med et konkret indkvarteringsspørgsmål, end han havde tænkt sig, men nu stod prestigen på spil. Han havde både erklæret højskolen uegnet til formålet og skrevet, at der var andre muligheder. Nu var han nødt til at gå videre, men før han nåede det, modtog han endnu samme dag en besked fra AA, der kun gjorde det endnu mere nødvendigt.

Se telegrammerne nr. 1612 fra samme dag og nr. 1227, 8. oktober 1943.

Kilde: PA/AA R 29.567. RA, pk. 203.

Telegramm

Kopenhagen, den	7. Oktober 1943	12.15 Uhr
Ankunft, den	7. Oktober 1943	13.20 Uhr

Nr. 1218 vom 7.10.43.

Auf das Telegramm Nr. 1373[63] vom 5.10.43 berichte ich, daß ich am 6.10.43 mit dem Befehlshaber der deutschen Truppen in Dänemark vereinbart habe, daß noch einmal der Versuch gemacht werden soll, für die Marine geeigneten Ersatzraum an Stelle der Gymnastik-Schule des Niels Bukh in Ollerup (Fünen) ausfindig zu machen.

Der mir zugeteilte Arbeitsführer Scheifarth prüft heute zusammen mit dem Leiter meiner Außenstelle Odense Konsul Boehme an Ort und Stelle alle Möglichkeiten.[64] Voraussichtlich wird morgen ein Ergebnis gemeldet werden können.

Dr. Best

253. Werner Best an das Auswärtige Amt 7. Oktober 1943

Dagsindberetning. Der var i hele landet fuldstændigt roligt efter undtagelsestilstandens ophævelse.

Kilde: PA/AA R 29.567. RA, pk. 203 og 226. LAK, Best-sagen.

Telegramm

Kopenhagen, den	7. Oktober 1943	17.50 Uhr
Ankunft, den	7. Oktober 1943	[!] 17.30 Uhr

62 Marineattachéens meddelelse af 30. september er i afskrift i BArch, Freiburg, RM 7/1188.

63 Pol I M (S. Zg. 1592: bei Pol I M V.S.). Trykt ovenfor.

64 Hans Scheifarths og Georg Böhmes bestræbelser kan følges hos Bonde 2001, s. 580 på grundlag af Böhmes efterkrigsforklaring.

Nr. 1219 vom 7.10.43. Citissime!

Ich bitte, die folgenden Meldungen dem Herrn Reichsaußenminister unverzüglich zuzuleiten:
Über die Lage in Dänemark erstatte ich für den 6./7.10.43 die folgenden Meldungen:
1.) Der erste Tag nach der Aufhebung des militärischen Ausnahmezustandes – der 6.10.43 – ist im ganzen Lande völlig ruhig verlaufen.
2.) Aus der Nacht vom 6. zum 7.10.43 ist gemeldet worden, daß in Kopenhagen auf dem ehemaligen dänischen Flugplatz Christianshavn-Feld Arbeitsräume und abgestellte dänische Jagdflugzeuge durch Sabotage beschädigt wurden[65] und daß von unbekannten Radfahrern auf zwei deutsche Wehrmachtsangehörige zwei Schüsse abgegeben wurden, wobei der eine leicht gestreift wurde. Die Fälle werden von der deutschen Sicherheitspolizei in Zusammenarbeit mit den zuständigen militärischen Stellen bearbeitet.
3.) Laufend werden Juden beim Versuch, von Seeland nach Schweden zu gelangen, festgenommen, so in der Nacht vom 6. zum 7.10.43 in Helsingör 110 Juden.[66]

Dr. Best

254. Werner Best an das Auswärtige Amt 7. Oktober 1943

I anledning af, at de danske diplomater i Rio de Janeiro og Ankara mere eller mindre havde opsagt forbindelsen med UM, havde ministeriet sendt en rundskrivelse til alle danske gesandtskaber, og Best viderebragte indholdet heraf.

Fra tysk side ønskede man ikke, at der generelt blev taget yderligere forholdsregler (Svenningsen 1970, s. 232f. Se Bests telegram nr. 1232, 8. oktober 1943).

Kilde: PA/AA R 29.567. RA, pk. 203.

Telegramm

Kopenhagen, den	7. Oktober 1943	20.25 Uhr
Ankunft, den	7. Oktober 1943	20.45 Uhr

Nr. 1224 vom 7.10.[43.]

Im Anschluß an den Drahtbericht 1212[67] vom 6.10 und Schriftbericht I A/330/43 vom 6.10.1943.

Das dänische Außenministerium hat die Fälle der Gesandten Sehested in Rio de

65 BOPA foretog sprængning mod Flyvertroppernes Værksteder på Kløvermarksvej. Hangarerne blev anvendt af det tyske luftvåben, og sabotagen havde betragtelig skade til følge. Der var ca. 160 mand beskæftiget med at lave dele til flyvemaskiner (RA, BdO Inf. nr. 1, 6. oktober 1943, Sabotagehandlungen in der Zeit vom 17.9.-7.10.1943 (bilag til Forstmann til Waeger 8. oktober 1943), Kjeldbæk 1997, s. 249-252, 468). Se også Bests telegram nr. 1282, 20. oktober 1943.

66 Arrestationen af et stort antal jøder – ca. 80 – fandt sted i Gilleleje (Yahil 1967, s. 237, Kreth og Mogensen 1995, s. 79, 119).

67 Pol VI. Trykt ovenfor.

Janeiro und Friis in Ankara zum Anlaß genommen, an alle dänischen Gesandtschaften den folgenden Runderlaß zu richten.

"Der militärische Ausnahmezustand ist seit und mit dem 6. Oktober aufgehoben. Der König ist im Besitze seiner verfassungsmäßigen Befugnisse, aber da keine Regierung gebildet ist, üben die Administrationschefs, jeder in seinem Verwaltungsbereich, fernerhin die administrative Gewalt aus. Die Administrationschefs werden in Form von Gesetzverordnungen Bestimmungen erlassen, denen sonst von der Gesetzgebungsgewalt hätte zugestimmt werden müssen, wenn folgende Voraussetzungen in dem einzelnen Falle erfüllt werden:

1.) Die Bestimmung muß für die ungestörte Fortsetzung des Gemeinschaftslebens oder die Aufrechterhaltung der Ruhe und Ordnung notwendig sein.
2.) Die Bestimmung darf nicht im Widerstreit zu dänischem Rechtsbewußtsein stehen. Dieser Regelung ist von Repräsentanten der Gerichtsbarkeit zugestimmt. König und Politiker haben gut geheißen, daß Administration und notwendige Gesetzgebung wie oben ausgeführt geregelt wird."

Dr. Best

255. Eberhard von Thadden an Adolf Eichmann 7. Oktober 1943

Den danske gesandt Otto Mohr havde været i AA for at få enkelte navngivne personer, der var anholdt og deporteret under jødeaktionen, frigivet igen. Af hensyn til opinionen i Danmark bad Thadden RSHA undersøge, om der kunne foreligge fejltagelser.

Eichmann lod svare ved Rolf Günther 12. oktober 1943.

Kilde: RA, pk. 226 (gennemslag).

Auswärtiges Amt
Inl. II A

7. Oktober 1943

An das Reichssicherheitshauptamt
z.Hd. von SS-Obersturmbannführer Eichmann

Schnellbrief

Die hiesige Dänische Gesandtschaft hat sich mit der abschriftlich beigefügten Aufzeichnung[68] an das Auswärtige Amt gewandt. Im Interesse einer Beruhigung der Atmosphäre in Dänemark wäre das Auswärtige Amt für tunlichst unverzügliche Prüfung und Erledigung der in der Aufzeichnung erwähnten Fälle dankbar, sofern es sich tatsächlich um zu Unrecht erfolgte Verhaftungen handeln sollte.

Im Auftrag
gez. v. **Thadden**

68 Mohrs optegnelse er ikke medtaget. Der henvises til Günthers svar 12. oktober.

256. Hans Frohwein an Werner Best 7. Oktober 1943

OKW fastholdt sin beslutning om at overtage Ollerup Gymnastikhøjskole, da Hitler havde besluttet, at der ikke skulle oprettes frivillige arbejdstjenester i de besatte områder. Gesandt Frohwein tilføjede, at det nu afhang af, om der kunne skaffes et andet egnet sted, underforstået at det i så fald var Bests opgave.

Best svarede dagen efter med telegram nr. 1227, 8. oktober.

Kilde: PA/AA R 29.567. RA, pk. 203.

Telegramm

Sonderzug, den	7. Oktober 1943	18.28 Uhr
Ankunft, den	7. Oktober 1943	19.05 Uhr

Nr. 1612 vom 7.10.[43.] Geh. Verm. für Geheimsachen

1.) Telko
2.) Deutsche Gesandtschaft Kopenhagen

Im Anschluß an Drahterlaß vom 5. Oktober.
Chef OKW hat, ohne weitere Besprechung abzuwarten in Angelegenheit Gymnastikschule folgendes Schreiben an Reichsarbeitsführer gerichtet:

"Nachdem sich der Führer grundsätzlich gegen die Errichtung von Arbeitsdienst in besetzten Gebieten ausgesprochen hat, kann vom Oberkommando der Wehrmacht das Bedürfnis der Aufrechterhaltung des Schulbetriebes der Gymnastikschule des Niels Bukh wegen des beabsichtigten Aufbaues eines dänischen freiwilligen Arbeitsdienstes nicht anerkannt werden, andererseits werden die übrigen angeführten politischen Gründe, die gegen eine Beschlagnahme der Schule sprechen, in ihrer Bedeutung keineswegs unterschätzt.

Der Befehlshaber der deutschen Truppen in Dänemark ist daher angewiesen worden, sich der Unterbringungsfrage der Marine-Rekruten erneut anzunehmen und ein Zurückgreifen auf die Schule des Niels Bukh nur dann zu gestatten, wenn nach nochmaliger sorgfältiger Überprüfung nicht andere Möglichkeiten gefunden werden.

Sollte eine Inanspruchnahme der Schule nicht zu vermeiden sein, so wird Vorsorge getroffen werden, daß Niels Bukh weitgehendst nach privatwirtschaftlichen Grundsätzen entschädigt wird."

Schluß des Schreibens.

Danach hängt Regelung der Frage entscheidend davon ab, ob dem Befehlshaber der deutschen Truppen anderes geeignetes Grundstück nachgewiesen werden kann.

Frohwein

Vermerk:
Unter Nr. 1388 an Dtsch. Ges. Kopenhagen weitergeleitet.
Tel. Ktr., 7.10.

257. Hans-Heinrich Wurmbach an OKM 7. Oktober 1943

Wurmbach meddelte, at det var blevet undersøgt, om der kunne findes et andet sted end Niels Bukhs Gymnastikhøjskole til anbringelse af 5-6.000 marinere. Det havde ikke været muligt, og WB Dänemark var af samme opfattelse.

Se Seekriegsleitungs notat 9. oktober 1943.

Kilde: BArch, Freiburg, RM 7/1188. RA, Danica 628, sp. 7, nr. 5436f.

+SSD MDKP 105030 7/10 1405=
Mit AUE SSD Nachr OKM 1. Skl C=
Gltd. SSD MOK Ost FührSt = SSD Nachr OKM 1 Skl C=
Geheim

Auf FS OKW/WFSt Qu 2 (N) Nr. 04633/43 geh v. 7.10.[69]
Demzufolge mit Rücksicht auf nicht unerhebliche politische Bedeutung Inanspruchnahme Niels Bukh-Gymnastikschule Frage der Unterbringung v Marinerekruten erneut sorgfältigst zu prüfen ist und Rückgriff auf Schule nur dann erfolgen soll, wenn keine anderen Quartiere gefunden, wird gemeldet:

1.) Nach sorgfältigen mehrfachen Feststellungen und ebensolcher Prüfung vielleicht in Frage kommender sonstiger Objekte an Ort und Stelle hat sich, falls Forderung Unterbringung v. 5 bis 6.000 Köpfen Marinepersonal bestehen bleiben soll, kein weiteres Objekt in auch nur annähernder Eigung wie Niels Bukhschule in Ollerup ergeben.
   Auch Trubef vermag keine andere geeignete Unterkunftmöglichkeit zu bezeichnen, da Raummöglichkeit erschöpft.
2.) Inspekteur Bildungswesens Marine reflektiert nach gestriger persönlicher Vorsprache seinerseits ebenfalls stark auf Niels-Bukh-Objekt für Unterbringung beabsichtigter Navig.-Schule, die besonders für seine Zwecke geeignet.
   Ohne für polit. Seite dieser Frage zuständig zu sein, hinweise erneut darauf, daß ich in Ansehung Gesamtstimmung im Lande das Aufziehen eines Arbeitsdienstes auf freiwilliger Basis für wenig aussichtsreich halte.[70] Dän Jugend ist gerade Träger ablehnender Haltung gegenüber Besetzungsmacht. Besserung in dieser Richtung ist meines Erachtens nicht zu erwarten.
   Entschädigung Nils Bukh nach privatwirtschaftlichen Grundsätzen erfolgt großzügig.[71]

Kom Adm Dän G 19085

258. Andor Hencke: Notiz 8. Oktober 1943

Den danske gesandt Mohr mødte 6. oktober op i AA for at anmode om frigivelse af en række jøder, der enten ikke var heljøder eller gift med ikke-jøder. Han overlod von Grundherr en liste med personer i disse kategorier. Mohr talte særligt for frigivelsen af børn og ældre mennesker, hvortil han fik det svar, at der

69 Fjernskrivermeddelelsen er ikke lokaliseret.

70 Se KTB/ADM Dän 24. september 1943.

71 Denne sidste sætning blev indsat i Wurmbachs fjernskrivermeddelelse efter særskilt ordre af 1. Seekriegsleitung (fjernskrivermeddelelse fra 1. Seekriegsleitung 7. oktober 1943 (BArch, Freiburg, RM 7/1188).

endnu ikke forelå lister over de deporterede. Mohr lagde til slut særlig vægt på, at personer, der ikke faldt ind under betegnelsen heljøder, blev frigivet. Henvendt til AA lagde Hencke vægt på en undersøgelse af, om der var deporteret personer, der ikke faldt ind under begrebet heljøder, hvilket Best havde erklæret ikke ville ske. Det var nu et udenrigspolitisk spørgsmål om givne løfters overholdelse.

Grundherr havde som nævnt allerede 7. oktober reageret på Mohrs henvendelse ved at henvende sig til Adolf Eichmann (Hæstrup, 1, 1966-71, s. 185, Yahil 1967, s. 256 med note 29).

Kilde: RA, pk. 203 og 226.

U.St.S. Pol. Nr. 587 *Berlin, den 8. Oktober 1943.*
– 1 Anlage –[72]

1.) Der Dänische Gesandte übergab mir heute den Durchschlag einer Aufzeichnung, die er am 6. Oktober an Gesandten von Grundherr überreicht hat. In dieser Aufzeichnung bittet der Gesandte um die Freilassung einer Anzahl dänischer Staatsangehöriger, die, obwohl sie nicht Volljuden seien, im Zuge der Judenverhaftungen in Kopenhagen festgenommen und abtransportiert worden wären. Der Gesandte bemerkte, daß der mir übergebene Durchschlag einen Nachtrag enthalte, wobei es sich um eine 72jährige dänische Staatsangehörige handele, die mit einem Arier verheiratet gewesen sei. Die Aufzeichnung stütze sich insbesondere auf Zusagen unseres Reichsbevollmächtigten, wonach als Volljuden solche Personen nicht angesehen werden, wenn sie mit einem nichtjüdischen Ehepartner verheiratet sind oder wenn, falls eine solche Ehe durch Scheidung oder durch den Tod des Ehepartners aufgelöst ist, Kinder vorhanden sind. Letzteres sei bei der im Nachtrag angeführten Frau Steffensen der Fall.
2.) Bei dieser Gelegenheit entledigte sich Herr Mohr eines Auftrags seiner Regierung, wonach er mündlich zu Gunsten jüdischer Greise und Kinder intervenieren solle, die bei der Judenaktion abtransportiert worden wären. Der Gesandte bemerkte, daß er noch keine Liste vorlegen könne, jedoch aus Kopenhagen dahingehend unterrichtet worden sei, daß die Insassen eines jüdischen Altersheims, meist 70jährige, sowie auch eine Anzahl von Kindern abbefördert worden seien. Das Dänische Außenministerium habe ihn angewiesen, um die Freilassung der alten Leute sowie der Kinder – er verstand darunter Personen unter 16 Jahren – zu bitten. Falls sich die Deutsche Regierung hiermit nicht einverstanden erklären würde, solle er den Vorschlag einer Internierung dieser Personen in Dänemark machen. In sehr höflicher und zurückhaltender Form führte der Gesandte Mohr zu seiner Bitte aus, daß sich bei den alten Leuten, insbesondere den Insassen des Altersheims, sowie bei den Kindern nach Auffassung des Dänischen Außenministeriums nicht im Personen handeln könne, die in irgendeiner Weise direkt oder indirekt an Sabotageakten beteiligt gewesen seien. Sie würden insofern auch nicht in den Rahmen der Aktion fallen, als den dänischen Behörden deutscherseits erklärt worden sei, daß die für die Sabotageakte schuldigen Elemente sichergestellt werden sollten.

Ich erwiderte dem Gesandten, daß wir bisher keine Informationen darüber hätten, welche Personen von der Aktion betroffen worden wären. Gleichzeitig wies ich

72 Bilaget er ikke medtaget.

den Gesandten darauf hin, daß wir auf Grund unserer Erfahrungen alle Juden als mit Deutschland im Kriege befindlich ansehen und entsprechend behandeln müßten. Dabei spiele das Lebensalter keine entscheidende Rolle. Herr Mohr zeigte für diese Auffassung Verständnis, meinte jedoch, daß man auch bei der Behandlung feindlicher Ausländer Greise und Kinder im allgemeinen besonders behandele.

Abschließend erklärte ich, daß ich zu der Bitte des Herrn Mohr keine Stellung nehmen könne, sie jedoch der zuständigen Stelle zur Kenntnis bringen würde.

Besonderen Wert legte Herr Mohr auf die Freilassung derjenigen Personen, die nach den deutschen Erklärungen in Kopenhagen nicht unter den Begriff "Volljude" fallen. Am Rande erwähnte Herr Mohr, das er den Auftrag habe, eine von ihm geplante Reise nach Kopenhagen so lange zurückzustellen, bis eine Entscheidung gerade in dieser Frage getroffen worden sei.

Hiermit Abt. Inl. II zuständigkeitshalber übersandt.
Ich bitte mich zu einer Antwort an den Dänischen Gesandten instand zu setzen. Insbesondere bitte ich dabei zu prüfen, inwieweit Festnahmen und Abbeförderungen von solchen Personen erfolgt sind, auf die nach den angeblichen Erklärungen unseres Bevollmächtigten der Begriff "Volljude" nicht zutrifft. Ich bin der Ansicht, daß wir tatsächlich gegebene Zusagen in diesem Fall aus außenpolitischen Gründen einhalten sollten.

(gez.) **Hencke**

259. Walter Forstmann an Kurt Waeger 8. Oktober 1943

I anledning af den militære undtagelsestilstands ophævelse fremsendte Forstmann en beretning om situationen i Danmark, som den havde udviklet sig de sidste tre uger. Han forventede, at de danske virksomheder ville videreføre produktionen for besættelsesmagten. En effekt af aktionen mod de danske jøder var, at der kunne afgives ordrer til de firmaer, der nu ikke længere var ikke-ariske. Endelig havde antallet af sabotager været ringe og betydningsløse.

Samme indberetning med bilag blev sendt til Generalleutnant Becker, chef for Wehrwirtschaftsstab, OKW.

Kilde: BArch, Freiburg, RW 19: Wi I E1: Dänemark (til Becker) og RW 27/11 (til Waeger), RA, Danica 1000, T-77, sp. 696, KTB/Rü Stab Dänemark 4. Vierteljahr 1943, Anlage 4.

Anlage 4
Der Chef des Rüstungsstabes *8. Oktober 1943*
916/43 geh.
Chef Rü Stab Dän. Nr. 796/43 v. 23.8., 28.8. u. 6.9.
und Nr. 850/43 geh. v. 11.9.43 u. v. 17.9.43

Bericht über die Lage in Dänemark

An den Chef des Rüstungsamtes
des Reichsministers für Rüstung und Kriegsproduktion,
Herrn Generalleutnant Dr. Ing. e.h. Waeger,

Berlin-Charlottenburg 2,
Verl. Jebenstraße, Befehlsbau am Zoo

Der militärische Ausnahmezustand wurde am 6. Oktober 1943 00.00 Uhr beendet (Anlage 1 und 2).[73] Hervorzuheben ist, daß die Verordnung betr. Lieferung und Leistung dänischer Firmen für die deutsche Wehrmacht in Dänemark vom 4.9.1943 in Kraft bleibt. Aufgrund dieser Verordnung sind die dänischen Firmen verpflichtet, im Rahmen ihrer Leistungsfähigkeit deutsche Aufträge anzunehmen.

Die dänische Polizei übernahm am 7.10.43 die bisher von der deutschen Wehrmacht gestellten Wachen vor dem königlichen Palais und vor dem Palais des Kronprinzen (Anlage 3).[74]

Die Judenfrage wurde radikal in der Nacht vom 1. zum 2. Oktober durch den höheren SS-Führer und Chef der Polizei in Dänemark gelöst. Alle greifbaren reinjüdischen Personen wurden abtransportiert. Infolgedessen gibt es keine nichtarischen Betriebe in Dänemark mehr, sodaß auch den wenigen bisher vom Rü Stab Dänemark nicht belegten nichtarischen Firmen Aufträge erteilt werden können (Anlage 4).[75]

Die Entlassung der internierten dänischen Wehrpflichtigen ist in vollem Gang. Alle Unteroffiziere und Gemeinen werden im Verlauf der nächsten Wochen freigelassen. Es steht aber noch nicht fest, was aus den Offizieren und Beamten im Offiziersrang werden soll (Anlage 4).

In der Zeit vom 17. September bis einschließlich 7. Oktober (also 21 Tage) ereigneten sich 24 Sabotagefälle. Aus Anlage 5 geht hervor, daß die größere Anzahl der Sabotagefälle geringfügiger Art war.[76]

Die Öffentlichkeit wurde durch 2 Rundfunkvorträge des Rechtsanwalts Ejnar Krenchel auf die Schädigung der dänischen Wirtschaft durch die Sabotage und den Terror der Straße hingewiesen (Anlage 6 und 7).[77]

Am 18. September wurde ein Angehöriger der deutschen Wehrmacht von einem dänischen Radfahrer aus dem Hinterhalt in Kopenhagen angeschossen und schwer verletzt. Die Stadt Kopenhagen hatte als Buße d.Kr. 500.000 zu zahlen. Die Polizeistunde und Sperrzeit wurden für 3 Tage vorverlegt.

Am 19. September ist in Odense ein deutscher Unteroffizier ermordet worden. Die Stadt Odense hatte als Buße d.Kr. 1.000.000 zu zahlen. Die Polizeistunde und Sperrzeit wurden ebenfalls für 3 Tage vorverlegt (Anlage 8 und 9).[78]

73 Bilag 1 og 2 er ikke medtaget. Bilag 1 af 5. oktober indeholder oplysninger om hvilke anordninger, der fortsat er i kraft efter undtagelsestilstandens ophævelse. Bilag 2 fra 6. oktober er trykt på dansk hos Alkil, 2, 1945-46, s. 857.

74 Bilag 3 er ikke medtaget. Det indeholder den her gengivne meddelelse, trykt i *Berlingske Tidende* 7. oktober.

75 Bilag 4 er ikke medtaget. Meddelelsen 2. oktober om jødernes fjernelse er trykt på dansk hos Alkil, 2, 1945-46, s. 856f. – Se vedrørende ikke-ariske firmaer også Forstmanns Lagebericht 21. oktober 1943 (jfr. Brandenborg Jensen 2005, s. 117).

76 Bilag 5 er trykt nedenfor.

77 Bilag 6 og 7 er ikke medtaget. De indeholder en tysk oversættelse af to foredrag, som Krenchel fik trykt i *Berlingske Tidende* 20. og 27. september 1943.

78 Bilag 8 og 9 er ikke medtaget. Hos Alkil, 2, 1945-46, s. 853-855 er aftrykt de indførte tyske sanktioner.

Aufgrund der beiden Vorfälle wurde der Ausschank von Spirituosen in öffentlichen Lokalen bis auf weiteres für ganz Dänemark in der Zeit zwischen 17-10 Uhr morgens verboten. Dieses Verbot ist auch nach Aufhebung des militärischen Ausnahmezustandes bestehen geblieben.

Forstmann

9 Anlagen

Anlage 5

Sabotagehandlungen
in der Zeit vom 17.9.-7.10.1943

17.9.43, 10.45 Uhr: Kopenhagen:
Sprengstoffanschlag gegen einen Mannschaftswagen des Pol. Verfügungsbataillons Cholm, der wegen eines Motordefektes vor dem Hause Falkonér Allé 35 die Fahrt unterbrechen mußte. Von einem vorüberfahrenden Radfahrer wurde ein kleiner Sprengkörper in das Führerhaus des Wagens geworfen, wodurch Führerhaus und Führersitz beschädigt wurden. Ein Brand konnte vom Wagenführer im Entstehen gelöscht werden.

18.9.43, 2.30 Uhr: Karosseriefabrik Jörgensen, Viborg, Schleswigvej 6:
Am Tor der HKP Vertragswerkstatt wurden 4 Brandbomben gefunden, davon war eine in Brand geraten, wodurch die Tür leicht angesengt war.[79] Weiterer Schaden ist nicht entstanden.

19.9.43, 6.00 Uhr: Sprengstoffanschlag auf die Eisenbahnstrecke Aalborg-Hjörring:
Für kurze Zeit war der Durchgangsverkehr durch die Explosion zweiter Sprengkörper unterbrochen. Der Wehrmachtnachschub wurde in keiner Weise beeinträchtigt.

19.9.43, 20.20 Uhr: Maschinenfabrik Jörgensen, Kopenhagen, Jagtvej 157:
Sprengkörper wurde durch ein Fenster in den Maschinenraum geworfen, wo er explodierte und erheblichen Schaden anrichtete. Die zwei Täter sind entkommen. Die Firma ist mit Aufträgen über die Abt. Heer belegt. Nach Feststellung vom 2.10.43 ist Wehrmachtschaden in Höhe von d.Kr. 1.600 entstanden.[80]

19.9.43, 20.00 Uhr: Fa. Glud & Marstrand, Kopenhagen, Rentemestervej:
Durch einen Sprengkörper wurde die Presse stark beschädigt. Firma ist mit Aufträgen über die Abt. Heer belegt. Nach Feststellung vom 2.10.43 ist Wehrmachtschaden nicht entstanden.[81]

79 Alkil, 2, 1945-46, s. 1221.

80 Sabotagen blev forøvet af BOPA. Trods de angiveligt ringe tyske skader, løb erstatningen til virksomheden op i 121.000 kr. (Larsen 1982, s. 99, Kjeldbæk 1997, s. 468).

81 Det var BOPA, der stod for sabotagen, der udløste en erstatning på 19.000 kr. (Kjeldbæk 1997, s. 468). Se også Larsen 1982, s. 99, hvor skaden opgøres til 40.000 kr.

20.9.43, 20.00 Uhr: Fa. Max J. Madsen, Kopenhagen, Slotsherrensvej 229:
Es wurde mittels zweier Brandbomben eine Generatorholzstapel in Brand gesetzt. Der Brand wurde rechtzeitig bemerkt und gelöscht. Schaden ist nur gering entstanden. Der Wagen der Firma ist für die Deutsche Wehrmacht eingesetzt.[82]

21.9.43, 6.05 Uhr: Fa. Magneto A/S, Kopenhagen, Jagtvej 155:
Genannte Firma ist die Bosch-Vertretung in Kopenhagen. In der Arbeitshalle entstand ein Brand im Führersitz eines deutschen Wehrmachtswagen, der aus dänischen Beständen übernommen war. Der Brand konnte nur durch Sand gelöscht werden, sodaß man annimmt, daß das Feuer durch einen Brandkörper entstand.[83]

22.-24.9.: Fehlanzeige.

25.9.43, 23.15 Uhr: Fa. Jensen, Kopenhagen, Jernbane Allé 5/7:
In der Kraftfahrzeugreparaturwerkstatt entstand durch Explosion ein Brand, wodurch mehrere dänische Kraftfahrzeuge verbrannten. Deutsche Interessen werden nicht berührt.[84]

26.9.43, 0.05 [Uhr]: Odense:
Drei Saboteure überwältigten die zwei Wächter eines in der Nähe von Odense stehenden Hochspannungsturmes und brachten am Fuße des Hochspannungsturmes einen Sprengkörper an, wodurch der Zementsockel stark beschädigt wurde. Eine Stromunterbrechung fand nicht statt.[85]

27.9.43, 21.30 Uhr.: Fa. Hyldgaard Petersen, Kopenhagen, Valby Langg[ade]. 262:
Es entstand vermutlich durch Petroleum und einen Sprengkörper ein Brand, der aber sofort gelöscht werden konnte. Schaden ist nicht entstanden. Firma ist mit Aufträgen über Rü Stab Dänemark nicht belegt.

28.9.43, 20.35 Uhr: Fa. Accumulatoren Fabrik Nestor, Kopenhagen, Omög[ade]. 22:
Der Betrieb wurde durch eine Explosion und anschließenden Brand stark zerstört. Firma ist mit deutschen Aufträgen über Abt. Heer belegt. Wehrmachtschaden direkt ist nicht entstanden, es werden nur Lieferungsverzögerungen eintreten.[86]

29.9.43: Tondern, Vestergade 55:
In der Eingangstür des Hauses Vestergade 55, Besitzer Niels Michelsen, explodierte eine Sprengkapsel ohne Schaden anzurichten. Zur Zeit der Tat hielten sich in der Wohnung

82 Alkil, 2, 1945-46, s. 1221.
83 Aktionen mod radiovognen, der havde tilhørt den danske marine, blev forøvet af BOPA (Kjeldbæk 1997, s. 468).
84 Der var tale om "Simo"s Autoværksteder (Alkil, 2, 1945-46, s. 1221).
85 Aktionen er hos Alkil, 2, 1945-46, s. 1221 henført til 25. september 1943.
86 Fabrikken blev saboteret af BOPA. Erstatningen androg 35.000 kr. (Kjeldbæk 1997, s. 468).

des Hausbesitzers 2 deutsche Polizeibeamten auf.[87]

29.9.43, 0.15 Uhr: Fa. Dansk Akkumulatoren Fabrik, Odense:
Die Sabotagewächter fanden an einem Transformator 2 Sprengbomben. Die Bomben wurden unschädlich gemacht bevor ein Schaden eintrat.[88] Genannte Firma ist mit Aufträgen über Abt. Marine belegt.

29.9.43, 8.19 Uhr: Fordwerkstatt Dall, Ribe:
An einem LKW der deutschen Wehrmacht explodierte ein Sprengkörper, der den Wagen beschädigte.[89]

29.9.43, 20.45 Uhr: Arbejdernes Korporative Skotöjsfabrikker, Kopenhagen, Stengade 5:
10 pistolenbewaffnete Männer drangen in das Lager ein und überwältigten die Wächter des Betriebes, worauf sie 2 Sprengbomben legten. Es entstand ein Brand, der auch auf die Tischlerei übergriff, die in dem Gebäude mit untergebracht war. Es wurde erheblicher Sachschaden verursacht. Die Firma ist in geringem Umfange für den deutschen zivilen Sektor tätig.[90]

29.9.43, 21.30 Uhr: Dänisches Wanderheim "Ansgaard" b. Aarhus:
Es entstand ein Brand, der im Entstehen gelöscht werden konnte. Sachschaden ist gering. Sabotage liegt vor, da Reste zweier Elektrobrandbomben gefunden wurden. Das Wanderheim ist ab 1.10.43 als deutsche Polizeiunterkunft vorgesehen.[91]

29.9.43: Fa. Backhaus, Ribe:
Durch ein Fenster wurde ein Sprengkörper geworfen, der nicht explodierte und rechtzeitig entfernt werden konnte.[92] Die Firma arbeitet für deutsche Wehrmacht.

30.9.43, 20.15 Uhr: Aarhus:
Ein Fehldruckmesser an einem elektrischen Kabel des Stromversorgungsnetzes in Aarhus, Ecke Valdemarsgade-Orupsgade, wurde durch einen angebrachten Sprengkörper zerstört. Eine Unterbrechung der Stromzufuhr trat nicht ein.[93]

30.9.43, 22.30 [Uhr]: Fa. Hennig-Petersen, Kopenhagen, Islevbrovej:
Baracke mit Tischlereiwerkstatt verbrannt. Firma ist im Barackenbau für die Deutsche Wehrmacht eingesetzt.[94] Ursache des Brandes ist bisher nicht klar ersichtlich, Sabotage

87 Niels Michelsen var vognmand (Alkil, 2, 1945-46, s. 1221).
88 RA, BdO Inf. nr. 1, 6. oktober 1943, Alkil, 2, 1945-46, s. 1221.
89 Vognen stod på Portørvej (Alkil, 2, 1945-46, s. 1221).
90 Det var Ludvig Andersens Skotøjsfabrik, som blev saboteret af BOPA. Erstatningen androg 805.000 kr. (Kjeldbæk 1997, s. 468).
91 Se Bests telegram nr. 1166, 30. september 1943.
92 Attentatforsøget var mod Backhaus Bakelitfabrik (Alkil, 2, 1945-46, s. 1221).
93 Hos Alkil, 2, 1945-46, s. 1221 er aktionen henlagt til 30. september.
94 Se Bests telegram nr. 1178, 1. oktober 1943.

wird angenommen. Schaden an Wehrmachtsgut ist eingetreten, Höhe des Schadens ist bisher noch nicht bekannt.

1.10.43: Fehlanzeige.

2.10.43, 21.10 Uhr: Fredericia:
Im Wasserwerk Fredericia explodierte eine Bombe durch die eine Pumpe zerstört wurde. Schaden erheblich.[95]

3.10.43, 21.37 Uhr: Gießerei und Maschinenfabrik Nordsten, Hilleröd, Nordstensv[ej]:
Die Fabrik ist durch Explosion in die Luft geflogen. Detonation war außerordentlich groß. Nähere Einzelheiten sind z.Zt. nicht bekannt. Firma ist mit deutschen Aufträgen über Rü Stab Dänemark nicht belegt.[96]

3.10.43, 20.40 Uhr: Maschinenfabrik Emmeche, Kopenhagen, H.C. Örstedsvej:
Von den Sb. Wächtern wurden 3 Sprengstoffpakete, die über den Zaun geworfen worden waren, gefunden. Über Bomben mit Zeitzünder wurde Abt. Wug beim Befehlshaber der deutschen Truppen in Dänemark über dän. Polizei verständigt. Bomben wurden unschädlich gemacht. Schaden ist nicht entstanden. Firma ist mit Aufträgen über Abt. Heer belegt.[97]

3.10.43, 23.00 Uhr: Gummiwarenlager der Fa. Richard Nilsen, Hilleröd, Fredericiavej 13:
Eine Sprengbombe explodierte, wodurch die Dynamomaschine zerstört wurde. Firma ist mit Aufträgen über Rü Stab Dänemark nicht belegt.[98]

4.10.43: Fehlanzeige.

5.10.43, 20.20 Uhr: Tischlerei von Karl Martinsen, Kopenhagen, Vedbäkg[ade]. 4:
Es wurden mehrere Brandkörper durch ein Kellerfenster geworfen. Ein entstehender Brand konnte schnell gelöscht werden. Sachschaden ist gering entstanden. Der Betrieb arbeitet nicht für deutsche Interessen.

6.10.43, 7 Uhr: Flyvertroppernes Värksteder, Kastrup:
Durch Sabotage wurde folgendes zerstört: Ein Verwaltungsgebäude in welches die Unterlagen für die Aufträge der Firmen Dornier und Heinkel aufbewahrt werden, ein Maschinenraum mit den darin befindlichen Werkzeugmaschinen. Genaue Übersicht des Schadens erst nach den Aufräumungsarbeiten möglich.[99]

95 Se Bests telegram nr. 1198, 3. oktober 1943.
96 Alkil, 2, 1945-46, s. 1221.
97 BOPA udførte sabotageforsøget, som hos Kjeldbæk 1997, s. 468 er henlagt til 4. oktober.
98 Se Bests telegram nr. 1200, 4. oktober 1943.
99 Se Bests telegram nr. 1219, 7. oktober 1943.

7.10.43, 7 Uhr: Dansk Accumulatorenfabrik, Odense:[100]
Es entstanden 3 Brandherde unter Verwendung von Munition englischen Ursprungs. Das Lager verbrannte. 60 Akkumulatoren, für Deutschland bestimmt sind vernichtet. Der Betrieb ist mit Aufträgen über Abt. Marine belegt.

260. Werner Best an das Auswärtige Amt 8. Oktober 1943

Dagsindberetning.

Kilde: PA/AA R 29.567. RA, pk. 203 og 226.

Telegramm

Kopenhagen, den	8. Oktober 1943	17.20 Uhr
Ankunft, den	8. Oktober 1943	18.10 Uhr

Nr. 1225 vom 8.10.[43.] Citissime.

Ich bitte, die folgende Meldung dem Herrn Reichsaußenminister unverzüglich zuzuleiten:

Über die Lage in Dänemark berichte ich für den 7. auf 8.10.43 daß außer einer unbedeutenden Bahnsabotage bei Aarhus und einem durch Sabotage verursachten Brand in einer Akkumulatoren-Fabrik in Odense keine besonderen Vorkommnisse gemeldet worden sind.[101] Die deutsche Sicherheitspolizei hat in Esbjerg[102] und in Kopenhagen Verteiler von Hetzschriften und an der Ostküste von Seeland weitere Juden, die nach Schweden flüchten wollten, festgenommen.[103]

Dr. Best

100 Se Bests telegram nr. 1225, 8. oktober 1943.

101 I Århus var der en eksplosion på broen over åen ved Frichs Fabrikker, der arbejdede for DSB, og i Odense blev der forøvet sabotage mod et lager i Ørstedsgade tilhørende Dansk Akkumulator- og Elektromotorfabrik. Sidstnævnte sted blev der ødelagt 60 akkumulatorer bestemt for den tyske marine (RA, BdO Inf. nr. 2, 8. oktober 1943, Sabotagehandlungen in der Zeit vom 17.9.-7.10.1943 (bilag til Forstmann til Waeger 8. oktober 1943), Alkil, 2, 1945-46, s. 1222).

102 Gestapo havde i Esbjerg fået greb om det kommunistiske bladarbejde (se Bests telegram nr. 1123, 24. september 1943).

103 Jfr. Yahil 1967, s. 237.

261. Werner Best an das Auswärtige Amt 8. Oktober 1943

I tiden efter 25. september var der blevet udfoldet store anstrengelser for at redde Ollerup Gymnastikhøjskole fra værnemagtens beslaglæggelse. Det Tyske Gesandtskab stod på Niels Bukhs side, og resultatet mundede ud i dette telegram, der viste, at man både havde benyttet sig af konkrete opmålinger og oplysninger fra gesandtskabets arkiv til at underbygge den konklusion, der var givet på forhånd: Ollerup Gymnastikhøjskole var uegnet til indkvartering og flere andre emner blev i stedet udpeget. Best fastholdt slutteligt sin indstilling på grund af sit politiske ansvar (Bonde 2001, s. 580f.).[104]

Bests telegram blev 9. oktober af AA sendt til OKM (BArch, Freiburg, RM 7/1188. RA, Danica 628, sp. 7, nr. 5441-43). Han fik svar fra AA ved telegram nr. 1644, 15. oktober 1943.

Kilde: RA, pk. 203.

Telegramm

Kopenhagen, den	8. Oktober 1943	18.20 Uhr
Ankunft, den	8. Oktober 1943	19.30 Uhr

Nr. 1227 vom 8.10.[43.] Citissime!

Unter Bezugnahme auf das dortige Telegramm Nr. 1383[105] vom 6.10.43 und auf mein Telegramm Nr. 1218[106] vom 7.10.43 berichte ich, daß ich soeben an den Befehlshaber der deutschen Truppen in Dänemark das folgende Schreiben gerichtet habe:

“Unter Bezugnahme auf meine Besprechung mit dem Herrn Befehlshaber der deutschen Truppen in Dänemark am 6.10.43 teile ich mit, daß am 7.10.43 der Leiter meiner Außenstelle in Odense, Konsul Boehme, und der mir zugeteilte Arbeitsführer Scheifarth sowohl die Gymnastik-Hochschule des Niels Bukh in Ollerup (Fünen) wie auch die in Südfünen für die Unterbringung von Truppen geeigneten Gebäude besichtigt und mir heute hierüber folgendes berichtet haben:

1.) Die Gymnastik-Hochschule in Ollerup ist für die Unterbringung von 1.200 Mann gänzlich ungeeignet, da der ganze Gebäudekomplex nur für die Unterbringung von 320 Personen (einschließlich Lehr- und Dienstpersonal) eingerichtet ist.

Wenn das am 7.10.43 in Ollerup eingetroffene Vorkommando unter der Führung des Oberinspektors Umlauf die Belegung des “grauen Saales” mit 500 Mann, der Schüler-Schlafräume mit 400 Mann und der Unterrichts- und Nebenräume mit 300 Mann ins Auge gefaßt hat, so ist hierzu festzustellen:

a.) Der “graue Saal” ist 36 x 18 m groß und hat einen Kubikinhalt von 4549 m³. Dies bedeutet, daß bei einer Belegung von 500 Mann unter Berücksichtigung der aufzustellenden Spinde für den Mann 8.5 m³ Luftraum gegeben wäre. Dies wäre zu wenig, zumal der Saal keine Lüftungsmöglichkeit besitzt. Ebenso fehlt außer einer beschränkten Warmluftzuführung jede andere Heizmöglichkeit.

104 Bonde skriver anførte sted på grundlag af efterkrigsafhøringer af Bukh og Mindedal, at von Hanneken samme dag underskrev en beslaglæggelsesordre for alle Niels Bukhs tre højskoler i Ollerup. Det kan ikke dokumenteres i samtidigt materiale, idet det var i OKMs regi, at beslaglæggelserne fandt sted. Til gengæld er der ikke tvivl om, at alle tre skoler blev beslaglagt, hvilket også fremgår af et enkelt samtidigt brev af Bukh fra 9./10. oktober 1943.

105 Pol. I M 3800 g I Ang. (Sonderzug 3331). Telegrammet er ikke lokaliseret.

106 bei Pol. I M. Trykt ovenfor.

b.) Die Schüler-Schlafräume müssen schon bei der bisherigen Schülerzahl von 285 Köpfen als überbelegt bezeichnet werden. Bei der Belegung mit 400 Mann wäre jeder Raum mit 1½ Mann überbelegt. Die Treppenaufgänge zu diesen Räumen müssen – insbesondere für den Fall der Luftgefahr – als völlig unzureichend bezeichnet werden.
c.) Wenn die Unterrichts- und Nebenräume mit 300 Mann belegt werden, sind keine Aufenthalts- und Unterrichtsräume für die Mannschaften vorhanden.
d.) Die Küche ist nur für höchstens 320 Personen eingerichtet und kann nicht ausgebaut werden.
e.) Die Wasserversorgung reicht nur für etwa 400 Personen aus. Schon bei der Anlage des jetzt bestehenden Brunnens ergaben sich erhebliche Schwierigkeiten, weil die Wasseradern in großer Tiefe liegen.
f.) Waschgelegenheit ist für höchstens 320 Personen vorhanden und könnte bei der vorgesehenen Überbelegung nirgends neu geschaffen werden.

2.) Die folgenden Gebäude bzw. Gebäudekomplexe in Südfünen werden statt der Gymnastik-Schule in Ollerup für die Unterbringung der vorgesehenen 1.200 Mann vorgeschlagen:
a.) Schloß Hvidkilde, 3 km westlich von Svendborg, das 500 Mann aufnehmen und das durch Errichtung von Baracken, für die reichlich Platz vorhanden wäre, ergänzt werden könnte.
b.) Waldemar-Schloß, 3 km südlich von Svendborg, das etwa 400 Mann aufnehmen könnte.
c.) Badehotel Christiansminde, 1 km östlich von Svendborg, das etwa 400 Mann aufnehmen könnte.
d.) Hotel Klinten bei Faaborg, das 250 Mann aufnehmen könnte.
e.) Weiter wird auf die Schlösser Brahe-Trolleborg bei Faaborg, Frederiksgave bei Assens und Holckenhavn bei Nyborg hingewiesen.

3.) Der Führer des Vorkommandos, Oberinspektor Umlauf, hat seine persönliche Auffassung dahin ausgesprochen, daß die Gymnastik-Hochschule für den gewollten Zweck nicht geeignet sei, er habe jedoch den ihm erteilten Auftrag durchzuführen.

Zur Unterstützung meines Vorbringens, daß das Vorgehen gegen Niels Bukh politisch unerwünscht ist, teile ich die folgende mir vom Auswärtigen Amt übermittelte Stellungnahme des Gesandten von Renthe-Fink, der Niels Bukh seit vielen Jahren kennt, mit:

"Niels Bukh hat sich stets für eine Verständigung mit dem nationalsozialistischen Deutschland eingesetzt. Er war eng befreundet mit dem verstorbenen Reichssportführer von Tschammer und Osten. Er hat mit seiner Schule an der Olympiade 1936 teilgenommen, ebenso an mehreren Tagungen der Nordischen Gesellschaft in Lübeck. Er ist mit dem Orden vom Deutschen Adler ausgezeichnet worden."

Weiter verweise ich auf die Äußerung des Reichsarbeitsführers:

"Niels Bukh erfreut sich eines großen Ansehens im dänischen Volke und darüber hinaus – als einer der bedeutendsten Gymnastik-Pädagogen – in der ganzen Welt. – Der Wirkungskreis von Niels Bukh ist sehr groß. Bisher sind mehr als 10.000 junge Dänen durch seine Schule gegangen.

Eine Beschlagnahme der Schule von Niels Bukh würde diesen angesehenen Deutschenfreund so vor den Kopf schlagen, daß er sich weigern wird, in Zusammenarbeit mit mir den dänischen Arbeitsdienst aufzubauen. Die negativen politischen Auswirkungen wurden also in keinem Verhältnis zu dem materiellen Erfolg stehen, der durch die Gewinnung der Räumlichkeiten erzielt würde."

Ich wiederhole deshalb meine auf Grund meiner politischen Verantwortung ausgesprochene Bitte, die Gymnastik-Hochschule in Ollerup von der Beschlagnahme freizustellen und schlage vor, daß unverzüglich die obenbezeichneten Ersatzobjekte auf ihre Verwendbarkeit für die Unterbringung der 1.200 Mann geprüft werden.

Dr. Best

262. Werner Best an das Auswärtige Amt 8. Oktober 1943

Den danske gesandt i Madrid nægtede at bede de spanske myndigheder om at tilbageholde et dansk skib, der var anløbet spansk havn. Best ønskede sanktioner mod gesandten, men ville afvente virkningen af UMs netop udsendte rundskrivelse til de danske diplomater i udlandet.

Kilde: PA/AA R 29.567. RA, pk. 203.

Telegramm

Kopenhagen, den	8. Oktober 1943	20.30 Uhr
Ankunft, den	8. Oktober 1943	21.35 Uhr

Nr. 1232 vom 8.10.[43.]

Unter Bezugnahme auf Drahterlaß Nr. 1340[107] vom 29.9.1943 und Telefongespräch zwischen Unterstaatssekretär Hencke und Gesandten Barandon vom 7.10.

Das dänische Außenministerium hat am 29.9. folgenden Drahterlaß an die dänische Gesandtschaft in Madrid gerichtet:

"Nach Verlautbarungen ist eines der Schiffe ausgelaufen. Die Gesandtschaft wird gebeten, gegenüber spanischem Außenministerium zu intervenieren und den Schiffen mitzuteilen, daß sie nach Bestimmungen dänischen Handelsministeriums und Reedereien im Hafen zu verbleiben haben und nicht ohne ausdrücklichen Befehl von hier auslaufen dürfen, sowie daß man dagegen protestieren muß, daß den Schiffen Genehmigung zum ausklarieren erteilt wird (Telegramm Nr. 68)."

Der dänische Gesandte Monrad-Hansen hat darauf am 5. Oktober folgendes geantwortet:

"Auf Telegramm des Außenministeriums Nr. 68.

Vor Erhalt des genannten Telegramms hatte die Gesandtschaft abgeschlagen, entsprechendem direkten Ersuchen hiesiger Deutscher Botschaft nachzukommen und muß unter Bezugnahme auf ihr Telegramm Nr. 58 (Anmerkung: Text übermittelt mit

107 Pol. VI 9329 g. Telegrammet er ikke lokaliseret

Drahtbericht Nr. 1103[108] vom 20.9.) an diesem Standpunkt festhalten. Kann nicht im Namen der dänischen Regierung protestieren, da solche nicht existiert und sehe mich nicht dazu imstande, in eigenem Namen zu protestieren. Im übrigen ist man hier der Ansicht, daß völkerrechtliche Grundlage fehlt, um Ersuchen des Kapitäns um Ausklarierung abzuschlagen."

Gegen diese Handlungsweise des Gesandten habe ich schärfste Verwahrung eingelegt. Maßnahmen gegen Person und Vermögen des Gesandten sind nach telefonischer Rücksprache mit Herrn Unterstaatssekretär Hencke vorläufig zurückgestellt, weil zunächst die Reaktion auf den mit Drahtbericht Nr. 1224[109] vom 7.10. mitgeteilten Drahterlaß des dänischen Außenministeriums abgewartet werden soll.

Dr. Best

263. Rudolf Mildner an RSHA 8. Oktober 1943

Mildner fremsendte to flyveblade til RSHA. Den ene var udsendt af Danmarks Frihedsråd, som han ikke havde hørt om før, og han formodede, at det var kommunister, der gav sig ud for at være nationalt dækkende. Det andet flyveblad indeholdt opsigtsvækkende påstande om antallet af Gestapofolk i Århus.

Mildner undlod at kommentere det.

Kilde: RA, Danica 1069, sp. 7, nr. 8959.

Der Befehlshaber der Sicherheitspolizei und des SD in Dänemark
– IV A 1 – 3. Nr. 2895/43.

Kopenhagen, den 8. Oktober 1943.

An das Reichssicherheitshauptamt – IV A 1 –
nachrichtlich dem Reichssicherheitshauptamt – IV D 4 –
Berlin SW 11.

Betrifft: Illegale Flugblattpropaganda in Dänemark
Anlagen: 2.[110]

Hiermit überreiche ich zwei illegale Flugblätter, die in den letzten Tagen in größerer Anzahl in Kopenhagen, vorwiegend in Kreisen der dänischen Studentenschaft, zur Verbreitung gekommen sind.

Das eine Flugblatt trägt die Überschrift: "Die nationale Volksfront gegen die Nazis ist nun eine Tatsache".[111] Das Flugblatt ist im September vom "Freiheitsrat Dänemark" herausgegeben und ruft zur Gründung einer neuen dänischen Widerstandsbewegung auf. Die Bezeichnung "Freiheitsrat Dänemark" ist mit Herausgabe dieses Flugblattes erstmalig hier bekannt geworden. Es kann vermutet werden, daß die Herausgeber dieser

108 bei Pol. VI. Trykt ovenfor.
109 bei Pol. VI. Trykt ovenfor.
110 De to danske flyveblade er ikke medtaget.
111 Trykt hos Alkil, 1, 1945-46, s. 225.

Schrift in Kreisen der Kommunisten zu suchen sind, die in erwähnter Art nationalistisch getarnt hervortreten.

Das zweite Flugblatt trägt die Überschrift: "Protest der dänischen Kirche gegen die Judenverfolgung" und richtet sich gegen die Festnahme der Juden in Dänemark. Des weiteren wird publiziert, daß in Aarhus 6.500 Gestapoagenten angekommen sind, die die Unterkünfte der Studenten auf der Universität beschlagnahmten und daß die Polizei in Aarhus ihre Tätigkeit eingestellt hat.

Mildner

264. Eberhard von Thadden an Alfred von Steengracht 8. Oktober 1943

Von Thadden havde netop fra adjudanturen hos det tyske sikkerhedspoliti hørt, at Günther Pancke var blevet udnævnt til HSSPF i Danmark. Såfremt RAM ikke allerede var blevet underrettet derom, bad han von Steengracht om, at det skete straks.

Kilde: RA, pk. 229.

Sofort! Inl. II B 7871

Wie ich aus der Adjutantur des Chefs der Sicherheitspolizei und des SD höre, soll beabsichtigt sein, den SS-Gruppenführer Panke zum Höheren SS- und Polizeiführer in Dänemark einzusetzen. Panke ist zurzeit Höherer SS-Führer im Leitabschnitt Braunschweig. Vor einigen Jahren war Panke Chef des Rasse- und Siedlungs-Hauptamts. Wie ich als bekannt voraussetzen darf, erfolgt die Ernennung der Höheren SS- und Polizeiführer in besetzten Gebieten durch den Führer auf entsprechenden Vorschlag des Reichsführers-SS hin.

Es wird hier angenommen, daß der Herr Reichsaußenminister über die geplante Ernennung Panckes unterrichtet ist. In der Adjutantur des Chefs der Sicherheitspolizei und des SD wurde mir jedenfalls gesagt, daß der Reichsführer-SS derartige Ernennungsvorschläge jeweils vorher mit dem Herrn Reichsaußenminister zu besprechen pflege.

Hiermit über den Herrn Staatssekretär dem Büro RAM mit der Bitte um Unterrichtung des Herrn Reichsaußenministers vorgelegt, sofern dies noch für erforderlich gehalten wird.

Berlin, den 8. Oktober 1943.

gez. **Thadden**

265. Kriegstagebuch/Admiral Dänemark 8. Oktober 1943

Wurmbach noterede en sabotage hos Siemens Elektricitet A/S, Blegdamsvej 124, København.

Det var undtagelsen, at Wurmbach omtalte sabotager uden for hans ansvarsområde nærmere. Oplysningerne om skadens omfang havde han fra det tyske ordenspoliti, men at der var tale om lægeudstyr, var hans egen tilføjelse. Se Bests telegram nr. 1233, 9. oktober 1943.

Kilde: KTB/ADM Dän 8. oktober 1943, RA, Danica 628, sp. 3, s. 3107.

[...]
Bei der Firma Siemens A/S in Kopenhagen, die ärztliche Instrumente herstellt, wurde durch eine Bombe mit Zeitzünder ein großer Brand hervorgerufen. Schaden ca. d.Kr. 400.000,- Deutsche Interessen werden nicht berührt. Der Betrieb wird von 2 Werkschutzleuten bewacht, die von dem Täter nichts bemerkt haben.

266. Werner Best an das Auswärtige Amt 9. Oktober 1943

Dagsindberetning.

Kilde: PA/AA R 29.567. RA, pk. 203.

Telegramm

Kopenhagen, den	9. Oktober 1943	14.05 Uhr
Ankunft, den	9. Oktober 1943	15.20 Uhr

Nr. 1233 vom 9.10.[43.] Citissime!

Ich bitte, die folgende Meldung dem Herrn Reichsaußenminister unverzüglich zuzuleiten:

Über die Lage in Dänemark berichte ich für den 8. auf den 9.10.43, daß in der Nacht das Fabrikgebäude der Siemens-Elektrizität-Aktiengesellschaft in Kopenhagen, die ausschließlich für dänische Krankenhäuser und Staatsbetriebe arbeitet, infolge Sabotage abgebrannt ist,[112] die Ermittlungen werden von der deutschen Sicherheitspolizei geführt. Sonst keine besonderen Ereignisse im ganzen Lande.

Dr. Best

267. Eberhard von Thadden: Aufzeichnung 9. Oktober 1943

Udnævnelsen af en HSSPF i Danmark var blevet drøftet i AA, hvor man ville gå ud fra, at Best skulle have den højeste politiske myndighed, mens HSSPF kun skulle beskæftige sig med de rent politifaglige spørgsmål. Den opfattelse ville man søge bekræftet hos RFSS, ligesom personaleafdelingen skulle orientere Best efter disse retningslinjer (Rosengreen 1982, s. 57).

Kilde: RA, pk. 229.

Geheim

Der Herr Staatssekretär vertrat nach der heutigen Direktionsbesprechung die Auffas-

112 BOPA saboterede Siemens Elektricitet A/S, Blegdamsvej 124, med omfattende ødelæggelser til følge. Skaden androg 1.174.000 kr. (RA, BdO Inf. nr. 3, 10. oktober 1943 (anslog skaden til 400.000 kr.), Larsen 1982, s. 97f. (Abt. Wehrwirtschaft opgjorde skaden således: for 488.000 kr. vekselstrømsmotorer, 70.000 kr. boremaskiner, 40 forstærkere til 200.000 kr. og 100 netslutningskontakter til 280.000 kr.), Kjeldbæk 1997, s. 468).

sung, daß die Weisung des Herrn RAM in Angelegenheiten höherer SS- und Polizeiführer in Dänemark so zu verstehen sei, daß einwandfrei klargestellt sein müsse, daß der höhere SS- und Polizeiführer mit Ausnahme der rein fachlichen Weisungen (Ziffer 4 der Aufzeichnung von Botschafter Ritter) dem Bevollmächtigten des Reichs unterstellt sei. Wenn diese Voraussetzung eingehalten ist, halte er eine erneute Befassung des Herrn RAM nicht für erforderlich. Die Unterrichtung über den Vorschlag SS-Gruppenführers Pancke stellt er Herrn VLR Wagner anheim.
Hiernach erscheint es mir zweckmäßig, daß folgende Schritte unternommen werden:
1.) Der Herr RAM wird unverzüglich von dem Vorschlag, Gruppenführer Pancke zu ernennen, unterrichtet.
2.) Herr Gruppenleiter Inl. II teilt dem Reichsführer-SS die Zustimmung des Herrn RAM zur Einsetzung eines höheren SS- und Polizeiführers mit und weist dabei daraufhin, daß es ja wohl keinem Zweifel unterliegen könne, daß der höhere SS- und Polizeiführer mit Ausnahme der rein fachlichen Weisungen dem Bevollmächtigten des Reichs unterstellt sei. Es bleibt dann abzuwarten, ob die Reichsführung-SS hiergegen Bedenken erhebt.
3.) Inl. II regt bei der Personalabteilung an, Gesandten Best mit der Weisung zu versehen, daß im Falle der Einsetzung eines höheren SS- und Polizeiführers dieser ihm mit Ausnahme rein fachlichen Weisungen als unterstellt anzusehen sei; lediglich im Falle eines militärischen Ausnahmezustandes beschränke sich die Unterstellung auf die politische Weisungen.
Hiermit Herrn Gruppenleiter Inl. II vorgelegt.
Berlin, den 9. Oktober 1943.
[sign. **Thadden**]

268. Seekriegsleitung: Betr. Freistellung der Gymnastikschule des Niels Bukh 9. Oktober 1943

AA havde orienteret om, at Best var af den opfattelse, at Niels Bukhs højskole ikke var egnet til anbringelse af 1.200 marinere, men at der i Ollerup var andre egnede bygninger. AA lagde stor politisk vægt på at have et godt forhold til Bukh. Det fik Seekriegsleitung til at ophæve beslaglæggelsen med henvisning til et enigt ønske fra AA og Best og planerne om at inddrage Bukh i etableringen af en frivillig dansk arbejdstjeneste, som Seekriegsleitung i modsætning til Wurmbach troede kunne vinde den danske ungdom for sig.
Se Seekriegsleitungs notat 11. oktober 1943.
Kilde: BArch, Freiburg, RM 7/1188. RA, Danica 628, sp. 7, nr. 5433f.

Seekriegsleitung — *Berlin, den 9.10.1943.*
Zu B-Nr. 1. Skl. I i 30 448/43 geh. — Sofort
hvb. 1. Skl. 29 644/43 geh. — Geheim

I.) Vermerk
Betr.: Freistellung der Gymnastikschule des Niels Bukh in Ollerup von der Beschlagnahme durch die Kriegsmarine.
Nach weiterer fernmündlicher Mitteilung des Auswärtigen Amtes vom 9. d.M. hat

der Reichsbevollmächtigte Dr. Best inzwischen noch gemeldet, daß nach den getroffenen Feststellungen die Sportschule nicht ausreichend für die Unterbringung von 1.200 Marineangehörigen sei, während in Ollerup genügend andere Gebäude zur Unterbringung der 1.200 Mann zur Verfügung stünden.[113] Der Führer des Vorkommandos habe das selbst zugegeben, aber erklärt, er habe Befehl, die Unterbringung der 1.200 Mann in den Anlagen der Schule irgendwie vorzunehmen. Das Ausw. Amt legt nach wie vor großen politischen Wert darauf, daß der deutschfreundliche Inhaber der Schule nicht dadurch verprellt wird, daß ihm sein Betrieb entzogen wird.

II.) Bei Skl. Qu (A II) m.d.B. um Anordnung, daß die Beschlagnahme der Schule aufgehoben und die betreffende Marineeinheit im Benehmen mit dem Reichsbevollmächtigten Dr. Best in Ollerup selbst oder anderweitig untergebracht wird. Da sowohl der Reichsbevollmächtigte Dr. Best wie auch das Ausw. Amt übereinstimmend der Auffassung sind, daß sich die Beschlagnahme der Sportschule sehr nachteilig auswirken würde, ist die 1. Skl. der Auffassung, daß die Kriegsmarine es vermeiden muß, sich mit dem ihr nicht nur von dänischer Seite, sondern auch von den verantwortlichen politischen deutschen Stellen gemachten Vorwurf zu belasten, die beabsichtigte Aufziehung des dänischen Arbeitsdienstes unter Leitung von Nils Bukh durch die Beschlagnahmemaßnahme undurchführbar gemacht zu haben. Die 1. Skl. ist im Gegensatz zu der am Schluß des Fernschreibens des Kommandierenden Admirals Dänemark 19085 vertretenen Auffassung der Meinung,[114] daß man gerade an die dänische Jugend sowie die dänische Arbeiter- und Bauernschaft sehr viel eher herankommen und sie für deutsche Gedankengänge gewinnen kann, wenn derartig populäre Persönlichkeiten wie Niels Bukh sich zur Organisation des Arbeitsdienstes unter deutschen Gesichtspunkten bereitfinden, als wenn man versucht, die jungen Dänen durch Schulung in deutschen Lägern für uns zu gewinnen.

III.) wiedervorlegen I i wegen Antwort an das Ausw. Amt.

1./Skl.

269. Werner Best an das Auswärtige Amt 10. Oktober 1943

Dagsindberetning.

Kilde: PA/AA R 29.567. RA, pk. 203 og 226.

T e l e g r a m m

Kopenhagen. den	10. Oktober 1943	13.45 Uhr
Ankunft, den	10. Oktober 1943	14.35 Uhr

Nr. 1236 vom 10.10.[43.]

113 Se Bests telegram nr. 1227, 8. oktober 1943.

114 Se Wurmbach til OKM 7. oktober 1943.

Ich bitte, die folgende Meldung unverzüglich dem Herrn Reichsaußenminister zuzuleiten:

Über die Lage in Dänemark berichte ich für den 9. auf 10.[10.]1943, daß außer 2 unbedeutenden Sabotagefällen in Kopenhagen (Brand in einem Eisenbahnwaggon und Brandstiftungsversuch in einem Café, wobei ein vermutlicher Täter festgenommen wurde)[115] aus dem ganzen Lande keine Vorfälle gemeldet worden sind. In Esbjerg hat die deutsche Sicherheitspolizei 10 Personen wegen Herstellung und Verbreitung illegaler Druckschrift festgenommen, darunter den dortigen Leiter und einige Distriktsleiter der illegalen kommunistischen Partei und einen seit Februar gesuchten Saboteur.[116]

gez. **Dr. Best**

270. Werner Best an das Auswärtige Amt 11. Oktober 1943

Dagsindberetning.

Kilde: PA/AA R 29.567. RA, pk. 203 og 228.

Telegramm

Kopenhagen, den	11. Oktober 1943	13.50 Uhr
Ankunft, den	11. Oktober 1943	15.00 Uhr

Nr. 1238 vom 11.10.43. Citissime!

Ich bitte, dem Herrn Reichsaußenminister die folgende Meldung unverzüglich zuzuleiten:

Über die Lage in Dänemark berichte ich für den 10. auf 11.[10.] 1943, daß außer einem unbedeutenden Sabotagefall in Kopenhagen (Brand in einem Güterwagen)[117] aus den ganzen Lande keine Vorfälle gemeldet worden sind. Am Öresund wurde von der Deutschen Sicherheitspolizei bei der Festnahme einiger Juden, die illegal nach Schweden überzusetzen versuchten, ein Halbjude (der zur Flucht gar keinen Grund hatte) erschossen.[118]

Dr. Best

115 Der blev forøvet sabotage mod en tysk jernbanevogn med danske uniformer bestemt for Tyskland og af BOPA mod restaurant "Tosca," Frederiksberggade 24 (RA, BdO Inf. nr. 4, 11. oktober 1943, Alkil, 2, 1945-46, 2, s. 1222, Kjeldbæk 1997, s. 468).

116 DKPs bladgruppe i Esbjerg var optrevlet, 10 personer anholdt, og blandt de arresterede var partiets kasserer Milther Jensen og den siden februar eftersøgte Aksel Andersen (RA, BdO Inf. nr. 4, 11. oktober 1943, *Faldne i Danmarks frihedskamp*, 1970, s. 24, Trommer 1973, s. 123).

117 Der var sabotage mod en tysk jernbanevogn med dansk militærudrustning (Alkil, 2, 1945-46, s. 1222).

118 Stud.polyt. Claus Heilesen blev skudt i Tårbæk havn af tysk politi, mens han deltog i transport af jøder til Sverige. Hans mor var af jødisk afstamning (*Faldne i Danmarks frihedskamp*, 1970, s. 168, Kreth/Mogensen 1995, s. 94, Bergstrøms dagbog 10. oktober 1943 (trykt udg. s. 797).

271. Seekriegsleitung: Vermerk 11. Oktober 1943

AA gentog over for Seekriegsleitung den politiske nødvendighed af at ophæve beslaglæggelsen af Niels Bukhs højskole, idet Bests telegram i sagen af 8. oktober blev medsendt.

Det fik OKM til at reagere med en ordre til Wurmbach dagen efter.

Kilde: BArch, Freiburg, RM 7/1188. RA, Danica 628, sp. 7, nr. 5444.

Seekriegsleitung *Berlin, den 11.10.1943.*
Zu B-Nr. 1. Skl. I i 30 819/43 g. Geheim

I. Bei Skl. Qu A II
Unter Bezugnahme auf den bereits dort befindlichen Vorgang betr. Freistellung der Gymnastikschule des Niels Bukh von der Beschlagnahme für Marinezwecks wird das anliegende Schreiben nachgesandt, in dem der Reichsbevollmächtigte Dr. Best nochmals die politische Notwendigkeit einer Aufhebung der Beschlagnahme begründet und gleichzeitig bestimmte Vorschläge zur anderwertigen Unterbringung der Marineeinheiten macht.[119] Gesandter von Tippelskirch hat nochmals fernmündlich unterstrichen, daß sich das Ausw. Amt die Beurteilung des Reichsbevollmächtigten Dr. Best voll zu eigen Macht.

II. I i C/Skl. i A

1/Skl

272. Rolf Günther an Eberhard von Thadden 12. Oktober 1943

Von Thadden havde 7. oktober bedt RSHA om undersøgelse af, om det var på korrekt grundlag, at en række navngivne danskere var blevet deporteret som jøder. Günther svarede på Eichmanns vegne for hver enkelt. Resultatet var, at deportationen uden undtagelse var korrekt, idet en enkelt, der ikke opfyldte kriterierne, var kommet med efter eget ønske.

Mohr sendte løbende yderligere henvendelser til AA om navngivne enkeltpersoner.[120] AA kunne kun lade henvendelserne gå videre til RSHA, som enten undlod at svare eller sendte afvisninger med stor forsinkelse.

Kilde: RA, pk. 226.

Der Chef der Sicherheitspolizei und des SD *Berlin SW 11, den 12. Oktober 1943*
IV B 4 0-3 5446/42g(1670) Geheim

S c h n e l l b r i e f

An das Auswärtige Amt
z.Hd. von Herrn Legationsrat von Thadden o.V.i.A.
Berlin W 8
Wilhelmstr. 74-76

119 Vedlagt var Bests telegram nr. 1227, 8. oktober 1943.
120 Von Thadden skrev til Eichmann derom 8., 11., 13. og 15. oktober 1943.

Betrifft: Maßnahmen gegen Juden dänischer Staatsangehörigkeit.
Bezug: Dort. Schnellbrief vom 7.10.1943 – Inl. II A 7864 –[121]

Zu den von der Dänischen Gesandtschaft in Berlin in der Aufzeichnung vom 6.10.1943 erwähnten Fällen teile ich nach nochmaliger Überprüfung an Ort und Stelle im einzelnen folgendes mit:

1.) Jüdin Clara Afenath Schultz geb. Petit, geb. am 18. Juli 1862 in St. Thomas.
Die Jüdin Schulz ist, da ihr arischer Ehemann verstorben ist, gemäß den ergangenen Richtlinien in die Evakuierungsmaßnahmen einbezogen worden.
Ihre beiden Töchter, Ellinor, geb. am 2. Juli 1899, und Ingeborg, geb. am 26. Februar 1901, sind Mischlinge I. Grades. Ihr Abtransport war an sich nicht vorgesehen. Beide haben in Kopenhagen vor Abfahrt des Schiffes mehrfach den Wunsch geäußert, bei ihrer Mutter verbleiben und sich freiwillig dem Transport anschließen zu dürfen. Ihrem Wunsche wurde schließlich stattgegeben. Die 3 Personen werden im übrigen in Theresienstadt besonders bevorzugt untergebracht werden.
2.) Geltungsjude Julius Josef Moritz, geb. am 5. Mai 1882 in Kopenhagen, und dessen Schwester Judith Moritz, geb. um 10. Januar 1893 in Kopenhagen.
Beide Personen sind zwar rassemäßig Mischlinge I. Grades, gelten jedoch auf Grund ihrer Zugehörigkeit zur jüdischen Gemeinde als Juden. Ihr Abtransport erfolgte daher zu Recht. Den Geltungsjuden Moritz wird im Altersghetto Theresienstadt besondere ärztliche Behandlung zuteil.
3.) Jude Ove Jacob Meyer, geb. am 16. Oktober 1885 in Hellerup.
Der Jude Meyer wurde, da seine Mischehe nicht mehr besteht und seine beiden Kinder in einem selbständigen Haushalt wohnen, zu Recht in die Evakuierungsmaßnahmen einbezogen.
4.) Geltungsjude Wilhelm (gen. Willy) Carl Bernhard Salomon, geb. am 31. Juli 1882 in Kopenhagen.
Salomon ist zwar rassemäßig Mischling I. Grades, gilt jedoch auf Grund seiner Zugehörigkeit zur jüdischen Gemeinde als Jude. Sein Abtransport ist daher zu Recht erfolgt.
5.) Jüdin Johanne Caroline Gray geb. Cohn, geb. am 5. Januar 1887 in Nakskov.
Da der arische Ehemann der Jüdin verstorben ist, wurde sie bestimmungsgemäß abtransportiert. Sie steht im Altersghetto Theresienstadt dauernd unter ärztlicher Kontrolle.
6.) Jüdin Rose Kielberg geb. Graff, geb. am 17. Juli 1877 in Kopenhagen.
Da die Jüdin von ihrem arischen Ehemann geschieden ist und ihre Kinder in einem selbständigen Haushalt leben, ist ihr Abtransport zu Recht erfolgt.
7.) Jude Emil Valdemar Abrahamson, geb. am 12. Oktober 1867 in Hellerup.
Der Genannte ist nach seinen eigenen Angaben Volljude. Er steht ebenfalls im Altersghetto Theresienstadt, das über Spezialärzte in ausreichender Zahl verfügt, dauernd unter ärztlicher Kontrolle.

121 Trykt ovenfor.

8.) Jude Kalmar (gen. Carl) David Heine, geb. am 25. November 1875 in Kopenhagen.
Heine ist nach seinen eigenen Angaben Volljude.

Aus der vorstehenden Aufstellung ist ersichtlich, daß – abgesehen von der freiwilligen Entschließung der Geschwister Schultz – in allen Fällen die Wohnsitzverlegung der aufgeführten Juden den Bestimmungen entsprechend vorgenommen worden ist. Eine Rückschaffung nach Dänemark kann daher – abgesehen von den grundsätzlichen sicherheitspolizeilichen Bedenken, die entgegenstehen – auch aus diesen Gründen nicht in Betracht kommen.

Abschließend bemerke ich, daß etwa 70-80 Personen, deren Papiere entweder unvollständig waren oder deren Abstammung zweifelhaft erschien, vor Abfahrt des Schiffes auf dem Hauptsammelplatz am Hafen sofort wieder entlassen wurden, um von vornherein allen Schwierigkeiten aus dem Wege zu gehen. Außerdem hat der verantwortliche Transportführer, SS-Hauptsturmführer Kryschak, vor Abfahrt des Dampfers die für die Abbeförderung erfaßten Personen mehrmals gefragt bezw. durch Dolmetscher befragen lassen, ob unter ihnen Nichtjuden bezw. Mischlinge I. Grades oder sonstige in die Evakuierungsmaßnahmen nicht einzubeziehende Personen zurückgeblieben seien. Diese Anfragen blieben ergebnislos. Eine weitere Überprüfung hat SS-Hauptsturmführer Kryschak während der Fahrt an Bord des Schiffes ("Wartheland") vorgenommen, die ebenfalls keine besonderen Feststellungen ergab. Eine letzte personelle Überprüfung des Transportes fand in Theresienstadt statt, die gleichfalls keine Zweifelsfälle erbrachte.

Die mehrfach vorgenommenen Untersuchungen zeigen, daß die Evakuierungsmaßnahmen mit äußerster Sorgfalt durchgeführt worden sind.

Im Auftrage:
Günther

273. Eberhard von Thadden an RSHA 12. Oktober 1943

Uden nogen kommentarer tilsendte von Thadden RSHA en indberetning, som den tyske konsul i Malmø, Mark Nolda, havde fremsendt til AA. Af konsulens beretning fremgik det, at anslået 5-6.000 jødiske flygtninge og andre var sluppet til Sverige på 10 dage. Først i de sidste dage var flygtningestrømmen taget af, da der var kommet øget tysk bevogtning.

Det opgivne antal flygtede var meget realistisk, konsulen var godt orienteret (se figur 1 hos Kreth/Mogensen 1995, s. 46). Der havde ikke været nogen videre tyske foranstaltninger, der forhindrede flugten. Det var det klare indirekte budskab til RSHA. Samtidigt dementerede beretningen dog også Bests udsagn om, at de fleste jøder var sluppet til Sverige *før* 2. oktober. Det var ikke tilfældet.

Se tillige AA til OKW og OKM 16. oktober 1943 for ministeriets ønske om at oplyse om konsekvenserne af aktionen mod de danske jøder.

Kilde: RA, pk. 220 og 226 (uden følgebrev).

Durchdruck als Konzept R'Schrift 1b.
Auswärtiges Amt *Berlin, den 12. Oktober 1943*

1.) Inl. II A 7560
Abschriftlich dem Reichssicherheitshauptamt zur Kenntnisnahme übersandt.
Im Auftrag
gez. v. **Thadden**

2.) Z.d.A

Deutsches Konsulat
Malmö
J.Nr. 538/43

Durchschlag
Malmö, den 12. Oktober 1943.

An das Auswärtige Amt
Berlin

Im Anschluß an den Bericht von 31.8.1943 – J.Nr. 464/43 –
Inhalt: Eintreffen dänischer Flüchtlinge im Südschweden.
2 Durchschläge

Seit dem 2. d.M. treffen jede Nacht zahlreiche Flüchtlinge, meist Juden, aus Dänemark in Schonen ein. Ihre Gesamtzahl wurde am 10. d.M. auf 5-6.000 geschätzt. Sie werden von dänischen Fischern hergefahren und sollen für eine Überfahrt im allgemeinen 3.000 Kr. teilweise 10.000 Kr. und sogar 20.000 Kr. bezahlt haben. Die Fischer kehren dann zurück, um möglichst in der nächsten Nacht dieselbe einträgliche Fahrt zu unternehmen. Einige Boote sind allerdings gekentert, eins wurde von einen schwedischen Wachboot überrannt.[122] Verschiedene Leichen auch von Personen, die schwimmend herüberzukommen versuchten, wurden aufgefischt. Wie bereits berichtet wurde, bietet die Fahrt über den seeartigen Sund für Boote keine Schwierigkeiten, besonders in der jetzigen günstigen Jahreszeit – dunkle Nächte und verhältnismäßig warmes, ruhiges Wetter. In den letzten Tagen hat durch die verschärfte deutsche Bewachung der Flüchtlingsstrom stark nachgelassen.

In Malmö, Trelleborg, Landskrona und Helsingborg war das Stadtbild durch die jüdischen Flüchtlinge zeitweilig beherrscht, welche nicht nur durch ihre dänische oder deutsch-jüdische Sprache, sondern auch durch ihr Aussehen und herausforderndes Auftreten auffielen.

Die schwedischen Behörden, Wohltätigkeitsvereine und jüdischen Organisationen wetteifern im Entgegenkommen für die Flüchtlinge, für welche viel mehr getan wird als für heimkehrende Auslandsschweden. Auf Kosten der jüdischen Organisationen wird ein Teil von ihnen in gute Hotels logiert, die meisten schwedischerseits in größere Sommeraufenthaltsorte untergebracht. Von dort sollen sie wie es heißt "auf die rückwärtige Linie," d.h. in das innere von Schweden weitergeschickt werden. Auf den Banken werden den Flüchtlingen nicht 99 sondern 300 dänische Kronen eingewechselt. Wie

122 Natten til 9. oktober kolliderede en dansk båd med 27 flygtninge med en svensk båd, hvorved seks flygtninge druknede (Friberg 1977, s. 118f.).

bereits am 5.10. mitgeteilt, verkaufen die Flüchtlinge auch den Besatzungsmitgliedern der zwischen Dänemark und Schweden fahrenden Fähren dänisches Gold, für welches die Matrosen in Kopenhagen und Helsingör Sammlungsbriefmarken in hohen Werten kaufen.

Bei dem schwedischen Entgegenkommen und dem zurzeit herrschenden Arbeitermangel finden die Flüchtlinge meist bald Anstellungen, besonders in der Landwirtschaft und in dem Schneidergewerbe. Die Erlaubnis Handel zu treiben wird von den Juden in bald fühlbarer Weise ausgenutzt werden. Die Universität Lund nimmt sich auch besonders der Flüchtlinge an und einige jüdische Ärzte sind als Assistenten an der Universität angestellt worden. Andere erhalten ohne Formalitäten die Erlaubnis die Flüchtlinge zu behandeln.

Alle Zeitungen waren voll von Nachrichten über die Flüchtlinge und die Hetze gegen Deutschland hat in diesem Zusammenhang wieder sehr zugenommen. Es sind aber nur die sozialdemokratischen Zeitungen, die restlos die Ankunft der jüdischen Flüchtlinge begrüßen. Das konservative, wenig deutschfreundliche "Sydsvenska Dagbladet" hat darauf hingewiesen, daß über die jetzigen Flüchtlinge wiederholt Klagen geführt werden und daß festgestellt werden konnte, daß diese Klagen über herausforderndes Auftreten und unverschämte Forderungen berechtigt gewesen sind. Der sonst deutschfreundliche Professor Karl Olivecrona hat in einem Eingesandt die deutschen Maßnahmen gegen die Juden verurteilt und bedauert, daß vom deutscherseits mit dem berechtigten deutschen Einheitsprogramm für Europa die Judenfrage verquickt.[123]

In den ersten Oktobertagen enthalten die Zeitungen viele sensationelle, sich widersprechenden Berichte über die Flüchtlinge. So wurde behauptet, daß sich unter den Flüchtlingen Spione nach Schweden eingeschmuggelt hätten, nachher soll sich aber herausgestellt haben, daß es sich nicht um 10 dänische Freikorpsleute handelte sondern um Arbeiter, die nicht mehr für Deutschland arbeiten wollten.[124] Übereinstimmend wird berichtet, daß sich unter den Tausenden von Flüchtlingen auch manche Betrüger, Hochstapler und sonstige schlechte Elemente befinden, die die Gelegenheit zur Flucht aus Dänemark benutzt haben und jetzt von der schwedischen Polizei überwacht werden müssen.

Während die Zeitungen, die Beamten und Wohltätigkeitvereine für die Juden eintreten, ist der größte Teil der Kaufmannschaft von Malmö gegen sie, ohne aber hiermit vor die Öffentlichkeit zu treten. Von der dem Nationalsozialismus nahestehenden Gruppe "Svensk Socialistisk Samling" sind von einigen Mitgliedern Flugblätter gegen die Judeninvasion aus Dänemark verteilt worden und es wurden Rufe gegen sie ausgebracht. Angeblich soll die Menge die Betreffenden bedroht haben, weshalb die Polizei in zwei Fällen zwei Mitglieder dieser Gruppe in Schutzhaft nehmen mußte.

U.a. wurde behauptet, daß sechs deutsche Soldaten die sich als Fischer verkleidet hatten an den Überfahrten beteiligt gewesen seien und aus Furcht vor Festnahme bei ihrer Rückkehr nach Dänemark in Schweden bleiben sollten, wo sie als politische Flüchtlinge

123 Professor, dr.jur. Karl Olivecrona stod for et protysk standpunkt til hen i 1944, idet han ønskede et stabilt europæisk magtsystem under tysk hegemoni.

124 Der blev pågrebet 12 frikorpsmænd blandt de flygtende frem til 10. oktober (Friberg 1977, s. 11).

interniert wurden. Näheres hierüber konnte nicht in Erfahrung gebracht werden. Wahlkonsul Henning teilt aus Helsingborg mit, daß sich dort ein jüdischer Student gerühmt hat in Dänemark an drei Eisenbahnsabotagen gegen deutsche Züge teilgenommen zu haben. Der Name des Saboteurs konnte nicht ermittelt werden.

Nachdem die Flüchtlinge jetzt nicht mehr geschlossen auftreten und die Zeitungen jetzt andere wichtigere politische Nachrichten bringen, steht die Flüchtlingsfrage nicht mehr allein im Vordergrund des Interesses in Südschweden.

Die Deutsche Gesandtschaft in Stockholm erhält Durchdruck dieses Berichtes.

gez. **Nolda**

274. Eberhard von Thadden an Werner Best 12. Oktober 1943

I AA var en intern udredning i gang af årsagerne til den mislykkede aktion mod de danske jøder, ligesom det danske gesandtskab i Berlin ved Otto Mohr henvendte sig om de deporterede jøder. Best blev i den sammenhæng spurgt, om han havde givet tilsagn om frigivelse af et antal danske halvjøder eller jøder gift med ariere. Endvidere ønskedes oplysninger om brødrene Niels og Haralds Bohrs skæbne.

Svar fremsendte Best dagen efter med telegram nr. 1250.

Kilde: PA/AA R 100.865. RA, pk. 226.

Telegramm

Berlin, den	12. Oktober 1943	13.50 Uhr
Ankunft, den	12. Oktober 1943	14.00 Uhr

Diplogerma Kopenhagen
Nr. 156
Referent: LR v. Thadden
Betreff: Judenaktion Dänemark.

Dänische Gesandtschaft intervenierte zugunsten 14 Halbjuden oder mit Ariern verheirateten Volljuden, die bei Judenaktion verhaftet worden seien. Für Verhandlungen mit Reichssicherheitshauptamt erbitte Drahtbericht, ob Reichsbevollmächtigter Freilassung dieser Juden oder Mischlinge bereits zugesagt hatte.

Wegen zahlreichen Anfragen nach Nils und Harald Bohr erbitte Drahtbericht, ob Genannte als Juden erfaßt oder noch in Kopenhagen sind.

Thadden

275. Eberhard von Thadden an Horst Wagner 12. Oktober 1943

Von Thadden havde 6. oktober kort berørt beslutningsprocessen vedrørende ordren om gennemførelsen af jødeaktionen i Danmark, og han gentog den nu endnu engang. Afdeling Inland IIs holdning til aktionen var ikke blevet forelagt for Ribbentrop, før Hitlers beslutning var blevet truffet på grundlag af von Grundherrs indstilling. Von Thadden havde på grund af sagens delikate natur set bort fra en øjeblikkelig stillingtagen, men i stedet telefonisk sikret sig, at Bests telegram var forelagt von Ribbentrop og havde bedt om at få von Ribbentrops beslutning at vide (Yahil 1967, s. 132 skriver fejlagtigt, at der er tale om et brev til Heinrich Müller!).

Kilde: PA/AA R 100.864.

Ref.: LR v. Thadden zu Inl. II 2558 g

Geheim

Hiermit Herrn Gruppenleiter Inl. II
mit der Bitte um nachträgliche Kenntnisnahme vorgelegt. Wie sich aus dem Vorgang ergibt, ist die Stellungnahme von Inl. II dem Herrn RAM überhaupt nicht vorgelegt worden, da die Stellungnahme von Gesandten v. Grundherr vorher bereits in Westfalen eingetroffen war und auf Grund dieser die Weisung des Führers bereits erwirkt worden war.[125]

In Anbetracht der besonderen Delikatesse der Angelegenheit hatte ich von einer sofortigen Stellungnahme abgesehen und mich zunächst nur telefonisch vergewissert, ob das Kopenhagener Telegramm[126] dem Herrn RAM vom Büro RAM vorgelegt worden war und sodann ohne eigene Stellungnahme gebeten, mich von der Weisung des Herrn RAM zu verständigen.

Berlin, den 12. Oktober 1943.

Thadden

276. Werner Best an das Auswärtige Amt 12. Oktober 1943

Dagsindberetning.

Kilde: PA/AA R 29.567. RA, pk. 203.

T e l e g r a m m

Kopenhagen, den	12. Oktober 1943	15.20 Uhr
Ankunft, den	12. Oktober 1943	16.30 Uhr

Nr. 1243 vom 12.10.[43.] Citissime!

Ich bitte, dem Herrn Reichsaußenminister die folgende Meldung unverzüglich zuzuleiten:

Über die Lage in Dänemark berichte ich für den 11. auf 12.10.43, daß aus dem ganzen Lande keine besonderen Vorfälle gemeldet worden sind.

Dr. Best

125 Se von Thaddens optegnelse 14. september 1943.

126 Bests telegram nr. 1032, 8. september 1943.

277. Werner Best an das Auswärtige Amt 12. Oktober 1943

Best anmodede AA om, at Danmark måtte få tilladelse til at genoptage handelsforhandlingerne med tredjelande for både at dokumentere den statslige handlemulighed og især for at lette landets forsyning med råstoffer.

Svaret fra AA er ikke lokaliseret, men tilladelsen blev givet (Jensen 1971, s. 217, 222f., Giltner 1998, s. 151, Nissen 2005, s. 224-226).

Kilde: PA/AA R 29.567. RA, pk. 203. LAK, Best-sagen (afskrift).

Telegramm

Kopenhagen, den	12. Oktober 1943	19.45 Uhr
Ankunft, den	12. Oktober 1943	21.50 Uhr

Nr. 1245 vom 12.10.[43.]

Auf Drahterlaß Nr. 1402[127] vom 9.10.
Mit Rücksicht auf die ruhige Gesamtlage in Dänemark halte ich die Wiederaufnahme dänischer handelspolitischer Verhandlungen mit dritten Ländern grundsätzlich für erwünscht, um dadurch die staatliche Handlungsfähigkeit Dänemarks zu dokumentieren und insbesondere auch die Versorgung des Landes mit Roh- und Halbstoffen zu erleichtern. Die geschäftsführende dänische Regierung ist zur Durchführung derartiger Verhandlungen durchaus in der Lage, wie auch die während des militärischen Ausnahmezustandes geführten deutsch-dänischen Regierungsausschußverhandlungen, die völlig befriedigend verlaufen sind, bewiesen haben.

Sachlich müßten – wie bisher – die von Dänemark mit dritten Ländern abzuschließenden Wirtschaftsabkommen vom deutschen Regierungsausschuß für Dänemark kontrolliert werden. Dänische Wirtschaftsverhandlungen mit solchen dritten Ländern, in denen die dänischen Gesandten als nicht zuverlässig anzusehen sind, könnten grundsätzlich nach Kopenhagen verlegt werden, um dadurch formell und sachlich diese dänischen Gesandten aus den Verhandlungen auszuschalten.

Dr. Best

278. OKM an Hans-Heinrich Wurmbach 12. Oktober 1943

Beslaglæggelsen af Niels Bukhs højskole blev straks ophævet af politiske grunde efter indstilling fra AA og Best. Der skulle findes andre anbringelsesmuligheder sammen med Best.

Se OKM til AA den følgende dag.

Kilde: BArch, Freiburg, RM 7/1188. RA, Danica 628, sp. 7, nr. 5447.

Abschrift! Geheim
Fernschreiben vom 12.10.43

An Komm. Adm. Dänemark

127 Ha. Pol. VI 4182 II. Telegrammet er ikke lokaliseret.

nachr.:
MOK Ost/Fü.Stab
OKW/WFSt/Qu

Geheim!
Aufgrund Einspruches Reichsbev. und AA unter Berücksichtigung pol. Ges. Punkte befohlen:
1.) Beschlagnahme Niels Bukh-Gym. Schule ist sofort aufzuheben.
2.) Unterbringung im Benehmen mit Reichsbev., der andere geeignete Unterbringungsmöglichkeiten vorschlägt, vornehmen.

OKM/Skl Qu A II Mob p1 10902/43 geh.

279. Werner Best an das Auswärtige Amt 13. Oktober 1943

Den danske militærattaché i Berlin, oberst A. Hartz, var blevet arresteret af Gestapo på vej til Danmark mistænkt for spionage. UM havde gjort forestillinger over anholdelsen, og Best ville nu have at vide, hvad han skulle svare.

Selv udtalte han sig ikke, trods det at han kunne have foreholdt AA, at det var et brud på den diplomatiske immunitet og fiktionen om dansk suverænitet. Sådanne vurderinger havde han tidligere fremsendt. Svaret kom fra von Thadden med telegram nr. 1440, 16. oktober 1943 (Hartz 1945, s. 190f.).

Kilde: PA/AA R 29.567. RA, pk. 203, 232 og 438a.

Telegramm

Kopenhagen, den 13. Oktober 1943 15.40 Uhr
Ankunft, den 13. Oktober 1943 16.35 Uhr

Nr. 1248 vom 13.10.[43.]

Der bisherige dänische Militärattaché in Berlin Oberst Hartz ist am 8.10.43 bei seiner Einreise nach Dänemark auf der Fähre zwischen Warnemünde und Gedser von der deutschen Sicherheitspolizei festgenommen und nach Kopenhagen gebracht worden, wo er zurzeit im Hotel d'Angleterre festgehalten wird. Der Befehlshaber der Sicherheitspolizei Dr. Mildner hat mir gemeldet, daß er vom Reichssicherheitshauptamt die Weisung erhalten habe, mit dem Oberst Hartz in der dargelegten Weise zu verfahren. Unterlagen und weitere Weisungen habe er bisher nicht erhalten.

Da das dänische Außenministerium wegen dieser Angelegenheit bei mir vorstellig geworden ist und um Freilassung des Obersten Hartz, dessen diplomatische Immunität noch bestehe, gebeten hat, bitte ich, für baldige Klärung des Falles zu sorgen und mich zu unterrichten, welchen Bescheid ich dem dänischen Außenministerium erteilen soll.

Der dänische Marineattaché Kommandeurkapitän Ramlau-Hansen soll sich nach Mitteilung des dänischen Außenministeriums noch in Berlin befinden.

Dr. Best

280. Werner Best an das Auswärtige Amt 13. Oktober 1943

Dagsindberetning, hvor Best parentetisk begrundede den indholdsløse melding.
Kilde: PA/AA R 29.567. RA, pk. 203.

Telegramm

Kopenhagen, den	13. Oktober 1943	17.30 Uhr
Ankunft, den	13. Oktober 1943	17.55 Uhr

Nr. 1249 vom 13.10.43. Citissime!

Ich bitte, dem Herrn Reichsaußenminister die folgende Meldung unverzüglich zuzuleiten:

Über die Lage in Dänemark berichte ich für den 12. auf 13.10.43, daß aus dem ganzen Lande keine besonderen Vorfälle gemeldet worden sind.

(Ich erstatte diese inhaltslosen Tagesmeldungen nur deshalb weiter, weil auch der Befehlshaber der deutschen Truppen in Dänemark auf Grund ausdrücklichen Befehls an den Wehrmachtführungsstab weiter Tagesmeldungen erstattet).

Dr. Best

281. Werner Best an das Auswärtige Amt 13. Oktober 1943

Bests svar på von Thaddens spørgsmål fra dagen før vedrørende tilfangetagne jøder gjorde det klart, at han ville følge en formalistisk linje på området og ikke lette opgaven for SS. Når sikkerhedspolitiets chef, dr. Mildner, havde udstukket retningslinjer for anholdelse af jøder og disse ikke var blevet fulgt, mente Best, at fejlen skulle rettes ved, at de på forkert grundlag anholdte og deporterede skulle returneres til Danmark. Han havde ikke lovet UM, at det ville ske, men han havde gjort de gældende retningslinjer klart. Mildner havde rettet henvendelse til RSHA for at få de fejlanholdte bragt tilbage. Det ville Best have AA til at støtte. Best bad også om, at AA tilsluttede sig, at jøder af meget høj alder blev undtaget fra deportation eller bragt tilbage. Mildner var enig med ham deri. Best begrundede anmodningen med, at de hverken politisk eller racemæssigt længere kunne gøre skade, og at de nu fremkaldte danskernes medlidenhedsfølelse.

Svaret indløb fra Wagner 30. oktober, se telegram nr. 1501 (om Bests løfter til Nils Svenningsen, se Hæstrup, 1, 1966-71, s. 182f. I øvrigt Yahil 1967, s. 256 og 446 note 36).
Kilde: PA/AA R 29.567. RA, pk. 203 og 226. LAK, Best-sagen (afskrift).

Telegramm

Kopenhagen, den	13. Oktober 1943	17.30 Uhr
Ankunft, den	13. Oktober 1943	17.55 Uhr

Nr. 1250 vom 13.10.43.

1.) Auf das Telegramm Nr. 156 (Abtl. Inl. II 7968/43) vom 12.10.43[128] berichte ich,

128 Trykt ovenfor.

daß ich die Freilassung festgenommener Halbjuden oder mit Ariern verheirateter Volljuden nicht zugesagt habe. Da aber sowohl der Befehlshaber der Sicherheitspolizei wie auch ich den dänischen Behörden die Richtlinien der Judenfestnahmen dahin bekannt gegeben haben, daß – entsprechend den im Reich und in den besetzten Gebieten angewandten Richtlinien – nur Volljuden, die nicht mit Ariern verheiratet sind, festgenommen werden, halte ich es für notwendig, daß die entgegen diesen Richtlinien festgenommenen Personen freigelassen und nach Dänemark zurückgesandt werden. Der Befehlshaber der Sicherheitspolizei und ich würden sonst, obwohl wir nichts zugesagt haben, gegenüber den dänischen Behörden als die für die Deportation dieser Personen verantwortlichen in eine unerfreuliche Lage kommen, außerdem würde das Festhalten dieser Personen hier die Meinung aufkommen lassen, daß auch die übrigen Mischlinge und in Mischehen lebenden Juden noch festgenommen werden sollen, so daß das Land, das sich gerade wieder beruhigt hat, erneut beunruhigt würde. Der Befehlshaber der Sicherheitspolizei hat seinerseits bereits an das Reichssicherheitshauptamt den Antrag gestellt, daß die festgenommenen Personen, die nicht unter die Richtlinien der Judenaktion fallen, freigelassen und nach Dänemark zurückgesandt werden sollen. Ich bitte diesen Antrag zu unterstützen.

2.) Niels und Harald Bohr waren laut Auskunft des Befehlshabers der Sicherheitspolizei nicht in den Festnahmelisten vermerkt. Sie sind jedoch aus Kopenhagen verschwunden, ohne daß bis jetzt etwas über ihren Verbleib bekannt geworden ist.[129]

3.) Im Zusammenhang mit der Judenaktion wird von den dänischen Behörden immer wieder die Frage gestellt, ob nicht Juden in sehr hohem Alter von der Festnahme und Deportation ausgenommen werden können. So ist wegen einer 84 jährigen Jüdin eine Eingabe an mich gerichtet worden.[130] Ebenso wird immer wieder gefragt, ob nicht die 102 jährige Jüdin G. Texeira, die älteste Einwohnerin Kopenhagens, zurückgebracht werden könne. Der Befehlshaber der Sicherheitspolizei ist mit mir der Auffassung, daß die Festnahme und Deportation von Juden so hohen Alters unnötig ist, da sie weder politisch noch rassisch mehr irgendwelchen Schaden anrichten können. Es würde auf die Mitleidgefühle der Dänen beruhigend wirken, wenn Personen von besonders hohem Alter von der Judenaktion ausgenommen werden könnten. Ich bitte, hierüber eine Entscheidung herbeizuführen.

Dr. Best

282. Gottlob Berger an Wilhelm Koppe 13. Oktober 1943

Berger skrev til HSSPF Koppe i Warthegau i anledning af, at Helle von Schalburg, enke efter C.F. von Schalburg, havde været på besøg i Warthegau og besigtiget en gård, som hun havde fået tildelt af RFSS med henblik på, at hun og sønnen skulle tage ophold der. Berger undskyldte, at hun endnu ikke kunne tage bolig der med henvisning til, at hendes tilstedeværelse i Danmark var nødvendig, da DNSAP (ikke NSDAP som han fejlagtigt skriver) skulle nygrundlægges gennem Schalburgkorpset. Fru Schalburg og hendes mands (ikke fars) navn var knyttet til korpset, derfor var hendes tilstedeværelse væsentlig (for det videre forløb vedr.

129 Brødrene Niels og Harald Bohr var flygtet til Sverige og derfra videre til England.

130 Det drejede sig om Hanna Adler (Yahil 1967, s. 256).

overtagelsen af gården, se Kirkebæk 2008, s. 377-384).

Selv om Berger (eller hans sekretær) tydeligvis ikke var for godt inde i sagen, var det ikke kun en undskyldning, når hendes fravær blev begrundet, som den gjorde. Der var store problemer med at trække DNSAPs medlemmer over i Schalburgkorpset, og dertil skulle navnet og familien Schalburg bidrage.

Kilde: RA, Danica 1000, T-74, sp. 8.

Abschrift
CdSSHA/Be/We. Az 2 jetzt: Berlin-Grünewald,
den 13.10.43 Douglasstr. 7/11

Betr.: Frau von Schalburg

An SS-Obergruppenführer und General der Polizei Koppe
Posen
Fritz-Reuter-Str. 2a

Lieber Kamerad Koppe!
Frau von Schalburg war gestern nach ihrer Hof-Besichtigung im Warthegau bei mir. Sie hat sich überaus anerkennend ausgesprochen über die besonders liebevolle Betreuung durch Sie persönlich und durch die Führer Ihres Stabes. Sie bittet Sie, ihr nicht böse zu sein, wenn sie im Augenblick den Hof nicht selbst führen kann. Die Verhältnisse in Dänemark erfordern unter allen Umständen ihr Dortbleiben. Die über das Schalburg-Korps neu zu gründende NSDAP ist doch wesentlich mit dem Namen ihres Vaters und der Person der Frau von Schalburg verknüpft. Ihr Herausziehen aus Dänemark würde für uns im Augenblick einen nicht wieder gut zu machenden Schaden erbringen.

Wir sind dann übereingekommen, daß zum 1.11. d.Js. ein dänischer Bauer, der schon Fronteinsatz hinter sich hat, etwas beschädigt und heute wieder in Dänemark ist, der an ihrer Statt einmal den Hof übernimmt. Dieses wird möglich sein, nachdem Sie sich gütigerweise bereit erklärt haben, einen guten polnischen Inspektor abzustellen.

Eine Durchschrift dieses Schreibens erhält SS-Obersturmbannführer Dr. Brandt zur mündlichen Orientierung des Reichsführers-SS

Heil Hitler!
Gez. (fehlte)[131]
SS-Obergruppenführer

283. Eberhard von Thadden an Alfred von Steengracht 13. Oktober 1943

Fra det svenske gesandtskab havde legationsråd von Post henvendt sig til AA vedrørende danske jøder, der umiddelbart før deres arrestation havde erhvervet svensk statsborgerskab for at genoptage deres forbindelse til Sverige, men ikke havde fået det anerkendt fra tysk side. Post prøvede at ændre den beslutning ved at bedyre, at det ikke ville blive udnyttet propagandistisk, hvis disse personer kom til Sverige. Post håbede også at nogle norske, hollandske og fra protektoratet kommende jøder med nyt svensk statsborgerskab kunne blive accepteret fra tysk side. Thadden havde svaret, at Sverige allerede i marts havde fået tysk afslag på at anerkende jødernes nye statsborgerskab. RSHA stod på det standpunkt, at jøder, der havde skaffet sig svensk

131 Berger. Transmissionen er fejlet.

statsborgerskab i sidste minut ikke skulle frigives og sendes til Sverige. Thadden ønskede oplyst, om Himmler af politiske grunde skulle kontaktes, eller om AA skulle opretholde beslutningen fra marts.

Werner von Grundherr afgav sin indstilling 20. oktober 1943.

Kilde: RA, pk. 226.

Ref: LR v. Thadden II A 31388/43

LR v. Post von der Schwedischen Gesandtschaft suchte mich auf und übergab mir die beiden anliegenden Aufzeichnungen betreffend dänische Juden, denen unmittelbar vor ihrer Verhaftung die Schwedische Staatsangehörigkeit im Hinblick auf ihre frühere Zugehörigkeit zum Schwedischen Staatsverband wieder verliehen worden ist.

Herr von Post führte bei dieser Gelegenheit aus, er könne sich vorstellen, daß deutscherseits gegen die Erteilung der Ausreisegenehmigung Bedenken bestünden, da evtl. befürchtet werde, die genannten könnten der Presse usw. stark aufgebauschte Schilderungen ihrer angeblichen Erlebnisse zuleiten. Schweden sei bereit, sich zu verpflichten, daß die schwedischen Staatsangehörigen, die aus deutschen Lagern entlassen werden, sich jeglicher propagandistischer Betätigung gegen das Reich in Schweden enthalten und für die Dauer des Krieges aus Schweden keine Ausreisegenehmigung erhalten werden.

Weiterhin hat Herr von Post, auch die übrigen anhängigen Fälle, die neu eingebürgerte norwegische Staatsangehörige betreffen – etwa 20 Fälle, die seit Januar anhängig sind – sowie die 5 oder 6 Fälle in Holland und im Protektorat unter der Voraussetzung der gleichen Zusagen bei der Schwedischen Regierung nunmehr endgültig positiv zu entscheiden.

Ich wies Herrn v. Post darauf hin, daß der Schwedischen Regierung bereits im März dieses Jahres offiziell mitgeteilt worden sei, Neueinbürgerungen nach diesem Zeitpunkt würden deutscherseits nicht mehr berücksichtigt werden. Ich glaubte daher nicht, daß wir bei den neuen Interventionen Weiteres veranlassen könnten.

Das Reichssicherheitshauptamt steht auf dem Standpunkt, daß grundsätzlich Juden, denen die Schweden offensichtlich lediglich um sie dem deutschen Zugriff zu entziehen, in letzter Minute die schwedische Staatsangehörigkeit verleihen, nicht als Schweden behandelt und zur Ausreise nach Schweden freigegeben werden könnten. Eine Ausnahmebehandlung dürfte nur zu erzielen sein, wenn aus besonderen, schwerwiegenden politischen Gründen eine Entscheidung des Reichsführers herbeigeführt würde.

Hiermit über Pol VI Herrn U.St.S. auf anl. Stellungnahme abgezeichnet dem Herrn Staatssekretär vorgelegen mit der Bitte um Weisung vorgelegt, ob aus politischen Gründen an den Reichsführer-SS heranzutreten sein wird, oder ob der Schwedischen Gesandtschaft unter Hinweis auf die im März erfolgte Mitteilung über die Nichtanerkennung von Neueinbürgerungen ein abschlägiger Bescheid erteilt worden soll.

Berlin, den 13. Oktober 1943

Thadden

284. OKM an das Auswärtige Amt 13. Oktober 1943

AA fik meddelelse om, at beslaglæggelsen af Niels Bukhs højskole var ophævet. Wurmbach og Best skulle finde en anden anbringelse af marineenheden.

AA gav to dage senere Best meddelelse herom.

Kilde: BArch, Freiburg, RM 7/1188. RA, Danica 628, sp. 7, nr. 5448.

Oberkommando der Kriegsmarine *Berlin, den 13. Oktober 1943*
Zu: B-Nr. 1. Skl. I i 30922/43 geh.

An das Auswärtige Amt
Berlin

Vorg.: Pol I M 3651 g vom 29.9.43 und Pol I M 3834 g. Ang. II vom 9.10.43[132]
Betr.: Aufhebung der Beschlagnahme der Gymnastikschule von Niels Bukh in Dänemark.

Die Aufhebung der Beschlagnahme ist wunschgemäß verfügt worden. Der kommandierende Admiral Dänemark hat gleichzeitig Weisung erhalten, die Unterbringung der Marineeinheiten im Benehmen mit dem Reichsbevollmächtigten anderweitig vorzunehmen.

I i

285. Joseph Goebbels: Tagebuch 13. Oktober 1943

Fra Best havde Goebbels modtaget en fremstilling af det danske jødespørgsmål. Aktionen mod jøderne var uomgængelig, de stod bag terror og hetz. Det lykkedes kun at fange få af dem, da de var advaret og mange bragte sig i sikkerhed i Sverige. Aktionen virkede som et chok i dansk og skandinavisk offentlighed, og det havde kostet Tyskland en hel del sympati.

Kilde: *Die Tagebücher von Joseph Goebbels*, Teil II:10, s. 98f.

[...]
Von Best erhalte ich eine Darstellung über die dänische Judenfrage. Daraus ist zu entnehmen, daß sich doch Juden in großer Zahl unserem Zugriff entzogen haben. Die Maßnahmen gegen die Juden waren nicht zu umgehen; denn die Juden waren in Dänemark die Träger der Sabotage und der Hetze gegen das Reich. Allerdings waren die dänischen Juden schon so frühzeitig über unsere geplanten Maßnahmen orientiert bzw. hatten sie geahnt, daß viele sich rechtzeitig nach Schweden in Sicherheit gebracht haben. Die Inangriffnahme der dänischen Judenfrage hat in der dänischen Öffentlichkeit wie ein Schock gewirkt, von der skandinavischen Öffentlichkeit gar nicht zu sprechen. Wir haben uns damit eine ganze Reihe von Sympathien verscherzt; aber das war ja kaum zu umgehen. Die Judenpresse vor allem in Stockholm hat gegen uns eine Kampagne entfesselt, die an Rüdigkeit des Tons gar nicht mehr überboten werden kann.
[...]

132 Skrivelserne er ikke lokaliseret.

286. Werner Best an das Auswärtige Amt 14. Oktober 1943

Dagsindberetning med oplysninger om sabotageaktioner i Ålborg og foranstaltninger i den anledning som eneste punkt.

Sabotagen mod værnemagtskommandanturen var ikke alene spektakulær, men også et direkte angreb på besættelsesmagtens autoritet. Det blev i januar 1944 af tysk politi takseret som en af efterårets alvorligste sabotager (se Bests telegram nr. 20, 5. januar 1944).

Kilde: PA/AA R 29.567. RA, pk. 203.

Telegramm

Kopenhagen, den	14. Oktober 1943	19.40 Uhr
Ankunft, den	14. Oktober 1943	20.35 Uhr

Nr. 1256 vom 14.10.[43.] Citissime!

Ich bitte, dem Herrn Reichsaußenminister die folgende Meldung unverzüglich zuzuleiten:

Über die Lage in Dänemark berichte ich für den 13. auf 14.10.43, daß als einziger Vorfall aus dem Lande der folgende Sabotagefall gemeldet worden ist: Am 14.10.43 etwa 8.50 Uhr erfolgte in der Wehrmachtkommandantur Aalborg eine starke Explosion, durch die das Gebäude beschädigt und drei deutsche Soldaten sowie zwei dänische Passanten verletzt wurden. Nach den bisherigen Feststellungen scheint die Sprengladung an einem Draht vom Dach oder Dachboden aus in einen Luftschacht herabgelassen worden zu sein. Die Untersuchung wird von der deutschen Sicherheitspolizei in Zusammenarbeit mit den zuständigen militärischen Stellen geführt.[133]

Als polizeiliche Ausnahme habe ich für die Stadt Aalborg bis auf weiteres Verkehrssperre von 20 bis 5 Uhr und Schließung der Gaststätten von 19 Uhr ab verfügt. Für Unterbringung der Wehrmachtkommandantur in einem hierfür beschlagnahmten Gebäude und für Wiederherstellung der Schäden auf dänische Kosten ist gesorgt.

Dr. Best

287. Eberhard von Thadden: Notiz 14. Oktober 1943

Von Thadden bad om hurtig ekspedition af et udkast til stillingtagen til behandling af muligt fejldeporterede danske jøder og mischlinge til forelæggelse for Ribbentrop. Udkastet var udarbejdet af Horst Wagner (Yahil 1967, s. 257).

Kilde: RA, pk. 226.

Ref.: LR v. Thadden

Anliegend wird Herrn Gruppenleiter Inl. II der Entwurf einer Ministervorlage vorge-

133 Den 14. oktober blev "Birchs Hotel" i Ålborg sprængt i luften; det husede Ortskommandanturens kontorer. Samtidig blev en ophalerbedding ved Ålborg havn sprængt. Den blev også anvendt af besættelsesmagten (RA, BdO Inf. nr. 5, 15. oktober 1943, *Det stod ikke i Avisen*, 1945, s. 168f., Knudsen 1986, s. 115).

legt.[134] Aufgrund des anliegend beigefügten Telegrammes von Ges. Best[135] kam die Angelegenheit in der Direktorenbesprechung am heutigen Tage zur Sprache. Herr Staatssekretär und Herrn U.St.S. Pol. hielten die Herbeiführung einer Entscheidung des Herrn RAM für unumgänglich notwendig.

Da die Angelegenheit sehr dringlich ist, wird gebeten, die Vortragsnotiz möglichst mit wendendem Kurier unterzeichnet zurückzugeben, sofern sie seitens des Herrn Gruppenleiter gebilligt wird.

Berlin, den 14. Oktober 1943

Thadden

288. Horst Wagner an Joachim von Ribbentrop 14. Oktober 1943

Den danske gesandt Mohr havde bedt om tilbageførsel af 17 jøder eller halvjøder, der skulle være deporteret i strid med de af tyskerne selv fastsatte kriterier. Best støttede dette, mens man fra RSHAs side først havde afvist, at der var noget at komme efter, når man af 6.000 jøder kun havde fået fat i nogle få hundrede, men også efter en påfølgende efterprøvelse, havde RSHA ikke kunnet konstatere nogen fejldeportationer. Wagner bad nu Ribbentrop tage stilling til fire spørgsmål: 1) Om gamle jøder skulle være undtaget fra deportation? Det støttede Wagner Best i. 2) Om jødiske børn skulle undtages fra fængsling? Det mente Wagner i lighed med Himmler ikke, at der kunne være tale om. 3) Om de allerede deporterede gamle jøder skulle føres tilbage? Wagner støttede det ikke. 4) Om AA skulle søge at få de deporterede halvjøder og jøder gift med ariere frigivet hos Himmler? Wagner støttede, at det i det mindste skete i enkelte markante tilfælde.

Ribbentrop lod Hencke give sin første knappe stillingtagen dagen efter (Yahil 1967, s. 257).

Kilde: RA, pk. 226 (foreligger igen 20. oktober med Wagners underskrift).

Inl. II Inl. II A 8040

Vortragsnotiz

Der dänische Gesandte Mohr hat im Auswärtigen Amt schriftlich und mündlich eine Reihe von Einzelfällen der Judenaktion in Dänemark zur Sprache gebracht, in denen nach den bekannt gewordenen Bestimmungen die Verhaftung und Abschiebung aus Dänemark zu Unrecht erfolgt sei. Es handelt sich um insgesamt 17 Fälle, und zwar meist um Halbjuden oder Juden, die mit Ariern verheiratet sind oder waren.

Weiterhin hat Gesandter Mohr gebeten, zu prüfen, ob nicht von den Abschiebungsmaßnahmen alte Juden und Kinder ausgenommen werden könnten.

Der Bevollmächtigte des Reichs in Dänemark, Gesandter Best, hat dahin Stellung genommen, daß er zwar die Freigabe der nach Ansicht des dänischen Außenministeriums zu Unrecht abgeschobenen Juden nicht zugesagt habe, daß er aber im Einvernehmen mit dem Befehlshaber der Sicherheitspolizei es begrüßen würde, wenn im Interesse einer Beruhigung des Landes die Mischlinge und in Mischehe lebenden Juden wieder freigelassen würden.

Weiterhin setzte sich Gesandter Best dafür ein, daß von der Deportation Juden in sehr hohem Alter in Zukunft ausgenommen werden, da sie weder politisch noch rassisch einen Schaden anrichten könnten. Für eine Freigabe und Rückschaffung der be-

134 Horst Wagners udkast 14. oktober er trykt efterfølgende.

135 Bests telegram nr. 1250, 13. oktober 1943.

reits abgeschobenen alten Juden, darunter der ältesten Einwohnerin Kopenhagens, der 102-jährigen Jüdin Texeira setzt sich Gesandter Best nicht ausdrücklich ein, sondern stellt lediglich fest, daß er wiederholt in dieser Angelegenheit von dänischer Seite angegangen worden sei.

Der zuständige Sachbearbeiter im Reichssicherheitshauptamt lehnte eine Prüfung der Frage, ob die angeblich zu Unrecht als Volljuden erfaßten Mischlinge usw. wieder freigegeben werden könnten, kategorisch mit der Begründung ab, daß man statt 6.000 Juden nur einige Hundert erfaßt habe und es daher völlig undiskutabel sei, von diesen wenigen auch nur einen freizulassen, selbst wenn seine Festnahme zu Unrecht erfolgt wäre. Erst nach energischem Drängen erklärte er sich damit einverstanden, wenigstens die von der Dänischen Gesandtschaft namhaft gemachten Fälle einer Prüfung zu unterziehen.

Im Nachgang zu dieser Besprechung hat der Chef der Sicherheitspolizei und des SD in den ersten acht Fällen mitgeteilt, daß seines Erachtens keine Verhaftung zu Unrecht erfolgt sei. Soweit Mischlinge I. Grades verhaftet seien, wären diese als Mitglieder der mosaischen Kultusgemeinde Geltungsjuden im Sinne der deutschen Gesetze und hätten sich wie Volljuden behandeln zu lassen, oder seien freiwillig Angehörigen in die Deportation gefolgt. Einige Juden seien zwar mit einem Arier verheiratet gewesen, doch sei die Ehe entweder geschieden oder durch Tod gelöst, oder die Ehegatten lebten getrennt, und auch die Kinder, die Mischlinge seien, lebten nicht im gleichen Haushalt. Gemäß den Richtlinien des Reichssicherheitshauptamtes für das Reich und die besetzten Gebiete, die auch in Dänemark angewandt seien, wäre daher bisher keine zu Unrecht erfolgte Verhaftung festgestellt worden.

Gruppe Inl. II bittet, die Entscheidung des Herrn Reichsaußenministers herbeizuführen:

1.) Ob alte Juden in Zukunft von der Verhaftungsaktion ausgenommen werden sollen.
    Inl. II schließt sich der Auffassung des Gesandten Best an, daß durch eine solche Ausnahmebestimmung ein Schaden nicht angerichtet werden kann, da diese Juden weder rassisch noch politisch gefährlich werden können;
2.) Ob Kinder von der Verhaftungsaktion ausgenommen werden sollen.
    Inl. II ist im Einvernehmen mit den Dienststellen des Reichsführers-SS der Ansicht, daß eine Ausnahme von Kindern den Grundtendenzen unserer Judenmaßnahmen widersprechen würde;
3.) Ob die verhafteten und schon abtransportierten alten Juden freigegeben werden sollen.
    Inl. II befürwortet ein solches Entgegenkommen nicht;
4.) Ob die Freilassung der verhafteten Halbjuden oder mit Ariern verheirateten Juden bei dem Reichsführers-SS erwirkt werden soll.

Bei der ablehnenden Stellungnahme der zuständigen Bearbeiter beim Reichssicherheitshauptamt könnte eine solche Regelung nur durch Besprechung mit dem Reichsführer-SS bewirkt werden. Um dem Gesichtspunkt des Gesandten Best Rechnung zu tragen, würde es Inl. II für ratsam halten, wenigstens in einigen besonders markanten Fällen eine Freigabe zu befürworten. Abt. Pol. befürwortet eine Freigabe.

Hiermit über Herrn U.St.S. Pol. Herrn Staatssekretär dem Büro RAM vorgelegt.

Berlin, den 14. Oktober 1943

Wagner

289. Horst Wagner an Adolf von Steengracht 14. Oktober 1943

Wagner ønskede anvisninger angående den politiforbindelsesofficer, Pancke, som RFSS ville indsætte i Danmark. Skulle officeren være ligestillet med den rigsbefuldmægtigede og ikke underlagt denne. Hvad var AAs interesse i denne sag?

Wagner fik svar af von Thadden 16. oktober 1943.

Kilde: RA, pk. 229.

VLR Wagner — Zu Inl. II 2811 g.

1.) Herrn St.S. vorgelegt
2.) Herrn VK Geiger m.d.B. um Beachtung

Ich habe dem RAM vorgetragen, daß der Reichsführer-SS den Gruppenführer Pancke zum Polizeiverbindungsoffizier Dänemark einsetzen will. Er will diesen dem Reichsbevollmächtigten beigeben, ihn aber nicht unterstellen. Die Angelegenheit soll mit Herrn Botschafter Ritter bezw. Vertreter noch einmal, besonders im Hinblick auf das Verhältnis "Reichsbevollmächtigter–Militärbefehlshaber" überprüft werden. Vor allen Dingen bitte ich zu klären, was im Interesse der Arbeit des Amtes erreicht werden muß, nämlich das politische Weisungsrecht oder ein regelrechtes Unterstellungsverhältnis.

Westfalen, den 14.10.1943

Wagner

290. Gerhard Rühle an Hans Fritzsche 14. Oktober 1943

Gerhard Rühle i AA svarede på det brev, som Fritzsche 21. september havde sendt til Gernand i København, og svaret kom ikke fra Gernand, men fra Best selv. Best kunne ikke se formålet med en ugentlig udsendelse fra Berlin. Dansk radio var under hans kontrol og blev bestyret af hans radioreferenter. Den tyske rigsradios væsentlige udsendelser, som f.eks. førertaler, blev regelmæssigt bragt. Der kunne yderligere være frygt for, at udsendelser fra Berlin ikke ville finde den rigtige tone og indhold i forhold til den danske befolkning og ville virke modsat hensigten.

Da AA alene videregav Bests indstilling, kan det tages for givet, at det ikke har ønsket at fremkomme med en anden opfattelse. Radiopropagandaen i Danmark blev dog ved med at optage kredse i Berlin, se Deutsche Rundfunk-Arbeitsgemeinschaft til RMVP 17. november 1943.

Kilde: RA, Danica 465, Moskva, Osobyj Archiv, 1363/1/163/143.

Abschrift.

Auswärtiges Amt — *Berlin, den 14. Okt. 1943*
zu Ru 4904/43 5619/43

An das Reichsministerium für Volksaufklärung und Propaganda
z.Hd. Herrn Ministerialdirektor Fritzsche
Berlin W 8

Dortiges Akt. Zch.: Rfk. A 3000/6.1.43/708 – 1,2

Auf das dortige Schreiben vom 21.9.43[136] an Herrn Gesandtschaftsrat Gernand, das von hier aus nach Kopenhagen geleitet wurde, hat der Reichsbevollmächtigte erwidert:

"... erwidere ich, daß ich die von dem Reichspropagandaministerium vorgeschlagene Aussendung eines Viertelstunden-Programms von Berlin durch den dänischen Staatsrundfunk nicht für notwendig und nicht für zweckmäßig halte. Der dänische Staatsrundfunk steht seit dem 29.8.43. unter meiner Aufsicht und wird sowohl hinsichtlich des Nachrichtendienstes wie auch hinsichtlich seiner politischen Kommentare von meinem Rundfunkreferenten unmittelbar gesteuert. Bedeutsame Sendungen des Reichsrundfunks wie Führerreden und Teile des deutschen Volkskonzerts werden regelmäßig übernommen. Ein Viertelstundenprogramm aus Berlin kann demgegenüber nichts Neues und vor allem nichts Besseres bringen als das hier unter deutscher Leitung zusammengestellte Programm. Es ist vielmehr zu befürchten, daß die Berliner Bearbeiter wegen ihrer äußeren und inneren Distanz von den hiesigen Verhältnissen nicht den Richtigen Ton und Inhalt finden und deshalb die hiesigen Bemühungen eher durchkreuzen als unterstützen. Erwünscht wären lediglich gute Reportagen mit dänischen Arbeitern in Deutschland, die in der hiesigen Bevölkerung Interesse fänden."

Im Auftrag
gez. **Rühle**

291. Hans Schröder an Werner Best 15. Oktober 1943

AAs økonomiafdeling reagerede på Bests arrangement for finansiering af tysk politi. Det beløb, som den danske regering hidtil havde brugt til bekæmpelse af sabotagen, skulle nu anvendes til tysk politi. Det skete under den forudsætning, at det ville være billigere med en tysk end dansk sabotagebekæmpelse, og at det fremkomne overskud gik videre til AA. Der kunne kun oprettes en særkonto til den rigsbefuldmægtigede hos Nationalbanken ved aftale med RFM og RIM.

Bests svar på Schröders meddelelse er ikke lokaliseret, hvis Best overhovedet svarede. Det var en underkendelse af hans disposition fra hans eget ministerium. AA fik svar på sin forespørgsel af 28. september til RFM om ordningen 6. november 1944.

Kilde: BArch, R 901 113.555.

Berlin, den 15. Oktober 1943

Fernschreiben

Nr. 127 ERH BS DG Kopenhagen 00.10
Diplogerma Consugerma Kopenhagen
Nr. 1435.
Direktor Dg. Vorw. C. RR. Bortsen [?]
Betrefft: Verwend. Besatzungskostenzahlung dänischer Regierung.

Auf Nr. 1096 vom 20. September 1943.[137]

Haushaltsabteilung zieht aus bisherigen Vorgängen Folgerung, daß beabsichtigt, für

136 Trykt ovenfor.
137 Trykt ovenfor.

Kosten Sabotagebekämpfung nicht benötigten Teil der zusätzlichen Besatzungskostenzahlung dänischer Regierung für Zwecke Ausgabebewilligungen des Auswärtigen Amts zu verwenden, die mangels Devisen nicht in Anspruch genommen werden können. Durchführung der Absicht setzt grundsätzlich voraus, daß Kosten Sabotagebekämpfung geringer als dänischer Beitrag sind und daß über diese Kosten der dänischen Regierung gegenüber keine Abrechnung erteilt zu werden braucht.

Über Frage Schaffung besonderen Kontos des Reichsbevollmächtigten bei der Nationalbank hat Reichsfinanzministerium zu entscheiden, weil grundsätzlich sämtliche Besatzungskosten im Haushalt Reichsfinanzministeriums zu vereinnahmen, während Ausgaben für Besatzungskosten vom in Frage kommenden Haushalt, hier also Reichsinnenministerium, zu tragen sind. Haushaltmäßige Regelung würde demnach wie folgt zu handhaben sein:

Die zur Durchführung Polizeiaktion benötigten Beträge sind der darüber abrechnenden Stelle vom Sonderkonto in Kronen zur Verfügung zu stellen. Diese zahlt über Reichsinnenministerium an Reichshauptkasse Reichsmark-Gegenwert der Kronen aus. Soweit für Polizeiaktion nicht benötigte Kronenbeträge vom Sonderkonto der Zahlstelle der Legationskasse bei der dortigen Behörde zur Durchführung von Aufgaben im Rahmen der vom Auswärtigen Amt zur Verfügung gestellten Ausgabebewilligungen abgeführt werden, wird auf entsprechenden Bericht Legationskasse Reichsmark-Gegenwert an Reichsfinanzministerium abführen. Der Kronenbetrag ist von der Zahlstelle als Kassenbestandsverstärkung mit demselben RM-Gegenwert zu vereinnahmen. Aufgaben, für die vom Auswärtigen Amt Ausgabebewilligungen nicht oder nicht ausreichend zur Verfügung gestellt, dürfen auch aus Sonderkonto nicht durchgeführt werden.

Schröder

292. Andor Hencke: Notiz 15. Oktober 1943

Ribbentrop lod øjeblikkeligt et foreløbigt svar på Wagners forespørgsel af 14. oktober gå tilbage til ham i AA. Ribbentrop erklærede sig enig med Best og gik grundlæggende ind for en "elastisk behandling af jødespørgsmålet i Danmark", som det blev formuleret.

Det var imidlertid ikke den endelige afgørelse, da der kom nye henvendelser fra det danske og svenske gesandtskab i sagen, så svaret til Best trak ud. Ribbentrop blev af von Thadden 25. oktober 1943 på ny bedt om en stillingtagen, hvorpå Sonnleithner svarede den 28. oktober (Yahil 1967, s. 257f.).

Kilde: RA, pk. 226.

Büro RAM

über St.S. U.St.S. Pol. VLR Wagner vorgelegt.

Der Herr Reichsaußenminister schließt sich der Auffassung des Gesandten Best an und hat sich grundsätzlich für eine elastische Behandlung der Judenfrage in Dänemark ausgesprochen, insbesondere soweit es sich dabei um Personen hohen Alters handelt, die weder politisch noch rassisch irgendwelchen Schaden anrichten können.

Westfalen, den 15. Oktober 1943.

Hencke

293. Hans Frohwein an Werner Best 15. Oktober 1943

Best fik meddelelse om den af Seekriegsleitung 13. oktober trufne beslutning om at afstå fra en beslaglæggelse af Ollerup Gymnastikhøjskole.

Best havde lagt hele sin autoritet i at argumentere for, at Ollerup Gymnastikhøjskole ikke skulle beslaglægges af værnemagten, og meddelelsen var en øjeblikkelig sejr for hans politiske linje med hensyn til at opnå en politisk afspænding i Danmark. Imidlertid voldte den nye ordre problemer, se Seekriegsleitung 18. oktober 1943.

Kilde: PA/AA R 29.567. RA, pk. 203.

Telegramm

Sonderzug, den	15. Oktober 1943	13.53 Uhr
Ankunft, den	15. Oktober 1943	14.25 Uhr

Nr. 1644 vom 15.10.43. Geheim.

1.) Telko
2.) An den Reichsbevollmächtigten für Dänemark Kopenhagen

Auf Drahtbericht Nr. 1227[138] vom 8. Oktober.
Das Oberkommando der Kriegsmarine hat den kommandierenden Admiral Dänemark angewiesen, von einer Beschlagnahme der Gymnastikschule Niels Bukh mit Rücksicht auf die politische Tragweite der Angelegenheit abzusehen und die Unterbringung der Marine-Rekruten im Benehmen mit dem Bevollmächtigten des Deutschen Reiches in Dänemark anderweitig zu regeln.

Frohwein

Vermerk:
Unter Nr. 1434 an Diplogerma Kopenhagen weitergeleitet.
Telko, 15.10.43.

294. Werner Best an das Auswärtige Amt 15. Oktober 1943

Dagsindberetning, hvor der ud over meddelelser om sabotager blev oplyst, at der ville komme fem bataljoner af russiske soldater til Jylland, og at von Hanneken ville foreslå løsladelse af de internerede danske officerer.

Kilde: PA/AA R 29.567. RA, pk. 203, 228 og 438a.

Telegramm

Kopenhagen, den	15. Oktober 1943	20.00 Uhr
Ankunft, den	15. Oktober 1943	20.45 Uhr

Nr. 1261 vom 15.10.43. Citissime!

138 Pol VI. Trykt ovenfor.

Ich bitte, dem Herrn Reichsaußenminister die folgende Meldung unverzüglich zuzuleiten:
Über die Lage in Dänemark berichte ich für den 14. auf 15.10.43 folgendes:

1.) In Jütland wurden mehrere Sabotageakte an Transformatoren verschiedener Orte verübt[139] und an einem Brettervorrat in Silkeborg mit geringem Schaden Sabotage versucht, wobei drei englische Brandbomben gefunden wurden.[140] In Kopenhagen ist in dem Restaurant "Tosca" ein Sprengkörper explodiert, wodurch drei dänische Zivilpersonen verletzt wurden.[141] Ein Sanatorium in Bagsvärd bei Kopenhagen, das als Marineerholungsheim vorgesehen war, wurde durch Brandstiftung beschädigt.[142] An seiner Stelle wurde das bekannte Skodsborg Sanatorium für die Marine beschlagnahmt. Mit der Verfolgung der Sabotagefälle ist die deutsche Sicherheitspolizei in Zusammenarbeit mit den zuständigen militärischen Stellen befaßt.
2.) Der Befehlshaber der deutschen Truppen in Dänemark hat mir mitgeteilt, daß 5 "Ostbataillone" (bestehend aus Angehörigen verschiedener Ostvölker unter deutschen Führern) nach Jütland verlegt werden. Sie sollen in bestimmten Stellungen und auf Flugplätzen eingesetzt werden, wo sie möglichst wenig mit der Bevölkerung in Berührung kommen.[143]
3.) Der Befehlshaber der deutschen Truppen in Dänemark hat mir mitgeteilt, daß er, nachdem heute die letzten dänischen Soldaten aus der Internierung entlassen worden sind, beabsichtigt, dem Oberkommando der Wehrmacht die Entlassung der Offiziere vorzuschlagen, nachdem er mit den dänischen Behörden vereinbart hat, daß die meisten jüngeren Offiziere unverzüglich einer zivilen Beschäftigung zugeführt werden.

Dr. Best

295. Kriegstagebuch/Admiral Dänemark 15. Oktober 1943

Wurmbach noterede det hidtidige forløb af frigivelsen af danske soldater og marinere, samt hvad der endnu forestod.

Der blev ikke længere luftet muligheden af hvervning til en dansk minerydningstjeneste.

Kilde: KTB/ADM Dän 15. oktober 1943, RA, Danica 628, sp. 3, s. 3114f.

[...]

Mit der Entlassung der Unteroffiziere und Mannschaften der dänischen Marine wurde lt. Verfügung OKW im Einverständnis mit Befehlshaber der deutschen Truppen

139 Der blev forøvet sabotage mod transformatorer og transformatortårne ved Padborg, Nørby (7 km nord for Åbenrå), ved Stollig (3 km nordøst for Åbenrå) og Østerhøjst by og Bylderup sogn (Bredevad) (RA, BdO Inf. nr. 5, 15. oktober 1943 (med den uidentificerede lokalitet "Visler"), Alkil, 2, 1945-46, s. 1222).

140 Et baraklager ved Silkeborg blev forsøgt afbrændt (Alkil, 2, 1945-46, s. 1222).

141 Det var BOPA, der på ny saboterede restaurant "Tosca" (RA, BdO Inf. nr. 5, 15. oktober 1943, Kjeldbæk 1997, s. 469).

142 Hareskov Kuranstalt blev afbrændt af BOPA (RA, BdO Inf. nr. 5, 15. oktober 1943, Kjeldbæk 1997, s. 469).

143 Se om de fem østbataljoner Bests telegram nr. 1283, 20. oktober 1943.

in Dänemark am 6.10. begonnen. Insgesamt wurden etwa 2.850 Unteroffiziere und Mannschaften bis zum 15.10. einschl. entlassen, nachdem laut einer früheren Verfügung OKW 90 Reserveoffiziere bereits bis Ende September aus der Internierung entlassen wurden.

Die Entlassung der restlichen etwa 695 Unteroffiziere und Mannschaften, sowie 8 Reserveoffiziere, die aus dienstlichen Gründen noch zurückgehalten wurden, wird voraussichtlich bis zum 20.10. einschl. durchgeführt sein.

Ich habe gemeinsam mit Trubef. Dän. und mit Einverständnis des Reichsbevollmächtigten gestern an das OKW einen Antrag gestellt, die Entlassung der aktiven Offiziere möglichst bald im Anschluß an die Entlassung der Unteroffiziere und Mannschaften vornehmen zu lassen.

[...]

296. Das Auswärtige Amt an OKM und OKW u.a. 15. Oktober 1943

AA meddelte, at rederierne Lauritzen og Torm havde meddelt kaptajnerne på de oplagte skibe i Las Palmas, at de ikke måtte sejle ud. Rederierne ville søge at skaffe spanske interessenter til at købe skibene.

Se AA til OKM og OKW 20. oktober 1943.

Kilde: BArch, Freiburg, RM 7/1187. RA, Danica 628, sp. 7, nr. 5449f.

Auswärtiges Amt — *Berlin, den 15. Oktober 1943*
Ha Pol 6366/43 g I — Geheim

Betr.: Dänische Schiffe in Las Palmas.

An
das Oberkommando der Kriegsmarine
– 1. Abteilung Seekriegsleitung –
das Oberkommando der Wehrmacht
– Sonderstab HWK –
mit Beziehung auf mein Schreiben vom 6. Oktober d.J. – Ha Pol 6184/43 g II –[144]
den Reichskommissar für die Seeschiffahrt
– Tonnageeinsatz –
mit Beziehung auf mein Schreiben vom 8. Oktober d.J. – Ha Pol 6237/43 g – und das Fernschreiben Nr. 34 vom 11. Oktober d.J. – S 1 RLB 3701/43 g[145]
– je besonders –

Der Reichsbevollmächtigte des Reichs für Dänemark berichtet unter dem 12. Oktober d.J., daß die Reedereien der dänischen Schiffe "Thyra S" und "Linda" auf seine Veranlassung hin außer den bereits ergangenen Weisungen an ihre Kapitäne zusätzlich ihren spanischen Agenten telegrafiert haben, damit auch diese über die Einstellung der Reedereien im Klaren sind.

144 Tryk ovenfor.

145 De to skrivelser er ikke lokaliseret.

Die Reederei Lauritzen habe wie folgt telegrafiert:

"Rumoured Linda intend leave Las Palmas contrary my instructions to captain dated 25. September STOP Please make quite clear to captain and to Spanish authorities that ship must remain Las Palmas awaiting result our negotiations chartersale – Lauritzen."

Die Reederei Torm habe folgendes telegrafiert:

"With reference our instructions to captain Thyras remain in port we request and herewith authorize you through Spanish authorities take necessary steps to prevent vessel from sailing without special instructions from us STOP Telegraph result are opening negotiation Spain for charter or sale STOP Inform captain – Torm."

Beide Reedereien würden, wie der Reichsbevollmächtigte in Dänemark weiter berichtet, mit Hilfe ihrer Agenten versuchen, mit spanischen Interessenten in Verbindung zu kommen, um Verkaufsverhandlungen mit Spanien einzuleiten. Ein Ergebnis dieser Bemühungen liege bisher noch nicht vor.

Weitere Mitteilungen bleiben vorbehalten.

Im Auftrag
W. Bisse

297. Eberhard von Thadden an Werner Best 16. Oktober 1943

Best fik svar på sin forespørgsel fra 13. oktober om, hvad han skulle svare UM i anledning af oberst A. Hartz' arrestation for spionage.

Se endvidere telegram nr. 1488, 30. november 1943.[146]

Kilde: PA/AA R 101.043. RA, pk. 232.

Telegramm

Berlin, den 16. Oktober 1943

Diplogerma Kopenhagen
Nr. 1440
Referent: VK Geiger
Betreff: Verhaftung des Obersten Hartz.

Auf Drahtbericht Nr. 1248.[147]

Für Bevollmächtigten persönlich:
Wie dort bekannt, liegt Verhaftung Obersten Hartz Abrede zwischen Abwehr und SD zugrunde. Obwohl Verhaftung erst in Kopenhagen geschehen sollte, erfolgte sie bereits auf Fähre und zwar kurz vor Anlaufen Gedsers, weil H., der Auflage hatte, sich auf Landweg nach Dänemark zu begeben, sich verdächtig machte, im Wagen seiner Frau

146 Geiger nåede at lave et notat om sagen 14. oktober, som blev overhalet derved, at en endelig beslutning blev truffet, før et foreløbigt svar kunne afgå til Best (sst.).
147 Trykt ovenfor 13. oktober.

zu entfliehen.

Auf Grund des der Abwehr und dem SD vorliegenden Materials steht jetzt schon eindeutig fest, daß Hartz geheimzuhaltendes militärisches Material an seine Dienststelle Kopenhagen weitergegeben hat. Unterlagenmaterial ist vom Reichssicherheitshauptamt und Abwehr bereits nach Kopenhagen überbracht worden, wo Anfang nächster Woche die Vernehmung Hartz' vor sich gehen wird. Von Ausgang Vernehmung wird weiteres Befinden des SD und der Abwehr über H. abhängen.

Ich bitte Dänischem Außenministerium auf erfolgte Anfrage mitzuteilen, daß begründeter Verdacht der Spionage und Flucht nach Schweden Verhaftung erforderlich machten.

Thadden

298. Werner Best an das Auswärtige Amt 16. Oktober 1943

Dagsindberetning.

Kilde: PA/AA R 29.567. RA, pk. 203.

Telegramm

Kopenhagen, den	16. Oktober 1943	14.25 Uhr
Ankunft, den	16. Oktober 1943	15.50 Uhr

Nr. 1265 vom 16.10.[43.] Citissime.

Ich bitte, die folgende Meldung dem Herrn Reichsaußenminister unverzüglich zuzuleiten:
Über die Lage in Dänemark berichte ich für den 15. auf 16.10.43 folgendes:

In Kopenhagen fanden zwei Sabotageakte gegen kleinere Firmen, die zum Teil für deutsche Zwecke arbeiten, statt.[148] Ein Sabotageversuch gegen eine Uniformfabrik wurde durch die Sabotagewacht vereitelt.[149] In dem kleinen Ort Sorö (Seeland) wurde in einer Garage Brand gelegt[150] und wurden bei zwei nationalsozialistischen dänischen Familien Fensterscheiben eingeworfen. In einer Möbelfabrik brach Feuer aus, Sabotage ist nicht festgestellt.[151] Die deutsche Sicherheitspolizei ist mit der Verfolgung dieser Fälle befaßt.

Dr. Best

148 Det drejede sig om BOPAs aktioner mod A/S Hellesens Enke, Oliemøllegade/Teglholmsgade og mod maskinfabrikken Undi, Skelbækgade 22B (RA, BdO Inf. nr. 6, 18. oktober 1943, Kjeldbæk 1997, s. 469).

149 Sabotageforsøget rettede sig mod firmaet Grauballe, Allégade 8, København (RA, BdO Inf. nr. 6, 18. oktober 1943, Alkil, 2, 1945-46, s. 1222).

150 Garage tilhørende Carl F. Jensen, Haverup pr. Sorø, brændte (RA, BdO Inf. nr. 6, 18. oktober 1943, Alkil, 2, 1945-46, s. 1222).

151 Der blev anvendt brandbomber mod møbelfabrikken i Sorø (RA, BdO Inf. nr. 6, 18. oktober 1943,).

299. Günther Altenburg: Notiz 16. Oktober 1943

Best havde 1. oktober bl.a. spurgt om, hvordan den rigsbefuldmægtigedes stedfortræders stilling skulle være i fremtiden. Ribbentrop havde besluttet, at den skulle være som den rigsbefuldmægtigedes. Derfor behøvede AA ikke som foreslået af Best at henvende sig til RFSS desangående. Dernæst skulle RFSS have en skrivelse, hvorefter HSSPF i Danmark fik sin faglige ordrer fra chefen for det tyske politi og i øvrigt stod under den rigsbefuldmægtigede.

Best fik RAMs svar 17. oktober.

Kilde: PA/AA R 29.567. RA, pk. 203.

Abschrift

Büro RAM zu Pers. H. 62 g

Über St.S. Abt. Pers. vorgelegt.

Der Herr RAM bestätigt den von Abt. Pers. eingenommenen Standpunkt, daß der Vertreter des Reichsbevollmächtigten in Dänemark die gleichen Befugnisse wie der Reichsbevollmächtigte selbst hat. Ein Herantreten in dieser Frage an den Reichsführer-SS wie von Gesandten Best angeregt, erübrigt sich daher. Dagegen bittet der Herr RAM durch ein Schreiben an den Reichsführer-SS festzustellen, daß Sie dem Reichsbevollmächtigten in Dänemark zugeteilten SS- und Polizeiführer zwar ihre fachlichen Weisungen vom Chef der Polizei erhalten, im übrigen aber klar bezüglich der Handlungen im Lande dem Reichsbevollmächtigten unterstehen.

Westfalen, den 16. Oktober 1943

Altenburg

300. Karl Ritter an Werner Best 16. Oktober 1943

Ritter meddelte Best OKWs reaktion på hans tidligere telegrammer af 20. september og 6. oktober 1943 vedrørende indsættelse af værnemagtsenheder i tilfælde, hvor der ikke var militær undtagelsestilstand i Danmark. OKW afviste, at det kunne komme på tale, og Ritter bad om Bests stilling dertil.

Best svarede med telegram nr. 1287, 21. oktober 1943.

Kilde: PA/AA R 29.567. RA, pk. 203.

Telegramm

Sonderzug, den	16. Oktober 1943	12.40 Uhr
Ankunft, den	16. Oktober 1943	13.15 Uhr

Nr. 1652 vom 16.10.[43.] Geheim

Westfalen, den 14.10.43

1.) Telko

2.) An den Reichsbevollmächtigten für Dänemark Kopenhagen

Auf Drahtbericht Nr. 1214[152] vom 6. Oktober.
Das Oberkommando der Wehrmacht ist von Ihrem Drahtbericht Nr. 1214 und dem zusammenfassenden Teil Ihres darin angeführten Drahtberichtes Nr. 1102[153] vom 20. September in Kenntnis gesetzt worden. Es hat sich zu der in letzteren erwähnten Möglichkeit, daß erforderlichenfalls von Ihnen angeordnete Maßnahmen durch angeforderte Kräfte der Wehrmacht durchgesetzt werden müßten, folgendermaßen geäußert: "Ein solcher Einsatz der Wehrmacht außerhalb des Bestehens eines militärischen Ausnahmezustandes ist nicht möglich. Falls die eigenen Machtmittel des Reichsbevollmächtigten zur Durchsetzt[ung] seiner Maßnahmen nicht ausreichen, müßte vielmehr bevor zum Einsatz von Kräften der Wehrmacht geschritten wird, zunächst wieder – örtlich oder all gemein – der militärische Ausnahmezustand erklärt werden."

Schluß der Äußerung des OKW.

Bitte um Stellungnahme hierzu. Hier erscheint das vom OKW gewünschte Verfahren bei guter Zusammenarbeit mit militärischen Dienststellen praktisch brauchbar, zumal es einen örtlich begrenzten Ausnahmezustand zuläßt. Für weniger schwerwiegende Fälle von Aufsässigkeit dürften jetzige polizeiliche Exekutivorgane ausreichen.

Ritter

301. Walter Forstmann an Werner Best 16. Oktober 1943

Straks efter jødeaktionens afslutning og den militære undtagelsestilstands ophævelse gik Best i gang med at normalisere forholdene til fordel for Tyskland. Over for lederen af Rüstungsstab Dänemark pressede han på for at få den danske rustningsproduktion for Tyskland bragt i vejret. Forstmann svarede igen med at gøre opmærksom på, at det ikke var et spørgsmål om modvilje fra dansk side, men om at der ikke hurtigt nok og i tilstrækkeligt omfang blev givet de nødvendige materialer fra Tyskland dertil. Som bilag medsendte Forstmann et uddrag af en indberetning fra en af sine nærmeste medarbejdere, hvoraf man fik et indtryk af den herskende materialemangel på virksomheder forskellige steder i landet.

Kilde: BArch, Freiburg, RW 27/11 og 12. RA, Danica 1000, T-77, sp. 696, KTB/Rü Stab Dänemark 4. Vierteljahr 1943, Anlage 5.

Der Chef des Rüstungsamtes *16.10.1943*

Anlage 5

Steigerung der Auftragsverlagerung.

An den Herrn Reichsbevollmächtigten in Dänemark,
SS-Gruppenführer Dr. Best, Kopenhagen

Sehr geehrter Herr Reichsbevollmächtigter!
Bei der Besprechung am Dienstag dieser Woche wurde ich von Ihnen gefragt, ob die Leistungsfähigkeit der dänischen Industrie noch zu steigern wäre, d.h. also, ob noch mehr Aufträge als bisher untergebracht werden können.

Wie bei früheren Gelegenheiten von mir wiederholt betont, hängt die Auftragsverla-

152 Pol VI. Trykt ovenfor.
153 Pol VI. Trykt ovenfor.

gerung ganz außerordentlich von einer hinreichenden und rechtzeitigen Materialbeistellung seitens der deutschen Auftraggeber ab. Diese sind aber leider nicht in der Lage, den Materialnachschub so prompt zu leisten, daß eine Auftragsbeschleunigung und damit eine Auftragssteigerung möglich wäre, obgleich die Abteilungen des Rü Stab Dänemark im Rahmen der Auftragsbetreuung die deutschen Firmen immer wieder anhalten, das Material anzuliefern.

Oberstleutnant Heyne und Reg. Baurat. Jeschke vom Rü Stab Dänemark sind soeben von einer Dienstreise nach Odense und Aarhus zurückgekehrt. Zu Ihrer Unterrichtung füge ich anliegend auszugsweise Abschrift des Reiseberichts des Oberstleutnant Heyne mit der Bitte um Kenntnisnahme bei.

1 Anlage

Heil Hitler!
[uden underskrift]

Auszugsweise Abschrift!

Heyne *Den 15.10.1943*
Oberstleutnant
Leiter Abt. Z

An Chef Rü Stab Dänemark

Die Reise diente der Auftragsverfolgung von 69 Aufträgen in Odense (davon 21 Aufträge Abt. Z) mit einem Gesamtauftragswert von d.Kr. 6.650.000 und von 39 Aufträgen in Aarhus (davon 26 Aufträge Abt. Z) im Gesamtauftragswert von d.Kr. 10.850.000,-.

Darüber hinaus war eine persönliche Fühlung- und Einflußnahme mit und auf die leitenden Herren und Sachbearbeiter der dänischen Betriebe, an die Aufträge seitens deutscher Auftraggeber verlagert waren, notwendig. Dies im besonderen, als die in Dänemark vor Beginn des Ausnahmezustandes herrschende dänische Einstellung gegenüber deutschen Aufträgen sehr zurückhaltend geworden war.

Als allgemein gültiges Resultat kann zunächst herausgestellt werden, daß die Zuvorkommenheit und Bereitwilligkeit deutschen Wünschen gegenüber sich ganz beträchtlich gebessert hat, was zweifellos als günstige Folge des Ausnahmezustandes gebucht werden kann. Allgemein standen die führenden Herren des Werkes zur Verfügung und gaben unter Heranziehung ihrer Sachbearbeiter und der Arbeitsunterlagen auf alle Fragen erschöpfende Auskunft. Eine weitere und reibungslosere Zusammenarbeit mit den besuchten Firmen ist sichergestellt.

Die Verfolgung der einzelnen Aufträge führte bisweilen zu sofortigen erfolgversprechenden Hinweisen. Die Rückstände in der Zügigkeit der Auftragsauslieferungen lagen augenscheinlich *einzig und allein* an den schleppenden deutschen Materialanlieferungen. Nur in einem Fall, und zwar seitens der Ingeniör Forretningen A/S, Aarhus wurden Zahlungsschwierigkeiten herausgestellt, die durch Rü Stab Dänemark voraussichtlich in einigen Tagen behoben sein werden. Es war ein glückliches Zusammentreffen, daß der

Vertreter des Marine-Oberverwaltungsstabes in Kiel, Architekt Löhrer, gerade zugegen war, welcher Stab ja der Verlagerer für die Möbel bei der Ingeniör Forretningen A/S ist. Architekt Löhrer bat um die Unterstützung des Rü Stab Dän. bezüglich der Zahlungen, die nach seiner Ansicht nur auf Unkenntnis seiner Behörde und formellem Schwierigkeiten bei der Devisenstelle in Berlin beruhen könnte.

Über alle Verlagerungen möchte man das Wort setzen: "Material gleich im Koffer mitzubringen," um das lange anstehen bezw. einfrieren der Aufträge von vornherein auszuschalten.

Jedenfalls kann über die Säumigkeit eines dänischen Lieferers erst ab dem Datum der vollen Materialankunft geurteilt werden.

Zusätzliche Aufträge, – als weiteres Resultat der Besuche –, können bei allen aufgesuchten dänischen Firmen hereingelegt werden, wenn durch *sofortige oder terminmäßige Materialbeistellung* die Möglichkeit des Arbeitsbeginns gewährleistet wird. Denn nur hierdurch kommt die dänische Industrie in die Lage, eine übersichtliche Terminplanung für ihre Werke vornehmen zu können

gez. **Heyne**

302. Eberhard von Thadden an Horst Wagner 16. Oktober 1943

Von Thadden korreksede Wagner for ikke at være klar over, at det var en HSSPP og ikke en politiforbindelsesofficer, der skulle indsættes i Danmark. Det var efter drøftelse med von Steengracht besluttet, at Best skulle spørges vedrørende stillingsforholdet: Om det var nok med en sideordnet HSSPF, eller om et andet stillingsforhold var ønskeligt.

Wagner udviste i dette kompetencespørgsmål en iøjnefaldende mangel på ęvne til at varetage AAs og Bests interesser over for RFSS.

Kilde: RA, pk. 229.

Ref.: LR v. Thadden

Ich hatte heute Gelegenheit, Herrn Staatssekretär auf die Frage der Stellung des höheren SS- und Polizeiführers – nicht Polizeiverbindungsführers, wie es wohl versehentlich in der dortigen Notiz für den Herrn Staatssekretär vom 14.10. heißt –, in Dänemark anzusprechen.

Herr Staatssekretär hielt es für zweckmäßig, Gesandten Best zunächst um Stellungnahme zu bitten, ob ein Beigeben den örtlichen Ansprüchen genügt, oder eine andere Form der Stellungsverhältnisse erforderlich ist. Entwurf meines Herrn Staatssekretär vorgelegten Telegramms an Gesandten liegt abschriftlich bei.[154]

Hiermit Herrn Gruppenleiter Inl. II mit der Bitte um Kenntnisnahme vorgelegt.

Berlin, den 16. Oktober 1943.

Thadden

154 Se Steengrachts telegram nr. 1444 til Best 17. oktober 1943.

303. Partei-Kanzlei der NSDAP an das Auswärtige Amt 16. Oktober 1943

I anledning af en schweizisk pressetjenestes omtale af en protestskrivelse, som de danske biskopper skulle have rettet til den danske justitsminister i anledning af grundløse arrestationer og antisemitisk propaganda, ville kancelliet have øjeblikkelig underretning om de beføjelser, der var givet de tyske besættelsesmyndigheder med hensyn til den civile forvaltning af landet og dens organisation. Der blev i den sammenhæng gjort opmærksom på de bekendte retningslinjer for behandling af politisk-konfessionelle anliggender i den tyske interessesfære uden for Riget.

Der er ikke lokaliseret et svar på dette brev, der indeholdt en direkte kritik af AAs håndtering af situationen i Danmark. Muligvis er et svar ikke blevet givet, da AA i det hele taget ikke var meget for at besvare kancelliets spørgsmål vedrørende Danmark. Det var først og fremmest AAs eget anliggende.

Se tillige Partei-Kanzlei der NSDAP til AA 21. oktober 1943.

Kilde: RA, pk. 218.

Nationalsozialistische Deutsche Arbeiterpartei — *München 33, den 16. Oktober 1943*
Partei-Kanzlei — Führerbau III D 1 – 3320/4/95

An das Auswärtige Amt
z.Hd. v. SA-Brigadeführer Frenzel
Berlin W 8
Wilhelmstr. 75

Betrifft: Behandlung der politisch-konfessionellen Angelegenheiten in Dänemark.

Vor einigen Monaten hat der Schweizer evangelische Pressedienst folgende Meldung gebracht:

“Öffentlicher Protest der lutherischen Bischöfe in Dänemark. Nach einer Meldung der “Vie Protestante” haben die lutherischen Bischöfe in Dänemark dem Justizminister eine öffentliche Kundgebung zukommen lassen, in der sie diesen an die Tatsache erinnern, daß zahlreiche Personen in Haft genommen worden waren, ohne daß die Öffentlichkeit darüber unterrichtet oder die Gründe dieser Verhaftungen bekanntgegeben worden waren. Man weiß auch nichts über die Behandlung der in Haft Genommenen. Die antisemitische Propaganda sei auf künstliche Weise geschürt worden. Die Pfarrer seien von der Regierung aufgefordert worden, die Verfolgung der Juden nicht zu “kommentieren”. Das Protestschreiben der Bischöfe schließt mit folgenden Worten: “Herr Justizminister, wir bitten Sie, der Tatsache Ihre Aufmerksamkeit zu schenken, daß alle diese Fragen eine ersthafte Spannung geschaffen haben, in der das Risiko einer gewaltsamen Manifestation zum Schaden des dänischen Volkes nicht ausgeschlossen ist. Wir bitten Sie, unverzüglich die notwendigen Maßnahmen zu ergreifen, die dazu angetan sind, das heute erschütterte Vertrauen wieder herzustellen.”

Im Zusammenhang damit wird unter Bezugnahme auf die Ihnen bekannten Grundsätze über die Behandlung der politisch-konfessionellen Angelegenheiten in den außerhalb des Altreichs gelegenen Gebieten der deutschen Machtsphäre um dringende Mitteilung gebeten, welche Befugnisse die deutschen Besatzungsbehörden in Dänemark hinsichtlich der zivilen Verwaltung des Landes haben und wie deren Organisation ist.

Heil Hitler!
I.A.
Krüger

304. Das Auswärtige Amt an OKW und OKM 16. Oktober 1943

Det Tyske Gesandtskab i Stockholm havde sendt en indberetning til AA om stemningen i Sverige i midten af oktober, som uden kommentarer blev videresendt til OKW og OKM. Indberetningens hovedbudskab var, at aktionen mod de danske jøder havde øget den svenske tyskfjendtlighed betydeligt, mens de tyskvenlige for tiden var blevet tvunget i baggrunden. Aktionen havde også påvirket den svenske regering i negativ retning over for Tyskland. Den svenske regering regnede ikke med at få problemer pga. de over 3.000 jødiske flygtninge fra Danmark, da det ikke drejede sig om ghetto-jøder, men om "danske" elementer.

Kilde: BArch, Freiburg, RM 7/1189.

Auswärtiges Amt *Berlin W 8, den 16. Oktober 1943*
Pol VI 1280 Wilhelmstr. 74-76

An
das Oberkommando der Wehrmacht
– Agr. Ausland –
das Oberkommando der Kriegsmarine
– Seekriegsleitung –
– je besonders –

Die Deutsche Gesandtschaft in Stockholm gibt folgenden Stimmungsbericht über Schweden Mitte Oktober 1943:[155]

1.) Öffentliche Meinung:
Die Mitte September gemeldete Verschlechterung der allgemeinen Stimmung in Schweden gegenüber Deutschland hat infolge der Entwicklung in Dänemark und der Maßnahmen gegen die dänischen Juden angehalten und nunmehr einen Tiefpunkt erreicht. Das dänische Volk hatte sich in Schweden durch sein Verhalten am 9. April 1940 große Sympathien erworben. Im Gegensatz zu den Schreibereien der Hetzpresse wollte das schwedische Volk nichts lieber, als daß es für die Dauer des Krieges gelingen sollte, eine feste Basis für die Aufrechterhaltung der Ruhe und Ordnung in Dänemark zu finden. Das vorhandene Verständnis für notwendige militärische Sicherheitsmaßnahmen findet in der schwedischen Öffentlichkeit seine Grenze bei unterschiedslosem Kollektivverfahren. Die Reaktion gegen die deutschen Maßnahmen gegen die dänischen Juden ist im ganzen Volk einheitliche empörte Ablehnung, zumal die Presse dieser Stimmung mit Ausnahme der von uns subventionierten Organe hemmungslos täglich neue Nahrung gibt. Deutschfeindliche Blatter feststellen, die Judenmaßnehmen hätten den Abscheu gegen Deutschland aufs stärkste gesteigert. Liberale Blätter sprechen von "Bestialität ohne Gegenstück". Einstimmig wird behauptet, Maßnahmen seien Zeichen zunehmender deutscher Desperation. Nordische Solidarität wird kräftig unterstrichen. Weit mehr als 3.000 meist jüdische Flüchtlinge sind bis jetzt in Südschweden eingetroffen, wo sie die Front der Gerüchtemacher verstärken, die ein Interesse an der Unterminierung guter deutsch-schwedischer Beziehungen haben. Hand in Hand hiermit wird für eine fühl-

155 Indberetningen fra Stockholm var sendt til AA 10. oktober 1943 (Kirchhoff 1997, s. 316, 320, der har indberetningen fra RA, Stockholms affotograferinger fra AA).

bare Verbesserung der schwedischen Beziehungen zu den Alliierten Stimmung gemacht und hervorgehoben, daß London und Washington dem schwedischen Angebot auf Übernahme der dänischen Juden lauten Beifall zollten. Wenn auch in Provinzzeitungen beispielsweise auf die "dunkelhaarigen Dänen auf den Straßen von Helsingborg" hingewiesen wird und die Unterbringung und Beschäftigung der Flüchtlinge nicht leicht ist, so ergibt sich, doch paradoxes Bild, daß dänische Juden zurzeit nordische Märtyrer geworden sind. Außerdem sind gesunde schwedische antisemitische Instinkte jedenfalls für Augenblick in Hintergrund gedrängt worden. Das gilt auch für Stellungnahme ausgesprochener Deutschfreunde wie Sven Hedin[156] oder Professor Olivecrona (Lund).[157] Auf ähnliche Haltung deutschen Waffenbruders Finnland (z.B. Professor Kailas)[158] wird mit Genugtuung und Hinweis auf "eindeutige nordische Reaktion" verwiesen.

Gegenüber dänischer Frage sind andere außenpolitische Angelegenheiten in Öffentlichkeit stark zurückgetreten mit Ausnahme der Moskauer Dreimächte-Konferenz. Der Behandlung des finnischen Problems in Moskau gilt hier das Hauptinteresse.

Schweden hofft, daß es Finnland gelingen möge, einen Weg aus dem Kriege herauszufinden, der zugleich die Freiheit und Unabhängigkeit des Landes garantiert. Für das latente Eintreten Schwedens für Finnland ist folgender Ausspruch Oberbefehlshabers General Thoernell bezeichnend, der am 20. September erklärte: "Dieses Land ist nicht das unserige, aber der Kampf für Finnlands Freiheit war und ist indirekt auch ein Kampf für Schwedens Sicherheit". Weiter links stehende Kreise zeichnen sich durch eine gewisse Sorglosigkeit über die Pläne Sowjetrußlands aus. Sie glauben an die Aufrichtigkeit der Tagesorder Stalins an die Rote Armee, daß der Kampf der Sowjetunion ausschließlich dem Ziele diene, daß 1941 verlorene Gebiet zurückzuerobern, und schenken der propagandistischen Erklärung der Atlantik-Deklaration auf Selbständigkeit der kleinen Nationen gewisses Vertrauen.

2.) Amtliches Schweden:
Die Auffassung der Regierungskreise über die Ereignisse in Dänemark deckt sich völlig mit öffentlicher Meinung. Universitätskanzler und früherer Außenminister Unden unterstrich die Tatsache, daß schwedische Regierung in Berlin auf die ernsten Rückwirkungen aufmerksam gemacht habe, die Judenaktion auf deutsch-schwedische Beziehungen ausüben müssen. Schwedische Regierung hat Schritt in Berlin ganz offenbar auch aus innerpolitischen Gründen unternommen, um neuen Ansturm oppositioneller Bonnier und Segerstadt-Cliquen zuvorzukommen und womöglich unter Druck öffentlicher Meinung vielleicht unausbleibliche Angriffe auf Zusammensetzung Sammlungsregierung zu vermeiden. Regierungskreise haben kaum mit Antwort gerechnet und genügen sich mit praktischem Ergebnis, daß Schweden de facto bis heute über 3.000 dänischen Juden Asyl bietet. Überfremdung wird nicht befürchtet, da es sich nicht um Ghetto-Juden, sondern um "dänische" Elemente handele, die, sobald wie möglich, "Schweden wieder verlassen würden, um in die alte Heimat zurückzukehren. Dagegen erwarten

156 Den internationalt kendte svenske opdagelsesrejsende Sven Hedin havde på et tidligt tidspunkt stillet sig positiv over for Det Tredje Rige.

157 Se om ham Thadden til RSHA 12. oktober 1943.

158 Eino Kaila, professor i teoretisk fysik ved Helsingfors Universitet.

Regierungskreise deutsche Antwort in Schadensersatznote für versenkte Fischerboote. 11 d.M. beginnende deutsch-schwedische Wirtschaftsbesprechungen beanspruchen Interesse wegen Weiterführung Göteborg-Verkehrs und Beschaffung für 1943 noch fehlender Clearingmittel.

Vorübergehendes Festhalten schwedischer Tankschiffe vor Kristiansand begegnet Unverständnis und wird als völlig unnötige Trübung der Atmosphäre angesehen. Nach Erledigung der unvermeidlichen Ausklarierung der norwegischen Schiffe "Dicte" und "Lionel" wird festes Göteborgabkommen angestrebt, ohne daß Planung schwedischer Wirtschaft nicht möglich sei. Durch Bahnarbeiten eingeschränkter Erzzufuhr nach Luleaa wird keinerlei politische Bedeutung oder Absicht zugemessen. Über Göteborg geplanter deutsch-englischer Gefangenenaustausch wird als gemeinsame humanitäre Äußerung Kriegsführender aufrichtig begrüßt. Regierungskreise erwarten günstige Auswirkung auf öffentliche Meinung Schwedens. Militärische Lage in Osten wird weiter mit Unruhe, in Italien ohne Interesse verfolgt. Rückwanderung der Estlandschweden gewinnt an Interesse und beginnt sich zu nationaler Forderung zu entwickeln.

3.) Infolge vermehrter und vergrößerter Störungsquellen kommt reichlicher Zuführung deutschen Nachrichtenmaterials über die vertragsmäßigen Kanäle der Nachrichtenagenturen und der zugelassenen Auslandskorrespondenten schwedischer Presse auch in besetzten Ländern erhöhte Bedeutung zu. Landeseigene und deutsche Propagandaquellen in Schweden haben bei jetzigem Tiefstand allgemeiner Stimmung und fehlender Aufnahmebereitschaft in nahezu allen Kreisen nur geringe Einflußmöglichkeiten.

(Der vorstehende Text darf unter keinen Umständen im Wortlaut weitergegeben werden.)

Im Auftrag
gez. **von Grundherr**

305. Werner Best an das Auswärtige Amt 17. Oktober 1943

Dagsindberetning.
Kilde: PA/AA R 29.567. RA, pk. 203.

Telegramm

Kopenhagen, den 17. Oktober 1943 14.00 Uhr
Ankunft, den 17. Oktober 1943 14.30 Uhr

Nr. 1269 vom 17.10.[43.] Citissime!

Ich bitte, die folgende Meldung des Herrn Reichsaußenminister unverzüglich zuzuleiten:

Über die Lage in Dänemark berichte ich für den 16. auf 17.10.1943 folgendes:

Aus Kopenhagen ist ein Sabotageakt in einer Maschinenfabrik mit geringem Sachschaden gemeldet.[159] Auf Fünen hatte die deutsche Sicherheitspolizei gute Festnahmeerfolge gegen Widerstandskreise.

Dr. Best

306. Adolf von Steengracht an Werner Best 17. Oktober 1943

Dette er en følgeskrivelse fra AA, hvoraf det fremgår, at Best havde fået fremsendt en skrivelse om indplaceringen af den kommende HSSPF i Danmark.

Skrivelsen er ikke lokaliseret, men af den fremgik, hvad Best allerede vidste fra Himmlers brev, at HSSPF ville blive sidestillet og ikke underlagt den rigsbefuldmægtigede.

Best svarede med telegram nr. 1285, 21. oktober 1943.

Kilde: PA/AA R 101.040. RA, pk. 229, 233 og 438a.

Telegramm

Berlin, den 17. Oktober 1943

Diplogerma Kopenhagen
Nr. 1444
Referent LR v. Thadden
Betreff: ...

Für Reichsbevollmächtigten persönlich.
Reichsführer-SS beabsichtigt, Höheren SS- und Polizeiführer Reichsbevollmächtigtem beizugeben. Erbitte Drahtstellungnahme, ob diese Form nach dortiger Auffassung Stellung des Bevollmächtigten des Reichs gerecht wird, oder welche andere Form der Stellung des Höheren SS- und Polizeiführers zum Reichsbevollmächtigten dort für erforderlich erachtet wird.

Steengracht

307. Werner Best an das Auswärtige Amt 18. Oktober 1943

Best blev bedt om at besvare en henvendelse vedr. konkrete tilfælde af danske jøders involvering i spionage og sabotage, der muligvis var beregnet for propagandaformål. Han meddelte da kort og kontant, at begrundelsen for igangsættelsen af jødeaktionen var uden reelt grundlag.

Begrundelsen for aktionen var rimeligvis dikteret af ham selv (Herbert 1996, s. 365).

Kilde: PA/AA R 100.864. PKB, 13, nr. 742. ADAP/E, 7, nr. 49.

159 Det drejede sig om BOPAs aktion mod A/S Titan, Tagensvej 86, hvor erstatningssummen var 130.000 kr. BdO beskrev aktionen ret nøje, men meddelte, at fabrikken kun i ringe omfang arbejdede for værnemagten (RA, BdO Inf. nr. 7, 19. oktober 1943, Kjeldbæk 1997, s. 469).

Telegramm

Kopenhagen, den	18. Oktober 1943	16.15 Uhr
Ankunft, den	18. Oktober 1943	17.20 Uhr

Nr. 1272 vom 18.10.[43.]

Auf Multex Nr. 1015[160] vom 9.10.43 wird berichtet, daß in Dänemark bisher durch polizeiliche Ermittlungen und durch Gerichtsverfahren keine Fälle jüdischer Spionage und Sabotage festgestellt worden sind. Die Juden in Dänemark haben sich seit der Besetzung des Landes durch deutsche Truppen sehr zurückgehalten, weil sie ständig in der Angst vor einer Aktion lebten, wie sie am 1-2.10.43 dann tatsächlich stattfand. Auf wirtschaftlichem Gebiet ist aus der Besatzungszeit nur der Fall des jüdischen Großhändlers Carl Salomonsen zu erwähnen, der im Dezember 1942 von den dänischen Behörden wegen Preistreiberei verfolgt wurde und Selbstmord beging.[161] Wenn hier am 2.10.43 zur Begründung der Judendeportation veröffentlicht wurde, daß die Juden die Sabotage in Dänemark moralisch und materiell unterstützt hätten, so geschah dies um des Zweckes Willen, ohne daß konkrete Unterlagen hierfür vorlagen.

Dr. Best

308. Werner Best an das Auswärtige Amt 18. Oktober 1943

Dagsindberetning.

Kilde: PA/AA R 29.567. RA, pk. 203.

Telegramm

Kopenhagen, den	18. Oktober 1943	20.00 Uhr
Ankunft, den	18. Oktober 1943	20.45 Uhr

Nr. 1273 vom 18.10.[43.] Citissime!

Ich bitte, dem Herrn Reichsaußenminister die folgende Meldung unverzüglich zuzuleiten:
Über die Lage in Dänemark berichte ich für den 17. auf 18.10.43, daß außer zwei leichten Sabotageakten an militärischen Fernsprechleitungen keine besonderen Vorkommnisse gemeldet sind.

Dr. Best

160 P 15364. Telegrammet er ikke lokaliseret.

161 Carl Salomonsen, direktør for A/S C.F. Rich og Sønner, begik selvmord den 21. december 1942, efter at Prisdirektoratet to dage før havde anmodet anklagemyndigheden om at rejse tiltale mod ham for overtrædelse af prisloven med en ulovlig fortjeneste på 3 mio. kr.

309. Seekriegsleitung: Betr. Freistellung der Gymnastikschule des Dänen Niels Bukh 18. Oktober 1943

Seekriegsleitung noterede, at OKW/WFSt havde tilsluttet sig, at Ollerup Gymnastikhøjskole ikke blev beslaglagt. Imidlertid havde det vist sig, at det ikke havde været til at finde en anden egnet indkvartering af marineenheden. Efter at have kommunikeret med Wurmbachs stab syntes det nødvendigt gennem AA at bede Best om at anvise en egnet indkvartering. Der blev derfor skrevet til AA, at Best skulle sætte sig i forbindelse med Wurmbach og anvise en egnet indkvartering. WB Dänemark havde erklæret, at han ikke var i stand til det.

OKM gjorde en ny bemærkning i sagen 21. oktober 1943.

Kilde: BArch, Freiburg, RM 7/1188. RA, Danica 628, sp. 7, nr. 5451f.

Seekriegsleitung *Berlin, den 18.10.1943.*
Neu! B-Nr. 1. Skl. I i 31 703/43 geh. Geheim
Sofort Vfg.

I.) Vermerk
Betr. Freistellung der Gymnastikschule des Dänen Niels Bukh von der Beschlagnahme.

Am 18.10.43 wurde bei I i von OKW/Führungsstab angerufen und mitgeteilt, daß man jetzt auch im OKW die Auffassung vertrete, daß aus den vom Ausw. Amt und von den Reichsbevollmächtigten Dr. Best angegebenen politischen Gründen die Gymnastikschule nicht zu beschlagnahmen sei. Das OKW würde es daher begrüßen, wenn es bei der bereits von OKM getroffenen Anordnung verbliebe, die Schule nicht zu beschlagnahmen.

Freg. Kapt. Stein vom Sonderstab für Quartierfragen vertrat I i gegenüber fernmündlich den Standpunkt, daß das militärische Interesse vorginge. Die 7. Ergänz. Abtlg. der MAA müsse aus Sonderburg nach dem dänischen Raum verlegt werden. Die bisher von Dr. Best angebotenen Ersatzquartieren seien ungeeignet, da man aus Ausbildungsgründen die etwa 1.200 Köpfe starke Abteilung nicht trennen könne. Nach nochmaliger fernmündlicher Anhörung des Chefs des Stabes des Kommandierend. Admirals erscheint es geboten, den Reichsbevollmächtigten Dr. Best durch das Ausw. Amt veranlassen zu lassen, des Kommandierend. Admiral geeignetere Ersatzquartiere anzubieten.

Gesandter v. T.[162] stellte fernmündlich in Aussicht, einer diesbezüglichen Bitte des OKM alsbald nachzukommen.

II.) Schnellbrief an das Auswärtige Amt
z.Hd. d. Herrn v. Tippelskirch
Berlin

Vorg.: Pol I M 3834 g Ang. II vom 9.10.43
Betr.: Aufhebung der Beschlagnahme der Gymnastikschule des Dänen Niels Bukh in Ollerup.

Die auf Wunsch des Ausw. Amtes gem. B. Nr. 1/Skl. I i 30 922/43 vom 13. Okt. 43[163] verfügte Aufhebung der Beschlagnahme ist in der Annahme erfolgt, daß sich die 7.

162 Gesandt von Tippelskirch.
163 Trykt ovenfor.

EMAA in dem von dem Herrn Reichsbevollmächtigten Dr. Best genannten Räumen unterbringen lassen würde. Nach Meldung des Kd. Admiral Dänemark ist es jedoch bisher nicht möglich gewesen, eine auch nur annähernd ähnliche anderweitige Unterbringungsmöglichkeit zu finden. Aus Gründen der Ausbildung und Disziplin kann die ca. 1.200 Köpfe umfassende Einheit nicht auf eine Reihe von Ortschaften und Schlössern verteilt werden, sondern muß so untergebracht werden, daß die genannten militärischen Belange gewahrt bleiben. Dies wäre in Ollerup der Fall, wozu noch bemerkt wird, daß die 1.200 Mann nicht etwa nur in der Gymnastik-Hochschule, sondern auch noch in anderen Gebäuden des gleichen Ortes untergebracht werden sollten.

Wenn weiterhin auf die Erfassung der Schulanlagen von Niels Bukh verzichtet werden soll, so hat dies zur Voraussetzung, daß der Herr Reichsbevollmächtigte Dr. Best eine geeignete andere Unterbringung ermöglicht. Der Truppenbefehlshaber ist nach den vorliegenden Berichten dazu nicht in der Lage. Es wird daher gebeten, daß Herrn Reichsbevollmächtigten anzuweisen, sich mit dem Kd. Admiral Dänemark unmittelbar in Verbindung zu setzten, um mit diesem unter Angebot in der Nähe der See gelegener Quartiere nach einer Möglichkeit zu suchen, die die politischen und militärischen Belange in gleiche Weise erfüllt.

[...]

310. Werner Best an das Auswärtige Amt 19. Oktober 1943

Dagsindberetning.

Best fortalte ikke, at det var forsøgt at befri politiske fanger fra Vridsløselille Statsfængsel, hvorunder det var kommet til ildkamp med vagterne. BOPA stod bag befrielsesforsøget (Kjeldbæk 1997, s. 469).

Kilde: PA/AA R 29.567. RA, pk. 203.

Telegramm

Kopenhagen, den	19. Oktober 1943	18.55 Uhr
Ankunft, den	19. Oktober 1943	20.00 Uhr

Nr. 1276 vom 19.10.[43.] Citissime!

Ich bitte, die folgenden Meldungen dem Herrn Reichsaußenminister unverzüglich zuzuleiten:

1.) Über die Lage in Dänemark berichte ich für den 18. auf 19.10.43, daß an der Bahnstrecke Aalborg-Hjörring (Nordjütland) drei Sprengungen mit geringem Schaden stattfanden und daß in Odense ein Telefonkabel zerschnitten wurde.[164]
2.) Der Befehlshaber der deutschen Truppen in Dänemark hat mir mitgeteilt, daß das OKW der Entlassung der internierten dänischen Offiziere zugestimmt hat. Die Entlassung beginnt am 20.10.43.

Dr. Best

164 Ifølge BdO var det på strækningen Ålborg-Frederikshavn (RA, BdO Inf. nr. 8, 22. oktober 1943).

311. Rudolf Brandt an Karl Wolff 19. Oktober 1943

Den mislykkede aktion mod de danske jøder havde bl.a. den konsekvens, at RFSS ikke ville lade Best forfremme, hvilket igen medførte, at Pancke heller ikke kunne forfremmes, da Pancke på den måde ville opnå en højere rang end den rigsbefuldmægtigede.

Om ikke andet, så er denne formelt set vigtige sag for SS-officererne en understregning af, at Bests aktier i SS og ikke mindst hos Himmler var styrtdykket.

Kilde: RA, pk. 443a (Akt Pancke).

Der Reichsführer-SS
Persönlicher Stab
Tgb. Nr. 18/67/43g
Bra/H.

Feld-Kommandostelle, den 19.10.43

An SS-Gruppenführer Wolff
Chef des SS-Personalhauptamtes
Berlin

Lieber Gruppenführer!
Die Beförderung des SS-Gruppenführers Pancke kann der Reichsführer-SS jetzt noch nicht durchführen. Er bittet Sie, mit dem Gruppenführer bei der nächsten Gelegenheit zu sprechen und ihm zu sagen, er möge für dieses Warten des Reichsführer-SS Verständnis haben, denn eine Beförderung des SS-Gruppenführers Pancke müßte unbedingt auch Beförderungen des SS-Gruppenführers Best und des SS-Gruppenführers Lauterbacher nach sich ziehen.[165] Beide Beförderungen, besonders aber die des SS-Gruppenführers Best, lassen sich im Augenblick vom Reichsführer-SS nicht durchsetzten. Er möchte deshalb noch bis zum Anfang des nächsten Jahres warten, wobei aber schon fest steht, daß SS-Gruppenführer Pancke dasselbe Patent erhält, wie die anderen Gruppenführer, mit denen er zusammen zum SS-Obergruppenführer unter normalen Verhältnissen befördert worden wäre.

Heil Hitler
Ihr **R. Brandt**
SS-Obersturmbannführer

312. Werner von Grundherr: Notiz 20. Oktober 1943

Det Svenske Gesandtskab havde 13. oktober søgt om frigivelse af en svenskfødt kvinde, der efter mange års ægteskab i Danmark var blevet skilt og i september 1943 havde fået svensk statsborgerskab igen. Ansøgningen gjaldt også hendes 10-årige søn (!). De var begge blevet anholdt i Randers. Grundherr var af den opfattelse, at en frigivelse kunne svække den ugunstige stemning i Sverige efter jødeaktionen i Danmark, men at nytildeling af svensk borgerskab fortsat ikke ville blive anerkendt fra tysk side. Derfor skulle det gøres klart, at det drejede sig om en undtagelse.

For sagens forløb, se Wagners notits 11. november 1943, Brenner til Steengracht 26. november og Wagner til Müller i RSHA 2. december 1943.

Kilde: RA, pk. 226.

165 Hartmann Lauterbacher var Gauleiter. Han blev SS-Obergruppenführer i 1944.

zu Inland II 3138g

Pol VI ist der Ansicht, daß es zweifellos die ungünstige Wirkung der dänischen Judenaktion auf Schweden abschwächen würde, wenn dem Ersuchen der Schwedischen Gesandtschaft stattgegeben würde. Dazu kommt noch, daß es sich um zwei Frauen, von denen die eine nur eine Halbjüdin ist und um ein zehnjähriges Kind handelt. Andererseits würde aber eine Freilassung eine Durchbrechung unseres grundsätzlich Schweden mitgeteilten Standpunktes bedeuten, ad hoc erfolgte schwedische Einbürgerungen von Juden nicht anzuerkennen. Sollte also der schwedische Wunsch erfüllt werden, so wäre den Schweden dabei mitzuteilen, daß es sich nur um eine einmalige besondere Ausnahme handle.

Berlin, den 20. Oktober 1943.

Grundherr

313. Horst Wagner an Heinrich Müller 20. Oktober 1943

På AAs vegne spurgte Wagner RSHA, om det ikke kunne lade sig gøre at frigive deporterede danske jøder af høj alder. Det blev støttet af Best, Mildner og af Ribbentrop selv, der ønskede en elastisk behandling af jødespørgsmålet i Danmark.

Der fulgte ikke umiddelbart et svar, sagen blev drøftet mellem AA og Müller, og Best fik af Wagner 30. oktober besked om, hvad der videre skulle ske (Yahil 1967, s. 257f.).

Kilde: PA/AA R 100.865. RA, pk. 226.

Auswärtiges Amt *Berlin, den 20. Oktober 1943*
Inl. II 2858g

An das Reichssicherheitshauptamt
z.Hd. von SS-Gruppenführer Müller
Berlin, Prinz Albrechtstr. 8

Der Bevollmächtigte des Reichs in Dänemark hat telegraphisch berichtet, daß die dänischen Behörden im Zusammenhang mit der Judenaktion immer wieder die Frage aufwerfen, ob nicht Juden in sehr hohem Alter von der Festnahme und Deportation ausgenommen werden können. Der Reichsbevollmächtigte, wie auch der Befehlshaber der Sicherheitspolizei sind der Auffassung, daß die Festnahme und Deportation von Juden in sehr hohem Alter unnötig sei, wenn sie weder politisch noch rassisch irgendwelchen Schaden anrichten können. Es wurde auf die Mitleidgefühle der Dänen beruhigend wirken, wenn Personen in besonders hohem Alter von der Judenaktion ausgenommen werden würden.

Der Herr Reichsaußenminister hat sich dieser Auffassung angeschlossen und hält grundsätzlich eine elastische Behandlung der Judenfrage in Dänemark für wünschenswert, insbesondere soweit es sich um weder politisch noch rassisch gefährliche Juden hohen Alters handelt.

Das Auswärtige Amt bittet daher, im Interesse einer Beruhigung der Atmosphäre in

Dänemark dieser Auffassung Rechnung zu tragen, die zuständigen Stellen in Dänemark mit den erforderlichen Weisungen zu versehen und das Auswärtige Amt von dem Veranlaßten zu unterrichten.

Im Auftrag
gez. **Wagner**

Abschriftlich dem Bevollmächtigten des Reichs in Dänemark
Kopenhagen
zur Kenntnisnahme übersandt.

Im Auftrag
Thadden

314. Werner Best an das Auswärtige Amt 20. Oktober 1943

Dagsindberetning.
Kilde: PA/AA R 29.567. RA, pk. 203.

Telegramm

Kopenhagen, den	20. Oktober 1943	19.45 Uhr
Ankunft, den	20. Oktober 1943	20.20 Uhr

Nr. 1282 vom 20.10.[43.] Citissime.

Ich bitte, die folgenden Meldungen dem Herrn Reichsaußenminister unverzüglich zuzuleiten:

1.) Über die Lage in Dänemark berichte ich für den 19. auf 20.10.43, daß außer einem vergeblichen Sabotageversuch an einem mit Munition beladene Güterwagen aus dem ganzen Lande keine Vorfälle gemeldet wurden.[166]

2.) Durch einen erst heute hier eingegangenen Bericht des deutschen Konsulats in Malmö vom 8.10.43 (J. Nr. 527/43) ist aufgeklärt, daß die in meinem Telegramm Nr. 1219 vom 7.10.43[167] berichtete Sabotage auf dem ehemaligen dänischen Flugplatz Christianshavn-Feld von zwei Dänen ausgeführt wurde, die hierzu mit einem Segelboot von Malmö nach Kopenhagen gekommen sind.[168]

Ohne Unterschrift

166 BOPA søgte at sprænge en tysk jernbanevogn med dansk ammunition på Lyngby Station (Kjeldbæk 1997, s. 469).
167 Trykt ovenfor.
168 Det var ikke tilfældet. Se det telegram, der er henvist til.

315. Werner Best an das Auswärtige Amt 20. Oktober 1943

Best havde fået meddelelse om, at der skulle stationeres østbataljoner i Jylland (se telegram nr. 1261, 15. oktober). Det fandt han og von Hanneken ikke formålstjenligt, da fremmede agenter kunne sætte sig i forbindelse med dem. OKW stod imidlertid fast på beslutningen.

Best havde hermed advaret AA om en mulig risiko pga. en OKW-beslutning – og havde vasket sine hænder. Han fik svar på sin indstilling af Günther Altenburg 23. oktober (Roslyng-Jensen 1975, s. 397).

Kilde: PA/AA R 29.567. RA, pk. 203. LAK, Best-sagen (afskrift).

Telegramm

Kopenhagen, den	20. Oktober 1943	19.45 Uhr
Ankunft, den	20. Oktober 1943	20.20 Uhr

Nr. 1283 vom 20.10.[43.]

Auf das dortige Telegramm Nr. 1424[169] vom 19.10.43 berichte ich:

1.) Die Verlegung von fünf "Ost-Bataillonen" nach Jütland halte ich nicht für zweckmäßig, weil hier die Möglichkeit besteht, daß feindliche Agenten – GGF. mit Hilfe der dänischen Bevölkerung – mit den Angehörigen dieser Bataillone in Verbindung treten. Der Befehlshaber der deutschen Truppen in Dänemark ist der gleichen Auffassung, hat aber auf seine Vorstellungen beim OKW den Bescheid erhalten, daß die befohlene Maßnahme durchgeführt werden müsse.

2.) Gegen die Entlassung der internierten dänisch[en] Offiziere bestehen angesichts der ruhigen Lage im Lande keine Bedenken.

Dr. Best

316. Das Auswärtige Amt an OKM und OKW 20. Oktober 1943

OKM og OKW blev orienteret om, at rederne for de oplagte danske skibe i Las Palmas havde givet kaptajnerne besked om at blive i havnen.

Se AA til OKM og OKW 22. oktober 1943.

Kilde: BArch, Freiburg, RM 7/1187. RA, Danica 628, sp. 7, nr. 5453.

Auswärtiges Amt
Ha Pol 6444/43 g

Berlin, den 20. Oktober 1943

Betr.: Dänische Schiffe in Las Palmas.
Mit Beziehung auf mein Schreiben vom 15. Oktober d.J. – Ha Pol 6366 /43g I – [170]

An
das Oberkommando der Kriegsmarine
– 1. Abteilung Seekriegsleitung –
das Oberkommando der Wehrmacht

169 Pol VI 9465 g. Trykt ovenfor.
170 Trykt ovenfor.

– Sonderstab HWK –
den Reichskommissar für die Seeschiffahrt
– Tonnageeinsatz –
– je besonders –

Der Reichsbevollmächtigte in Dänemark berichtet unter dem 14. Oktober d.J., daß die spanischen Agenturen der dänischen Reedereien Lauritzen und Torm auf die mit nebenbezeichnetem Schreiben wiedergegebenen Telegramme inzwischen geantwortet haben; und zwar erhielt die Reederei Lauritzen folgendes Telegramm:

"Linda have written decision captain remain Las Palmas STOP Authorities cannot intervene."

Die Reederei Torm erhielt folgendes Telegramm:

"Your telegram 9/10 received similar steps already taken by me and armed guard are kept day and night onboard."

Im Auftrag
W. Bisse

317. Franz Ebner an das Auswärtige Amt 20. Oktober 1943

Ebner redegjorde for den erhvervsmæssige udvikling i Danmark siden august med henblik på leverancerne til Tyskland. Det havde været af afgørende betydning efter den danske regerings afgang og indførelsen af militær undtagelsestilstand, at der fortsat var et forretningsministerium og et embedsapparat, der fungerede videre, samt at der ikke blev strejket. Under undtagelsestilstanden blev unødige tyske foranstaltninger undgået for ikke at skærpe den spændte situation, men det kunne ikke forhindres, at eksporten til Tyskland en tid gik ned. Det gik bl.a. ud over eksporten af frisk fisk, men de normale forhold indtrådte hurtigt igen, og leveringer af landbrugsvarer til Tyskland blev tilfredsstillende igen allerede under undtagelsestilstanden. Den rigsbefuldmægtigede skulle bevare reguleringen af erhvervslivet, men ordren herom kom så sent, at WB Dänemark nåede at indføre foranstaltninger, der ellers kunne være undgået.[171] De tysk-danske regeringsudvalgsforhandlinger blev afsluttet i slutningen af september med et meget gunstigt resultat, da landbrugseksporten til Tyskland kunne øges. Deportationen af de danske jøder blev foretaget under undtagelsestilstanden. Det var frygtet, at aktionen ville skabe uro og kaos og forstyrre produktionen, men frygten var ubegrundet, produktion og eksport blev ikke berørt. Det virkede positivt, at jødernes formuer ikke blev konfiskeret, men overladt til den danske regerings administration. Det virkede også gunstigt, ikke mindst på landbefolkningen, at der blev givet meddelelse om frigivelse af de internerede danske soldater. Trods det havde de seneste måneders begivenheder ikke været uden betydning for dansk erhvervsliv. De tyske foranstaltninger havde fået danskerne til at stille spørgsmål vedrørende landets status som neutralt land og skabt større grobund for den fjendtlige propaganda, ligesom indskrænkningerne i de tyske leverancer til landet ville komme til at betyde mere. Enhver yderligere udhuling af dansk suverænitet og tyske repressalier som gengæld for lovstridige handlinger ville have indflydelse på de danske leverancer. Skulle den danske landbrugsproduktion opretholdes eller endog stige, måtte man fra tysk side forsyne dansk landbrug med de nødvendige maskiner, reservedele, skadedyrsbekæmpelsesmidler m.m.

Ebners indberetning var et langt argument for opretholdelse af status quo i forhold til Danmark. Trods

171 WB Dänemark nåede at udstede forordninger i henhold til artiklerne 42-56 i Haager Landkrigsreglementet, hvorved det anerkendtes, at Danmark var i krig med Tyskland. Det blev først ændret fra 4. september med formuleringen "i analogi med", og fra tysk side udlagt som en oversættelsesfejl. Best må have gjort von Hanneken opmærksom på betydningen heraf og fået ham til at rette ind (Frisch, 3, 1945-48, s. 27).

de tyske indgreb var eksporten til Tyskland stigende. Kun ved at undgå en skærpelse af situationen, undlade at anvende repressalier, og ved at tilføre landet helt nødvendige leverancer, kunne der opnås et rigtigt positivt resultat for Tyskland.

Kilde: Moskva, Osobyj Archiv, 1458/21/6.

Der Reichsbevollmächtigte in Dänemark — *Kopenhagen, den 20. Oktober 1943.*
Hauptabteilung Wirtschaft — Geheim!
III/6047/43

An das Auswärtige Amt, Berlin.

Betrifft: Wirtschaftlicher Lagebericht/Stand vom 16. Okt. 1943.
Im Anschluß an den Bericht vom 10. August 1943[172] – III/4478/43 –
19 Durchschläge.

Die politischen Ereignisse in Dänemark seit Ende August waren geeignet, auch die dänische Wirtschaft maßgebend zu berühren. Am 29. August wurde der militärische Ausnahmezustand vom Befehlshaber der deutschen Truppen in Dänemark proklamiert. In der Nacht vom 28. zum 29. August wurde die dänische Wehrmacht entwaffnet und interniert. (Die Bekanntmachung über die Einführung des militärischen Ausnahmezustandes ist in deutscher Übersetzung als Anlage 1 beigefügt.[173]) Die dänische Regierung Scavenius trat am 29. August zurück. Es war fraglich und für das deutsche Interesse an den Lieferungen und Leistungen Dänemarks wichtig, wie die dänische Beamtenschaft, Arbeiterschaft, Landwirtschaft und Industrie reagieren würden.

Von entscheidender Bedeutung waren zunächst nach Verhängung des militärischen Ausnahmezustandes zwei Tatsachen, nämlich daß eine geschäftsführende Regierung die Ministerien übernahm und die Beamtenschaft weiter Dienst tat, und daß es ferner weder in öffentlichen noch in privaten Betrieben zu Streiks kam.

Die mit dem militärischen Ausnahmezustand verhängten Verkehrs- und Nachrichtensperren, die dann in nächster Zeit gelockert oder aufgehoben werden konnten, traten dem gegenüber an Bedeutung zurück. Es hat sich als richtig herausgestellt, daß bei der Verhängung des militärischen Ausnahmezustandes unnötige Maßnahmen, die die vorhandene Spannung nur verschärft hätten, wie zeitweise Schließung der Läden oder Verkaufsbeschränkungen, Schließung der Börse, Abhebungsbeschränkungen bei Banken und Sparkassen unterblieben sind, die im Notfall übrigens auch schnell hätten nachgeholt werden können. Da im ganzen Lande völlige Ruhe und Ordnung erhalten blieb, sind auch keinerlei außergewöhnliche Abhebungen bei den Banken und Sparkassen und keinerlei Hamsterkäufe in den Geschäften zu beobachten gewesen. Der Notenumlauf erhöhte sich in dieser Zeit um rund 100 Millionen Kr., von denen aber ein erheblicher Teil an die Nationalbank zurückgeflossen ist. Die militärische Besetzung der Nationalbank in Kopenhagen erwies sich als nicht notwendig; sie wurde nach wenigen

172 Trykt ovenfor.
173 Bilaget er ikke medtaget. Det er trykt på dansk hos Alkil, 2, 1945-46, s. 838 og på dansk og tysk i PKB, 4, s. 353.

Tagen wieder aufgehoben.

Daß die anfänglichen Verkehrs- und Nachrichtenbeschränkungen vorübergehend die Ausfuhr lahmgelegt haben, war nicht zu vermeiden. So haben in der ersten Zeit auch die Lieferung von Lebensmitteln, insbesondere von Schlachtvieh, nach Deutschland darunter stark gelitten. Ebenso ist in der ersten Zeit des Ausnahmezustandes ein empfindlicher Ausfall an frischen Seefischen für Deutschland eingetreten.

Immerhin sind – abgesehen von den weiterhin bestehen gebliebenen Verkehrsbeschränkungen in den Städten – sehr bald wieder normale Zustände eingetreten. Die landwirtschaftlichen Lieferungen nach Deutschland haben noch während der Dauer des Ausnahmezustandes wieder zufriedenstellend eingesetzt. Auch die dänische Industrie, soweit sie für uns arbeitet, hat nach Ansicht Sachverständiger im Umfang ihrer Produktion nicht nachgelassen.

Die Zahl der vom Befehlshaber der deutschen Truppen während des Ausnahmezustandes erlassenen Verordnungen ist, soweit sie die Wirtschaft betrafen, verhältnismäßig gering geblieben.

Die Führerentscheidung, wonach die Regelung der dänischen Wirtschaft auch während des Ausnahmezustandes ausschließlich dem Reichsbevollmächtigten oblag, ist erst am 1. September hier eingegangen,[174] wobei in manchen Fällen zweifehlhaft sein konnte, was unter den Begriff "dänische Wirtschaft" und was unter den Begriff "Versorgung der Besatzungstruppen" gehörte. Die Anordnungen des Befehlshabers vom 1. und 2. September betreffend Verfügungssperre über Waren im Freihafen, die als Anlage 2 beigefügt sind, hätten beim rechtzeitigen Vorliegen der Führerentscheidung vermieden werden können.[175]

Die weiteren Verordnungen des Befehlshabers betrafen:

1.) Beschlagnahme von Gebäuden und Liegenschaften,
2.) Lieferungen und Leistungen dänischer Firmen für die deutsche Wehrmacht in Dänemark.

Beide Verordnungen sind ebenfalls als Anlagen 3 und 4 beigefügt.[176] Zur ersten Verordnung ist zu sagen, daß sie ausschließlich militärischen Belangen dient. Die zweite Verordnung ist damit begründet, daß während des Ausnahmezustandes ein Teil der dänischen Geschäftsleute aus stimmungsmäßiger Einstellung oder aus Besorgnis vor Sabotageakten es ablehnte, an die Wehrmacht zu verkaufen und daß aus denselben Gründen ein – wenn auch nur unbedeutender – Teil der dänischen Unternehmerbetriebe Arbeiten für die Wehrmacht und den Rüstungsstab abzulehnen begann.

Auch während des militärischen Ausnahmezustandes haben die mit englischem Material durchgeführten Sabotagefälle sowohl an den für Deutschland arbeitenden als auch in den übrigen dänischen Betrieben nicht aufgehört, ohne aber im großen und ganzen erhebliche oder dauernde Störungen und Schäden zur Folge zu haben.

In der Zeit vom 25. September bis 1. Oktober fanden in Kopenhagen die viertel-

174 Se Ribbentrops telegram nr. 1296, 1. september 1943 til Best, skrevet 31. august, men først modtaget dagen efter.

175 Bilaget er ikke medtaget. Det er trykt på dansk og tysk i PKB, 4, s. 365-367.

176 Forordningerne af 4. september er ikke medtaget. De er trykt på dansk hos Alkil, 2, 1945, s. 844f. og på dansk og tysk i PKB, 4, s. 369-372.

jährlich fälligen Verhandlungen der deutsch-dänischen Regierungsausschüsse statt. Dabei wurden neben den routinemäßigen Abreden für das vierte Vierteljahr 1943, die im deutschen Interesse notwendig waren, in Besprechungen deutsch-dänischer landwirtschaftlicher Sachverständiger auch die Lieferaussichten für das 5. Kriegswirtschaftsjahr behandelt mit dem außerordentlich erfreulichen Ergebnis, daß die Lieferungen der wichtigsten Lebensmittel wie Fleisch, Butter, Seefische usw. aus Dänemark nach Deutschland unter dem Vorbehalt normaler Verhältnisse im Lande voraussichtlich größer als im vierten Kriegswirtschaftsjahr ausfallen werden. Über die voraussichtlichen dänischen Lebensmittellieferungen im 5. Kriegswirtschaftsjahr, die für die deutsche Ernährungsbilanz mit von ausschlaggebender Bedeutung sind und eine erstaunliche Leistung der dänischen Landwirtschaft darstellen, ist bereits nach Abschluß der Verhandlungen im einzelnen berichtet worden.[177] Hier sei nur als Beispiel darauf hingewiesen, daß die von Deutschland aus Dänemark erwarteten Mengen Fleisch und Butter ausreichen, um den großdeutschen Bedarf der Normalverbraucher – bei Zugrundelegung der jetzigen deutschen Rationssätze – auf fast 6 Wochen bei Fleisch und auf 5 Wochen bei Butter zu decken.

Bedeutsam war die noch während des Ausnahmezustandes in der Nacht vom 1. zum 2. Oktober durchgeführte Festnahme und anschließende Deportation der Juden in Dänemark, der sich in der Folgezeit noch weitere Verhaftungen von Juden, die sich der ersten Festnahmeaktion entzogen hatten, anschlossen. Die dänische Bevölkerung hat in ihrer überwiegenden Mehrzahl diese deutschen Maßnahmen insbesondere als einen Eingriff in die dänische Verfassung empfunden, da die verhältnismäßig geringe Zahl der in Dänemark lebenden Juden als Dänen angesehen wurden. Auf die gegen die dänischen Juden durchgeführten Maßnahmen sind im Wirtschaftsleben keine Zwischenfälle oder weitergehenden Folgen zurückzuführen gewesen. Die Besorgnis der wirtschaftlichen Spitzenverbände, daß eine Aktion gegen die Juden in Dänemark Ruhe und Ordnung im Wirtschaftsleben und in der Produktion stören würde, hat sich nicht als berechtigt erwiesen. Zu begrüßen war es, daß deutscherseits das jüdische Vermögen nicht treuhänderisch übernommen, sondern der Fürsorge der dänischen Regierung überlassen worden ist.[178] Wenn gleichzeitig mit der Durchführung der Judenaktion deutscherseits die baldige Entlassung der internierten dänischen Wehrmachtsangehörigen bekanntgegeben wurde, so hat diese Ankündigung zweifellos wiederum in weiten Kreisen der Bevölkerung und insbesondere in der Landbevölkerung beruhigend gewirkt, ohne daß aber damit die Auswirkungen der Entwaffnung und Entlassung der dänischen Wehrmacht als beseitigt angesehen werden könnten.

Am 6. Oktober ist der militärische Ausnahmezustand aufgehoben worden. Durch eine Bekanntmachung des Reichsbevollmächtigten vom gleichen Tage sind im Einvernehmen mit dem Befehlshaber der deutschen Truppen fünf von dem Befehlshaber während des Ausnahmezustandes erlassene Verordnungen, darunter die obenangeführ-

177 En indberetning af Ebner herom er ikke lokaliseret.

178 De jødiske formuer m.v. blev administreret af Københavns Kommune (Conrad 1957, s. 253f., Bak 2006). Når Rudolf Mildner 12. februar 1946 i Nürnberg fortalte, at jødisk kapital i Danmark blev konfiskeret i januar 1944, er det ikke rigtigt (Goldensohn 2004, s. 383). Se endvidere Werner Koeppens rejseberetning 24. marts 1944.

ten Verordnungen betreffend Beschlagnahme von Gebäuden und Liegenschaften sowie betreffend Lieferung und Leistung dänischer Firmen für die deutsche Wehrmacht in Dänemark aufrechterhalten worden, während die übrigen während des Ausnahmezustandes erlassenen Anordnungen oder Verordnungen außer Kraft traten.

Die dänische Wirtschaft ist bis jetzt ihren geordneten Gang weitergegangen und ist bisher auch durch vorkommende Sabotagefälle nicht ernstlich gestört worden. Auch spricht das Barometer der Börse zur Zeit nicht dafür, daß auf dem Geld- und Kapitalmarkt eine merkliche Beunruhigung vorhanden ist.

Die dänische Landwirtschaft hat auf die Entwaffnung und Internierung der dänischen Wehrmacht und die Judendeportation hin in ihrer Produktions- oder Lieferwilligkeit nicht nachgelassen. Es ist vielleicht vorteilhaft, daß der dänische Bauer, der nach dem bisherigen System sein Vieh, seine Butter usw. an einen halbamtlichen dänischen Ausschuß abliefert, nicht weiß, ob seine Lieferung in Dänemark verbleibt oder nach Deutschland weitergeht. Vor allem aber halten die von Deutschland gezahlten auskömmlichen Preise für landwirtschaftliche Erzeugnisse die Produktionswilligkeit aufrecht. Ob die von den Sachverständigen geschätzten Lieferungen auch tatsächlich erfolgen, hat aber auch zur weiteren Voraussetzung, daß das Vertrauen zur Währung erhalten bleibt und daß normale Verhältnisse im Lande herrschen.

Andererseits wäre es aber verfehlt anzunehmen, daß die erwähnten Ereignisse ohne eine Rückwirkung auf die dänische Wirtschaft bleiben werden. Die deutschen Maßnahmen der letzten Monate haben die Dänen vielfach die Frage aufwerfen lassen, ob Deutschland noch Dänemark als neutrales Land ansehe. Diese Unsicherheit auf dänischer Seite, vermehrt durch das Fehlen einer verfassungsmäßigen Regierung, wird bei einem Teil der dänischen Bevölkerung den guten Willen, für Deutschland zu arbeiten, beeinträchtigen. Die Feindpropaganda wird in diesem Sinne weiter aufhetzend wirken. Dabei ist nicht zu vermeiden, daß die Besatzungstruppen erhöhte Leistungen jeder Art aus dem Lande fordern müssen, die im Laufe der Jahre von den Dänen als drückender empfunden werden. Auch haben kriegswirtschaftliche Notwendigkeiten eine Einschränkung der deutschen Lieferungen an Rohstoffen, wie Kohle, Eisen, Textilrohstoffen usw. zur Folge. Jede weitere Aushöhlung der dänischen Souveränität, Repressalien bei weiter vorkommenden gesetzwidrigen Handlungen von dänischer Seite werden auch Einfluß auf die dänischen Lieferungen und Leistungen haben.

Bei dieser Lage erscheint es berechtigt, damit zu rechnen, daß die landwirtschaftlichen Lieferungen, für die die Produktionsvoraussetzungen (Futtermittel, Viehbestand) vorhanden sind, nach Deutschland kommen werden, zumal sowohl der Inlandsverbrauch als auch der dänische Außenhandel mit dritten Ländern von Deutschland kontrolliert werden. Es erscheint aber m.E. fraglich, ob die Produktionswilligkeit der dänischen Landwirtschaft auch weiterhin, unberührt durch die innerpolitische und wirtschaftliche Entwicklung im Lande, dieselbe wie bisher bleiben wird. Denn der dänische landwirtschaftliche Selbstversorger kann nach einigen guten Jahren auch seine Produktion vorübergehend einschränken.

Da deutscherseits weiterhin größtes Gewicht darauf gelegt werden muß, die dänischen Lebensmittellieferungen auf annähernd gleicher Höhe zu halten, muß jedenfalls nach Möglichkeit alles vermieden werden, was die Produktionswilligkeit der dänischen

Bauern weiter beeinträchtigen könnte. Um die dänische Landwirtschaft instandzusetzen, ihre Produktion im größtmöglichen Umfang aufrechtzuerhalten und auf einigen Gebieten noch zu steigern, ist es erforderlich, daß von Deutschland die wichtigsten Betriebsmittel wie Handelsdünger, landwirtschaftliche Maschinen und Ersatzteile, Schädlingsbekämpfungsmittel u.a. geliefert werden. Bei der für Deutschland ebenfalls nicht unwichtigen dänischen Industrie wird die Produktionswilligkeit nicht dieselbe Bedeutung haben, weil die Arbeiterschaft, anders als die selbstversorgende Landwirtschaft, eine längere Arbeitsniederlegung wirtschaftlich nicht aushalten kann.

Ebner

318. Werner Best an das Auswärtige Amt 21. Oktober 1943

Den kommende HSSPFs status i Danmark blev drøftet mellem AAs ledelse og Best under stor diskretion. Holdningsudvekslingen var meget knap, idet både afsender og modtager holdt sig til sagens absolutte kerne. Best ønskede HSSPF underlagt sig. Han begrundede det med, at det var en forudsætning for den førte politik, og at en anden løsning ville føre til, at Danmark ville blive behandlet som Tyskland og de andre besatte områder.

Best mente hermed, at Danmark ville miste sin særstilling som formelt ikke-besat land og AA samtidig sin hidtidige indflydelse (Rosengreen 1982, s. 58).

Se for drøftelserne af kompetenceforholdet i AA Wagner til Steengracht 22. oktober 1943.

Kilde: PA/AA R 29.567. RA, pk. 203, 229 og 438a. LAK, Best-sagen (afskrift).

Telegramm

Kopenhagen, den	21. Oktober 1943	13.30 Uhr
Ankunft, den	21. Oktober 1943	14.10 Uhr

Nr. 1285 vom 21.10.[43.]

Für Herrn Staatssekretär persönlich.
Auf Telegr. vom 17. Nr. 1444:[179]
Wenn Politik gemäß Drahterlaß Nr. 1415[180] vom 11. Oktober 1943 durchgeführt werden soll, erscheint eindeutige Unterstellung erforderlich. Andere Lösung würde zu Gleichbehandlung Dänemarks mit Reichsgebiet und anderen besetzten Gebieten führen und damit Voraussetzungen der angeordneten Politik gefährden. Bitte unter Bezugnahme auf Ferngespräch mit Grundherr von dieser Stellungnahme nur internen Gebrauch zu machen.

Dr. Best

179 Inl. II 2886 g. Trykt ovenfor.
180 Pol. VI 9377 g. Telegrammet er ikke lokaliseret.

319. Werner Best an das Auswärtige Amt 21. Oktober 1943

Dagsindberetning.

Kilde: PA/AA R 29.567. RA, pk. 203.

Telegramm

Kopenhagen, den	21. Oktober 1943	19.40 Uhr
Ankunft, den	21. Oktober 1943	20.45 Uhr

Nr. 1286 vom 21.10.43. Citissime!

Ich bitte, die nachstehende Meldung dem Herrn Reichsaußenminister unverzüglich zuzuleiten:
Über die Lage in Dänemark berichte ich für den 20. auf 21.10.43, daß am Vormittag des 21.10.43 vor dem Hause einer Marinedienststelle in Kopenhagen ein Sprengkörper, der in Zeitungspapier eingewickelt auf die Straße gelegt worden war, zur Explosion gebracht wurde, wodurch ein Lastkraftwagen leicht beschädigt wurde.[181] Vor diesem Hause war in der Nacht ein Däne, der (ohne Waffen oder Sabotagematerial) in das Haus einzudringen versuchte, von dem Posten erschossen worden.[182] Sonst keine Vorfälle im ganzen Lande.

Dr. Best

320. Werner Best an das Auswärtige Amt 21. Oktober 1943

Von Hanneken og Best havde 18. august indgået en aftale om, hvornår værnemagten i givet fald skulle indsættes i Danmark, en aftale som OKW havde sanktioneret. Da OKW nu havde truffet en anden beslutning (se telegram nr. 1652, 16. oktober 1943), bad Best om, at det blev foreslået OKW at anvende den tidligere indgåede aftale.

Før Best nåede at få svar, sendte han selv endnu et telegram i sagen, nr. 1294, 22. oktober.

Kilde: PA/AA R 29.567. RA, pk. 203 og 233. LAK, Best-sagen (afskrift).

Telegramm

Kopenhagen, den	21. Oktober 1943	19.45 Uhr
Ankunft, den	21. Oktober 1943	20.45 Uhr

Nr. 1287 vom 21.10.43.

Auf das dortige Telegramm Nr. 1439[183] vom 16.10.43 berichte ich, daß ich die Frage der

181 Det var BOPA, der saboterede den tyske bil, hvorved også alle vinduer i "Grundtvigshus" ødelagdes (Kjeldbæk 1997, s. 469). Det var et svar på den meningsløse nedskydning af en ung mand dagen før.

182 En beruset ung mand var drejet ind ad døren til "Grundtvigshus" i den tro, at bygningen var "Helmerhus." Han blev dræbt af de tyske vagtposter (Bergstrøms dagbog 21. oktober 1943 (trykt udg. s. 816)).

183 Sonderzug 1652: Pol. VI. Telegrammet er ikke lokaliseret.

Anforderung militärischer Kräfte zur Durchführung von mir angeordneter Maßnahmen heute mit dem General von Hanneken besprochen habe. Zwischen ihm und mir besteht völliges Einvernehmen darüber, daß in dieser Hinsicht die zwischen uns getroffene Vereinbarung gelten soll, die in den von ihm und mir gleichlautend erstatteten Berichten betr. die Vorbereitung besonderer Maßnahmen zur Sicherung der Reichsinteressen und der deutschen Besatzung in Dänemark vom 18.8.43[184] (mein Aktenzeichen: IIM 7/43) unter Ziffer 6 wiedergegeben ist. Diese Vereinbarung lautet:

"Falls die Polizeitruppe und die deutschen und dänischen Zivilkräfte des Reichsbevollmächtigten für die Durchführung der von ihm angeordneten Maßnahmen nicht ausreichen, wird der Befehlshaber der deutschen Truppen in Dänemark auf Anforderung – soweit möglich – Wehrmachtsverbände zur Verfügung stellen, die hinsichtlich der Durchführung ihrer Aufträge dem Befehlshaber unterstellt bleiben.

Der Reichsbevollmächtigte wird während der Dauer des militärischen Ausnahmezustandes auf Anforderung des Befehlshabers der deutschen Truppen in Dänemark die ihm unterstellte Polizeitruppe abordnen und Angehörige seiner Behörde – insbesondere den vorgesehenen Chef der Zivilverwaltung – dem Befehlshaber zur Beratung und Unterstützung zur Verfügung stellen."

Das OKW hat schon vor einiger Zeit gegenüber dem General von Hanneken seine Zustimmung zu den Vorschlägen dieses Berichtes erklärt. Ich bitte deshalb, dem OKW vorzuschlagen, daß das zwischen dem General von Hanneken und mir vereinbarte Verfahren vorkommendenfalls angewendet werden soll.

Dr. Best

321. Hans Wäsche an Hans Schneider 21. Oktober 1943

Schneider havde bedt Wäsche sætte sig i forbindelse med den danske folkemindeforsker Hans Ellekilde vedr. et spørgsmål om oversættelsesrettigheder. Det havde Wäsche undladt, da dansk videnskab efter aktionen mod jøderne var præget af had og foragt over for alt tysk. Det ville kun udløse en demonstrativ handling, hvis kontakt til Ellekilde blev forsøgt. Spørgsmålet måtte løses på anden vis.

Se Wäsche til Schneider 22. januar 1944.

Kilde: BArch, NS 21/934.

Stud. Rat Wäsche *Kopenhagen, den 21.10.1943*

An SS-Hauptsturmführer Dr. Schneider,
Forschungsgemeinschaft "Das Ahnenerbe"
Berlin-Dahlem
Pücklerstraße 16

Lieber Kamerad Schneider.
Ich erhielt Ihren Brief in dem Sie mich baten, mit Herrn Ellekilde n Verbindung zu treten, kurz vor der Durchführung der Judenaktion in Dänemark. Aus politischen Grün-

184 Aftalen mellem Best og WB Dänemark er gengivet under 18. august 1943.

den habe ich es abgesehen, mit Herrn Ellekilde in Verbindung zu treten. Ich darf darauf hinweisen, daß in weitesten Kreisen der dänischen Wissenschaft eine mit großem Haß und Verachtung gepaarte Abneigung gegen alles Deutschtum sich nach der Judenaktion festgesetzt hat. Bei einer persönlichen Fühlungnahme mit Ellekilde hätte man mit Sicherheit sich einer Demonstration ausgesetzt. Wir wollen in Kürze die Frage prüfen, ob nicht auf anderem Wege das Übersetzungsrecht geschaffen werden kann.

Heil Hitler
Ihr
Hans Wäsche

322. Partei-Kanzlei der NSDAP an das Auswärtige Amt 21. Oktober 1943

Partei-Kanzlei der NSDAP havde endnu ikke fået svar vedrørende den fængslede (!) præst Kaj Munk og hans aktivitet og bad derom. Endvidere ville partikancelliet i henhold til en telefonsamtale 2. september have oplyst, i hvilket omfang tyske tjenestesteder kunne inddrages i politisk-konfessionelle anliggender i den øjeblikkelige politiske situation i Danmark.

AA svarede 16. november 1943.

Kilde: RA, pk. 218.

Nationalsozialistische Deutsche Arbeiterpartei
Partei-Kanzlei

München 33, den 21. Oktober 1943
Führerbau III D 3 –Khn
3315/0/108

An das Auswärtige Amt
zu Hd. Brigadeführer Parteigenossen Frenzel
Berlin W 8
Wilhelm-Str. 75

Betrifft: Bearbeitung politisch-konfessioneller Angelegenheiten in Dänemark.
Bezug: Hiesiges Schreiben vom 14. September 1943.[185]

Es wird um Mitteilung gebeten, ob Sie wegen der Verhaftung des dänischen Pfarrers Kaj Munk bereits Feststellungen haben treffen können. Im übrigen wird unter Bezugnahme auf die mündliche Besprechung am 2. September 1943 um Feststellung gebeten, in welchem Umfang bei den augenblicklichen politischen Verhältnissen in Dänemark eine Einschaltung deutscher Dienststellen bei der Behandlung politisch-konfessioneller Angelegenheiten gegeben oder möglich ist.

Heil Hitler!
I.A.
Krüger

185 Trykt ovenfor.

323. Rüstungsstab Dänemark: Lagebericht 21. Oktober 1943

De af tyske myndigheder i oktober trufne foranstaltninger i Danmark vurderede Forstmann alle som positive i forhold til de tyske erhvervsinteresser i Danmark, såvel løsningen af jødespørgsmålet, ophævelsen af den militære undtagelsestilstand som frigivelsen af de danske soldater. Sabotagen anså han også fortsat af underordnet betydning, da den kun i ringe omfang direkte berørte tyske interesser.

Kilde: BArch, Freiburg, RW 19: Wi I E1: Dänemark. RA, Danica 1000, T-77, sp. 696, KTB/Rü Stab Dänemark, 3. Vierteljahr 1943.

Abteilung Wehrwirtschaft im Rü Stab Dänemark *Kopenhagen, den 21.10.1943*
Gr. Ia Az. 66d 1 Nr. 2741/43g

Bezug: OKW Az. 1 e 24 Wi Amt Z 1/II Nr. 1143/43 geh. v. 20.2.43

An den Wehrwirtschaftsstab im Oberkommando der Wehrmacht
Berlin W 62
Kurfürstenstr. 63/69.

Abt. Wwi im Rü Stab Dänemark übersendet in der Anlage Lagebericht gemäß o.a. Bezugsverfügung.

I.V. [uden underskrift]

Abteilung Wehrwirtschaft im Rü Stab Dänemark *Kopenhagen, den 21.10.1943*
Gr. Ia Az. 66d 1 Nr. 2741/43g Geheim!

Vordringliches

Der am 29.8.43 verhängte *militärische Ausnahmezustand* wurde am 6. Oktober 1943 00.00 Uhr aufgehoben. Hervorzuheben ist, daß die Verordnung betr. Lieferung und Leistung dänischer Firmen für die deutsche Wehrmacht in Dänemark vom 4.9.1943 (siehe Lagebericht Abt. Wwi v. 21.9.43) in Kraft bleibt. Aufgrund dieser Verordnung sind die dänischen Firmen verpflichtet, im Rahmen ihrer Leistungsfähigkeit deutsche Aufträge anzunehmen.

Die *Judenfrage* wurde radikal in der Nacht vom 1. zum 2.10.1943 durch deutsche Polizei in Dänemark gelöst. Alle greifbaren reinjüdischen Personen wurden abtransportiert. Infolgedessen gibt es in Dänemark keine nichtarischen Betriebe mehr, sodaß auch den wenigen bisher vom Rü Stab Dänemark nicht belegten nichtarischen Firmen Aufträge erteilt werden können.[186]

Die *Freilassung der internierten Mannschaften und Unteroffiziere* des dänischen Heeres und der Flotte ist durchgeführt, wodurch der dänischen Industrie und Landwirtschaft Arbeitskräfte zugeführt werden. Im Laufe der nächsten Tage werden auch die jüngeren Offiziere und Beamten entlassen, anschließend die älteren Jahrgänge. Ein Teil der jüngeren Offiziere soll auf der technischen Hochschule weitergefördert, andere in staatliche Dienste so z.B. der Eisenbahn, dem Zoll, beim Luftschutz usw. untergebracht werden.

186 Jfr. Forstmann til Waeger 8. oktober 1943.

In der Zeit vom 21.9.-20.10.43 wurden 40 *Sabotageakte* verübt. Direkter Wehrmachtschaden trat nur in geringem Umfang ein. 90 % der Sabotagefälle waren unbedeutender Natur bezw. konnten erfolgreich in der Entstehung bekämpft werden; bei 10 % trat größerer Schaden ein, durch den jedoch im deutschen Interesse arbeitende Betriebe nur unwesentlich betroffen wurden.

Von den für September vorgesehenen *Kohlen- und Kokslieferungen* in Höhe von 222.000 to sind eingetroffen: 143.000 to Kohle (davon für die dän. Staatsbahn 27.900 to) und 53.800 to Koks. Für Lieferung Oktober sind abgeschlossen:

37.000 to Kohle und 50.000 to Koks aus Westfalen
101.000 to Kohle und 8.000 to Koks aus Oberschlesien
65.000 to Briketts.

Nach den bisherigen Anlieferungen ist mit einer vollen Zuteilung von Kohlen und Koks aus Oberschlesien zu rechnen; für Brikettlieferungen wird ebenfalls volle Zuteilung erwartet. Jedoch werden die Lieferungen aus Westfalen wohl um 1/3 hinter der festgelegten Menge zurückbleiben. Sehr zustatten kommt der dänischen Brennstoffversorgung die Rekordtorfproduktion von rd. 6 Mill. Tonnen am Ende der Saison.

1a. Aufträge der Besatzungstruppe

Von der Abt. Wwi wurden im Monat September 1943 Rohstoffsicherungen von Fertigungs- und Bauaufträgen sowie Wareneinkäufen der Besatzungstruppe in Dänemark, soweit hierzu Eisen, Stahl, NE-Metalle sowie Kautschuk benötigt wurden, in Höhe von 3,028 Mill. RM durchgeführt.

1c. Holzversorgung

Für Aufträge der Besatzungstruppe in Dänemark sind im Monat September 43 von der Abt. Wwi Bedarfsbescheinigungen über 7.085 cbm Nadelholz für die vorschußweise Freigabe aus den Beständen der dänischen Wirtschaft ausgestellt worden.

Der Verbrauch der einzelnen Wehrmachtteile war wie folgt: Heer 2.208 cbm, Kriegsmarine 913 cbm, Luftwaffe 2.106 cbm, Festungspionierstab 1.731 cbm, Organisation Todt und Sonderbaustab 127 cbm.

Der Holzverbrauch im III. Jahresquartal 1943 beträgt auf Grund der ausgestellten Bedarfsbescheinigungen 25.001 cbm. Für das IV. Jahresquartal 1943 werden voraussichtlich ebenfalls 25.000 cbm benötigt. Da die vorschußweise Bereitstellung dieser 25.000 cbm Nadelschnitzholz durch die dän. Wirtschaft möglich ist, wurde in Verhandlungen zwischen dem Beauftragten des Reichsforstamtes und dem dän. Außenministerium die Bevorschussung dieser Menge zugestanden.

5. Arbeitseinsatz

Die Zahl der Arbeitslosen betrug am 30.9.1943 25.586, und zwar 17.624 Männer und 7.962 Frauen. Gegenüber dem Vormonat ist eine Zunahme von 5.981 zu verzeichnen.

Die Gesamtzahl der in Norwegen eingesetzten dänischen Arbeiter betrug 10.567, Zugang im Monat September 24. Für die Aufträge des Neubauamtes der Luftwaffe sind z.Zt. in Dänemark 5.441 Arbeiter, für die des Festungspionierstabes und der OT 9.705 Arbeiter bei 21 deutschen und 75 dän. Firmen eingesetzt, sodaß im Festungsbau Jütland im Monat September 20.095 Arbeiter und Angestellte tätig sind (im August 18.851).

Dem Reich wurden im Monat September 1.710 Arbeitskräfte zugeführt (im August 1.314), davon für Rü 271, für Bergbau 2, für Verkehr 175, für Land- und Forstwirtschaft 3, für Bau 779, für Haushaltungen 31 und für die sonstige Wirtschaft 449.

6. Verkehrslage

Der Fährbetrieb verlief im Monat September normal. Die Streckenbelastung Warnemünde-Kopenhagen-Helsingör und auf Jütland war außerordentlich groß. Die Streckenbelastung Nyborg-Korsör war normal.

Für Nachschub Norwegen und Finnland werden weiterhin täglich 60 Waggons gestellt.

Die Waggonanforderungen im Berichtsmonat waren überaus stark, sodaß die Bedarfsdeckung nicht voll erfolgen konnte. Die Anforderung an Waggons für Wehrmachtgut wurde gedeckt, wogegen bei Rüstungs- und Zivilgut Rückstände blieben.

Vordringlich wurden im Berichtsmonat Truppenbewegungen von Norden nach Süden durchgeführt. Auch der Transport der Ernteerzeugnisse, Zuckerrüben und Kartoffeln beansprucht die dän. Eisenbahnen erheblich, ebenso wie der Abtransport der beschlagnahmten dänischen Heeresbestände. Ferner wurden als einmalige Aktion 850 Waggons Obst nach Deutschland gefahren.

Die dänische *Schiffahrt* war tonnagemäßig in folgender Rangfolge eingesetzt:

1.) Kohlenfahrt auf Dänemark
2.) Erzfahrt auf Deutschland
3.) Andere deutsche Küstenfahrt
4.) Innerdänische Fahrt
5.) Transporte mit dänischen Schiffen von Deutschland nach 3. Ländern
6.) Holzfahrt auf Dänemark

Für die OT wurden vom 1.-30.9.1943 15.957 to Kies und 10.450 to Zement mit deutschen Schiffen befördert.

7a. Ernährungslage

Die Wintersaaten sind gut aufgelaufen. Die Hackfruchternte ist zum größten Teil beendet. Es liegen folgende Annährungswerte über das Ergebnis vor:

Zuckerrübenertrag	pro	Morgen	ca.	100 Dz.,
Futterrübenertrag	–	–	–	150 Dz.,
Kartoffelertrag	–	–	–	50 Dz.

Für Zucker- und Futterrüben sind die Annäherungswerte als sehr gut zu bezeichnen, dagegen für Kartoffeln als mäßig. Die Durchschnittskartoffelernte in den letzten 5 Jahren war 170 Dz. pro Morgen.

Am 9.10.43 fand eine Schweinezählung statt, sie ergab 2.396.000 Stck. Gegenüber der Zählung am 28.8.43 ist eine Zunahme von 223.000 Stck. zu verzeichnen.

Infolge des milden Herbstes ist ein langer Weidegang für Rindvieh möglich gewesen, daher hat sich die Milch- und Butterproduktion bis zum heutigen Tage sehr gut gehalten. Sie liegt ca. 15 % über der Leistung des Vorjahres im gleichen Monat.

Der Fischfang war im September gut, besonders in Dorsch und Scholle. Nach

Deutschland wurden im September 2.640 to Fleisch mit 236 LKW-Transporten und 2.080 to Fisch mit 212[187] LKW-Transporten verladen.

Wertmäßig wurden im September aus den Lebensmittelbeständen des Landes entnommen:

für die deutschen Truppen in Norwegen 5.648.635,40 d.Kr.
für die deutschen Truppen in Dänemark 8.820.379,32 d.Kr.

324. Emil Geiger: Aufzeichnung 21. Oktober 1943

Geiger udarbejdede til brug for von Steengracht et notat vedrørende omstændighederne hvorunder den danske militærattaché Hartz var blevet arresteret.

Se Bests telegram nr. 1248, 13. oktober 1943.

Kilde: PA/AA R 29.567.

zu Inl. II 2884g

Aufzeichnung

Der Verhaftung des bisherigen Dänischen Militärattachés Oberst Hartz ist, wie bei Pol I M und im Reichssicherheitshauptamt festgestellt worden ist, eine Besprechung zwischen der Abwehr, dem Reichssicherheitshauptamt und Pol I M[188] vorausgegangen. Somit ist das AA also mit der Frage der Verhaftung vor deren Ausführung befaßt worden. Allerdings sollte die Verhaftung erst in Kopenhagen erfolgen.

Die Verhaftung des Obersten Hartz ist indessen nach Mitteilung des Reichssicherheitshauptamtes bereits auf der Fähre, und zwar kurz vor Anlaufen Gedsers, erfolgt, weil Hartz sich den ihn begleitenden Kriminalbeamten gegenüber verdächtig machte, im Wagen seiner Frau, der sich auf der Fähre befand, zu entfliehen.

Über diesen Sachverhalt ist der Bevollmächtigte des Reichs in Kopenhagen am 17. Oktober d.J. durch Drahterlaß Nr. 1440,[189] der anliegend im Durchdruck beigefügt ist, unterrichtet worden. In diesem Drahterlaß ist der Bevollmächtigte auch angewiesen worden, dem dänischen Außenministerium auf die erfolgte Anfrage mitzuteilen, daß der begründete Verdacht der Spionage und der Flucht nach Schweden die Verhaftung erforderlich machten.

Hiermit über den Leiter der Gruppe Inland II dem Herrn Staatssekretär vorgelegt.

Berlin, den 21. Oktober 1943.

Geiger

187 Læsningen af de to sidste cifre er usikker.
188 LR v. Grote.
189 Trykt ovenfor.

325. Das Auswärtige Amt an OKM 21. Oktober 1943

AA svarede på OKMs skrivelse af 18. oktober ved at henvise til, at WFSt forud uden forbehold havde beordret OKM til at henvise Wurmbach til at se bort fra en beslaglæggelse af Niels Bukhs gymnastikskole og finde en anden løsning i forståelse med Best. AA antog, at denne ordre stadig var gældende for værnemagten.

Best havde søgt at støtte Wurmbach i at finde et andet egnet indkvarteringssted. AA bad imidlertid om, at Wurmbach blev gjort opmærksom på, at hensyntagen til den politiske dimension også var i værnemagtens interesse, da en afspænding af forholdene i Danmark kunne spare ressourcer. De militære krav og den politiske dimension måtte afstemmes, og det kunne føre til, at indkvarteringen fandt sted på et sted, der måske ikke var helt lige så velegnet som gymnastikskolen.

AA var bragt i defensiven af OKM, og Best var årsagen dertil. Han havde uden tøven peget på andre velegnede indkvarteringsmuligheder, og når det kom til stykket, var der ikke andre velegnede indkvarteringsmuligheder. Best kunne ikke levere varen, og givetvis har man i Wurmbachs stab heller ikke næret det mest brændende ønske om at være behjælpelig dermed. Der var allerede fundet en passende indkvartering, politiske overvejelser eller ej, og når dertil kommer, at Wurmbach selv ikke nærede nogen forventninger til Bests planer om en frivillig arbejdstjeneste, har der heller ikke fra den kant været et ønske om at se bort fra beslaglæggelsen af gymnastikskolen.

For at fastholde beslutningen om at undlade beslaglæggelsen måtte AA ty til at henvise til, at en overordnet militær myndighed havde taget beslutningen, nemlig WFSt, og OKM fortsat ville rette sig derefter. Dernæst blev der appelleret direkte til Wurmbach, som i sidste ende med sin stab afgjorde, hvad der var velegnet til indkvartering eller ikke.

Se OKMs notat 21. oktober og Wurmbach til OKM 27. oktober 1943.

Kilde: BArch, Freiburg, RM 7/1188. RA, Danica 628, sp. 7, nr. 5456f.

Auswärtiges Amt — *Berlin, den 21. Oktober 1943*
Pol I M 4025 g — Geheim

S c h n e l l b r i e f

Auf das Schreiben vom 18. Oktober 1943 – 1 Skl. Ii Nr. 31703/43 geh.[190]
Betr.: Gymnastikschule Niels Bukh in Ollerup.

An das Oberkommando der Kriegsmarine
z.Hd. v. Herrn Kapitän zur See Freiherrn von Wangenheim
Berlin
Tirpitzufer 72/76

Dem Auswärtigen Amt ist von dem Wehrmachtführungsstab unter dem 13. Oktober 1943 ohne einen Vorbehalt mitgeteilt worden, daß das Oberkommando der Kriegsmarine den Kommandierenden Admiral Dänemark angewiesen habe, von einer Beschlagnahme der Gymnastikschule Niels Bukh mit Rücksicht auf die politische Tragweite der Angelegenheit abzusehen und die Unterbringung der Marinerekruten im Benehmen mit dem Bevollmächtigten des Deutschen Reichs in Dänemark anderweitig zu regeln. Diese Entscheidung ist dem Reichsbevollmächtigten mitgeteilt worden. Das Auswärtige Amt muß annehmen, daß sie für die Wehrmacht noch als maßgebend anzusehen ist.

190 Trykt ovenfor i forbindelse med Seekriegsleitungs notat.

Der Reichsbevollmächtigte für Dänemark ist dem Wunsche des OKM entsprechend ersucht worden, den Kommandierenden Admiral Dänemark bei der Suche nach einem anderen geeigneten Objekt für die Unterbringung der 1.200 Marinerekruten nach Kräften zu unterstützen. Das Auswärtige Amt bittet jedoch, den Kommandierenden Admiral Dänemark darauf aufmerksam zu machen, daß die Berücksichtigung den politischen Gesichtspunkte auch im Interesse der Wehrmacht liegt, die an einer Befriedung der Verhältnisse in Dänemark aus Gründen der Kräfteersparnis interessiert ist. Die militärischen Anspruche müßten daher mit den politischen Gesichtspunkten abgestimmt und gegebenenfalls auch ein Objekt genommen werden, daß vielleicht nicht genau dieselben Vorzüge wie die Gymnastikschule Niels Bukh besitzt, wenn es nur für den fraglichen Zweck brauchbar ist oder brauchbar gemacht werden kann.

Im Auftrag
Frohwein

326. OKM: Vermerk betr. dänische Sportschule Niels Bukh 21. Oktober 1943

AA havde endnu engang i RAMs navn bedt om, at Niels Bukhs højskole ikke blev beslaglagt. Fra OKM var det blevet gjort klart, at det var en forudsætning for at ophæve beslaglæggelsen, at Best fandt en anden indkvarteringsmulighed. AA lovede at Best skulle sætte sig i forbindelse med Wurmbach for at finde en anden indkvartering.

Påfølgende skrev Seekriegsleitung til Wurmbach, at Best skulle finde en anden indkvartering til marineenheden. Ellers ville Bukhs højskoles beslaglæggelse blive opretholdt.

AA svarede OKM 22. oktober 1943.

Kilde: BArch, Freiburg, RM 7/1188. RA, Danica 628, sp. 7, nr. 5454f.

Oberkommando der Kriegsmarine *Berlin, den 21. Okt. 1943.*
Neu! B-Nr. 1. Skl. I i 32 073/43

I.) Vermerk betr. dänische Sportschule Niels Bukh.

Gesandter Frohwein rief am 21.10. bei I i an und erneuerte namens des Außenministers die Bitte, die Sportschule nicht zu belegen.[191] Er machte geltend, daß der Führungsstab OKW sich die politischen Gesichtspunkte des AA zu eigen gemacht und vorbehaltlose Freigabe der Schule bereits mitgeteilt habe. I i verblieb demgegenüber dabei, daß die Freigabe nur unter der Voraussetzung erfolgt sei, daß der Reichsbevollmächtigte Dr. Best andere Unterbringungsmöglichkeiten für die rd. 1.200 Mann der 7. EMAA beschaffe. Gesandter Frohwein erklärte sich schließlich bereit, den der Reichsbevollmächtigten anzuwiesen, sich wegen einer anderweitigen Unterbringung mit dem Kd. Admiral ins Benehmen zusetzen. Er sprach dabei die Hoffnung aus, daß es zu einer Verständigung kommen würde, ohne daß sich die Chefs selbst mit der Sache befassen müßten.

Gem. Absprache mit Frgt. Kapt. Dr. Stein AMA/Sonderstab Unterkunft

191 Trykt ovenfor.

II.) Fernschreiben an Kd. Adm. Dänemark
nachr.: MOK Ost

Nachdem Außenminister unter Berufung auf Einverständnis OKW/WFSt Bitte um Freilassung Sportschule Niels Bukh von Beschlagnahme erneuert hat, ist Reichsbevollmächtigter Best angewiesen worden noch andere Unterbringungsmöglichkeiten für 7. EMAA dem Kd. Admiral nachzuweisen, als bisher erfolgt. Wird diese nicht akzeptiert, wird endgültige Entscheidung bis Entsendung von Vertretern Sonderstabes Unterkunft zurückgestellt.

Seekriegsleitung 1/Skl I i 32 073/43

327. Horst Wagner an Adolf von Steengracht 22. Oktober 1943

Efter at AA havde modtaget Bests telegram nr. 1285, 21. oktober blev der i al hast kaldt til et møde i ministeriet om kompetenceforholdet mellem den rigsbefuldmægtigede og HSSPF. Mødet fik som resultat, at Wagner skulle tage en direkte drøftelse med Ernst Kaltenbrunner om spørgsmålet.

Se Wagners notits 7. november.

Kilde: PA/AA R 29.567. RA, pk. 233.

Gruppe Inland II — Eilt!

Die weittragende politische Bedeutung, die der Frage der Unterstellung oder der Beigabe eines Höheren SS- und Polizeiführers in Dänemark zum Reichsbevollmächtigten zukommt, veranlaßt mich, darum zu bitten, daß der Fragenkomplex in einer Besprechung bei dem Herrn Staatssekretär einer Prüfung unterzogen wird.

Im Hinblick auf die Dringlichkeit der Angelegenheit, die sich aus den neuesten aus Kopenhagen eingegangenen Telegrammen ergibt, bitte ich, die Besprechung für morgen, Sonnabend, nach der Direktorenkonferenz anzuberaumen und zu der Besprechung die nachstehenden Herren zu bitten:

1.) Herrn U.St.S. Pol.
2.) Herr Gesandten von Grundherr.

Ich selbst würde mit meinem Referenten, Herrn Vizekonsul Geiger, dazu erscheinen.

Hiermit dem Herrn Staatssekretär vorgelegt.

Berlin, den 22. Oktober 1943.

Wagner

328. Otto von Erdmannsdorff: Notiz 22. Oktober 1943

Den danske gesandt Mohr havde opsøgt AA i anledning af arrestationen af oberst Hartz, der var mistænkt for spionage. Mohr bedyrede hans uskyld. Arrestationen af oberst Lunding blev også drøftet, men von Erdmannsdorff erklærede begge sager for endnu ikke færdigbehandlede.

For sagen Hartz, se Bests telegram nr. 1248, 13. oktober, von Thaddens telegram nr. 1440, 16. oktober 1943 og Henckes notits nr. 2, 6. januar 1944. For sagen Lunding se Henckes optegnelse 31. oktober 1943, Henckes notitser 6. december og nr. 2, 6. januar 1944 samt Lunding 1970, s. 83-91.

Kilde: RA, pk. 203.

Dg. Pol 88. *Berlin, den 22. Oktober 1943.*

Der dänische Geschäftsträger suchte mich heute auf und erbat die ihm von Herrn U.St.S. Hencke für diese Woche in Aussicht gestellte Antwort auf die Vorstellungen des dänischen Gesandten betreffs der Verhaftung des dänischen Militärattachés Oberst Hartz. Ich habe ihm erwidert, daß die Angelegenheit noch geklärt würde. Vorläufig könne ich ihm nur sagen, wir hätten von den inneren Stellen erfahren, daß Hartz unter Spionageverdacht stehe. Seine Verhaftung auf der Fähre sei deshalb erfolgt, weil ihm für die Rückreise der Landweg über Jütland vorgeschrieben worden sei. Nachdem er aber mit seinem Wagen auf der Fähre erschienen sei, habe Fluchtverdacht bestanden. Hierzu bemerkte Legationsrat Steensen-Leth, dem Militärattaché sei seines Wissens nur verboten worden, mit dem Wagen zu fahren. Es sei ihm lediglich gesagt worden, daß er die Eisenbahn benutzen solle. Dies habe er auch getan. Auf der Fähre habe er dann seine Frau vorgefunden, die sich mit seinem Wagen und seinem Gepäck unter Führung des Chauffeurs des Gesandten eingefunden hätte. Hartz habe nicht beabsichtigt, mit seiner Frau im Auto die Reise fortzusetzen, sondern wollte von Gedser aus, wie ihm vorgeschrieben war, auch weiter den Eisenbahnweg benutzen.

Der Geschäftsträger fügte hinzu, der Vorwurf der Spionage gegen Oberst Hartz sei ihm unverständlich, da die Tätigkeit als Militärattaché, wie er sie mindestens bis zum 29. August, dem Tag des Inkrafttretens des Ausnahmezustandes, habe ausüben können, immer bis zu einem gewissen Grade eine Spionagetätigkeit beinhalte. Ich habe ihm erwidert, daß selbstverständlich andere Verdachtsmomente, die sich nicht lediglich auf die normale Tätigkeit eines Militärattachés beziehen, vorliegen müßten.

Schließlich erkundigte sich der Geschäftsträger wieder nach Rittmeister Lunding, gegen dessen Verhaftung (er war Leiter der Attachégruppe in Kopenhagen) der Gesandte Mohr wiederholt Vorstellungen erhoben hatte. Ich habe Herrn Steensen-Leth erwidert, daß die Angelegenheit noch nicht geklärt sei.

Erdmannsdorff

329. Otto von Erdmannsdorff: Notiz 22. Oktober 1943

Den danske gesandt Mohr havde været i AA og bedt om, at en dansk repræsentant måtte besøge de deporterede danske jøder samt at få oplyst deres adresser, så der med tysk tilladelse kunne sendes levnedsmiddelpakker til dem. Mohr havde hørt, at den tilladelse var givet jøder af andre nationaliteter.

AA lod spørgsmålene gå videre til RSHA, se von Thadden til Eichmann 25. oktober 1943.

Kilde: RA, pk. 220.

Dg. Pol 89. *Berlin, den 22. Oktober 1943*

Der dänische Geschäftsträger stellte heute im Auftrag seiner Regierung die Bitte, das

1.) ein Mitglied der Gesandtschaft oder des dänischen Roten Kreuzes die Erlaubnis erhielte, die aus Dänemark deportierten Juden zu besuchen.

2.) die Anschrift dieser dänischen Juden baldigst mitgeteilt würde, damit deren Verwandte auf einem von uns für gangbar gehaltenen Wege in den Stand gesetzt würden, Lebensmittelpakete an diese zu schicken. Er habe gehört, daß dies auch bei Juden anderer Nationalität gestattet würde.

Hiermit Inl. II mit der Bitte, Abteilung Pol zu einer Beantwortung instandzusetzen.

Erdmannsdorff

330. Andor Hencke an Werner Best 22. Oktober 1943

Best blev bedt om at tage stilling til to henvendelser, der var kommet fra dansk side angående de deporterede danske kommunister. Sagen var pinlig for danskerne, der selv havde håndteret sagen. Bl.a. frygtede danskerne for Aksel Larsens liv.

Best svarede 16. november 1943.

Kilde: PA/AA R 99.502.

Abschrift (Angabe)
Auswärtiges Amt — *Berlin, den 22. Oktober 1943.*
Pol VI 1311 Ang. II

An den Bevollmächtigten des Reichs in Dänemark
Herrn Dr. Best
Kopenhagen

In der Anlage übersende ich Abschrift einer Verbalnote der hiesigen Königlich Dänischen Gesandtschaft vom 18.10. nebst Anlage, sowie Abschrift eines Schreibens des derzeitigen dänischen Geschäftsträgers von Steensen-Leth an den Gesandten von Grundherr.[192]

Die dänische Verbalnote vom 18.10. enthält eine Wiederholung des Petitums, das in der Note des Dänischen Außenministeriums an den Reichsbevollmächtigten vom 14.10. ausgesprochen war.

Wie Gesandter Mohr und Legationsrat Hvass vor kurzem ausführten, hat die dänische Regierung die Überführung der dänischen Kommunisten nach Deutschland fast noch peinlicher als unsere Judenaktion empfunden, weil sie seinerzeit selbst die Kommunisten durch die dänische Polizei hat verhaften lassen und durch Gesetz vom 22.8.41 das Vorgehen gegen die Kommunisten besonders geregelt hat. Besonders besorgt scheint nach den Ausführungen des Legationsrats Hvass gegenüber Gesandten v. Grundherr die dänische Regierung auch wegen des weiteren Schicksals des nach Deutschland überführten dänischen Kommunistenführers Axel Larsen zu sein; sie scheint dessen Erschießung zu befürchten.

Ich bitte um Ihre Stellungnahme zu den beiden dänischen Noten.

Im Auftrag
gez. **Hencke**

192 Verbalnoten og skrivelsen er ikke medtaget.

331. Horst Wagner: Vortragsnotiz 22. Oktober 1943

Wagner refererede et møde mellem von Thadden og Heinrich Müller 16. oktober om den tekniske gennemførelse af jødespørgsmålet, hvor den netop gennemførte aktion i Danmark gav anledning til overvejelser. Fra AAs side blev der lagt vægt på, at der fremover var tilstrækkelige ressourcer og tilstrækkelig forberedelse til gennemførelsen. RSHA havde også taget ved lære, men Müller mente ikke, at der ville være tilstrækkeligt med politistyrker til slagkraftigt at gennemføre aktioner i de besatte områder, så længe krigen varede. Derfor måtte man få det bedste ud af det med de til rådighed stående ressourcer.

Mødet gjorde det klart, at ingen af parterne ville udpege hinanden som ansvarlige for det beskedne resultat i København, idet Müller dog opviser en bemærkelsesværdig tilbageholdenhed, når han henviser til de begrænsede ressourcer. Det synes, som havde man i RSHA lagt hovedansvaret hos sig selv, men at resultatet med den givne tid og de givne ressourcer ikke kunne være anderledes.

Kilde: ADAP/E, 7, nr. 54 (kun afsnittet vedrørende Danmark er medtaget).

Berlin, den 22. Oktober 1943

Vortragsnotiz

Am 16. Oktober 1943 suchte LR v. Thadden weisungsgemäß Gruppenführer Müller wegen der technischen Durchführung der Judenfrage in den neu besetzten Gebieten auf und führte dabei aus, daß das Auswärtige Amt nach den Erfahrungen in Dänemark besonderes Interesse daran habe, daß Judenaktionen in anderen Gebieten mit ausreichenden Mittel und ausreichender Vorbereitung durchgeführt würden, damit schwere politische Komplikationen im Rahmen des Möglichen vermieden würden.

Gruppenführer Müller erwiderte, auch das Reichssicherheitshauptamt habe aus den Erfahrungen von Kopenhagen vieles gelernt. Der Zeitpunkt jedoch, zu dem ausreichende Polizeikräfte zur Verfügung stünden, um die in den besetzten Gebieten notwendigen Judenaktionen schlagartig durchzuführen, würde für die Dauer des Krieges wohl nicht mehr kommen. Man könne daher nur mit den zur Verfügung stehenden Mitteln das Beste herausholen, was bei dieser Situation möglich sei, um die befohlenen Aktionen durchzuführen.

[...]

Hiermit über Herrn Staatssekretär zur Vorlage bei dem Herrn Reichsaußenminister.

Wagner

332. Werner Best an das Auswärtige Amt 22. Oktober 1943

Dagsindberetning.

Kilde: PA/AA R 29.567. RA, pk. 203.

Telegramm

Kopenhagen, den	22. Oktober 1943	19.30 Uhr
Ankunft, den	22. Oktober 1943	20.00 Uhr

Nr. 1293 vom 22.10.[43.] Citissime!

Ich bitte, die nachstehenden Meldungen dem Herrn Reichsaußenminister unverzüglich zuzuleiten:

1.) Über die Lage in Dänemark berichte ich für den 21. auf den 22.10.43, daß in einem Geschäftshaus in Kopenhagen durch Sabotage ein Brand verursacht wurde, durch den die Geschäftsräume zweier Elektrofirmen (deren eine zu 10 Prozent und deren andere zu 35 Prozent für deutsche Interessen arbeitete) zerstört wurden[193] und daß in Aarhus eine Blechwarenfabrik (die zu 33 Prozent für deutsche Zwecke arbeitet) durch eine Sprengladung beschädigt wurde.[194] Die deutsche Sicherheitspolizei ist mit der Aufklärung der Sabotageakte befaßt.[195]
2.) Der Befehlshaber der deutschen Truppen in Dänemark hat mir mitgeteilt, daß mit dem heutigen Tage die Entlassung der bisher internierten dänischen Offiziere abschlossen worden ist. Den Offizieren ist protokollarisch eröffnet worden, daß sie wieder interniert und nach Deutschland gebracht werden, wenn einige von ihnen feindselige Handlungen gegen das Reich begehen.

Dr. Best

333. Werner Best an das Auswärtige Amt 22. Oktober 1943

I spørgsmålet om muligheden af indsættelse af værnemagtssoldater i Danmark i en nødsituation, afsluttede Best sagen ved at fremsende en meddelelse, som von Hanneken havde sendt til WFSt. Den tidligere aftale stod den øverstbefalende fast ved. Det var hermed også klart, at Best ikke på nogen måde kunne få befaling over tropperne.

Kilde: PA/AA R 100.758. RA, pk. 233.

Telegramm

Kopenhagen, den	22. Oktober 1943	20.00 Uhr
Ankunft, den	22. Oktober 1943	21.15 Uhr

Nr. 1294 vom 22.10.[43.]

Im Anschluß an mein Telegramm Nr. 1287[196] vom 22.10.1943.
Mit dem ich das dortige Telegramm Nr. 1439[197] vom 16.10.43 beantwortete, berichte ich, daß der Befehlshaber der deutschen Truppen in Dänemark an den Wehrmachtfüh-

193 Det var en sabotagebrand hos firmaerne Oxytron-Rørfabrik og Elektromekano i Hans Justs Magasiner, Århusgade 88, København. Det var Holger Danske, der saboterede Justs Magasiner (RA, BdO Inf. nr. 9, 25. oktober 1943 (der ikke oplyser procenter), Alkil, 2, 1945-46, s. 1222, Birkelund 2008, s. 672).

194 Der var en eksplosion i Maskinfabrikken A/S Universal, Fredensgade 14, i Århus med betragtelige skader til følge. Ifølge BdO arbejdede fabrikken for 35 %s vedkommende for værnemagten (RA, BdO Inf. nr. 9, 25. oktober 1943, Hauerbach 1945, s. 23, Alkil, 2, 1945-46, s. 1222).

195 Best valgte ikke at oplyse om to befrielsesaktioner, der kunne sætte spørgsmålstegn ved det tyske greb om situationen. Hans Edvard Teglers var blevet befriet fra Skt. Hans af BOPA, og oberstløjtnant T.P.A. Ørum var blevet befriet fra Militærhospitalet på Tagensvej af Holger Danske (Kjeldbæk 1997, s. 469, Kieler, 2, 1993, s. 149, Birkelund 2008, s. 672).

196 bei Pol VI. Trykt ovenfor.

197 Pol VI … (Sonderzug 1652). Trykt ovenfor.

rungsstab den folgenden Bericht gerichtet hat:

"Nach einer Rücksprache mit dem Reichsbevollmächtigten stelle ich fest, daß seine im Fernschreiben vom 20.9. und 6.10. mitgeteilten Maßnahmen sich mit denen der Ziffer 6 der Verfugung Bef. Dänemark I A Nr. 696/43 g. Kdos vom 18.8.43, die von dort und dem Auswärtigen Amt gebilligt wurde, decken.["]

Ich halte daher eine weitere Klärung der Angelegenheit nicht für erforderlich, zumal sichergestellt ist, daß der Befehlshaber die Befehlsbefugnisse über etwa eingesetzte Truppen behält und der Befehlshaber falls notwendig, jederzeit örtlich oder allgemein den militärischen Ausnahmezustand erklären kann.

Dr. Best

334. Otto Höfler an Werner Best 22. Oktober 1943

Höfler orienterede Best om, at han havde afbrudt sin tjenesterejse for at træffe professor Franz Six under dennes besøg i København,[198] og derudover fortalte han om tjenesterejsens videre forløb, herunder de personer og institutioner, han ville opsøge. Best blev lovet en efterfølgende beretning om rejsen.

Kilde: RA, Vesterdals nye pakker, pk. 1.

Deutsches Wissenschaftliches Institut *Kopenhagen, den 22.10.1943*
Kopenhagen Öster Allé 29 – Tel. C. 8164
Präsident

Herr Reichsbevollmächtigter!

Auf Wunsch des Herrn Gesandten Prof. Six habe ich die neulich begonnene Dienstreise unterbrochen, um bei seinem Kopenhagener Besuch hier anwesend zu sein.[199] Ich hatte bisher Gelegenheit zu Besprechungen mit der Preußischen Akademie der Wissenschaften (Präsident), Auswärtiges Amt, SD-Hauptamt (Brigadeführer Ohlendorf, Stubaf. v. Löw und Dr. Rössner)[200] und mit dem Verlag H. Böhlau, Weimar, der die von mir geplante Schriftenreihe "Deutsch-nordische Studien", die ich in Verbindung mit dem DWI herauszugeben beabsichtige (Bericht folgt), verlegen soll. – Ich möchte nun noch, um dem DWI den nötigen geisteswissenschaftlichen Rückhalt zu sichern, mit den Akademien der Wissenschaften in München und Wien, deren Präsidenten Karl Alexander v. Müller und H. v. Srbik ich bitten möchte, mich als Historiker zu beraten, ferner mit der Reichsdozentenführung und dem "Ahnenerbe" (Präsident Wüst)[201] Fühlung nehmen. Eingeschoben in diese Dienstreise möchte ich zur Ordnung persönlicher Angelegenheiten (Schwerer Fliegerschaden durch Luftmine) etwa 5-8 Tage Urlaub erbitten.

Über das Ergebnis der Reise werde ich sogleich nach meiner Rückkehr berichten.[202]

Höfler

198 Franz Six var i København 20.-22. oktober 1943.

199 Se Six' optegnelse 25. oktober 1943.

200 Otto Ohlendorf, Eberhard von Löw, Hans Rössner.

201 Walter Wüst var kurator i Ahnenerbe og præsident for Akademie zur Wissenschaftlichen Erforschung und Pflege des Deutschtums – Deutsche Akademie. Freundkreis Reichsführer-SS (Klee 2005, s. 688f.).

202 Rejseberetningen er ikke lokaliseret.

335. Das Auswärtige Amt an OKM und OKW 22. Oktober 1943

AA meddelte, at rederiet Torm havde meddelt kaptajnen på rederiets oplagte skib i Las Palmas, at han ikke uden tilladelse måtte forlade havnen. Rederierne Lauritzen og Torm havde forsøgt at sælge skibene i Spanien, men udsigten dertil var ringe. Det skulle kaptajnerne imidlertid ikke have at vide.

Se AA til OKM og OKW 23. oktober 1943.

Kilde: BArch, Freiburg, RM 7/1187. RA, Danica 628, sp. 7, nr. 5458.

Auswärtiges Amt *Berlin, den 22. Oktober 1943*
Ha Pol 6486/43 g

Betr.: Dänische Schiffe in Las Palmas.
In Anschluß auf mein Schreiben vom 20. Oktober d.J. – Ha Pol 6444 /43 g –[203]

An
das Oberkommando der Kriegsmarine
– 1. Abteilung Seekriegsleitung
das Oberkommando der Wehrmacht
– Sonderstab HWK –
den Reichskommissar für die Seeschiffahrt
– Tonnageeinsatz
– je besonders –

Der Reichsbevollmächtigte in Dänemark berichtet unter dem 19. Oktober d.J., daß die spanische Agentur der dänischen Reederei Torm folgendes Telegramm an die Reederei gerichtet hat:
"Thyra Port Authority renewed promise Protection and will not permit vessel sail without special orders through me, – Thoomien."

Weiterhin berichtet der Reichsbevollmächtigte in Dänemark, daß die Reedereien Lauritzen und Torm, die ihre Schiffe in Las Palmas liegen haben und die über ihre Agenturen den Versuch gemacht haben, diese Schiffe an die Spanier mit Rückkaufrecht nach dem Kriege zu verkaufen, vom Valencia-Kontor 20. Oktober d.J. folgende Antwort erhalten haben:

"Linda might sale (sell?) Spanish owners but without condition repurchase STOP British guarantee nonseizure unobtainable returning Valencia tomorrow."

Danach sich die Aussichten, diese Schiffe an die Spanier zu verkaufen, nur sehr gering. Die Kapitäne der beiden Schiffe sollen jedoch in dem Glauben gelassen werden, daß weitere Verhandlungen mit Spaniern stattfinden, um auf diese Weise einen Druck auf sie auszuüben, in Las Palmas liegen zu bleiben.

Im Auftrag
W. Bisse

203 Trykt ovenfor.

336. Günther Altenburg an Werner Best 23. Oktober 1943

Best havde den 20. oktober været imod stationeringen af fem østbataljoner i Jylland pga. den mulige kontakt med fjendtlige agenter. Gennem Altenburg lod Ribbentrop Best vide, at han ikke fandt den opfattelse holdbar. Ribbentrop havde en anden begrundelse, hvor racemæssige og propagandistiske elementer indgik. Det var ud fra det politiske synspunkt, at en anden løsning skulle hilses velkommen, hvis ikke særlige militære grunde talte for andet (Roslyng-Jensen 1975, s. 397).

Best havde fået en klar tilrettevisning, og det i et spørgsmål, hvor hverken udenrigsministerens eller hans ord talte. Østbataljonerne blev stationeret i Jylland. Men ikke nok med det. Best havde i samme telegram i knappest mulige form – uden betænkeligheder – tilsluttet sig løsladelsen af de internerede danske officerer. Nu ville Ribbentrop vide, om løsladelsen var sket efter, at von Hanneken havde indhentet Bests stillingtagen.

Best svarede med telegram nr. 1299, 26. oktober 1943.

Kilde: PA/AA R 29.567. RA, pk. 203.

Telegramm

Sonderzug, den	23. Oktober 1943	01.25 Uhr
Ankunft, den	23. Oktober 1943	02.00 Uhr

RAM 468/43
Nr. 1689 vom 23.10.[43.]

Diplogerma Kopenhagen
Für Reichsbevollmächtigten persönlich.

Unter Bezugnahme auf Telegramm Nr. 1283 vom 20.10.43.[204]

Zu 1.: Der Herr Reichsaußenminister hält Ihr Argument, daß die Verlegung der 5 Ost-Bataillone nach Jütland deshalb nicht zweckmäßig sei, weil feindliche Agenten gegebenenfalls mit Hilfe der dänischen Bevölkerung mit den Angehörigen dieser Bataillone in Verbindung treten könnten, nicht für stichhaltig. Er ist vielmehr der Ansicht, daß die Verlegung von Osttruppen unter die rassisch stolze und selbstbewußte dänische Bevölkerung einen ungünstigen Eindruck machen und von der feindlichen Propaganda in Schweden gegen unsere nordische Rassepolitik ausgenutzt werden kann. Es wäre daher – wenn nicht besondere militärische Gründe dafür sprechen – vom politischen Standpunkt aus zu begrüßen, wenn eine andere Lösung gefunden werden könnte.

Zu 2.: Bittet Sie der Herr Reichsaußenminister um Äußerung, ob die Entlassung der jüngeren dänischen Offiziere vom Militärbefehlshaber in Kenntnis Ihrer Stellungnahme erfolgt ist oder ob sie ohne diese vorgenommen wurde.

Altenburg

Vermerk:
Unter Nr. 1473 an Diplogerma Kopenhagen weitergeleitet.
Berlin, 23.10.1943
Pers. Ch. Tel.

204 Trykt ovenfor.

337. Werner Best an das Auswärtige Amt 23. Oktober 1943

Dagsindberetning.

Kilde: PA/AA R 29.567. RA, pk. 203.

Telegramm

Kopenhagen, den	23. Oktober 1943	16.10 Uhr
Ankunft, den	23. Oktober 1943	16.50 Uhr

Nr. 1297 vom 23.10.43. Citissime!

Ich bitte, die nachstehende Meldung dem Herrn Reichsaußenminister unverzüglich zuzuleiten:

"Über die Lage in Dänemark berichte ich für den 22. auf 23.10.43, daß außer einem Sabotageakt an der Bahnstrecke Kolding-Fredericia, der nur geringen Schaden verursachte, aus dem Lande keine Vorfälle gemeldet sind."[205]

gez. **Dr. Best**

338. RSHA: Vermerk 23. Oktober 1943

Mildner havde kunnet indberette anholdelsen af en række illegalt arbejdende kommunister i Esbjerg. De blev indført i RSHAs personkartotek.

Det drejede sig om en personkreds, der skrev, producerede og udbredte det illegale blad *Vestjyden* og desuden producerede lokaludgaver af *Frit Danmark* og *Land og Folk*. I alt blev 18-20 personer anholdt ved aktionen, mens andre flygtede til Sverige efter et tip fra dansk politi. Det var et medlem af bladgruppen, der angav de øvrige til Gestapo, som også synes at være blevet klar over, at de i Aksel Andersen havde fået fat i hovedmanden (Buschhardt, Fabritius, Tønnesen 1954, s. 160, Henningsen 1955, s. 206, Trommer 1973, s. 123).

Kilde: RA, Danica 1069, sp. 7, nr. 8075.

IV A 1 a *Berlin, den 23. Oktober 1943*

1.) Vermerk

Der Befehlshaber der Sicherheitspolizei und des SD in Dänemark berichtet mit FS. 3874 und 3930 vom 1.10. und 9.10.1943:

Kommunismus:

Wegen Fortführung der verbotenen dänischen kommunistischen Partei wurden in Esbjerg nachstehende Dänen festgenommen:

1.) Sören Johann Jensen, 4.2.97 Silkeborg geb.

2.) Hugo Keimling, 11.8.05 Slagelse geb.

3.) Axel Einar Andersen, 3.8.96 Nörre Höjrup[206]

205 Der blev foretaget to sprængninger, hvorved en halv meter skinne blev bortsprængt, men værnemagtstransporter blev ikke forhindret (RA, BdO Inf. nr. 10, 27. oktober 1943).

206 Anholdt 8. oktober 1943. Uofficielt henrettet 4. december 1943 (*Faldne i Danmarks frihedskamp*, 1970, s. 24).

4.) Milter Magnus Jensen, 20.2.97 Esbjerg geb.
5.) Leo Holm, 8.8.20 Esbjerg geb.
6.) Peter Holm, 4.5.16 Esbjerg geb.
7.) Arnold Marinus Nielsen, 30.6.00 Varde geb.
8.) Karl Johann Andersen, 11.5.19 Varde geb.
9.) Peter Knudsen Nielsen, 7.3.17 Hejls
10.) Mikkel Mikkelsen, 4.10.96 Fur

2.) IV C 1 a
mit der Bitte um Ausfertigung von Karteikarten für die unter 1) genannten Personen mit folgender Auftragung:
Wurde wegen kommunistischer Betätigung von dem BdS in Dänemark in Haft genommen.

3.) IV A 1 a – zu den Akten: – Dänemark I/1 –
[**underskrift**]

339. Das Auswärtige Amt an OKM und OKW 23. Oktober 1943

Det Tyske Gesandtskab i Madrid meddelte, at kaptajnerne på de oplagte danske skibe i Las Palmas havde offentliggjort en erklæring i en avis om, at deres skibe ikke var solgt til England, og at de på deres rederiers ordre forblev i Las Palmas. Imidlertid var der kommet et engelsk skib til havnen med en besætning, hvorfra enkelte engelske søfolk var kommet ombord i de oplagte skibe.

Se AA til OKM og OKW 27. oktober 1943.
Kilde: BArch, Freiburg, RM 7/1187. RA, Danica 628, sp. 7, nr. 5459.

Auswärtiges Amt — *Berlin, den 23. Oktober 1943*
Ha Pol 6518/43 g — Geheim

S c h n e l l b r i e f

Betr.: Dänische Schiffe in Las Palmas.
Im Anschluß an mein Schreiben vom 22. Oktober d.J. – Ha Pol 6486 /43 g –[207]

An
das Oberkommando der Kriegsmarine
– 1. Abtlg Seekriegsleitung –
das Oberkommando der Wehrmacht
– Sonderstab HWK –
den Reichskommissar für die Seeschiffahrt
– Tonnageeinsatz –
– je besonders –

207 Trykt ovenfor.

Die Deutsche Botschaft in Madrid berichtete unter dem 22. d.M. nachstehendes:

(Der nachstehende Text darf unter keinen Umständen im Wortlaut weitergegeben werden.)

"Parteiamtliche Tageszeitung "Falange" in Las Palmas veröffentliche am 7. Oktober eine Erklärung Kapitäne dänischer Dampfer "Thyras" und "Linda", daß ihre Schiffe nicht an Engländer verkauft worden wären und daß sie wie bisher lediglich den Weisungen ihrer Reedereien folgen würden, die ihnen vorerst ein Verbleiben im Hafen von Las Palmas befohlen hätten.

Nach Mitteilung Vertrauensmannes Marine-Attaché ist die seinerzeit mit dem englischen Dampfer "Empire Grace" angebrachte Besatzung noch nicht an Bord dieser Schiffe genommen worden mit Ausnahme einiger weniger Seeleute zur Abhilfe nötigsten Mangels."

Im Auftrag
W. Bisse

340. Werner Best an das Auswärtige Amt 24. Oktober 1943

Dagsindberetning.

Kilde: PA/AA R 29.567. RA, pk. 203.

Telegramm

Kopenhagen, den	24. Oktober 1943	16.30 Uhr
Ankunft, den	24. Oktober 1943	17.35 Uhr

Nr. 1298 vom 24.10.[43.] Citissime!

Ich bitte, die folgende Meldung unverzüglich dem Herrn Reichsaußenminister zuzuleiten:

Über die Lage in Dänemark berichte ich für die Zeit vom 23. zum 24.10.1943, daß in Langaa (Jütland) ein Sabotageakt in einer Eisengießerei stattgefunden hat.[208] In Aarhus ist es der deutschen Sicherheitspolizei gelungen, eine Saboteurgruppe von 13 Mann zu ermitteln und festzunehmen, wodurch bis jetzt 11 Sabotagefälle allein in der Stadt Aarhus ihre Aufklärung gefunden haben.[209]

Dr. Best

208 Støberiet blev ødelagt, da støbeovnen ved en eksplosion blev løsnet fra fundamentet. Virksomheden arbejdede for ca. 10 procents vedkommende for tyske interesser (RA, BdO Inf. nr. 10, 27. oktober 1943, Alkil, 2, 1945-46, s. 1222).

209 Der var givetvis tale om en af Aage Andersen ledet sabotagegruppe, der blev rullet op i løbet af oktober. Fra gruppen blev Alf Tolboe Jensen taget 13. oktober og siden dødsdømt 24. november 1943 sammen med gruppemedlemmerne Karl Nielsen, Frede Klitgaard og Svend Thomsen. Jensen henrettedes, mens de tre andre fik dommen ændret til livsvarigt tugthus (Andrésen 1945, s. 269, Nielsen 1980, s. 64, *Faldne i Danmarks frihedskamp*, 1970, s. 195f. Se også Bests telegram nr. 1324, 28. oktober 1943).

341. Eberhard von Thadden an Adolf von Steengracht 25. Oktober 1943

Horst Wagner rykkede for, at Ribbentrop tog stilling til en række spørgsmål vedrørende de deporterede danske jøder, bl.a. spørgsmålet om tilbageførslen af et antal halvjøder fra Theresienstadt.

Der kom svar via Sonnleithner til Wagner 28. oktober (Yahil 1967, s. 258).

Kilde: PA/AA R 29.567. RA, pk. 203 og 226. LAK, Best-sagen (afskrift).

Ref: LR v. Thadden.

Auf Weisung von VLR Wagner hiermit Herrn Staatssekretär

mit dem Bemerken wieder vorgelegt, daß der Herr RAM bei dänischen Juden, die durch hohes Alter politisch und rassisch ungefährlich sind, eine weichere Handhabung unserer Judenmaßnahmen wünscht. Inl. II legt diese Entscheidung dahin aus, daß bei den jetzt noch laufenden Erfassungsmaßnahmen in Dänemark Juden in hohem Alter nicht mehr zwecks Deportation festgenommen werden sollen. Dieser Punkt ist daher aus der ursprünglich vorgelegten Vortragsnotiz auch herausgenommen worden. Dagegen enthält diese Entscheidung des Herrn RAM nichts hinsichtlich der Frage, ob vom Reichsführer-SS die Rückschaffung der bereits deportierten alten Juden nach Kopenhagen gefordert werden soll. Eine solche Forderung würde schon im Hinblick auf die zu erwartenden Reaktionen innerhalb des Judentums bei den Dienststellen des Reichsführers auf starken Widerstand stoßen und nur auf Grund einer ausdrücklichen Weisung des Herrn RAM durchzuziehen sein. Weiterhin ist über die von Gesandten Mohr vorgetragenen Wünsche – Ausnahme von Kindern bei der Deportation und Rückschaffung von 17 Halbjuden oder mit Ariern verheirateten Juden – die dem Herrn RAM noch nicht vorgelegen haben, eine Entscheidung nicht ergangen. Inl. II wäre daher dankbar, wenn die anliegende Vortragsnotiz, die gegenüber der ersten Fassung unter Berücksichtigung der Entscheidung des Herrn RAM verändert ist, zur Vorlage weitergeleitet würde.

Berlin, den 25. Oktober 1943

v. Thadden

342. Eberhard von Thadden an Adolf Eichmann 25. Oktober 1943

Efter at være blevet opsøgt af en repræsentant for Det Danske Gesandtskab spurgte von Thadden RSHA, om der kunne komme besøg til de deporterede danske jøder, og om de kunne modtage levnedsmiddelpakker.

Svaret er ikke lokaliseret, men et henholdende ja blev givet til punkt 1, mens punkt to var et afslag. Senere ansøgninger om at måtte sende pakker fik også afslag.

I stedet organiseredes af privatpersoner forsendelser til de deporterede i Theresienstadt, efter at de deporteredes navne var fremskaffet. "... det skulle vise sig, at det tyske pedantiske bureaukrati ikke svigtede, og bane- og postetaterne, der tilsyneladende ikke vidste noget om Gestapos forbud, forrettede troligt deres job selv inden for Theresienstadtlejren." (Yahil 1967, s. 252-254, 257f. Citatet er fra s. 254).

Kilde: RA, pk. 220.

Durchdruck als Konzept
Auswärtiges Amt
Inl. II A 3732

Berlin, 25. Oktober 1943

An das Reichssicherheitshauptamt,
z.Hd. von SS-Obergruppenführer Eichmann, o.V.i.A.
Berlin W, 62
Kurfürstenstr. 116

Schnellbrief

Der dänische Geschäftsträger sprach am 22. Oktober d.J. im Auftrag seiner Regierung im Auswärtigen Amt in folgender Angelegenheit vor:

1.) Ob ein Mitglied der Gesandtschaft oder des dänischen Roten Kreuzes die Erlaubnis erhalten könnte, die aus Dänemark deportierten Juden zu besuchen.

2.) Ob die Anschrift der dänischen Juden mitgeteilt werden könne, damit deren Verwandte auf einem von uns für gangbar gehaltenen Wege instand gesetzt würden Lebensmittelpakete an die Deportierten zu schicken. Wie er gehört habe, wurde dies auch Juden anderer Nationalität gestattet.

Das Auswärtige Amt wäre für tunlichst unverzügliche Stellungnahme dankbar.

Im Auftrag
gez. v. Thadden

343. Franz Six: Aufzeichnung 25. Oktober 1943

Lederen af den kulturpolitiske afdeling i AA, Franz Six, benyttede et ophold i København til indgående at drøfte forløbet af jødeaktionen med Best. Hjemkommet nedfældede han et sammendrag af drøftelsen, der giver udtryk for Bests syn på sagen. Her var et 8-punkts katalog af argumenter at øse af, hvis AA skulle komme under kritik for sin og den rigsbefuldmægtigedes rolle.

Det havde ikke været muligt at iværksætte forberedende foranstaltninger mod jøderne pga. hensynet til regeringen Scavenius. Dog havde Best ladet oprette et jødekartotek, der gjorde aktionen mulig. Da den militære undtagelsestilstand blev af længere varighed, påpegede Best over for RAM, at en beslutning vedrørende jøderne måtte tages under denne. Best fik påfølgende 17. september ordre om, at aktionen skulle gennemføres. Aktionen kunne først gennemføres i begyndelsen af oktober, da de krævede politifolk og transportmidler ikke var til rådighed før. I mellemtiden løb rygtet om en aktion blandt jøderne, og mange forlod deres hjem og flygtede til Sverige. Det havde fra tysk side ikke været muligt at bevogte den 150 km lange kyststrækning til Sverige. WB Dänemark ville ikke stille mandskab til rådighed, og Kriegsmarine havde ikke mandskab og både dertil. Sammenfattende kunne det fastslås, at Danmark var gjort jødefrit, og at jødespørgsmålet ikke længere belastede konstruktive løsninger på det tysk-danske forhold (Yahil 1967, s. 174f., Hachmeister 1998, s. 266).

Kilde: PA/AA R 29.567. RA, pk. 203. LAK, Best-sagen (på dansk).

Leiter Kult Pol Persönlich.

Aufzeichnung

Ich nahm Gelegenheit in Kopenhagen mit dem Bevollmächtigten des Reiches, Dr. Best, verschiedene Fragen durchzusprechen und dabei auch auslandsinformative Rückwirkungen der Judenaktion zu streifen. Dr. Best versah mich dabei mit einer Reihe von Argumenten, die mir in Hinsicht auf die mehrfachen Diskussionen in der Morgenbesprechung außerordentlich wichtig zu sein scheinen. Ich habe mir hierzu einige Notizen gemacht, die ich mir erlaube zur Kenntnisnahme vorzulegen:

1.) Bis zum August 1943 konnten in Dänemark keine Maßnahmen gegen die Juden getroffen werden, weil dies zum Sturz der Regierung Scavenius geführt und damit die bis dahin befohlene Politik unmöglich gemacht hätte. Der Bevollmächtigte des Reiches hat jedoch zur Vorbereitung späterer Maßnahmen die Juden namentlich erfassen lassen, wodurch die Aktion am 1./2.10.43 ermöglicht wurde.[210]

2.) Als der Bevollmächtigte erkannte, daß der am 29.8.43 verhängte militärische Ausnahmezustand nicht – wie er zunächst erwartet hatte – nur wenige Tage aufrecht erhalten wurde – wies er in einem Telegramm vom 8.9.43 den Reichsaußenminister darauf hin, daß unter den veränderten Verhältnissen auch eine Entscheidung über die Behandlung der Judenfrage in Dänemark getroffen und daß eine etwa gewollte Lösung unbedingt noch während des derzeitigen Ausnahmezustandes durchgeführt werden müsse.[211]

3.) Auf dieses Telegramm erhielt der Bevollmächtigte am 17.9.43 den Bescheid, daß die Deportation der Juden aus Dänemark grundsätzlich beschlossen sei und daß er für die Durchführung konkrete Vorschläge machen solle.[212]

4.) Diese Vorschläge hat Bevollmächtigter in einem Telegramm vom 18.9.43 nach Rücksprache mit dem inzwischen eingetroffenen Befehlshaber der Sicherheitspolizei SS-Standartenführer Dr. Mildner vorgelegt. Als Termin für die vorgesehene Festnahmeaktion konnte erst die Nacht vom 1. auf 2.10.43 bestimmt werden, weil die hierfür erforderlichen Polizeikräfte und Transportmittel nicht früher eintreffen konnten.[213]

5.) Die Juden in Dänemark haben, wie die Vernehmung festgenommener Juden ergab, von der Verhängung des militärischen Ausnahmezustandes (29.8.43) ab mit einer Judenaktion gerechnet und zum größten Teil ihre Wohnungen bezw. durch illegale Überfahrt nach Schweden das Land verlassen. Die Erwartung einer Judenaktion steigerte sich im Laufe des Monats September zu einer wahren Panik, so daß bereits vor dem Beginn der Aktion von der dänischen Regierung bei dem Bevollmächtigten des Reiches Vorstellungen erhoben wurden und eine Reihe von Eingaben – darunter auch ein Schreiben des Königs vom 1.10.43 – eingingen.[214]

6.) Wenn also den Juden ein ganzer Monat zur Verfügung stand, um der erwarteten Aktion auszuweichen, so ist nicht verwunderlich, daß – als die Aktion nach der vom Bevollmächtigten veranlaßten Herbeiführung der Entscheidung und Bereitstellung der Kräfte und Mittel endlich durchgeführt werden konnte –von den etwa 3.000 namentlich erfaßten jüdischen Familien nur ein Bruchteil – und zwar vor allem alte und mittellose Menschen – festgenommen und deportiert werden konnte. Das Ausweichen der Juden vor der Aktion konnte der Bevollmächtigte nicht verhindern,

210 Et jødekartotek for Danmark var befalet oprettet af RFSS 5. oktober 1942 (se RFSS til Müller anf. dato). Kartotekets udarbejdelse foreligger der forskellige forklaringer på i Best-sagen, men at det blev suppleret efter 29. august 1943, er hævet over enhver tvivl (se kommentaren til Bests telegram nr. 1032, 8. september 1943 og MOK Ost til Seekriegsleitung 2. oktober, fodnote).

211 Telegram nr. 1032, trykt ovenfor.

212 Telegram nr. 1265, trykt ovenfor.

213 Telegram nr. 1094, trykt ovenfor.

214 Telegram nr. 1187, trykt ovenfor.

da einerseits nicht vor dem Termin durch irgendwelche vorbeugende Maßnahmen die bevorstehende Aktion aufgedeckt werden dürfte und da dem Bevollmächtigten andererseits auch keinerlei Kräfte für solche Maßnahmen zur Verfügung standen, bevor Ende September die von der SS hierher befohlenen Polizeikräfte eintrafen.

7.) Die etwa 150 km lange Küstenstrecke Ostseelands, von der die Überfahrt nach Schweden besonders leicht ist, konnte bisher nicht einmal in dem notdürftigsten Umfang überwacht werden. Die Wehrmacht lehnte einen solchen Überwachungsdienst ab, da sie keine hierfür bestimmten Einheiten zur Verfügung habe. Die Marine kann mangels Mannschaften keine Boote für eine Überwachung auf dem Wasser einsetzen. Daß unzureichende Polizeikräfte nicht an dieser einen Küstenstrecke postiert werden können, ergibt sich von selbst. Als letzten Versuch hat Bevollmächtigter über das Auswärtige Amt 4-500 Mann Zollgrenzschutz angefordert. Wenn dem Bevollmächtigten auch diese nicht zur Verfügung gestellt werden können, bleibt die Ostküste Seelands ein offenes Tor nach Schweden. Dies erscheint dem Bevollmächtigten nicht einmal so sehr wegen der Fluchten aus Dänemark (die Invasion dänischer Juden beginnt sogar in Südschweden bereits antisemitische Reaktionen hervorzurufen) als vielmehr deshalb gefährlich, weil von Schweden in beliebigem Umfang Personen und Gegenstände nach Dänemark gebracht und sogar unmittelbar Aktionen von schwedischem Boden aus nach Dänemark ausgeführt werden können. Es ist erwiesen, daß Sabotageakte in Kopenhagen durch Saboteure durchgeführt wurden, die hierzu von Schweden in Booten herüberkamen.

8.) Zusammenfassend ist festzustellen, daß seit der Judenaktion am 1./2.10.43 das Land Dänemark entjudet ist und daß damit die Judenfrage künftig konstruktive Lösungen des dänisch-deutschen Verhältnisses nicht mehr belasten wird. Gegenüber dieser Tatsache dürfte das zahlenmäßig geringe Ergebnis der Festnahmen und Deportationen, das nach der vorstehend umrissenen Vorgeschichte der Judenaktion unvermeidlich war, weniger ins Gewicht fallen.

Hiermit Herrn Staatssekretär vorgelegt.

Berlin, den 25. Oktober 1943.

Six

344. Werner Best an das Auswärtige Amt 25. Oktober 1943

Dagsindberetning.

Kilde: PA/AA R 29.567. RA, pk. 203.

Telegramm

Kopenhagen, den	25. Oktober 1943	18.20 Uhr
Ankunft, den	25. Oktober 1943	19.20 Uhr

Nr. 1304 vom 25.10.[43.] Citissime!

Ich bitte, die folgende Meldung dem Herrn Reichsaußenminister unverzüglich zuzuleiten:

Über die Lage in Dänemark berichte ich für den 24. auf 25.10.43, daß außer einer Brandstiftung in einer Sperrholzfabrik in Slagelse[215] und dem Anzünden eines Heuwaggons bei Helsingör[216] (in beiden Fallen nur geringer Schaden) keine Vorfälle aus dem Lande gemeldet sind.

Dr. Best

345. Horst Wagner an Joachim von Ribbentrop 26. Oktober 1943

Wagner bad om, at Best blev beordret til Berlin for at drøfte en række akutte spørgsmål, bl.a. indsættelsen af en HSSPF i Danmark.

RAMs svar fremgår af Brenners notits 27. oktober.

Kilde: PA/AA R 100.758 og 101.040.

Telegramm

Berlin, den 26. Oktober 1943
Inl. II 2949 g

1.) Sonderzug Westfalen
Referent: VK Geiger
Betreff: Beorderung Dr. Best nach Berlin
2.) WV: nach Abgang:

Über Herrn Gesandten von Sonnleithner zur Vorlage bei dem Herrn Reichsaußenminister.

Auf Grund Besprechung bei dem Herrn Staatssekretär, an der U.St.S. Pol., Gesandter von Grundherr und Unterzeichneter teilnahmen, wird zur Besprechung schwebender Fragen, u.a. Einsetzung Höheren SS- und Polizeiführers in Dänemark, Anwesenheit des Reichsbevollmächtigten Dr. Best für dringend erforderlich gehalten.

Erbitte hiermit Genehmigung des Herrn Reichsaußenministers zur Beorderung Dr. Bests zu eintägigem Besuch in Berlin.

Wagner

215 Ifølge BdO fandt sabotagen sted mod en krydsfinerfabrik i Næstved, hvor der blev anvendt fem tidsindstillede brandbomber. Imidlertid blev branden opdaget tidligt og slukket. Virksomheden arbejdede for tyske interesser (RA, BdO Inf. nr. 10, 27. oktober 1943).

216 Jernbanevognen stod på værftsområdet (RA, BdO Inf. nr. 10, 27. oktober 1943).

346. Werner Best an das Auswärtige Amt 26. Oktober 1943

Ribbentrops tilrettevisning af Best den 23. oktober 1943 valgte Best at svare offensivt igen på. For det første var forlægningen af fem østbataljoner til Jylland forud sket med begrundelsen militær nødvendighed. Da der af den grund ikke kunne tages hensyn til fjendtlige faldskærmsagenter og spionage, syntes Best, at det var formålsløst at gøre politiske argumenter gældende. Da von Hanneken yderligere ville anbringe bataljonerne i aflukkede områder, hvor der ville være ringe kontakt med befolkningen, var der taget hensyn til "vort" politiske udgangspunkt.

Best gav Ribbentrop svar på tiltale uden at bukke sig og dækkede sig tillige ind ved at tale om Ribbentrops og sit fælles politiske udgangspunkt. Med hensyn til det af Ribbentrop i samme telegram stillede spørgsmål, om Best var hørt forud om sin mening, før von Hanneken løslod de internerede danske officerer, gav Best svaret selvfølgelighedens form, idet han gentog sig selv, underforstået at spørgsmålet havde været helt overflødigt.

Der kom i løbet af november 1943 antagelig ca. 6.000 russiske soldater til Nordjylland (Roslyng-Jensen 1975, s. 398).

Kilde: PA/AA R 29.567. RA, pk. 203.

Telegramm

Kopenhagen, den	26. Oktober 1943	13.25 Uhr
Ankunft, den	26. Oktober 1943	14.50 Uhr

Nr. 1299 vom 26.10.[43.] Citissime!

Ich bitte, den folgenden Bericht unverzüglich dem Herrn Reichsaußenminister zuzuleiten:
Auf das Telegramm Nr. 1473[217] vom 23.10.43 erwidere ich folgendes:

Zu 1.: Die Verlegung der 5 Ostbataillone nach Jütland ist vom OKW dem General von Hanneken von vornherein als militärische Notwendigkeit bezeichnet worden. Wenn wegen dieser Notwendigkeit schon das militärische und abwehrmäßige Bedenken, daß diese wegen Unzuverlässigkeit aus dem Osten abtransportierten Bataillone durch die hier tätigen feindlichen Fallschirmagenten und ihre Hilfskräfte beeinflußt werden könnten, nicht beachtet wurde, erschien die Geltendmachung politischer Argumente zwecklos. Der General von Hanneken hat nunmehr die Absicht, die 5 Ostbataillone in nach außen abgeschlossenen Bereichen (Skagenspitze, Hanstholmbatterie, einsame Flugplätze) einzusetzen, wodurch auch unserem politischen Gesichtspunkt, diese Einheiten möglichst wenig vor der dänischen Bevölkerung in Erscheinung treten zu lassen, Rechnung getragen wird.

Zu 2.: Die Entlassung der jüngeren dänischen Offiziere wie überhaupt die Entlassung der gesamten dänischen Wehrmachtsangehörigen ist vom Oberbefehlshaber der deutschen Truppen in Dänemark in ständiger Fühlungnahme mit mir durchgeführt worden, so daß ich jederzeit etwaige Bedenken hätte geltend machen können. Daß solche nicht bestanden, habe ich bereits berichtet.

Dr. Best

217 Pol. VI (V.S.) (Sonderzug 1689). Trykt ovenfor.

347. Werner Best an das Auswärtige Amt 26. Oktober 1943

Best havde adskillige gange bedt om oprettelse af en tysk domstol underlagt den rigsbefuldmægtigede. Domstolen skulle tage sig af sager rettet mod tyske interesser (med undtagelse af personer tilhørende værnemagten). Nu rykkede han for en snarlig beslutning i denne sag, idet han havde taget von Hanneken i ed. De var enige om nødvendigheden heraf.

Rykkeren havde som baggrund den snarlige ankomst af en HSSPF, hvor Best forud ville sikre sig den øverste tyske domsmyndighed. Svaret trak ud, så Best tog atter spørgsmålet op en måned senere med telegram nr. 1474, 27. november 1943 (Rosengreen 1982, s. 88).

Kilde: PA/AA R 29.567. RA, pk. 203 og 233. LAK, Best-sagen (afskrift).

Telegramm

Kopenhagen, den	26. Oktober 1943	16.20 Uhr
Ankunft, den	26. Oktober 1943	17.00 Uhr

Nr. 1305 vom 26.10.[43.]

Unter Bezugnahme auf meine Berichte betreffend deutsche Gerichtsbarkeit in Dänemark vom 3.6.43 (II L. B. Nr. 103/43)[218] und vom 21.7.43 (II M 2/43)[219], sowie auf Ziffer 2 meines Telegramms Nr. 1001[220] vom 1.9.43 bitte ich um baldige Entscheidung über die Errichtung eines mir unterstellten Gerichtes mit Zuständigkeit für Straftaten aller Reichsdeutschen in Dänemark mit Ausnahme der Wehrmachtsangehörigen sowie für Straftaten von Landeseinwohnern gegen deutsche Interessen. Mit dem Befehlshaber der deutschen Truppen in Dänemark besteht Einverständnis über die Notwendigkeit und Zweckmäßigkeit einer Gerichtsbarkeit des Reichsbevollmächtigten.

Dr. Best

348. Werner Best an das Auswärtige Amt 26. Oktober 1943

Dagsindberetning.

Kilde: PA/AA R 29.567. RA, pk. 203.

Telegramm

Kopenhagen, den	26. Oktober 1943	19.30 Uhr
Ankunft, den	26. Oktober 1943	20.35 Uhr

Nr. 1312 vom 26.10.[43.] Citissime!

Ich bitte, die folgende Meldung dem Herrn Reichsaußenminister unverzüglich zuzuleiten:

218 Trykt ovenfor.
219 Telegrammet er ikke lokaliseret.
220 Pol VI (V.S.). Trykt ovenfor.

Über die Lage in Dänemark berichte ich für den 25. auf 26.10.43, daß in der Nacht zwei dänische Angehörige des Schalburg-Korps in einer Straße der Kopenhagen Altstadt von unbekannten Tätern angeschossen wurden. Der eine Verletzte ist inzwischen gestorben.[221] Die deutsche Sicherheitspolizei ist mit der Aufklärung befaßt und hat 20.000 Kronen Belohnung für zweckdienlich Angaben ausgelost.[222] Sonst keine Vorfalle im ganzen Lande.

Dr. Best

349. Eberhard von Thadden an Werner Best 27. Oktober 1943

Best blev orienteret om behandlingen af sager vedrørende de deporterede danske jøder og udbedt stillingtagen til et enkelt forhold.

Best svarede på det stillede spørgsmål i telegram nr. 1353, 3. november 1943, pkt. 3 og i telegram nr. 1354 samme dag.

Kilde: PA/AA R 100.865. RA, pk. 226.

Ref.: LR v. Thadden

1.) Vermerk.
Die angeschnittenen Fragen wegen Heimschaffung alter Juden und Judenkindern, sowie wegen der Rückschaffung der angeblich zu Unrecht deportierten Juden sind von Inl. II Herrn RAM mit der Bitte um Entscheidung vorgelegt worden. (Inl. II A 8040).[223]

Wegen Angabe des Aufenthaltsortes, Möglichkeit der Übersendung von Lebensmittelpaketen und gegebenenfalls Besuch der deportierten Juden durch einen Vertreter des Dänischen Roten Kreuzes ist bereits auf Grund einer Aufzeichnung des Herrn Dg.Pol. über den Besuch des Dänischen Geschäftsträgers bei ihm an das Reichssicherheitshauptamt zur Stellungnahme gegeben worden. (Vorg. Inl. II A 8332).

Durchdruck als Konzept Auswärtiges Amt
Berlin, den 27. Oktober 1943

2.) Inl. II A 8380 Abschriftlich
Dem Bevollmächtigten des Reichs in Dänemark
Kopenhagen
mit der Bitte um Stellungnahme zum zweiten Absatz übersandt.

Im Auftrag
gez. v. **Thadden**

221 Ved 21-tiden blev to Schalburgmænd i uniform skudt i Gothersgade af to BOPA-medlemmer, der handlede uden anledning (Bergstrøm skriver Kronprinsessegade). Den ene, Carl Nielsen, var død, den anden blev hårdt såret og døde påfølgende (RA, BdO Inf. nr. 11, 28. oktober 1943, Bergstrøms dagbog 25. oktober 1943 (trykt udg. s. 828), Larsen 1982, s. 167).

222 Meddelelsen om belønningen trykt på dansk hos Alkil, 2, 1945-46, s. 857f.

223 Thaddens notat 25. oktober 1943, trykt ovenfor.

350. Harro Brenner: Notiz 27. Oktober 1943

Næsten en måned efter, at Best havde spurgt til den rigsbefuldmægtigedes stedfortræders stilling efter ankomsten af en chef for ordenspolitiet og en HSSPF, blev spørgsmålet stadig behandlet i AA. Det blev indstillet, at stedfortræderens stilling skulle være uforandret.

Endvidere havde Wagner 26. oktober via Sonnleithner bedt Ribbentrop om, at Best måtte blive kaldt til et endagsbesøg i Berlin for bl.a. at drøfte indsættelsen af en HSSPF i Danmark. Det blev godkendt.

Kilde: PA/AA R 100.758.

Abschrift

zu Pers. II 62 g
Geheim

Ich schlage vor, den Drahtbericht aus Kopenhagen Nr. 1177 vom 1. Oktober d.J.[224] betreffend den Umfang der Vertretungsbefugnis des Gesandten Dr. Barandon wie folgt zu behandeln:

Es muß grundsätzlich daran festgehalten werden, daß der Vertreter des Bevollmächtigten des Reichs in Dänemark die gleichen Befugnisse hat wie der Reichsbevollmächtigte selbst. Demgemäß stehen ihm den Befehlshabern der Ordnungspolizei und der Sicherheitspolizei sowie dem noch einzusetzenden Höheren SS- und Polizeiführer gegenüber die gleichen Befugnisse zu wie dem Reichsbevollmächtigten selbst. Gesandter Dr. Barandon müßte daher von vornherein den Standpunkt vertreten, daß er den Reichsbevollmächtigten während seiner Abwesenheit mit allen diesem selbst zustehenden Befugnissen vertritt.

Im Einvernehmen mit Gesandten von Grundherr und Gruppe Büro RAM über St.S. VLR Wagner vorgelegt:

Der Herr RAM ist mit der Reise von Dr. Best nach Berlin einverstanden.

"Westfalen," 27.10.1943

Berlin, den 27.10.1943

gez. **Brenner**
Lohmann

351. Werner Best an das Auswärtige Amt 27. Oktober 1943

Dagsindberetning.

Kilde: PA/AA R 29.567. RA, pk. 203.

Telegramm

Kopenhagen, den 27. Oktober 1943 19.35 Uhr
Ankunft, den 27. Oktober 1943 20.50 Uhr

Nr. 1320 vom 27.10.[43.] Citissime!

224 Trykt ovenfor.

Ich bitte, dem Herrn Reichsaußenminister die folgenden Meldungen unverzüglich zuzuleiten:
Über die Lage in Dänemark berichte ich vom 26. auf 27.10.43, daß drei Sabotagefälle in Kopenhagen (Autowerkstatt), in Skanderborg (Autowerkstatt), und in Aalborg (Bergungsprahm) gemeldet worden sind.[225] Der deutschen Sicherheitspolizei ist es gelungen, in Kopenhagen vier Saboteure sowie zwei Personen wegen Waffenbesitzes und vier Personen wegen der Verbreitung illegaler Flugblätter festzunehmen.

Dr. Best

352. Horst Wagner an Werner Best 27. Oktober 1943

På grund af gentagne henvendelser fra den danske gesandt Mohr i Berlin om de deporterede jøder og deres mulige løsladelse pga. alder eller ægteskabelige forhold blev det presserende for AA at tage stilling til den linje, som Best allerede tidligere i oktober havde lagt sig fast på, og som havde givet anledning til de danske henvendelser. I første omgang fik Best besked om, at udenrigsministeren tiltrådte hans såkaldt "elastiske linje" med hensyn til jøder af høj alder. De kunne ikke længere udgøre nogen fare (jfr. også Yahil 1967, s. 258).

Kilde: PA/AA R 100.865. RA, pk. 226.

T e l e g r a m m

Berlin, den	27. Oktober 1943	20.40 Uhr
Ankunft, den	27. Oktober 1943	22.35 Uhr

Diplogerma Kopenhagen
Nr. 1462
Referent: LR v. Thadden
Betreff: Judenaktion in Dänemark

Auf Nr. 1250 vom 13.10.:[226]
Der Herr Reichsaußenminister billigt dortige Auffassung, daß sich grundsätzlich elastische Behandlung der Judenfrage in Dänemark empfiehlt, insbesondere, soweit es sich um Personen hohen Alters handelt, die weder politisch noch rassisch irgendwelchen Schaden anrichten können. Reichssicherheitshauptamt ist entsprechend unterrichtet worden.

Wagner

225 De tre aktioner kan identificeres som sabotage mod De forenede Automobilfabriker Triangel, Tåsingegade, København (omfattende skade – af Birkelund opgivet til 69.499 kr. og adressen som Strandvejen 5-7), sabotage mod Hørlunds Autoværksted, Adelgade 22, Skanderborg, og en bombe mod et tysk værkstedsskib for vandflyvere i Ålborg havn (RA, BdO Inf. nr. 12, 29. oktober 1943, Alkil, 2, 1945-46, s. 1222, Birkelund 2008, s. 673). Her som tidligere medtog Best kun et udvalg af de forefaldne aktioner. Han meddelte heller ikke senere om tidligere aktioner, han ikke havde omtalt.

226 Trykt ovenfor.

353. Hans-Heinrich Wurmbach an OKM 27. Oktober 1943

Wurmbach meddelte, at Niels Bukh var indforstået med en beslaglæggelse af Ollerup Gymnastikhøjskole efter en personlig samtale med admiral Wurmbachs intendant. En kontrakt med Bukh forberedtes. Best var underrettet.

Denne vending i striden om beslaglæggelse eller ikke af Ollerup Gymnastikhøjskole lader sig ikke entydigt forklare ud fra det samtidige materiale, men enkelte samtidige indicier og udførlige efterkrigsforklaringer indikerer, at Niels Bukh allerede kort efter 8. oktober havde ændret holdning til en beslaglæggelse, da det var gået op for ham, at beslaglæggelsen af hans to andre skoler, Folkehøjskolen og Håndværkerskolen, ville finde sted under alle omstændigheder. Det ville stille den særlige hensyntagen til ham personligt i et dårligt lys, også over for lederne af de to højskoler. Imidlertid var løbet kørt, for nu gik slaget om Ollerup Gymnastikhøjskole blandt de tyske militære og civile myndigheder med Seekriegsleitung og Wurmbach som hovedmodstandere.[227] Om Bukh meddelte Best sin ændrede holdning får stå hen, men var det tilfældet, og det er sandsynligt, kan det kun have udløst stor politisk frustration på baggrund af den prestige, som Best havde tillagt spørgsmålet om at afværge beslaglæggelsen. Det er ikke sært, hvis Best derefter ikke lagde stor energi i at forsøge at finde andre egnede indkvarteringsmuligheder. Forløbet fik sin pludselige afslutning ved, at Niels Bukh fik en direkte aftale i stand med Wurmbachs intendant. Om Bukh skiftede mening allerede 9. oktober står ikke helt klart, og der foreligger den oplagte mulighed, at hans definitive omvendelse først fandt sted, da han med Wurmbach fik aftalt særdeles favorable vilkår vedrørende beslaglæggelsen, idet både Bukhs private fløj og enkelte andre rum blev fritaget for beslaglæggelse, og han fik en passende årlig leje for beslaglæggelsen (Bonde 2001, s. 581-585, der ikke kender det relevante tyske materiale efter 8. oktober 1943 og kun delvis forud).

Kilde: BArch, Freiburg, RM 7/1188. RA, Danica 628, sp. 7, nr. 5465.

+S MDKP 112317 27/10 2155 =
Mit Aue = S OKM 1 Skl I =
Gltd S OKM 1 Skl I = Nachr S MOK Ost =

Bezug: Auf OKM 1 Skl 1 I/ 32073/43 v. 21.10.[228]

Niels Bukh nach persönlicher Rücksprache mit Intendanten Adm Dän mit Beschlagnahme einverstanden. Vertragliche Regelung mit ihm in Vorbereitung. Reichsbev wird von hier aus unterrichtet.

Adm Dän H 17490 C+

354. Das Auswärtige Amt an OKM und OKW 27. Oktober 1943

Via Best kunne AA meddele, at rederiet Torm havde fået forsikring fra havnemyndighederne om, at det oplagte danske skib i Las Palmas, "Thyra S", ikke ville få lov til at sejle uden rederiets tilladelse.

Se Best til AA 25. november 1943.

Kilde: BArch, Freiburg, RM 7/1187. RA, Danica 628, sp. 7, nr. 5466.

Auswärtiges Amt
Ha Pol 6584/43 g

Berlin, den 27. Oktober 1943

227 Bonde 2001, s. 579ff. gør pga. manglende kildegrundlag WB Dänemark til Bests hovedmodstander i spillet om Ollerup Gymnastikhøjskole.

228 Trykt ovenfor i forbindelse med Seekriegsleitungs notat anf. dato.

Betr.: Dänische Schiffe in Las Palmas.
Im Anschluß auf mein Schreiben vom 22. Oktober d.J. – Ha Pol 6486 /43 g –[229]

An
das Oberkommando der Kriegsmarine
– 1. Abteilung Seekriegsleitung –
das Oberkommando der Wehrmacht
– Sonderstab HWK –
den Reichskommissar für die Seeschiffahrt
–Tonnageeinsatz –
– je besonders –

Der Reichsbevollmächtigte in Dänemark berichtet, daß die dänische Reederei Torm von ihrem Agenten in Las Palas nachstehendes Telegramm vom 14. Oktober d.J. erhalten hat:

"Thyra S port authority renewed protection and still not permit vessel sail without your special orders through me."

Im Auftrag
W. Bisse

355. Das Auswärtige Amt an OKM und OKW 27. Oktober 1943

Best havde til AA oplyst, at der var indløbet meldinger om, at de tre i Lissabon oplagte danske skibe gjorde klar til at sejle ud. Skibskaptajnerne havde været under pres fra englænderne og den danske gesandt. Der var fra tysk side iværksat bestræbelser på at hindre det.

Se AA til OKM og OKW 30. oktober 1943.

Kilde: BArch, Freiburg, RM 7/1187. RA, Danica 628, sp. 7, nr. 5471.

Auswärtiges Amt *Berlin, den 27. Oktober 1943*
Ha Pol XI 2708/43 II

Schnellbrief

An
das Oberkommando der Kriegsmarine
– 1. Abteilung Seekriegsleitung –
den Reichskommissar für die Seeschiffahrt
das Oberkommando der Wehrmacht
– Sonderstab HWK –
z.Hd. von Herrn Kapt. z.S. Vesper
– je besonders –

Betr.: Dänische Schiffe "Nancy", "Skaane" und "Egholm".

229 Trykt ovenfor.

Mit Beziehung auf mein Schreiben vom 10. September d.J. – Ha Pol XI 2195/43 –[230]

Der Bevollmächtigte des Reichs für Dänemark in Kopenhagen berichtet unter dem 27. Oktober d.J. nachstehendes:

(Der nachstehende Text darf unter keinen Umständen im Wortlaut weitergegeben werden).

"Nach hier vorliegenden Meldungen beabsichtigen die in Lissabon aufliegenden drei dänischen Schiffe – "Nancy", "Skaane" und "Egholm" –, deren Kapitäne von Engländern und dänischem Gesandten unter Druck gesetzt wurden, nach Gibraltar auszulaufen. Mannschaften sollen aus England kommen.

"Egholm" soll bereits 14. Oktober ins Dock gegangen sein und in diesen Tagen fahrbereit werden. Dockung der beiden anderen Schiffe ebenfalls vorgesehen. Habe sofortige Absendung von telegrafischen Orders der Reedereien an ihre Kapitäne veranlaßt, nicht auszulaufen, sondern entsprechend Anweisung ihrer Reedereien in Lissabon zu verbleiben. Agentur der Reedereien hat gleichlautende Weisung erhalten."

Die Deutsche Gesandtschaft in Lissabon ist vom Inhalt des Telegramms in Kenntnis gesetzt und angewiesen worden, mit allem Nachdruck darauf hinzuwirken, daß die Weisungen der Reedereien von den Kapitänen befolgt werden und die Schiffe in Lissabon bleiben.

Im Auftrag
W. Bisse

356. Werner Best an das Auswärtige Amt 28. Oktober 1943

Efter en henvendelse fra dansk side bad Best AA om, at der måtte blive rettet henvendelse til Ernst Kaltenbrunner for at få afklaret, om en tilbageføring af de danske kommunister kunne komme på tale.

For svaret, se Best til AA 16. november 1943.

Kilde: PA/AA R 99.502.

Durchschrift:
Der Bevollmächtigte des Reiches in Dänemark *Kopenhagen, d. 28. Oktober 1943*
II/196/43

An das Auswärtige Amt, Berlin

Betrifft: Internierte dänische Kommunisten
Anl.: 1
2 Berichtsdoppel.

Auf deutsche Veranlassung ist am 22.8.1941 das dänische Gesetz Nr. 349 über das Verbot kommunistischer Vereinigungen und kommunistischer Betätigungen erlassen worden.

230 Trykt ovenfor.

Auf Grund dieses Gesetzes wurden von der dänischen Polizei etwa 250 dänische Kommunisten in dem hierfür geschaffenen Internierungslager in Horseröd interniert.

Bei Gelegenheit der Besetzung des Lagers Horseröd sind 93 Häftlinge entflohen (vgl. Ziffer 3 meines Telegramms Nr. 1000 vom 31.8.43).[231]

Der Rest der Häftlinge ist von der deutschen Sicherheitspolizei gleichzeitig mit den am 1./2.10.43 festgenommenen Juden nach Deutschland überführt worden.

Der Leiter des dänischen Außenministeriums, Direktor Svenningsen, hat wegen der deportierten Kommunisten das anliegende Schreiben vom 14.10.43[232] an mich gerichtet.

Um dieses Schreiben beantworten zu können, bitte ich, mit dem Chef der Sicherheitspolizei und des SD zu klären, ob eine Rückführung der dänischen Kommunisten nach Dänemark in Frage kommt, und mich von dem Ergebnis dieser Klärung zu unterrichten.

gez. **Dr. Best**

357. Werner Best an das Auswärtige Amt 28. Oktober 1943

Foranlediget af de pågående drøftelser i AA i Berlin om en mulig løsladelse af udvalgte grupper af deporterede danske jøder, blev Best 26. oktober telefonisk af von Grundherr afkrævet et svar på, hvad han havde stillet UM i udsigt, da der vedvarende blev henvist dertil fra dansk side.

Best videresendte da nødtvunget, hvad han havde skrevet til Nils Svenningsen 5. oktober 1943. Tidligere havde han hverken oplyst AA om samtalen med eller brevet til Svenningsen (Hæstrup, 1, 1966-71, s. 182f., Yahil 1967, s. 176 (her aftryk på dansk af Bests brev 5. oktober 1943 til Svenningsen (Yahil 1969, s. 478 på engelsk)), 258, 428f. note 147, 447 note 40).

Kilde: PA/AA R 29.567. RA, pk. 203 og 226. LAK, Best-sagen (afskrift).

Telegramm

Kopenhagen, den	28. Oktober 1943	17.30 Uhr
Ankunft, den	28. Oktober 1943	18.45 Uhr

Nr. 1323 vom 28.10.[43.]

Unter Bezugnahme auf meine fernmündliche Vereinbarung mit Herrn Gesandten Dr. von Grundherr teile ich mit, daß ich unter dem 5.10.43 an den Leiter des dänischen Außenministeriums Herrn Direktor Svenningsen das folgende Schreiben gerichtet habe:

"Unter Bezugnahme auf unsere Besprechung am 4.10.43 bestätige ich Ihnen, daß im Reichsgebiet für die Behandlung der Juden die folgenden Gesichtspunkte gelten: Halbjuden und Mischlinge geringen Grades bleiben von den hinsichtlich der Volljuden getroffenen Maßnahmen unberührt. Das Gleiche gilt für Volljuden, die mit Nichtjuden verheiratet sind.

231 Trykt ovenfor.

232 Denne skrivelse er ikke medtaget.

Weitergehende Maßnahmen als im Reichsgebiet sind bisher in keinem besetzten Lande getroffen worden."

Dr. Best

358. Werner Best an das Auswärtige Amt 28. Oktober 1943

Dagsindberetning. Best kunne give oplysning om et meget alvorligt attentat rettet mod værnemagten på Kafé "Mokka" i København, hvor der både var døde og mange sårede soldater.

Karl Heinz Hoffmann hævdede ved en afhøring 12. november 1947, at attentatet fik Berlin til at kræve gengældelser, og at han var til møde med Mildner i begyndelsen af november derom, hvor han fik ordre om gengældelse, men ikke udførte den. Heller ingen anden gjorde det (LAK, Best-sagen). Uanset forklaringens rigtighed er der ikke tvivl om, at et så alvorligt attentat kun kan have fremkaldt skarpe reaktioner i Berlin, og at Bests foranstaltninger med undtagelsestilstand, udgangsforbud og bødeforlæg næppe blev anset for tilstrækkelige.

Kilde: PA/AA R 29.567. RA, pk. 203.

Telegramm

Kopenhagen, den	28. Oktober 1943	12.30 Uhr
Ankunft, den	28. Oktober 1943	13.00 Uhr

Nr. 1324 vom 28.10.43. Citissime!

Ich bitte, die nachstehende Meldung dem Herrn Reichsaußenminister unverzüglich zuzuleiten:
Über die Lage in Dänemark berichte ich für den 27. auf 28.10.43, daß in Kopenhagen am 27.10.43 – 22 Uhr – in einem Café ein Sprengkörper explodierte, durch den 2 deutsche Soldaten und ein deutscher Polizeiwachtmeister sowie eine dänische Frau getötet wurden. Verletzt wurden 14 Soldaten und 8 Polizeibeamte sowie 26 Dänen.[233] Ich habe wegen dieses Anschlags für die Stadt Kopenhagen den zivilen Ausnahmezustand verfügt, der Nachtverkehr ist von 20-5 Uhr verboten, die Gaststätten usw. schließen um 19 Uhr, das Stadtgebiet wird durch Streifen scharf überwacht. Außerdem habe ich von der Stadt Kopenhagen eine Sühnezahlung von 5 Mill. Kronen gefordert.[234] Die Zahl der durch die Saboteurfestnahmen in Aarhus (mein Telegramm Nr. 1298 vom 24.10.43)[235] aufgeklärten Sabotagefälle hat sich auf 21 erhöht.

Dr. Best

233 Aktionen mod Kafé "Mokka" var en bevidst terrorhandling udført af BOPA som hævn for Gestapos tortur af sabotøren Aage Nielsen og hans påfølgende død. Ved aktionen blev to tyskere dræbt, og adskillige danske kvinder såret (RA, BdO Inf. nr. 12, 29. oktober 1943, Kjeldbæk 1997, s. 182, 469, Kjeldbæk 2007). Den samtidige presse og besættelsesmagten opgav tre tyskere og en dansk kvinde dræbt, foruden 14 sårede tyske soldater og 26 danskere (Bergstrøms dagbog 27. oktober 1943 (trykt udg. s. 833 med der anf. henvisninger) og samme 1. november 1943 (KB)).

234 Den tyske meddelelse er trykt på dansk hos Alkil, 2, 1945-46, s. 858. Jfr. Brøndsted/Gedde, 2, 1946, s. 634.

235 Trykt ovenfor.

359. Paul Schmidt an das Auswärtige Amt 28. Oktober 1943

Schmidt orienterede AA om de foranstaltninger, som Best traf pga. sprængstofattentatet på Kafé "Mokka" i København. Schmidt bad om, at RAM straks blev underrettet.

Gesandt Paul Schmidt var tilfældigvis på besøg i København i disse dage (Bests kalenderoptegnelser 26. og 28. oktober 1943).

Kilde: PA/AA R 29.567.

P XII (Presseabteilung) APB
28.10.43 – 12.45 h

Telephonische Durchgäbe von Herrn Ges. Dr. Schmidt aus Kopenhagen

"Der Reichsbevollmächtigte Dr. Best
verfügt den zivilen Ausnahmezustand in Kopenhagen

Am 27. Oktober 1943 um 22 Uhr wurde in dem Café "Mocca" in Kopenhagen durch verbrecherische Kreise ein Sprengstoffanschlag durchgeführt. In das Lokal war eine Sprengbombe mit Zeitzünder gelegt worden. Im Lokal herrschte starker Verkehr. Durch die Sprengkörper wurden zwei deutsche Soldaten, ein deutscher Polizeibeamter und eine dänische Frau getötet. 14 Angehörige der deutschen Wehrmacht sowie 26 männliche und weibliche dänische Staatsbürger wurden verletzt, davon einige schwer.

Von deutscher Seite wurde angeordnet, daß von heute ab bis auf weiteres in Kopenhagen der Verkehr auf öffentlichen Straßen und Plätzen in der Zeit von 20 bis 5 Uhr morgens verboten wird und sämtliche Gast- und Vergnügungsstätten ab 19 Uhr geschlossen bleiben. Die Stadt Kopenhagen zahlt eine Buße von 5 Millionen Kronen."

Obige Meldung erscheint heute in der gesamten dänischen Presse. Bitte sofort den Herrn RAM zur Unterrichtung vorzulegen. Über den Sachverhalt ist außerdem ein Telegramm des Reichsbevollmächtigten an den Herrn RAM unterwegs.[236]
L/12.55 h

360. Werner von Grundherr: Aufzeichnung 28. Oktober 1943

Barandon orienterede telefonisk AA om antallet af døde og sårede ved sprængstofattentatet mod Kafé "Mokka" i København samt om de af Best trufne foranstaltninger.

Kilde: PA/AA R 29.567 og R 101.040. RA, pk. 203.

Pol VI Ges. v. Grundherr

Gesandter Barandon teilte soeben auf Wehrmachtsleitung telefonisch folgendes mit:

Gestern, am 27.10., gegen 10 Uhr abends, sei in einem Café an der Hauptverkehrsader in Kopenhagen ein Sprengstoff-Anschlag verübt worden. (Sprengbombe mit Zeit-

236 Bests telegram nr. 1324, 28. oktober 1943.

zünder). Der Verkehr war zu dieser Zeit stark, so daß *getötet* wurden:

	2	deutsche Soldaten,
	1	deutscher Polizeibeamter,
	1	dänische Frau,
verletzt:	14	deutsche Wehrmachtsangehörige,
	26	Dänen und Däninnen.

Der Reichsbevollmächtigte hat angeordnet: verstärkte Polizeistreifen durch die Straßen der Hauptstadt; der Verkehr zwischen 20 und 5 Uhr wird in Kopenhagen verboten; sämtliche Gaststätten usw. haben ab 19 Uhr zu schließen; die Stadt Kopenhagen hat eine Busse von 5 Millionen Kronen zu zahlen.

Drahtbericht folgt.

Berlin, den 28. Oktober 1943.

Grundherr

361. Franz von Sonnleithner an Horst Wagner 28. Oktober 1943

Ribbentrop lod svare på von Thaddens fornyede henvendelse 25. oktober 1943 vedrørende de deporterede danske jøder. Wagner blev bedt om endnu engang at tale med RSHA om, om ikke de gamle jøder kunne gå fri. Deres deportation skadede mere end den gavnede. Ribbentrop mente også, at man skulle undlade deportationen af jøder gift med ariere og mischlinge og lade dem frigive. Endelig ville Ribbentrop have en oversigt over antallet af deporterede jødiske børn.

Efter Ribbentrops stillingtagen og spørgsmål og Bests meget korte svar på von Grundherrs telefoniske forespørgsel vedrørende de deporterede danske jøder samme dag (telegram nr. 1323), skulle han til øjeblikkelig drøftelse i Berlin.

Kilde: RA, pk. 226.

Büro RAM zu Inl. II A 8040

Über St.S. VLR Wagner vorgelegt:

Der Herr RAM bittet Sie, die Angelegenheit der dänischen Judenaktion nochmals mit der Reichsführung-SS in dem Sinne zu besprechen, daß wohl das Schwergewicht auf die Erfassung und den Abtransport der Jungen und gegen uns einsatzfähigen Juden gelegt werden müßte, während der Herr RAM der Auffassung ist, daß z.B. die 102-jährige Jüdin in Dänemark nicht mehr schaden kann und ihr Abtransport nur propagandistisch gegen uns ausgenützt werden kann. Der Herr RAM meint auch, daß am besten von dem Abtransport der Mischlinge und der mit Ariern Verheirateten oder verheiratet Gewesenen abgesehen werden und ihre Freilassung erfolgen sollte.

Ferner bittet Sie der Herr RAM um eine Übersicht, um wie viel jüdische Kinder es sich handelt, um in dieser Frage endgültig entscheiden zu können.

Westfalen, den 28. Oktober 1943.

Sonnleithner

362. [Franz Ebner:] Dänische Leistungen für das Reich 28. Oktober 1943

I København blev der i slutningen af oktober 1943 udarbejdet et notat om de danske ydelser til Tyskland. Notatet blev til lige efter afslutningen af forhandlingerne om de danske leverancer til Tyskland for 1943/44, og er sandsynligvis udarbejdet af Franz Ebner i Det Tyske Gesandtskab.[237] Muligvis var det tænkt som et afsnit til *Politische Informationen* 1. november 1943. Her kom det dog ikke til ordret at indgå. I stedet blev resultatet af forhandlingerne om leverancerne til Tyskland også der rost i meget høje toner, og de lovede produktionsmål gengivet. Bemærkelsesværdig er opgørelsen af, hvor mange ugers tysk forbrug den danske eksport af smør og flæsk kunne dække. For 1943/44 ville det være mindst en uge mere end året før for begge produkters vedkommende, hvad der i *Politische Informationen* straks blev taget som et faktum.

Se endvidere Franz Ebner 10. februar 1944.

Kilde: BArch, Freiburg, RW 19: Wi I E1: Dänemark.

Kopenhagen, den 28. Oktober 1943

Dänische Leistungen für das Reich

1.) Ernährungswirtschaftliche Leistungen.

a.) Wirtschaftsjahr 1942/43

Im Wirtschaftsjahr 1942/43 (30. Sept. bis 1. Okt.) sind die nachstehend genannten Mengen an ernährungswirtschaftlichen Haupterzeugnissen aus Dänemark an das Reich geliefert worden:

75.000 to Fleisch (86.000 Rinder, 579.000 Schweine)
51.000 to Butter
85.000 to Fische
27.000 Stck. Gebrauchspferde.

Außerdem sind beträchtliche Mengen an Sämereien (Feld- und Gemüsesämereien), Obst, Käse, Dauermilcherzeugnisse und anderen landwirtschaftlichen Produkten geliefert worden. Von der angegebenen Butterausfuhr sind etwa 9.000 to an Norwegen und Finnland gegangen, die als indirekte Lieferung an das Reich anzusehen sind. Die Fleisch- und Fischlieferung ist infolge des Ausnahmezustandes hinter den geschätzten Erwartungen zurückgeblieben. Die Landwirte waren während dieser Zeit mit den Rinder- und Schweinelieferungen sehr zurückhaltend, und die Fisher sind in der günstigsten Fangzeit mehrere Wochen mit ihren Booten nicht ausgefahren.

Immerhin bedeutet die Fleisch- und Butterlieferung für Großdeutschland mit 90 Millionen Einwohnern eine Versorgung von etwa 3-4 Wochen mit Fleisch und 4-5 Wochen mit Butter. Rechnet man theoretisch, daß jeder dänische landwirtschaftliche Betrieb die gleiche Leistung für die Ausfuhr erzielt, so versorgt ein dänischer landwirtschaftlicher Betrieb 4 Wochen lang 510 deutsche Normalverbraucher mit Butter und 375 Normalverbraucher mit Fleisch.

b.) Wirtschaftsjahr 1943/44

Für das Wirtschaftsjahr 1943/44 wird nach den, während der im Oktober statt-

237 Der er flere dokumenter af ham i samme arkivfond (se f.eks. Ebner til Forstmann 11. januar 1944), ligesom samme person har udfærdiget skrivelsen 10. februar 1944, som med sikkerhed kan knyttes til Hauptabteilung III i Det Tyske Gesandtskab.

gefundenen Verhandlungen des deutsch-dänischen Regierungsausschusses aufgestellten Gutachten der Sachverständigen, mit folgenden Ausfuhrmengen ernährungswirtschaftlicher Haupterzeugnisse gerechnet:

128.000 to Fleisch
50.000 to Butter
25-30.000 Stck. Gebrauchspferde
100.000 to Fische.

Mit diesen für die deutsche Kriegsernährungswirtschaft besonders wichtigen Lieferungen an hochwertiger Butter und erstklassigem Fleisch steht Dänemark nicht nur relativ sondern auch absolut mit dem etwa 10 bis 12mal größeren Frankreich an führender Stelle. Diese für ein so kleines Land außerordentlich großen Lieferungen werden selbstverständlich nur möglich sein, wenn die landwirtschaftliche Produktion nicht nur ungehindert in bisheriger Weise weiterarbeiten kann, sondern wenn diesem auf Hochtouren laufenden Erzeugungsapparat auch von Deutschland aus eine bessere Unterstützung mit Betriebsmittel (Handelsdünger, Maschinen, Ersatzteile, Schädlingsbekämpfungsmittel usw.) zu Teil wird als im Vorjahr.

[signatur]

363. Albert van Scherpenberg: Aufzeichnung 29. Oktober 1943

Scherpenberg havde været i København og bl.a. med Best og andre drøftet den danske stats inddragelse i finansieringen af besættelsesudgifterne. Bests forslag til AA af 17. september om at kræve dansk medfinansiering slog han nu selv hen med, at han ikke anså det for nødvendigt, og at det kun var videregivet fra Heinrich Esche.

Bests ændrede indstilling siden 17. september synes at gøre det klart, at han kun havde fremsat forslaget på det tidspunkt, da det var mest belejligt for hans øjeblikkelige position og uden hensyntagen til, om det var ønskværdigt for det fremtidige samarbejde med danskerne. Efter at have lagt undtagelsestilstanden og jødeaktionen bag sig var der netop ingen grund til at forfølge denne sag, som nu kun ville være til besvær, hvis ikke skadelig. Endelig var det ikke Bests stil at videresende forslag til AA, som han ikke selv havde en mening om.

Bevidst eller ubevidst huskede Best heller ikke, at det oprindeligt var Korff, der havde fremsat forslaget til ham, og det var ikke uden betydning for sagens videre forløb, idet Korff ikke opgav ideen om, at den danske stat skulle bidrage til besættelsesudgifterne. Den 9. december 1943 havde han et udkast på 4 sider færdigt, hvori han argumenterede for, at det eksisterende system til inflationsbekæmpelse i Danmark ikke var tilstrækkeligt, og at landet skulle afkræves dækning af en andel af besættelsesudgifterne. Udkastet var til brug i RFM og dannede en del af grundlaget for Lutz Schwerin von Krosigks brev til Ribbentrop 24. januar 1944, hvortil henvises. Korffs udkast er i RA, Danica 201, pk 81A.

Kilde: PA/AA R 105.211. BArch, R 901 113.554. RA, pk. 271 og 281.

LR van Scherpenberg Zu Ha Pol VI 3963/43II

Aufzeichnung

Ich habe Gelegenheit genommen den Bericht des Reichsbevollmächtigten über die Heranziehung des dänischen Staates zu den Besatzungskosten bei einem kürzlichen Aufenthalt in Kopenhagen mit Herrn Dr. Best persönlich und anschließend mit Ministerialdirigent Ebner, Regierungsrat Dr. Esche und Reichsbankrat Krause zu besprechen.[238]

Die Besprechung ergab, daß Dr. Best die Angelegenheit nicht für dringlich ansieht, und lediglich eine Anregung des bekanntlich vom Reichsfinanzministerium dem Reichsbevollmächtigten beigegebenen Regierungsrats Dr. Esche weitergegeben hat.

Die Einzelbesprechung ergab, daß die bisher von der dänischen Regierung ergriffenen Maßnahmen bereits so bemessen sind, daß tatsächlich fortlaufend genau diejenigen Beträge eingefroren werden, die den Vorschüssen der Nationalbank auf das Besatzungskostenkonto entsprechen. Tatsächlich haben sich diese Beträge Ende August auf 2.100 Mio. Kronen belaufen, bei einem Stand des Besatzungskostenkontos von etwa 2.000 Mio. Kronen.

Der einzige Punkt, wo gegebenenfalls noch eine gewisse Verbesserung erzielt werden könnte ist der, daß der zurzeit verhältnismäßig kurzfristig gebundene Teil dieser Summe durch eine Staatsanleihe langfristig gebunden würde.

Für die erfolgreiche Durchführung einer solchen Transaktion fehlt es jedoch nach Übereinstimmen der Auffassung sämtlicher beteiligten Herren zurzeit an den Voraussetzungen.

Vielmehr wäre eine solche Staatsanleihe nur bei einer wesentlichen Beruhigung der politischen Stimmung in Dänemark denkbar.

Jeder Versuch die Frage auf andere als solche freiwillige Weise zu lösen, etwa durch weitere Steuererhöhungen oder durch eine Zwangsanleihe, wäre nach Auffassung von Herrn Ministerialdirigent Ebner geeignet, eine Finanzpanik herbeizuführen, und dadurch die zurzeit trotz aller Schwierigkeiten musterhaften geordneten Finanz- und Währungsverhältnisse Dänemarks in Verwirrung zu bringen, was zwangsläufig auch zu Rückschlägen führen müßte.

Einer Weiterverfolgung der Angelegenheit erscheint unter diesen Umständen zunächst nicht angezeigt.

Hiermit Dg Ha Pol (Herrn Gesandter Schurre Pol VI mit der Bitte um Kenntnisnahme.

Berlin, den 29. Oktober 1943

Scherpenberg

W.v. 2 Monaten

364. Werner Best an das Auswärtige Amt 29. Oktober 1943

Dagsindberetning.

Dagsberetningen blev afsendt som en formalitet i Bests fravær. Han var taget til Berlin med fly hen på formiddagen for at deltage i den ønskede rådslagning i AA. Han mødtes om eftermiddagen med von Steengracht, von Grundherr, Horst Wagner og Hencke. Efter en middag hos Schröder havde han et sent aftenmøde på to timer med Heinrich Müller (Bests kalenderoptegnelser 29. oktober 1943).

Mødernes dagsorden er ikke kendt, men sandsynligvis var det først og fremmest håndteringen af spørgsmålet vedrørende de deporterede danske jøder. Best havde ganske vist kort svaret på von Grundherrs telefonopringning 26. oktober med et meget kort telegram to dage senere, men det havde ikke været nok

238 Scherpenberg var senest i København 19. oktober (Bests kalenderoptegnelser, anf. dato).

for AA, og han måtte til Berlin for nærmere at forklare sig, da Ribbentrop 28. oktober også bad om en ny henvendelse til RSHA i sagen. Dertil kom, at Best selv dagen før havde bedt om, at AA ville rette henvendelse til Kaltenbrunner om tilbageføring af de deporterede danske kommunister. Også det kan have været på dagsordenen. Hvorvidt Bests møde med Müller hørte til AAs program for dagen, må stå åbent.

Besøget i Berlin blev fulgt op med Wagners telegrammer nr. 1501 og 1503, 30. oktober til Best.

Kilde: PA/AA R 29.567. RA, pk. 203.

Telegramm

Kopenhagen, den	29. Oktober 1943	19.15 Uhr
Ankunft, den	29. Oktober 1943	19.45 Uhr

Nr. 1328 vom 29.10.43. Citissime!

Ich bitte, die folgende Meldung unverzüglich dem Herrn Reichsaußenminister zuzuleiten:

Über die Lage in Dänemark berichte ich für den 28. auf 29.10.43, daß außer zwei unbedeutenden Sabotageversuchen an der Feldbahn Oxböl-Blaavand (Jütland) und der Durchschneidung eines Wehrmachtskabels bei Frederikshavn (Jütland) keine Vorfälle gemeldet sind.

Dr. Best

365. Das Auswärtige Amt an Partei-Kanzlei der NSDAP 29. Oktober 1943

AA havde bedt Best straks at skaffe de oplysninger, som Partei-Kanzlei der NSDAP havde bedt om 7. august, men trods flere rykkere var det endnu ikke sket. Nu ville han blive rykket igen.

Bests svar er ikke lokaliseret.

Kilde: RA, pk. 218.

Durchdruck als Konzept/H
Referent Kolrep *den 29. Oktober 1943*
zu Inl. I D-1805/45

Betrifft: "Times" über Verteidigungsanlagen in Dänemark.
Bezug: Dortige Schreiben III D 3-Khn-3515/0/39 (108) vom 7. und 8.10.43[239]

An die Partei-Kanzlei
z.Hd. Parteigenossen Dr. Schmidt-Közor [?]
München 33

Zur dortigen Unterrichtung teile ich mit, daß ich z.Zt. sofort den Bevollmächtigten des Reiches in Dänemark angewiesen habe, die gewünschten Wortlaute des Erlasses des dänischen Kirchenministeriums und des Protestschreibens der dänischen Geistlichen zu

239 De to skrivelser er ikke lokaliseret.

beschaffen. Trotz mehrfacher Mahnung sind mir die Schriftstücke bisher nicht zugestellt worden. Ich habe deshalb den Bevollmächtigten des Reiches in Dänemark nochmals um Erledigung gebeten. Nach Eingang der Schreiben werde ich diese der Partei-Kanzlei umgehend zur Kenntnis bringen.

Im Auftrag
Kolrep

366. Kriegstagebuch/Seekriegsleitung 29. Oktober 1943

Den ændrede internationale situation havde øget muligheden for en fjendtlig invasion i Vesteuropa. Det bragte Danmark i første række som mål for en fjendtlig landing. OKW havde efter Hitlers befaling givet ordre om, at der skulle udarbejdes planer i tilfælde af en invasion i Danmark. Der skulle derfor omgående sættes alle de foranstaltninger i værk, der kunne styrke forsvaret af Danmark.

Det var under en situationsdrøftelse i førerhovedkvarteret 25. oktober, at Alfred Jodl pegede på den særlige fare for en invasion af Danmark og vandt Hitlers tilslutning (Wegner 2007a, s. 249 med note 17).

Kilde: KTB/Skl 29. oktober 1943, s. 613-615.

III.) Vortrag I a/ 1/Skl:

[...]

b.) Im Hinblick auf Dänemark hat OKW/WFSt folgende Weisung erlassen:

"1.) Der Abzug einer beträchtlichen Menge hochseetüchtiger Landungsboote aus dem Mittelmeer nach England läßt in Verbindung mit dem politischen Druck, den Moskau auf die Angelsachsen ausübt, die Möglichkeit einer Landungsoperation gegen Westeuropa selbst im Winter sehr viel wahrscheinlicher erscheinen als bisher.

Der westliche Kriegsschauplatz ist schon infolge der ständigen Kampftätigkeit, die dort herrscht, in einem Zustand ständiger Abwehrbereitschaft, während sich die Truppen in Dänemark mehr in der Rolle einer Besatzungsmacht, als in der einer Kampffront fühlen.

2.) Dänemark rückt aber nunmehr in die vorderste Front der durch eine feindliche Landung bedrohten Gebiete. Die Besitznahme von Jütland durch den Feind hat strategische und politische Auswirkungen allergrößten Ausmaßes. Norwegen ist dann von jeder Versorgung abgeschnitten, die Verbindung mit Schweden hergestellt, die Ost- und Nordsee wird durch die feindliche Luftwaffe beherrscht.

Das Oberkommando der Wehrmacht wird daher auf Befehl des Führers eingehende Weisungen für den Fall einer Landungsoperation unserer Feinde in Dänemark erlassen.

3.) Zunächst ist aber erforderlich, daß die befohlenen bzw. vom Befh. der dt. Truppen in Dänemark vorgesehenen Kraftverschiebungen (Zusammenziehung der 20. Lw. Feld.-Div., Verlegung der Div. Nr. 160 an die Küste) beschleunigt durchgeführt und umgehend alle sonstigen noch zur Verbesserung der Abwehrkraft möglichen Maßnahmen getroffen werden. Ferner haben alle Führungsstäbe diejenigen Gefechtsstände zu beziehen, von denen aus sie im Falle einer feindlichen Landung führen.

Der Führer erwartet, daß Dänemark unter rigoroser Beseitigung aller Friedensrücksichten und friedensmäßigen Bequemlichkeiten in kurzer Zeit in den Zustand höchster Gefechtsbereitschaft gebracht wird. Über das Veranlaßte ist in den täglichen Meldungen zu berichten."

[...]

367. Werner Best an das Auswärtige Amt 30. Oktober 1943

Dagsindberetning.

Det Tyske Gesandtskab synes svært dårligt underrettet om antallet af sabotager ved denne tid eller valgte ikke at indberette dem.

Telegrammet blev afsendt i Bests fravær; det er muligvis derfor, det er uden nummer. Han skulle have været med fly fra Berlin til København fra morgenstunden, men ventede forgæves på afgang den halve dag og overnattede derpå en dag til. Ventetiden blev ikke udnyttet til yderligere tjenstlige møder (Bests kalenderoptegnelser 30. oktober 1943).

Kilde: RA, pk. 203.

Telegramm
(telefonisch aufgenommen)

Kopenhagen, den 30. Oktober 1943
Ankunft, den 30. Oktober 1943 17.30 Uhr

Telegramm ohne Nummer vom 30.[10.43.]

Ich bitte die folgende Meldung unverzüglich dem Herrn Reichsaußenminister zuzuleiten:

Über die Lage in Dänemark berichte ich für den 29. auf 30. Oktober 1943, daß außer einem Sabotagefalls in einer Luftwaffenunterkunft in Ringsted, durch den niemand verletzt wurde, keine Vorfälle aus dem Lande gemeldet sind.

Dr. Best

368. Horst Wagner an Werner Best 30. Oktober 1943

På Ribbentrops ordre havde AA henvendt sig til RSHA vedrørende forhandlinger om udvalgte deporterede danske jøder. Best blev orienteret om forhandlingsgrundlaget med RSHA og om, at Adolf Eichmann ville komme til København som repræsentant for RSHA for at tale om enkelthederne.

Mødet mellem AA og RSHA må have fundet sted endnu 30. oktober, mens Best forgæves ventede på et fly til København. Best rapporterede om mødet med Eichmann med telegram nr. 1353, 3. november (Yahil 1967, s. 258. Wagners identiske telegram til Ernst Kaltenbrunner i RSHA er trykt hos Best 1988, s. 304 (faksimile)).

Kilde: PA/AA R 100.865. RA, pk. 226.

Telegramm

Berlin, den	30. Oktober 1943	20.40 Uhr
Ankunft, den	30. Oktober 1943	21.10 Uhr

Nr. 1501 Cito!

Diplogerma Kopenhagen
Referent: LR v. Thadden
Betreff: …

RAM hat Weisung gegeben, mit dem Reichssicherheitshauptamt folgendes zu klären: Er bittet aus politischen Zweckmäßigkeitsgründen:
1.) Alle sehr alten Juden, die unbedenklich sind, in Dänemark zu lassen bzw. zurückgeben. Auch die 102-jährige Frau Texeira.
2.) Die 20 von den Dänen als Mischlinge bezeichnet oder in Mischehen lebenden Juden sollen ebenfalls freigelassen werden, soweit Festnahme nicht Richtlinien entsprach.
3.) Andererseits hält es der RAM für richtig, Dänemark noch einmal nach aktiven jüdischen Elementen durchzukämmen.
Gruppenführer Müller, mit dem Frage besprochen, entsendet morgen Eichmann, der mit Ihnen und Mildner Einzelheiten besprechen will.

Bitte bei Besprechungen Eichmann gegenüber Ministerweisung entsprechend zu verfahren und über Ergebnis zu berichten.

Listen von Dänen und Schweden zur Sprache gebrachten Einzelfällen folgen mit G.-Schreiber.[240]

Wagner

369. Horst Wagner an Werner Best 30. Oktober 1943

Wagner fremsendte listen med enkelttilfælde af danske og svenske jøder, som skulle drøftes nærmere ved Adolf Eichmanns besøg i København (Yahil 1967, s. 258).

Kilde: PA/AA R 100.865. RA, pk. 226.

Telegramm

Berlin, den	30. Oktober 1943	21.[??] Uhr

Nr. 1503

Diplogerma Kopenhagen
Referent: LR v. Thadden
Betreff: Judenaktion Dänemark

240 Se telegram nr. 1503, 30. oktober 1943.

Anschluß an Nr. 1501 vom 30.10.[241]
Dänen intervenierten in folgenden Judenfällen:

Frau Schultz (Mischehe), Ellinor Schultz, Ingeborg Schultz (Mischlinge), Julius Josef Moritz, Judith Moritz (Mischlinge), Ove Jacob Meyer (durch Tod aufgelöste Mischehe, aus der Kinder hervorgegangen sind), Carl Bernhard Salomon (Mischling), Johanne Gray, Rose Kielberg (Mischehen), Valdemar Abrahamson (Mischling), Carl Heine, Ellen Steffensen, Pinchas Braumann, Jörgen Wulff, Holger Nagler (Mischehen), Julius Grothen, Paula Gurli Jensen (Mischehen), Inge Liese Jensen (Mischling), Schneider Isaak Kermann (Mischehe), Annie Kermann (Mischling), Friseur Mordka Lipmann Lewkowitsch (Mischehe).

Die Schweden intervenierten wegen Flora Berendt (angeblich Mischling und schwedische Staatsangehörige seit 26.9.43) Ester Hartmann, Kurt Hartogsohn u. John Philip Hartogsohn (angeblich schwedische Staatsangehörige).

Wagner

370. Das Auswärtige Amt an OKM u.a. 30. Oktober 1943

Det Tyske Gesandtskab i Lissabon meddelte, at de tre i Lissabon oplagte danske skibe kun kunne sikres gennem salg til Portugal eller ved chartring for resten af krigen. Det var ikke muligt at øve indflydelse på kaptajnerne. Gesandten ønskede oplyst, hvilke ordrer den danske gesandt havde fået fra sin regering. Det sidste skulle Best undersøge.

Se AA til OKM, OKW u.a. 4. november 1943.
Kilde: BArch, Freiburg, RM 7/1187. RA, Danica 628, sp. 7, nr. 5470.

Auswärtiges Amt
Ha Pol XI 2755/43 II

Berlin, den 30. Oktober 1943

Schnellbrief

An
das Oberkommando der Kriegsmarine
– 1. Abteilung Seekriegsleitung –
den Reichskommissar für die Seeschiffahrt
das Oberkommando der Wehrmacht
– Sonderstab HWK –
z.Hd. von Herrn Kapt. z.S. Vesper

Betr.: Dänische Schiffe "Nancy", "Skaane" und "Egholm".
In Anschluß auf mein Schreiben vom 27. Oktober d.J. – Ha Pol XI 2708/43 –[242]

Die Deutsche Gesandtschaft Lissabon, die vom Inhalt des mit nebenbezeichneten Schreibens übersandten Drahtberichts des Bevollmächtigten des Reichs für Dänemark

241 Trykt ovenfor.
242 Trykt ovenfor.

in Kopenhagen in Kenntnis gesetzt wurde, berichtet unter dem 29. Oktober d.J. nachstehendes:

(Der nachstehende Text darf unter keinen Umständen im Wortlaut weitergegeben werden).

"Sicherheit für endgültiges Verbleiben dänischer Schiffe in Lissabon sieht Gesandtschaft nach wie vor nur im Falle eines Verkaufs an portugiesische Regierung. Gesandtschaft verweist auf Drahtbericht Nr. 3016 vom 1. September, worin auf Gefahr bereits aufmerksam gemacht und Verkauf vorgeschlagen wurde. Falls Verkauf nicht zustande kommt, vorschlage Vercharterung für Kriegsdauer zu betreiben. Einflußnahme auf Kapitän durch Gesandtschaft erscheint nicht möglich, wäre auch nicht Erfolg versprechend. Verspreche mir auch von Vorstellungen bei dänischem Gesandten nichts. Erbitte Unterrichtung, welche Weisung dänischer Gesandter von seiner Regierung erhielt."[243]

Der Bevollmächtigte des Reichs für Dänemark ist um telegrafische Stellungnahme zu den Ausführungen der Deutschen Gesandtschaft Lissabon gebeten worden.

Weitere Mitteilungen bleiben vorbehalten.

Im Auftrag
W. Bisse

371. Luftflottenkommando 5 an Oberbefehlshaber der Luftwaffe 30. Oktober 1943

For det første: For at forhindre skibstrafikken mellem England og Sverige skulle luftovervågningen udvides. Efter oprettelsen af tjenestestedet general for Luftwaffe i Danmark med den femte luftflådes "faste" forlægning til Jylland bad den femte luftflådekommando igen om, at der skete en udvidelse af luftovervågningsområdet. For det andet: Den 24. maj 1943 havde femte luftflåde fået ordre om at indstille bekæmpelsen af danske fiskefartøjer, der befandt sig på ulovlige fiskepladser i Nordsøen. Luftflåden anmodede om at få den ordre ophævet, da det var umuligt på grund af de vanskelige vejrforhold at skille ven fra fjende.

Svaret er ikke lokaliseret.

Stillingen som General der Luftwaffe in Dänemark blev oprettet juni 1941 og beklædtes til januar 1944 af Ritter von Schleich. Stillingen var mere administrativ end taktisk, da flyvepladser og varsling var underlagt flyvedistrikt Hamborg og de flyvende enheder hørte under flere forskellige kommandoer.

Kilde: RA, Danica 203, pk. 46, læg 551.

Entwurf[244]

Kriegstagebuch
30.10.43 Ob. d. L. Füst Ia (Robinson)
SDD.

Bezug:
1.) D. Chef d. Lfl. 5 Nr. 711Y/43 geh. vom 4.10.43.
2.) Ob. d. L. Füst Ia Nr. 11510/43 g.Kdos. vom 24.5.43.

1.) Der Durchbruch englischer MS-Boote durch das Skagerrak nach Schweden, die

243 Den danske gesandt i Lissabon var F.C.B. Boeck.
244 Overstreget.

festgestellte feindliche Minenräumtätigkeit in der Nordsee und das bevorstehende Auslaufen der Blockadebrecher "Diete" und "Lionel" und der erkannten MS-Boote weisen darauf hin, daß die Nordsee und das Skagerrak jahreszeitlich und wettermäßig bedingt erhöhte Bedeutung erhalten. Zur Verhinderung des sich möglichverweise anbahnenden Schiffsverkehrs zwischen England und Schweden und zum Schutze der deutschen Bucht und dänisch-norwegischen Küste wird daher eine verstärkte Aufklärung erforderlich, die zur Vermeidung von Doppelflügen in diesem Raum einheitlich geführt werden muß. Nach Schaffung der Dienststelle des Gen. d. Lw. in Dänemark als "ständige" Truppendienststelle der Lfl. 5 im jütländischen Raum beantragt Lfl. 5 erneut (s. Bezug 1) schon jetzt die Erweiterung des Aufklärungsraumes bis zur Westküste Borkum – Neucastle und die Verlegung der für "Drohende Gefahr Nord" vorgesehenen Aufklärungsstaffel (F) in den jütländischen Raum.

2.) Lfl. Kdo. 5 hat gem. 2. Bezug seit Mai 43 den Befehl "die Bekämpfung von dänischen Fischereifahrzeugen, die in nicht erlaubten Seegebieten der Nordsee angetroffen werden vorerst einzustellen". Die Entwicklung der Lage sowie jahreszeitlich bedingten überaus schwierigen Verhältnisse, Seeziele einwandfrei nach Freund oder Feind zu unterscheiden, machen eine Änderung der bestehenden Bestimmungen erforderlich. Lfl. Kdo.5 beantragt daher vorübergehende Aufhebung dieser befohlenen Einschränkung und warnungslose Bekämpfung aller nicht einwandfrei erkannten Seefahrzeuge in dem im FS Ob. d. L. Füst Ia Nr. 10 994/43 g.Kdos. vom 7.4.43 hierzu freigegebenen Seegebiet.

Luftflottenkommando 5
Fü. Abt. Ia Nr. 7652/43 g.Kdos.

Abdruck für: KTB.

372. Rüstungsstab Dänemark: Lagebericht 30. Oktober 1943

Forstmann orienterede kort om udviklingen i Danmark i oktober. Hverken ophævelsen af den militære undtagelsestilstand eller aktionen mod de danske jøder fik negativ betydning for den tyske rustningsproduktion i Danmark. Tværtimod kunne de få ikke-ariske virksomheder nu få overdraget tyske ordrer.

Kilde: BArch, Freiburg, RW 27/12. RA, Danica 1000, T-77, sp. 696, KTB/Rü Stab Dänemark, 4. Vierteljahr 1943, Anlage 7.

Rüstungsstab Dänemark *Kopenhagen, den 30. Oktober 1943.*
ZA/Ia Az. 66dl/Wi-Ber. Nr. 963/43 geh. Geheim

Bezug: OKW Wi Rü Amt / IIIb Nr. 21755/43 v. 9.5.42.
Betr.: Lagebericht.

An den Reichsminister für Rüstung und Kriegsproduktion
– Rüstungsamt –

Berlin – Charlottenburg 2,
Verlängerte Jebenstraße.

Rü Stab Dänemark übersendet in der Anlage den Lagebericht für Monat Oktober 1943.

Forstmann

Rüstungsstab Dänemark — *Kopenhagen, den 30.10.1943.*
ZA/Ia Az. 66dl/Wi-Ber. Nr. 963/43 geh. — Geheim!

Vordringliches
Der militärische Ausnahmezustand wurde am 6.10.1943, 00.00 Uhr beendet. Die Verordnung betr. Lieferungen und Leistungen dänischer Firmen für die deutsche Wehrmacht vom 4.9.43 ist in Kraft geblieben, d.h. die Firmen sind verpflichtet, im Rahmen ihrer Leistungsfähigkeit deutsche Aufträge anzunehmen.

In der Nacht vom 1. zum 2.10.43 wurden durch deutsche Polizei in Dänemark alle greifbaren reinjüdischen Personen abgeschoben. Infolgedessen können die wenigen bisher vom Rü Stab dän. nicht mit Aufträgen belegten nichtarischen Firmen jetzt herangezogen werden.

Die internierten dänischen Mannschaften und Unteroffiziere sind freigelassen und damit der dänischen Industrie und Landwirtschaft Arbeitskräfte zugeführt worden. Die Entlassung der Offiziere und Beamten im Offiziersrang ist eingeleitet.

In der Zeit vom 1.-30.10.43 wurden 55 *Sabotageakte* verübt. Direkter Wehrmachtschaden trat nur in geringem Umfange ein. 80 % der Sb. Fälle waren unbedeutender Natur bzw. konnten beim Versuch oder im Entstehen erfolgreich bekämpft werden. Bei 20 % trat größerer Schaden ein, durch den jedoch im deutschen Interesse arbeitende Betriebe nur unwesentlich betroffen wurden. Der am 27.10.43 in dem Kopenhagener Cafe "Mokka" verübte Sb. Akt war der schwerste. Es wurden hierbei ca. 40 Personen betroffen, davon wurden 3 deutsche Soldaten getötet und 15 schwer oder leicht verletzt. Auf dänischer Seite wurden 1 Frau getötet und 20 Personen verletzt. Aus diesem Grunde wurde am 28.10.43 für die Stadt Kopenhagen durch den Reichsbevollmächtigten in Dänemark die Sperrzeit von 20 bis 5 Uhr festgesetzt. Außerdem hat die Stadt Kopenhagen eine Buße in Höhe von 5 Mill. d.Kr. zu zahlen.[245]

Die *Elektrizitäts- und Gasversorgung* war im Berichtsmonat ausreichend. Genehmigung der Anträge auf erhöhte Zuteilung erfolgte durch die dänischen Behörden unverzüglich; nachträgliche Einsprüche von Seiten des dänischen Außenministeriums sind bisher nicht erfolgt. (Siehe Lagebericht vom 30.9.43.)[246]

Im Bezirk des Hochspannungswerkes Apenrade zwang Leistungsmangel in der sehr breiten Vormittagsspitze Industrie und Handwerk zum Zwei-Schichtenbetrieb. Rü Stab

245 Se Bests telegram nr. 1324 til AA 28. oktober 1943 og Paul Schmidt til AA 28. oktober 1943.
246 Situationsberetningen for september er fra 21. oktober 1943 (trykt ovenfor), mens der 30. september blev fremsendt Darstellung der Rüstungswirtschaftliche Entwicklung, trykt ovenfor.

Dän. gelang es, Betriebe mit Außenarbeiten (Werften) von dieser Beschränkung zu befreien.

An der jütländischen Sammelschiene fehlt jede einheitliche Steuerung. Im südlichen Teil (Apenrade) werden die Sperrstunden streng eingehalten, während z.B. im Bezirk Aarhus keine Sperrzeit angeordnet ist. Die Schwierigkeiten sind auf die Dezentralisierung der Versorgung und den Einfluß der Ortsverwaltungen auf Tarifgestaltung und Einschränkungsmaßnahmen zurückzuführen.

Bei der Fa. Dansk Industri Syndikat, Comp. Madsen A/S, setzte Rü Stab Dän. erstmalig die Entlassung eines leitenden Ingenieurs, der nicht das Vertrauen der deutschen Auftraggeber besaß, durch.[247]

1a. Stand der Fertigung

Wertsumme der seit der Besetzung Dänemarks über Rü Stab Dän. erteilten unmittelbaren und mittelbaren Wehrmachtaufträge:

Am 31. 8. 1943	RM	454.905.602,-
Zugang im September 1943	–	8.155.485,-
Am 30. 9. 1943	RM	463.061.087,-
Auslieferungen im September 1943	RM	9.221.029,-

Aufträge des Kriegswichtigen zivilen Bedarfs:

Am 31. 8. 1943	RM	68.037.966,-
Zugang im September 1943	–	224.515,-
Am 30. 9. 1943	RM	68.262.481,-
Auslieferungen im September 1943	RM	2.520.751,-

Die planmäßige Fertigung leidet darunter, daß Materialbestellungen im Reich zu lange Lieferzeiten erfordern. Deshalb empfiehlt es sich, bei Auftragsverlagerung noch mehr als bisher auf die Materialbeigabe in natura Wert zu legen.

Gewisse Schwierigkeiten macht die Beschaffung spanabhebender Werkzeuge im Lande, welche für die Erledigung deutscher Aufträge benötigt werden, weil die dänischen Hersteller durch deutsche Verlagerungsaufträge auf Werkzeuge in Anspruch genommen sind.

Bei Bur-Wain Autodiesel setzte Rü Stab Dän. wieder die Einführung der 3. Schicht durch, die nach den Luftangriffen im Januar ds.Jrs. von der Arbeiterschaft abgelehnt worden war.[248]

Freie Kapazitäten stehen z.Zt. zur Verfügung für die Fertigung von Möbeln, Segelmacher- und Sattlerarbeiten, Landwirtschaftliche Maschinen (Neubau und Reparaturen), Blechpackungen und Dosen, Leichtmetallguß, Kühlanlagen für zivilen Bedarf, Stahlblechradiatoren, Wäschereimaschinen, Verpackungsmaschinen, Werkzeugmaschinen (Universalfräsmaschinen, Kurbelwellenschleifmaschinen und Revolverdrohbänke bis 35 mm Durchgang), Accumulatoren und Accumulatorenplatten.

247 Det er ikke en type oplysning, som Forstmann siden giver. Se for den særlige baggrund KTB/Rüstungsstab Dänemark 30. september 1943.

248 Af frygt for flere natlige luftangreb havde arbejderne nægtet at arbejde på natholdet.

1c. Versorgung der Betriebe mit Roh- und Betriebsstoffen
Der deutsche Lieferungsrückstand an Eisen und Stahl betrug am 31.8.43 15.714 to. Abnahme gegenüber dem Stand vom 31.7.43: 1.117 to. Für Ne-Metalle ist der Rückstand 200 to bei 23 to Verminderung.

Da die Herbeischaffung der Rohmaterialien für die Kabelfertigung zu wichtigen Verlagerungsaufträgen im Einzelfall stets erhebliche Schwierigkeiten macht, sind der A/S Nordisk Kabel- og Traadfabrikker in Kopenhagen jetzt 200 kg Zinn, 2.000 kg Blei, 3.000 kg Aluminium und 5.000 kg Zink zur Verfügung gestellt worden. Das hieraus zu bildende Pufferlager wird die Fertigung erheblich beschleunigen.

2b. Lage der Treibstoffversorgung
Schwierigkeiten in der Treibstoffversorgung traten nicht auf. Es wurden 1.680 ltr. Benzin und 181.320 kg. Dieselöl angefordert und nach Prüfung durch Rü Stab Dän. 920 ltr. Benzin und 178.320 kg Dieselöl zugewiesen. Die erhöhte Zuteilung von Dieselöl ist durch die Anforderungen des Hansa-Programms bedingt.

2c. Lage der Kohlenversorgung
Im September wurden eingeführt:

	143.300 to	Kohle	(August 172.300 to)
	53.800 to	Koks	(August 38.100 to)
insges.	197.100 to		(August 210.400 to)

Es wurden 27.900 to Kohle an die dänische Staatsbahn abgegeben. Da diese Menge den Monatsbedarf nicht deckt, muß der Bahn bereits mit kleinen Mengen aus den Notlägern geholfen werden.

Obwohl im September mehr Koks als in den Vormonaten eingeführt wurde, konnte dieses Mehr den Ausfall in der bisherigen Lieferung nicht decken, sodaß die freigegebenen Rationsmarken noch nicht gedeckt sind.

Die Kohlenbestände der Gas- und Elektrizitätswerke reichen für einen Monat. Da mit allmählichem Aufbrauchen der Torfvorräte bei den Elektrizitätswerken zu rechnen ist, werden diese beim Übergang zur Beheizung mit der heizwertmäßig schlechteren Braunkohle Schwierigkeiten haben, den benötigten Dampfdruck zu erzeugen. Dadurch wird die volle Ausnutzung der installierten Leistungen in Frage gestellt.

373. Andor Hencke: Aufzeichnung 31. Oktober 1943

Den danske gesandt Mohr mødte 30. oktober op i AA for at fortælle om sit ophold i København. Han refererede en samtale med Erik Scavenius om situationen i Danmark, dernæst kommenterede han de tyske anklager mod oberst Hartz og ritmester Lunding[249] og sluttede af med at spørge, hvad den danske marineattaché i Berlin fremover skulle bestille. Det spørgsmål ville Hencke lade gå videre.

Kilde: RA, pk. 203, 232.

U.St.S. Pol. Nr. 613 *Berlin, den 31. Oktober 1943*

249 Se vedr. Hartz og Lunding notitsen af von Erdmannsdorff 22. oktober 1943.

Am 30. Oktober suchte mich der hiesige dänische Gesandte auf, um mir über seinen Aufenthalt in Kopenhagen kurz zu berichten. Herr Mohr erzählte mir, daß er sich eingehend mit dem früheren Staatsminister von Scavenius unterhalten haben. Herr von Scavenius habe ihm gegenüber rückhaltlos zum Ausdruck gebracht, daß er mit der Haltung seiner Landsleute keineswegs einverstanden sei und ihnen einen nicht geringen Teil der Verantwortung für die jüngste Entwicklung in Dänemark zuschiebe. Andererseits hätten aber auch die deutschen Stellen, insbesondere die militärischen, nicht das erforderliche Verständnis für die Lage in Dänemark gezeigt. und plötzlich Maßnahmen getroffen, die in ihrer Schärfe und im Hinblick auf die unvermeidlichen Auswirkungen noch nicht notwendig gewesen wären. Vor allem hätte es Herr von Scavenius als für ihn kränkend empfunden, daß man ihn am Tage vor der Verhängung des Ausnahmezustandes ohne vorherige Ankündigung um 4 Uhr nachts geweckt hätte, um ihm die anliegende Verfügung des deutschen Befehlshabers zu überbringen. Der Wortlaut dieser Verfügung widerlege im übrigen auch die von deutschen amtlichen Stellen in Dänemark vielfach verbreitete Version, als ob die Dänische Regierung von sich aus ihre Funktionen eingestellt habe.

Im weiteren Verlauf der Unterhaltung berichtete Herr Mohr, unser Reichsbevollmächtigter habe ihn dahin unterrichtet, daß eigentlich seit Mai d.Js. die dänische Polizei gestreikt habe. Er sei dieser Angelegenheit nachgegangen und habe dabei in Erfahrung gebracht, daß zwar in einem Monat die Zahl der Festnahmen von Saboteuren durch die dänische Polizei stark zurückgegangen sei, in den nächsten Monaten aber bereits wieder erheblich angestiegen wäre. Allerdings müsse er zugeben, daß in Odense die Polizei häufig versagt habe.

Zu dem Fall des Oberst Hartz habe Herr Mohr in Kopenhagen erfahren, daß dem früheren Militärattaché zum Vorwurf gemacht werde, Informationen deutscher Spione entgegengenommen und weitergeleitet zu haben. Er, Mohr, wisse genau, daß dies nicht stimme. Hartz habe seine Informationen ausschließlich von anderen Militärattachés in Berlin erhalten, die bei der Weitergabe ihrerseits bemerkt hätten, daß sie von deutschen Agenten stammten. Selber hätte Hartz, den Mohr als außerordentlich unbedeutend, dabei jedoch sehr ehrgeizig schilderte, keine Verbindungen zu deutschen Vertrauensleuten gehabt. In seinen Berichten habe Hartz, um eine "eigene Tüchtigkeit" vorzutäuschen, geschrieben:" aus deutscher Quelle wird bekannt, daß usw....." Dabei hätte Hartz niemals etwas über die Quelle selbst gewußt, sondern lediglich die Informationen seiner Kollegen weitergegeben. Herr Mohr hoffe, daß sich dieser Sachverhalt auch bei den Vernehmungen des Hartz in Kopenhagen herausstellen werde. Tatsächlich sei Hartz nicht in der Lage, auch nur einen einzigen deutschen Agenten zu nennen und zwar einfach deshalb, weil er über keinen verfügt hätte. Der Dänische Gesandte erneuerte sodann seine Bitte, Hartz mit Rücksicht auf seine frühere Stellung als Militärattaché freizulassen.

Ich erwiderte, daß diese Frage zurzeit geprüft würde.

Auf seine Anfrage zum Fall des Rittmeisters Lunding und wegen des Abtransports der Juden, die nicht unter den Begriff Volljuden fielen, teilte ich Herrn Mohr mit, daß auch diese Fragen noch Gegenstand einer Untersuchung seien. Im übrigen wies ich daraufhin, daß die von dänischer Seite begünstigte Flucht des Spions Örums sowie die letzten Sabotage-Akte in Kopenhagen eine Erfüllung seiner Wünsche nicht gerade erleichterten. Herr Mohr war sich mir in der Verurteilung dieser Vorfälle durchaus einig.

Schließlich stellte Herr Mohr die Frage, was mit dem dänischen Marineattaché bei seiner Gesandtschaft geschehen solle. Der dänische Marineoffizier sei völlig arbeitslos und werde zurzeit eigentlich nur als Hilfschauffeur verwandt. Ich erwiderte Herrn Mohr, daß wir einstweilen keine Bedenken gegen ein Verbleiben des Marineattachés in Berlin hätten. Die verhältnismäßig gute Zusammenarbeit der deutschen und dänischen Marine sei in früheren Zeiten ein positives Moment der deutsch-dänischen Beziehungen gewesen. Vielleicht ließe sich eine solche Zusammenarbeit wieder einmal aktivieren, wobei der Marineattaché in beiderseitigem Interesse nützliche Dienste leisten könnte. Ich würde mich aber erkundigen, welche Absichten bei unseren zuständigen Stellen wegen des Marineattachés beständen.

Hiermit Pol IM (LR von Grote)

Ich wäre für gelegentliche Rücksprache dankbar.

gez. **Hencke**

374. Werner Best an das Auswärtige Amt 31. Oktober 1943

Dagsindberetning.

Best var hjemkommet fra Berlin om formiddagen.

Kilde: PA/AA R 29.567. RA, pk. 203.

Telegramm

Kopenhagen, den	31. Oktober 1943	14.15 Uhr
Ankunft, den	31. Oktober 1943	15.00 Uhr

Nr. 1343 vom 31.10.43. Citissime!

Ich bitte, dem Herrn Reichsaußenminister die folgende Meldung unverzüglich zuzuleiten:

Über die Lage in Dänemark berichte ich für den 30. auf 31.10.43, daß die folgenden Sabotagefälle gemeldet worden sind:

In Hobro (Jütland) Sabotage in einem Heereskraftfahrpark nebst Werkstatt, wo dänische Beutefahrzeuge standen.[250] In Kopenhagen Sabotageversuch gegen eine Offiziersunterkunft der Marine[251] und Brand eines Strohschuppens, bei den die Ursache noch nicht geklärt ist.[252]

250 Jfr. Alkil, 2, 1945-46, s. 1223.

251 Der foreligger ikke nærmere oplysninger om angrebet på den tyske marines officerskvarter i København, hvor der ifølge Wurmbachs månedsberetning for oktober skulle være skudt en af angriberne. BdO har ikke registreret tildragelsen.

252 Holger Danske forøvede sabotage mod Kalvøpavillonen, som besættelsesmagten ville indrette til feriehjem og mod Lillerød Savværk, der fremstillede senge til samme (Kieler, 2, 1993, s. 149, Birkelund 2008, s. 673).

Die Deutsche Sicherheitspolizei hat in Kopenhagen zwei Männer mit amerikanischen Waffen und weitere drei Männer beim Versuch der illegalen Landung aus Schweden festgenommen, die sämtlich vorläufig die Angabe ihrer Personalien verweigern. Es scheint sich um wesentliche Mitglieder einer Sabotageorganisation zu handeln.[253]

Dr. Best

375. Rudolf Sattler an Werner Best 31. Oktober 1943

Sattler redegjorde for valutasituationen, herunder for de bestræbelser, der fra både tysk og dansk side var gjort for at stabilisere varepriserne samt de tiltag, der var gjort for at opsuge en del af de mange penge, der var kommet i omløb. Det var lykkedes at få danskerne til at spare op, men de allerfleste havde kun bundet deres penge for en kort periode, hvilket betød, at situationen med kort varsel kunne ændre sig. Krigsudsigterne gjorde folk midlertidigt tilbageholdende, de afventede en snarlig afslutning af krigen og ville bruge deres penge derefter. Pengenes labilitet gjorde, at en tillidskrise måtte undgås, og det burde ikke være noget problem, da Danmarks økonomi var forholdsmæssigt ringere belastet end andre besatte landes. På den baggrund mente Sattler, at valutapolitikken ville spille en mindre rolle, når det skulle afgøres, om Danmark skulle afkræves et bidrag til besættelsesomkostningerne, det var i stedet snarere et politisk og erhvervspolitisk spørgsmål. Med den øjeblikkelige valutasituation lod det sig ikke afgøre, om forsøget på at indføre et bidrag til besættelsesomkostningerne ville ryste tilliden til landets valuta eller om det ville være uden denne ødelæggende virkning. Erfaringerne fra andre lande var faldet forskelligt ud, især med hensyn til produktionen af forbrugsgoder og næringsmidler.

Sattler udarbejdede den næste oversigt over Danmarks valutasituation 10. juni 1944, som Best viderresendte til AA 15. juni, trykt nedenfor.

Kilde: RA, Danica 201, pk 81A (bilag II og III er ikke lokaliseret).

Sattler
Reichsbankdirektor

Kopenhagen, den 31. Oktober 1943

An den Herrn Bevollmächtigten des Reichs in Dänemark
Kopenhagen

Betrifft: Währungslage in Dänemark am 30. September 1943.

A.) Die Kreditausweitung durch die Danmarks Nationalbank.

1.) *Höhe der Geldvermehrung*

Mit der Besetzung traten im Wirtschaftsleben Dänemarks Veränderungen ein, die auch auf das Geldwesen stark einwirkten. Infolge der Ausschaltung des Überseehandels mit den Westländern erhöhte sich die Warenausfuhr nach dem Reich und nötigte das dänische Währungsinstitut, die Danmarks Nationalbank, zum Ankauf der dänischen Clearingguthaben von den Exporteuren, denen sie den Kronengegenwert laufend auszahlt. Außerdem hat die Nationalbank auf Grund einer Vereinbarung mit der Hauptverwaltung der Reichskreditkassen die für die Bedürfnisse der deutschen Wehrmacht in Dänemark erforderlichen Kronenbeträge zur Verfügung zu stellen, die sie auf "Konto Verschiedene Debitoren verbucht.

253 De fem personer er ikke identificeret.

Die Bedeutung der Guthaben auf dem Konto Verschiedene Debitoren und dem Clearingkonto ergibt sich aus folgenden Gegenüberstellungen:

a.) Am 30.9.43 haben die beiden Konten ein Guthaben von 3.704 Mill. Kr., d.h. 90 % der Bilanzsumme der Nationalbank von 4.093 Mill. Kr. ausgewiesen.

b.) Vom Besetzungstage bis zum 30.9.43 sind 3.755 Mill. Kr. (vgl. Anl. I,A) im deutschen Interesse durch Kreditausweitung der Nationalbank in den Verkehr geleitet worden, das sind

d.Kr. 988 =	RM	516	i. Dänemark	a.	d.	Kopf	d.	Bevölk.	v.	3,8	Mill.
gegen	RM	1.665	i. Norwegen	–	–	–	–	–	–	2,9	–
	RM	983	i. Belgien	–	–	–	–	–	–	8,3	–

(In den beiden zum Vergleich herangezogenen Ländern liegen die politischen und wirtschaftlichen Verhältnisse zwar völlig andere als in Dänemark, jedoch hat das erstere trotz der großen Belastung noch eine erträgliche Währungslage und das andere noch immer beachtliche Ausfuhren nach dem Reich aufzuweisen).

c.) Die jahresdurchschnittliche Belastung hat betragen

in Dänemark	mit	1.073	Mill.	d.Kr.	= 18 %	des	auf	6	Mdr.	d.Kr.
in Norwegen	–	2.412	–	n.Kr.	= 69 %	–	–	3,5	–	n.Kr.
in Belgien	–	27.672	–	b.Frs.	= 50 %	–	–	55	–	b.Frs.

geschätzten jährlichen Volkseinkommens.

2.) *Auswirkungen der Geldvermehrung*

Die von der Nationalbank im Kreditwege zur Verfügung gestellten Kronenbeträge haben auf allen Gebieten der dänischen Wirtschaft als zusätzliche Kaufkraft gewirkt. In der Landwirtschaft haben sie zunächst die Abtragung alter Verpflichtungen, später die Bildung von Ersparnissen gefördert, in Produktion und Handel anfangs die Umsätze gesteigert und die Rückzahlung der Kredite gefördert (Anl. II,B g, Sp. 5,8,14 u. 15), im Laufe der Zeit aber infolge der Unmöglichkeit ausreichenden Ersatzes immer mehr zur Verringerung der Rohstoff- und Warenbestände beigetragen und beim Arbeiter in vielen Fällen die bisher zurückgestellte bessere Bedarfsbefriedigung ermöglicht. Diese Wirkungen vergrößern sich immer mehr, je weitere Bevölkerungskreise von der Geldvermehrung erreicht werden.

a.) *Zunahme des Notenumlaufs*

Die ersten Folgen hat der Geldstrom da gezeigt, wo er begonnen hat, im Notenumlauf. Gegenüber dem Besetzungstage hat dieser bis zum 30.9.43

eine Steigerung auf zuweisen	von	96 %
gegen Norwegen	von	301 %
gegen Belgien (letztbek. Zahl)	von	171 %

Er stieg von durchschnittlich 463 Mill. Kr. im Jahre 1939 auf 678 Mill. Kr. in 1940 und nahm im Monatsdurchschnitt zu

im Jahre	1940	um	14,7	Mill. Kr.
– –	1941	–	8,4	–

– – 1942 – 11,7 –
– – 1943 – 23,4 –

Die sprunghafte Steigerung des Notenumlaufs im Jahre 1943 ist die Folge der gleichzeitigen starken Kreditausweitung der Nationalbank zu deutschen Gunsten von 138 Mill. Kr. im Monatsdurchschnitt des Jahres 1943 gegen 68,74 und 88 Mill. in den Vorjahren (Anl. I,A letzte Spalte).

Von der Direktion der Nationalbank wird die starke Notenumlaufserhöhung mit Sorge verfolgt. Im Gegensatz zu anderen dänischen Kreisen (z.B. Prof. Jörgen Pedersen, der bei genügender Lohn-, Preis- und Investitionskontrolle die Höhe der Umlaufsgeldmittel sowie Geldbindungsmaßnahmen für unerheblich hält), sind die verantwortlichen Notenbankdirektoren der Auffassung, daß die umlaufende zusätzliche Kaufkraft verringert und weitestmöglich zu den Geldinstituten gelenkt werden muß.

b.) *Zustrom des Geldüberflusses zu den Geldinstituten*

Bisher waren, wie aus Anl. I, Abschn. B hervorgeht, die Geldeingänge auf Postgiro-, Bank- und Sparkassenkonten noch befriedigend. Sie betrugen seit 31.3.40 2.532 Mill. Kr. (172 + 1.647 + 713), d.h. 67 % der in der gleichen Zeit in Umlauf gesetzten Geldmenge von 3.755 Mill. Kr. (Anl. I, a):

Es ist erklärlich, daß die Zunahme sich am frühesten und am stärksten bei den *Geschäfts*einlagen zeigt, da diese Gelder aus der Freisetzung von Betriebskapital herkommen. Hier beträgt die Zunahme 1.449,5 Mill. Kr. (Anl. II, A a)-c) = 327,0 + 657,2 + 465,3). Die später eingehenden *Spar*gelder haben in der gleichen Zeit um nur 909,9 Mill. Kr. (Anl. II, A d) Sp.15 u. C Sp. 15= 197,3 + 712,6) zugenommen. Wie sich ferner aus Anlage II ergibt, überwogen bei den Spargeldern noch 1940 die Abhebungen im Monatsdurchschnitt mit: 0,9 bzw. 5,7 Mill. Kr. die Einzahlungen (d) u. h), Sp.5), in den folgenden Jahren aber ergeben sich Zunahmen der Spargelder bei den Banken von monatlich 4,4 bzw. 8,3 Mill. Kr. (Sp.8, 11 u. 14), bei den Sparkassen (h) sogar von 18,1 bzw. 21,3 bzw. 32,3 Mill. Kr. Bemerkenswert ist, daß das Verhältnis der fälligen (Geschäfts-) Einlagen zu den Spar-(Termin)-Geldern am 31.3.40 noch 1.071,5 zu 3.199,6 = 1:3 war, am 30.9.43 aber 1:1,6 betrug (Anl. II a)-c) bzw. d) + h), woraus u.a. die zunehmende Scheu, vor allem der Geschäftsleute unter den Einlegern, ersichtlich ist, ihre Gelder mit Kündigungsfristen anzulegen. Immerhin kann festgestellt werden, daß der Geldstrom, zu den Banken und Sparkassen unvermindert anhält, was von nicht geringer währungspolitischer Bedeutung ist, da es die dänischen Geldbindungsmaßnahmen erleichtert.

c.) *Anlagepolitik der Geldinstitute*

Das Publikum ist weit gehend der Auffassung, daß der Krieg sich seiner Schlußphase nähert und es ratsam sei, zwar zu sparen, aber die Mittel flüssig zu halten, um sofort nach Kriegsende am Einkauf teilnehmen zu können. Diese Einstellung hat, obwohl sie von falschen Voraussetzungen ausgeht, leider auch die Banken daran gehindert, wenigstens für einen Teil der kurzfälligen Kundschaftsguthaben eine etwas längerfristige Anlage, z.B. die zum Zwecke der Geldbindung im

Juli d.Js. zu 99,50 angebotene 200 Mill. Kr. 3 %ige 10-jährige Staatsanleihe zu wählen, die bis zum 30.9.43 nur mit knapp 50 Mill. Kr. untergebracht war. So waren z.B. am 30.9. die 1.440,4 Mill. Kr. kurzfristig verfügbaren Einlagen (Anl. II a) + b), Sp.12) bei den Banken durch 1.455 Mill. Kr. Kassenmittel (Anl. II, e), Sp.12) gedeckt, von denen etwa 3/5 zu ¼ % auf als gesetzlich gebundenes Kontoguthaben und der Rest zu ¾ % auf dem 6-monatigen Kündigungskonto bei Nationalbank gehalten wurden (Anl. IV Endsumme der Sp. 4 u. 5). Durch diese vorsichtige Anlagepolitik wird aber der Geldüberfluß in ausreichendem Masse – mit einem Minimum von Zinsaufwand für den Staat – gebunden, und außerdem sind die Banken in der Lage, auf Tagegeld ¼ % und auf Kontokorrentguthaben ½% Zinsen zu zahlen und damit kurzfristige Gelder aus dem Umlauf weiter an sich zu ziehen.

Auch die Anlage der Spar- und Termineinlagen ist überaus vorsichtig vorgenommen worden. In den Bankbilanzen (Anl. II) standen am 30.9. den Einlagen auf Bankbuch und auf 1 Monat und länger von zusammen 2.309,6 Mill. Kr. (c) + d), Sp. 12) Anlagen in Obligationen etc. und Krediten von 2.753,5 Mill. Kr. (f) + g), Sp. 12) gegenüber, wobei zu beachten ist, daß in diesen Anlagen seit Juli 1942 auch ¾ %ige 6-monatige Schatzkammerscheine enthalten sind. Die Anlage dürfte der durchschnittlichen Laufzeit der Einlagen entsprechen und somit nicht zu beanstanden sein. Gerade aber bei der Deckung der Einlagen auf längere Fristen wäre eine stärkere Anlage in Staatsanleihen vertretbar und aus währungspolitischen Gründen vorzuziehen. Auch hier zeigt sich wieder deutlich ein gewisses Zögern der Bank.

Bei den Sparkassen liegen die Anlageverhältnisse in dieser Beziehung ähnlich, nur werden hier vor allem die Obligationen der Hypotheken- und Kreditvereinigungen – also hochverzinsliche Langfristige Papiere – als Anlage für die Spargelder gewählt, wozu die Kassen schon durch die gesetzlichen Vorschriften, aber auch dadurch veranlaßt werden, daß sie bestrebt sind, die Spareinlagen möglichst hoch zu verzinsen.

d.) *Preise und Löhne*

Die zunehmende Kaufkraft hat schon 1940 in Dänemark ein Steigen der Preise und damit der Lebenshaltung ausgelöst, das sich 1941 fortsetzte (vgl. Anl. III). Die Ursache wurde damals von dänischer Seite in der Erhöhung der Einfuhrpreise gesehen, was zum Anlaß genommen wurde, von Deutschland eine Ausgleich durch Zubilligung einer Werterhöhung der dänischen Krone mit der Begründung zu erbitten, daß diese deutsche Hilfe für die Durchführung einer wirksamen Preisstabilisierung unbedingt erforderlich sei und damit zu einer auch im deutschen Interesse liegenden Lösung der Lohnfrage wesentlich beitrage. Von deutscher Seite wurde die Bewilligung einer etwa 8 %igen Aufwertung der Krone im Januar 1942 an die Erfüllung von Bedingungen geknüpft, die u.a. sicherstellen sollten, daß die sich aus der Kronenaufwertung ergebende Verbilligung der Einfuhrwaren den dänischen Verbrauchern zugute kommt und daß die Abschöpfung überschüssiger Kaufkraft fortgeführt wird.

Die daraufhin verstärkt betriebene dänische Preispolitik hat zu den erwarteten

Ergebnissen geführt. Das Preisniveau ist seit Anfang 1942 praktisch unverändert geblieben (Anlage III). Wesentlichen Anteil an diesem Erfolg haben neben der Kronenaufwertung, welche die notwendigen Maßnahmen psychologisch vorbereitet und verwaltungsmäßig erleichtert hat, vor allem – wie auch aus Anl. III ersichtlich ist – die deutschen handels- und preispolitischen Maßnahmen, die für die dänische Einfuhr aus dem Reich die Preisstabilität sicherstellten und der dänischen Ausfuhr auch nach 1942 Preisvorteile bot.

Die Entwicklung der Ein- und Ausfuhrwarenpreise hat auf die innerdänischen Preise im Sinne der Stabilisierung der Großhandels- und der Inlandsmarktwaren-, sowie der Lebenshaltungsindexziffer weitergewirkt.

Der Unterschied zwischen Inlandswaren –und Lebenshaltungsindex (Anl. III, Vergleichszahlen, letzte Spalte) ist seit Oktober 1940 fast unverändert 15 %. Die Unveränderlichkeit dieses Verhältnisses zeigt, daß die im Zusammenhang mit den dänischen Maßnahmen auf dem Preis- und Lohngebiet Ende 1941 geänderte Auswahl der zur Berechnung des Lebenshaltungskostenindexes herangezogenen, zum Leben notwendigsten Ausgaben der tatsächlichen Preislage im Kleinhandel entspricht. Die Gliederung dieser Ausgaben (Anl. III unten) läßt erkennen, daß die prozentualen Veränderungen seit 1942 immer mehr abgenommen haben.

Da Schwankungen im Lebenshaltungsindex seit der Neuberechnung nur "richtunggebenden", nicht zwingenden Einfluß auf die Lohnbemessung haben sollen, ist die dänische Regierung den Wünschen der Arbeitnehmer auf Lohnerhöhungen unter Hinweis auf die Geringfügigkeit der Schwankungen nicht immer nachgekommen. Erst neuerdings wieder hat sie die Anträge z.B. von Beamtenorganisationen abgelehnt, ist also auch in der Lohnpolitik – in währungspolitischer Hinsicht – erfolgreich gewesen.

B.) Art und Erfolg der staatlichen dänischen Maßnahmen zur Kaufkraftbindung.
Als eine der deutschen Bedingungen für die Gewährung der Kronenkurshebung hatte es die dänische Regierung übernommen, die zur Abschöpfung überschüssiger Kaufkraft erforderlichen Maßnahmen zu treffen und ihre Durchführung sicherzustellen. Hierbei hatte, wie schon in der Aufwertungsfrage, die Danmarks Nationalbank als Währungsinstitut die Initiative sowie die taktische und sachliche Vorbereitung übernommen. Sie hat unter dem 23. März 1942 der dänischen Regierung einen Plan vorgelegt, der die Erreichung einer gewissen Bindung der freien Gelder sowie erhöhten Sparens der Bevölkerung bezweckte und ohne sachliche Änderungen im Juli 1942 gesetzlich verankert wurde. Die Annahme der Gesetze hat der Leiter der Nationalbank in der Öffentlichkeit und Bankwelt vorbereitet, indem er in geschickter Weise durch Rundfunk und sonstige Vortragstätigkeit von der Notwendigkeit überzeugte, mit den vorgeschlagenen Mitteln einer "Wertverringerung der Krone entgegenzuwirken." Im Herbst 1942 ist er, als die Kaufkraftbildung wieder stark zugenommen hatte, erneut öffentlich für die Fortführung der Geldabschöpfungsmaßnahmen eingetreten und hat Anfang dieses Jahres durch einen seiner Mitarbeiter in dem vom Finanzministerium zur Prüfung der Ausbaumöglichkeiten eingesetzten Ausschuß das von diesem Gremium ausgearbeitete Gutachten entscheidend beeinflußt, insbesondere hinsichtlich der Empfehlung der Verschärfung

der Vorschriften über die Kassenhaltung der Geldinstitute und der Bedingungen einer neuen Anleihe. Diesem Ziel hat die Nationalbank mit Energie und Schließlich auch erfolgreich zugestrebt – trotz der Angriffe in Presse und Bankwelt. Dabei hat sie sich von der Erkenntnis leiten lassen, daß eine langfristige Anleihe z.Zt. nicht unterzubringen war und daher vorerst nur geldmarktpolitische Eingriffe in die Kaufkraftanhäufung bei Banken und Sparbanken schnell zu dem notwenigen großen Bindungserfolg führen können. Die Richtigkeit dieser Auffassung ergibt sich aus den Ergebnissen, die am 30.9.43 die einzelnen Maßnahmen aufzuweisen hatten (Anl. IV).

a.) *Einschränkung des Verkaufs von Grundstücken*

Seit 1941 hatte die Verwendung flüssiger Mittel zum Kauf von landwirtschaftlichen Grundstücken stark zugenommen, wodurch deren Preise in die Höhe getrieben worden waren und eine Beeinträchtigung der künftigen Rentabilität des Wirtschaftslebens in Aussicht stand. Daher waren einschränkende sowie Kontroll-Bestimmungen erforderlich geworden. Die Maßnahmen sind erst im Anlaufen.

b.) *Steuererhöhungen und gebundenes Sparen*

Die im Rahmen der im Juli d.Js. getroffenen Veranstaltungen zur Verringerung der Geldreichlichkeit beschlossenen Steuererhöhungen sowie das sog. gebundene Sparen, eine im Steuerveranlagungswege erreichte Geldbindung, werden zusammen schätzungsweise etwa 110 Mill. Kr. erbringen. Am 30.9.43 war ihre Durchführung noch in Vorbereitung.

c.) *Erweiterung der Kassenhaltung bei Banken und Sparkassen*

In den Ergänzungsgesetzen zum Banken- bzw. Sparkassengesetz vom 3.7.42 bzw. 8.7.43 wird die Erhöhung der flüssigen Mittel vorgeschrieben, die gemäß Bankengesetz vom 15.4.1930 und Sparkassengesetz vom 18.5.1937 als Deckung gewisser Verbindlichkeiten – vor allem der Einlagen – von Banken bzw. Sparkassen verfügungsbereit gehalten werden müssen. Gleichzeitig hat die Nationalbank den Geldinstituten die Anlage dieser gesetzlichen Kassenreserve zu ¼ % und der darüber hinaus bei ihr gehaltenen Guthaben, soweit bei ihnen eine Kündigungsfrist von 6 Monaten eingehalten wird, zu ¾ % ermöglicht.

Die Erweiterung der Kassenhaltungsvorschriften soll einen gewissen Teil der bei den Geldinstituten angehäuften Kaufkraft dem Wirtschaftsleben entziehen und damit die Banken und mittelbar auch die Einleger an Fehlinvestitionen sowie preiserhöhenden Spekulationen hindern.

Gedacht ist hierbei sowohl an die z.Zt. bestehenden Möglichkeiten, aber auch an die für das Kriegsende erwartete größere Gefahr unerwünschter Geldanlagen (Flucht in die Sachwerte).

Dieser Eingriff in die Anlagefreiheit bildet in Anbetracht der Größe seiner Auswirkungen das Kernstück der Geldbindungsmaßnahmen und ist – nicht nur von den interessierten Instituten – lebhaft bekämpft worden. Unter den erhobenen Einwendungen sind die wichtigsten,

1.) daß zwar die Banken, nicht aber die Einleger in der Verfügung über die Beträge beschränkt sind, so daß bei Massenabhebungen der Einleger die Banken in Schwierigkeiten kommen würden,

2.) daß die Bindung die Banken am Kauf von Staatsanleihen hindert und damit den

"Staatskredit" schwächt,
3.) daß die Ausleihtätigkeit der Banken gestört wird.
Die Stellungnahme zu diesen Einwendungen wird durch Beurteilung der tatsächlichen Auswirkung der Kassenhaltungsvorschriften erleichtert. Am 30.9.43 hatten die Banken auf Grund der gesetzlichen Vorschriften Kassenreserven von 930 Mill. Kr. bereitgehalten. Gleichzeitig unterhielten sie aber freiwillig bei der Nationalbank 651 Mill. Kr. in Guthaben mit 6-monatiger Kündigungsfrist (Anl. IV, Sp. 4 u. 5).

Zu 1.) Die Banken wären gem. Anl. IV Sp. 5 vom 30.9. ab in der Lage gewesen, die über ihre *Bar*bestände hinausgehenden Abhebungen der Einleger zunächst aus den 6- Monatsgeldern bis zu mindestens 651 Mill. Kr. auszuzahlen, denn sie haben die Fälligkeiten dieser Gelder so verteilt, daß ihnen in kurzen Zeitabständen annähernd gleiche Teile der Gesamtsumme bar zu Verfügung stehen; außerdem hätten die Banken die ebenfalls zeitlich gestaffelten Fälligkeiten aus den 6-monatigen Schatzkammerscheinen, von denen sie große Bestände haben, verwenden können. Mit diesen Teilbeträgen könnte selbst bei panikartigen Abhebungen Beruhigung erreicht werden. Sollten jedoch die Abhebungen noch grösser sein, so steht den Banken auch ein großer Teil des bei der Nationalbank auf dem gesetzlichen Foliokonto gebundenen Guthabens zur Verfügung, von welchem bei sinkenden Einlagen bestimmungsgemäß ein den Deckungsvorschriften entsprechender Teil wieder frei wird (etwa 50 % der seit dem letzten Monatsausweis ausgezahlten Abhebungen). Den Banken würden demnach vom 30.9. ab – außer den fälligen Schatzkammerscheinen – mindestens 1.116 Mill. Kr. (= 651 + 465 (½ v. 930)), d.i. 77 % der gesamten kurzfälligen Einlagen (Anl. II, a+ b, Sp. 12 =1.440,4) in bar zur Verfügung gestanden haben, eine Summe, die praktisch nicht benötigt wird. Im Panikfalle würde die Nationalbank – wie die Direktion erklärt hat, für reibungslose Auszahlung schon im Währungsinteresse Sorge tragen.

Zu 2.) Zum Kauf oder zur Zeichnung von Staatsanleihen könnten die Banken theoretisch die Beträge verwenden, in deren Anlage sie nicht gesetzlich gebunden sind, also mindestens die 6-monatig auf Kündigungskonto bei der Nationalbank (am 30.9. = 651 Mill. Kr.) und in Schatzkammerscheinen angelegten Beträge. Da die 6monatigen Anlagen aber zur Deckung kurzfristiger Einlagen notwendig sind, müssen die Banken aus Liquiditätsgründen die Anlagen in mittel- und langfristigen Staatsanleihen vermeiden, weil sie bei starken Abhebungen so große Posten von Staatspapieren nur unter untragbar hohen Verlusten veräußern könnten. Es sind also nicht die neuen Vorschriften über die Erhöhung der Kassenhaltung, die die Banken am Erwerb mittel- und langfristiger Staatsanleihen hindern, sondern allein die notwendige Erhaltung der Zahlungsfähigkeit.

Zu 3.) Ein Bedürfnis zur Ausweitung der Kreditgewährung besteht bei den Banken z.Zt. nicht. Die Mittel dazu würden gegebenenfalls aus 6-monatigen Anlagen zur Verfügung stehen.

d.) *Begünstigung der Geldanlage durch Ausgabe von Staatspapieren*
Von den weiteren, sich vor allem an das Publikum wendenden Aufforderungen des Finanzministeriums zur Beteiligung an der Bindung von überschüssiger Kaufkraft haben nur die zur kurzfristigen Anlage gegebenen Gelegenheiten einigen Erfolg ge-

habt. Bis zum 30.9.43 sind folgende Beträge (Nennwerte) gezeichnet worden:

	190,5	Mill. Kr.	1 ¾ %	(2-jährige)	Staatsschuldscheine (aufgelegt 200 Mill. Kr.) – nicht für Banken u. Sparkassen –
	339,6	–	¾ %	(6-monatige)	Schatzkammerscheine (aufgelegt 400 Mill. Kr.)
	530,1	Mill. Kr.			
	22,2	–		(5 ½-jährige)	Sparobligationen (nur für Private) (verzinslich zu 4 ¼ % effektiv) – je Person höchstens 2.000 Kr. –
1.)	552,3	Mill. Kr.	gebunden auf Grund des Ges. v. 3.7.1942		
	21,1	Mill. Kr.	2½ %	(5-jährige)	Staatsobligationen (aufgelegt 200 Mill. Kr.) – nicht für Banken u. Sparkassen –
	49,5	–	3 %	(10-jährige)	Staatsobligationen (aufgelegt 200 Mill. Kr.)
2.)	70,6	Mill. Kr.	gebunden auf Grund des Ges. v. 8.7.1943.		

Der Betrag zu	1.)	552,3	Mill. Kr.	
und zu	2.)	70,6	–	
zusammen:		622,9	Mill. Kr.	(Nennwert)

steht mit dem Kurswert der Papiere von 619 Mill. Kr. (Anl. IV, SP. 3) nach gesetzlicher Vorschrift auf einem besonderen Konto des Finanzministeriums bei Danmarks Nationalbank, über welches – abgesehen von den für die Einlösung der Papiere erforderlichen Mitteln – nur nach besonderen Gesetz verfügt werden soll.

C.) Die währungsmäßigen Auswirkungen der Maßnahmen zur Geldbindung

a.) *Gegenwärtige Währungslage*

Am 30. September 1943 waren von der seit 31. März 1940 von der Nationalbank in Umlauf gebrachten Geldmenge von 3.755 Mill. Kr. 2.200 Mill. Kr. = 59 % zur Ausgabestelle zurückgekehrt, d.h. der freien Verwendung vorerst entzogen (Anl. IV, Sp. 1 und 6). Dieses Ergebnis muß als sehr beachtlicher Anfangserfolg der dänischen Währungspolitik gewertet werden. Er hält nicht nur mit der seit Beginn der Bindungsmaßnahmen (3.7.42) von der Nationalbank geschaffenen Kaufkraftmenge von 1.662 Mill. Kr. (Anl. IV, Sp. 1) Schritt, sondern überflügelt sie sogar um 538 Mill. Kr., also fast ein Drittel. Damit ist ein wirksamer Damm gegen die Inflationsflug erreichtet und die sichere Aussicht auf die im deutschen ebenso sehr wie im dänischen Interesse liegende Erhaltung der Kaufkraft der Dänenkrone von der Geldseite her eröffnet worden.

Das Kernstück der Maßnahmen, die Behandlung der Geldinstitute, welches in knapp 1 ¼ Jahr 1.581 Mill. Kr. (930 + 651 –Anl. IV, Sp. 4 + 5 –) =72 % der Gesamtbindung eingebracht hat, ist in geschickter Weiterführung der bestehenden Sicherungs- und Geldanlagepraxis, vor allem aber ohne Beunruhigung der Bankkunden durchgeführt worden in der richtigen Erkenntnis, daß das Vertrauen der Einleger und Sparer die sicherste Grundlage für eine planmäßige, auf die Dauer erfolgreiche Währungskonsolidierung ist.

b.) *Zukunftsaussichten*

Die durch die bisherigen Maßnahmen erreichte Kaufkraftbindung wird – wie ein Vorstandsmitglied der Nationalbank sich ausdrückte – nur "den Notwendigkeiten des Tages" gerecht. Die Prüfung der bisher erreichten Bindung ergibt nämlich hinsichtlich der Fälligkeit der einzelnen Posten, daß

50	Mill.	Kr.	auf	10	Jahre
22	–	–	–	5½	–
21	–	–	–	5	–
190	–	–	–	2	–
283	Mill.	Kr.	mittelfristig (Abschn. B, Abs. d dieses Berichts), dagegen:		

304	Mill.	Kr.	Schatzkammerscheine (Abschn. B, Abs. d d. Berichts)
651	–	–	6-Monatsgelder
991	Mill.	Kr.	auf 6 Monate (Anl. IV, Sp. 6)
930	Mill.	Kr.	Kassenhaltung der Banken und Sparkassen (Anl. IV, Sp. 4)
1.921	Mill.	Kr.	bei ruhiger Entwicklung zunächst bis 31.3.45 (Gültigkeitsdauer der Gesetze) festliegen.

Bemerkenswert ist die außerordentliche Labilität der Bindung obengenannter 1.921 Mill. Kr. = 87 % der Gesamtsumme. Wenn es jedoch gelingt, eine Vertrauenskrise zu vermeiden, bietet banktechnisch die weitere Konsolidierung keine besonderen Schwierigkeiten, zumal, wie eingangs nachgewiesen wurde, die Belastung Dänemarks verhältnismäßig noch nicht hoch ist. Daher kann m.E. die Frage, welche Folgen eintreten würden, wenn das Reich vom dänischen Staat Beiträge zu den Besatzungskosten verlangen würde, weniger von währungsmäßigen als von politischen und wirtschaftspolitischen Gesichtspunkten aus beantwortet werden. Aus der gegenwärtigen Währungslage läßt sich nicht beurteilen, ob ein solcher Versuch das Vertrauen zur Landeswährung erschüttern würde oder ob er ohne diesen zerstörenden Einfluß bleibt. Die in anderen Ländern gemachten Erfahrungen sind – besonders hinsichtlich der Einwirkungen der Erhebung von Besatzungskosten auf die Produktion von Wirtschaftsgütern und Nahrungsmitteln – bekanntlich verschieden gewesen.

gez. **Sattler**

Anlage I

A.) Höhe der Kreditausweitung durch Danmarks Nationalbank vom 31.3.40 -30.9.43

(in Mill. Kr.)		Konto verschiedene Debitoren		Clearingkonto		Gesamte Kreditausweitung	
		Stand	Zunahme	Stand	Zunahme	im Jahr	Monats-durchschn.
1940	31.03.	47					
	31.12.	457	410	395	395	805	88
1941	31.12.	900	443	842	447	890	74
1942	31.12.	1.383+)	483	1.175+)	333	816+)	68
1943	30.09.	2.019	697	1.658	547	1.244	138
A. Kreditausweitung:			2.033	+	1.722 =	3.755	89

+) einschl. des vom Dänischen Staat getragenen Kursverlustes von 61 Mill. Kr. bei den "Verschiedenen Debitoren" und 64 Mill. Kr. beim Clearingkonto infolge der Kronenaufwertung vom 23.1.42

B.) Verteilung der nach dem 31.3.1940 geschaffenen zusätzlichen Kaufkraft.

(in Mill. Kr.)		(Stand v. 30.9.43 nach den wichtigsten Positionen)		
1.	Notenumlauf-	Zunahme v. 31.3.40 - 30.9.43+)		854
2.	Postgirokonten -	– – – - –		172
3.	Einlagen b. Banken	– – – - –	Anl. II A, Sp. 15	1.647
4.	[Einlagen b.] Spark.	– – – - –	–	713
5.	Guthaben des Finanzministeriums bei Danmarks Nationalbank			
		a.) a. Konto Gem. Ges.	v. 3.7.42	619
		und	v. 8.7.43	
		b.) – lfd. Konto		214
Zusätzliche Kaufkraft am 30.9.43:				3.949

+) im Monatsdurchschnitt: 1940 = 14,7; 1941 = 8,4; 1942 =11,7; 1943 = 23,4.

Anlage IV

Auswirkungen der dänischen Maßnahmen zur Bindung des Geldüberschusses seit 8. Juli 1942.

(in Mill. Kr.)

	Geldneuschöpfung durch Kreditausweitung der Nationalbank (Versch. Debitoren u. Clearing)	Zunahme des Notenumlaufs	Konto des Fin. Min. bei Nationalbk. Ges. v. 3.7.42 u.v. 8.7.43	Kassenhaltung der Banken u. Sparkassen Ges. v. 3.7.42 u.v. 8.7.43	6-Monats-Gelder d. Banken u. Sparkass. b. Nationalbank zu 3/4 % p.a. ca.	Gesamtbindung
	1	2	3	4	5	6
31.3.40 bis 30.6.42+)	2.093	235	–			
1942						
Juli	74	5	200			
August	36	5	60			
Sept.	50	13	17			
Oktober	67	69	26			
Nov.	97	1	17			
Dezember	95	66	38			
	419	139	358	670	199	1.227
1943						
Januar	98	43	5	33	1	27
Februar	91	10	13	19	18	50
März	131	14	39	4	90	125
April	145	37	38	41	21	100
Mai	143	21	29	99	57	185
Juni	211	36	54	44	67	165
Juli	145	17	49	48	128	225
August	151	90	15	18	17	50
September	128	28	19	28	53	100
1.7.42 -30.9.43	1.662	349	619	930	651	2.200
31.3.40-30.9.43	3.755	584				

+) einschl. Kursregulierungskonto des Staates

376. Admiral Dänemark: Lagebeurteilung für Oktober 1943, 31. Oktober 1943

Den militære undtagelsestilstand var ophævet efter gennemførelsen af en aktion mod de danske jøder, hvorved 230 ud af 6.000 jøder blev pågrebet. Det havde efterfølgende vist sig, at flertallet af jøderne allerede *før* aktionen var flygtet til Sverige. Løsladelsen af de internerede danske marinere var afsluttet, og antallet af sabotager havde taget lidt til. Der var bjærget 16 danske krigsskibe, herunder "Niels Juel". Der var indgået ordre gennem Seekriegsleitung fra OKW/WFSt om, at der straks skulle iværksættes foranstaltninger til at forsvare Danmark mod en mulig fjendtlig invasion. Wurmbach havde af WB Dänemark fået til opgave at se på forsvarsberedskabet i det danske område og havde på baggrund af erfaringerne fra invasionerne i Middelhavet påpeget, at der manglede to svære kystbatterier ved Vestkysten for at modstå de fjendtlige krigsskibe med svært artilleri, som kunne forventes at deltage i en landingsoperation.

Wurmbachs månedsberetning var holdt i neutrale vendinger. Aktionen mod de danske jøder blev ikke karakteriseret som totalt fejlslagen (hvad Wurmbach havde gjort 2. oktober (se MOK/Ost til Seekriegsleitung anf. dato)), men i stedet forklaret med, at de fleste jøder var flygtet før 2. oktober, hvilket fritog alle tyske myndigheder for ansvar for det dårlige resultat, også Kriegsmarine som ikke havde haft nogen tilstrækkelig sundbevogtning til rådighed. At påstanden var urigtig er en anden sag. Der blev heller ikke udtrykt forventninger i anledning af, at de internerede danske marinere nu alle var frigivet. En dansk civil minerydning kunne der ikke længere blive tale om. Det blev nævnt, at Ollerup Gymnastikhøjskole var overtaget af Kriegsmarine, men det forudgående slagsmål om beslaglæggelsen blev naturligvis ikke nævnt. Månedens mest positive meddelelse var bjærgningen af det store antal danske krigsskibe, som var et vidnesbyrd om, at den danske sænkning af dem havde haft rent demonstrativ karakter. Forude ventede opgaven med straks at forstærke det danske invasionsforsvar.

Kilde: KTB/ADM Dän 31. oktober 1943, RA, Danica 628, sp. 3, s. 3127-34.

Lagebeurteilung
für Oktober 1943

[...]

B. Lage in Dänemark

Am 6. Oktober wurde der militärische Ausnahmezustand aufgehoben, nachdem zuvor die Juden aus dem öffentlichen Leben ausgeschaltet worden waren. Wie bereits fernschriftlich gemeldet, konnten insgesamt nur etwa 230 Juden von den angenommenen 6000 festgesetzt werden.[254] Wie nachträglich festgestellt, ist der überwiegende Teil bereits *vor* der Judenaktion nach Schweden geflüchtet. Der Rest soll sich noch im Lande versteckt aufhalten. Ebenso wurde am 6.10. mit der Entlassung der dänischen Marine-Inhaftierten begonnen, die am 23. Okt. beendet werden konnte.

Die Zahl der Sabotagefälle ist im Laufe des Monats wieder etwas gestiegen. Der größte Teil der Fälle kommt auf Sprengstoffattentate. Diese waren vorwiegend gegen Wirtschaftsbetriebe gerichtet, die teilweise für die deutsche Wehrmacht arbeiten. Hervorzuheben sind ein Sprengstoffattentat gegen die Wehrmachtskommandantur (L) in Aalborg, bei dem Sprengbomben anscheinend in Abständen der Stockwerke in einen Luftschacht gelassen sind. Neben erheblichem Sachschaden mehrere Verletzte zu verzeichnen.[255] Ferner ein Sabotagefall in dem Kaffeehaus “Mokka” in Kopenhagen, der 4 Tote und 40 Verletzte, darunter 18 Wehrmachtangehörige forderte.[256] Schließlich ist noch der Versuch eines Überfalls auf die Unterkunft der Flugmelde-Reserve-Komp. in Kopenhagen zu erwähnen, bei dem einer der Eindringlinge auf der Flucht von dem Wachposten erschossen wurde.[257]

C. Dänische Kriegsschiffe

Von den 35 versenkten oder auf Grund gesetzten Schiffen waren bis Ende Oktober 16 Fahrzeuge geborgen. Insbesondere war es entgegen der ursprünglichen Annahme

254 Se MOK Ost til Seekriegsleitung 2. oktober med indholdet af Wurmbachs meddelelse.
255 Se Bests telegram nr. 1256, 14. oktober 1943.
256 Se Bests telegram nr. 1324, 28. oktober og Paul Schmidt til AA 28. oktober 1943.
257 Se Bests telegram nr. 1343, 31. oktober 1943.

geglückt, den Küstenpanzer “Niels Juel” verhältnismäßig schnell frei zu bekommen, so daß er am 12. Oktober im Schlepp nach Kiel überführt werden konnte. Unter den im Oktober geborgenen Schiffen befinden sich ferner 1 M-Boot, 2 MS-Boote, 2 Torpedo-Boote und 4 Minenleger. Bei einem Torpedo-Boot ist es fraglich, ob es noch wieder verwendungsfähig gemacht werden kann. Die übrigen Fahrzeuge können nach Instandsetzung ohne Einschränkung wieder in Betrieb genommen werden.

D. Aufgabestellung
[...]

4.) Die Unterbringung der 15. Schiffsstammabt. auf der Flottenstation Kopenhagen und der 7. EMAA auf der Niels Bukh-Schule bei Ollerup wurde sichergestellt.[258]

E. Forderungen und Absichten
Am 29. Oktober wurde von OKM 1. Skl ein Fernschreiben des OKW/WFSt übermittelt,[259] in dem zum Ausdruck gebracht wurde, daß auf Grund der militärischen Entwicklung im Mittelmeer (Freiwerden von Landungsfahrzeugen), sowie aus politischen Gründen (Druck von Moskau auf die Westmächte), Dänemark nunmehr in die vorderste Front der durch eine feindliche Landung bedrohten Gebiete rücke. Auf Befehl des Führers werden demgemäß eingehende Weisungen für den Fall einer Landungsoperation in Dänemark vom OKW erlassen werden.

Zunächst angeordnet, daß seitens des Befehlshabers der deutschen Truppen in Dänemark eine Reihe bereits laufende Maßnahmen beschleunigt durchgeführt werden. Admiral Dänemark ist angewiesen zu prüfen, was zur Erhöhung der Abwehrbereitschaft im dänischen Raum noch geschehen kann.

Hierzu ist folgendes zu sagen: Die Erfahrungen, die im Laufe der letzten Monate bei den Landungen im Mittelmeerraum gewonnen worden sind, lassen erkennen, daß der Gegner offenbar im Hinblick auf die von ihm ausgeübte Luftherrschaft in den Landungsgebieten nunmehr auch in großem Masse Kriegsschi[ffe] mit schwerer Artillerie zur Niederhaltung der Küstenartillerie bei Landungen einsetzt. Für die jütischen Küsten bedeutet die eine erhebliche Erschwerung der Abwehr, da bis auf Hansted keine Batterie vorhanden ist, die die Bekämpfung schwerer Schiffsgeschütze aufzunehmen in der Lage ist. Auf lange Sicht gesehen, kann eine durchschlagende Verteidigung der jütischen Küste von Esbjerg bis Frederikshavn nur durch Aufstellung von noch 2 schweren Batterien, und zwar je einer bei Esbjerg und einer bei Frederikshavn herbeigeführt werden.

Daneben ist es allerdings notwendig, daß die vielfach erheblichen Lücken, die zwischen den jetzt stehenden Marine- bezw. Heeres-Küstenbatterien vorhanden sind, tunlichst bald durch Aufstellung weiterer mittler Batterien verringert werden.
[...]

258 Se Wurmbach til OKM 27. oktober 1943.
259 Se KTB/Skl 29. oktober 1943.

NOVEMBER 1943

377. Politische Informationen für die deutschen Dienststellen in Dänemark 1. November 1943

Efter augustkrisen og jødeaktionen genoptog Best efter to måneders pause *Politische Informationen* med en fremlæggelse af sit syn på udviklingen siden 29. august. Der blev også plads til at give de tyske tjenestesteder hans forklaring på, hvorfor jødeaktionen kun gav et ringe resultat, men især var det ham meget om at gøre at understrege, at der administrativt var kontinuitet. Den danske centraladministration fungerede loyalt videre med en "embedsmandsregering." På trods af sabotagen, der ikke skadede tyske interesser nævneværdigt, var den fremherskende ro og orden baggrunden for de stigende leverancer af danske landbrugsprodukter.

Kilde: RA, Centralkartoteket, pk. 680.

Der Reichsbevollmächtigte in Dänemark *Kopenhagen, den 1. November 1943.*

Politische Informationen
für die deutschen Dienststellen in Dänemark.

Betr.: I. Die politische Entwicklung in Dänemark seit August 1943.
II. Mitteilungen aus der Außenpolitik.
III. Die wirtschaftliche Entwicklung in Dänemark seit August 1943.
IV. Das Schalburg-Korps.
V. Neue Einzelregelungen betreffend
1.) Ausstellung deutscher Waffenscheine,
2.) Heirat deutscher Wehrmachtsangehöriger mit Däninnen,
3.) Verpflichtung der dänischen Polizei zum Einschreiten gegenüber deutschen Wehrmachtsangehörigen und Wehrmachtsgefolge.
VI. Feindliche Stimmen über Dänemark.

I. Die politische Entwicklung in Dänemark seit August 1943

1.) Da im Laufe des Monats August – offenbar geschürt von feindlichen Agenten – in Dänemark die Zahl der Sabotagehandlungen wuchs und in einigen Orten auch Streiks und Straßentumulte vorkamen, richtete der Reichsbevollmächtigte an den Staatsminister von Scavenius mehrfach dringende Aufforderungen, mit allen politischen und verwaltungsmäßigen Mitteln diese Störungen der Ordnung und Sicherheit zu unterbinden.

Die Regierung richtete – neben verschiedenen Einzelmaßnahmen – am 21.8.1943 mit dem ausdrücklichen Einverständnis des Königs und der Regierungsparteien eine eindringliche Mahnung an die dänische Bevölkerung zur Abwehr der Unruhestifter, wobei ausdrücklich betont wurde, daß es darum gehe, ob Dänemark eine eigene Regierung behalten werde oder nicht.[1]

2.) Am 27.8.1943 erhielt der Reichsbevollmächtigte die Weisung, der dänischen Regie-

1 Opfordringen er optrykt hos Alkil, 1, 1945-46, s. 216f.

rung die folgenden Forderungen der Reichsregierung zu übermitteln, was am 28. vormittags geschah:

Sofortige Verhängung eines Ausnahmezustandes über das ganze Land durch die dänische Regierung.

Der Ausnahmezustand soll die folgenden Einzelheiten umfassen:

1.) Verbot aller Ansammlungen von mehr als fünf Personen in der Öffentlichkeit.
2.) Verbot jedes Streiks und jeder Unterstützung von Streikenden.
3.) Verbot jeder Versammlung in geschlossenen Räumen oder unter freiem Himmel.

Verbot des Betretens der Straßen zwischen 20.30 und 5.30 Uhr, Schließung der Gaststätten um 19.30 Uhr.

Ablieferung aller noch vorhandenen Schußwaffen und Sprengstoffe bis zum 1.9.1943.

4.) Verbot jeder Beeinträchtigung dänischer Staatsbürger wegen ihrer oder ihrer Angehörigen Zusammenarbeit mit deutschen Stellen oder Verbindungen zu Deutschen.
5.) Einführung einer Pressezensur unter deutscher Beteiligung.
6.) Einsetzung dänischer Schnellgerichte zur Aburteilung von Zuwiderhandlungen gegen die zur Aufrechterhaltung der Sicherheit und Ordnung erlassenen Anordnungen.

Für Zuwiderhandlung gegen die vorstehend bezeichneten Anordnungen sind die nach dem zeitweiligen Gesetz über Ermächtigung für die Regierung, Bestimmungen zur Aufrechterhaltung von Ruhe, Ordnung und Sicherheit zu treffen, zulässigen Höchststrafen anzudrohen.

Für Sabotage und jede Beihilfe hierzu, für Angriffe auf die deutsche Wehrmacht und ihre Angehörigen sowie für den Besitz von Schußwaffen und Sprengstoffen nach dem 1.9.1943 ist unverzüglich die Todesstrafe einzuführen.

3.) Nachdem die dänische Regierung am Nachmittag des 28.8.1943 dem Reichsbevollmächtigten mitgeteilt hatte, daß "eine Bewerkstelligung der deutscherseits geforderten Maßnahmen die Möglichkeit der Regierung, die Bevölkerung in Ruhe zu halten, vernichtet würde und daß die Regierung es daher bedauere, es nicht richtig finden zu können, an der Durchführung dieser Maßnahmen mitzuwirken" wurde weisungsgemäß am 29.8.1943 vom Befehlshaber der deutschen Truppen in Dänemark der militärische Ausnahmezustand für das ganze Land erklärt.

Gleichzeitig wurden in den Morgenstunden des 29.8.1943 die noch bestehenden Einheiten der dänischen Wehrmacht entwaffnet, wobei an einigen Stellen Widerstand geleistet wurde und auf deutscher Seite 6 Mann und auf dänischer Seite 14 Mann getötet wurden.

Der Reichsbevollmächtigte ließ eine Anzahl von Personen, die als Gegner bekannt waren und ggf. Schwierigkeiten verursachen konnten, vorbeugend festnehmen.[2]

4.) Die Regierung des Staatsministers von Scavenius reichte am 29.8.1943 dem König ihre Demission ein und hörte auf zu fungieren, nachdem sie als letzten Beschluß

2 Se Bests telegram nr. 1002, 1. september 1943 og von Grundherrs optegnelse 24. september 1943.

eine Aufforderung an die Bevölkerung, "Ruhe und Besonnenheit zu beweisen," und an die Beamten, "auf ihren Posten zu verbleiben und unter ihrer Verantwortung als Beamte des Staates ihre Tätigkeit fortzusetzen zum Besten des Landes und des Volkes in der Weise, daß man bestrebt ist, zu vermeiden, daß Reibungen entstehen zwischen den Organen des Staates und den deutschen Behörden."[3]

5.) In der Folgezeit herrschte im Lande völlige Ruhe. Der Staatsapparat und die Wirtschaft arbeiten wie zuvor.

Die Sabotagehandlungen ließen in der ersten Zeit nach der Verkündung des militärischen Ausnahmezustandes sehr stark nach, weil offenbar zahlreiche Saboteure aus Furcht vor einem deutschen Zugriff ihren bisherigen Wirkungskreis und zum Teil auch das Land verlassen hatten. Allmählich aber sammelten sie sich wieder und verübten erneut Sabotageakte, sodaß die Sabotagekurve wieder stieg. Zum ersten Mal seit der 3½ jährigen Besetzung wurden auch Anschläge auf das Leben von Besatzungsangehörigen verübt, die zwei Todesopfer forderten.[4]

Bei einem verhältnismäßig umfangreichen Sabotagefall in Kopenhagen konnte später festgestellt werden, daß die Täter zur Durchführung der Tat von Malmö mit einem Segelboot nach Kopenhagen gekommen waren.[5]

6.) In der Nacht vom 1. auf 2.10.1943 wurden von den inzwischen nach Dänemark verlegten deutschen Polizeikräften weisungsgemäß alle erfaßbaren Volljuden festgenommen und in das Reichsgebiet verbracht.

Da die Juden schon seit der Verhängung des militärischen Ausnahmezustandes mit einer solchen Aktion gerechnet hatten, hatten die weitaus meisten im Laufe des Monats September ihre bisherigen Wohnsitze und durchweg auch das Land verlassen dessen Seegrenze gegenüber Schweden mangels geeigneter Kräfte nicht genügend überwacht werden konnte.

7.) Am 6.10.1943 wurde der militärische Ausnahmezustand in Dänemark aufgehoben.

Der Reichsbevollmächtigte verfügte, daß die folgenden von dem Befehlshaber der deutschen Truppen in Dänemark während des militärischen Ausnahmezustandes erlassenen Anordnungen bis auf weiteres in Kraft bleiben:[6]

– Das am 29.8.1943 erlassene Streik- und Versammlungsverbot,

– die Verordnung über Beschlagnahme von Gebäuden und Liegenschaften vom 4.9.1943,

– die Verordnung über Lieferung und Leistung dänischer Firmen für die deutsche Wehrmacht in Dänemark vom 4.9.1943,

– die Bekanntmachung über das Verbot des Tragens dänischer Wehrmachtsuniform in der Öffentlichkeit vom 3.9.1943,

– die Verordnung über die Abgabe dänischen Heeresgeräts vom 16.9.1943.

8.) Seit dem Rücktritt der Regierung des Staatsministers von Scavenius wird die däni-

3 Trykt på dansk hos Alkil, 1, 1945-46, s. 217.

4 Der havde været flere attentater på personer tilknyttet besættelsesmagten, heraf havde et i Århus 8. oktober og et andet i København 25. oktober haft døden til følge. Se Bests oversigt i telegram nr. 20, 5. januar 1944.

5 Se Bests telegrammer nr. 1219, 7. oktober og nr. 1282, 20. oktober 1943.

6 Jfr. Alkil, 2, 1945-46, s. 857.

sche Verwaltung von den Dienstältesten Beamten der Ministerien geleitet, die als "Zentralverwaltung" eine Art "Beamtenregierung" bilden. Unter ihrer Leitung arbeitet der dänische Behördenapparat reibungslos. Soweit das Fehlen des Gesetzgebers (Reichstag und König) Schwierigkeiten bereiten könnte, wird ein "Notverordnungsrecht" der Verwaltungschefs anerkannt, das jedoch nur soweit geht als die Verordnungen (Lovanordninger) dringend notwendig sind und dem Rechtsbewußtsein des dänischen Volkes entsprechen. Soweit im deutschen Interesse Rechtsanordnungen erlassen werden müssen, die über diese Grenze hinausgehen, muß der Reichsbevollmächtigte deutsches Recht setzten, wie dies am 6.10.1943 durch die unter 7.) erwähnte Verlängerung der Geltung von fünf Anordnungen des Befehlshabers der deutschen Truppen in Dänemark über den militärischen Ausnahmezustand hinaus geschehen ist.

9.) Die Bekämpfung von Handlungen gegen deutsche Interessen – insbesondere von Sabotage, Attentaten usw. – wird seit Anfang Oktober von deutschen Polizeikräften wahrgenommen, die in Kopenhagen, Odense, Aarhus, Aalborg, Kolding und Esbjerg stationiert worden sind.[7]

10.) Wegen eines Sprengstoffanschlags auf die Wehrmachtskommandantur in Aalborg am 14.10.1943 hat der Reichsbevollmächtigte über diese Stadt[8] und wegen eines Sprengstoffanschlags in Kopenhagen am 27.10.1943, durch den in einer Gaststätte drei Wehrmachtsangehörige getötet wurden, über die Stadt Kopenhagen den "zivilen Ausnahmezustand" mit einer Reihe von einschränkenden Maßnahmen verhängt. Der Stadt Kopenhagen wurde außerdem eine Sühnezahlung von 5 Millionen Kronen auferlegt.[9]

II. Mitteilungen aus der Außenpolitik

1.) Nach der am 6.10 erfolgten Aufhebung des militärischen Ausnahmezustandes sind die völkerrechtliche Lage Dänemarks und die Beziehungen des Königreiches zu fremden Staaten formell wieder die gleichen wie vor dem 29. August. Die Stellung der dänischen Gesandten im Auslande ist unverändert; die in Kopenhagen vorhandenen ausländischen Missionen sind nach wie vor tätig.

Von den dänischen Gesandten im europäischen Auslande hat nach Verhängung des Ausnahmezustandes einer erklärt, daß er vom dänischen Außenministerium keine Weisungen mehr entgegennehme, verschiedene andere haben weniger weitgehende Vorbehalte angemeldet, keiner hat sich jedoch – wie die früher abtrünnig gewordenen Gesandten Kauffmann in Washington und Graf Reventlow in London – der Bewegung der sogenannten "Freien Dänen" und dem "Danish Council" angeschlossen.

Die Waffenattachés der dänischen Gesandtschaft in Berlin sind nach der Auflösung der dänischen Restwehrmacht zurückberufen worden.[10]

7 Se *Politische Informationen* 1. december 1943, afsnit IV.
8 Se Bests telegram nr. 1256, 14. oktober 1943.
9 Se Bests telegram nr. 1324, 28. oktober 1943.
10 Oberst A. Hartz. Se Bests telegram nr. 1248, 13. oktober og Geigers optegnelse 21. oktober 1943.

Von fremden Staaten sind nach wie vor die folgenden durch in Kopenhagen domizilierte Gesandte oder Geschäftsträger vertreten: Schweden, Finnland, Spanien, Argentinien, Rumänien, Türkei. Einem ungarischen Gesandten ist bereits im Juli d.Js. das Agrément erteilt worden; er ist aber noch nicht eingetroffen.

2.) Der italienische Gesandte Marchese Diana hat sich mit seinem gesamten Personal für den König von Italien und seine Regierung erklärt. Die italienische Gesandtschaft ist daraufhin geschlossen worden, der Gesandte und das Personal mit ihren Familien sind bis zum Abtransport in einem Hotel konfiniert.[11]

3.) Der chilenische Gesandte Wessel begibt sich mit seiner Familie in diesen Tagen unter Geleit nach Deutschland und von dort mit den übrigen chilenischen Diplomaten nach Lissabon zum Austausch mit der deutschen aus Chile eintreffenden Diplomatengruppe.

4.) der Präsident der Philippinen hat am 10.10.1943 der dänischen Regierung die Gründung der unabhängigen demokratischen Regierung der Philippinen angezeigt.

III. Die wirtschaftliche Entwicklung in Dänemark seit August 1943

1.) Die im Zusammenhang mit der Verhängung des militärischen Ausnahmezustandes in Dänemark getroffenen Maßnahmen – insbesondere die Verkehrssperren – haben die landwirtschaftlichen Lieferungen aus Dänemark in das Reich sowie den Fischfang und damit die Fischlieferungen zeitweilig beeinträchtigt. Die industrielle Produktion hat nicht nachgelassen.

2.) Von Bedeutung für die Wirtschaft in Dänemark waren zwei Verordnungen, die der Befehlshaber als Inhaber der vollziehenden Gewalt am 4.9.43 erließ und die der Reichsbevollmächtigte durch seine Bekanntmachung vom 6.10.43 bis auf weiteres aufrecht erhalten hat:[12]

Die Verordnung über Lieferung und Leistung dänischer Firmen für die deutsche Wehrmacht in Dänemark

und

die Verordnung über die Beschlagnahme von Gebäuden und Liegenschaften.

3.) Die Sabotage, die gegen Betriebe, die für deutsche Interessen arbeiten, wie auch gegen Betriebe, die für dänische Interessen arbeiten, verübt wurde und wird, hat bis heute noch keine fühlbaren Auswirkungen auf die Gesamterzeugung und auf die Lieferungen an das Reich verursachen können.[13]

4.) Im September fanden die Herbstverhandlungen der deutsch-dänischen Regierungsausschüsse für den Wirtschaftsverkehr statt, die zu außerordentlich befriedigenden Ergebnissen führten. Es wurde zwischen den deutschen und den dänischen Landwirtschaftssachverständigen festgestellt, daß Dänemark normale Wetterverhältnisse vorausgesetzt – voraussichtlich im 5. Kriegswirtschaftsjahr nicht nur die Erzeugung der meisten Landwirtschaftsprodukte auf der Höhe des 4. Kriegswirtschaftsjahres halten, sondern sie bei einigen besonders wichtigen Lebensmitteln noch beträchtlich steigern

11 Se Bests telegram nr. 1100, 20. september 1943.

12 Trykt på dansk hos Alkil, 2, 1945-46, s. 844f.

13 En tilsvarende vurdering gav Forstmann udtryk for i Rü Stab Dänemarks Lagebericht 30. oktober 1943.

wird. So wird an Fleisch eine Gesamtmenge von 128.000 t erwartet, d.h. etwa 50.000 t mehr als im Wirtschaftsjahr 1942/43. Dies ist deshalb möglich, weil der Rindviehbestand sich gegenüber dem Vorjahre erhöht und der Schweinebestand fast verdoppelt hat; beim Schweinebestand ist damit die Menge erreicht, die mit den vorhandenen Futtermitteln ausgemästet werden kann. Für Butter wird im neuen Wirtschaftsjahr mit einer Gesamtausfuhr von etwa 52.000 t gerechnet. Von besonderer Bedeutung sind weiter die Fischlieferungen und die Lieferungen von Sämereien.[14]

Diese erwarteten günstigen Erzeugungs- und Lieferungsziffern setzen voraus, daß von deutscher Seite der dänischen Landwirtschaft gewisse notwendige Betriebsmittel wie Kunstdünger, landwirtschaftliche Maschinen und Ersatzteile für solche, Schädlingsbekämpfungsmittel usw., in genügendem Umfang zur Verfügung gestellt werden können. Im übrigen spielen neben den Produktionsmitteln und der Wetterlage auch die irrationalen Produktionsfaktoren wie Ruhe und Ordnung im Lande, Arbeitswille und eigenes Interesse an dem Ertrag der geleisteten Arbeit eine mächtige Rolle.

IV. Das Schalburg-Korps

Im Frühjahr dieses Jahres war in Dänemark das Schalburg-Korps (genannt nach dem an der Ostfront gefallenen früheren Kommandeur des "Freikorps Danmark" SS-Obersturmbannführer Christian Friedrich von Schalburg) gegründet worden, mit dem Zweck, durch Werbung und durch Veranstaltung wehrsportlicher Kurse Freiwillige für das Regiment "Danmark" im Germanischen Panzerkorps der Waffen-SS zu gewinnen. Führer des Schalburg-Korps ist der letzte Kommandeur des nunmehr in dem Regiment Danmark aufgegangenen Freikorps Danmark SS-Obersturmbannführer K.B. Martinsen.

Die Verschärfung der politischen Lage in Dänemark seit August ds.Js. ließ es angezeigt erscheinen, die bisher in vielerlei kleine Gruppen zersplitterten nationalistisch und großgermanisch gesinnten Kräfte Dänemarks einheitlich zusammenzufassen und ihnen einen starken Rückhalt zu geben. Als hierfür geeignete Organisation wurde das Schalburg-Korps angesehen, dessen organisatorische Anpassung an die erweiterten Aufgaben unverzüglich eingeleitet wurde.[15]

In der neuen Organisationsform wird das Schalburg-Korps in vier Gruppen gegliedert sein.

Die Gruppe 1 wird als "aktive Gruppe" die ursprünglichen Aufgaben des Schalburg-Korps fortführen und durch Ausbildung kasernierter Mannschaften – zunächst in Bataillonsstärke – den Freiwilligen-Nachschub für das Regiment Danmark sicherzustellen suchen.

Die Gruppen 2 erfaßt unter dem Namen "Folkevärn" (Volkswehr) die Männer, die nicht für einen militärischen aber für einen politischen Einsatz zur Verfügung stehen; sie wird das Sammelbecken der aktivistischen Kräfte aus den bisher bestehenden nationalsozialistischen Parteien und Gruppen sein.

Die Gruppe 3 wird unter dem Namen "Schalburg-Ungdom" (Schalburg-Jugend) die

14 Se Schnurres optegnelse 3. oktober 1943.

15 Udvidelsen af Schalburgkorpsets opgaver indebar, at DNSAP var blevet overflødig.

Jugendorganisation des Schalburg-Korps werden.

Die Gruppe 4 wird als Frauengruppe, deren Namen noch nicht festgelegt ist, unter Leitung der Frau von Schalburg die Frauenarbeit und die Fürsorge für die dänischen Freiwilligen organisieren.[16]

Fast alle bisher in Dänemark tätigen nationalistisch und großgermanisch eingestellten Gruppen haben nach Vereinbarung mit der Führung des Schalburg-Korps ihre Mitglieder aufgefordert, in die für sie in Frage kommende Gruppe des Schalburg-Korps einzutreten. Der Führer der größten nationalsozialistischen Gruppe der DNSAP (dänische nationalsozialistischen Arbeiterpartei) – Dr. Fritz Clausen hat am 16.9.43 einen entsprechenden Parteibefehl erlassen und ist inzwischen selbst als Arzt zur Waffen-SS eingerückt.[17]

Das Schalburg-Korps hat am 25.10.43 seine ersten Blutopfer gebracht, indem in der Gothersgade in Kopenhagen zwei Schalburg-Männer in Uniform aus dem Hinterhalt erschossen wurden.[18]

V. Neue Einzelregelungen betreffend

1.) Ausstellung deutscher Waffenscheine,
2.) Heirat deutscher Wehrmachtsangehöriger mit Däninnen,
3.) Verpflichtung der dänischen Polizei zum Einschreiten gegenüber deutschen Wehrmachtsangehörigen und Wehrmachtsgefolge.

1.) Ausstellung deutscher Waffenscheine

Es hat sich in einer Anzahl von Fällen als erforderlich erwiesen, Zivilpersonen deutscher oder dänischer Staatsangehörigkeit, die für deutscher Dienststellen oder anderweitig in deutschem Sinne tätig sind, zum Schutze ihrer Person und ihrer Familie die Erlaubnis zum Führen einer Schußwaffe zu erteilen.

Die Ausstellung der Waffenscheine ist mit Beendigung des Ausnahmezustandes von dem Befehlshaber der deutschen Truppen in Dänemark auf den Reichsbevollmächtigten übergegangen, der die Abteilung für Wehrmachtsangelegenheiten seiner Behörde mit der Sachbearbeitung betraut hat. Entsprechende Anträge sind daher nur an die Behörde des Reichsbevollmächtigten zu richten. Die Ausstellung von Waffenscheinen erfolgt nur in wirklich notwendigen Fällen nach eingehender persönlicher und politischer Überprüfung des Antragsstellers in Zusammenarbeit mit Abwehrstelle und Sicherheitspolizei. Bei Antragstellung sind nachfolgende Unterlagen seitens des Antragstellers einzureichen:

16 Gruppe tre og fire blev aldrig realiseret. Best havde på et møde 1. oktober foreslået lederen af Nationalsocialistisk Ungdom, Hans Jensen, at NSU blev tilsluttet Schalburgkorpset. Dette afviste Hans Jensen, også da det påfølgende blev foreslået af korpsets ledere K.B. Martinsen og Poul Sommer (Kirkebæk 2004, s. 212f.). Helle von Schalburg var ligeledes til gentagne møder hos Best, givetvis bl.a. i samme anledning, men Schalburgs Mindefond blev heller ikke inkorporeret i Schalburgkorpset.

17 Det fremstår her, som havde Frits Clausen mere eller mindre nedlagt DNSAP, hvilket ikke var tilfældet. Han havde alene opfordret sine medlemmer til at tilslutte sig Schalburgkorpsets gruppe to, men det var som værn for medlemmernes personlige sikkerhed, ikke som en politisk arbejdende enhed (Lauridsen 2003b, s. 357f.).

18 Se Bests telegram nr. 1312, 26. oktober 1943.

a.) Schriftlicher Antrag mit eingehender Begründung und handschriftlicher Unterschrift des Antragstellers in einfacher Ausfertigung.
b.) Genaue Personalien des Antragstellers (Namen, Vornamen, Geburtsdatum, Geburtsort, Wohnung).
c.) Modell, Kaliber und Nummer der zu führenden Schußwaffe.
d.) Paßbild des Antragstellers in zweifacher Ausfertigung.

Der Verlust von Waffenscheinen sowie von Schußwaffen ist unverzüglich der Behörde des Reichsbevollmächtigten, Abteilung für Wehrmachtsangelegenheiten, anzuzeigen.

Die Gültigkeitsdauer der ausgestellten Waffenscheine endigt mit dem jeweiligen Kalenderjahr. Ungültig gewordene Waffenscheine sind der Dienststelle des Reichsbevollmächtigten zurückzugeben.

2.) Heirat deutscher Wehrmachtsangehöriger mit Däninnen

Mit den dänischen Behörden sind Verhandlungen über die Anerkennung der in Dänemark zwischen Däninnen und deutschen Wehrmachtsangehörigen geschlossenen Ehen durch den dänischen Staat geführt worden.

Nach dänischem Gesetz waren solche vor deutschen Wehrmachts-Justizbeamten geschlossenen Ehen unwirksam, da nach dänischem Recht Eheschließung in Dänemark vor ausländischen Behörden grundsätzlich nicht anerkannt wurden.

Im Hinblick auf die zivilrechtlichen Folgen und vor allem mit Rücksicht auf die Stellung der mit Wehrmachtsangehörigen verheirateten dänischen Frauen und der aus solchen Ehen hervorgegangenen Kinder in der dänischen Öffentlichkeit lag eine Regelung dieser Frage in deutschem Interesse.

Die dänische Zentralverwaltung hat sich bereit erklärt, eine Rechtsverordnung des folgenden Inhalts zu erlassen:

"Ehestiftende Wirkung haben solche Ehen, die hier im Lande nach dem 9.4.1940 vor dem deutschen Militär-Justizbeamten, der zur Vornahme der Eheschließung befugt ist, vorgenommen worden sind und vorgenommen werden, wenn der Bräutigam im Zeitpunkt der Eheschließung der deutschen Wehrmacht angehört oder in einer deutschen militärischen Einheit Dienst tut."

Nach dem Wortlaut dieser Vorordnung besteht kein Zweifel, daß unter sie auch Ferntrauungen fallen.

3.) Verpflichtung der dänischen Polizei zum Einschreiten gegenüber deutschen Wehrmachtsangehörigen und Wehrmachtsgefolge

Auf Wunsch des OKW ist der dänischen Polizei zur Pflicht gemacht worden, im Falle von Verfehlungen deutscher Wehrmachtsangehörigen oder Angehöriger des Wehrmachtsgefolges vorläufige Festnahmen für die zuständigen deutschen Stellen dann vorzunehmen, wenn der Täter sich eines Verbrechens oder Vergehens schuldig macht und auf frischer Tat betroffen wird, soweit nicht ein deutscher Wehrmachtsangehöriger im Offiziersrang, ein Beamter der Feldgendarmerie oder eine militärische Wache sogleich erreichbar ist.

Die dänische Polizei ist weiterhin verpflichtet, einen Angehörigen der deutschen Wehrmacht und ihres Gefolges einer deutschen oder, falls eine solche nicht sofort erreichbar ist, einer dänischen Dienststelle zuzuführen, wenn er durch sinnlose Trunkenheit die öffentliche Sicherheit gefährdet oder öffentliches Ärgernis erregt. Auch insoweit darf die Zuführung nicht erfolgen, wenn ein deutscher Wehrmachtsangehöriger im Offiziersrang, ein Beamter der Feldgendarmerie oder eine militärische Wache sogleich erreichbar ist.

Schließlich soll die dänische Polizei die Personalien eines Angehörigen der deutschen Wehrmacht und ihres Gefolges in den Fällen feststellen, wenn dieser sich eines gesetzwidrigen Verhaltens schuldig gemacht hat oder wenn sein Zeugnis zur Aufklärung einer Straftat unerläßlich ist, sofern nicht ein deutscher Wehrmachtsangehöriger im Offiziersrang, ein Beamter der Feldgendarmerie oder eine militärische Wache zu entsprechender Vermittlung erreichbar ist.

Die dänische Polizei hat bei jedem Einschreiten taktvoll, dem Ansehen der Wehrmacht nicht abträglich und unter Vermeidung jedes Aufsehens vorzugehen. Der einschreitende Polizeibeamte hat auf Verlangen seine Marke mit Dienstnummer vorzuzeigen und zwar auch dann, wenn er in Uniform ist.

Bei allen Festnahmen ist der Festgenommene unverzüglich der nächsten deutschen Dienststelle zuzuführen. Während der Dauer des Aufenthalts in dänischem Polizeigewahrsam dürfen die Festgenommenen nicht mit anderen Häftlingen zusammen untergebracht werden. Die dänische Polizei hat darüber hinaus jedes Einschreiten sofort dem deutschen Standortältesten bzw. Wehrmachtskommandanten, oder falls ein solcher am Ort nicht vorhanden ist, der nächsten deutschen Dienststelle zu melden. Darüber hinaus hat sie innerhalb von 24 Stunden dem Befehlshaber der deutschen Truppen in Dänemark zu berichten.

Die vorstehend dargestellten Pflichten obliegen nur der ordentlichen Polizei, nicht der sogenannten Hilfspolizei.

Im übrigen ist die dänische Polizei verpflichtet, deutschen Wehrmachtsangehörigen und Wehrmachtsgefolgsangehörigen bei Zusammenstößen Hilfe zu leisten. Andererseits sind auch die deutschen Wehrmachtsangehörigen gehalten, der dänischen Polizei auf deren Verlangen Unterstützung zu gewähren.

VI. Feindliche Stimmen über Dänemark

1.) Vor dem militärischen Ausnahmezustand:

Rundfunksender:

London 15.8.43.

In der freien Welt wird oft gesagt, Dänemark will die Frucht ernten, die anderen sollen arbeiten. Ich habe immer erwidert: Das stimmt nicht. Dänemark ist bereit, einen Einsatz zu leisten, der genau so groß ist wie der Norwegens... Wollen wir leben, müssen wir jede Last auf uns nehmen und tragen. 3 Jahre Unterdrückung und Zwang haben uns gelehrt, daß keine Last zu schwer ist und kein Weg zu schwierig ist, wenn er zur Freiheit führt.

London 20.8.43.

Scavenius' Politik ist immer 100 % für die Zusammenarbeit mit den Deutschen gewesen. Die Zeit hat aber gezeigt, daß es eine falsche Politik gewesen ist...Wenn er jetzt geht, so hört er auf, ein dänisches politisches Phänomen zu sein. Die Best-Scavenius-Achse wird bald aufhören zu existieren. Das dänische Volk hat durch aktive und passive Sabotage der ganzen Welt gezeigt, auf welcher Seite es steht. Es ist vollkommen bedeutungslos, ob Scavenius einen Tag oder eine Woche länger bleibt, da die äußeren Umstände sowieso bald die Lage ändern werden. So wie Mussolini wird auch Scavenius durch die Ereignisse gestürzt.

London 21.8.43.
Christmas Möller: Wir wissen nichts von den Verhandlungen, die zu der Erklärung der Regierung führten. Es heißt jedoch, daß die dänische Regierungsform auf dem Spiele stehe. Blutig war die Entwicklung bisher nicht, wir lieben auch kein Blutvergießen. Wir Dänen wissen jedoch auch, daß weiteres Nachgeben zwecklos ist. Jeder muß die Verantwortung auf sich nehmen... Das dänische Volk ist entschlossen, nicht nachzugeben, es steht bereit, den Kampf aufzunehmen.

London 25.8.43.
Die Erklärungen von Best, Hanneken und Goebbels können nicht über die Tatsache hinwegtäuschen, daß die dänische Bevölkerung nicht mehr passiv ist, sondern den Deutschen starken aktiven Widerstand leistet. Das ist für uns hier draußen eine große Aufmunterung... Einige Zeit fürchtete man in der freien Welt, es sei den Deutschen gelungen, durch die von ihnen kontrollierte Presse und lügenhafte Propaganda die dänische Bevölkerung von Sabotagehandlungen und Widerstand abzuhalten... Dänemark zeigt nun, daß es ein demokratisches Land ist und seinen eigenen Stolz hat.

London 27.8.43.
Das dänische Volk will kämpfen und es kämpft gegen die deutschen Ausplünderer. Die ruinierte Wirtschaft des Landes wird einmal wieder aufgebaut... Durch die Kündigung des Vertrages zwischen Schweden und Deutschland wegen der Durchfuhr deutscher Truppen durch Schweden ist den Deutschen Dänemark als das einzige Land für den Nachschub nach Norwegen besonders wichtig geworden. Dadurch können die Dänen den Alliierten und ihrem Brudervolk, den Norwegern, auch ihre Hilfe wirkungsvoller bringen. Neue Aufgaben sind den Dänen gestellt worden, und das Volk zeigt, daß es diesen Aufgaben gewachsen ist.

2.) Während des militärischen Ausnahmezustandes:

London 30.8.43.
Im Lande ist ein unterirdischer Widerstand organisiert worden, der in den letzten Monaten täglich zunahm. In den letzten Wochen war er so groß, daß die Deutschen Gegenmaßnahmen ergreifen mußten. Die Folge wurde Aufruhr, Unruhen und Streiks. Die dänischen Saboteure verstärkten ihre Arbeit... Heute liegt der Erfolg der dänischen Saboteure vor... Durch die neue Maßnahme in Dänemark ist ein Gegner entstanden, der zum offenen Widerstand gegriffen hat.

London 31.8.43.
Die schwedische Presse bewundert die entschlossene Haltung des dänischen Volkes, das an den Zuständen unschuldig ist.

London 5.9.43.
Die Dänen hatten zwischen 2 Wegen zu wählen. Der eine Weg war breit, doch führte er ins Unglück. Der andere Weg war schmal, aber er führte zum Glück. Die Dänen wählten den schmalen und schweren Weg. Viele werden den Weg nicht gehen können. Sie werden unterwegs ermatten, aber das dänische Volk wird trotzdem sein Ziel finden. Freiheit und Friede vor dem Feind sind die Ziele, die zu erringen sind. Es gibt nur eine Parole in diesem Kampf: Kämpft, kämpft, kämpft bis in den Tod!

London 13.9.43.
Die deutsche Propaganda, die über die Sender Kopenhagen und Kalundborg verbreitet wird, – darunter die anonymen Kommentare zu der Lage in Dänemark – können das dänische Volk nicht irre machen. Das deutsche Herrenvolk bildet sich ein, daß die Dänen dieselben Gedankengänge haben wie sie selbst. Das ist aber ein großer Irrtum Die Kommentare sind deutsche Lügen, die auf Dänisch serviert werden.

London 15.9.43.
Wie der dänische Pressedienst in Stockholm meldet, machen die Deutschen in Dänemark große Anstrengungen, um eine neue dänische Regierung zu bilden. Sie finden aber keinen verantwortlichen Politiker, der diese Aufgabe auf sich nehmen möchte. Auch eine direkte Hinwendung an den König hat keine Resultate gehabt.

London 18.9.43.
Das kleine Dänemark ist wieder an das Tageslicht getreten, das kleine Königreich hat sich erhoben, um ein Leben in Freiheit führen zu können. Die freien dänischen Menschen haben den letzten Zweifel an dem guten Willen beseitigt. Dänemark schreibt jetzt Geschichte!

London 19.9.43.
Christmas Möller: Für uns Dänen fing das Leben am 29. August wieder an, und wir glauben, unsere Landsleute haben ähnlich gefühlt… Der schwedische Rundfunk hat uns von den Bemühungen der Deutschen erzählt, die Zustände vor dem 29. August wieder herbeizuführen. Sie werden niemals zurückkehren. Die Dänen haben ihre Wahl getroffen. Wir wissen nun, daß wir den Weg gefunden haben und ihn weiter beschreiten müssen. Wir sagen mit Per Gynt: Kein Weg ist zu schwer.

London 21.9.43.
In Dänemark – hat Berlin wieder mal gesehen – kann eine Gewaltpolitik das Volk nicht dazu zwingen, auf seine Rechte und auf seine Freiheit zu verzichten, ohne Widerstand zu leisten.

London 22.9.43.
Die Sendung über Kalundborg gestern Abend über die Drohung, daß Dänen, die von deutschen Militärgerichten verurteilt werden, ihre Strafe in deutschen Gefängnissen abbüßen müssen, ist in London mit einer gewissen Zufriedenheit aufgenommen worden als ein Ausdruck für die Erbitterung, die der dänische Widerstand den Deutschen verursacht.

London 24.9.43.
Blythgen Petersen: Die deutschen Bemühungen, die dänischen Parteien zur Zusammenarbeit zu bewegen, sind im Auslande natürlich nicht unbeachtet geblieben. Aber was geschehen ist, ist geschehen. Es gibt keinen Weg zurück. Nur ein Weg ist noch frei, die bedingungslose Kapitulation. Aber Deutschlands Entschluß vom 29. August kann nicht zurückgenommen werden.

London 27.9.43.
Nicht die Dänen, sondern die Deutschen fürchten sich vor den Folgen des 29. August... Der gefährliche Dr. Best, der sich nach dem 29. August selbst für politisch tot erklärte, ist wieder auferstanden und entfaltet sich wirksamer als je. Es wird sogar davon gesprochen, den militärischen Ausnahmezustand wieder aufzuheben... Möge der Geist vom 29. August auch weiterhin Ihre Handlungen beherrschen! Das war der Geist, der in der Krisis im August gegen Drohungen und Gewalt standhielt...Dänemark hat heute die Achtung und Bewunderung der ganzen Welt.

London 3.10.43.
Christmas Möller: Über den 29. August sagten wir, daß es von diesem Tage ab kein Zurück mehr gibt... Wir hatten den Eindruck, daß die Deutschen verzweifelte Anstrengungen machten, um einen Modus zu finden, und wir können sehr gut den Druck verstehen, worunter verhandelt wird. Aber an dieser neuen deutschen Schandtat in Dänemark (Juden) können alle sehen, daß es keinen Rückweg mehr gibt... Bei allen Entbehrungen und Leiden müssen Sie wissen, daß das, was das dänische Volk in den letztem 5 Wochen geleistet hat, Dänemark seine alte angesehene und ehrenvolle Stellung zurückgegeben hat.

3.) Nach dem militärischen Ausnahmezustand:

London 10.10.43.
Christmas Möller: Eigenartig ist die sogenannte Aufhebung des Ausnahmezustandes. In Wirklichkeit ist es nur ein Betrug. Das Volk darf länger draußen bleiben, auch andere Erleichterungen haben stattgefunden, und doch kann keiner daran zweifeln, daß es die Gestapo und nur die Gestapo ist, die in Dänemark die Macht besitzt... Die Deutschen haben durch ihre Handlung bewiesen, daß nur ein Sieg der Verbündeten menschliche Verhältnisse in der ganzen Welt sichern kann.

London 11.10.43.
Terkel Terkelsen: Weshalb wollen die Deutschen, daß die Außenwelt glauben soll, daß alles in Dänemark normal ist? Ganz einfach, weil Deutschland, als es die Verfolgung der Juden anordnete, eine Riesendummheit beging. Da es die Verfolgung der Juden in Dä-

nemark anordnete, gab es allen Bestrebungen, das Leben in Dänemark in eine normale Spur zu leiten, den Todesstoß. Es schärfte die Widerstandskraft in Dänemark in einer Weise, die nicht vorausgesehen war.

London 13.10.43.
Es ist Dr. Best nicht gelungen, eine neue Regierung in Dänemark aufzustellen. Der König spielt anscheinend eine wichtige Rolle in dieser Widerstandsbewegung. Es steht fest wie ein Felgen, den die Besatzungsbehörde nicht stürzen oder umgehen kann. Es scheint die Auffassung des Königs zu sein, daß es besser ist, den Dingen ihre Entwicklung zu überlassen, trotz des Risikos einer vollständigen deutschen Herrschaft, ähnlich den anderen besetzten Ländern, als das Land durch Zugeständnisse, die nur das Volk zersplittern würden, zu kompromittieren.

London 17.10.43.
Christmas Möller: Es ist wenig Grund, heute die Frage zu erörtern, wer die Ehre für die Entwicklung der Dinge hat, denn nach dem 29. August kam der 30. September, wo die Deutschen voll bewiesen, daß überhaupt nicht die Möglichkeit besteht, mit den Deutschen irgendwie auszukommen. Zu einem oder anderen Zeitpunkt werden die Deutschen sich doch so benehmen, daß ein zivilisiertes Volk einfach nichts anderes tun kann, als sie mit allen zur Verfügung stehenden Mitteln zu bekämpfen.

London 20.10.43.
Einzelheiten über Dr. Werner Bests Zusammenkunft mit der dänischen Presse im Dagmarhaus am 29. August sind in London eingetroffen.[19] Dr. Best erwähnte, daß er 9 Monate alles getan habe, um den Kurs zu bewahren, der nach seiner Meinung sowohl für Dänemark als auch für Deutschland von Interesse war... Die Presse, sagte er weiter hat die öffentliche Meinung vergiftet... Er teilte weiter mit, daß die Presse jetzt unter scharfe Zensur kommen werde... Dr. Best erklärte abschließend, daß von nun an jeder einzelne Mitarbeiter mit seinem Kopf für jede Zeile einstehen müßte, die er schreibe, und das gelte vor allem für die Überschriften.

London 31.10.43.
Christmas Möller: Wir haben mehrmals erklärt, wie notwendig der aktive Widerstand und die Sabotage sind, und wir sind uns einig darüber, daß Dänemark am 29. August das Resultat erreicht hatte, das wir immer erwarteten... Mancher hat schon Schwierigkeiten bei der Zusammenarbeit mit den Kommunisten gehabt. Keiner kann aber daran zweifeln, daß solche Schwierigkeiten nicht mehr entstehen dürfen, und ich selbst habe nur die besten Erinnerungen an meine Zusammenarbeit mit den Kommunisten... Deutschland hat am 29. August erklärt, daß Dänemark feindliches Territorium ist. Dänemark befindet sich faktisch im Kriegszustand, gerade so wie die Alliierten, und wir können mit Stolz hervorheben, daß die Sabotage und der Widerstand in Dänemark gerade so effektiv gewesen sind, wie in anderen Ländern.

19 Best havde 29. august 1943 holdt en tale til dansk presse, hvor han bl.a. omtalte Danmark som "dette latterlige lille land". Et referat af talen på dansk er trykt hos Alkil, 2, 1945-46 s. 1388f. Jfr. Hæstrup, 1, 1966-71, s. 29.

378. Wilhelm Keitel an das Auswärtige Amt 1. November 1943

Hitler ønskede en kraftig udvidelse af fæstningsbyggeriet i Danmark, hvorfor Keitel beordrede von Hanneken til i fællesskab med Best straks at udarbejde et forslag til, hvordan den nødvendige, manglende arbejdskraft kunne skaffes hurtigt og effektivt. Den danske civilbefolkning måtte stille sig til rådighed for at løse denne opgave, bl.a. kunne der henvises til de ca. 28.000 arbejdsløse (Hæstrup, 1, 1966-71, s. 220).

Best reagerede med telegram nr. 1351, 3. november.

Kilde: RA, pk. 204. ADAP/E, 7, nr. 71.

Telegramm

Kr Gwnol, den	1. November 1943	16.35 Uhr
Ankunft, den	1. November 1943	18.15 Uhr

Geheime Kommandosache
Geheime Reichssache
Nur als Verschlußsache zu behandeln

Ohne Nr.

Betr.: Beschaffung von Arbeitskräften aus dänischer Zivilbevölkerung.

Der Führer hält es nicht für ausgeschlossen, daß im Sinne der von den Sowjets seit langem wiederholt erhobenen Forderung bei der gegenwärtigen Moskauer Konferenz auf die angelsächsischen Mächte erneut starker Druck zu baldiger Errichtung Zweiter Front ausgeübt wurde. Der Führer verlangt daher mit größter Beschleunigung höchste Aktivierung der Verteidigungsfähigkeit des gesamten Westens einschließlich Dänemarks und Norwegens und fordert Durchsetzung dieser militärischen Notwendigkeiten selbst unter weitestgehender Zurückstellung etwa bisher geübter politischer Rücksichten, insoweit unter Mitwirkung der zuständigen politischen Stellen.

Im Zusammenhang mit der Verschiebung von Kräften an die Westküste Jütlands und mit der Vorverlegung der Gefechtsstände ist daher der Verteidigungsausbau mit größtem Nachdruck zu fördern und zu verbessern. Hierzu muß auch das dänische Volk, dem die Anstrengungen der deutschen Wehrmacht zugutekommen, mindestens dadurch seinen selbstverständlichen Beitrag leisten, daß es die für Erreichung des erwähnten Zieles noch erforderlichen Arbeitskräfte stellt. In diesem Zusammenhang ist insbesondere auf die etwa 28.000 dänischen Arbeitslosen zu verweisen.

Befehlshaber in Dänemark legt alsbald im Einvernehmen mit dem Bevollmächtigten des Reichs einen Vorschlag dafür vor, durch welche Maßnahmen am raschesten und wirksamsten Beschaffung der noch fehlenden Arbeitskräfte aus der dänischen Zivilbevölkerung erreicht werden kann. Zu überlegen ist in gewissen Zeitabschnitten wechselnde Umlegung auf die verschiedenen Gemeinden oder auch auf die verschiedenen Berufsschichten. Soweit im eigenen wirtschaftlichen deutschen Interesse erforderlich, kann auch für die zum Stellungsbau in Anspruch genommenen Bevölkerungskreise eine Begrenzung der täglichen Arbeitszeit (etwa 6 Stunden) erwogen werden. Angemessene Bezahlung ist sicherzustellen, wobei ins Auge zu fassen ist, von den zuständigen dänischen Behörden Einstellung der bisher geleisteten Arbeitslosenunterstützung an alle diejenigen Arbeitslosen zu fordern, die sich nicht für die Zwecke des deutschen Stellungsausbaues zur Verfügung stellen.

Sollten bei Ausarbeitung des geforderten Vorschlages sich größere Schwierigkeiten ergeben, so ist mir sofort darüber zu berichten, damit ich für umgehende Abstellung sorgen kann. Es kommt nach dem Willen des Führers in der gegenwärtigen Lage nicht darauf an, daß langwierig verhandelt, sondern daß sofort gehandelt wird.

OKW/WFSt Qu 2/OP. (H) Nr. 006645/43 gKdos.
Der Chef OKW
gez. **Keitel**

379. Werner Best an das Auswärtige Amt 1. November 1943

Dagsindberetning.
Kilde: PA/AA R 29.568. RA, pk. 204.

Telegramm

Kopenhagen, den 1. November 1943 20.30 Uhr
Ankunft, den 1. November 1943 21.45 Uhr

Nr. 1345 vom 1.11.[43.] Citissime!

Ich bitte, die folgende Meldung dem Herrn Reichsaußenminister unverzüglich zuzuleiten:

Über die Lage in Dänemark berichte ich für den 31.10. auf 1.11.43, daß in Kopenhagen ein deutscher Soldat durch einen Pistolenschuß verletzt worden ist. Die deutsche Sicherheitspolizei ist in Zusammenarbeit mit den zuständigen militärischen Stellen mit der Aufklärung des Falles befaßt. Zur Sühne wird der zivile Ausnahmezustand in der Stadt Kopenhagen bis auf weiteres aufrechterhalten.[20] Aus dem Lande sind einige kleine Sabotagefälle gemeldet, die sich zum Teil gegen Wehrmachtsgut (ein mit ausgestopften Strohsäcken beladener Waggon) und zum Teil gegen kleine Betriebe, die nicht für deutsche Interessen arbeiten, richteten.[21] In Kopenhagen hat die deutsche Sicherheitspolizei mehrere Kommunisten wegen illegaler Propaganda festgenommen.

Dr. Best

20 Indført 28. oktober efter attentatet mod Kafé "Mokka", se Bests telegram nr. 1324, anf. dato.

21 Blandt de fire sabotager BdO opgiver for 31. oktober er der ingen mod jernbanevogne med halm: Der var en brand i savværket og møbelfabrikken Hansen & Efterfølger, Lillerød (arbejdede ikke for værnemagten), en brand hos brdr. Bryld, Amaliegade 31, København, hvorved en stor del procesakter vedr. danske nazister og SS-frivillige brændte (det var Holger Danske, der aflagde besøg), en brand i Robert Jensens dampvaskeri, Frederiksværksgade 10, Hillerød (arbejdede delvist for værnemagten), og endelig en lille brand i Nielsens autoværksted, Ringstedgade, Roskilde (arbejdede for værnemagten) (RA, BdO Inf. nr. 13, 3. november 1943, Kieler, 1, 2001, s. 314f., Birkelund 2008, s. 673).

380. Rudolf Mildner an RSHA 2. November 1943

RSHA fik en dagsindberetning fra Mildner, hvor han både kunne meddele en stribe anholdelser og redegøre for de sidste dages sabotager. Det blev meget knapt angivet, hvilken betydning hver enkelt sabotage havde haft.

Det er en af de meget få originale dagsindberetninger fra Gestapo i Danmark, der er bevaret, men den viser tydeligt opbygningen af dagsindberetningen med faste overskrifter, der modsvarede RSHAs organisation og også afspejler sig i de fra 1944 kendte månedsberetninger fra Gestapo i Danmark.

Kilde: RA, Danica 1069, sp. 7, nr. 8076-78 (den originale strimmel er filmet. Forkortelserne er opløst her).

FS. Nr. 244256 Fernschreiben

Kophg. 4269 2.11.43 11.31 =Bel=
An das RSHA IV – Berlin.=
Nachrichtlich dem RSHA – IV D4 – IV A2 – III B5 –

Betr.: Tagesmeldungen.

Kommunismus
Im Zuge einer durchgeführten Razzia gegen bekannte Kommunisten in Aalborg wurden die dänischen Staatsangehörigen Niels Peter Hjalmar Otto, geb. 10.3.1908 in Visborg u. Christian Peter Andersen, geb. 6.12.1908 in Borglum, festgenommen. Otto war im Besitze von 3 illegalen Zersetzungsschriften in deutscher Sprache "Friedensmanifest der westdeutschen Konferenz der nationalen Friedensbewegung." Die Festnahme weiterer 11 Personen steht bevor.

Nationaler Widerstand
Festgenommen am 29.10.1943 in Kopenhagen wegen Versuchs zum illegalen Grenzübertritt die dänischen Staatsangehörigen:
1.) Carl Olsen, geb. 19.8.1926 in Nywaa.
2.) Ejner Petersen, geb. 11.2.1918 i. Humlebäk.
3.) Aage Willumsen, geb. 5.6.1920 in Svendborg.
4.) Carl Nielsen, geb. 12.9.1921 in Kopenhagen.
Am 30.10. wegen Herstellung von Greulphotographien: Paul Rendrup, geb. 31.5.1916 in Brönshöj und wegen Bedrohung deutschfreundlicher Dänen: Ernst Friedrich Schmidt, geb. 11.8.1911 in Himmark.

Am 1.11.43 wegen Behinderung der Durchführung einer Exekutivmaßnahme: Adolf Stender Haupert, geb. 3.8.1876 in Rönne.

Sabotage
Wegen Verdachts der Sabotage in Kopenhagen festgenommen:
Am 29.10.
1.) Arne Thorsen, geb. 30.11.1924 in Kopenhagen.
2.) Svend Erik Thorsen, geb. 19.11.1921 in Birkeröd.
3.) Else Hansen, geb. 30.5.1910 in Faaborg.

4.) Viola Olga Karla Petersen, geb. Nielsen, geb. 17.8.1912 in Vordingborg.
Wegen Verdachts der Sabotagebeihilfe: Addys Lis Wohlers, geb. 22.9.1925 in Kopenhagen und wegen unberechtigten Besitzes von Waffen und Munition: Otto Engemann Johannes Hansen, geb. 5.12.1908 in Kopenhagen. Johannes Petersen, geb. 4.6.1912 in Kopenhagen.

Am 1.11. wegen Körperverletzung eines deutschen Unteroffiziers: Anders Bendtsen, geb. 8.6.1923 in Hilleröd.

Sabotageakte in Dänemark in der Zeit vom 29.10 bis 1.11.1943
Sind bereits durch FS gemeldet.[22] Im wesentlichen waren es folgende:
Am 29.10. explodierte eine Sprengbombe in einer Autowerkstatt in Kopenhagen. Erheblicher Sachschaden.[23] Am gleichen Tage wurde ein Sprengkörper durch ein Fenster in ein Hotel in Ringsted geworfen. Erheblicher Sachschaden.

Am 30.10. entstand in einer Matratzenfabrik in Avning ein Brand. Sabotageverdacht.[24] Am gleichen Tage explodierte ein Sprengkörper im Fahrerhaus eines Wehrmachts-LKW in Kopenhagen. Erhebliche Beschädigungen.

Am 31.10. explodierten in einer Maschinenfabrik in Hobro mehrere Sprengkörper. Beschädigung an mehreren Kraftfahrzeugen. Zur gleichen Zeit explodierten 6 Sprengkörper auf dem Parkplatz der Wehrmacht in Hobro und 3 Sprengkörper in der Werkstatt der Wehrmacht. Geringer Schaden an Kraftfahrzeugen. Ferner wurde ein Sprengkörper in dem Betrieb eines Fischhändlers in Hobro zur Explosion gebracht. Am gleichen Tage entstand an 12 verschiedenen Stellen durch Sprengbomben ein Brand in einem Sägewerk in Lilleröd. Die Brandbomben sind englischen Ursprungs. Geringer Sachschaden.[25] Am gleichen Tage entstand in den Büroräumen eines Rechtsanwaltes in Kopenhagen ein Brand durch Brandstiftung. Geringer Sachschaden.[26] Am gleichen Tage entstand ein kleiner Brand in einer Autoreparaturwerkstatt in Roskilde. Geringer Sachschaden.[27] Am gleichen Tage wurde durch Verwendung einer Brandflüssigkeit ein Brand in einer Dampfwäscherei in Hilleröd gelegt. Geringer Sachschaden.[28] Zur gleichen Zeit brannte eine Maschinentischlerei in Hilleröd vollständig nieder. Erheblicher Sachschaden.

Am 1.11. verbrannte auf dem Bahnhof Nörrebro ein Waggon mit Sanitätsmaterial,

22 Det er muligt, at den eller de tidligere fjernskrivermeddelelser har været mere detaljerede og omfattet flere sabotager. Dog synes sabotagerne ikke medtaget efter deres betydning. En koordinering med BdOs informationsblade kan ikke konstateres.

23 Sabotagen, begået af Holger Danske, var hos autoværkstedet Odense & Christensen, Fortunvej 2. Tyske interesser blev ikke berørt (RA, BdO Inf. nr. 13, 3. november 1943, Birkelund 2008, s. 673).

24 BdO berettede udførligt om sabotagen på fabrikken, der havde 200 ansatte og udelukkende arbejdede for værnemagten (RA, BdO Inf. nr. 13, 3. november 1943).

25 Det var hos møbelfirmaet Hansen & Efterfølger. BdO omtalte også bombens engelske oprindelse, men bemærkede, at fabrikken ikke arbejdede for værnemagten (RA, BdO Inf. nr. 13, 3. november 1943).

26 Sabotagebranden udført af Holger Danske var hos brødrene Bryld, Amaliegade 31 (RA, BdO Inf. nr. 13, 3. november 1943, Birkelund 2008, s. 673).

27 Branden var hos autoværkstedet Nielsen, Ringstedgade, Roskilde (RA, BdO Inf. nr. 13, 3. november 1943).

28 Det var hos Robert Jensens Dampvaskeri, Frederiksværksgade 10, der delvist arbejdede for værnemagten (RA, BdO Inf. nr. 13, 3. november 1943).

das nach Finnland befördert werden sollten. Am gleichen Tage wurde ein Zeitungskiosk in Kopenhagen durch eines Sprengbombe vernichtet.[29] Am gleichen Tage erfolgte eine Explosion im Hafen Aarhus.[30]

Der Bef. der SIPO u. d. SD. in Dänemark.
gez. **Dr. Mildner**
SS-Standartenführer

381. Werner Best an das Auswärtige Amt 2. November 1943

Dagsindberetning.

Da Best lod dagsberetningen afsende, havde han om eftermiddagen haft møde med bl.a. Adolf Eichmann sammen med Rudolf Mildner på Dagmarhus, men han ventede til næste dag med at orientere AA om forløbet. Det havde ikke været en let opgave på grund af den selvstændige kurs, som han havde indtaget lige efter 2. oktober og havde tøvet med at give tilkende over for AA.

Kilde: PA/AA R 29.568. RA, pk. 204.

Telegramm

Kopenhagen, den	2. November 1943	20.15 Uhr
Ankunft, den	2. November 1943	20.50 Uhr

Nr. 1347 vom 2.11.[43.] Citissime!

Ich bitte, die folgende Meldung dem Herrn Reichsaußenminister unverzüglich zuzuleiten. Über die Lage in Dänemark berichte ich für den 1. auf den 2.11.43, daß an einem Hafenkai in Aarhus ein Kran durch Sabotage schwer beschädigt worden ist.[31] Sonst keine Vorfälle im Lande.

Dr. Best

382. Adolf Hitler: Führerweisung Nr. 51, 3. November 1943

Da et allieret storangreb på Danmark ikke kunne udelukkes, beordrede Hitler en lang række forsvarsmæssige foranstaltninger gennemført. Von Hanneken og andre tyske instanser skulle melde tilbage 15. november om de initiativer, som de på den baggrund havde iværksat (Wegner 2007b, s. 246-256, Andersen 2007, s. 163-165).

Hitlers anvisning nr. 51 var blevet foregrebet 1. november af Keitel med ordren til von Hanneken om fremskaffelsen af arbejdere til befæstningsbyggeriet.

Kilde: RA, Danica 1069, sp. 2, nr. 001.952-958. Hubatsch 1962, s. 233-238.

29 BdO meddelte mere præcist, at det drejede sig om Harald Bahnsens kiosk i Søborg (RA, BdO Inf. nr. 14, 3. november 1943).

30 Se Bests telegram nr. 1347, 2. november 1943.

31 Den 25 tons tunge havnekran blev saboteret af Villy Samsing-gruppen i Århus efter ønske fra SOE. Den blev benyttet til at losse værnemagtsmateriel bestemt for Norge. BdO meddelte påfølgende, at der var andre gunstige lossemuligheder, men at skaderne androg 250.000 kr. (RA, BdO Inf. nr. 14, 3. november 1943, Andrésen 1945, s. 271f., Hansen 1946, s. 26f., Jensen 1976, s. 13-15).

Der Führer *F.H.Qu., den 3.11.43*
OKW/WFSt/Op. Nr. 662656/43 g.K. Chefs.

Chefsache! 27 Ausfertigungen
Nur durch Offizier! 8. Ausfertigung

Weisung Nr. 51

Der harte und verlustreiche Kampf der letzten zweieinhalb Jahre gegen den Bolschewismus hat die Masse unserer militärischen Kräfte und Anstrengungen aufs Äußerste beansprucht. Dies entsprach der Größe der Gefahr und der Gesamtlage. Diese hat sich inzwischen geändert. Die Gefahr im Osten ist geblieben, aber eine größere im Westen zeichnet sich ab: die angelsächsische Landung! Im Osten läßt die Größe des Raumes äußersten Falles einen Bodenverlust auch größeren Ausmaßes zu, ohne den deutschen Lebensnerv tödlich zu treffen.

Anders der Westen! Gelingt dem Feind hier ein Einbruch in unsere Verteidigung in breiter Front, so sind die Folgen in kurzer Zeit unabsehbar. Alle Anzeichen sprechen dafür, daß der Feind spätestens im Frühjahr, vielleicht aber schon früher, zum Angriff gegen die Westfront Europas antreten wird.

Ich kann es daher nicht mehr verantworten, daß der Westen zu Gunsten anderer Kriegsschauplätze weiter geschwächt wird. Ich habe mich daher entschlossen, seine Abwehrkraft zu verstärken, insbesondere dort, von wo aus wir den Fernkampf gegen England beginnen werden. Denn dort muß und wird der Feind angreifen, dort wird – wenn nicht alles täuscht – die entscheidende Landungsschlacht geschlagen werden.

Mit Fesselungs- und Ablenkungsangriffen an anderen Fronten ist zu rechnen. Aber auch ein Großangriff gegen Dänemark ist nicht ausgeschlossen. Er ist seemännisch schwieriger, aus der Luft weniger wirksam zu unterstützen. Seine politischen und operativen Auswirkungen aber sind beim Gelingen am größten.

Zu Beginn des Kampfes wird die gesamte Angriffskraft des Feindes sich zwangsläufig gegen die Besatzung der Küste richten. Nur stärkster Ausbau, der unter Anspannung aller verfügbaren personellen und materiellen Kräfte der Heimat und der besetzten Gebiete aufs Höchste zu steigern ist, kann in der kurzen noch voraussichtlich verfügbaren Zeit unsere Abwehr an den Küsten stärken.

Die Dänemark und den besetzten Westgebieten in nächster Zeit zufließenden bodenständigen Waffen (s. Pak, unbewegliche, in die Erde einzugrabende Panzer, Küstenartillerie, Landeabwehrgeschütze, Minen usw.) sind schwerpunktmäßig scharf zusammengefaßt an den bedrohtesten Küstenabschnitten einzusetzen. Es ist in Kauf zu nehmen, daß dabei die Verteidigungskraft weniger bedrohter Abschnitte in nächster Zeit noch nicht verbessert werden kann.

Erzwingt der Feind trotzdem durch Zusammenfassen seiner Kräfte eine Landung, so muß ihn unser mit größter Wucht geführter Gegenangriff treffen. Es kommt darauf an, durch ausreichende und schnelle Zuführung von Kräften und Material und durch intensive Ausbildung die vorhandenen großen Verbände zu hochwertigen, angriffsfähigen und voll beweglichen Eingreifreserven zu machen, die durch Gegenangriff die Ausweitung einer Landung verhindern und den Feind ins Meer zurückwerfen.

Darüber hinaus muß durch genaue bis ins einzelne vorbereitete Behelfsmaßnahmen aus den nicht angegriffenen Küstenfronten und aus der Heimat alles mit größter Beschleunigung gegen den gelandeten Feind geworfen werden, was irgendwie einsatzfähig ist.

Luftwaffe und Kriegsmarine müssen den zu erwartenden starken Angriffen aus der Luft und über See mit allen nur greifbaren Kräften in rücksichtslosem Einsatz entgegentreten.

Dazu befehle ich:

A.) Heer:

1.) Chef Generalstab des Heeres und Generalinspekteur der Panzertruppen legen mir baldigst einen Plan über die Zuteilung von Waffen, Panzern, Sturmgeschützen, Kraftfahrzeugen und Munition innerhalb der nächsten drei Monate für die Westfront und für Dänemark vor, der der neuen Lage Rechnung trägt.
Hierbei ist zu Grunde zu legen:
   a.) Ausreichende Beweglichkeit aller Panzer- und Panzer-Grenadier-Divisionen im Westen und Ausstattung dieser Verbände mit je 93 Pz. IV bzw. Sturmgeschützen und starker Panzerabwehr bis Ende Dezember 1943.
   Beschleunigte Umgliederung der 20. Luftwaffen-Feld-Division zu einem kampfkräftigen beweglichen Eingreifverband unter Zuteilung von Sturmgeschützen bis Ende 1943.
   Beschleunigte waffenmäßige Auffüllung der SS-Pz. Gren. Div. "H.J.," der 21. Pz. Div. und der in Jütland eingesetzten Inf.- und Reserve-Divisionen.
   b.) Weitere Auffüllung der Reserve-Panzer-Divisionen im Westen und Dänemark sowie der Sturmgeschütz-Ausbildungs-Abteilung in Dänemark mit Pz. IV, Sturmgeschützen und s. Pak.
   c.) Monatliche Zuweisung von 100 s. Pak 40 und s. Pak 43 (davon die Hälfte beweglich) im November und Dezember zusätzlich zu den für die Neuaufstellungen im Westen und Dänemark erforderlichen s. Pak.
   d.) Zuweisung einer größeren Anzahl von Waffen (dabei etwa 1.000 MG) zur Verbesserung der Ausstattung der im Küstenschutz Westen und Dänemark eingesetzten bodenständigen Divisionen und zur einheitlichen Ausstattung der aus nicht angegriffenen Abschnitten herauszuziehenden Truppenteile.
   e.) Reichliche Ausstattung der in bedrohten Abschnitten liegenden Verbände mit Panzer-Nahbekämpfungsmitteln.
   f.) Verbesserung der artilleristischen Kampfkraft und der Panzerabwehr der in Dänemark liegenden und in den besetzten Westgebieten im Küstenschutz eingesetzten Verbände und Verstärkung der Heeresartillerie.

2.) Alle im Westen und in Dänemark liegenden Truppenteile und Verbände sowie alle im Westen neuaufzustellenden Panzer-, Sturmgeschütz- und Panzerjägereinheiten dürfen ohne meine Genehmigung nicht für andere Fronten abgezogen werden.
Chef Generalstab des Heeres bzw. Generalinspekteur der Panzertruppen melden mir die Beendigung der Ausstattung der Panzer-Abteilungen, Sturmgeschütz-Abtei-

lungen, Panzerjäger-Abteilungen und Kompanien über OKW/WFSt.

3.) Ob. West legt über das bisherige Maß hinaus kalendermäßig und durch Kriegsspiele und Rahmenübungen das Heranführen von behelfsmäßig angriffsfähig zu machenden Verbänden aus nicht angegriffenen Frontabschnitten fest. Hierbei fordere ich das rücksichtslose Entblößen nichtbedrohter Abschnitte bis auf geringe Bewachungskräfte. Für Räume, aus denen Reserven abgezogen werden, sind Sicherungs- und Bewachungskräfte aus Sicherungs- und Alarmeinheiten bereitzustellen, desgleichen Baukräfte zum Offenhalten der durch die feindliche Luftwaffe voraussichtlich zerstörten Verkehrswege unter weitgehender Ausnutzung der Bevölkerung.

4.) Der Befehlshaber der deutschen Truppen in Dänemark trifft in seinem Befehlsbereich Maßnahmen entsprechend Ziffer 3.

5.) Chef H Rüst u BdE stellt aus Lehrtruppen, Lehrgängen, Schulen, Ausbildungs- und Genesenden-Truppenteilen des Heimatkriegsgebietes Kampfgruppen in Regimentsstärke, Sicherungsbataillone und Bau-Pionier-Bataillone entsprechend Sonderbefehl so bereit, daß sie innerhalb von 48 Stunden nach Aufruf abtransportiert werden können.

Darüber hinaus ist weiter verfügbares Personal in Marsch-Bataillone mit den verfügbaren Waffen einzuteilen, um die zu erwartenden hohen Verluste schnell ausgleichen zu können.

B.) Luftwaffe:
Durch Verstärken der Angriffs- und Abwehrkraft der im Westen und in Dänemark befindlichen Verbände der Luftwaffe ist der neuen Gesamtlage Rechnung zu tragen. Hierbei ist vorzubereiten, daß alle verfügbaren und für den Abwehrkampf geeigneten Kräfte an fliegenden Verbänden und beweglicher Flakartillerie aus der Heimatluftverteidigung, aus Schulen und aus Ausbildungseinheiten des Heimatkriegsgebietes für den Einsatz im Westen und gegebenenfalls in Dänemark freigemacht werden.

Der Ausbau der Bodenorganisation in Südnorwegen, Dänemark, Nordwestdeutschland und im Westen ist so vorzubereiten und zu bevorraten, daß durch größtmögliche Auflockerung die eigenen Verbände bei beginnendem Großkampf den feindlichen Bombenangriffen entzogen werden und die Wirkung der feindlichen Angriffskraft zersplittert wird. Dies trifft besonders für die eigenen Jagd-Kräfte zu, deren Einsatzmöglichkeit durch zahlreiche Feldflugplätze erhöht werden muß. Auf beste Tarnung ist besonders zu achten. – Auch hier erwarte ich rücksichtsloses Bereitstellen aller Kräfte unter Entblößen weniger bedrohter Gebiete.

C.) Kriegsmarine:
Die Kriegsmarine bereitet den Einsatz möglichst starker, zum Angriff gegen die feindlichen Landungsflotten geeigneter Seestreitkräfte vor. Die im Ausbau befindlichen Küstenverteidigungsanlagen sind mit größter Beschleunigung fertigzustellen, die Aufstellung weiterer Küstenbatterien sowie die Möglichkeit einer Auslegung zusätzlicher Flankensperren ist zu prüfen.

Der Einsatz sämtlicher für den Erdkampf geeigneten Soldaten von Schulen, Lehrgängen und sonstigen Landkommandos ist so vorzubereiten, daß ihre Verwendung im

Kampfgebiet feindlicher Landungsoperationen zumindestens als Sicherungsverbände in kürzester Frist erfolgen kann.

Bei den Vorbereitungen der Kriegsmarine für die Verstärkung der Verteidigung im Westraum ist die gleichzeitige Abwehr von Feindlandungen im norwegischen oder dänischen Raum besonders zu berücksichtigen. Hierbei messe ich der Bereitstellung zahlreicher U-Boote für die nördlichen Seegebiete besondere Bedeutung bei. Eine vorübergehende Schwächung der Atlantik-U-Bootskräfte muß in Kauf genommen werden.

D.) SS:
Reichsführer SS prüft das Bereitstellen von Kräften der Waffen-SS und Polizei zu Kampf-, Sicherungs- und Bewachungsaufgaben. Aus Ausbildungs-, Ersatz- und Geneseneneinheiten sowie Schulen und sonstigen Einrichtungen im Heimatkriegsgebiet ist die Aufstellung von einsatzfähigen Verbänden für Kampf- und Sicherungsaufgaben vorzubereiten.

E.) Die Oberbefehlshaber der Wehrmachtteile, der Reichsführer SS, der Chef des Gen. St. d. H., der Ob. West, der Chef H Rüst u BdE und der Generalinspekteur der Panzertruppen sowie der Befehlshaber der deutschen Truppen in Dänemark melden mir bis 15. November die getroffenen und beabsichtigten Maßnahmen.

Ich erwarte, daß in der noch zur Verfügung stehenden Zeit von allen Dienststellen mit höchster Anspannung die Vorbereitungen für die zu erwartende Entscheidungsschlacht im Westen getroffen werden.

Alle Verantwortlichen wachen darüber, daß nicht nutzlos Zeit und Arbeitskraft in Zuständigkeitsfragen vergeudet, sondern Abwehr- und Angriffskraft gefördert werden.

(gez.) **Adolf Hitler**

F. d. R.
Frhr. v. Buttlar
Oberst d. G.

383. Werner Best an das Auswärtige Amt 3. November 1943

Best orienterede om den drøftelse, som han havde haft med von Hanneken om fremskaffelsen af en øget arbejdsstyrke til befæstningsbyggeriet i Danmark, en drøftelse der fandt sted på baggrund af OKWs ordre til von Hanneken. Drøftelsens resultat var, at der uden besvær kunne fremskaffes den krævede arbejdskraft til de planlagte befæstningsarbejder. Det ville ikke være nødvendigt med foranstaltninger over for hele civilbefolkningen, da de forhåndenværende fagligt egnede kunne gøre det. OKW havde nævnt, at der var 28.000 arbejdsløse, hvilket Best bestred. Der var ikke nogen virkelig arbejdsløshed. Efter aftale med von Hanneken ville lederen af OT rette alle nødvendige fordringer til Best.

Over for AA gav Best rollen som den, der virkede modererende på generalen for at få det nødvendige gennemført. Se videre telegram nr. 1374, 6. november (Hæstrup, 1, 1966-71, s. 219-222).

Kilde: PA/AA R 29.568. RA, pk. 204. LAK, Best-sagen (afskrift).

Telegramm

Kopenhagen, den	3. November 1943	14.35 Uhr
Ankunft, den	3. November 1943	15.45 Uhr

Nr. 1351 vom 3.11.[43.]

Auf das dortige Telegramm Nr. 1506[32] vom 1.11.43 berichte ich, daß die Frage des verstärkten Arbeitseinsatzes für die Befestigungsarbeiten in Dänemark am 2.11.43 mit dem General von Hanneken an Hand des ihm zugegangenen Befehls des OKW besprochen worden ist. Die Besprechung ergab, daß es ohne Mühe möglich sein wird, für die geplanten Befestigungsarbeiten die erforderlichen Arbeitskräfte zu beschaffen. Maßnahmen mit Wirkung gegenüber der gesamten Zivilbevölkerung werden nicht erforderlich sein, da die vorhandenen, fachlich geeigneten Arbeitskräfte ausreichen, wenn sie unter Zurückstellung anderer Arbeitsvorhaben für die Befestigungsarbeiten eingeseift werden. Die vom OKW genannte Zahl von 28.000 Arbeitslosen täuscht insofern, als in dieser Zahl 1.) arbeitsunfähige, 2.) vorübergehend durch die Erwerbslosenfürsorge betreute Personen, 3.) Arbeitslose aus für körperliche Arbeit wenig geeigneten Berufen (Schneider usw.) und 4.) die Saisonarbeitslosen aus der Landwirtschaft enthalten sind. Eine wirkliche Arbeitslosigkeit gibt es in der voll für uns arbeitenden dänischen Wirtschaft nicht. Immerhin werden die einsatzfähigen Arbeitslosen selbstverständlich zur Ergänzung der in erster Linie benötigten Facharbeiter für die Befestigungsbauten eingesetzt werden. Gemäß Vereinbarung mit dem General von Hanneken wird der Leiter der OT alle notwendigen Anforderungen an mich richten, für deren Erfüllung ich alsdann sorgen werde. – Weitere Berichterstattung erfolgt zu gegebener Zeit.

Dr. Best

384. Werner Best an das Auswärtige Amt 3. November 1943

En knap meddelelse af særlig betydning. En ny aktør i tysk besættelsespolitik i Danmark var kommet på banen. Günther Pancke blev afhentet i Kastrup Lufthavn af Best og Rudolf Mildner (Bests kalenderoptegnelser 2. november).

Best citerede senere Himmler for, at HSSPF skulle være den tredje mand i den danske stat ved siden af den rigsbefuldmægtigede og von Hanneken (Best 1988, s. 53).

Kilde: PA/AA R 100.758. RA, pk. 229. LAK, Best-sagen (afskrift).

Telegramm

Kopenhagen, den	3. November 1943	14.30 Uhr
Ankunft, den	3. November 1943	15.45 Uhr

Nr. 1352 vom 3.11.[43.]

Der höhere SS- und Polizeiführer SS-Gruppenführer Pancke ist am 2.11.43 in Kopenhagen eingetroffen.

Dr. Best

32 BRAM (gRs) Sonderzug 1746. Telegrammet er ikke lokaliseret.

385. Werner Best an das Auswärtige Amt 3. November 1943

Efter mødet med Adolf Eichmann i København om de deporterede danske jøder, rapporterede Best resultatet til AA. Jøder over 60 år skulle ikke længere deporteres, halvjøder og mischlinge skulle tilbage til Danmark, samtlige deporterede danske jøder skulle forblive i Theresienstadt og måtte få besøg af Dansk Røde Kors.

Efter Eichmanns tilbagekomst til Berlin og drøftelser med AA, kunne AA den 5. november sende Best et præciserende forhandlingsresultat, se telegram nr. 1529.

Under processen i 1961 blev Eichmann forhørt om sit besøg i København, men uden resultat (Yahil 1967, s. 258f., Weitkamp 2008, s. 189f.). Der er fremkommet talrige forklaringer på, hvorfor Eichmann kom til København til en drøftelse med Best. De allerfleste er uden basis i det samtidige materiale. Eichmann kom til København, fordi AA ville have, at Best selv over for Eichmann skulle udrede og forklare de løfter, som han havde givet den danske administration straks efter jødeaktionens afslutning og som han ville have RSHA til at acceptere. Best havde stort set held med at overbevise Eichmann om visdommen i den politik, han førte i Danmark. Måske spillede det for Eichmann ind, at det i europæisk perspektiv drejede sig om bagateller, men han kan også have ligget under for Best som en af de mænd, der havde skabt RSHA.

Kilde: PA/AA R 100.865. ADAP/E, 7, nr. 75 (telegrammets randbemærkninger er ikke medtaget, da der er tale om en intern sagsbehandling i AA, og de indgår i telegram nr. 1529, 5. november 1943. Telegrammet er refereret i *The Trial of Adolf Eichmann*, 2, 1992, s. 646 (på engelsk).).

Telegramm

Kopenhagen, den	3. November 1943	14.30 Uhr
Ankunft, den	3. November 1943	15.45 Uhr

Nr. 1353 vom 3.11.[43.]

Auf die dortigen Telegramme Nr. 1501 vom 30.10.43[33] und Nr. 1503 vom 31.10.43[34] berichte ich, daß die gestellten Fragen am 2.11.43 mit dem SS-Obersturmbannführer Eichmann vom Reichssicherheitshauptamt besprochen worden sind. Eichmann erklärte, daß er beim RSHA die folgenden Vorschläge machen will:

1.) Juden über 60 Jahre sollen nicht mehr festgenommen und deportiert werden.
2.) Halbjuden und Juden in Mischehe, die festgenommen und deportiert sind, sollen freigelassen und nach Dänemark zurückgebracht werden.
3.) Sämtliche aus Dänemark deportierten Juden sollen in Theresienstadt bleiben und dort in absehbarer Zeit von Vertretern der dänischen Zentralverwaltung und des dänischen Roten Kreuzes besucht werden.

Ich bitte um Unterrichtung, ob das RSHA nach den Vorschlägen Eichmanns verfahren wird.

Dr. Best

33 Trykt ovenfor.
34 Trykt ovenfor.

386. Werner Best an das Auswärtige Amt 3. November 1943

Efter at Franz Six 25. oktober havde afleveret sit notat om forløbet af aktionen mod de danske jøder, fandt AA 27. oktober anledning til at stille Best yderligere spørgsmål om aktionen (telegrammet er ikke lokaliseret), og han svarede ved udelukkende at henvise til to af sine tidligere telegrammer desangående. For ham var den sag færdigdiskuteret.

Kilde: PA/AA R 100.865. RA, pk. 226.

DG Kopenhagen Nr. 9 3.11 14.40 Uhr
Auswärtig Berlin = Nr. 1354 vom 3.11.43

Auf das Schreiben vom 27.10.43 (Inl. II A 8380)[35] verweise ich auf meine Telegramme Nr. 1250 vom 13.10.43 und Nr. 1323 vom 28.10.43.[36]

Dr. Best

387. Werner Best an das Auswärtige Amt 3. November 1943

Dagsindberetning.

Kilde: PA/AA R 29.568. RA, pk. 204.

Telegramm

Kopenhagen, den	3. November 1943	19.30 Uhr
Ankunft, den	3. November 1943	21.30 Uhr

Nr. 1356 vom 3.11.[43.] Citissime!

Ich bitte, dem Herrn Reichsaußenminister die folgende Meldung unverzüglich zuzuleiten:

Über die Lage in Dänemark berichte ich für den 2. auf 3.11.43, daß aus dem ganzen Lande keine besonderen Ereignisse gemeldet sind. Die deutsche Sicherheitspolizei hat in Kopenhagen sechs Personen wegen Herstellung von Schußwaffen in Füllfederhalterform[37] und vier Personen wegen Herstellung von 6.000 Lichtbildern angeblicher Greueltaten deutscher Soldaten[38] sowie in Nästved fünf Saboteure festgenommen.[39]

Dr. Best

35 Von Thadden til Best 27. oktober, trykt ovenfor.

36 Begge telegrammer er trykt ovenfor.

37 De seks våbenfremstillere er ikke identificeret.

38 Billedmagerne er ikke identificeret.

39 Tysk politi havde anholdt sognerådsformand Andersen fra Pederstrup ved Næstved og fire unge mennesker fra samme sogn. De unge stod anklaget for at have klippet tyske telefonledninger mellem Næstved og Vordingborg over. Sognerådsformanden skulle have opfordret til sabotagen (*Information* 5. november 1943).

388. Hans Moraht an Paul von Behr und Emil Wiehl 3. November 1943

Den 2. november havde den danske gesandt Mohr overrakt von Steengracht et memorandum af 30. september fra UM om Danmarks økonomiske og erhvervsmæssige forhold under krigen. Til stede var Alex Walter og den danske gesandt Mathias Wassard. Mohr havde ved overrækkelsen særligt gjort opmærksom på, at Danmark gjorde sig stor umage for at intensivere eksporten til Tyskland, hvilket Walter påfølgende understregede i en længere udredning. Mohr bad i tilknytning hertil om, at der ved de kommende tysk-danske regeringsudvalgsforhandlinger blev taget hensyn til de danske ønsker. Atter fandt Mohr tilslutning fra Walter. Steengracht svarede, at der ikke manglede velvilje på tysk side, men at der måtte tages hensyn til krigsforholdene. I øvrigt var den danske villighed til samarbejde ikke helt så stor, som memorandummet lod formode. Her kunne henvises til, at det danske politi ikke siden juni havde taget sig af pågribelsen af sabotører. Dette imødegik Mohr, mens Walter vendte tilbage til de danske leveringsmuligheder og henviste til, at der bl.a. blev stillet landbrugsmaskiner til rådighed for Danmark af det kontingent, der skulle have været til Generalgouvernementet. Steengracht sluttede drøftelsen af med at appellere til danskernes samarbejdsvilje. Der kunne blive brug for den til f.eks. vejarbejde og befæstningsbyggeri.

Walter gjorde sig under det danske besøg i Berlin til formidler af de danske ønsker, hvis ikke det snarere var som fortaler derfor. Gennem de danske referater af møderne fremstår Walter i en lignende rolle (de danske referater af møderne 2.-4. november 1943 er i RA, 0014: Landbrugs- og Fiskeriministeriet 1948-: J04: Statskonsulenten i Berlin 1921-45 (14/200/13). Pk. 9-12, Jensen 1971, s. 221f., Nissen 2005, s. 255, 257f. med note 59 s. 389).

Se Georg Ripkens optegnelse 14. juni 1944 om UMs andet store erhvervsmæssige udspil i forhold til Tyskland.

Kilde: PA/AA R 105.221.

Vermerk

Das in 3 Exemplaren beigefügte Memorandum des Dänischen Ministeriums des Äußeren vom 30. Oktober d.J. betreffend die wirtschaftlichen Verhältnisse in Dänemark während des Krieges wurde dem Herrn St.S. gestern Nachmittag vom Gesandten Mohr überreicht. Bei der Überreichung und der anschließenden Besprechung waren außerdem Min. Dir. Walter vom REM und ich sowie der dänische Gesandte und Min. Dir. Wassard vom dänischen Min. des Äußeren zugegen.

Herr Mohr machte bei Überreichung des Memorandums besonders darauf aufmerksam, wie sehr sich Dänemark bemüht habe, seine Ausfuhr nach Deutschland und die ihr zugrundliegende Produktion zu intensivieren, – eine Ausführung, die von Min. Dir. Walter in längeren Darlegungen unterstrichen wurde. Herr Mohr bat anschließend, man möge deutscherseits in den bevorstehenden neuen Regierungsausschußverhandlungen nunmehr auch die Wünsche der dänischen Landwirtschaft nach verstärkter Ausfuhr von Konsumgütern und landwirtschaftlichen Maschinen berücksichtigen; es sei nunmehr der Moment gekommen, wo die Produktions- und Lieferfreudigkeit des dänischen Landwirts leiden müsse, wenn man ihm nicht die Möglichkeit gäbe, für den Erlös seiner Produkte diejenigen Waren zu kaufen, deren er (namentlich auch zur Fortführung seines Betriebes) bedürfe. Auch diese Ausführung wurde von Min. Dir. Walter bestärkt.

Der Herr St.S. erklärte, daß es auf deutscher Seite an dem guten Willen zur Erfüllung der dänischen Wünsche an sich nicht fehle, daß aber die Verwirklichung unserer Lieferbereitschaft in den gegenwärtigen Kriegsverhältnissen gewissen Schwierigkeiten biete; unsere industrielle Produktion sei notgedrungen in weitestgehendem Maße auf den Krieg eingestellt, und es bedürfe natürlich eingehender interner Besprechungen, ehe gesagt werden könne, inwieweit die Erfüllung der dänischen Wünsche möglich sei. Im übrigen glaube er bei dieser Gelegenheit auch darauf hinweisen zu müssen, daß wir hier unter dem Eindruck stehen, als sei man in Dänemark doch nicht so allgemein, wie die Ziffern des Memorandums dies vermuten ließen, auf die Notwendigkeit einer Zusammenarbeit mit Deutschland eingestellt; der Herr St.S. verwies insbesondere darauf, daß seit Juni d.J. die dänische Polizei bei der Fahndung nach Saboteuren, den uns vorliegenden Nachrichten zufolge, nicht mehr recht mitzöge.

Herr Mohr entgegnete hierauf, der Eindruck, als habe die dänische Polizei bei der Fahndung und Festnahme von Saboteuren seit einiger Zeit nicht mehr hinreichend mitgewirkt, sei unrichtig: die Festnahmeziffern seien lediglich vorübergehend einmal abgesunken. Der dänische Gesandte bestätigte dies; bis zum Mai d.J. einschließlich seien monatlich etwa 28-30 Saboteure festgenommen worden; diese Ziffer sei allerdings im Juni d.J. auf 9 Festnahmen zurückgegangen, im Juli aber bereits wieder auf 30 angestiegen; desgleichen weise die Statistik für die erste Augustwoche (weiter reiche sie noch nicht) 7 Festnahmen auf.

Herr Walter erklärte zu der Frage unserer Lieferungsmöglichkeiten noch, daß das REM mit gutem Beispiel vorangehen und einen Teil der der Landwirtschaft im Generalgouvernement zur Verfügung gestellten Kontingente an Konsumgütern und landwirtschaftlichen Maschinen für Dänemark abzweigen werde.

Der Herr St.S. schloß die Besprechung mit einem an die dänische Adresse gerichteten Apell, möglichst in allen Kreisen dafür zu sorgen, daß auch soweit dies bisher nicht der Fall sei überall die Erkenntnis eines eigenen dänischen Interesses an der Zusammenarbeit mit Deutschland Platz griffe. Es könne sein, daß wir die Mitarbeit der dänischen Bevölkerung – beispielsweise für Wegebauten und Befestigungswerke – demnächst in erhöhtem Maße in Anspruch nehmen würden; die dänische Bevölkerung müsse sich dessen bewußt sein, daß sie durch Gewährung ihrer Mitarbeit letzten Endes ihren eigenen Interessen, d.h. dem Schutz gegen den Bolschewismus diene.

Vfg.

1.) Abdruck des vorstehenden Vermerks und dieser Verfügung geht mit einem Exemplar des anliegenden Memorandums an HA Pol VI (H. LR Baron Behr).[40]

2.) Dies mit den beiden andern Anlagen Herrn Ministerialdirektor Wiehl n.R. vorzulegen.

Berlin, den 3. November 1943.

gez. **Moraht**

40 Det danske memorandum af 30. oktober 1943 er i RA, 0014: Landbrugs- og Fiskeriministeriet 1948-: J04: Statskonsulenten i Berlin 1921-45 (14/200/13). Pk. 9-12, RA, pk. 282 og PA/AA R 105.221. Det er udgivet i Lauridsen 2010a.

389. Ernst Kaltenbrunner an das Auswärtige Amt 3. November 1943

Det tyske sikkerhedspoliti havde rettet opmærksomheden mod præsten Kaj Munk som den mest kendte tyskfjendtlige forfatter i Danmark. Han skulle have været anholdt i forbindelse med 29. august 1943, men flygtede og holdt sig skjult. AAs forespørgsel, om han havde skrevet et brev til det danske kirkeministerium og afvist at følge statsminister Scavenius' anvisninger, kunne der ikke gives svar på.

Se AA til NSDAPs partikancelli 16. november 1943.

Kaj Munk holdt sig ikke skjult. Netop i november greb Best personligt ind, da det blev annonceret, at Munk skulle prædike i Helligåndskirken i København den 21. Best meddelte Nils Svenningsen, at det ville være en uacceptabel demonstration, hvis Munk optrådte offentligt i København, og at man i givet fald evt. ville sikre sig hans person (Thostrup Jacobsen 1991, s. 170-172).

Kilde: RA, pk. 218.

Der Chef der Sicherheitspolizei und des SD — *Berlin, den 3. November 1943*
– IV D – 2931/43

An das Auswärtige Amt
Berlin W 8
Wilhelmstr. 74-76

Betrifft: Politisch-konfessionelle Verhältnisse in Dänemark.
Bezug: Schreiben vom 23.9.43 – Nr. Inl. I D – 1624/43[41] an den Befehlshaber der Sicherheitspolizei und des SD in Kopenhagen.

Der dänische Pfarrer Kaj Munk aus Vedersö ist als deutschfeindlich bekannt. Er hat seit langer Zeit sowohl in Wort als auch in Schrift seine deutschgegnerische Einstellung zum Ausdruck gebracht. Er ist der bekannteste deutschfeindlich eingestellte Schriftsteller Dänemarks.

Im Rahmen der Aktion vom 29.8.1943 (Ausnahmezustand) war daher die Festnahme Kaj Munks vorgesehen, konnte bisher aber noch nicht erfolgen, weil er flüchtig ist und sich z.Zt. verborgen hält.

Inwieweit es richtig ist, daß Kaj Munk einen Brief an das dänische Kirchenministerium geschrieben hat, in welchem er sich weigert, den Anweisungen des Ministerpräsidenten Scavenius nachzukommen, konnte nicht festgestellt werden.

Im Auftrage:
Gez. **Dr. Höner**

390. OKM an MOK Ost 3. November 1943

Det havde været hensigten, at WB Dänemark skulle udstede en forordning angående de danske skibskaptajner, men det var nu opgivet på grund af de øjeblikkelige uklare regeringsforhold i Danmark. I stedet skulle de danske skibskaptajner underrettes om, at de var underkastet den tyske militærlovgivning, og at de derfor ville blive stillet til ansvar, hvis de ikke fulgte de anvisninger, som den tyske marine gav.

Ordren blev givetvis udstedt i håb om, at formindske antallet af danske handelsskibe, der flygtede eller søgte at flygte til neutrale eller allierede havne. Ordren omfattede alene skibe, der var indenfor det tyske

41 Skrivelsen er ikke lokaliseret.

magtområde, mens der for de danske skibe oplagte i neutrale havne måtte træffes andre foranstaltninger – og det blev der. Da DFDS' skib "African Reefer" søgte fra neutral til allieret havn i august 1941, blev kaptajnen ved Københavns Byret fradømt sin formue og autorisation som skibsfører (Tortzen, 3, 1981-85, s. 130. Se endvidere AA til OKM, OKW u.a. 4. november 1943).

MOK Ost fulgte op på denne skrivelse til OKM 4. december, idet Wurmbach havde meddelt, at den af WB Dänemark nævnte forordning kun skulle gælde under undtagelsestilstanden, men de tyske tjenestesteder nu havde fået at vide, "daß die dänischen Kapitäne außerhalb des Aufnahmezustandes im Falle des Ungehorsams auf Grund der Bestimmungen des Gefolgeerlasses neuer Fassung bestraft werden können." (BArch, Freiburg, RM 7/1813).

Kilde: BArch, Freiburg, RM 7/1188. RA, Danica 628, sp. 7, nr. 5472.

Abschrift

Oberkommando der Kriegsmarine *Berlin, den 3. November 1943*
AMA/MR 2/II Nr. 1834 geh.

An Marineoberkommando Ostsee – Führungsstab –, Kiel
Schriftlich: Admiral Dänemark

Betr. Maßnahmen gegen dänische Kapitäne.
Vorg.: FS. 1. Skl. Ii Nr. 28975/43 g vom 25.9.43.[42]

Sofern die in dem Vorgang genehmigte Verordnung des Befehlshabers der deutschen Truppen in Dänemark noch nicht ergangen ist, ist von ihr im Hinblick auf die gegenwärtige Unklarheit über die Regierungsverhältnisse in Dänemark zunächst abzusehen.

Nach dem Erlaß des Oberbefehlshabers der Kriegsmarine über das Gefolge in der neuen Fassung gemäß MVBl. 1943 s. 743 Nr. 621 (Abschnitt I Ziff. 3) unterstehen den Militärgesetzen die Kapitäne und die sonst für die Schiffsführung verantwortlichen Personen auf den Schiffen der *besetzten Gebiete*, soweit sie bei ihrer Fahrt militärische Weisungen zu beachten haben. Ob Dänemark nach der Entwaffnung der dänischen Wehrmacht und dem Rücktritt der dänischen Regierung weiter als befreundetes oder ob es seither als besetztes Gebiet anzusehen ist, kann dahingestellt bleiben. Jedenfalls bestehen keine Bedenken, unter den augenblicklichen Verhältnissen die angeführte Bestimmung des Gefolgeerlasses sinngemäß auch auf die dänischen Kapitäne anzuwenden.

Die dänischen Kapitäne sind daher zu unterrichten, daß sie bei Nichtbefolgung der ihnen von der Kriegsmarine erteilten Weisungen disziplinar oder kriegsgerichtlich zur Verantwortung gezogen werden.

Für die disziplinare oder kriegsgerichtliche Ahndung gilt Ziff. 4 der Durchführungsbestimmungen zum Gefolgeerlaß.

Im Auftrage
gez. **Kranzbühler**

42 Fjernskrivermeddelelsen er ikke lokaliseret.

391. Werner Best an das Auswärtige Amt 4. November 1943

Dagsindberetning med meddelelse om to færgesabotager, hvor Best for en gangs skyld træffende udtrykte den danske befolknings reaktion.

Kilde: PA/AA R 29.568. RA, pk. 204.

Telegramm

Kopenhagen, den	4. November 1943	18.45 Uhr
Ankunft, den	4. November 1943	19.30 Uhr

Nr. 1363 vom 4.11.43. Citissime!

Ich bitte, die folgende Meldung dem Herrn Reichsaußenminister unverzüglich zuzuleiten:

Über die Lage in Dänemark berichte ich für den 3. auf 4.11.43, daß das dänische Fährschiff "Själland" vor Korsör durch Sabotage zerstört worden ist. Drei Dänen wurden getötet und 18 Dänen mehr oder weniger schwer verletzt. Auf einem weiteren dänischen Fährschiff "Odin" sind vor Nyborg durch einen Sprengkörper leichtere Schäden verursacht worden.[43] Die Sabotagefälle werden von der Deutschen Sicherheitspolizei bearbeitet. Deutsche Interessen sind nicht beeinträchtigt, da der für die Wehrmacht erforderliche Fährbetrieb sichergestellt ist. Polizeiliche und technische Sicherheitsmaßnahmen wurden verstärkt.[44] In der dänischen Bevölkerung ist eine beträchtliche Reaktion auf dieses Attentat gegen dänisches Leben und dänische Werte festzustellen.

Dr. Best

392. Auswärtiges Amt an OKM, OKW u.a. 4. November 1943

AA orienterede om de tyske gesandters fortsatte bestræbelser på at hindre, at de tre oplagte danske skibe i Lissabon havn sejlede ud og tilsluttede sig fjenden. Det Tyske Gesandtskab i Lissabon var fortsat af den mening, at den sikreste måde til fastholdelse af skibene var salg eller chartring. Der var efterretning fra anden side om, at skibene i løbet af de næste dage ville skifte til engelsk flag og sejle ud.

Efterretningerne var korrekte. Alle de tyske anstrengelser var forgæves. Den 10. november sejlede "Skaane" og "Egholm" om natten ud uden lys og blev modtaget af engelske orlogsfartøjer, der eskorterede dem til England. "Nancy" fulgte efter 15. november 1943 (Tortzen, 4, 1981-85, s. 290, 294f.).

Kilde: BArch, Freiburg, RM 7/1188. RA, Danica 628, sp. 7, nr. 5475f.

43 Der var ca. 600 passager på færgen "Sjælland," der var 20 minutters sejlads fra havn, da en eksplosion indtraf. Under redningsaktionen indtraf eksplosion nr. to, der dræbte og sårede en del af redningsmandskabet. I alt blev 3 dræbt og 19 alvorligt såret. Sabotagen mod "Odin" var mindre alvorlig og skaderne ringe. Færgeattentaterne blev udført af fynske sabotører i samarbejde med SOE-agenten Jens Peter Carlsen, hvilket først kom frem en tid efter krigen. Den meningsløse aktion vakte stor harme og havde vakt mistanke om, at det var besættelsesmagten, der stod bag (RA, BdO Inf. nr. 15, 5. november 1943, KB, Bergstrøms dagbog 3. november 1943 (der dog ikke delte mistanken, men nok harmen), Brøndsted/Gedde, 2, 1946, s. 635-638, Frisch, 3, 1945-48, s. 70f., Hæstrup, 1, 1959, s. 68, Trommer 1971, s. 74 med note 151, Bjørnvad 1988, s. 123f., Christensen 2009).

44 Der blev indført politimæssig undersøgelse af alle rejsende og deres bagage før afgang.

Auswärtiges Amt
Ha Pol XI 2813/43 II

Berlin, den 4. November 1943

Schnellbrief

An
das Oberkommando der Kriegsmarine
– 1. Abteilung Seekriegsleitung –
den Reichskommissar für die Seeschiffahrt
das Oberkommando der Wehrmacht
– Sonderstab HWK –
z.Hd. von Herrn Kapt. z.S. Vesper
– je besonders –

Im Anschluß an mein Schreiben vom 30. Oktober d.J. – Ha Pol XI 2755/43 – [45]
Betr.: Dänische Schiffe "Nancy", "Skaane" und "Egholm".

Die Deutsche Gesandtschaft Lissabon schlägt mit Drahtbericht vom 3. d.M. vor, das Dänische Außenministerium schnellstens zu einer Weisung an die Dänische Gesandtschaft in Lissabon zu veranlassen, daß diese der Portugiesischen Regierung gegenüber die Erklärung abgibt, daß weder die Lissaboner Reedereivertretung noch die Kapitäne befugt sind, die Schiffe zu veräußern bezw. den Hafen zu verlassen. Gleichzeitig wird von der Deutschen Gesandtschaft in Lissabon vorgeschlagen, die Dänische Gesandtschaft zu ermächtigten, in Portugal Schiffe zum Kauf oder zur Vercharterung anzubieten. Die Deutsche Gesandtschaft sieht hierin die einzige Hoffnung, die Schiffe dem Feindeingriff zu entziehen. Weiterhin berichtet die Gesandtschaft mit Beziehung auf das mit Schreiben vom 3. September d.J. – Ha Pol II 2124/43[46] – übermittelte Telegramm, daß jetzt ein portugiesisches Kaufangebot auf dänische Schiffe vorliegt. Nach dem Telegramm der Gesandtschaft zu schließen, ist gleichzeitig ein Drahtbericht des Marineattachés in dieser Angelegenheit abgesandt worden.

Der Bevollmächtigte des Reichs für Dänemark in Kopenhagen ist drahtlich angewiesen worden, eine entsprechende Weisung an die Dänische Gesandtschaft in Lissabon zu veranlassen.

In diesem Zusammenhang darf auf eine Meldung des Lissabonner DNB-Vertreters vom 2. d.M. aufmerksam gemacht werden, wonach nach Mitteilungen portugiesischer Marinestellen die Schiffe "Nancy", "Skaane" und "Egholm" einen Flaggenwechsel zu Gunsten Englands vornehmen und in den nächsten Tagen auslaufen werden.

Im Auftrag
W. Bisse

45 Trykt ovenfor.
46 Skrivelsen er i BArch, Freiburg, RM 7/1187 og er refereret ovenfor i AA til OKM u.a. 10. september 1943 (note).

393. Emil Geiger an Horst Wagner 4. November 1943

Ved AAs direktørmøde 4. november var to af de fire dagsordenspunkter vedrørende Danmark. Pancke var ankommet til København som HSSPF, og der blev spurgt, om der forelå en ordre fra Ribbentrop i den anledning, hvilket Geiger benægtede. Videre var der et telegram vedrørende forhandlingerne med Eichmann og forslagene om behandlingen af jøder over 60 år osv. Hencke ønskede på den baggrund hurtigst muligt RSHAs afgørelse (Weitkamp 2008, s. 190, note 153).

Se Wagner til Best 5. november 1943.

Kilde: PA/AA R 100.682.

Durchdr. gef. Sr.

Geheim
zu Inland II g

D i r e k t o r e n b e s p r e c h u n g
vom 4. November 1943.

Es wurden folgende Angelegenheiten behandelt:

1.) Nach einem Telegramm aus Kopenhagen ist SS-Gruppenführer *Pancke als Höherer SS- und Polizeiführer* eingetroffen.[47] Auf das Thema wurde nicht weiter eingegangen. U.St.S. Pol. fragte lediglich, ob bereits eine Ministerweisung zum Fall Pancke vorliegt, was ich verneinte.
2.) Gesandter Six brachte die Sprache auf die Verbringung wertvollen *Archivmaterials* verschiedener deutscher Kulturinstitute in Rom nach Deutschland. Ges. Six wurde beauftragt, einen Sachbearbeiter zu Botschafter von Weizsäcker zur Prüfung der Frage zu entsenden.
3.) U.St.S. Hencke begrüßte die in dem Telegramm aus Kopenhagen Nr. 1353[48] von SS-Obersturmbannführer Eichmann gemachten Vorschläge über die *Behandlung von über 60 Jahre alten Juden* usw. Er bat; möglichst bald die Entscheidung des RSHA herbeizuführen.
4.) Gesandter Rühle brachte die Sprache auf eine vom Propagandaministerium eingeleitete *Propagandaaktion in Frankreich*. Der Herr St.S. führte dazu aus, daß die Angelegenheit den Herrn RAM bekannt sei und Weiterungen aus der Geschichte wohl nicht zu erwarten seien.

Hiermit dem Herrn Leiter der Gruppe Inland II m.d.B. um Kenntnisnahme vorgelegt.

Berlin, den 4. November 1943.

gez. **Geiger**

47 Bests telegram nr. 1352, 3. november 1943.

48 Bests telegram 3. november 1943, trykt ovenfor.

394. Werner Best an das Auswärtige Amt 5. November 1943

Dagsindberetning.

Kilde: PA/AA R 29.568. RA, pk. 204.

Telegramm

Kopenhagen den	5. November 1943	20.15 Uhr
Ankunft, den	5. November 1943	23.00 Uhr

Nr. 1368 vom 5.11.[43.] Citissime!

Ich bitte, die folgende Meldung dem Herrn Reichsaußenminister unverzüglich zuzuleiten:

Über die Lage in Dänemark berichte ich für den 4. auf 5.11.43, daß in Kopenhagen gegen eine kleine Fabrik für Fernsprechapparate, die nicht für deutsche Interessen arbeitet, Sabotage verübt wurde.[49] In Jütland zwei weitere unbedeutende Sabotagefälle.[50] In Aarhus ein Leuchtfeuer durch Sprengung eines Pfeilers beschädigt.[51]

Dr. Best

395. Horst Wagner an Werner Best 5. November 1943

I AA blev det i København mellem Eichmann, Mildner og Best foreslåede (angående de deporterede danske jøder) udmøntet til beslutninger, på enkelte væsentlige punkter dog med ændret indhold, idet den endelige aftale var fremadrettet med hensyn til jøder over 60 år. De skulle fremover ikke deporteres, men de allerede deporterede skulle forblive i Theresienstadt. Dansk Røde Kors og danske myndigheder kunne på et tidspunkt få lov til at aflægge besøg i Theresienstadt, og så kunne Røde Kors-pakker foreløbigt ikke sendes til lejren. Halvjøder og jøder, der levede i blandede ægteskaber, skulle frigives og føres tilbage til Danmark.

Det sidste løfte var det meget svært at få indfriet, og en beslutning om et besøg blev forhalet gang på gang. Væsentligere end dette løfte var beslutningen om, at de danske jøder skulle forblive i Theresienstadt, her underforstået, at de ikke skulle videresendes til arbejds- eller dødslejre. Tysk Røde Kors havde enten sammen med AA eller særskilt forhandlet med Eichmann 4. november, og resultatet af de forhandlinger sendte Tysk Røde Kors en gengivelse af 8. november 1943 til Eichmann (Yahil 1967, s. 259f. Telegrammet er refereret i *The Trial of Adolf Eichmann*, 2, 1992, s. 646 (på engelsk).).

Kilde: PA/AA R 100.865. RA, pk. 226.

Telegramm

Berlin, den	5. November 1943	
Ankunft, den	6. November 1943	04.10 Uhr

49 BOPA saboterede firmaet "Autofon," Ewaldsgade 7, der fremstillede højttaleranlæg til fabrikkers beskyttelse mod sabotage. Fabrikkens produktion var derfor ikke uden tysk interesse, selvom BdO fastholdt det. Bygningen blev stærkt beskadiget, dog blev skaden af BdO kun anslået til 15.000 kr., mens erstatningen lød på 61.000 kr. (RA, BdO Inf. nr. 16, 6. november 1943, Kjeldbæk 1997, s. 470).

50 Den ene af disse var rettet mod en tømmerhal i Åbenrå havn (Alkil, 2, 1945-46, s. 1223).

51 Sabotage blev udøvet mod Havnevæsenets ledefyr på Skovvejen i Århus med brug af sprængstof af engelsk fabrikat (RA, BdO Inf. nr. 16, 6. november 1943, Alkil, 2, 1945-46, s. 1223).

Diplogerma Kopenhagen
Nr. 1529 Geh. Verm. für Geheimsachen
Referent: I.V. Geiger
Betreff: Juden in Dänemark

Auf Drahtbericht Nr. 1353 vom 3.11.[52]

RSHA, SS-Obersturmbannführer Eichmann, hat Durchführung der Vorschläge des obigen Drahtberichts zugesagt.

Vorschlag 1 ist jedoch so zu verstehen, daß *künftighin* Juden über 60 Jahre nicht festgenommen und deportiert werden. Die bereits Deportierten verbleiben, wo sie sind.

Bezüglich im Vorschlag 2 genannter Halbjuden und Juden in Mischehe wird Einzelprüfung veranlaßt und wenn einwandfrei feststeht, daß Halbjuden oder in Mischehe, erfolgt Freilassung und Zurückverbringung nach Dänemark.

Zu Vorschlag 3: RSHA grundsätzlich bereit, daß in Theresienstadt lebende, aus Dänemark deportierte Juden von Vertretern Dänischer Zentralverwaltung und Dänischen Roten Kreuzes besucht werden, Besuch jedoch vor Frühjahr 1944 nicht erwünscht. Im übrigen wird Juden in Theresienstadt gestattet werden, nach Dänemark zu korrespondieren, dagegen Übersendung von Lebensmittelpaketen an Juden aus Dänemark *zunächst* nicht erwünscht.

102 jährige Jüdin Texeira kann in Dänemark verbleiben. Wie Eichmann noch mitteilte, ist ihr gegenwärtiger Aufenthalt nicht bekannt. Es wird vermutet, daß sie sich in Dänemark versteckt hält.[53]

Hiesiger Dänischer Gesandter wird über Vorstehendes unterrichtet.

Wagner

396. Quartiermeisteramt an Seekriegsleitung 5. November 1943

Seekriegsleitungs skibsfartsafdeling (Abteilung VI eller A VI) havde i juli 1943 ønsket at overtage tre ved Bornholm oplagte danske passagerskibe, men havde måttet opgive det igen, da de ikke var ubetinget nødvendige for den tyske krigsførelse. Med de ændrede forhold i Danmark havde afdeling VI regnet med, at der var indtruffet en situation, hvor Kriegsmarine kunne beslaglægge skibe i Danmark. Det var imidlertid endnu ikke sket. Da der stadig var behov for de tre bornholmerskibe, blev der bedt om, at der blev lagt et politisk pres på den danske regering med det mål, at få de ønskede skibe stillet til rådighed. Beslaglæggelsen af dansk skibstonnage kunne måske også ske ved at kræve skibstonnage som erstatning for sabotagehandlinger, hvor der ellers skulle være betalt penge. Der blev anmodet om, at AA blev inddraget.

Seekriegsleitungs skibsfartsafdeling tilstræbte at overtage en del af den store civile danske skibstonnage, der lå oplagt i danske havne for at kunne indfri nogle af Kriegsmarines stadige og stigende behov for ny skibstonnage til erstatning for den, der gik tabt. Det første forsøg i juli 1943 var blevet afværget, men med de ændrede politiske forhold i Danmark ønskedes ikke alene beslaglæggelser taget i brug, men om nødvendigt også at bruge dem som erstatning ved sabotagehandlinger, hvilket kun ville bidrage til at øge den politiske spænding. Skibene var privat ejendom, mens det var den danske stat, der skulle yde erstatning for sabotager. Imidlertid var startskuddet for kampen om den danske skibstonnage hermed for alvor indledt.

52 Trykt ovenfor.
53 Den formodning var rigtig.

På Kriegsmarines side var hovedaktørerne Ministerialrat dr. Kurt Eckhardt, juridisk rådgiver, og kaptajn Konrad Engelhardt, leder af Kriegsmarines skibsafdeling, mens det i København var Werner Best sekunderet af skibsfartssagkyndig G.F. Duckwitz. Birollerne var besat af gesandt Georg Martius i AA og admiral Wurmbach.

OKM kontaktede AA 12. november 1943.

Kilde: BArch, Freiburg, RM 7/1813. RA, Danica 628, sp. 7, nr. 5755f.

Qu. A VI r 7058/43 geh. *Berlin, den 5. November 1943*
Geheim App. 3959

An 1. Skl.

Betr.: Brachliegende dänische Tonnage.
Vorg.: Mehrmalige mündliche Besprechung Min. Rat. Dr. Eckhardt/Oberstabsintendant Pies.

Dänische Tonnage, deren Einsatz für die deutsche Kriegsmarine bei dem heutigen Tonnagemangel unbedingt geboten ist, liegt in Dänemark brach. So liegt Skl. Qu. A VI eine dem OKM vom MOK Ostsee Führungsstab mit G. op. 1522 Qu III vom 20.9.43 vorgelegte Liste vor, wonach allein in Kopenhagen 47 Schiffe aufliegen.

Auch in anderen Häfen dürfte eine große Anzahl von Schiffen aufliegen.

Der Admiral der Seebefehlsstellen hatte im Juli 43 gebeten, die in Bornholm aufgelegten Fahrgastschiffe,

"Rottner" 1.836 BRT
"Hammershus" 1.775 BRT
"Frem" 1.176 BRT

in Benutzung zu nehmen zum Austausch gegen 5.000 ts große Transporter, die nicht ausgenutzt sind in ihrer Größe und besser durch kleinere ersetzt werden.

Die KMD Kopenhagen, die die Frage, ob Charterung oder Kauf der Schiffe möglich sei, geprüft hat, berichtete nach Rücksprache mit dem Schiffahrtssachverständigen Duckwitz bei der Deutschen Gesandtschaft, daß die Devisenfrage vorerst im Reichswirtschaftsministerium geklärt werden müßte.

Das Reichswirtschaftministerium hat dem OKM auf Anfrage mitgeteilt, es bestehe nur dann eine Aussicht, den Kauf oder die Charterung dänischer Schiffe gegenüber der Dänischen Regierung durchzusetzen, wenn

1.) OKW bestätige, daß der Einsatz der betreffenden Schiffe für Zwecke der deutschen Kriegsführung unbedingt notwendig sei und
2.) der Kaufpreis bzw. die Charterkosten und schließlich die im Falle eines Totalverlustes zu leistende Entschädigungssumme in freien Devisen (schwed. Kronen oder Schweizerfranken) gezahlt würden.

Eine Besprechung des OKM beim OKW ergab, daß die Charterung der drei Bornholmer Schiffe nicht als *unbedingt* notwendig anzusehen sei, daß aber vor allen Dingen, auch wenn diese Voraussetzung zuträfe, freie Devisen nur in ganz beschränkten Umfange zugeteilt werden könnten.

Die Erwartungen von Skl. Qu. A VI, daß mit Rücksicht auf die veränderten Verhältnisse in Dänemark, insbesondere mit Rücksicht auf den vorübergehenden Ausnahmezustand eine Lage geschaffen werde, die eine *Beschlagnahme* von Schiffen durch die Kriegsmarine in Dänemark zulasse, wurden bisher nicht erfüllt.

Da jedoch auf die drei vorgenannten Bornholmer Schiffe nicht verzichtet werden kann und der Tonnagemangel es erfordert, daß auch weitere dänische Schiffe für die deutsche Kriegsführung eingesetzt werden, erscheint es notwendig, einen politischen Druck auf die dänische Regierung auszuüben, mit dem Ziel, der deutschen Kriegsmarine die für die deutsche Kriegsführung erforderlichen Schiffe zur Verfügung zu stellen.

Das Ziel, dänische Tonnage zu beschlagnahmen kann vielleicht auch dadurch erreicht werden, daß an Stelle von Geldkontributionen auf Grund vorgenommener Sabotage Sachkontributionen in Gestalt von Schiffsraum auferlegt werden.

Es wird gebeten, entsprechende Schritte beim Auswärtigen Amt einzuleiten.

Im Auftrage
gez. **Otto Kähler**

397. Harro Brenner an Horst Wagner 5. November 1943

AA tillod, at Rudolf Querner kom til Nordslesvig i anledning af fejringen af 9. november (årsdagen for NSDAPs kupforsøg 1923), men det var en betingelse, at han ikke talte om politiske problemer og især ikke om den tyske folkegruppes forhold i Danmark.

Querner var ikke alene SS-Obergruppenführer, men havde også i længere tid været HSSPF i Hamburg, fra oktober 1943 var han HSSPF Mitte. Det vil sige, at han kom med et kendskab til forholdene nordpå, og derfor ville AA forebygge al indblanding.

Kilde: PKB, 14, nr. 126.

Büro RAM

Über St. S. VLR Wagner vorgelegt:
Der Herr RAM hat die Reise des SS-Obergruppenführers Querner nach Nordschleswig zur Feier des 9. November genehmigt wenn sichergestellt ist, daß SS-Obergruppenführers Querner in seiner Rede keine politischen Probleme behandelt und insbesondere nicht das Verhältnis der deutschen Volksgruppe von Nordschleswig zu Dänemark berührt.

Westphalen, den 5. November 1943.
(Telefonisch voraus.)

Brenner

398. Werner Best an das Auswärtige Amt 6. November 1943

Best meddelte, at von Hanneken med baggrund i OKWs krav fortsat mente, at der skulle ansættes mindst 100.000 arbejdere for hurtigst muligt at få bygget et stærkt fæstningsanlæg. Lederen af Organisation Todt i Danmark, Landrat Martinsen, mente, at der med de foreliggende materialemængder muligvis var arbejde til 27.000 mand. Best ville have vejledning, om arbejderne skulle fremskaffes tvangsmæssigt ved militær anordning, eller om man skulle søge en omfattende regulering, der også tog hensyn til de øvrige tyske interesser. Det var ikke tilfældigt, at han nævnte landbrugsproduktionen.

Svaret var lagt i munden på AA, som imidlertid ikke nåede at svare, før der i Danmark var fundet en anden løsning. Se Bests telegram nr. 1377, 7. november (Hæstrup, 1, 1966-71, s. 222f.).

Kilde: PA/AA R 29.568. RA, pk. 204. LAK, Best-sagen (afskrift).

Telegramm

Kopenhagen, den	6. November 1943	15.05 Uhr
Ankunft, den	6. November 1943	16.05 Uhr

Nr. 1374 vom 6.11.43.

Unter Bezugnahme auf das dortige Telegramm Nr. 1506[54] vom 1.11. und auf mein Telegramm Nr. 1351[55] vom 3.11.43 berichte ich, daß der Befehlshaber der deutschen Truppen in Dänemark mir soeben mitgeteilt hat, ihm sei vom OKW fernmündlich erklärt worden, daß die von ihm beabsichtigte Verstärkung der Befestigungsarbeiten in Jütland gänzlich unzulänglich sei. Es müßten hunderttausende von Arbeitskräften angesetzt werden, um schnellstens starke Befestigungen anzulegen. Hierzu bemerke ich, daß mir der Leiter der OT in Dänemark gestern erklärt hat, daß für alle vorgesehenen und nach der Materiallage möglichen Bauten etwa 27.000 Arbeitskräfte benötigt würden. Es ist deshalb nicht recht verständlich, was das OKW mit dem Einsatz von hunderttausenden von Arbeitskräften meint. Für einen solchen Einsatz wären weder Materialien noch Werkzeuge in ausreichender Menge vorhanden. Die nach der bisherigen Planung erforderlichen Arbeitskräfte wären ohne besondere Schwierigkeiten dadurch aufzubringen, daß ich über die dänische Verwaltung bestimmte Arbeiten im Lande einstellen ließe, um hierdurch Arbeitskräfte für die Befestigungsarbeiten frei zu machen. Wenn aber Hunderttausende eingesetzt werden sollen, so bleibt im Hinblick auf die Schwierigkeiten des Transportes, der Unterbringung und der Verpflegung nur übrig, daß für die Bevölkerung der Befestigungsgebiete Zwangsarbeit angeordnet wird. Der Befehlshaber der deutschen Truppen in Dänemark hat an mich die Frage gerichtet, ob ich diese Anordnung treffen wolle oder ob er für Jütland in dieser Hinsicht besondere Anordnungen treffen solle. Da ich nicht unterrichtet bin, ob der vom OKW gewünschte Einsatz der Hunderttausende nur der Erzielung eines aktuellen Eindrucks dienen soll oder ob auf weite Sicht Zwangsarbeit der dänischen Bevölkerung für deutsche Zwecke gewollt ist, bitte ich um Weisung. Im ersten Fall könnte das vorübergehende Aufgebot durch militärische Anordnung veranlaßt werden, während im zweiten Fall eine sorgfältige und umfassendere Regelung unter Berücksichtigung aller übrigen deutschen Interessen (z.B. der landwirtschaftlichen Produktion) durch mich erforderlich erscheint.

Dr. Best

54 BRAM (gRs). Telegrammet er ikke lokaliseret.
55 Pol I M (VS). Trykt ovenfor.

399. Werner Best an das Auswärtige Amt 6. November 1943

Dagsindberetning.

Kilde: PA/AA R 29.568. RA, pk. 204.

Telegramm

Kopenhagen, den	6. November 1943	19.45 Uhr
Ankunft, den	6. November 1943	21.15 Uhr

Nr. 1376 vom 6.11.43. Citissime!

Ich bitte, die folgende Meldung unverzüglich dem Herrn Reichsaußenminister zuzuleiten:

Über die Lage in Dänemark berichte ich für den 5. auf 6.11.43, daß in Kopenhagen in einer Fabrik für elektrische Apparate, die zu 30 Prozent für deutsche Interessen arbeitet,[56] und in Randers (Jütland) in einer kleineren Maschinenfabrik, die überwiegend für deutsche Interessen arbeitet, Sabotage mit wesentlichem Schaden verübt wurde.[57] Sonst keine Vorfälle im Lande.

gez. **Dr. Best**

400. Der Reichsminister der Finanzen an das Auswärtige Amt 6. November 1943

Som svar på AAs brev 28. september 1943 anviste RMF, hvordan udgifterne til tysk politi i Danmark kunne konteres af den rigsbefuldmægtigede i Danmarks Nationalbank på samme måde som værnemagtsudgifterne.

Dermed blev den af Best ønskede finansieringsform underkendt.

Dette aktstykke brændte 22. november 1943 sammen med bl.a. den skrivelse, det var et svar på, da AA blev ramt under et allieret luftangreb på Berlin. AA bad 6. september 1944 om kopier af akterne fra RMF og fik det 29. september. Skrivelserne var angiveligt gået tabt i AA, før Best i København var blevet orienteret om indholdet. Se hans breve til AA 18. juli og 31. oktober 1944. Imidlertid havde Bests egenrådighed i forbindelse med betalingsformen til tysk politi m.m. i Danmark på det tidspunkt for længst udviklet sig til en større sag. Se OKW til RMF 15. maj 1944.

Kilde: BArch, R 2 11.598. BArch, R 901 113.555. RA, pk. 271. RA, Danica 201, pk. 81, læg 1083.

Abschrift zu Y 5104/1-324 V

Der Reichsminister der Finanzen
Y 5104/1 – 205 V

Berlin W 8, 6. November 1943
Wilhelmplatz 1/2

Finanzierung der Ausgaben des Bevollmächtigten des Deutschen Reichs in Dänemark als Besatzungskosten,

56 Holger Danske saboterede "Standard Electric" i Rådmandsstræde 71. Eksplosionen forårsagede omfattende skader på fabrikken, der for ca. 30 %s vedkommende arbejdede for tyske interesser (RA, BdO Inf. nr. 17, 9. november 1943, Kieler, 2, 1993, s. 122-124, 150, Birkelund 2008, s. 674).

57 Sabotagen var mod H. Hein & Sønners Maskinfabrik i Randersforstaden Strømmen. Fabrikken arbejdede overvejende for den tyske værnemagt. Et stort antal drejebænke og fræsemaskiner blev ødelagt, og BdO anslog skaderne til 500.000 kr. (RA, BdO Inf. nr. 17, 9. november 1943, Alkil, 2, 1945-46, s. 1223).

Ihr Schreiben Ha Pol VI 3909/43 vom 28. September 1943[58]

Auswärtiges Amt, Berlin

Nachdem das Devisenkonto IV bei der Nationalbank, das eine Abzweigung des Clearingkontos darstellt, nicht mehr für die in Ihrem Schreiben vom 28. September 1943 bezeichneten Zwecke ausreicht, empfehle ich, *alle* zivilen Ausgaben – den gesamten Bedarf des Bevollmächtigten des Deutschen Reichs und der Polizei – in derselben Weise zu finanzieren wie die Wehrmachtausgaben, d.h. über das Besatzungskostenkonto der Hauptverwaltung der Reichskreditkassen bei Danmarks Nationalbank. Die Aufteilung der Kosten auf Wehrmacht und zivilen Sektor könnte durch verschiedenfarbige Schecks (wie in Norwegen) gesucht werden.

Im Auftrag
gez. **Dr. Berger**

401. Karl Ritter an Werner Best 7. November 1943

Best fik meddelelse om, at Paul Kanstein hurtigst muligt skulle forflyttes til Italien.

Det kom ikke som nogen overraskelse, det havde kun været et spørgsmål om, hvor Kanstein skulle hen. Der var blevet holdt afskedsaften for ham 19. oktober med deltagelse af bl.a. Best, Barandon, Stalmann, Duckwitz, von Heimburg og Mildner (Bests kalenderoptegnelser 19. oktober).

Baggrunden var, at Kanstein, der havde været i Danmark siden april 1940, havde anmodet om forflyttelse efter, at den politik han stod for, havde lidt nederlag i forbindelse med begivenhederne 29. august, samt at han ikke kom til at spille den fremtrædende rolle under undtagelsestilstanden, han var udset til, og at forholdet til Best siden var kølnet. Dertil kommer, at Kansteins funktioner stort set alle var overtaget af de nytilkomne politiledere (se endvidere Hans Kirchhoff i *Hvem var hvem 1940-1945*, 2005, s. 199f.).

Kilde: PA/AA R 29.568. RA, pk. 204.

Telegramm

Sonderzug, den	7. November 1943	00.25 Uhr
Ankunft, den	7. November 1943	01.00 Uhr

1.) Telko. Nr. 1762
2.) Diplogerma Kopenhagen
Geheimvermerk für geheime Reichssachen.

Für Gesandten Best:
Im Anschluß an unser heutiges Ferngespräch bittet Sie der Herr Reichsaußenminister, Herrn Kanstein alsbald von seinen dortigen Geschäften zu entbinden und ihn zu beauftragen, sich so schnell als möglich bei dem Reichsbevollmächtigten, Gesandten Rahn, in Italien zu melden. Wir legen Wert darauf, daß dies schnellstens geschieht. Sollte es

58 Trykt ovenfor.

für Herrn Kanstein notwendig sein, noch persönliche Angelegenheiten abzuwickeln, so wäre es vorzuziehen, daß er dies später nachholt.

Ritter

Vermerk:
Unter Nr. 1536 an Diplogerma Kopenhagen weitergeleitet.
Tel. Ktr., 7.11.43.

402. Horst Wagner: Notiz 7. November 1943

Wagner noterede indholdet af en samtale, han og Steengracht havde haft med Ernst Kaltenbrunner. Der var enighed om, at den rigsbefuldmægtigede var den øverste politiske autoritet i Danmark, og at HSSPF modtog sine politiske retningslinjer fra ham og de faglige fra RFSS (Rosengreen 1982, s. 58).

Steengracht udarbejdede samme dag en notits til Ribbentrop af helt identisk indhold på dette punkt, men ved siden af blev andre internationale fællesanliggender berørt (RA, pk. 229).

Ernst Kaltenbrunner var ikke overordnet for HSSPFerne i de besatte lande, det var RFSS selv, hvorfor Kaltenbrunner ikke kunne lave bindende aftaler på hans vegne. På den anden side var den her indgåede aftale vedrørende HSSPF i Danmark så generel, at den ikke sikrede AAs og den rigsbefuldmægtigedes politiske interesser. Hvad der var en politisk interesse over for en politi-interesse kunne til enhver tid gøres til et afgrænsningsspørgsmål – og en magtkamp. RFSS var i ingen af de besatte lande interesseret i at få sine HSSPFeres ressortområder afgrænset, tværtimod, og det samme gjaldt for BdSerne (Umbreit 1988a, s. 116).

Kilde: RA, pk. 229.

N o t i z
über die Besprechung zwischen Chef SD, St.S. und Gruppenleiter Inland II.

Aufgrund der Weisung des Herrn Reichsaußenminister wurde als Grundlage für das Verhältnis zwischen dem Vertreter des Auswärtigen Amtes und dem Höheren Polizeiführer der Erlaß des Führers über die Vollmachten für den Gesandten Neubacher genommen. Dieser sieht vor, daß der Höhere Polizei-Führer dem Bevollmächtigten des Auswärtigen Amtes als Berater in polizeilichen Fragen beigegeben ist und seine Weisungen auf politischem Gebiet von diesem erhält. Die fachlichen Weisungen erhält der Polizeiführer vom Reichsführer oder seinen Organen. Obergruppenführer Kaltenbrunner bemerkte hierzu, daß diese Regelung den Reichsinteressen entspräche und demgemäß diese Frage in den in Betracht kommenden Gebieten nicht mehr zur Debatte zu stehen brauche.
Es wurde sodann auf die Einzelfälle eingegangen:

a.) Dänemark: Entsprechend obiger Regelung gelten die Verhältnisse in Dänemark als klargestellt und geregelt.

b.) Frankreich: Hier sind die Verhältnisse insofern anders gelagert, als der Höhere Polizeiführer seit Beginn der Besetzung dem Militärbefehlshaber beigegeben wurde. Ein Teil seines Aufgabengebietes besteht darin, den Militärbefehlshaber in Ausübung der vollziehenden Gewalt zu unterstützen. (Sabotage, Waffenlager, aktive Spionage, Feldpolizei). Sofern aber der Polizeiführer Aufgaben ausführt, die über diesen Rahmen hinausgehen, würden nach Auffassung des Obergruppenführers Kaltenbrunner die vorerwähnten allgemeinen Grundsätze zu gelten haben. Weisungsgemäß wurde mitgeteilt, daß der Herr RAM in absehbarer Zeit in Paris wieder einen Botschafter einsetzen werde. Obergruppenführer Kaltenbrunner ist der Ansicht, daß hierdurch von selbst eine schärfere Abgrenzung der Aufgaben (Politik, Militärfragen und Sicherheitsangelegenheiten) sich ergeben würde. Dadurch würde auch eine Reihe von Überschneidungen und Unklarheiten wegfallen und die Durchführung des von ihm anerkannten Grundsatzes erleichtert werden. Zur weiteren Förderung einer einheitlichen Ausrichtung der deutschen Belange machte Obergruppenführer Kaltenbrunner den Vorschlag, gegebenenfalls einen Polizeiattaché, eventuell Standartenführer Koochen, in die Botschaft einzubauen.

Berlin, den 7.11.1943.

[Wagner]

403. Werner Best an das Auswärtige Amt 7. November 1943

Best kunne meddele AA, at han havde fået en aftale i stand med von Hanneken, der indebar, at der fra centraladministrationen blev stillet en repræsentant til rådighed vedrørende Jylland, og at Best ville stille med en tilsvarende repræsentant. Begge skulle stå til rådighed for von Hanneken ved gennemførelsen af militære foranstaltninger. Et resultat af overenskomsten var, at der ikke kom generelle foranstaltninger om arbejdsindsats over for befolkningen.

Aftalens konkrete udmøntning fremgår af telegram nr. 1423, 18. november (Hæstrup, 1, 1966-71, s. 223f.).

Kilde: PA/AA R 29.568. RA, pk. 204. LAK, Best-sagen (afskrift).

Telegramm

Kopenhagen, den	7. November 1943	20.00 Uhr
Ankunft, den	7. November 1943	21.00 Uhr

Nr. 1377 vom 7.11.[43.]

Unter Bezugnahme auf das dortige Telegramm Nr. 1506[59] vom 1.11. und meine Telegramme Nr. 1351[60] vom 3.11. und Nr. 1374[61] vom 6.11.43 berichte ich, daß ich heute mit dem Befehlshaber der deutschen Truppen in Dänemark vereinbart habe, daß die erforderlichen Maßnahmen zunächst durch Anordnung der örtlichen militärischen Dienststellen gegenüber den örtlichen dänischen Behörden in Jütland veranlaßt werden sollen. Durch die dänische Zentralverwaltung werden die dänischen Behörden in Jütland angewiesen, den militärischen Anordnungen Folge zu leisten. Von der dänischen Zentralverwaltung wird ein Beauftragter für Jütland bestimmt, der für reibungslose Durchführung der militärischen Anordnungen zu sorgen hat. Ich stelle dem Befehlshaber der deutschen Truppen einen höheren Verwaltungsbeamten zur Verfügung, der ihn hinsichtlich der dänischen Behörden in Jütland zu erteilenden Weisungen berät und der gegebenenfalls als Chef der Zivilverwaltung zu seiner Verfügung steht. Von

59 BRAM gRs. (Sonderzug 1746). Telegrammet er ikke identificeret.
60 bei RAM (V.S.). Trykt ovenfor.
61 bei RAM (V.S.). Trykt ovenfor.

allgemeinen Maßnahmen hinsichtlich des Arbeitseinsatzes der Bevölkerung – insbesondere von dem Erlaß deutscher Anordnungen – kann unter diesen Umständen zunächst abgesehen werden. Meine im Telegramm Nr. 1374 vom 6.11.43 ausgesprochene Bitte um Weisung erübrigt sich hiermit.

Dr. Best

404. Werner Best an das Auswärtige Amt 7. November 1943

Dagsindberetning.

Kilde: PA/AA R 29.568. RA, pk. 204.

Telegramm

Kopenhagen, den	7. November 1943	20.00 Uhr
Ankunft, den	7. November 1943	21.00 Uhr

Nr. 1378 vom 7.11.[43.] Citissime!

Ich bitte, die folgende Meldung dem Herrn Reichsaußenminister unverzüglich zuzuleiten:

Über die Lage Dänemarks berichte ich für den 6. auf 7.11.43, daß fünf unbedeutende Sabotagefälle mit geringen Schaden und ohne Berührung deutscher Interessen gemeldet worden sind.[62]

Dr. Best

405. Werner Best an das Auswärtige Amt 8. November 1943

Best gav meddelelse om Paul Kansteins afrejse.

Kilde: PA/AA R 29.568. RA, pk. 204.

Telegramm

Kopenhagen, den	8. November 1943	14.00 Uhr
Ankunft, den	8. November 1943	14.40 Uhr

Nr. 1380 vom 8.11.43. Citissime!

Auf das Telegramm Nr. 1536[63] v. 7. d.M.

Dem SS-Brigadeführer Regierungspräsidenten Kanstein ist der Inhalt des obenbezeichneten Telegramms, wonach er alsbald von seinen hiesigen Geschäften zu entbinden und

62 Nattens aktion var i Århus et sabotageforsøg mod en samleskinne og ringe skade på to jernbanevogne (RA, BdO Inf. nr. 17, 9. november 1943, Alkil, 2, 1945-46, s. 1223).

63 Pol VI gRs (Sonderzug 1762). Trykt ovenfor.

zu beauftragen ist, sich so schnell wie möglich bei dem Reichsbevollmächtigten Gesandten Rahn in Italien zu melden, heute bekanntgegeben worden. Kanstein wird am 9. d.M. von hier abreisen.

gez. **Dr. Best**

406. Werner Best an das Auswärtige Amt 8. November 1943

Dagsindberetning.

Kilde: RA, pk. 204.

Telegramm

Kopenhagen, den	8. November 1943	19.35 Uhr
Ankunft, den	8. November 1943	20.10 Uhr

Nr. 1384 vom 8.11.43. Citissime!

Ich bitte, die folgende Meldung dem Herrn Reichsaußenminister unverzüglich zuzuleiten:

Über die Lage in Dänemark berichte ich für den 7. auf 8.11.43, daß der Posten vor der Unterkunft der Ordnungspolizei in Odense von zwei unbekannten Personen mit Pistolen beschossen wurde. Die Ordnungspolizei hat unverzüglich eine größere Zahl von Personen, die sich in der Umgebung der Unterkunft auf der Straße befanden, festgenommen.[64] Die Untersuchung ist im Gange. In Kopenhagen ein Sabotageversuch.[65] Bei Aarhus Unterbrechung eines Starkstromkabels.[66]

Dr. Best

407. Deutsches Rotes Kreuz an Adolf Eichmann 8. November 1943

Walther Hartmann, afdelingsleder i Tysk Røde Kors, sendte Eichmann en kopi af et brev, som han havde sendt til Dansk Røde Kors. Brevet refererede den aftale, der var indgået mellem Tysk Røde Kors og Eichmann 4. november 1943, hvorefter det ikke var udelukket, at de danske jøder i Theresienstadt kunne få besøg af Dansk Røde Kors, at de skulle have mulighed for at korrespondere, og så var der givet forsikring om, at de skulle forblive i Theresienstadt.

Muligvis havde mødet med Eichmann 4. november været med både AA og Tysk Røde Kors. Best fulgte

64 Ved aktionen mod det tyske ordenspolitis kvarter i Odense blev der også kastet 4 håndgranater af engelsk fabrikat. Episoden førte til omfattende arrestationer foretaget af BdO: 60 personer, hvoraf 7 blev videregivet til SD, hvilket understreger med hvilken alvor, der fra tysk side blev set på angrebet (BArch, R 70 Dänemark 6, KTB/BdO 8. november 1943, RA, BdO Inf. nr. 17, 9. november 1943, Hansen 1945, s. 35).

65 Maskinfabrikken Georg Andersen, Wilhelm Bergsøes Allé 5, blev forgæves forsøgt saboteret (RA, BdO Inf. nr. 17, 9. november 1943).

66 Det lykkedes at ødelægge et stærkstrømskabel i Mølleengen, men strømmen blev ikke afbrudt, da andre forsyningskilder automatisk blev slået til. Der var adskillige andre sabotageaktioner den pågældende nat (RA, BdO Inf. nr. 17, 9. november 1943, Hauerbach 1945, s. 23, Alkil, 2, 1945-46, s. 1223, Kieler, 2, 1993, s. 150).

op på sagen 19. november 1943 med telegram nr. 1430 (Yahil 1967, s. 495, note 56 daterer brevet til Eichmann til 11. november 1943, Morgenbrod/Merkenich 2008, s. 389f.).

Kilde: BArch, R 58/89.

VII/Ch-Ha./Pa. *8.11.1943*

An Reichssicherheitshauptamt
z.Hd. von SS-Ostubaf. Eichmann
Berlin W 35

unter Bezugnahme auf die Besprechung vom 4.11. zur Kenntnis übersandt.

Der Chef des Amtes Auslandsdienst
[uden underskrift]

An den Präsidenten des Dänischen Roten Kreuzes
Herrn Johan Bülow
Kopenhagen K
Amaliegade 18

Zum dortigen Schreiben vom 15.10. teilt das Deutsche Rote Kreuz Folgendes mit nach Besprechung der Frage mit der zuständigen deutschen Dienststelle:

Die aus Dänemark nach Deutschland verschickten Juden sind nach Theresienstadt überführt worden. Die Möglichkeit, Vertretern des Dänischen Roten Kreuzes die Erlaubnis zu einem Besuch der dänischen Juden in Theresienstadt zu geben, ist nicht grundsätzlich abgelehnt worden. Die Ausführung muß jedoch zunächst für eine etwas spätere Zeit zurückgestellt werden.

Dem Dänischen Roten Kreuz kann das Deutsche Rote Kreuz weiterhin mitteilen, daß es erreicht worden ist, Korrespondenzmöglichkeiten für die in Theresienstadt aufgenommenen dänischen Juden vorzusehen, und daß ferner die Zusicherung gegeben worden ist, daß sie in Theresienstadt verbleiben. Sie stehen dort unter der unmittelbaren Aufsicht des Jüdischen Ältestenrates selbst.

Der Chef des Amtes Auslandsdienst
(Hartmann)
DRK-Generalhauptführer

408. Werner Best an das Auswärtige Amt 9. November 1943

Rygterne om den forestående aktion mod de danske jøder havde fået Københavns biskop Hans Fuglsang-Damgaard til gennem Kirkeministeriet 29. september at overrække Best et hyrdebrev indeholdende en protest mod jødeforfølgelsen. Hyrdebrevet blev påfølgende søndag oplæst i en del af Danmarks kirker.

Givetvis efter ønske fra AA fremsendte Best godt fem uger senere en oversættelse af hyrdebrevet. Det blev af AA videresendt til Partei-Kanzlei der NSDAP 16. november 1943.

Kilde: RA, pk. 218. *Frit Danmark*, Londonudgave 15. oktober 1943 (på dansk). Brøndsted/Gedde, 2, 1946, s. 584f. (på dansk).

Der Bevollmächtigte des Reiches in Dänemark *Kopenhagen 9.11.43*
K 1 K.D.J. 51/43.

Auf den Erlaß vom 5. Oktober 1943[67] – Inl. I D 1698/43 –

An das Auswärtige Amt in Berlin

Betr.: Hirtenbrief des Bischofs von Kopenhagen.

Nachstehend wird der Wortlaut des vom Bischof Fuglsang-Damgaard im Zuge der hier durchgeführten Juden-Aktion verfaßten Hirtenbriefes übersandt:

"Wo Verfolgungen gegen Juden aus rassemäßigen oder religiösen Gründen erfolgen, ist es die Pflicht der christlichen Kirche, dagegen zu protestieren.

1.) weil wir nie vergessen dürfen, daß Jesus, der Herr der Kirche, von der Jungfrau Maria nach Gottes Willen seinem Volke Israel in Bethlehem geboren wurde. Die Geschichte der Juden bis zu Christi Geburt enthält die Vorbereitungen für die Erlösung, die Gott allen christlichen Menschen gegeben hat. Dieses wird dadurch gekennzeichnet, daß das alte Testament ein Teil unserer Bibel ist;
2.) weil die Verfolgung der Juden gegen jede menschliche Auffassung von Nächstenliebe streitet, die eine Folge der Botschaft ist, die die Kirche Jesu Christi verkünden soll. Christus kennt keinen Unterschied und hat uns gelehrt, daß in den Augen Gottes alle Menschen gleich sind (Galth. 3.28);
3.) weil es gegen die Gerechtigkeit streitet, die im dänischen Volke seit Jahrhunderten durch dänisch-christliche Kultur verwurzelt ist. Nach dem dänischen Gesetz besitzen alle dänischen Staatsbürger das gleiche Recht und die gleiche Pflicht gegenüber dem Gesetz. Religionsfreiheit ist ihnen zugesichert. Wir fassen unsere Religionsfreiheit als ein Recht auf, unsere Gottesverehrung nach bestem Wissen und Gewissen auszuüben, und zwar so, daß Rassenzugehörigkeit und Religion als solche niemals den Anlaß dazu geben, daß einem Menschen Rechte, Freiheit und Besitz geraubt werden kann. Abgesehen von abweichenden religiösen Anschauungen werden wir dafür kämpfen, daß unsere jüdischen Brüder und Schwestern dieselbe Freiheit bewahren, die wir selbst mehr schätzen und achten als unser Leben. Bei den Führern der dänischen Kirche versteht man ganz klar, daß wir die Pflicht haben, gehorsame Bürger zu sein, Bürger, die sich nicht unzeitgemäß gegen die Obrigkeit auflehnen. Aber gleichzeitig sind wir an unser Gewissen gebunden, unser Recht zu behaupten und gegen jede Rechtskränkung zu protestieren. Deshalb werden wir uns gegebenenfalls unzweideutig zu dem Wort bekennen, daß wir Gott mehr zu gehorchen haben als den Menschen."

Im Auftrag
[signeret]

67 Skrivelsen er ikke lokaliseret. Datoen synes med håndskrift at være rettet til 11. oktober.

409. Werner Best an das Auswärtige Amt 9. November 1943

Dagsindberetning.

Kilde: PA/AA R 29.568. RA, pk. 204.

Telegramm

Kopenhagen, den	9. November 1943	22.20 Uhr
Ankunft, den	9. November 1943	23.00 Uhr

Nr. 1386 vom 9.11.[43.] Citissime!

Ich bitte, die folgende Meldung unverzüglich dem Herrn Reichsaußenminister zuzuleiten:

Über die Lage in Dänemark berichte ich für den 8. auf 9.11.1943, daß außer einem Sabotageakt in der Ford-Motorwerkstatt in Aarhus, die zu 60 Prozent für die Wehrmacht (Kraftwagenreparaturen für den HKP), keine besonderen Vorfälle aus dem Lande gemeldet sind.[68] In Kopenhagen wurden bei einem Sabotageversuch in einem Ladengeschäft zum ersten Mal zwei Brandbomben schwedischer Fabrikation gefunden und sichergestellt.[69]

gez. **Dr. Best**

410. Werner Best an das Auswärtige Amt 10. November 1943

Dagsindberetning.

Kilde: PA/AA R 29.568. RA, pk. 204.

Telegramm

Kopenhagen, den	10. November 1943	21.20 Uhr
Ankunft, den	10. November 1943	21.50 Uhr

Nr. 1389 vom 10.11.43. Citissime!

Ich bitte, dem Herrn Reichsaußenminister die folgende Meldung unverzüglich zuzuleiten:

Über die Lage in Dänemark berichte ich für den 9. auf 10.11.43, daß in Kopenhagen die Radiofabrik "American Apparate Co.", die nicht für deutsche Interessen arbeitet, durch Brandstiftung zerstört worden ist.[70] In Randers wurden zwei Jungkommunisten

68 Der blev rettet sabotage mod Aarhus Motor Co.s bygning, hvorved en olietrykstransformator blev ødelagt og bygningen stærkt beskadiget. BdO anslog skaden til ca. 50.000 kr. (RA, BdO Inf. nr. 18, 10. november 1943, Hauerbach 1945, s. 23, Alkil, 2, 1945-46, s. 1223).

69 Der var sabotage mod fire forskellige forretninger i København den nat, bl.a. Deutsche Wurst i Jorcks Passage, hvor Holger Danske stod bag (RA, BdO Inf. nr. 18, 10. november 1943, Alkil, 2, 1945-46, s. 1223, Kieler, 1, 2001, s. 318, Birkelund 2008, s. 674).

70 Fabrikken, der lå Søgårdsvej 52 i Gentofte, nedbrændte efter en aktion udført af Holger Danske, der havde gjort et forgæves sabotageforsøg mod fabrikken 7. november. BdO anslog skaderne til 1,5 mio. kroner, og meddelte som Best, at tyske interesser ikke blev berørt, men fortalte dog også, at fabrikken fremstillede radioudstyr for det tyske firma Lorenz i Berlin (RA, BdO Inf. nr. 19, 15. november 1943, Kieler, 1, 1982, s. 139-141, Kieler, 2, 1993, s. 150, Kieler, 1, 2001, s. 316-321, Birkelund 2008, s. 674 med en skadeopgivelse på 856.195 kr.).

festgenommen, die einen Unteroffizier überfallen hatten, um ihm die Pistole abzunehmen. In Nyborg brach ein Brand in einem nicht mehr benutzten und unbewachten Flakturm aus.[71]

Dr. Best

411. Der Befehlshaber der Sicherheitspolizei und des SD in Dänemark an RSHA 11. November 1943

RSHA fik meddelelse om det illegale tysksprogede blad *Deutsche Nachrichten*. Det blev vurderet til at være et kommunistisk skrift.

Bladgruppen bag bestod hovedsageligt af tyske immigranter, som boede illegalt i Danmark fra tiden før 9. april 1940 suppleret med mindre grupper indenfor værnemagten. Bladet blev fordelt til tyske soldater (Jefsen 1986 og 1993).

Kilde: RA, Danica 1069, sp. 7, nr. 8531.

Der Befehlshaber der Sicherheitspolizei
und des SD in Dänemark
– IV A 1 – B. Nr. 3564/43

Kopenhagen, den 11. November 1943.

An das Reichssicherheitshauptamt – IV A 1 –
nachrichtlich
dem Reichssicherheitshauptamt – IV D 4 –
Berlin SW 11,
Prinz-Albrechtstraße 3.

Betrifft: Illegale Flugblattpropaganda in Dänemark.

In der Anlage überreiche ich eine illegale Hetzschrift in deutscher Sprache – betitelt: "Deutsche Nachrichten", die im September 1943 herausgegeben und in letzter Zeit in Kopenhagen zur Verteilung gekommen ist.

Es handelt sich angeblich um eine periodisch erscheinende kommunistische Schrift, die nach der Aufschrift im 1. Jahrgang zum vierten Male herausgegeben wird. Da nun bisher bereits 3 in der Tendenz ähnliche Schriften in deutscher Sprache in Dänemark zur Verteilung gelangt sind, kann angenommen werden, daß die jetzt vorliegende erstmalig hier angefallene Schrift eine Folge der bisher herausgegebenen deutschsprachigen Schriften ist.

Nach dem einleitenden Artikel ist der Inhalt aus der illegalen Schrift "Freies Deutschland", die vom Nationalkomitee "Freies Deutschland" herausgegeben wird, entnommen worden.

Im Auftrage:
[underskrift]

71 Der blev sat ild på en flakkanonstilling på Silokajen i Nyborg havn (Alkil, 2, 1945-46, s. 1224).

412. Werner Best an das Auswärtige Amt 11. November 1943

Dagsindberetning.

Kilde: PA/AA R 29.568. RA, pk. 204.

Telegramm

Kopenhagen, den	11. November 1943	
Ankunft, den	11. November 1943	21.00 Uhr

Nr. 1392 vom 11.11.[43.] Citissime!

Ich bitte, dem Herrn Reichsaußenminister die folgende Meldung unverzüglich zuzuleiten:

Über die Lage in Dänemark berichte ich für den 10. auf den 11.11.43, daß in Kopenhagen ein Soldat von einem unbekannten Täter durch Pistolenschuß verletzt wurde. Ein Posten in der Nähe hat einen im Zusammenhang mit diesem Vorfall flüchtenden Mann erschossen.[72] Die Untersuchung wird von der Sicherheitspolizei in Zusammenhang mit den zuständigen militärischen Stellen geführt, weiter erfolgte ein Sabotageakt in einer für die deutsche Wehrmacht arbeitenden Autoreparaturwerkstatt in Kopenhagen und ein deutsche Interessen nicht berührender Sabotageakt in einem Kühlhaus.[73] Weiter ein Brand mit unbekannter Ursache in der Werkstatt eines Baugeschäftes in Sonderburg.[74]

Dr. Best

413. Der Reichsminister der Finanzen an das Auswärtige Amt 11. November 1943

RMF afviste at omlægge den danske clearingkonto fra RM til kroner både på grund af de konsekvenser, det ville få i forhold til andre lande og Danmarks gunstige særstilling. Det var det land, der led mindst under krigen, og det havde allerede fået begunstigelser, bl.a. værnemagtskontoens opgørelse i kroner. På grund af pengerigeligheden i Danmark kunne det i stedet komme på tale at kræve et dansk bidrag til krigsudgifterne.

Reichsbankdirektorium udtalte sig i sagen 16. december 1943 til AA og var ikke enig med RMF: For at sikre de fortsatte danske leverancer til Tyskland kunne det være nødvendigt at vise imødekommenhed i denne sag. Med hensyn til om Danmark skulle betale et krigsbidrag, forbeholdt Reichsbankdirektorium sig sin stilling (BArch, R 901 113.554, RA, pk. 271).

Kilde: BArch, R 901 113.554. RA, pk. 271.

Der Reichsminister der Finanzen	*Berlin W 8, 11. November 1943*
Y 5104/1 – 199 V	Wilhelmplatz 1/2

72 En tysk officer var på Øresundsvej i København blevet frataget sit våben, og en tysk vagt skød en cyklist, der passerede på vej til arbejde (KB, Bergstrøms dagbog 11. november 1943).

73 Der var en sabotagebrand i værkstedsbygningen hos Motorcyklefirmaet A/S C. Reinhardt, Lyngbyvej 36, gennemført af Holger Danske, firmaet arbejdede for den tyske værnemagt, og en eksplosion udført af Holger Danske og BOPA i Det danske Kølehus, “Cold Store,” Islands Brygge 50, der iflg. BdO ikke berørte tyske interesser (RA, BdO Inf. nr. 19, 15. november 1943, Kieler, 1, 1982, s. 141-143, Kieler, 2, 1993, s. 150, Kjeldbæk 1997, s. 470, Birkelund 2008, s. 674).

74 Der var brand i bygmester Otto Erichs værksted, Oehlenschlægersgade 37. Branden blev opdaget og slukket af nattevagten (RA, BdO Inf. nr. 19, 15. november 1943, Alkil, 2, 1945-46, s. 1224).

Umstellung des dänischen Clearingguthabens,
Ihr Schreiben vom 2. September 1943[75] – Ha Pol VI 3512/43 II –

Auswärtiges Amt,
Berlin

Es sind bisher alle Anträge ausländischer Staaten auf Übernahme von Verpflichtungen in fremder Währung durch das Reich *grundsätzlich* abgelehnt worden. Die Gründe der deutschen Einstellung sind bekannt.

Die deutsche Clearingverschuldung ist angesichts der Dauer des Krieges stark angestiegen. Das Verhalten einiger verbündeter Gläubigerländer (Rumänien, Ungarn, Bulgarien, Slowakei) zeigt, daß sie sich gegen diese Entwicklung zu wehren suchen. Sie verlangen in zunehmendem Maße gleichwertige Gegenlieferungen Deutschlands, ein Verlangen, das mit der Lage Deutschlands im fünften Kriegsjahr in diametralem Gegensatz steht. Wenn jetzt dem Antrag der Dänischen Nationalbank stattgegeben würde, kann mit Sicherheit damit gerechnet werden, daß noch weitere Länder ähnliche Anträge stellen werden. Das sollte jeden Fall vermieden werden.

Ich kann auch die in dem Memorandum angeführten Gründe nicht anerkennen. Dänemark hat von den durch den Krieg berührten europäischen Ländern am wenigsten gelitten und im Lauf der Zeit deutscherseits weitgehende Zugeständnisse erhalten (Kronenaufwertung, Umbuchung des Wehrmachtkredits auf d.Kr., Bezahlung der Lebensmittel- und Futtermittelversorgung der Besatzungstruppe über Clearing). Der dänische Staatshaushalt ist geordnet, obwohl die Steuerbelastung und die Geldabschöpfung nicht den Erfordernissen der Kriegszeit entspricht. Die Geldreichlichkeit in Dänemark wird durch die bisherigen dänischen Maßnahmen, wie in Holland (Besatzungskostenbeitrag oder ähnliches), sind auf Grund der neuerlichen politischen Entwickelung in beiderseitigem Interesse geboten.

Die Umstellung des dänischen Clearingguthabens kommt deshalb nicht in Frage. Der Vorschlag des Reichsbankdirektoriums in dem Schreiben vom 24. September 1943[76] – II a 7456 –, die Kronenkäufe der Deutschen Verrechnungskasse für die Zukunft einzustellen, erscheint unter diesen Umständen nicht zeitgemäß.

Das Reichsbankdirektorium, der Reichswirtschaftsminister, der Reichsminister für Ernährung und Landwirtschaft haben Anschrift dieses Schreibens erhalten.

Im Auftrag
gez. **Berger**

75 Skrivelsen er ikke lokaliseret.

76 Skrivelsen, stilet til van Scherpenberg er i BArch, R 901 113.554, RA, pk. 204 og 271 bilagt en kopi af et svarbrev fra Puhl til C.V. Bramsnæs 24. september 1943. Rigsbankdirektoriets forslag blev fremsat på baggrund af, at den danske nationalbank 6. august havde ønsket at få stoppet Deutsche Verrechnungskasses opkøb af kroner, indtil der var truffet beslutning vedrørende clearingkontoen. Direktoriet ville dertil afvise at opgøre den tidligere tyske gæld i kroner, men var villig til at gøre det for den fremtidige gælds vedkommende.

414. Kriegstagebuch/WB Dänemark 11. November 1943

Med de stigende tyske krav om befæstningsbyggeri i Jylland blev behovet for civil danske arbejdskraft sat kraftigt i vejret. Ved en forhandling med von Hanneken fik Best det aftalt således, at arbejdskraften principielt skulle skaffes gennem de danske myndigheder.

Best kørte til Århus i selskab med Pancke, og de beså undervejs på Fyn Ladbyskibet, før Best tog videre til Silkeborg Bad uden Pancke. Stabiliseringen af situationen var på alle måder indtruffet (Bests kalenderoptegnelser 11. november 1943, Rosengreen 1982, s. 64f.).

Kilde: KTB/WB Dänemark 11. november 1943.

[...]
Besprechung Befehlshaber mit Reichsbevollmächtigten über zivilen Arbeitseinsatz in Jütland für den Stellungsausbau. Hierbei wurde festgelegt, daß die Erfassung der zivilen Arbeitskräfte grundsätzlich über die dänischen Dienststellen erfolgen und ein unmittelbares Eingreifen der Truppe in den einzelnen Standorten unterbunden werden soll.

Im Falle von Schwierigkeiten hinsichtlich Gestellung von Arbeitskräften (Arbeitsverweigerung) ist beabsichtigt, den betreffenden Gemeinden Bußen aufzuerlegen bezw. in schweren Fällen einzelne Verschickungen nach Deutschland ins Auge zu fassen.

Mit den Höheren SS- und Polizeiführer wurde der Einsatz der Ordnungspolizei in Dänemark besprochen und ihre Unterstellung im Einsatzfall festgelegt.
[...]

415. Horst Wagner: Vortragsnotiz 11. November 1943

Den svenske legationsråd Claës von Post havde været i AA med anmodning om frigivelsen af nogle jøder, der var anholdt i Danmark, men som kort forinden havde erhvervet svensk statsborgerskab. Det samme gjaldt for de jøder, hvis sag han tidligere havde henvendt sig for. Såfremt tyskerne ønskede garantier for, at de frigivne jøder afholdt sig fra propagandavirksomhed, lovede han, at de ville blive holdt i Sverige til krigens slutning. Wagner gjorde opmærksom på, at det svenske gesandtskab 24. marts havde fået besked på, at Tyskland ikke ville tage hensyn til jøder med nyt statsborgerskab. RFSS afviste at frigive jøder, der i sidste øjeblik havde erhvervet nyt statsborgerskab.

Wagner foreslog: 1) at alle henvendelser vedrørende jøder efter 24. marts 1943 blev tilbagevist, 2) at alle henvendelser om deporterede norske jøder, der først skiftede borgerskab på grund heraf, blev afvist, 3) i to konkrete tilfælde var nyt statsborgerskab opnået for et år siden og udrejsetilladelse givet af AA, hvorfor Wagner indstillede deres frigivelse. Her opstod problemet først i forhold til RSHA, da alle de øvrige anmodninger om løsladelser indløb.

Ribbentrop ytrede sig til forslagene 26. november 1943 gennem Brenner til Steengracht.

Kilde: RA, pk. 226.

Geheim zu Inl. II 3139 g

Vortragsnotiz

Über den Herrn Staatssekretär zur Vorlage bei dem Herrn Reichsaußenminister

Legationsrat von Post von der Schwedischen Gesandtschaft übergab die abschriftlich anliegenden beiden Noten, in denen die Erteilung der Ausreisegenehmigung für einige der in Dänemark festgenommenen Juden erbeten wird. Die Genannten seien kurz vor ihrer Verhaftung in den schwedischen Staatsverband aufgenommen worden.

Gleichzeitig bat Legationsrat von Post hinsichtlich der übrigen Fälle, in denen die Schweden die Ausreisegenehmigung für verhaftete Juden unter Berufung auf deren in Schweden erfolgte Einbürgerung erbeten haben, um positive Regelung. Sollten seitens der deutschen Stellen Garantien gefordert werden, sei die Schwedische Regierung bereit, die Verantwortung dafür zu übernehmen, daß die zurückkommenden Juden sich jeder propagandistischen Tätigkeit enthielten und für die Dauer des Krieges keine Ausreisegenehmigung aus Schweden erhielten.

Legationsrat von Post wurde unverzüglich darauf hingewiesen, daß der Schwedischen Gesandtschaft am 26. März d.J. bereits mitgeteilt worden sei, Einbürgerungen, die nach Erhalt dieser Mitteilung in Schweden vorgenommen würden, nur zu dem Zweck, um Juden den deutschen Judenmaßnahmen zu entziehen, deutscherseits nicht mehr berücksichtigt werden würden.

Der Reichsführer-SS lehnt im Hinblick auf die zu erwartenden Auswirkungen auch auf andere Staaten eine Freigabe der neu-eingebürgerten Juden – es handelt sich überwiegend um norwegische, dänische und niederländische Juden – auf das Bestimmteste ab.

Im Einvernehmen mit der Politischen Abteilung schlägt Gruppe Inland II vor:

1.) Alle Interventionen wegen Juden, die erst nach dem 24. März eingebürgert sind, um sie dem Zugriff deutscher Dienststellen zu entziehen, werden zurückgewiesen.

2.) Es verbleibt bei der Ablehnung wegen Freilassung der aus Norwegen abtransportierten Juden, die erst wegen des Abtransportes eingebürgert wurden.

3.) Für die Juden Bondy und Weintraub, die zur Zeit in Theresienstadt sitzen, erwirkt das Auswärtige Amt die Freilassung und Ausreisegenehmigung nach Schweden bei Abgabe der angebotenen Garantien. Die Einbürgerungen in diesen Fällen liegen bereits über ein Jahr zurück; die Erteilung der Ausreisegenehmigung war bereits vom Auswärtigen Amt (Unterstaatssekretär Luther) zugesagt und Schwierigkeiten entstanden erst seitens des Reichssicherheitshauptamtes, nachdem die zahlreichen übrigen Einbürgerungen erfolgten.

Berlin, den 11. November 1943

Wagner

416. Emil Wiehl: Vermerk 11. November 1943

Østministeriet arbejdede fortsat for oprettelse af et kapitalselskab, der skulle forestå den danske indsats i østområderne. Det blev ved et møde med repræsentanter for AA og østministeriet aftalt, at østministeriet skulle rette skriftlig henvendelse til AA, og at Best derpå skulle konsulteres i spørgsmålet.

Bests indstilling fremgår af Steengrachts brev til Meyer 18. december 1943 (Lund 2005, s. 206).

Kilde: PA/AA R 29.568. RA, pk. 204. PKB, 13, nr. 607.

Geheim.
Dir. Ha Pol Nr. 137 *Berlin, den 11, November 1943*

Vermerk

Bei der heutigen Besprechung von Staatssekretär von Steengracht mit Gauleiter Meyer, an der außer mir noch Herr Malletke und ein anderer Herr des Ostministeriums teilnahmen, wurden die früheren Schriftwechsel und Meinungsverschiedenheiten nicht berührt.[77] Malletke schilderte die Organisation in Norwegen, Holland und Belgien für den Einsatz in den besetzten Ostgebieten und regte für Dänemark folgendes an:

Es solle ein Vertreter des Ostministeriums für etwa acht Tage nach Kopenhagen fahren und dort zunächst mit dem Reichsbevollmächtigten und mit dessen Einverständnis auch mit dänischen Stellen die Frage des dänischen Einsatzes im Ostland besprechen, an der in Dänemark nach wie vor großes Interesse bestehe. Es schwebe dem Ostministerium vor, eine dänische Organisation ins Leben zu rufen, die mit einem ständigen deutschen Vertreter im Stabe des Reichsbevollmächtigten die mit diesem Einsatz zusammenhängenden Fragen behandeln solle. Für die Auswahl dieses deutschen Vertreters und eines Exponenten der dänischen Organisation, mit dem der deutsche Vertreter hauptsächlich zusammenzuarbeiten haben würde, überlasse es das Ostministerium dem Auswärtigen Amt bezw. dem Reichsbevollmächtigten Vorschläge zu machen. Die dänische Organisation braucht nicht unbedingt die früher vorgeschlagene Kapitalgesellschaft zu sein wenn auch eine solche erwünscht bleibe, sobald der Einsatz größeren Umfang angenommen haben werde. Der früher von dänischer Seite für diese Fragen eingesetzt gewesene "Ostraumausschuß" käme dafür weniger in Frage, sei im übrigen auch inzwischen aufgelöst.[78]

Die Stellungnahme des Herrn Staatssekretärs hierzu ging dahin, daß diese neue Anregung vom Ostministerium dem Auswärtigen Amt schriftlich mitgeteilt werden solle, was zugesagt wurde. Das Auswärtige Amt werde sodann den Reichsbevollmächtigten zur Äußerung auffordern. Wenn diese positiv ausfallen werde, könnte der Vertreter des Ostministeriums für die in Aussicht genommenen Besprechungen nach Kopenhagen entsandt werden.

Aus den Äußerungen der Vertreter des Ostministeriums bei Besprechung der Angelegenheit schien sich allgemein zu ergeben, daß das Ostministerium jetzt bereit ist, in der ganzen Angelegenheit mit dem Auswärtigen Amt zusammenzuarbeiten und sich bei allem was in Dänemark geschieht, dem Reichsbevollmächtigten einzuordnen.

gez. **Wiehl**

417. Werner Best an das Auswärtige Amt 12. November 1943

Dagsindberetning.

Tilsyneladende havde det været et begivenhedsløst døgn. Dog havde tysk politi i København foretaget en storrazzia omkring barakkerne på Finsensvej, hvori deltog 5 officerer og 205 mand fra BdO og 25 fra SD. Baggrunden var et overfald den 10. november på vagterne ved transformatorstationen på Finsensvej 86 foretaget af fem bevæbnede mænd. Vagterne havde fået frataget deres våben. Tysk politi antog, at overfaldsmændene boede i området. Dog blev der ikke fundet våben, men seks mænd blev anholdt for at være i

77 Se Steengracht til Meyer 14. juli og Schnurres optegnelse 17. august 1943.

78 Østrumudvalget blev nedlagt efter 29. august 1943.

besiddelse af illegale blade. Det ringe udbytte af storaktionen kan være årsagen til, at Best ikke indberettede den (BArch, R 70 Dänemark 6, KTB/BdO 11. november 1943).

Kilde: RA, pk. 204.

Telegramm

Kopenhagen, den	12. November 1943	19.25 Uhr
Ankunft, den	12. November 1943	21.10 Uhr

Nr. 1399 vom 12.11.43. Citissime!

Ich bitte, die folgende Meldung unverzüglich dem Herrn Reichsaußenminister zuzuleiten:

Über die Lage in Dänemark berichte ich für den 11. auf 12.11.43, daß als einziges Ereignis ein Sabotagefall in einer kleineren Kopenhagener Firma, die Holzgeneratoren für deutsche Zwecke herstellt, gemeldet ist.[79] In Aarhus weitere Verhaftungen von Saboteuren, wodurch die dortige Sabotageorganisation im wesentlichen beseitigt sein dürfte.[80]

Dr. Best

418. Rüstungsstab Dänemark: Überblick über die im 3. Vierteljahr aufgetretene wichtigen Probleme 12. November 1943

Trods den politiske krise, som det tysk-danske forhold havde været igennem i 3. kvartal 1943, var det en meget optimistisk Forstmann, der gav en oversigt over kvartalets vigtigste emner, idet produktionsproblemerne i perioden havde været ubetydelige og den fremtidige danske eksport til Tyskland tegnede til at stige meget betydeligt. Problemet var først og fremmest gennem en dansk regeringsdannelse at få normaliseret de politiske forhold.

Kilde: BArch, Freiburg, RW 27/10. RA, Danica 1000, T-77, sp. 696, KTB/Rü Stab Dänemark, 3. Vierteljahr 1943.

Der Leiter der Abteilung Wehrwirtschaft *Kopenhagen, den 12.11.1943.*
im Rü Stab Dänemark

Überblick

über die im 3. Vierteljahr aufgetretenen wichtigen Probleme

Am 29.8.1943 wurde der militärische Ausnahmezustand erklärt. Gleichzeitig ist die dänische Regierung des Staatsministers von Scavenius zurückgetreten.

79 Smedemester Christoffer Ullmanns Generatorværksted, Bjelkes Allé 22-26, brændte efter sprængbomber lagt af BOPA. Værkstedet leverede generatorer til den tyske værnemagt (RA, BdO Inf. nr. 19, 15. november 1943, Kjeldbæk 1997, s. 470).

80 Det var en overdrivelse, som decemberanholdelserne skulle demonstrere (se Mildners telegram 16. december 1943).

Der Reichsbevollmächtigte in Dänemark hat den deutschen Dienststellen eine zusammenhängende Darstellung der politischen Entwicklung in Dänemark seit August 1943 gegeben:[81]

Da im Laufe des Monats August – offenbar geschürt von feindlichen Agenten – in Dänemark die Zahl der Sabotagehandlungen wuchs und in einigen Orten auch Streiks und Straßentumulte vorkamen, richtete der Reichsbevollmächtigte an den Staatsminister von Scavenius mehrfach dringende Aufforderungen, mit allen politischen und verwaltungsmäßigen Mitteln diese Störungen der Ordnung und Sicherheit zu unterbinden.

Die Regierung richtete – neben verschiedenen Einzelmaßnahmen – am 21.8.1943 mit dem ausdrücklichen Einverständnis des Königs und der Regierungsparteien eine eindringliche Mahnung an die dänische Bevölkerung zur Abwehr der Unruhestifter, wobei ausdrücklich betont wurde, daß es darum gehe, ob Dänemark eine eigene Regierung behalten werde oder nicht.[82]

Am 27.8.1943 erhielt der Reichsbevollmächtigte die Weisung, der dänischen Regierung die folgenden Forderungen der Reichsregierung zu übermitteln, was am 28. vormittags geschah:

Sofortige Verhängung eines Ausnahmezustandes über das ganze Land durch die dänische Regierung.

Der Ausnahmezustand soll die folgenden Einzelheiten umfassen:

1.) Verbot aller Ansammlungen von mehr als fünf Personen in der Öffentlichkeit.

2.) Verbot jedes Streiks und jeder Unterstützung von Streikenden.

3.) Verbot jeder Versammlung in geschlossenen Räumen oder unter freiem Himmel.

Verbot des Betretens der Straßen zwischen 20.30 und 5.30 Uhr, Schließung der Gaststätten um 19.30 Uhr.

Ablieferung aller noch vorhandenen Schußwaffen und Sprengstoffe bis zum 1.9.1943.

4.) Verbot jeder Beeinträchtigung dänischer Staatsbürger wegen ihrer oder ihrer Angehörigen Zusammenarbeit mit deutschen Stellen oder Verbindungen zu Deutschen.

5.) Einführung einer Pressezensur unter deutscher Beteiligung.

6.) Einsetzung dänischer Schnellgerichte zur Aburteilung von Zuwiderhandlungen gegen die zur Aufrechterhaltung der Sicherheit und Ordnung erlassenen Anordnungen.

Für die Zuwiderhandlung gegen die vorstehend bezeichneten Anordnungen sind die nach dem zeitweiligen Gesetz über Ermächtigung für die Regierung, Bestimmungen zur Aufrechterhaltung von Ruhe, Ordnung und Sicherheit zu treffen, zulässigen Höchststrafen anzudrohen.

Für Sabotage und jede Beihilfe hierzu, für Angriffe auf die deutsche Wehrmacht und ihre Angehörige sowie für den Besitz von Schußwaffen und Sprengstoffen nach dem 1.9.1943 ist unverzüglich die Todesstrafe einzuführen.

Nachdem die dänische Regierung am Nachmittag des 28.8.1943 dem Reichsbevoll-

81 *Politische Informationen* 1. november 1943.

82 Opfordringen er optrykt hos Alkil, 1, 1945-46, s. 216f.

mächtigten mitgeteilt hatte, daß "eine Bewerkstelligung der deutscherseits geforderten Maßnahmen die Möglichkeit der Regierung, die Bevölkerung in Ruhe zu halten, vernichtet würde und daß die Regierung es daher bedauere, es nicht richtig finden zu können, an der Durchführung dieser Maßnahmen mitzuwirken", wurde weisungsgemäß am 29.8.1943 vom Befehlshaber der deutschen Truppen in Dänemark der militärische Ausnahmezustand für das ganze Land erklärt.

Gleichzeitig wurden in den Morgenstunden des 29.8.1943 die noch bestehenden Einheiten der dänischen Wehrmacht entwaffnet, wobei an einigen Stellen Widerstand geleistet wurde und auf deutscher Seite 6 Mann und auf dänischer Seite 14 Mann getötet wurden.

Der Reichsbevollmächtigte ließ eine Anzahl von Personen, die als Gegner bekannt waren und ggf. Schwierigkeiten verursachen konnten, vorbeugend festnehmen.[83]

Die Regierung des Staatsministers von Scavenius reichte am 29.8.1943 dem König ihre Demission ein und hörte auf zu fungieren, nachdem sie als letzten Beschluß eine Aufforderung an die Bevölkerung richtete, "Ruhe und Besonnenheit zu beweisen," und an die Beamten, "auf ihren Posten zu verbleiben und unter ihrer Verantwortung als Beamte des Staates ihre Tätigkeit fortzusetzen zum Besten des Landes und des Volkes in der Weise, daß man bestrebt ist, zu vermeiden, daß Reibungen entstehen zwischen den Organen des Staates und den deutschen Behörden."[84]

In der Folgezeit herrschte im Lande völlige Ruhe. Der Staatsapparat und die Wirtschaft arbeiten wie zuvor.

Die Sabotagehandlungen ließen in der ersten Zeit nach der Verkündung des militärischen Ausnahmezustandes sehr stark nach, weil offenbar zahlreiche Saboteure aus Furcht vor einem deutschen Zugriff ihren bisherigen Wirkungskreis und zum Teil auch das Land verlassen hatten. Allmählich aber sammelten sie sich wieder und verübten erneut Sabotageakte, sodaß die Sabotagekurve wieder stieg. Zum ersten Mal seit der 3½ jährigen Besetzung wurden auch Anschläge auf das Leben von Besatzungsangehörigen verübt, die zwei Todesopfer forderten."

Am Schluß der Berichtszeit besteht der militärische Ausnahmezustand noch.

Die Zahl der vom Befehlshaber der deutschen Truppen in Dänemark während des Ausnahmezustandes erlassenen Verordnungen ist, soweit sie die Wirtschaft betreffen, gering geblieben. Gemäß Führerentscheidung sollte die Regelung der dänischen Wirtschaft auch während des Ausnahmezustandes ausschließlich dem Reichsbevollmächtigten obliegen.[85] In manchen Fällen mußte es zweifelhaft erscheinen, was unter den Begriff "dänische Wirtschaft" und was unter den Begriff "Versorgung der Besatzungstruppe" gehörte. Nur auf zwei die Wehr- und Rüstungswirtschaft angehende Verordnungen des Befehlshabers ist besonders hinzuweisen; sie betreffen

83 Se Bests telegram nr. 1002, 1. september 1943 og von Grundherrs optegnelse 24. september 1943.

84 Trykt på dansk hos Alkil, 1, 1945-46, s. 217.

85 Emil Hemmersam fra Det Tyske Gesandtskab havde 6. september 1943 meddelt UM, at der fra førerhovedkvarteret var givet ordre til Best og von Hanneken om, at alle økonomiske spørgsmål skulle forhandles via den rigsbefuldmægtigede (Jensen 1971, s. 217).

1.) die Beschlagnahme von Gebäuden und Liegenschaften,[86]
2.) Lieferungen und Leistungen dänischer Firmen für die deutsche Wehrmacht in Dänemark.[87]

Die Verordnung zu 2.), die unter Mitwirkung der Abt. Wwi im Rü Stab Dän. erlassen wurde, besagt, daß alle dänischen Firmen, Industrie-, und Handelsunternehmen und Einzelhändler verpflichtet sind, auf Anfordern der Bedarfsstellen (Intendant Bef. Dän und Rü Stab Dän.) gegen angemessene Vergütung Lieferungs- und Leistungsaufträge der deutschen Wehrmacht in Dänemark einschließlich der ihr angeschlossenen Verbände, der Organisation Todt (OT) und des Rüstungsstabes Dänemark im Rahmen der erreichbaren Leistungs- und Lieferungsmöglichkeiten anzunehmen und ohne Verzug auszuführen. Zuwiderhandlungen gegen diese Verordnung sind strafbar und werden von dem deutschen Standgericht abgeurteilt.

Als wesentliches Merkmal dieser Verordnung ist das Sicherstellungs- und Beschlagnahmerecht zu bezeichnen, das zur Vermeidung einer zu weiten Auslegung oder Anwendung auf den Intendanten beim Befehlshaber der deutschen Truppen in Dänemark und den Rü Stab Dänemark beschränkt worden ist. Es hat sich jedoch gezeigt, daß die Androhung von Zwangsmaßnahmen genügte, um die dänischen Lieferanten zu veranlassen, die von ihnen verlangten Lieferungen und Leistungen ohne Schwierigkeiten vorzunehmen. Infolgedessen konnte bisher eine Anwendung des Sicherstellungs- und Beschlagnahmerechts unterbleiben.

In der Zeit vom 25.9.-1.10.43 fanden in Kopenhagen die vierteljährlichen Verhandlungen der deutsch-dänischen Wirtschaftsausschüsse statt. Dabei wurden auch die Lieferaussichten für das 5. Kriegswirtschaftsjahr behandelt, mit dem außerordentlich erfreulichen Ergebnis, daß die Lieferung der wichtigen Lebensmittel wie Fleisch, Butter, Seefische usw. aus Dänemark nach Deutschland unter dem Vorbehalt normaler Verhältnisse im Lande voraussichtlich größer als im 4. Kriegswirtschaftsjahr ausfallen wird.[88] Alle Erwartungen, die man nach der Besetzung Dänemarks auf die dänische Landwirtschaft setzte, sind weit übertroffen worden. Als Beispiel sei darauf hingewiesen, daß die von Deutschland aus Dänemark erwarteten Mengen Fleisch und Butter ausreichend, um den großdeutschen Bedarf der Normalverbraucher – bei Zugrundelegung der jetzigen deutschen Rationssätze – auf fast 6 Wochen bei Fleisch und auf 5 Wochen bei Butter zu decken. Die von Deutschland gezahlten auskömmlichen Preise für landwirtschaftliche Erzeugnisse erhalten vor allem die Produktionswilligkeit aufrecht.

Die dänische Wirtschaft ist bis jetzt ihren geordneten Gang weitergegangen und ist auch durch die vorgekommenen Sabotagefälle bisher nicht ernstlich gestört worden.

Es muß aber gesagt werden, daß die politische Unsicherheit auf dänischer Seite, vermehrt durch das Fehlen einer verfassungsmäßigen Regierung, den guten Willen, für Deutschland zu arbeiten, bei einem Teil der dänischen Bevölkerung vielleicht beeinträch-

86 Trykt på dansk hos Alkil, 2, 1945-46, s. 844.

87 Se Forstmanns beretning 21. september 1943.

88 Pga. produktionsstigningen stillede danske forhandlere i udsigt, at man i høståret 1943-44 ville kunne eksportere 128.000 tons okse- og svinekød mod de 100.000 tons året før (Jensen 1971, s. 220).

tigten kann. Dazu kommt, daß die Feindpropaganda weiter aufhetzend wirkt. Auch läßt sich nicht vermeiden, daß die Besatzungstruppen erhöhte Leistungen jeder Art aus dem Lande fordern müssen, die von den Dänen als drückend empfunden werden.

Forstmann

419. OKM an das Auswärtige Amt 12. November 1943

Det var OKMs opfattelse, at der nu var indtruffet en situation, hvor Kriegsmarine kunne rekvirere de danske handelsskibe, som der var brug for. Rederne kunne få et fastsat beløb i danske kroner. AA blev bedt om at bekræfte, at rekvisition kunne finde sted. Det var i forvejen besluttet at tage det danske værnemagtsmateriel, med undtagelse af krigsskibene, i besiddelse som krigsbytte, hvorfor der ikke kunne være betænkeligheder ved at foretage de ønskede rekvisitioner (Barfod 1976, s. 111).

OKM havde overtaget 47 kuttere, som den danske marine hidtil havde lejet af private. OKM ville overtage lejen fra 1. november 1943 af hensyn til de vigtige danske fiskeriinteresser, men ville ikke efterbetale lejen for september og oktober 1943, som ønsket fra dansk side

OKM lagde op til en hårdere linje i forhold til Danmark, men tog fejl på et punkt, som var en del af grundlaget for denne linje, nemlig at det danske krigsmateriel var krigsbytte – bortset fra krigsskibene. Seekriegsleitung søgte imidlertid at vinde bekræftelse for sin opfattelse, se Seekriegsleitung til OKW 16. november. AA svarede 22. november.

Kilde: BArch, Freiburg, RM 7/1813. RA, Danica 628, sp. 7, nr. 5752-54.

Oberkommando der Kriegsmarine *Berlin 12. November 1943.*
Zu: B-Nr. 1. Skl. I i 34 246/43 geh. Geheim
hvbd. 1. Skl. 33 958/43 geh.

An das
Auswärtige Amt
z.Hd. d. Herrn Leg. Rat v. Grote
Auswärtige Amt
z.Hd. d. Herrn Geheimrat Bisse
Berlin

Betr.: Inanspruchnahme brachliegender dänischer Tonnage im dänischen Raum.

1.) Nach hier vorliegenden Berichten liegt eine größere Reihe dänischer Schiffe, die für Zwecke der deutschen Kriegsführung eingesetzt werden könnten, im dänischen Bereich auf. U.a. wurde der Versuch gemacht, die in Bornholm aufliegenden Fahrgastschiffe "Rottner" 1.836 Brt., "Hammershus" 1.775 Brt. und "Frem" 1.176 Brt. in Benutzung zu nehmen zum Austausch gegen große Transporter, die nicht voll ausgenutzt werden und daher aus ökonomischen Gründen durch kleinere ersetzt werden sollen. Die Dienststelle der Kriegsmarine in Kopenhagen wandte sich dieserhalb an den Schiffahrtssachverständigen Duckwitz bei dem Deutschen Reichsbevollmächtigten, worauf sie die Antwort erhielt, daß vorerst die Devisenfrage im Reichswirtschaftministerium geklärt werden müsse. Das Reichswirtschaftministerium antwortete, daß nur dann Aussicht bestehe, die Charterung und den Kauf dänischer Schiffe gegenüber der Dänischen Regierung durchzusetzen, wenn die Charterkosten bzw. der Kaufpreis und die im Falle eines Totalverlustes zu leistende Entschädigungssumme in freien Devisen (schwed. Kronen oder schweiz. Franken) bezahlt würden.

Nach Auffassung der Seekriegsleitung müßte es bei der inzwischen in Dänemark neu geschaffenen Lage möglich sein, von der Kriegsmarine benötigte dänische Handelsschiffe zu requirieren und das den Reedern dafür zu bewilligenden Entgelt in dänischen Kronen festzusetzen. Es wird um Bestätigung gebeten, daß die Requisitionsmöglichkeit gegeben ist. Nachdem höheren Ortes entschieden worden ist, daß alles dänische Wehrmachtsgut mit Ausnahme der Kriegsschiffe als Kriegsbeute von der deutschen Wehrmacht in Besitz zu nehmen ist, bestehen d.E. keine Bedenken mehr, in dem tatsächlich von Deutschland besetzten Dänemark diejenigen Requisitionen vorzunehmen, die für die weitere Kriegführung geboten erscheinen.

2.) Gelegentlich der Übernahme der dänischen Kriegsschiffe wurden auch 47 P- und K-Boote in Besitz genommen, die bis dahin unter dänischer Kriegsflagge zum Minensuchen, Minenräumen und zur Küstenbewachung Verwendung gefunden hatten. Die Fahrzeuge waren von der dänischen Kriegsmarine nur gechartert und gehören dänischen privaten Eignern. Von der Seekriegsleitung wurde im Hinblick auf die bisherige Führung der dänischen Kriegsflagge zunächst entschieden, daß die Fahrzeuge als Teil der dänischen Kriegsmarine unter Vorbehalt des Eigentums der privaten Eigner zu übernehmen seien und daß die endgültige Regelung mit dem dänischen Staat wie bei den Kriegsschiffen erst nach dem Kriege zuerfolgen habe.

Der dän. Vizeadmiral Vedel hat nach dieser Eröffnung darauf aufmerksam gemacht, daß die dänische Kriegsmarine die Charterverträge mit sämtlichen 47 Kutterbesitzern per 31.10.1943 gekündigt habe und daß daher die Eigner vom 1. Novbr. 43 ab vom dän. Staat keine weiteren Charterbeträge erhielten. Gleichzeitig hat Vizeadmiral Vedel mitgeteilt, die Dänische Regierung behalte es sich vor, gegen die deutsche Kriegsmarine Anspruch auf Erstattung der Charterbeträge für die Monate September-Oktober zu erheben, da die dän. Kriegsmarine durch die Ereignisse am 29.8.43 daran gehindert worden sei, die Kutter weiter zu dem Zweck auszunützen, zu dem sie gemietet waren. Schließlich hat Vizeadmiral Vedel angeregt, mit den Fahrzeugeignern neue Charterverträge abzuschließen, wozu er bemerkte, daß die Charterbeträge höher sein müßten als bisher, wenn die dänische zivile Besatzung nicht mehr in der Lage wäre, die Fahrzeuge pfleglich zu behandeln und wenn sie durch ihren Gebrauch bei der deutschen Kriegsmarine einer höheren Abnutzung als bisher ausgesetzt werden.

Die Seekriegsleitung ist geneigt, ihre bisherige Entscheidung, wonach die Abfindung der Schiffseigner Sache der Dänischen Regierung bleibt und die Auseinandersetzung mit der letzteren bis zum Ende des Krieges zurückzustellen ist, im Interesse der weiteren gedeihlichen Zusammenarbeit mit den für die deutsche Ernährungswirtschaft wichtigen dänischen Fischereiinteressenten dahin abzuändern, daß den Eignern eine laufende Chartergebühr zu gewähren ist, die sich im allgemeinen im Rahmen der bisher von der Dän. Regierung gezahlten Sätze zu halten haben würde. Eine Ersatzleistung an die Dän. Regierung für die Monate September-Oktober kommt dagegen d.E. nicht in Frage.

Bei der Eilbedürftigkeit der Angelegenheit wird mündliche Besprechung zu einem noch telefonisch zu vereinbarenden Termin vorgeschlagen.

1./Skl

420. OKH an das Auswärtige Amt 13. November 1943

Hitler havde i maj udstedt en forordning om, at tyskere med udenlandsk statsborgerskab automatisk blev tyske statsborgere, når de indtrådte som officerer i den tyske hær. Best havde gjort indsigelse for det tyske mindretal i Danmarks vedkommende, hvilket OKH tog til efterretning og gav mindretallet en særstilling, hvor det tyske statsborgerskab i stedet var en mulighed.

Se også Bests brev til AA 10. december 1943.

Kilde: PA/AA R 100.944.

Abschrift
Oberkommando des Heeres
Nr. 6841/43 PA/Ag P 1/1. Abt. Fr. a IV (1).

Inl. II C 4739
O.U. den 13. November 1943

An das Auswärtige Amt, Berlin.

Betr: Beförderung von volksdeutschen dänischen Freiwilligen zu Offizieren des Beurlaubtenstandes.
Bezug: Dort. Schreiben Az.: Inl. II C 3841/43 vom 14.10.43.[89]

Zu obiger Anfrage wird vorerst folgender Zwischenbescheid erteilt:

"Die Frage der Beförderung deutscher Volkszugehörigere mit fremder Staatsangehörigkeit zu Offizieren d.B. ist durch den Erlaß des Führers vom 19.5.1943 neu geregelt worden.[90] Danach erwerben deutschstämmige Ausländer mit dem Eintritt in die Wehrmacht die deutsche Staatsangehörigkeit. Die Wünsche des Bevollmächtigten des Reiches in Dänemark werden aber voraussichtlich in den demnächst zu erwartenden Durchführungsbestimmungen zu obigem Erlaß durch die Aufnahme folgenden Satzes berücksichtigt werden[91]:

Wenngleich es in diesem Zusammenhang grundsätzlich keinen Unterschied macht, welchem fremden Staat ein deutschstämmiger Ausländer angehört, werden die deutschstämmigen dänischen Staatsangehörigen von der Anwendung dieses Erlasses hiermit ausgeschlossen.

Durch diese Sonderstellung wird dann auch die Möglichkeit der Beförderung zu Offizieren d.B. ohne Erwerb der deutschen Staatsangehörigkeit gegeben sein."

Nachdem die schwebenden Verhandlungen durch das OKW zu Ende geführt sind, wird endgültiger Entscheid zeitgerecht mitgeteilt werden.

I.A.
gez. Unterschrift

89 Skrivelsen er ikke lokaliseret.

90 Forordningen er trykt ovenfor 19. maj 1943.

91 Se Bests telegram nr. 685, 4. juni 1943.

421. Eberhard von Thadden: Aufzeichnung 13. November 1943

Von Thadden bad Wagner om, at lederen af AAs personaleafdeling, Hans Schröder, fik overladt den optegnelse, som var gjort efter mødet mellem Kaltenbrunner, Steengracht og Wagner om den rigsbefuldmægtigedes stilling i forhold til HSSPF. Endvidere havde Schröder spurgt til Barandons stilling som stedfortræder.

Kilde: RA, pk. 228. LAK, Best-sagen (afskrift).

Ref.: LR v. Thadden

Herr Min. Dir. Schröder sprach mich darauf an, ob das Schreiben an den Reichsführer-SS wegen der Stellung des Bevollmächtigten des Reichs in Dänemark abgegangen sei.

Ich teilte ihm mit, der Sachverhalt sei folgender: Anstelle des ursprünglich beabsichtigten Schreibens habe eine Aussprache über die Angelegenheit zwischen Herrn Staatssekretär und Obergruppenführer Kaltenbrunner stattgefunden. In dieser sei völlige Einigkeit dahin erzielt worden, daß der Bevollmächtigte des Reichs in Dänemark auch dem Höheren SS- und Polizeiführer gegenüber die Spitze der deutschen Vertretung in Dänemark darstelle. Es bestehe eine Aufzeichnung über diese Unterredung.[92]

Herr Min. Dir. Schröder bat, ihm diese Aufzeichnung auszugsweise für seine Akten zu überlassen. Ich bitte umsoweit um Ermächtigung.

Weiterhin schnitt Min. Dir. Schröder die Frage an, ob der SS gegenüber nun noch die Stellung von Barandon als ständigem Vertreter Bests zur Sprache zu bringen sei. Ich vertrat die Auffassung, dies sei weder erforderlich noch zweckmäßig. Nachdem von der SS anerkannt worden ist, daß der Bevollmächtigte des Reichs die Spitze der deutschen Stellen in Dänemark sei, wäre es eine Selbstverständigkeit, daß Herr Barandon, der in Abwesenheit des Gesandten Best den Bevollmächtigten des Reichs vertritt, damit auch dem Gruppenführer Pancke gegenüber in die Stellung von Best einrückt.

Hiermit Herrn Gruppenleiter Inl. II vorgelegt.

Berlin, den 13. November 1943.

v. Thadden

422. Werner Best an das Auswärtige Amt 13. November 1943

Dagsindberetning.

Kilde: PA/AA R 29.568. RA, pk. 204.

T e l e g r a m m

Kopenhagen, den	13. November 1943	20.20 Uhr
Ankunft, den	13. November 1943	20.50 Uhr

Nr. 1405 vom 13.11.[43.] Citissime!

Ich bitte, die folgende Meldung dem Herrn Reichsaußenminister unverzüglich zuzuleiten:

92 Trykt ovenfor 7. november 1943.

Über die Lage Dänemarks berichte ich für den 12. auf 13.11.43, daß auf einem Abstellgleis des Kopenhagener Güterbahnhofs mehrere dänische Waggons, die mit deutschen Kraftfahrzeugen beladen waren, durch Sabotage beschädigt worden sind.[93] In Skanderborg (Jütland) wurde ein Däne, der sich Wehrmachtsfahrzeugen näherte, von dem Posten erschossen. Im übrigen sind nur 2 Kabeldurchschneidungen in Jütland gemeldet.

Dr. Best

423. Dienstweisung für den Wehrmachtsbefehlshaber Dänemark 14. November 1943

I forbindelse med flytningen af værnemagtens hovedkvarter fra København til Silkeborg blev von Hannekens titel ændret til "Wehrmachtsbefehlshaber," idet han samtidig fik nye tjenesteanvisninger (Rosengreen 1982, s. 66).

Kilde: KTB/WB Dänemark 14. november 1943, m. Anlage. Drostrup 1997, s. 316-318.

Abschrift
Oberkommando der Wehrmacht *F.H.Qu., den 14. November 1943*

11 b 10 WFSt/Org (I) – Q 4475 / 43 geh.

Betr.: Wehrmachtbefehlshaber Dänemark

1.) Mit sofortiger Wirkung wird die Dienststelle Befehlshaber der Deutschen Truppen in Dänemark umbenannt in Wehrmachtbefehlshaber Dänemark.
2.) Der Wehrmachtbefehlshaber Dänemark untersteht dem Chef OKW. Er erhält seine taktischen Weisungen für die Verteidigung Dänemarks durch OKW/WFSt.
Der Wehrmachtbefehlshaber Dänemark ist zugleich "Befehlshaber der Truppen des Heeres in Dänemark" und untersteht als solcher taktisch dem Chef OKW, in allen anderen Fragen dem OKH/Chef Rüst u BdE.
3.) Seine Aufgaben und Befugnisse ergeben sich aus anliegender Dienstanweisung.
4.) Soweit sich aus dieser Neuregelung eine Änderung der Dienststellenbezeichnungen und Dienstanweisungen für die beim Wehrmachtbefehlshaber eingesetzten, dem QKW nachgeordneten Dienststellen ergibt, sind die notwendigen Anordnungen durch die hierfür zuständigen Ämter und Abteilungen des OKW im Benehmen mit dem Wehrmachtbefehlshaber zu treffen.
5.) Die derzeitige KStN (Heer) ändert sich nicht.

Der Chef des Oberkommandos der Wehrmacht
gez. **Keitel**

93 Der blev af Holger Danske forøvet sabotage mod DSBs godsekspedition på Kalvebod Brygge (Kieler, 2, 1993, s. 125, 150, Birkelund 2008, s. 675).

Dienstanweisung
für den Wehrmachtbefehlshaber Dänemark

1.) Der Wehrmachtbefehlshaber Dänemark (W Bfh Dänemark) untersteht dem Chef OKW und erhält in Wehrmachtangelegenheiten und in allen taktischen Fragen seine Weisungen und Befehle vom Chef OKW bezw. in dessen Auftrag von den zuständigen Ämtern und Abteilungen des OKW und den mit Wehrmachtaufgaben beauftragten Dienststellen der Wehrmachtteile. Als Befehlshaber der Truppen des Heeres untersteht er taktisch dem Chef OKW, in allen an deren Fragen dem OKH/Chef H Rüst u BdE.
2.) Er hat die Dienststellung eines Kommandierenden Generals und die Befugnisse eines Befehlshabers im Wehrkreis. Sein Vertreter in laufenden Angelegenheiten ist der Chef des Stabes, im übrigen wird seine Vertretung gesondert geregelt.
3.) Der W Bfh ist der oberste Vertreter der Wehrmacht in Dänemark und übt in diesem Gebiet die militärischen Hoheitsrechte aus. Ihm obliegen in dieser Eigenschaft die Aufgaben, die über den Bereich eines Wehrmachtteils hinausgehen oder die einer einheitlichen Regelung in der Wehrmacht bedürfen.

   Seine Befugnisse zur Vorbereitung und Durchführung der Verteidigung der Küste ergeben sich aus der Weisung 40 und den Ausführungsbestimmungen vom 4.5.42 hierzu (OKW Nr. 0011424=43 gK WFSt/Op).
4.) Er vertritt die Forderungen der Wehrmacht einheitlich gegenüber dem Bevollmächtigten des Reiches. Er ist berechtigt, alle im Rahmen seiner Aufgaben notwendigen militärischen Maßnahmen selbständig zu treffen. Bei Gefahr im Verzuge ist er befugt, die zur Sicherung Dänemarks notwendigen Anordnungen auch für den zivilen Bereich, möglichst unter Einschaltung des Bevollmächtigten des Reiches, zu geben.
5.) Dem W Bfh unterstehen alle in Dänemark eingesetzten Truppen in territorialer Hinsicht. Die Truppen des Heeres sind ihm in jeder Hinsicht unterstellt.

   Er gibt von territorialen Weisungen an Dienststellen und Truppen deren vorgesetzten Kommandobehörden Kenntnis, bei Angelegenheiten von grundlegender Bedeutung unterrichtet er das OKW und die Oberkommandos der Wehrmachtteile.
6.) Die Gerichtsherren der Wehrmachtteile haben dem Wehrmachtbefehlshaber auf seinen im Einzelfall geäußerten Wunsch in allen Strafverfahren, die Belange seines Befehlsbereichs berühren, vor der Einstellung des Ermittlungsverfahrens oder vor der Entscheidung im Nachprüfungsverfahren Gelegenheit zur Stellungnahme zu geben.
7.) Zu den territorialen Aufgaben des W Bfh gehört insbesondere die einheitliche Leitung auf folgenden Gebieten:
   a.) Ausnutzung des Landes für die Versorgung der Wehrmacht und den beschleunigten Ausbau der Küstenverteidigung; hierzu steht ihm der Leiter der Abteilung W Wi im Rüstungsstab Dänemark als Berater und Sachbearbeiter neben dem Intendanten zur Verfügung.
   b.) Vertretung der Belange der Wehrmacht in Fragen des Verkehrswesens (Eisenbahn, Binnenwasserstraßen, Landstraßen) gegenüber dem Bevollmächtigten des Reiches nach den Weisungen des Oberkommandos der Wehrmacht (Chef des

Transportwesens). Die Ausnutzung der Eisenbahnen, Binnenwasserstraßen und Landstraßen erfolgt nach den gleichen Grundsätzen wie im Reichsgebiet nach den Weisungen des Chefs des Transportwesens. Der Kommandant des Transportbezirks Kopenhagen ist zugleich Sachbearbeiter des WB.

c.) Bearbeitung aller Fragen auf dem Gebiet des Wehrmachtnachrichtenverbindungswesens nach den Weisungen OKW/WFSt/Ag WNV.

d.) Territoriale und für mehrere Wehrmachtteile gültige Wehrmachtverwaltungsangelegenheiten nach den Weisungen OKW/AWA.

e.) Einheitliche Steuerung des Sanitätswesens der Wehrmachtteile und der der Wehrmacht angeschlossenen oder unterstellten Organisationen und Verbände nach den Weisungen des Chefs des Wehrmachtsanitätswesens.

f.) Abwehrdienst und militärischer Grenzverkehr nach den Weisungen OKW/Amt Ausl./Abw.

g.) Wehrmachtpropaganda und militärische Zensur nach den Weisungen OKW/WFSt/W Pr.

h.) Wehrmachtbetreuung nach den Weisungen OKW/AWA/Abt. Inl.

i.) Militärische Regelung des Straßenverkehrs und Straßenbezeichnungen.

k.) Unterbringung.

l.) Militärischer Ordnungsdienst.

8.) Der Wehrmachtbefehlshaber berichtet dem OKW/WFSt monatlich das für die Wehrmachtführung Wesentliche aus der Lage in seinem Befehlsbereich und seiner Tätigkeit. Die mit Verfügungen OKW Nr. 001424/42 gK. WFSt/Op vom 4.5.42, Nr. 003391/42 geh. WFSt/Op vom 21.11.42 und Nr. 01423/43 geh. WFSt/Op vom 3.4.43 befohlenen Meldungen werden davon nicht berührt.

[...]

424. Werner Best an das Auswärtige Amt 14. November 1943

Dagsindberetning, hvor Horsens alene kom i centrum.

Kilde: PA/AA R 29.568. RA, pk. 204.

Telegramm

Kopenhagen, den	14. November 1943	18.50 Uhr
Ankunft, den	14. November 1943	19.15 Uhr

Nr. 1406 vom 14.11.[43.] Citissime!

Ich bitte, die folgende Meldung unverzüglich dem Herrn Reichsaußenminister zuzuleiten:

Über die Lage in Dänemark berichte ich für den 13. auf 14.11.1943, daß in Horsens vier Sabotageakte stattgefunden haben (Auto-Werkstatt, Honigkuchenfabrik, Lagerschuppen, Holzlager), durch die Wehrmachtsinteressen betroffen wurden. Ich habe deshalb für die Stadt Horsens den zivilen Ausnahmezustand verfügt (Verkehrssperre von 20.00 bis 05.00 Uhr, Gaststättenschluß 19.00 Uhr, verschärfte polizeiliche Überwachung).[94] Im übrigen ist nur die Durchschneidung einer Fernsprechleitung auf Fünen gemeldet.

gez. **Dr. Best**

425. Richtlinien für den Einsatz dänischer Arbeitskräfte 15. November 1943

Det stærkt øgede behov for dansk arbejdskraft efter ordren om iværksættelsen af forøget befæstningsbyggeri i Jylland fik von Hanneken til at udstede nogle retningslinjer for, hvordan arbejdskraften skulle skaffes.

Retningslinjerne var givetvis forud blevet afstemt med Best og havde som udgangspunkt, at der ikke måtte være tale om tvang. Arbejdskraften skulle skaffes gennem de danske myndigheder, og gik det ikke som ønsket, kunne der blive tale om anvendelsen af bøder.

Der er ikke kendt eksempler på anvendelsen af bøder o.lign. for at skaffe arbejdskraften.

Kilde: KTB/WB Dänemark 15. November 1943, Anlage.

Anlage zu Bef. Dän. Ia Br. B. Nr. 1159/43 Gkdos vom 15.11.43

Richtlinien
für den Einsatz dänischer Arbeitskräfte.

1.) Die Standortältesten richten an den Polizeimeister oder Ortsvorsteher die Anforderung nach den näheren Anweisungen des Standortältesten, eine bestimmte Arbeit zu leisten. In der Anforderung, die in der Regel schriftlich zu stellen ist, ist anzugeben:
   - Art der Arbeit,
   - Zahl der zu stellenden Arbeitskräfte,
   - Zahl und Art der zu stellenden Arbeitsgeräte,
   - Zeitpunkt, bis zu dem die Arbeit beendet sein muß.

   Ferner wird darauf hingewiesen, daß Entlohnung und soweit nötig Unterbringung, Verpflegung und Beförderung Sache der Gemeinde ist. Es bleibt den dänischen Behörden überlassen, in welcher Form sie sich die Arbeitskräfte und -Mittel verschaffen.
2.) Lehnt der Polizeimeister oder Ortsvorsteher von vornherein ab, der Anforderung zu entsprechen, so ist er festzunehmen und der Vorfall sofort dem Befehlshaber, Abt. Ic zu melden.
3.) Erklärt der Polizeimeister oder Ortsvorsteher, daß er die Arbeitskräfte oder -Geräte nur durch Zwang beschaffen kann, daß ihm dazu aber die rechtliche Handhabung fehle, so hat der Standortälteste folgende öffentliche Bekanntmachung zu erlassen:

94 Forud for de fire aktioner var der først en brandbombe i slagtermester Hans Møllers forretning, Vestergade 16, han solgte til tyske soldater og blev pådraget en skade til ca. 5.000 kr., derpå en eksplosion på Horsens Andels-Svineslagteri, Madevej, tre bombeeksplosioner på Garagekompagniets værksteder, Løvenørnsgade 12, firmaet arbejdede for den tyske værnemagt, en bombeeksplosion i Horsens Honningfabrik, Borgmesterbakken, der leverede til den tyske værnemagt og led omfattende skade ved eksplosionen, og en bombeeksplosion på N. Aamann & Sønners tømmerplads i Torsted ved Horsens. De aktionerende var en eller flere Horsensgrupper (RA, BdO Inf. nr. 20, 17. november og nr. 21, 19. november 1943, Rimestad, 1, 1998, s. 142-150).

"Auf Grund der mir erteilten Ermächtigung habe ich an den .... die Anforderung gestellt, mir Arbeitskräfte und -Geräte der Gemeinde .... bereitzustellen, die zur Landesverteidigung erforderlich sind. Alle Einwohner sind verpflichtet, den Anordnungen, die der .... zur Ausführung erließ, unverzüglich Folge zu leisten. Zuwiderhandlungen werden bestraft."

4.) Werden die angeforderten Arbeiten nicht ordnungsgemäß durchgeführt, so wird die Gemeinde zur Erfüllung ihrer Pflichten durch ein Zwangsgeld angehalten. Das Zwangsgeld ist für jeden Fall der Zuwiderhandlung festzusetzen und der Gemeinde als solcher (nicht dem einzelnen Beamten) aufzuerlegen. Die Höhe richtet sich nach der Bedeutung des Falles und der Leistungsfähigkeit der Gemeinde. Mindestbetrag 500 d.Kr. Die Zahlungen sind an Danmarks Nationalbank, Feldkasse 17.632 F, zu leisten. Alle Fälle, in denen Zwangsgelder auferlegt werden, sind unverzüglich an Befehlshaber Abt. Ic zu melden.

5.) Erklärt die dänische Behörde, daß Personen, die von ihr nach Erlaß der Bekanntmachung Ziff. 3 zur Arbeit befohlen waren, nicht erschienen sind, so kann der Standortälteste die Betreffenden zwangsweise zur Arbeit bringen lassen. Die Arbeitsstunden werden in diesem Falle nicht bezahlt.

Derartige unmittelbaren Zwangsmaßnahmen sind möglichst zu vermeiden. Es muß erreicht werden, daß die dänischen Behörden selbst den erforderlichen Zwang üben. Gegebenenfalls sind sie dazu durch Verhängung von Zwangsgeldern gegen die Gemeinde anzuhalten.

6.) Weitergehende Zwangsmaßnahmen sind ohne vorherige Ermächtigung durch Befehlshaber Dänemark verboten. Die Vorgesetzten aller Dienstgrade sind dafür verantwortlich, daß die Durchführung der Arbeiten nicht durch unüberlegte und unnötige Maßnahmen oder Ausschreitungen verhindert wird.

426. Werner Best an das Auswärtige Amt 15. November 1943

Dagsindberetning.

Kilde: PA/AA R 29.568. RA, pk. 204.

Telegramm

Kopenhagen. den	15. November 1943	22.35 Uhr
Ankunft, den	15. November 1943	23.55 Uhr

Nr. 1412 vom 15.11.[43.] Citissime!

Ich bitte, die folgende Meldung unverzüglich dem Herrn Reichsaußenminister zuzuleiten:

Über die Lage in Dänemark berichte ich für den 14. auf 15.11.43, daß an der äußeren Bordwand des im Kopenhagener Hafengebiet liegenden Minenräumbootes "M B 445" eine Sprengladung gefunden wurde, die, während die Besatzung sie unschädlich zu machen versuchte, explodierte und vier Besatzungsangehörige schwer und zwei leicht verletzte.[95] Die Untersuchung wird von der deutschen Sicherheitspolizei in Zusammenhang mit den zuständigen militärischen Dienststellen geführt.

Im übrigen in Kopenhagen ein Sabotagefall mit geringen Sachschaden und ein Sabotageversuch sowie in Aarhus ein Sabotagefall ohne Schaden.[96]

Dr. Best

427. Werner Best an das Auswärtige Amt 16. November 1943

Som svar på AAs forespørgsel 22. oktober om de deporterede danske kommunister gengav Best indholdet af en skrivelse fra Ernst Kaltenbrunner. Det kunne ikke komme på tale at tilbageføre de danske kommunister.

Se von Thaddens notat 22. november 1943.

Kilde: PA/AA R 99.502.

Der Reichsbevollmächtigte in Dänemark *Kopenhagen, den 16. November 1943.*

An das Auswärtige Amt
in Berlin.

Betrifft: Internierte dänische Kommunisten.
Bezug: Erlaß Pol VI 1311 Ang. II vom 22.10.43.[97]
Anlagen: 2 Durchschläge.

Zu dem Inhalt des oben bezeichneten Erlasses hat der hiesige Befehlshaber der Sicherheitspolizei und des SD wie folgt Stellung genommen:

"Die Überführung der im Lager Horseröd internierten dänischen Kommunisten in das Reich erwies sich aus Sicherheitsgründen mit Rücksicht auf die drohende Invasion der Feindmächte in Dänemark als unbedingt erforderlich. Die 150 Kommunisten im Lager Horseröd mußten von starken einsatzfähigen Polizeikräften überwacht werden, weil das Lager gegen Ausbrüche durch andere Vorkehrungen nicht genügend gesichert ist.

Diese Polizeikräfte werden im Gefahrenmoment zu wichtigeren Aufgaben benötigt. Nichtdeutschen Überwachungskräften konnte die Verwahrung der Kommunisten nicht anvertraut werden.

Dänemark ist Operationsgebiet. Für die Verlegung der Kommunisten in das Reich sind ausschließlich sicherheitspolizeiliche Gründe maßgebend.

Die Rücküberführung der im Reiche internierten dänischen Kommunisten wird erst

95 Den tyske minestryger "M 445" blev saboteret af Holger Danske (Kieler, 2, 1993, s. 125-127, 150, Birkelund 2008, s. 675).

96 Der var adskillige sabotageaktioner i København, bl.a. et forsøg mod firmaet Nelholt, Ørnevej 69, der arbejdede for den tyske værnemagt, og en sprængning på skibet "Anholt" i Århus havn forøvet af en tysk marinesoldat (RA, BdO Inf. nr. 20, 17. november 1943, Hauerbach 1945, s. 23, Alkil, 2, 1945-46, s. 1224).

97 Andor Henckes skrivelse 22. oktober er trykt ovenfor.

möglich sein, wenn die Invasionsgefahr nicht mehr besteht und wenn in Dänemark eine vom Willen des dänischen Volkes getragene Regierung die Verantwortung für die Lage auf dem sicherheitspolizeilichen Sektor übernommen hat.

Von der Überführung der 13. von dänischen Gerichten abgestraften und in dänischen Gefängnissen zur Strafverbüßung einsitzenden Kommunisten in die deutsche Abteilung des Vestre-Fängsels wurde mit Rücksicht auf die sich anbahnende Mitwirkung der dänischen Polizei bei Aufklärung von Sabotageakten verzichtet.

Der dänische Kommunistenführer Aksel Larsen steht zur Verfügung des Reichssicherheitshauptamtes. Er dürfte nach Abschluß der Ermittlungen im Reiche interniert werden."

Best

428. Werner Best an das Auswärtige Amt 16. November 1943

Dagsindberetning.

Der var adskillige sabotager i løbet af dette døgn, men ingen fandtes af Best værdige til, at oplysning derom gik videre til Berlin. Kriminalrat Bunkes razziaer i københavnske kaffebarer 15. november, hvorunder 125 personer fik deres forhold undersøgt, skulle Berlin heller ikke høre om. Det positive ved razziaerne var ellers, at der ikke blev fundet våben, og at BdO vurderede, at aktionen havde haft en moralsk virkning på befolkningen (BArch, R 70 Dänemark 6, KTB/BdO 15. november 1943).

Kilde: PA/AA R 29.568. RA, pk. 204.

Telegramm

Kopenhagen, den	16. November 1943	20.55 Uhr
Ankunft, den	16. November 1943	[!] 20.45 Uhr

Nr. 1418 vom 16.11.43. Citissime!

Ich bitte, die folgende Meldung dem Herrn Reichsaußenminister unverzüglich zuzuleiten:

Über die Lage in Dänemark berichte ich für den 15. auf 16.11.43, daß aus dem ganzen Lande keine besonderen Vorfälle gemeldet sind.

Dr. Best

429. Das Auswärtige Amt an die Partei-Kanzlei der NSDAP 16. November 1943

AA meddelte, at de den 14. september fremsendte oplysninger om præsten Kaj Munk ikke kunne bekræftes. Munk var ikke arresteret, men holdt sig skjult, og at han skulle have skrevet et kritisk brev til kirkeministeren, kunne ikke fastslås.

Det var noget af en tilsnigelse at påstå, at Kaj Munk holdt sig skjult, men på den måde var det forklaret, at han som tyskfjendtlig agitator ikke allerede var arresteret.

Kilde: RA, pk. 218.

Durchdruck als Konzept/H
Referent Kolrep *den 16. Nov. 1943*
Inl. I D-1935/43

An die Partei-Kanzlei
z.Hd. Dienstleiter Parteigenossen Krüger
München 33

Betrifft: Politisch-konfessionelle Verhältnisse in Dänemark.
Bezug: Dortiges Schreiben vom 14.9.43[98] – III D 3 – Khn-3315/0/30

Die Meldung, nach der der dänische Pfarrer Kaj Munk als Verfasser deutschfeindlicher Schreiben verhaftet sein soll, ist unzutreffend. Auf Grund seiner deutschfeindlichen Haltung, die er seit längerer Zeit in Wort und Schrift zum Ausdruck gebracht hatte, sollte Kaj Munk im Rahmen der Aktion vom 29.8.43 (Ausnahmezustand) festgenommen worden.

Die Festnahme konnte bisher nicht erfolgen, weil M. flüchtig ist und sich z.Zt. verborgen hält. In wie weit es richtig ist, daß Kaj Munk einen Brief an das dänische Kirchenministerium geschrieben hat, in dem er sich weigert, den Anweisungen des Ministerpräsidenten Scavenius nachzukommen, konnte nicht festgestellt worden.

Gleichzeitig füge ich Durchdruck eines Berichtes des Bevollmächtigten des Reiches für Dänemark vom 9.11.43[99] mit Bitte um Kenntnisnahme bei. Der Brief enthält den Wortlaut des von Bischof Fuglsang-Damgaard im Zuge der Judenaktion verfaßten Hirtenbriefes.

Im Auftrag
Kolrep

430. Seekriegsleitung an OKW 16. November 1943

Seekriegsleitung ønskede bekræftet, at Keitels ordre af 23. september vedrørende det danske krigsmateriel var ophævet, og at det nu kunne betragtes som krigsbytte. Det skulle Keitel have meddelt mundtligt 30. september ifølge OKW/Abt. Ausland.

OKW svarede 19. november, og svaret blev gengivet af Seekriegsleitung til Quartiermeisteramt 20. november 1943, se dette. 20. november skrev OKM også igen til AA om sagen og gjorde opmærksom på, at det ikke sagligt ændrede noget m.h.t. anvendelsen af det danske krigsmateriel.

Kilde: BArch, Freiburg, RM 7/1188. RA, Danica 628, sp. 7, nr. 5482.

Oberkommando der Kriegsmarine *Berlin, den 16.11.1943*
B. Nr. 1/Skl. I i 34 842/43 g. Geheim

An das Oberkommando der Wehrmacht/Ausland I
z.Hd. von Graf Moltke

98 Trykt ovenfor.
99 Trykt ovenfor.

Betr.: Behandlung dänischen Wehrmachtseigentums.

Mit B. Nr. OKW/WFSt. Qu (Verw.) 806/43 vom 23.9.43 ist mit Unterschrift des Generalfeldmarschall Keitel folgendes mitgeteilt worden[100]: "Das von der dänischen Wehrmacht übernommene Material ist in Übereinstimmung mit dem Ausw. Amt nicht als Kriegsbeute zu betrachten, sondern wird unter Vorbehalt endgültiger Regelung nach Kriegsende durch die deutsche Wehrmacht in Gebrauch genommen". Mit B. Nr. OKW/WFSt. Qu 2 (N) 00 5856/43 g.Kdos. vom 3.10.43 ist folgendes gesagt: "Eine Änderung der rechtlichen Behandlung des dänischen Kriegsgeräts ist nicht beabsichtigt." Nach einem Vermerk vom 30.9.43 ist seitens des OKW/Abt. Ausland fernmündlich mitgeteilt worden, daß die von Generalfeldmarschall Keitel gezeichnete Verfügung wieder mündlich aufgehoben worden sei. Eine schriftliche diesbezügliche Mitteilung ist jedoch nicht hierher gelangt.

Im Hinblick darauf, daß hier eine Anfrage vorliegt, wie das dänische Wehrmachtsgut – abgesehen von den Kriegsschiffen – zu behandeln ist, wird um Mitteilung gebeten, ob es bei den zitierten schriftlichen Anweisungen zu verbleiben hat oder ob auf Grund der mündlichen Übermittlung doch eine abweichende Regelung getroffen worden ist.

C/Skl. i.A. 1/Skl. i.A.

I i

431. Werner Best an das Auswärtige Amt 17. November 1943

Dagsindberetning.

Kilde: PA/AA R 29.568. RA, pk. 204.

Telegramm

Kopenhagen, den	17. November 1943	18.05 Uhr
Ankunft, den	17. November 1943	18.45 Uhr

Nr. 1420 vom 17.11.[43.] Citissime!

Ich bitte, die folgende Meldung unverzüglich dem Herrn Reichsaußenminister zuzuleiten:

Über die Lage in Dänemark berichte ich für den 16. auf 17.11.43, daß auf dem Bahnhof Horsens (Jütland) zwei verladene Lastkraftwagen beschädigt[101] und eine Telefonleitung in Jütland durchschnitten worden ist. In Kopenhagen ist es der deutschen Sicherheitspolizei gelungen, sieben Saboteure festzunehmen.[102]

Dr. Best

100 Trykt ovenfor.

101 Jfr. RA, BdO Inf. nr. 21, 19. november 1943, Alkil, 2, 1945-46, s. 1224.

102 De syv anholdte sabotører er ikke identificeret.

432. Deutsche Rundfunk-Arbeitsgemeinschaft an Reichspropagandaministerium 17. November 1943

RMVP fik endnu en henvendelse vedrørende radiopropagandaen i Danmark. Selv om dansk radio nu mere eller mindre var under tysk indflydelse, kunne befolkningen aflytte enhver udenlandsk udsendelse. Der var endnu ikke forbud imod det. Fra København blev det fortroligt oplyst, at danskerne mere end nogensinde stillede ind på engelsk radio og blev opfordret til sabotage. Fra Sverige bidrog de danske jøder, der var flygtet dertil, ligeledes til øgede hetz- og sabotageopfordringer.

Igen er den fortrolige kilde i København givetvis Gernand, der i lighed med den tyske radioorganisation ønskede forbud mod aflytning af de fjendtlige radiokanaler i Danmark.

Der blev også lagt pres på Best i radiospørgsmålet sidenhen, men han nægtede vedholdende at indføre aflytningsforbud, som han også fortæller det i sine erindringer (Best 1988, s. 87). Hans bevæggrunde til den indstilling må ses i sammenhæng med, at hans strategi var at modgå fjendtlig propaganda med egen modpropaganda, ikke ved at søge at udelukke den fjendtlige propaganda, hvilket han i forvejen vidste var umuligt. Havde han villet forsøge at udelukke fjendtlig propaganda, ville han ikke hver måned i *Politische Informationen* bringe lange uddrag med "Fjendtlige stemmer". Den propagandastrategi fandt liden forståelse i Berlin.

Kilde: RA, Danica 465: Moskva: Osobyj Archiv, 1363/1/163/143.

Rfk/A 3000 6.1.43/708-1,2

Deutsche Rundfunk Arbeitsgemeinschaft *Berlin Wilmersdorf, den 17.11.1943*
Der Geschäftsführer

An das Reichsministerium für Volksaufklärung und Propaganda
– Abteilung Rundfunk –
Berlin W 8
Wilhelmplatz 8/9.

Betrifft: Rundfunk in Dänemark.

Obwohl der dänische Rundfunk nach der jetzigen politisch-militärischen Entwicklung mehr oder weniger unter deutschem Einfluß steht, kann die dänische Bevölkerung jeden Auslandssender abhören. Ein Abhörverbot für Auslandssender besteht bisher nicht.

Wie vertraulich aus Kopenhagen mitgeteilt wird, hat dies zur Folge, daß die Dänen mehr denn je den englischen Rundfunk einschalten. Dieser unterstreicht täglich in seinen Sendungen die zunehmenden kommunistischen Tendenzen, sowie die Förderung von Sabotageakten, die an der Tagesordnung sind. So wurde am 10. d.Mts. die dänische Radiofabrik "American Apparate Co. A/S" in Gentofte bei Kopenhagen durch Sabotage vollständig zerstört. 700 fertige Apparate wurden vernichtet. Etwa 150 Arbeiter sind arbeitslos geworden. Der Schaden beläuft sich auf etwa 1,5 Mill.dkr.

Die Hetze aus Schweden nimmt zu, weil es den dänischen Juden gelungen ist, nach Schweden zu flüchten, um dort zu den üblichen Hetz- und Sabotage-Aufforderungen beizutragen.

Heil Hitler!
Dr. Pridat-Guzatis

433. Werner Best an das Auswärtige Amt 18. November 1943

Best præsenterede AA for resultatet af forhandlingerne med von Hanneken og den danske centraladministration om en ordning for Jylland for at undgå udskrivning af arbejdskraft. OT havde fået overladt opgaven at skaffe arbejdskraft, Best lod Dr. Stalmann være sin repræsentant ved von Hannekens nye hovedkvarter i Silkeborg, mens amtmand Peder Herschend fungerede samme sted på den danske centraladministrations vegne (Hæstrup, 1, 1966-71, s. 233-235).

Kilde: PA/AA R 29.568. RA, pk. 204. LAK, Best-sagen (afskrift).

Telegramm

Kopenhagen, den	18. November 1943	17.05 Uhr
Ankunft, den	18. November 1943	18.00 Uhr

Nr. 1423 vom 18.11.43.

Unter Bezugnahme auf das dortige Telegramm Nr. 1553[103] vom 11.11.43 berichte ich, daß auf Grund eingehender Besprechungen mit dem Befehlshaber der deutschen Truppen in Dänemark und dem OT-Einsatzleiter Landesrat Martinsen einerseits und mit der dänischen Zentralverwaltung andererseits die folgenden Maßnahmen zur Durchführung der befohlenen Befestigungsarbeiten in Jütland getroffen worden sind:

1.) Der Befehlshaber der deutschen Truppen in Dänemark hat die Durchführung der neuen Arbeiten im Wesentlichen der OT übertragen. An wenigen Stellen werden Ortsbefestigungen von den örtlichen militärischen Dienststellen durchgeführt werden.
2.) Die OT wird die Arbeiten in der üblichen Form mit Hilfe einheimischer Unternehmer, die die erforderlichen Arbeitskräfte einstellen, durchführen. Soweit die örtlichen militärischen Dienststellen Befestigungsarbeiten durchzuführen haben, beauftragen sie den zuständigen dänischen Bürgermeister oder Polizeimeister, bis zu einem gesetzten Termin die vorgeschriebenen Arbeiten durchführen zu lassen. Die Form der Durchführung bleibt den dänischen Behörden überlassen.
3.) Der OT-Einsatzleiter Landesrat Martinsen rechnet damit, daß etwa 30.000 Arbeitskräfte zur Durchführung der projektierten Arbeiten benötigt werden, eine größere Zahl ist nach seiner Auffassung weder erforderlich, noch könnte sie im Hinblick auf das vorhandene Material, Werkzeug, Transportmittel usw. sinnvoll angesetzt werden. Diese Arbeitskräfte werden durch Einstellung aller übrigen Bauarbeiten sowie aus den Saison-Arbeitslosen beschafft werden können, ohne daß allgemeine Zwangsmaßnahmen gegenüber der Gesamtbevölkerung angewendet zu werden brauchen.
4.) Die dänische Zentralverwaltung hat auf meine Veranlassung alle Behörden in Jütland eingehend über die Lage und über ihre Aufgaben instruiert, insbesondere darüber, daß sie unter den besonderen Verhältnissen den Weisungen der örtlichen Befehlsstellen der deutschen Wehrmacht unbedingt nachzukommen haben.
5.) Ich habe dem Befehlshaber der deutschen Truppen in Dänemark, der sein Hauptquartier nach Silkeborg (Jütland) verlegt hat, den Regierungsdirektor Dr. Stalmann als Verwaltungsberater, der im Ernstfalle als Chef der Zivilverwaltung fungieren wird, zugeteilt.

103 Pol I M 2575 gRs. Telegrammet er ikke lokaliseret.

6.) Die dänische Zentralverwaltung hat den Stiftamtmann Herschend aus Vejle mit einem kleinen Stabe von Sachverständigen beauftragt, in Silkeborg dem Befehlshaber der deutschen Truppen in Dänemark zur Beratung und zur Vermittlung gegenüber den dänischen Behörden in Jütland zur Verfügung zu stehen.

7.) Mit dem Befehlshaber der deutschen Truppen in Dänemark ist vereinbart, daß alle besonderen, aus der Lage heraus notwendig werdenden Maßnahmen – z.B. Evakuierung von Ortschaften, Arbeitseinsatz, der Bewohner einzelner Gemeinden usw. – jeweils durch örtlich begrenzte militärische Anordnungen durchgeführt werden sollen, von denen ich über den Verwaltungsberater unverzüglich unterrichtet werde. Von allgemeinen Maßnahmen, wie der Verhängung des militärischen Ausnahmezustandes über Jütland, wird abgesehen, Jütland unterliegt wie das übrige Land weiter meiner politischen, verwaltungsmäßigen und polizeilichen Aufsicht, so daß ich z.B. erforderlichenfalls für einzelne Plätze (wie für Horsens am 14.11.43) den zivilen Ausnahmezustand verfüge.

8.) Die dänische Zentralverwaltung hat den Ernst der Lage begriffen, wünscht unbedingte Fernhaltung jeder Kampfhandlung von dänischem Gebiet und zeigt volle Bereitschaft, die deutschen Sicherungsmaßnahmen mit ihren Mitteln zu unterstützen.

Dr. Best

434. Kriegstagebuch/WB Dänemark 18. November 1943

Jernbanesabotagerne ved Langå og Århus fik von Hanneken til at foreslå Best, at dansk politi eller lokale beboere blev sat til at bevogte vigtige jernbaneknudepunkter.

Det var to forslag, som han allerede havde fremsat et år tidligere. Bests svar er ikke lokaliseret, men han afviste anvendelsen af lokale borgere til bevogtningsopgaver, og det blev heller ikke tilfældet denne gang. I stedet blev der taget initiativ til oprettelsen af et jernbanebeskyttelsesværn, givetvis på Bests foranledning. Se herom 15. december 1943.

Kilde: KTB/WB Dänemark 18. november 1943.

In der Nacht zum 18.11.1943 wurden mehrere Sabotagefälle an Eisenbahnlinien in Jütland verübt, wobei u.A. eine wichtige Eisenbahnbrücke nördlich Aarhus gesprengt wurde. Der Verkehr konnte durch Umleitung aufrecht erhalten werden. An den Reichsbevollmächtigten wurde die Forderung gestellt, bei den dänischen Stellen zu veranlassen, daß alle von der dänischen Generaldirektion der Staatsbahn als wichtig bezeichneten Eisenbahnobjekte von dänischen Polizei oder auch Gemeindemitglieder bewacht werden müssen.

In der Stadtmitte Kopenhagens wurde am Spätnachmittag der Oberheeresarchivrat Goes des eigenen Stabes von mehreren Zivilisten angeschossen.[104] Gleichfalls erhielt ein Marinesoldat durch einen Zivilisten einen Pistolenschuß an der Hand beigebracht. Der Täter entkam nach einem Handgemeng.[105]

104 Attentatet mod hærarkivar Goes har ikke kunnet belyses nærmere. Se tillige Bests omtale af attentatet i telegram nr. 1428, 18. november.

105 Episoden fandt sted på en sporvogn linje 8, der var på vej over Christianshavns Torv. Vidner fik det indtryk, at der var tale om et privat opgør (*Information* 19. november 1943).

435. Werner Best an das Auswärtige Amt 18. November 1943

Dagsindberetning.

Kilde: PA/AA R 29.568. RA, pk. 204.

Telegramm

Kopenhagen, den	18. November 1943	23.15 Uhr
Ankunft, den	19. November 1943	00.25 Uhr

Nr. 1428 vom 18.11.[43.] Citissime!

Ich bitte, dem Herrn Reichsaußenminister die folgende Meldung unverzüglich zuzuleiten:

Über die Lage in Dänemark berichte ich für den 17. auf 18. November 1943, daß in Jütland eine Reihe von Sabotageakten gegen Bahnanlagen ausgeführt wurden (Stellwerk und Transformatorenhaus in Aarhus,[106] Eisenbahnbrücke bei Langaa,[107] Bahnkörper bei Daastrup-Aalestrup).

Ich veranlasse im Einvernehmen mit dem Befehlshaber der deutschen Truppen in Dänemark, das alle von der Generaldirektion der Staatsbahnen als besonders wichtig bezeichneten Einrichtungen über den bisher bestehenden Bahnschutz hinaus durch Polizei oder durch neu zu bildende Gemeindewachen geschützt werden.

In Kopenhagen ist ein Wehrmachtsbeamter von zwei unbekannten Zivilisten durch Armschuß verletzt worden.[108] Daß der Wehrmachtsbeamte mit dem englischen Anruf "hands up" angerufen wurde, was auf auswärtige Täter schließen läßt, veranlaßt mich, wieder einmal auf die große Gefahr der unbewachten Ostküste Seelands hinzuweisen und um baldige Entsendung der von mir angeforderten Zollgrenzschutz-Mannschaften zu bitten.

Im übrigen fanden einige kleinere Sabotageakte ohne wesentlichen Schaden statt. Die dänische Polizei hat in Kopenhagen drei Saboteure festgenommen.[109]

Dr. Best

106 Der var sprængstofattentat mod DSBs kommandopost ved Frederiksbro i Århus udført af Samsing-gruppen, lige som der var et par andre aktioner i byen (RA, BdO Inf. nr. 21, 19. november 1943, *Information* 18. november 1943, Hauerbach 1945, s. 23, Alkil, 2, 1945-46, s. 1224, Hansen 1946, s. 30, Trommer 1971, s. 73).

107 Langåbroerne blev sprængt af en sabotagegruppe fra Randers efter at have fået grønt lys dertil fra SOE (RA, BdO Inf. nr. 21, 19. november 1943, Hæstrup, 1, 1959, s. 238, Røjel 1961, Trommer 1971, s. 74, Røjel 1973, s. 84-90).

108 Det drejede sig om attentatet på hærarkivar Goes.

109 Det var tre medlemmer af BOPA (Niels Saxtorph, Johan Hjarup og Henning Christensen), der blev taget af dansk politi under forsøget på en sabotage St. Kongensgade 77 mod virksomheden Friedrich & Co. (RA, BdO Inf. nr. 21, 19. november 1943, Kjeldbæk 1997, s. 202f. Jfr. KB, Bergstrøms dagbog 17. november 1943, *Information* 18. november 1943).

436. Werner Best an das Auswärtige Amt 19. November 1943

Best forespurgte, om de deporterede danske jøder og kommunister måtte få besøg af repræsentanter for Dansk Røde Kors. Anmodningen blev støttet af direktøren for Dansk Røde Kors, Helmer Rosting, og UM.

Von Thadden lod spørgsmålet gå videre til RSHA 22. november, henvendelsen er trykt nedenfor (Yahil 1967, s. 261f., Weitkamp 2008, s. 190).

Kilde: PA/AA R 100.865. RA, pk. 284. PKB, 13, nr. 743.

Telegramm

Kopenhagen, den	19. November 1943	14.10 Uhr
Ankunft, den	19. November 1943	14.55 Uhr

Nr. 1430 vom 19.11.[43.]

Der Direktor des dänischen Roten Kreuzes Helmer Rosting hat mich unterrichtet, daß das dänische Rote Kreuz an das Präsidium des deutschen Roten Kreuzes die Bitte gerichtet habe, zu klären, ob die Aufenthaltsorte der aus Dänemark deportierten Juden und Kommunisten von Beauftragten des dänischen Roten Kreuzes besucht werden dürfen.

Gleichzeitig hat Direktor Rosting mich gebeten, für die Erfüllung dieses Wunsches einzutreten. Auch von Seiten des dänischen Außenministeriums ist an mich die Frage gerichtet worden, ob Abteilungschef Hvass ein solcher Besuch der gegenwärtigen Aufenthaltsorte der dänischen Juden und Kommunisten erlaubt werden könne. Die Durchführung dieser Besuche, die verbunden werden könnten, würde in Dänemark sehr beruhigend wirken. Ich bitte deshalb, die Frage mit den zuständigen Stellen zu klären und mich von dem Ergebnis zu unterrichten.

Dr. Best

437. Werner von Grundherr an Werner Best 19. November 1943

Det Tyske Gesandtskab i Stockholm havde sendt AA en stemningsberetning, som ministeriet fandt værd at sende til en række af sine øvrige udenlandske gesandtskaber, herunder gesandtskabet i København.

Best kunne i beretningen finde argumenter til støtte for sin politik med hensyn til skydningen af gidsler kontra brug af henrettelser efter en gennemført rettergang.

Kilde: RA, pk. 233.

Durchdruck
Auswärtiges Amt Pol VI 1414

An

die Deutsche Botschaft Ankara
die Deutsche Botschaft Madrid
die Deutsche Botschaft Rom (Vat.)
die Deutsche Botschaft Rom (Rumpf)
die Deutsche Gesandtschaft Bern

die Deutsche Gesandtschaft Helsinki
die Deutsche Gesandtschaft Lissabon
die Deutsche Gesandtschaft Bukarest
die Deutsche Gesandtschaft Budapest
die Deutsche Gesandtschaft Sofia
den Bevollmächtigten des Reichs in Dänemark Kopenhagen
den Vertreter des Auswärtigen Amts beim Reichskommissar für das Ostland in Riga
– je besonders –

Die Deutsche Gesandtschaft in Stockholm gibt folgenden Stimmungsbericht über Schweden Mitte November 1943:

"1. Öffentliche Meinung:
Mit Genugtuung hat das schwedische Volk Ende Oktober die Mithilfe des schwedischen Roten Kreuzes bei dem deutsch-englischen Gefangenenaustausch in Göteborg und den Dank der beteiligten auswärtigen Regierungen an dieser humanitären Hilfeleistung registriert, die in besonderer Weise schwedischem Empfinden entspracht und die als eine Art Nachweis der Existenzberechtigung neutraler Staatswesen gebucht wird. Für wenige Tage zeigte auch die Presse ein freundlich-versöhnliches Bild. Die Erschießung von fünf Geiseln in Drammen und der Abschuß des schwedischen Flugzeuges "Gripen" haben jedoch zum Tiefstand der Mitte Oktober gemeldeten Stimmung schnell zurückgeführt.[110] Dabei ist zu vermerken, daß die schwedische öffentliche Meinung Todesurteile wegen nachgewiesener Spionagetätigkeit fast kommentarlos hinnimmt (vergleiche Bekanntgabe der Hinrichtung von sechs Norwegern durch das SS- und Polizeigericht Nord am 20. Oktober wegen Konspiration mit dem Feinde illegaler Tätigkeit und unerlaubten Waffenbesitzes), während sie auf Geiselerschießungen und unterschiedsloses Kollektivverfahren umso heftiger reagiert. Die Geiselerschießungen in Drammen bezeichnete das konservative "Svenska Dagbladet" als Herausforderung an das nordische Rechtsempfinden, die durch Verschärfung eines abgrundtiefen Hasses Deutschland schon jetzt für lange Zeit vor aller Welt isolieren müsse.

Die Rückwirkungen solcher Ereignisse in Norwegen wie auch in Dänemark machen sich in Schweden überall stark geltend. Die öffentliche Meinung zieht daraus den Schluß, daß die dänische Politik des Nachgebens am 9. April 1940 sich gegenüber der norwegischen Widerstandspolitik als falsch erwiesen habe, da Dänemark schließlich die gleiche Behandlung im Endeffekt erfahren hat wie Norwegen, das sich der Okkupation mit Waffengewalt widersetzte. Die Befürworter einer aktiven antideutschen Politik in Schweden wie die Kreise um "Göteborgs Handels- och Sjöfarts-Tidning" und den Bonnierkonzern haben Zustrom erhalten. Bisher galt ein Mann wie Professor Segerstedt vornehmlich als Monoman ohne einflußreichen Anhang.[111] In bestimmten Bevölkerungskreisen vermindert sich auf diese Weise auch das Gefühl für die unbedingte Not-

110 Det svenske trafikfly "Gripen" blev 23. oktober nedskudt af tyske fly ud for den svenske vestkyst på vej til Storbritannien.

111 Torgny Segerstedt vandt stor indflydelse og lydhørhed gennem sine artikler i *Göteborgs Handels- och Sjöfarts-Tidning*. Et udvalg er trykt i Torgny Segerstedt: *I Dag*, 1945.

wendigkeit der Aufrechterhaltung einer strikten Neutralität als bestes und approbiertes Mittel für die Integrität und Unabhängigkeit des Landes in nicht mehr ungefährlicher Weise.

Der "Gripen"-Zwischenfall wirkte in gleicher Richtung. Er führte zu der Forderung der Einstellung den Kurierflugzeugverkehrs über Schweden, falls Deutschland die Legalisierung einer Luftverbindung Schwedens mit dem Westen endgültig verweigere. Die Deklarierung eines Luftwarngebietes im Fall der Fischerbootaffäre als völkerrechtlich unbegründet angesehen und leidenschaftlich abgelehnt.[112]

Die Übernahme dänischer Juden wurde als asylrechtliche Handlung der Regierung gutgeheißen und führte sogar zum Vorschlag eines prosemitischen Schutzgesetzes, das noch vor kurzer Zeit kaum denkbar gewesen wäre. Doch wird die Ausarbeitung dieser Gesetzesvorlage gegen antisemitische Propaganda schon jetzt auch in sozialistischen Kreisen als Affekthandlung angesehen, die in der Gestalt eines Privilegs ausländischer Juden keine Aussicht auf Annahme durch die gesetzgebenden Körperschaften des Reiches besitzt.

Alle diese Stimmungsfaktoren sind jedoch im November durch das lebhafte Interesse der öffentlichen Meinung am Ergebnis der Moskauer Konferenz in den Schatten gestellt worden. Die Ungewißheit über das Gesamtschicksal Europas und besonders Finnlands und der baltischen Staaten ist der schwedischen Öffentlichkeit seit Bekanntgabe der Communiqués über die Moskauer Konferenz erneut klar geworden. Der Wortreichtum der offiziellen Bekanntmachungen hat niemand über die sowjetrussischen Expansionspläne und das Zurückweichen der Alliierten täuschen können.[113] Die Sorge um die Selbständigkeit Finnlands ist in nahezu allen Presseorganen wieder lebendig geworden. Die öffentliche Weigerung Finnlands, sich einer bedingungslosen Kapitulation zu unterwerfen, wird weitgehend gebilligt. Zu gleicher Zeit haben sich die Hoffnungen verstärkt, auf dem Wege eines unmittelbaren finnisch-russischen Kontaktes nach dem Muster des Moskauer Friedens 1940 bei erster sich bietender Gelegenheit zum Ziel eines weiterhin selbständigen finnischen Staatswesens zu gelangen. Ob die geheim gebliebenen Abmachungen der Moskauer Konferenz einen befriedigenden Beitrag für einen gesunden Aufbau des zukünftigen Europa geliefert haben, wird heftig bezweifelt. "Das völlige Schweigen über die Zukunft der kleinen Staaten ist allzu unglücksschwanger" schreibt z.B. "Nya Dagligt Allehanda."

Die gesamte öffentliche Meinung Schwedens ist sich darüber im klaren, daß das von der Sowjetunion in Zukunft Finnland gegenüber einzuschlagende Verfahren für die Stellung des gesamten Nordens Rußland gegenüber für lange Zeit von ausschlaggebender Bedeutung sein wird.

"Stockholms Tidningen" weist darauf hin, daß die nordischen Länder im Schnittpunkt zwischen der sowjetrussischen Welt und der angloamerikanischen Machtkombination liegen und daß deshalb ihr Schicksal ungewisser als je sei. "Eine Drohung gegen Finnland," schreibt "Svenska Dagbladet," "empfinden wir auch als Bedrohung unseres

112 Med fiskerbådsaffæren henvises til, at tyske minestrygere 25. august sænkede to svenske fiskerbåde i Skagerrak, hvorved 12 mennesker omkom.

113 Moskva-konferencen mellem de allierede efterlod uvished om Finlands og de baltiske landes fremtid.

Landes. Unsere zukünftige Auffassung über Stalins Rußland ist in höchstem Grade von der Art und Weise abhängig, wie sich der Ausgleich zwischen unseren nächsten Nachbarn im Osten gestalten wird." In ähnlicher Weise hat sich in der gesamten Öffentlichkeit eine förmliche Renaissance für die Sache Finnlands geltend gemacht. Allerdings fehlt es auch nicht an Konjunktur-Ritter aller Art, die der Ansicht Ausdruck geben, daß die Zeit für eine Anbiederung an Sowjet-Rußland gekommen sei.

2. Amtliches Schweden:
In schwedischen Regierungskreisen beanspruchen die Probleme der Wiedererlangung wirtschaftlicher Freiheit nach allen Seiten hin das Hauptinteresse. Angestrebt wird ein neues Handelsabkommen mit Deutschland unter gleichzeitiger vertraglicher Regelung des Göteborgverkehrs und des Luftverkehrs mit England. Die aus dem Fischerboot Zwischenfall resultierenden Verhandlungen mit deutschen Marinestellen über die Garantierung unbehinderten Fischfangs werden begrüßt. Das von der deutschen Luftwaffe ausgedrückte Bedauern über den Abschuß des "Gripen"-Flugzeugs wird als günstiges Vorzeichen für eine mögliche Einigung über den Luftverkehr nach England angesehen, der infolge Mangels an geeigneten Flugzeugen allerdings nur in geringem Umfange angestrebt wird. Das Bestreben, strikte Neutralität allen Kriegführenden gegenüber zu wahren, ist stärker ausgeprägt als je (keine Nobelpreise 1943, Wiederaufnahme ungehinderter Erzausfuhr via Luleaa) und kommt in größerer Zurückhaltung gegenüber wirtschaftlichen Wünschen der Kriegshandelspartner sogar dann zum Ausdruck, wenn die Ablehnung von Lieferungswünschen (Kugellager, Erze) voraussichtlich zu Einschränkungen des Inlandskonsums infolge Retorsionsmaßnahmen der Importländer (Kohlen) führen muß.

Die weltpolitischen Rückwirkungen der Moskauer Konferenz werden in Regierungskreisen mit aller Skepsis über die Zukunft der kleinen Staaten beurteilt. Eine gewisse Beruhigung über das Nichtzustandekommen einer zeitweise befürchteten deutsch-russischen Einigung ist unausgesprochen fühlbar.

Die militärische Entwicklung wird oft dahin beurteilt, daß im kommenden Winter mit einer kräftigen Offensive der Sowjetrussen und einem verstärkten Luftkrieg gegen deutsche Rüstungswerkstätten gerechnet wird. Eine zweite Front der Alliierten im Westen wird, wenn überhaupt, nicht vor März 1944 erwartet. Dagegen wird mit einem Vorgehen der amerikanisch-englischen Streitkräfte auf dem Mittelmeer- und dem Balkankriegsschauplatz schon früher gerechnet. Die Defensivkraft der deutschen Armee wird in amtlichen Kreisen höher veranschlagt als in der Öffentlichkeit. Über das Schicksal Finnlands und des Baltikums herrscht größte Besorgnis, über Polens Zukunft völlige Unkenntnis."

(Der vorstehende Text darf unter keinen Umständen im Wortlaut weitergegeben werden.)

Im Auftrag
gez. **Grundherr**

438. Werner Best an das Auswärtige Amt 19. November 1943

Dagsindberetning.

Kilde: PA/AA R 29.568. RA, pk. 204.

Telegramm

Kopenhagen, den	19. November 1943	21.40 Uhr
Ankunft, den	19. November 1943	22.00 Uhr

Nr. 1435 vom 19.11.[43.] Citissime!

Ich bitte, die folgende Meldung dem Herrn Reichsaußenminister unverzüglich zuzuleiten:

Über die Lage in Dänemark berichte ich für den 18. auf 19.11.43, daß erneut einige Sprengungen an zwei Nebenbahnen bei Hobro (Jütland) sowie an den Bahnanlagen von Aarhus stattgefunden haben.[114] Über die Stadt und den Bezirk Aarhus ist der zivile Ausnahmezustand verhängt worden (Verkehrsperre von 20-5 Uhr, Gaststättenschluß 19 Uhr, verschärfte Überwachung durch Polizei und durch Wehrmachtsstreifen). In Kopenhagen wurde ein Funkobermast, als er einen jungen Mann wegen Besitzes einer Pistole stellte, von diesem durch einen Schuß an der Hand verletzt, der Täter erhielt einen Schlag über den Kopf aber entkam.[115] Im übrigen zwei unbedeutende Sabotagefälle.[116] Die deutsche Sicherheitspolizei hat in den letzten zwei Tagen 24 Saboteure dem Kriegsgericht übergeben, die in beschleunigtem Verfahren mit dem Ziele der Todesstrafe abgeurteilt werden sollen.[117]

Dr. Best

439. Kriegstagebuch/WB Dänemark 19. November 1943

For de den foregående dag foretagne sabotager af Langåbroerne og af kommandoposten i Århus krævede von Hanneken soneforanstaltninger i form af udgangsforbud. For angrebet på et medlem af værnemagten krævede han, at krigsretten afsagde dødsdomme over alle fængslede sabotører uden at der blev gjort brug af benådningsretten. Det skulle straks meddeles i pressen.

Best reagerede, som det fremgår af telegram nr. 1435, samme dag.

Kilde: KTB/WB Dänemark 19. november 1943.

114 I Århus blev en transformator ved Østbanegården sprængt af Samsing-gruppen (Hauerbach 1945, s. 23, Alkil, 2, 1945-46, s. 1224, Hansen 1946, s. 30).

115 En tysk marinesoldat, der var passager på en sporvogn linje 8, blev skudt i den ene hånd af en civil dansk passager, der også blev såret og indlagt (Übersicht über die im Monat 1943 gemeldeten Sabotagefälle, bilag 4 til KTB/MOK Ost for tiden 16. til 30. november 1943 (RA, Danica 628, sp. 9, nr. 7273), KB, Bergstrøms dagbog 18. november 1943, *Information* 19. november 1943).

116 Holger Danske udførte en aktion mod Alvis Maskinfabrik og Dana Bogtrykkeri, Gothersgade 93. Ved sidstnævnte aktion blev otte civile lettere såret og 40 familier måtte evakueres. Virksomheden arbejdede for den tyske værnemagt (RA, BdO Inf. nr. 22, 23. november 1943, Kieler, 2, 1993, s. 150 (der endvidere angiver aktionen mod Helge Jensens Autoværksted, Omøgade, som Holger Danskes), Birkelund 2008, s. 675).

117 Dommene blev afsagt 23. og 24. november 1943, se telegram nr. 1454, 25. november.

[...]
Als Sühnemaßnahmen für Eisenbahnsprengungen forderte der Befehlshaber beim Reichsbevollmächtigten, daß im erweiterten Stadtbezirk Aarhus und der Gemeinde Langaa vom 20.11.43 an jeglicher Verkehr (außer Eisenbahn) von 20.00 bis 5.00 gesperrt wird. Ausnahmen werden nur für besonders lebenswichtige Zwecke zugelassen. Die Standortältesten Aarhus und Randers wurden angewiesen, zur Überprüfung der Maßnahmen Wehrmachtsstreifen in den betroffenen Gebieten anzusetzen. Überprüfung der Notwendigkeit der durch die Polizei auszustellenden Passierscheine durch die Standortältesten wurde angeordnet.

Die Verständigung der dänischen Polizeibehörden erfolgte Gemäß der getroffenen Abmachungen über den Chef der Zivilverwaltung (z.Zt. Regierungsdirektor Stalmann) an den für Jütland zuständigen Amtmann Herrend.[118] Bei dem Chef der Zivilverwaltung wurde von hier ausdrücklich gefordert, daß die dänische Polizei an diesen Orten ihren Dienst weiterhin versieht.

An Sühnemaßnahmen für die tätlichen Angriffe auf einen Wehrmachtsbeamten und einen Marinesoldaten wird angeordnet: Sofortige Durchführung eines kriegsgerichtlichen Schnellverfahrens gegen alle in Haft befindlichen Saboteure. Verhängung von Strafen (Todesstrafen), die das bisher übliche Maß ohne Rücksicht auf etwa mildernde Umstände des Falles bei weitem übersteigen, sofortige Vollstreckung ohne Ausübung des Gnadenrechts, Bekanntgabe in der Presse mit Begründung, daß Versagung der Milderung und sofortige Vollstreckung in Rücksicht auf letzte Überfälle erfolge.
[...]

440. Lagebesprechung vor Hitler 19. November 1943

En række jernbanesabotager i Danmark (Langå, Århus) påkaldte sig undtagelsesvis førerhovedkvarterets opmærksomhed, og der udspandt sig en samtale mellem Keitel og Hitler, hvor spørgsmålet om anvendelse af henrettelser kontra modterror blev taget op. Hitler gik ind for sidstnævnte, og Keitel føjede til, at RFSS ville anbefale Best og von Hanneken at bruge modterror. Hitler var skeptisk over for, at Best ville gå med dertil.

Keitel kontaktede øjeblikkeligt von Hanneken i Silkeborg. Se Bests telegram nr. 1438, 20. november 1943.

Kilde: Heiber 1962, s. 424-426.

Keitel: [...] In Dänemark sind eine Reihe von Sabotagefällen ausgesprochen in einer Nacht, und zwar in der Nacht vom 17. zum 18., vorgekommen: Stellwerk und Transformatorenhaus beim Bahnhof Aarhus, bei Langern eine Eisenbahnbrücke zerstört. 3 km westlich Aarhus Bahnstrecke .... mehrfach durch Sprengungen beschädigt. Auf Bahnhof .... ein Waggon mit Stroh angezündet. In Kopenhagen-Stadtmitte am 18.11. Wehrmachtbeamter des Stabes angeschossen.[119] Von bevorste-

118 Skal være Herschend.
119 Hærarkivar Goes.

	hender Aburteilung von 15 Saboteuren durch den Bevollmächtigten wird abschreckender Erfolg erwartet; ich weiß nicht, ob das genügend wird.
Der Führer:	Das andere Verfahren halte ich für richtiger.
Keitel:	Der Reichsführer wollte dem Befehlshaber und vor allen Dingen auch dem Bevollmächtigten des Reiches dieses Verfahren anempfehlen. Das wird wahrscheinlich das einzige sein, was gegen diese Sabotagefälle von Wirkung ist.
Der Führer:	Nur darf man nicht warten, bis es zu spät ist.
Keitel:	Man muß die Sache prophylaktisch machen, ehe das da ist.
Der Führer:	Best wird es ablehnen, davon bin ich überzeugt. Bei Hanneken weiß ich es nicht. Best lehnt ab, weil er undiplomatisch ist.
Keitel:	Hanneken springt eigentlich ganz gut an, wenn man ihm etwas sagt.
Der Führer:	Das ist das einzige Verfahren.

[...]

441. Kriegstagebuch/Admiral Dänemark 19. November 1943

Wurmbach ønskede at få afprøvet, hvordan engelske landingsbåde erobret ved Dieppe klarede sig ved Vestkysten for at få afklaret, hvor kystforsvarets tyngdepunkt skulle være. Endelig meddelte han, hvor samlingspunkterne for alarmenhederne skulle være.

Kilde: KTB/ADM Dän 19. november 1943, RA, Danica 628, sp. 3, s. 3148.

[...]

Bei der Beurteilung der Landungsmöglichkeiten des Gegners an der jütischen Küste spielen die der Küste an vielen Stellen vorgelagerten Sandriffe eine wesentliche Rolle. Da keinerlei Erfahrungen vorliegen, wie sich Landungsboote in der Brandungssee vor der Küste verhalten werden, mache ich MOK Nord den Vorschlag, mit englischen Landungsbooten, die bei Dieppe erbeute[t] wurden, bei Ostwetterlage, an möglichst vielen Stellen der Küste Versuche über das Verhalten dieser Boote in der Brandungssee anstellen, um aus den dabei gewonnenen Erkenntnissen Schlüsse zu ziehen, wo in Anbetracht der vorhandenen dürftigen Verteidigungsmittel der Küste Schwerpunktsbildungen notwendig sind.

Vom Befehlshaber Dänemark wurden als Sammelpunkte für Alarmeinheiten der Marine folgende Plätze zugewiesen:

Hadersleben für	3.000 Mann,
Apenrade für	2.000 Mann,
Tinglev für	1.000 Mann,
Tondern für	3.000 Mann,
Scherrebek für	1.000 Mann.

442. Kriegstagebuch/WB Dänemark 20. November 1943

Da der atter havde været en hel række jernbanesabotager besluttede von Hanneken indtil videre at sætte vagter ved de vigtigste jernbaneknudepunkter i form af broer.

Kilde: KTB/WB Dänemark 20. november 1943.

[...]
In der Nacht zum 20.11. wurden wiederum Zerstörungen an 6 verschiedenen Eisenbahnstrecken durch Sprengstoff-Attentate gemeldet. Der Herr Befehlshaber entschloß sich daher, um wenigstens die wichtigsten Bahnobjekte, deren Widerherstellung längere Zeit in Anspruch nehmen würde, durch die Truppe zu sichern. Es handelt um etwa 20 Eisenbahnbrücken. Den Einheiten wurde aufgegeben, Erkundungen anzustellen und zu melden, wieviel Wachen benötigt werden. Der Bahnschutzdienst soll sodann ab 22.11. einsetzen.
[...]

443. Seekriegsleitung an Quartiermeisteramt 20. November 1943

Seekriegsleitung havde fra OKW fået meddelelse om, at Keitels ordre vedrørende anvendelsen af det danske krigsmateriel stod ved magt: Det skulle ikke betragtes som krigsbytte, men forblive dansk ejendom med tysk brugsret. Der havde mundtligt været en skærpet ordre på vej, men efter intervention fra AA var dette blevet hindret.

Se Seekriegsleitung 3. december 1943 for det fortsatte krav om dansk skibstonnage.

Kilde: BArch, Freiburg, RM 7/1188. RA, Danica 628, sp. 7, nr. 5480f.

Seekriegsleitung *Berlin, den 20.11.1943*
B. Nr. 1. Skl. I i 35 621/43 g. Geheim
veranl. durch 1/Skl. 34 842/43 g

An das Quartiermeisteramt der Seekriegsleitung

Vorg.: Skl. Qu A II Mob pl 12 402/43 g. vom 12.11.1943[120]
Betr.: Behandlung dänischen Wehrmachteigentums.

Die maßgebliche Verfügung des OKW mit Unterschrift des Generalfeldmarschall Keitel vom 23.9.43 lautet wie folgt:

"Das von der dänischen Wehrmacht übernommene Material ist in Übereinstimmung mit Ausw. Amt nicht als Kriegsbeute zu betrachten, sondern wird unter Vorbehalt endgültiger Regelung nach Kriegsende durch deutsche Wehrmacht in Gebrauch genommen."

Danach ist also auch das dänische Wehrmachtgut an Land ebenso wie die Schiffe nicht einfach entschädigungslos als Kriegsbeute zu Eigentum zu vereinnahmen, sondern unter Vorbehalt endgültiger Regelung nach dem Kriege von der deutschen Wehrmacht

120 Skrivelsen er ikke lokaliseret.

in Gebrauch zu nehmen.

Am 27.9.43 war die obige Weisung zunächst mündlich in Richtung der schärferen Behandlung des Wehrmachtgutes an Land revidiert worden, auf Intervention des Ausw. Amtes ist diese mündliche Anordnung dann aber wieder mündlich zurückgenommen und zur Klarstellung mit B. Nr. OKW/WFSt Qu 2 (N) 00 5856/43 g.Kdos. vom 3.10.43 bestätigt worden, daß eine Änderung der rechtlichen Behandlung des dänischen Kriegsgeräts (gegenüber der Weisung vom 23.9.43) nicht beabsichtigt ist.[121]

Vermerk:
Graf Moltke teilte an 19. d.Mts. namens OKW/Ausl. an I i fernmündlich mit, daß seine Rückfrage bei OKW/WFSt betr. Behandlung dänischen Wehrmachteigentums folgendes ergeben habe:

Nach der Anordnung vom 23.9.43, wonach das dän. Wehrmachtmaterial nicht als Kriegsbeute zu betrachten sei, wurde nach damaliger mündlicher Mitteilung von OKW/WFSt diese Anordnung am 27.9. zunächst dahin revidiert, daß das Wehrmachtgut mit Ausnahme der Kriegsschiffe doch Kriegsbeute sei. Diese mündliche Abänderungsbestimmung sei aber auf Intervention des Ausw. Amtes dann wieder zurückgenommen worden und vorsorglich am 3.10.43 mitgeteilt worden, daß eine Änderung der am 23.9.43 gegebenen Weisung nicht beabsichtigt sei.

C/Skl. i.A. 1/Skl. i.A.

444. Werner Best an das Auswärtige Amt 20. November 1943

Dagsindberetning med oplysning bl.a. om, at nogle gerningsmænd til sabotagen mod Langåbroerne var arresteret af tysk politi.

Kilde: PA/AA R 29.568. RA, pk. 204.

Telegramm

Kopenhagen, den	20. November 1943	10.25 Uhr
Ankunft, den	20. November 1943	23.30 Uhr

Nr. 1443 vom 20.11.[43.] Citissime!

Ich bitte, die folgende Meldung unverzüglich dem Herrn Reichsaußenminister zuzuleiten:

Über die Lage in Dänemark berichte ich für den 19. auf den 20.11.43, daß an Nebenstrecken in Jütland 6 Sabotageakte stattgefunden haben, ohne daß der Durchgangsverkehr beeinträchtigt ist. In Kopenhagen wurden 2 Diensträume der Marine in einem Etagenhaus beschädigt.[122] In 2 Maschinenfabriken in Kopenhagen und Rioen-

121 Se Jodl til Ritter 3. oktober 1943.

122 Der blev af Holger Danske forøvet sabotage mod Kriegsmarinegericht, Kongensgade 79, i København, der indeholdt en tysk meteorologisk station og et pensionat for tyske marinere (Übersicht über die im Mo-

derslev[123] wurde Sachschaden verursacht,[124] während einige weitere Sabotagefälle ohne wesentlichen Schaden blieben. In Randers wurden 5 Saboteure, darunter Täter der Brückensprengung von Langaa von der deutschen Sicherheitspolizei festgenommen.[125] Sie werden von dem zuständigen Kriegsgericht in beschleunigtem Verfahren abgeurteilt werden.

Dr. Best

445. Werner Best an das Auswärtige Amt 20. November 1943

Sabotagen mod Langåbroerne i Østjylland og anskydningen af en værnemagtsofficer i København nåede som værnemagtsberetning til OKW, hvis chef, Wilhelm Keitel, refererede tilfældene for Hitler i førerhovedkvarteret, som det fremgår af foranstående situationsdrøftelse 19. november. Det fik Hitler til at kræve afskrækkende foranstaltninger som den eneste medicin mod sabotage.

Denne ordre gik fra OKW videre til Silkeborg og fik von Hanneken til at kræve indførelse af drastiske soneforanstaltninger. Best reagerede herpå ved at citere et telegram, som HSSPF samme dag havde sendt til RFSS. Heri vendte Pancke sig mod generel anvendelse af soneforanstaltninger. I stedet skulle der sættes ind med effektivt politiarbejde til sabotagebekæmpelsen. Pancke ønskede synspunkterne refereret for Hitler. Best tilsluttede sig ganske telegrammet, som han sikkert var medforfatter til, og føjede selv uddybende argumenter til.

Der foreligger et udkast til svar fra Ribbentrop med telegram uden nr., 26. november 1943, trykt nedenfor (KTB/WB Dänemark 18. og 19. november 1943, Rosengreen 1982, s. 73-75).

Kilde: PA/AA R 29.568. LAK, Best-sagen (oversat). PKB, 13, nr. 764. ADAP/E, 7, nr. 100.

Telegramm

Kopenhagen, den	20. November 1943	15.50 Uhr
Ankunft, den	20. November 1943	17.30 Uhr

Nr. 1438 vom 20.11.[43.] Citissime mit Vorrang!

Ich bitte, den folgenden Bericht unverzüglich dem Herrn Reichsaußenminister zuzuleiten:

Der höhere SS- und Polizeiführer SS-Gruppenführer Pancke hat heute an den Reichsführer-SS das folgende Fernschreiben gerichtet:

"Der General von Hanneken hat mir soeben mitgeteilt, der Wehrmachtführungsstab fordere von ihm "Sühnemaßnahmen" für alle weiterhin in Dänemark vorkom-

nat 1943 gemeldeten Sabotagefälle, bilag 4 til KTB/MOK Ost for tiden 16. til 30. november 1943 (RA, Danica 628, sp. 9, nr. 7273), Kieler, 2, 1993, s. 150, Birkelund 2008, s. 675).

123 Der menes sandsynligvis Brønderslev.

124 Om sabotagen hos maskinfabrikken Alvis A.G., Gothersgade 95 i København 19. november se Bests telegram nr. 1435, 19. november. Dagen før var maskinfabrikken Petershåb i Brønderslev udsat for sabotage, hvorved 18 benzinmotorer bestemt for OT blev svært beskadiget. Skaden blev vurderet til 25.000 RM (RA, BdO Inf. nr. 22, 23. november 1943, Alkil, 2, 1945-46, s. 1224).

125 Det var Oluf Kroer, Sven Christian Johannesen, Ole Hovedskov, Anders Wilhelm Andersen og Otto Manly Christiansen, der alle blev dømt ved krigsretten i Århus få dage senere (Røjel 1973, s. 93, Bests telegram nr. 1454, 26. november 1943).

menden Sabotageakte und Anschläge auf Wehrmachtsangehörige. Wegen der in den letzten Tagen vorgefallenen Bahnsabotagen bei Aarhus wird über die Stadt Aarhus der zivile Ausnahmezustand verhängt (Verkehrsverbot von 20-5 Uhr, Gaststättenschluß 19 Uhr, verschärfte Überwachung der Stadt durch Polizei und durch Wehrmachtsstreifen). Wegen der Verwundung zweier Wehrmachtsangehöriger in Kopenhagen werden in den nächsten drei Tagen 24 Saboteure in beschleunigtem Kriegsgerichtsverfahren ohne Rücksicht auf mildernde Umstände abgeurteilt und ohne Anwendung des Gnadenrechts hingerichtet werden.

Zu der Forderung des Wehrmachtführungsstabes, daß weiter für alle Vorfälle dieser Art "Sühnemaßnahmen" angeordnet werden sollen, ist grundsätzlich folgendes festzustellen:

1.) Wenn durch die "Sühnemaßnahmen" schuldige Personen getroffen werden sollen, so sind diese bereits Gegenstand unserer polizeilichen Tätigkeit und werden schnellstens schärfster Bestrafung zugeführt.
2.) Durch "Sühnemaßnahmen" gegen Personen, die für die begangenen Taten keine Schuld tragen, sowie gegen die Bevölkerung, die – wie sich aus allen bisherigen Ermittlungen ergibt, in ihrer Gesamtheit nicht für die begangenen Handlungen verantwortlich ist, wird künftigen Handlungen dieser Art keineswegs vorgebeugt. Die Saboteure nehmen auf die von "Sühnemaßnahmen" betroffenen Kreise keine Rücksicht, sondern sie sehen in den von uns getroffenen Maßnahmen einen Erfolg ihres Handelns. Denn die Bevölkerung, die wir für die Befestigungsarbeiten im Lande, sowie für die für Deutschland lebenswichtige landwirtschaftliche Produktion brauchen, wird durch solche Maßnahmen nur zu innerem und vielleicht auch äußerem Widerstand getrieben.
3.) Es ist klar, daß die Sabotageakte und Anschläge in Dänemark ein Teil der feindlichen Kriegführung gegen uns sind, gegen die die sachlich notwendigen Abwehrmaßnahmen und nicht kollektive "Sühnemaßnahmen," die nur Unschuldige treffen, erforderlich sind.
4.) Vor allem kann niemand in Dänemark – weder auf deutscher noch auf dänischer Seite – für die Verhinderung von Sabotage und anderer Anschläge verantwortlich gemacht werden, so lange von der 150 km langen Ostküste Seelands ein fast ungehinderter Verkehr mit dem feindlichen Ausland möglich ist. Erst wenn ausreichende Sperrung dieser Seegrenze erfolgt ist, kann – soweit nicht neue Agenten mit Fallschirmen abgesetzt werden – eine allmähliche Erfassung und Unschädlichmachung der Sabotage- und Terrorgruppen erwartet werden.
5.) Das einzige Mittel, mit dem diese unterirdische Kampfesweise des Gegners bekämpft werden kann, ist die sicherheitspolizeiliche und SD-mäßige Durchdringung des Landes und die systematische Aufrollung und Vernichtung der ermittelten Gruppen.
6.) Es muß immer wieder darauf hingewiesen werden, daß in Dänemark erst seit etwa 8 Wochen deutsche Sicherheitspolizei tätig ist, deren Erfolge gegen mehrere Sabotagegruppen im Lande bereits recht erfreuliche sind. Wenn diese Arbeit sich einmal auswirkt, besteht Aussicht, die Sabotage und ähnliche Anschläge auf das Maß einzuschränken, das sich aus dem Nachschub neuer Fallschirmagenten usw. zwangsläufig ergibt.
7.) Nach meiner Kenntnis werden in allen übrigen besetzten Gebieten nach anfänglich

anderer Praxis keine allgemeinen "Sühnemaßnahmen" gegen die Bevölkerung mehr getroffen, sondern der Kampf wird von den hierfür eingesetzten Polizeikräften geführt. Ich bitte Sie, Reichsführer, unter Berücksichtigung der vorstehenden Gesichtspunkte zu entscheiden, wie ich mich verhalten soll, wenn von Seiten der Wehrmacht künftig "Sühnemaßnahmen" wegen weiterer Sabotageakte und Anschläge gefordert werden. Ich bitte Sie weiterhin dringend, beim Führer für eine Klarstellung dieser Probleme sorgen zu wollen, damit er sich nicht ein falsches Urteil über die hiesige Lage und über unsere Tätigkeit bildet. Der Wehrmachtführungsstab soll nämlich dem General von Hanneken mitgeteilt haben, der Führer sei mit der hiesigen Lage und den getroffenen Maßnahmen unzufrieden und fordere ein schärferes Durchgreifen. Anschließend bemerke ich, daß sowohl der General von Hanneken wie auch der Reichsbevollmächtigte SS-Gruppenführer Dr. Best meine Auffassung, daß mit allgemeinen "Sühnemaßnahmen" nicht der gewollte Zweck erreicht und nur größerer Schaden angerichtet wird, voll und ganz teilen. Wir haben deshalb gemeinsam den dringenden Wunsch, über diese Frage eine klare Entscheidung und eindeutige Befehle zu erhalten."

Ich schließe mich der Stellungnahme des SS-Gruppenführers Pancke voll und ganz an und bitte dringend, diesen Standpunkt gegenüber dem Wehrmachtführungsstab nachdrücklich zu vertreten. "Sühnemaßnahmen" gegen die Bevölkerung für die Handlungen einzelner Personen oder geheimer Sabotage- und Terrorgruppen haben sich in allen besetzten Gebieten als zwecklos erwiesen und sind überall wieder aufgegeben worden. Es ist nicht einzusehen, warum in Dänemark die gleiche Methode noch einmal durchexerziert werden soll, um am Ende festzustellen, daß erstens die Saboteure und Terroristen durch "Sühnemaßnahmen" gegen Unschuldige nicht abgeschreckt werden, sondern daß sie in ihnen einen gewollten Erfolg ihres Handelns sehen, daß zweitens die "Sühnemaßnahmen," die in sich den Zwang zur Steigerung tragen, eines Tages eine nicht mehr überschreitbare Grenze erreichen und aufgegeben werden müssen und daß drittens die negativen Auswirkungen die erstrebten Vorteile weit übersteigen. Negative Auswirkungen befürchte ich in Dänemark insbesondere für den Arbeitseinsatz der Bevölkerung zur Befestigung Jütlands und für die landwirtschaftliche Produktion des kommenden Jahres. Die einzig richtige Methode zur Abwehr dieses vom Feinde geführten Kleinkrieges ist die Arbeit der deutschen Sicherheitspolizei, die Gruppe um Gruppe der Saboteure und Terroristen ermittelt und unschädlich macht. Die erfreulichen Erfolge der erst seit 8 Wochen in Dänemark eingesetzten Sicherheitspolizei beweisen dies. Es konnten nicht nur in den letzten zwei Tagen 24 Saboteure dem Kriegsgericht übergeben werden, sondern es konnten bereits gestern die Saboteure gefaßt werden, die vorgestern die strategisch wichtige Eisenbahnbrücke bei Langaa (Jütland) gesprengt haben. – Ich bitte deshalb jede Art von "Sühnemaßnahmen" in Dänemark abzulehnen und der deutschen Sicherheitspolizei Gelegenheit zu geben, das dänische Gebiet mit ihren Methoden so zu durchdringen, daß die sicherheitspolizeiliche Arbeit zur vollen Wirksamkeit entwickelt werden kann. Wegen der offenen Seegrenze gegenüber Schweden verweise ich auf meine wiederholten Anträge um Entsendung ausreichender Mannschaften des Zollgrenz-Schutzes.

Dr. Best

446. Kriegstagebuch/Admiral Dänemark 20. November 1943

Der skulle finde en særlig livlig illegal agentvirksomhed sted i Limfjordsområdet, hvilket var blevet bekræftet af flyovervågning, hvorved enkelte engelske fly tilbagevendende var observeret og deraf var sluttet, at de landsatte agenter. Wurmbach anbefalede, at en overvågning af området i fuldt omfang blev iværksat. Overvågningsfartøjerne skulle ikke kun holde øje med skibsfarten, men også borde skibene for at undersøge de ombordværende.

Der blev ikke nedkastet SOE-agenter i Danmark mellem 25. juli og 11. december 1943, så det er uvist, hvilken anden aktivitet, der fra tysk side er observeret. De enlige engelske flyvemaskiner kan meget vel være maskiner, der havde deltaget i bombardementer over Tyskland og var kommet ud af kurs på hjemvejen. Den nervøse tyske reaktion er symptomatisk for stemningen efter, at Danmark var blevet erklæret for et truet invasionsområde (Birkelund/Dethlefsen 1986, s. 140f).

Kilde: KTB/ADM Dän 20. november 1943, RA, Danica 628, sp. 3, s. 3149.

[...]

Ast Dänemark hatte bei Admiral Dänemark zur Sprache gebracht, daß sich im Gebiete des Limfjords eine besonders lebhafte Agententätigkeit abspiele. Es sei auch bereits festgestellt worden, daß Agenten auf dem Fjord mit einem Gummiboot abgesetzt wären. Es müsse mit einem starken illegalen Verkehr auf dem Fjord sowohl in Nord-Süd-Richtung, wie auch in West-Ost-Richtung gerechnet werden. Im Hinblick auf die Gefahr, daß in diesem Gebiete illegale Widerstandsorganisationen aufgezogen würden, sei es dringend geboten, den Limfjord von Wasser aus zu überwachen.

Diese Auffassung von Ast Dänemark wird durch die Feststellungen der Luftbeobachtung bei Feindeinflügen einzelner britischer Flugzeuge stark unterstrichen, indem wiederholt in letzter Zeit festgestellt wurde, daß das Verhalten dieser Flugzeuge auf Absetzen von Agenten im Limfjord-Gebiet schließen ließ.

Als besonders gefährdet werden angesehen:

1.) Lögstör-Bredning,
2.) Skive-Fjord und Lovns-Bredning,
3.) das Gebiet bei Nyköbing (Mors),
4.) der Odde-Sund,
5.) Thisted-Bredning,

Ich stimme der Auffassung der Ast Dänemark hinsichtlich der Überwachung dieses Gebietes in vollem Umfange zu und halte die Besetzung der obengenannten Gebiete mit Überwachungsfahrzeugen für erforderlich, die einmal den Schiffsverkehr überhaupt überwachen, sodann aber auch an Bord befindliche Personen überprüfen müssen. Schließlich sollen sie, soweit möglich, Agentenabsetzung aus der Luft melden.

[...]

447. Friedrich Stalmann an das Auswärtige Amt und Werner Best 21. November 1943

AA og Best blev orienteret om Stalmanns drøftelser med generaldirektøren for DSB, P. Knutzen, om oprettelsen af et virksomt værn til jernbanebeskyttelse. Drøftelsen mundede ud i forslag til både Best og den danske centraladministration.

Se Toepkes redegørelse for det danske jernbanebeskyttelsesværn 15. december 1943.

Kilde: PA/AA R 29.568 og R 101.040. RA, pk. 204 og 438a.

Telegramm

Heeres-Fernschreibstelle		
Silkeborg, den	21. November 1943	00.30 Uhr
Ankunft, den	21. November 1943	06.10 Uhr

HXSI
An Auswärtiges Amt mit der Bitte um Weiterleitung.
An den Herrn Reichsbevollmächtigten SS-Gruppen-Chef Dr. Best – persönlich – Kopenhagen, Dagmarhaus.

Dringend, sofort übermitteln.

Vermerk über die heutige Besprechung mit Generaldirektor Knutzen in Odense über den Bahnschutz.

Ich habe die Besprechung mit dem Hinweis begonnen, daß die Bahnanschläge der letzten Tage die Frage eines wirklich wirksamen Bahnschutzes in den Vordergrund gerückt hätten. Die verschiedenen an jütländischen Strecken verübten Sabotagehandlungen bewiesen, daß die derzeitige Organisation des Bahnschutzes unzureichend sei. Es sei erforderlich, daß man auf dänischer Seite sofort die sich daraus ergebenden Folgerungen ziehe. Es werde sonst nicht zu vermeiden sein, daß die Deutsche Wehrmacht, die nun einmal an einem intakten Bahnnetz interessiert sei, ihrerseits zu Maßnahmen schreite, die notwendigerweise die dänische Bevölkerung unmittelbar treffen müßten.

Generaldirektor Knutzen gab zu, daß eine grundlegende Reform des dänischen Bahnschutzes notwendig sei. Er erklärte die Bereitschaft der dänischen Seite, mit allen zur Verfügung stehenden Mitteln diese Reform herbeizuführen. Die sich daran anschließende Besprechung über den Aufbau eines wirksamen Bahnschutzes im einzelnen ergab folgendes:

I. Der derzeitige Zustand des Bahnschutzes
Entsprechend der bisher geltenden Vereinbarung zwischen den deutschen und den dänischen Stellen bestehen ein *Streckenschutz* und ein *Schutz bestimmter Objekte*.

1.) Streckenschutz:
Er besteht aus Streifen und Polizeipatrouillen. Die Streifen setzen sich aus je einem Bahnbeamten und einem Polizeibeamten zusammen, die gemeinsam eine bestimmte Strecke abgehen. Dies Abgehen erfolgt mit Licht. Ein Umstand, der, wie Generaldirektor Knutzen betont, es Saboteuren leicht macht, die Streifen zu umgehen. Die daneben eingesetzten reinen Polizeipatrouillen seien wirksamer, aber in ihrer Wirkung auch nur beschränkt, da sie sich lediglich mit der Gleisstrecke und nicht mit den anliegenden Landstraßen befaßten, die, wie die Erfahrung gezeigt habe, in der Regel von den Saboteuren benutzt würden. Dem Vorschläge Knutzens, die Polizeipatrouillen mit Polizeihunden zu versehen, habe die dänische Polizei bisher leider nicht entsprochen.

2.) Schutz bestimmter Objekte:
Er umfaßt besonders schutzbedürftige Anlagen, wie Brücken, Schuppen, Stellwerke usw. und ist ebenso organisiert wie der allgemeine Sabotageschutz bei Industriebetrieben. Er wird teilweise durch besonders angestellte Sabotagewächter, teils durch dänische Polizeikräfte, ausgeübt. Daß auch es nicht ausreichend ist, hat der Fall der Sprengung des Stellwerkes in Aarhus ergeben. Nach Auffassung von Generaldirektor Knutzen ist der Anschlag wahrscheinlich dadurch möglich geworden daß man in den Stellwerken jeweils nur den oberen Raum, den eigentlichen Leitraum, verschlossen und gesichert hat, nicht aber den darunter liegenden, der die elektrischen Anlagen Relais usw. enthält. In diesem Punkte sind neue verschärfte Schutzvorschriften schon herausgegeben worden. Soweit Generaldirektor Knutzen bekannt, sind zur Zeit etwa 1.500 bis 2.000 Mann in dem gekennzeichneten Bahnschutz tätig. Generaldirektor Knutzen betonte, daß man sich über die Mängel des Bahnschutzes schon seit längerem klar sei. Man habe deshalb auf verschiedenen Wegen – so mündlich durch Reichsbahnrat Klauss – schriftlich durch Hinwendung von Direktor Svenningsen an den Befehlshaber der deutschen Truppen – den Vorschlag gemacht, es möge ein deutscher Bahnschutz-Expert nach Kopenhagen kommen, damit man in Besprechungen mit ihm und unter Ausnutzung der deutschen Erfahrungen eine Bahnschutzreform festlegen könne. Den verschiedenen Vorschlägen von dänischer Seite sei bisher aber nicht entsprochen worden.

II. Der erforderliche zukünftige Aufbau des Bahnschutzes

1.) Vorbereitung des Aufbaues:
Generaldirektor Knutzen schlug vor, daß der Reichsbevollmächtigte die sofortige Heranziehung eines Bahnschutz-Experten veranlassen möge, damit dann auf Grund seines Gutachtens das neue Bahnschutzsystem zwischen dem Reichsbevollmächtigten und der dänischen Zentraladministration festgelegt werden kann.

2.) Zu schützende Anlagen:
Generaldirektor Knutzen wird die sofortige Aufstellung sämtlicher Einzelobjekte veranlassen, die ihrer Wichtigkeit wegen besonders schutzbedürftig sind. Dabei wird es sich in erster Linie handeln um: Brücken über Wasserläufe. Weichen. Stellwerke. Lokomotivschuppen. Lokomotiv-Verschiebsbrücken. Die großen Werkstätten in Kopenhagen und Aarhus. Dabei stellte Generaldirektor Knutzen zur Erwägung, ob nicht die größeren Brücken besser durch die Wehrmacht unmittelbar geschützt würden, wie das schon jetzt bei der Storström-Bro, der Lille-Belt-Bro, der Oddesund-Bro und der Brücke bei Aalborg der Fall sei. In diesem Zusammenhang erwähnte Generaldirektor Knutzen, daß auch andere Brücken, wie z.B. eine bei Randers über die Gudenaa, auch das Stellwerk in Fredericia an vorübergehend unter die Bewegung der Wehrmacht gestellt worden seien Bei Stellwerken halte er dies allerdings nicht für glücklich. Hinsichtlich der Brücken erwähnte Generaldirektor Knutzen noch, daß die Sprengkammern, die sich normalerweise in den Brückenpfeilern befänden, mit Beton ausgeführt worden seien.

Was den Schutz der gewöhnlichen Bahnstrecken außerhalb der Kunstbauten betrifft, so steht er an Wichtigkeit hinter dem Schutz der Einzelobjekte etwas zurück, da durch

Zerstörung einfacher Schienen empfindliche Störungen kaum zu erreichen sind. Da es sich aber um sehr lange Strecken handelt – allein die drei Hauptstrecken: Pattborg-Frederikshavn, Esbjerg-Kopenhagen und Helsingör-Gedser sind zusammen mehr als 1.000 km lang – wird der Schutz hier nur in Streifen- und Patrouillenform durchführbar sein. Dabei wird es darauf ankommen, auch diesen Schutz so wirksam wie nur möglich zu gestalten, insbesondere durch Einbeziehung der den Bahnstrecken naheliegenden Landstraßen in das Schutzsystem.

3.) Leitung des Bahnschutzes:
Generaldirektor Knutzen hielt für erforderlich, daß das dänische Justizministerium einen für den gesamten Bahnschutz allein verantwortlichen Bahnschutz-Chef ernannt. Der Bahnschutz sei eine polizeiliche Angelegenheit, die nur von der Polizei her gelenkt werden könne. Der Bahnschutz-Chef würde bei der Bedeutung der jütländischen Bahnen seinen Sitz zweckmäßigerweise in Jütland erhalten, am besten in Aarhus, wo sich die jütländische Zentrale der Bahnverwaltung befinde. Daneben könne ein zweiter, dem ersten unterstehender Bahnschutz-Chef für Seeland bestimmt werden. Meiner Anregung, den Bahnschutz-Chef für Jütland als Sachverständigen an Stiftsamtmann Herschend in Silkeborg anzuschließen, stimmte Generaldirektor Knutzen zu. Das würde nicht ausschließen, daß der Bahnschutz-Chef seinen gewöhnlichen Dienstsitz in Aarhus hat und nur von Fall zu Fall in Silkeborg zur Verfügung steht.

4.) Personal des Bahnschutzes:
Die Heranziehung des für den neuen Bahnschutz erforderlichen Personals, das gegenüber dem bisherigen Stand eine starke Vermehrung erfahren muß, wird durch die dänische Zentral-Administration in kürzester Frist erfolgen müssen. Voraussetzung dafür ist, wie Gd. Knutzen betonte, daß das geplante Übereinkommen über die Weitermitwirkung der dänischen Polizei an der Sabotagebekämpfung zustande kommt. Kommt diese Übereinkunft zustande, so hält Generaldirektor Knutzen die Heranziehung der erforderlichen Zahl von Bahnschutzkräften für möglich. Er meinte, daß eine Werbung in jedem Falle auf freiwilliger Grundlage vorgesehen werden sollte, da man andernfalls Gefahr laufe, Saboteure mit in die Organisation hineinzubekommen. Es müßte versucht werden, möglichst mit der Waffe ausgebildete Kräfte zu erhalten, da eine Waffenausbildung, die sonst dem Diensteinsatz vorangehen müßte, zu lange Zeit erfordern würde.

Ich habe Generaldirektor Knutzen darauf hingewiesen, daß die Frage der Beschaffung des nötigen Personals, wenn sich auch gewiß Schwierigkeiten biete, von dänischer Seite unter allem Umständen in kürzester Zeit gelöst werden müsse, da sonst ein Eingreifen deutscherseits nicht zu vermeiden sei. Es müsse dann damit gerechnet werden, daß in irgendeiner Form die Bevölkerung der Orte an den Bahnstrecken zum Schutzdienst herangezogen werde. Generaldirektor Knutzen wies demgegenüber darauf hin, daß das sachlich nicht die gewünschte Wirkung haben könne, da die Bevölkerung ja nicht ausreichend bewaffnet eingesetzt werden könne. Eine derartige Maßnahme würde lediglich wachsenden inneren Widerstand hervorrufen und den aktiven Widerstandskreisen in die Hände arbeiten.

5.) Bewaffnung und Bekleidung:
Generaldirektor Knutzen hält modernste Bewaffnung des Bahnschutzes für erforderlich. Da die Bahnschutzkräfte sowohl auf Nahverteidigung als auch auf Schießen auf größere Entfernung eingestellt sein müssen, sind weder Karabiner noch Pistolen besonders geeignet. Am besten wäre Ausrüstung in weitestem Umfange mit Maschinenpistolen. Die Frage der Bekleidung wird nach Auffassung von Generaldirektor Knutzen mit Hilfe der Deutschen Wehrmacht gelöst werden müssen. Es kommt dabei insbesondere auf die Freigabe von Bekleidungsgegenständen alten dänischen Heeres an, die von der Wehrmacht beschlagnahmt sind.

III. Die Einstellung des dänischen Bahnpersonals
In Zusammenhang mit der Erörterung der dänischen Bahnschutzfrage brachte Generaldirektor Knutzen die Sprache auf die Einstellung des dänischen Bahnpersonals zu dem Sabotage-Problem überhaupt. Er führte dabei aus: "Es sei natürlich nicht möglich, für jeden einzelnen seiner 26.000 Bahnbeamten und -Angestellten festzustellen, daß er sich an Sabotagehandlungen nicht beteilige. Er halte aber eine Beteiligung von Bahnpersonal gerade an Bahnanschlägen auf Grund der genauen Kenntnis seines Personals für sehr unwahrscheinlich. Auch hinsichtlich der Zerstörung des Stellwerkes in Aarhus habe er keine Anhaltspunkte für Beteiligung von Bahnpersonal ermitteln können. Die Wichtigkeit von Stellwerken sei auch Laien bekannt, und das zerstörte Stellwerk habe auch von Laien leicht erreicht werden können. Er glaubte nicht, daß Bahnangestellte, die sich über die Folgen einer Sabotagehandlung für die Sicherheit des Verkehrs natürlich besonders klar seien, bereit seien, ihre eigenen Kameraden in Gefahr zu bringen. Im übrigen kenne er die außerordentlich intensive Einwirkung der Eisenbahngewerkschaften auf das Personal. Gerade diese Gewerkschaften und ihre Leiter hatten in der Anti-Sabotage-Propaganda der gesamten Gewerkschaften immer an der Spitze gestanden. Er weise dabei auf die tadellose Haltung der Eisenbahner-Gewerkschaften anläßlich der Streikversuche dieses Sommers hin. In dem Einfluß der Gewerkschaften auf das Bahnpersonal sehe er das wesentlichste Sicherungsmoment gegen Sabotagehandlungen aus den eigenen Reihen des Personals. Er halte es deshalb auch für besonders wichtig, daß das Bahnpersonal nicht unnötig verstimmt werde. Damit beschwöre man die Gefahr der "legalen" Sabotage herauf, die sich, wenn sie einmal geübt werde, überhaupt nicht bekämpfen lasse. Es genüge allein schon, daß die Bahnangestellten sich formalistisch an den Buchstaben ihrer vielen Vorschriften hielten, dann käme kein Zug durch.

IV. Zusammenfassung
Um den schleunigen Neuaufbau des Bahnschutzes zu erreichen, wird folgendes veranlaßt werden:
1.) Der Reichsbevollmächtigte wird gebeten werden, den deutschen Bahnschutz-Experten heranzuholen.
2.) Generaldirektor Knutzen wird
  a.) wegen der Ernennung des Bahnschutz-Chefs und wegen der Werbung der Bahnschutzkräfte mit der Zentral-Administration – Direktor Svenningsen und Departementschef Eivind Larsen – Fühlung nehmen,

b.) die besonders wichtigen und schutzbedürftigen Objekte der dänischen Staatsbahnen ermitteln und listenmäßig aufstellen lassen.
Nach Ankunft des Bahnschutz-Experten in Kopenhagen müßte die endgültige Regelung des neuen Bahnschutzes in Besprechungen zwischen dem Reichsbevollmächtigten und der dänischen Zentral-Administration festgelegt werden.

gez. **Dr. Stalmann**
Regierungsdirektor

Vermerk:
Unter Nr. 1602 an Diplogerma Kopenhagen weitergeleitet.
Tel. Ktr. 22.11.43

448. Kriegstagebuch/WB Dänemark 21. November 1943

I krigsdagbogen blev noteret, at vagtordningen ved jernbaneknudepunkterne trådte i kraft fra den følgende dag.

Det blev dog ikke tilfældet, se krigsdagbogen 22. november.
Kilde: KTB/WB Dänemark 21. november 1943.

Den Divisionen wurde die von der Transportkommandantur eingereichte Aufstellung von Eisenbahnobjekten übergeben, deren Bewachung durch die Wehrmacht übernommen werden soll, um weitere Sabotage-Akte an den wichtigen Strecken zu verhindern. Meldung über den Kräftebedarf für die Wachen wurde zum 22.11.43 angefordert. Die Vorbereitungen sollten durch die Einheiten dahingehend getroffen werden, daß die Bewachung mit Beginn der Dunkelheit am 22.11.43 einsetzen kann.
[...]

449. Werner Best an das Auswärtige Amt 21. November 1943

Dagsindberetning.

Kilde: PA/AA R 29.568. RA, pk. 204.

Telegramm

Kopenhagen, den	21. November 1943	21.10 Uhr
Ankunft, den	21. November 1943	22.00 Uhr

Nr. 1445 vom 21.11.43. Citissime!

Ich bitte, die folgende Meldung unverzüglich dem Herrn Reichsaußenminister zuzuleiten:

Über die Lage in Dänemark berichte ich für den 20. auf 21.11.43, daß in Kopenhagen zwei Geschäfte, an denen kein deutsches Interesse besteht,[126] und in Hjörring (Jütland) eine Trockenmilchfabrik, die für deutsche Zwecke arbeitet, durch Sabotage beschädigt wurden.[127] In Esbjerg hat die deutsche Sicherheitspolizei 6 Saboteure und 6 illegal arbeitende Kommunisten festgenommen.[128]

gez. **Dr. Best**

450. Rüstungsstab Dänemark: Lagebericht 21. November 1943

Forstmanns afdeling Wehrwirtschaft indberettede en stigning i sabotagen, hvilket havde ført til ankomsten af en større mængde tysk politi i oktober. Imidlertid havde sabotagen endnu ikke haft væsentlig betydning for erhvervslivet, men der var på dansk side skabt en stærk usikkerhed på grund af de tyske foranstaltninger, herunder afvæbningen af hæren, jødeaktionen og indskrænkningen af de tyske leverancer. Indtil udgangen af august 1943 havde de danske leverancer været stærkt stigende gennem 4 år. Hvordan det ville gå fremover, blev ikke kommenteret, men beretningen rummede en indirekte advarsel mod at foretage yderligere skærpede foranstaltninger, der kunne påvirke eksporten negativt.

Kilde: BArch, Freiburg, RW WI I E1: Dänemark.

Abteilung Wehrwirtschaft im Rü Stab Dänemark — *Kopenhagen, den 21.11.1943*
Gr. Ia Az. 66 d l Nr. 2795/43g — Geheim

Bezug: OKW Az. 1 e 24 Wi Amt Z 1/II Nr. 1143/43 geh. v. 20.2.43

An den Wehrwirtschaftsstab im Oberkommando der Wehrmacht
Berlin W 62
Kurfürstenstr. 63/69

Abt. Wwi im Rü Stab Dänemark übersendet in der Anlage Lagebericht gemäß o.a. Bezugsverfügung.

I.V.
[underskrift]

Verteiler:

OKW/W Stb	2	Ausfertigung
Befehlshaber der deutschen Truppen in Dänemark	1	–
Admiral Dänemark	1	–

126 Holger Danske udførte sabotager mod firmaet Hector, der ramte lagerrummene Larsbjørnsstræde 5 og Vestergade 12. I førstnævnte tilfælde opstod ingen skade, da brandbomben blev slukket af personalet, mens der blev ødelagt et skolager til ca. 100.000 kr. i Vestergade. Hector leverede ikke til den tyske værnemagt, men havde mange tyske soldater som kunder (RA, BdO Inf. nr. 23, 24. november 1943, Alkil, 2, 1945-46, s. 1224, Birkelund 2008, s. 675).

127 Der var tre eksplosioner på Mælkekondenseringsfabrikken i Hjørring, der blev så kraftigt beskadiget, at produktionen måtte indstilles (RA, BdO Inf. nr. 23, 24. november 1943, Alkil, 2, 1945-46, s. 1224).

128 Tysk politi havde arresteret seks illegalt arbejdende kommunister i Esbjerg 17. november, bl.a. murer Halvor Thomassen og former Rudolf Hansen (*Information* 22. november 1943, Trommer 1973, s. 123, Christensen 1976, s. 105f.).

General der Luftwaffe in Dänemark	1	–
Verbindungsstelle Aarhus des Rü Stab Dänemark	1	–
Rü Stab Dänemark	2	–
Entwurf und Reserve	2	–
	10	Ausfertigungen

Abteilung Wehrwirtschaft im Rü Stab Dänemark *Kopenhagen, den 21.11.1943*
Gr. Ia Az. 66 d l Nr. 2795/43g Geheim!

Vordringliches
In der Berichtszeit war eine Zunahme der *Sabotage* zu verzeichnen. Während die bisherigen Sabotagefälle ziemlich wahllos durchgeführt wurden und größtenteils die dän. Wirtschaft trafen, zeigt sich jetzt, daß die Anschläge systematisch durchgeführt werden und in erster Linie gegen wehrmachteigene Anlagen und sogar auch Wehrmachtangehörige selbst gerichtet sind. – So erfolgte am 14.10.43 in Aalborg ein Sprengstoffanschlag auf die Wehrmachtkommandantur[129] und am 27.10.43 wurde in einer Gaststätte in Kopenhagen eine Bombe zur Explosion gebracht, durch die 3 Wehrmachtangehörige getötet und 15 verletzt wurden. Außerdem wurden 1 Dänin getötet und 20 Dänen verletzt.[130] – Der Reichsbevollmächtigte hat hierauf für beide Städte den "zivilen Ausnahmezustand" mit einer Reihe von einschränkenden Maßnahmen verhängt. Die Sperrzeit ist von 20-5 Uhr festgesetzt. Der Stadt Kopenhagen wurde eine Sühnezahlung von 5 Mill. Kr. auferlegt. – Der zivile Ausnahmezustand hält z.Zt. noch an. – Häufiger waren in letzter Zeit auch Anschläge gegen Transport- und Verkehrseinrichtungen, und zwar Eisenbahnanlagen, besonders Eisenbahnschienen. Die von Nyborg nach Korsör verkehrende Fähre "Själland" wurde am 3.11.43 durch ein Sprengstoffattentat in Brand gesetzt und fast völlig zerstört. Die Fähre "Odin" auf gleicher Strecke wurde durch Sprengbomben beschädigt und fällt für ca. 6 Wochen aus.[131] Im Zuge der Sabotagebekämpfung wurden im Monat Oktober größere Verbände deutscher Polizeikräfte nach Dänemark verlegt.

Obwohl die vorgekommenen Sabotagefälle den geordneten Gang der dän. Wirtschaft bisher nicht wesentlich beeinflußt haben, besteht doch eine starke Unsicherheit auf dän. Seite, hervorgerufen durch die erfolgten Maßnahmen wie Ausnahmezustand, Entwaffnung und Auflösung der dän. Wehrmacht, Entfernung der Juden, Einschränkung deutscher Lieferungen an Dänemark usw.

Die *Lieferungen und Leistungen der dän. Wirtschaft* zeigen in den vergangenen 4 Kriegsjahren eine steile Aufwärtskurve ebenso die damit zusammenhängende deutsche Verschuldung. – Die deutsche Clearingschuld war am 31.8.43 auf ca. 1.550 Mill. Kr. angewachsen, das Besatzungs-Kto. auf ca. 1.900 Mill. Kr., sodaß die deutsche Verschuldung insgesamt ca. 3.450 Mill. Kr. beträgt.

129 Se Bests telegram nr. 1256, 14. oktober 1943.
130 Se Bests telegram nr. 1324, 28. oktober 1943.
131 Se Bests telegram nr. 1363, 4. november 1943.

Schwierigkeiten sind beim Abtransport der dänischerseits zur Verfügung gestellten *Generatorholzmengen* (monatlich 20.000 hl) entstanden, und zwar durch den Mangel an Schiffsraum, da dieser größtenteils zur Getreideverladung eingesetzt werden mußte. Durch die Einschaltung der Transportflotte Speer, sowie den Übergang auf Waggonverladung sind diese Schwierigkeiten beseitigt worden.

Die *Kohle- und Kokslieferungen* von Deutschland nach Dänemark im Monat Oktober betrugen: 194.507 to Kohle und 36.154 to Koks, insgesamt 230.661 to. Hiervon sind 29.871 to Kohle für die dän. Staatsbahnen bestimmt, weitere zusätzliche 20.000 to sollen von der deutschen Reichsbahn abgetreten und den dän. Staatsbahnen zur Verfügung gestellt werden. Die *Koks*lieferungen sind im Vergleich zu den Vormonatslieferungen weiter abgesunken. (Vergl. Soll 83,4 to, Vormonat 53,8 to) – Für November sind die Lieferungen von 178.000 to Kohle, 58.000 to Koks und 65.000 to Briketts vorgesehen.

Die Voraussetzungen für eine wesentliche Erhöhung der *dän. Braunkohlenproduktion*, und zwar von 6.000 to auf ca. 17.500 to täglich sind gegeben. Eine Ausnutzung dieser Möglichkeit scheitert jedoch vorläufig an dem Transportproblem.

1a. Aufträge der Besatzungstruppe

Von der Abt. Wwi wurden im Monat Oktober 1943 Rohstoffsicherungen von Fertigungs- und Bauaufträgen sowie Wareneinkäufen der Besatzungstruppe in Dänemark, soweit hierzu Eisen, Stahl, NE-Metalle sowie Kautschuk benötigt wurden, in Höhe von 1,885 Mill. RM durchgeführt.

1c. Holzversorgung

Für Aufträge der Besatzungstruppe in Dänemark sind im Monat Oktober 43 von Abt. Wwi Bedarfsbescheinigungen über 6.452 cbm Nadelholz für die vorschußweise Freigabe aus den Beständen der dän. Wirtschaft ausgestellt worden.

Der Verbrauch der einzelnen Wehrmachtteile war wie folgt: Heer 1.248 cbm, Kriegsmarine 628 cbm, Luftwaffe 2.089 cbm, Festungs-Pionierstab 780 cbm, Organisation Todt und Sonderbaustab der Luftwaffe 1.707 cbm.

5. Arbeitseinsatz

Die Zahl der *Arbeitslosen* betrug am 22.10.43 – 28.899, und zwar 21.079 Männer und 7.820 Frauen. Gegenüber dem Vormonat ist eine Zunahme von 3.313 zu verzeichnen.

Bei *Festungsbauten* auf Jütland sind eingesetzt: für OT bezw. Festungspionierstab 10.178, für Sonderbaustab d. Luftw. Struer 4.529, zusammen 14.707.

Für das Neubauamt der Luftw. arbeiten z.Zt. 6.514 (Zugang Okt. 1.073). Dem Reich wurden im Monat Oktober 1.701 Arbeiter zugeführt, davon für Rü 273, Bergbau 2, Verkehr 185, Land- und Forstwirtschaft 3, Bau 768, Haushaltungen 24, sonstige Wirtschaft 446.

Die Gesamtzahl der in *Norwegen* eingesetzten dänischen Arbeiter beträgt 10.674, Zugang im Monat Oktober 107.

6. Verkehrslage
Die Eisenbahnverkehrslage im Monat Oktober war außergewöhnlich stark angespannt, sodaß für die gestellten Waggonanforderungen, besonders für den zivilen Bedarf, keine volle Bedarfsdeckung erfolgen konnte. Die Anforderungen betrugen pro Tag 8.418 Waggons, wovon nur 4.014 gestellt werden konnten. Ungedeckter Bedarf 4.404 Waggons. – Für die Wehrmacht konnten 80 % der Anforderungen, für den zivilen Bedarf nur 30 % gedeckt werden.

Die Mehrbelastung ist auf zusätzliche Vieh- und Obsttransporte zurückzuführen. Außerdem wurden für den Abtransport der bei Auflösung der dän. Wehrmacht beschlagnahmten Waffen, Munition, Geräte sowie Bekleidung zusätzliche Transportmittel benötigt.

Die dän. *Schiffahrt* war tonnagemäßig in folgender Rangfolge eingesetzt:
1.) Kohlenfahrt auf Dänemark
2.) Erzfahrt auf Deutschland
3.) Innerdänische Fahrt
4.) Transporte dän. Schiffe von Dtschld. nach 3. Ländern
5.) Holzfahrt auf Dänemark
6.) Kalifahrt auf Dänemark
Für die OT wurden vom 1.-31.10.43 4.208 to Kies und 5.994 to Zement mit deutschen Schiffen gefahren.

7a. Ernährungslage
Die Produktions- und Lieferwilligkeit der dän. Landwirtschaft hat trotz der eingetretenen Beunruhigung nicht nachgelassen, sodaß die landwirtschaftlichen Lieferungen nach Deutschland in der vorgesehenen Höhe durchgeführt werden konnten. Diese Lieferwilligkeit des dän. Bauern ist mit darauf zurückzuführen, daß seine Lieferungen an einen halbamtlichen dän. Ausschuß erfolgen, sodaß er nicht weiß, ob sie in Dänemark verbleiben oder nach Deutschland weitergehen.

Über die Frachtleitstelle des RKB Flensburg wurden nach Deutschland 664 Transporte mit 6.960 to Fisch und 365 Transporte mit 4.197 to Fleisch durchgeführt.

Wertmäßig wurden im Oktober aus den Lebensmittelbeständen des Landes entnommen:

für die dten. Truppen in Norwegen: 9.619.889,22 d.Kr.
für die dten. Truppen in Dänemark: 4.957.752.41 d.Kr.

451. Werner Best an das Auswärtige Amt 22. November 1943

Da årsskiftet og dermed Det Tyske Gesandtskabs økonomiske årsopgørelse nærmede sig, bad Best om at få nogle økonomiske forhold bragt i orden, først og fremmest finansieringen af den øgede udgift til understøttelse af de ansattes familier, herunder at OKW traf de fornødne foranstaltninger. Best bad om, at AA kontaktede OKW i sagen.

Se Bests beretning til AA 8. januar 1944 og 26. februar 1944.
Kilde: PA/AA R 100.945. RA, pk. 234.

Abschrift
RBZ/Pers. R 3 *Kopenhagen, den 22.11.43*

Betr.: Finanzierung von Familienunterhaltszahlungen.

1. Eintragen bei RBZ
2. Fernschreiben (G.-Schreiber)

Nr. 1448 vom 22.11.43

Mit Bericht vom 6.7.43 – Z/Pers. R/43[132] – habe ich darauf hingewiesen, daß wegen starken Anwachsens der Familienunterhaltszahlungen bei meiner Behörde und bei dem Konsulat in Apenrade in Verbindung mit erhöhten militärischen Einberufungen sich Ende dieses Jahres ein Fehlbetrag von 1.600.000,- Kr. gegenüber den Devisenvoranschlag beim Konto IV ergeben würde. Ich bat daher, diesen Posten aus dem Haushalt herauszunehmen und eine andere Verrechnungsmöglichkeit für Familieunterhaltszahlungen zu schaffen. Dies ist bisher nicht erfolgt, so daß hierfür bereits rund 500.000,- Kr. aus Besatzungsmitteln vorgeschossen werden mußten.

Über die Frage der Familienunterhaltszahlungen haben bereits im August d.J. zwischen Vertretern des OKW, des Auswärtigen Amts und Generalkonsul Dr. Krüger Besprechungen im Reichswirtschaftsministerium stattgefunden.

Es ist beabsichtigt, für den Familienunterhalt eine selbständige Transfermöglichkeit zu schaffen, wie es bereits jetzt bzgl. Kriegsbesoldung, für die ein Transfer über Clearing dänischerseits genehmigt wird, geschieht. Zur Voraussetzung für diesen Vorschlag an die Dänen ist neuer Erlaß des OKW notwendig, durch den der Transfer von Zahlungen an Familienangehörige geregelt wird. OKW hatte im August beschleunigte Ausarbeitung eines Entwurfs zugesagt.

Ich bitte, die noch ausstehende Entscheidung des OKW mit tunlichster Beschleunigung herbeizuführen, damit angesichts des bevorstehenden Jahresabschlusses zwecks Beschaffung der vorerwähnten 1,6 Mill. Kr. baldmöglichst Verhandlungen aufgenommen und die darauf gezahlten Vorschüsse abgewickelt werden können.

Sobald die hiesigen Kassenmittel um diesen Betrag verstärkt worden sind, wird es möglich sein, noch die folgenden Restzahlungen des Kalenderjahres 1943 zu Lasten des Kontos IV zu leisten:

1. An Deutsche Volksgruppe Nordschleswig 300.000,- Kr.

   Nach dem Drahtbericht Nr. 195 vom 24.2.1943 war für den Haushalt der Dtsch. Volksgruppe ein Betrag in dieser Höhe vorgesehen. Nach den vorliegenden Umständen muß dieser Betrag zur Durchführung ihrer Aufgaben noch vor Ablauf dieses Jahres der Volksgruppe zur Verfügung gestellt werden.

132 Indberetningen er ikke lokaliseret.

2. Für den Schulneubau 500.000,- Kr.

Die zur Vollendung des Schulneubaues erforderlichen Mittel konnten wegen der politischen Vorgänge in Dänemark nicht, wie beabsichtigt, im Wege der Aufnahme einer Darlehenshypothek aufgebracht werden. – Vgl. Drahtbericht 1197 vom 2.10.43[133] – Zur Entlohnung der Bauhandwerker müssen bis Ende d.J. insgesamt 500.000,- Kr. aufgebracht werden. Notwendige Teilzahlungen sind hierauf aus Besatzungsmitteln bereits vorschußweise geleistet.

gez. **Dr. Best**

452. Eberhard von Thadden: Notiz 22. November 1943

Best havde igen sendt en forespørgsel om besøg til de deporterede danske kommunister og de danske jøder i Theresienstadt. Von Thadden fandt det ikke rådeligt at fremlægge telegrammet for Ribbentrop, da besøg hos kommunisterne ikke kunne komme på tale, og da der allerede var givet tilsagn om et besøg i Theresienstadt. I den anledning var RSHA blevet spurgt om, hvornår det kunne finde sted (Yahil 1967, s. 262, Weitkamp 2008, s. 190).

Se von Thadden til Eichmann samme dag.

Kilde: PA/AA R 99.414. RA, pk. 220.

Ref.: LR v. Thadden

Hiermit über Büro St.S. dem Büro RAM wieder vorgelegt.

Gruppe Inl. II hält eine Vorlage des Telegramms bei dem Herrn RAM nicht für erforderlich. Die Stellungnahme der zuständigen inneren Stellen, derzufolge ein Besuch der nach Deutschland verbrachten Kommunisten überhaupt nicht und ein Besuch der in Theresienstadt untergebrachten dänischen Juden für das Frühjahr nächsten Jahres in Aussicht gestellt wird, ist dem Bevollmächtigten des Reichs inzwischen bereits zugegangen.[134] Vorsorglich hat Inl. II jedoch das Reichssicherheitshauptamt gebeten, auf Grund des neuen Telegramms des Bevollmächtigten seine Stellungnahme nochmals zu überprüfen, damit gegebenenfalls der Besuch eines Rot-Kreuz-Vertreters im Theresienstadt vorverlegt werden kann.

Berlin, den 22. November 1943.

v. Thadden

133 Telegrammet er ikke lokaliseret.

134 Se Best til AA 16. november 1943.

453. Kriegstagebuch/WB Dänemark 22. November 1943

Efter aftale med Best skulle al bevogtning af jernbaneknudepunkterne foretages af værnemagten, mens det herved frigjorte danske politi kunne tage sig af anden jernbanebevogtning. Aftalen skulle træde i kraft 23. november.

Kilde: KTB/WB Dänemark 22. november 1943.

Es wurde angeordnet, daß die Bewachung der Eisenbahnbrücken am 23.11., 16.00 Uhr, einsetzen soll. Um die Ausbildungstruppenteile, vor allem die 233. Res. Pz. Div. hierin zu entlasten, wird angestrebt, zusätzlich Kräfte von den Genesenden-Bataillonen für diese Aufgaben zuzuführen. Mit dem Beauftragten des Reichsbevollmächtigten, Regierungsdirektor Stalmann, wurde eine Vereinbarung dahingehend getroffen, daß die bezeichneten Objekte ausschließlich durch die Wehrmacht bewacht werden und hierdurch freiwerdende Kräfte der dänischen Polizei anderweitig zum Schutz von Eisenbahnanlagen eingesetzt werden. Der Vertreter des deutschen Polizeibataillons in Jütland, der ebenfalls zur Besprechung anwesend war, erklärte sich bereit, mit den beteiligten Divisionen Fühlung aufzunehmen und im Rahmen seiner geringen verfügbaren Kräfte sich an der Bewachung der aufgegebenen Objekte zu beteiligen.
[…]
20. Lw. Feld-Div. wurde nach Durchführung der Verlegungen in einen anderen Bereich als verantwortliche Kommandostelle für die Bewachung und Sicherung der Brücken in Aalborg entbunden. Diese Aufgabe wurde nunmehr den Abschnitts-Kadr. Aalborg (416. I.D.) verantwortlich übertragen.
[…]

454. Eberhard von Thadden an Adolf Eichmann 22. November 1943

Efter pres fra Best og UM henvendte von Thadden sig igen til RSHA og spurgte, om der i det mindste kunne gives en dato for det lovede Røde Kors-besøg i Theresienstadt.

Eichmann svarede 14. december (Yahil 1967, s. 261f., Weitkamp 2008, s. 190).

Kilde: PA/AA R 99.414. RA, pk. 220.

Auswärtiges Amt *Berlin, den 22. November 1943*
Inl. II A 8829 I

An das Reichssicherheitshauptamt,
z.Hd. von SS-Obersturmbannführer Eichmann, o.V.i.A.
Berlin W, 62
Kurfürstenstr. 116

Der Bevollmächtigte des Reichs in Dänemark teilt mit, daß der Direktor des dänischen Roten Kreuzes Helmer Rosting, ihn von einer Anfrage des dänischen Roten Kreuzes an das Präsidium des Deutschen Roten Kreuzes unterrichtet habe, ob die Aufenthaltsorte der aus Dänemark deportierten Juden und Kommunisten von Beauftragten des dänischen Roten Kreuzes besucht werden dürften. Gleichzeitig hat Rosting den Bevollmächtigten des Reichs gebeten, für Erfüllung dieses Wunsches einzutreten. Auch von Seiten des dänischen Außenministeriums ist dem Bevollmächtigten des Reichs mitgeteilt worden, daß die Durchführung eines derartigen Besuches in Dänemark sehr beruhigend wirken würde.[135]

Der Bevollmächtigte des Reichs hat in Hinblick darauf gebeten, die Angelegenheit erneut mit den zuständigen inneren Stellen zu prüfen.

Nach dem bisher eingenommenen Standpunkt kommt ein Besuch der ins Reich überführten Kommunisten nicht in Betracht. Dagegen ist den Dänen ein Besuch der nach Theresienstadt überführten dänischen Juden für Frühjahr nächstes Jahres in Aussicht gestellt worden.

Das Auswärtige Amt wäre für Prüfung dankbar, ob die bisherige Stellungnahmen aufrecht erhalten werden soll, oder ein gewisses Entgegenkommen, etwa durch Vorverlegung des Termins für den Besuch in Theresienstadt möglich ist.

In Auftrag
gez. v. **Thadden**

455. Werner Best an das Auswärtige Amt 22. November 1943

Dagsindberetning, hvor der kunne meldes, at de gengældelsesforanstaltninger, som førerhovedkvarteret havde krævet, var blevet igangsat gennem to henrettelser (Rosengreen 1982, s. 76).

Kilde: PA/AA R 29.568. RA, pk. 204.

Telegramm

Kopenhagen, den	22. November 1943	22.05 Uhr
Ankunft, den	23. November 1943	02.00 Uhr

Nr. 1450 vom 22.11.[43.] Citissime!

Ich bitte, die folgende Meldung unverzüglich den Herrn Reichsaußenminister zuzuleiten:

Über die Lage in Dänemark berichte ich für den 21. auf 22. November 1943, daß in einer Mühle des Rittergutes Broholm (Fünen) und in einem Holzlager im Frederikshavn (Jütland) Brände, bei denen Brandstiftung vermutet wird, entstanden,[136] außerdem wurden ein Lastkraftwagen in Aalborg[137] und 2 Kabel in Jütland beschädigt. Am 22. November 1943 wurden 2 wegen Sabotage bezw. wegen eines Angriffs auf einen Unteroffizier verurteilte Dänen hingerichtet.[138]

Dr. Best

135 Se Bests telegram nr. 1430, 19. november 1943.

136 Den gamle vandmølle på godset Broholm tilhørende hofjægermester og nazist Jørgen Sehested nedbrændte. Det var den tredje brand på godset, der benyttedes af værnemagten, i løbet af kort tid. I Frederikshavn var der brand hos tømrermester Bertil Hald, Elmevej (RA, BdO Inf. nr. 23, 24. november 1943, *Information* 22. november 1943, Alkil, 2, 1945-46, s. 1224).

137 En lastvogn tilhørende entreprenørfirmaet Teil, Ålborg, blev saboteret ved Søndergade 87 i Frederikshavn (RA, BdO Inf. nr. 23, 24. november 1943, Alkil, 2, 1945-46, s. 1224).

138 Den tyske meddelelse om henrettelserne er trykt på dansk i Alkil, 2, 1945-46, s. 859. De henrettede var maler Svend Edvard Rasmussen, gruppeleder i BOPA, og den 21-årige bagerlærling Marius Jeppesen fra Randers, der forgæves havde overfaldet en tysk soldat for at bemægtige sig hans våben (*Faldne i Danmarks Frihedskamp*, 1970, s. 377, 219).

456. Das Auswärtige Amt an OKM 22. November 1943

AA svarede kort men positivt på de to spørgsmål, som OKM havde stillet 12. november. AA nærede hverken betænkeligheder ved, at Kriegsmarine rekvirerede danske skibe, eller at Kriegsmarine betalte rederne et løbende chartergebyr efter den danske regerings satser. Efter AAs opfattelse skulle der ikke betales erstatning for månederne september/oktober, dvs. under og lige efter undtagelsestilstanden.

AA afgav sit svar uden forudgående rådførsel med Best, hvilket påfølgende gav Bisse og AA en del problemer. Hvorfor den rigsbefuldmægtigede ikke blev hørt forud i en sag af denne karakter, får stå hen. Det drejede sig for skibstonnagens vedkommende om store værdier, og skulle en stabilisering af det tysk-danske forhold føres videre, var størst mulig frivillighed m.h.t. tysk anvendelse af skibene et kardinalpunkt. Det forstod de civile tyske myndigheder i København.

Se AA til OKM 6. december 1943 og OKM til AA 15. januar 1944.

Kilde: BArch, Freiburg, RM 7/1813.

Auswärtiges Amt
Nr. Ha Pol 7010/43 g

Berlin, den 22. November 1943.
Wilhelmstr. 74-76
Geheim

An das Oberkommando der Kriegsmarine
– 1. Abt. Seekriegsleitung –

Betr.: Inanspruchnahme brachliegender dänischer Tonnage im dänischen Raum.
Mit Beziehung auf das Schreiben vom 12. November d.J.[139] – B. Nr. 1/Skl. I i 34 246/43 g

Zu der nebenbezeichneten Angelegenheit nimmt das Auswärtige Amt wie folgt Stellung:

Zu 1.) Es bestehen keine Bedenken, daß die von der Kriegsmarine benötigten dänischen Schiffe von der Kriegsmarine requiriert werden und das den Reedern dafür zu bewilligende Entgelt in dänischen Kronen festgesetzt wird.

Zu 2.) Es bestehen keine Bedenken, den Eignern eine laufende Chartergebühr zu gewähren, die sich im allgemeinen im Rahmen der bisher von der Dänischen Regierung gezahlten Sätze hält. Eine Ersatzleitung an die Dänische Regierung für die Monate September/Oktober kommt nach Ansicht des Auswärtigen Amts nicht in Frage.

Im Auftrag
gez. **Bisse**

457. Rudolf Mildner an RSHA 23. November 1943

Mildner sendte RSHA en oversigt over sabotagen i Danmark for den 22. november. Oversigten var opdelt i tre kategorier, alvorlige tilfælde, mellemtilfælde og lette tilfælde. Der var et enkelt alvorligt tilfælde, en sabotage på orlogsværftet, hvorved der bl.a. brændte nogle danske flyvemaskiner. Hvor sabotagen berørte tyske interesser, blev dette omtalt.[140]

139 Trykt ovenfor.

140 Rü Stab Dänemark brugte samme model for sin sabotagerapportering, og det må antages, at modellen er direkte taget fra BdS.

Det antages, at denne indberetning var model for, hvordan BdS dagligt orienterede RSHA om sabotagen i Danmark. Ved en sammenligning med BdOs oversigt over sabotager for den samme dag fremgår det, at otte af de ni sabotager, som BdS medtager, ordret genfindes hos BdO.[141] Det er kun den beskedne sabotage på Charlottenlund Fort, som BdO ikke har med. Til gengæld henfører BdS jernbanesabotagen ved Århus til 22. november, hvor BdO angiver, at den fandt sted 23. november. BdO vurderede i sine dagsopgørelser ikke, om der var tale om mere eller mindre alvorlige sabotagetilfælde. Det kan konstateres, at BdS' indberetninger alene adskilte sig fra BdOs ved at berige dem med vurderinger af, hvor alvorlige sabotagetilfælde, der var tale om.

Bests brug af de foreliggende oplysninger om sabotager i sine dagsindberetninger lader sig ligeledes belyse ud fra telegram nr. 1454, 26. november for dagen 22. november: Heraf fremgår, at BdS' oplysninger i de fleste tilfælde var noget mere detaljerede end Bests summariske opgivelser, og at vurderingerne ikke var overensstemmende. Hvor Mildner f.eks. oplyste, at der var brændt flere danske flyvemaskiner på Holmen og bedømte det som en alvorlig sabotage, gav Best den meddelelse, at det drejede sig om forældede fly, og sabotagen tog sig dermed ikke alvorlig ud. Det fremgår også, at det er BdS' oplysninger, der lå til grund for Bests indberetning, idet han omtaler branden på Charlottenlund Fort, som BdO på intet tidspunkt rapporterede om.

Kilde: PA/AA R 29.568. RA, pk. 204, 228 og 438a.

Telegramm

Kopenhagen, den	23. November 1943	09.20 Uhr
Ankunft, den	23. November 1943	10.03 Uhr

Nr. ohne vom 23.11.43.

Mit der Bitte um Weiterleitung an RSHA IV A 2 – Nachrichtlich – Ämter IV D 4 und III B 5 –

Betrifft Sabotage in Dänemark am 22.11.43.[142]

A.) Schwere Fälle: Gegen 19.15 Uhr erfolgte in der dänischen Schiffswerft (Orlogswerft) eine Explosion, die einen größeren Brand auslöste. Der Schaden ist zur Zeit noch nicht zu übersehen. U.a. verbrannten mehrere dänische Flugzeuge.

B.) Mittlere Fälle: Gegen 0.30 Uhr wurde die Transformatorenstation in Elling bei Nyborg durch eine Sprengbombe zerstört. Die Stromzufuhr zwischen Jütland und Fünen der angeschlossenen Hochspannungsleitung ist unterbrochen. Um 21.55 Uhr wurde die Eisenbahnstrecke Hauptbahnhof-Ostbahnhof Aarhus vor der Station Svingbro durch eine Sprengung unterbrochen.

Gegen 18 Uhr entstand ein Brand in einem Lagerschuppen der Eisengroßhandlung Petersen in Kopenhagen, Omögade 10, durch den dieser vernichtet wurde. Sabotage ist erwiesen.

Gegen 21 Uhr wurde ein Lagerraum der Pelzwarenfirma Anderson Ark, Nörrebrogade 32, durch Brand zerstört, erheblicher Sachschaden. Sabotageverdacht besteht. Deutsche Interessen werden nicht berührt.

C.) Leichte Fälle: Gegen 19.55 Uhr wurde ein LKW der Sicherheitspolizei, der in Ko-

141 RA, BdO Inf. nr. 24, 25. november 1943.

142 For kommentarer til de enkelte tilfælde henvises til Bests telegram nr. 1454, 26. november.

penhagen vor dem Dagmarhus stand, durch eine Sprengbombe, die einen Brand zur Folge hatte, zerstört. Eine zweite Sprengbombe, die neben dem Wagen lag, konnte entschärft und sichergestellt werden. Gegen 19.30 Uhr wurden in die Lager- und Packräume der Schokoladenfabrik von A. Söborg, Kopenhagen, Jagtvej 95, 5-6 Flaschen brennbare Flüssigkeit geworfen. Ein entstehendes Feuer konnte nach kurzer Zeit gelöscht werden. Geringer Sachschaden. Der Betrieb arbeitet nicht für deutsche Interessen. Gegen 22.40 Uhr brach im Fort Charlottenlund ein Brand aus, wodurch Wehrmachtskabel beschädigt wurde. Geringer Sachschaden. In einem Nebenhaus konnte eine nicht zur Entzündung gekommene Brandbombe sichergestellt werden. Gegen 21.40 Uhr wurde ein Sprengkörper vor das Geschäft des Zeitungshändlers Egmont Carl Marie Groneman in Söborg, Hovedgade 6 A, geworfen. Die Ladenscheibe wurde zertrümmert. Deutsche Interessen werden nicht berührt.

Der Befehlshaber der Sicherheitspolizei und des SD in Dänemark – IV A 2 – B. Nr. 3757/43.

gez. **Dr. Mildner**
SS-Standartenführer
Deutsche Gesandtschaft Kopenhagen

458. Hermann von Hanneken an OKW/WFSt 25. November 1943

Von Hanneken redegjorde på opfordring for, hvordan andet afsnit af fæstningsbyggeriet i Jylland blev organiseret. Der skulle bruges 20.000 mand, som skulle ansættes på akkord og bl.a. skaffes fra storbyerne, hovedsageligt fra Fyn og Sjælland, for ikke at skade det jyske landbrug og fiskeri. Den danske eksport til Tyskland måtte ikke lide afbræk på grund af fæstningsbyggeriet.

Kilde: KTB/WB Dänemark 25. november 1943, Anlage.

Fernschreiben

An OKW/WFSt

Bezug: Fernmündliche Anforderung OKW/WFSt/Qu. – Hptm. Knieper.
Betr.: Bericht über Einsatz dänischer Zivilarbeiter für Ausbau 2. Stellungen und hinteren Stützpunkte.

I.) An feldmäßigen Stellungsbauten sind im 1. Bauabschnitt bis 31.12.43 vorgesehen:
150 km Flächendraht-Hindernis,
20 km Panzergräben,
700 M.G.-Stellungen,
85 Pak-Stellungen,
120 Art.- u. Inf.-B-Stellen,
150 Granatwerferstellungen.

Im 2. Bauabschnitt bis 15.3.44:

Erweiterung der Flächendrahthindernisse durch Rundumverteidigung auf 300 km. Weiterer Ausbau an Panzergraben um 30 km.

Verdichtung und Vertiefung der Stellungen durch Anlage durchlaufender Gräben bezw. Verbindungs- und Annäherungsgräben.

Diese Bauvorhaben stellen das höchste Maß dar, welche mit den in Jütland dem Wehrmachtbefehlshaber zur Verfügung stehenden Truppen besetzt werden können.

An Arbeitskräften werden hierzu 20.000 Zivilarbeiter eingesetzt.
Nach dem von der OT vorgelegten Plan arbeiten
am 1.12. 6.000,
am 5.12. 10.000,
am 10.12. 15.000,
am 15.12. 20.000 Arbeiter

Außerdem sind und werden in den Orten:
Brönderslev, Ribe, Herning, Sdr. Omme, Grindsted, Holsted und Middelfart die Einwohner durch die Truppe zu den Ausbauarbeiten heranzogen.

II.) Das Anlaufen des Arbeitseinsatzes ist bedingt durch
a.) Beendigung der Erkundung und Auspflockung,
b.) Heranschaffen der Baumittel und Bauhilfsmittel,
c.) Unterbringung der Zivilarbeiter,
d.) Antransport der Arbeitskräfte zur Baustelle
Für Unterbringung und Verpflegung sind die dänischen Behörden verpflichtet.

III.) In den Teilen Jütlands, wo Bauvorhaben durchgeführt werden, fast 90 % der Bevölkerung landwirtschaftlich bezw. zur Hochseefischerei eingesetzt, welches der deutschen Ernährung voll zugute kommt. Dazu in West-Jütland dünne Besiedelung. Aus diesem Grunde Heranziehen der Zivilarbeiter aus größeren Städten, besonders aus Seeland und Fünen notwendig.

IV.) OT verpflichtet Baufirmen, die mit Unterstützung der dänischen Regierung die Arbeitskräfte einstellen.

Hierzu ist dänische Bautätigkeit stark gedrosselt. Alle Arbeitskräfte werden nach OT-Grundsätzen bezahlt. Dort, wo Truppe selbst Bauvorhaben durchführt, geschieht dieses nach gleichen Grundsätzen, um keine Störungen im ständigen Ausbau zu haben.

Die Arbeitskolonnen arbeiten im Akkord. Dadurch wird größte Leistung erreicht. Auch gibt diese Einsatzmethode gegenüber Zwangseinsatz die Gewähr, daß die durch W. Bfh. geforderten Ausbauziele erreicht sowie sämtliche Bauten sachgemäß auf lange Haltbarkeit durchgeführt werden.
Gef. St., 25.11.43

Wehrmachtbefehlshaber Dänemark
Ia – Nr. 1219/43 g.Kdos.

459. Werner Best an das Auswärtige Amt 25. November 1943

Best orienterede om situation i Las Palmas, hvor tre danske skibe var oplagt, og hvortil der var sendt danske søfolk fra England i håb om at få skibene til at sejle til de allierede. Det havde de to kaptajner afvist, mens den tredje havde ladet sig overtale af englænderne til at sejle ud.

Den tyske gesandt i Madrid meddelte 30. november 1943 AA, at de to danske skibe stadig lå i Las Palmas, og at der var 21 danske søfolk tilbage. For de to skibes videre skæbne se AA til OKM u.a. 25. marts 1944.

Kilde: BArch, Freiburg, RM 7/1813.

Abschrift Ha Pol 2/44 g A — Geheim
Der Reichsbevollmächtigte in Dänemark — *Kopenhagen, den 25.11.43*
S/Sch 3/102

Im Anschluß an Schriftbericht vom 21.10.1943[143] – Sch 3/1c2 –

An das Auswärtige Amt
Berlin

Betr.: Dänische Schiffe "Linda", "Thyra S" und "Slesvig".

Wie aus einem privaten Schreiben des Kapitäns des in Las Palmas liegenden dänischen Dampfers "Linda" hervorgeht, hat die sogenannte dänische Schiffahrtskommission in London Mitte September ein englisches Handelsschiff nach Las Palmas entsandt, mit dem 51 dänische Seeleute ankamen, die zur Besetzung der dort liegenden drei dänischen Schiffe verwendet werden sollten. Die Kapitäne der dänischen Schiffe "Linda" und "Thyra S" haben sich auf das bestimmteste geweigert, irgendeinen der mit dem englischen Schiff angekommenen dänischen Seeleute an Bord zu nehmen und haben sich dem ebenfalls unter starkem Druck ausgesprochenen Wunsch, ihre Schiffe an die Engländer abzutreten, widersetzt.

Der Kapitän des Dampfers "Slesvig" hat sich von den Engländern überreden lassen, trotzdem ihm von seinem dänischen Kollegen und auch von seiner Frau dringend davon abgeraten wurde. Es heißt jedoch in dem hier vorliegenden Schreiben, daß der Kapitän des Dampfers "Slesvig" seit einer schweren Kopfverletzung, die er sich durch einen Unfall zugezogen hat, sich sehr verändert habe und nicht mehr in der Lage gewesen sei, klar zu denken. Hierauf wird sein Beschluß, mit dem Schiff auszulaufen, zurückgeführt.

gez. Unterschrift

460. Joachim von Ribbentrop an Werner Best 26. November 1943

Ribbentrop tilsluttede sig de synspunkter, som Best 20. november havde fremsat om det uhensigtsmæssige i anvendelsen af gengældelsesforanstaltninger over for den danske befolkning. Best skulle straks gøre Pancke klart, at det var Bests afgørelse, om der skulle anvendes gengældelsesforanstaltninger for sabotage eller ikke. Det stod i Bests magt at forbyde gengældelsesaktioner. Hvis von Hanneken ikke ville følge et forbud, var det en sag mellem Ribbentrop og OKW.

Med telegrammet stillede Ribbentrop sig markant på Bests side og tillagde alene ham ansvaret, når det gjaldt anvendelsen af et hovedinstrument i den tyske sabotagebekæmpelse, nemlig gengældelsesforan-

143 Skrivelsen er ikke lokaliseret. Se AA til OKM og OKW 20. oktober 1943.

staltninger. Det var et område, hvor RFSS og den af ham udpegede HSSPF havde en vital interesse. Om gengældelsesforanstaltninger var et politisk eller politimæssigt anliggende kunne kun diskuteres, så længe der ikke forelå en højere instans' afgørelse i det spørgsmål. Den forelå på dette tidspunkt ikke.

Det foreliggende dokument er kun et udkast til svaret til Best forelagt Ribbentrop, og spørgsmålet er, om det blev afsendt. Det lader sig ikke afgøre, men når Best ikke senere henviser til det, er det nærliggende at tro, at RAM har opfanget de ændrede signaler i førerhovedkvarteret efter Langåsabotagerne, og at telegrammet derfor ikke blev afsendt. Bests fortsatte strid med Wagner om kompetenceforholdene over for Pancke peger i samme retning (Rosengreen 1982, s. 76 har den opfattelse, at det muligvis er afsendt).

Kilde: RA, pk. 204 (udkast). LAK, Best-sagen (oversat).

Telegramm

Berlin, den 26. November 1943.
Diplogerma Kopenhagen
Nr.
Referent:
Betrefft:

Für Gesandten persönlich!
Auf Drahtbericht Nr. 1438 vom 20. November.[144]

Ihre Auffassung von der Unzweckmäßigkeit allgemeiner Sühnemaßnahmen gegen die dänische Bevölkerung sowie Ihre Meinung über die zur Befriedung geeigneten und notwendigen Maßnahmen halte ich für richtig. Sie hätten aber SS-Gruppenführer Pankke sofort darauf hinweisen müssen, daß es ausschließlich Ihrer Entscheidung unterliegt, ob Sühnemaßnahmen wegen der Sabotageakte in Dänemark ergriffen werden sollen oder nicht. Auch Herrn General von Hanneken hätten Sie diesen Standpunkt sofort klarmachen müssen.

Grundsätzlich können Sie auf Grund Ihrer politischen Verantwortung Sühnemaßnahmen verbieten. Falls General von Hanneken sich diesem Verbot nicht fügen will, hat er an OKW zwecks Fühlungnahme mit mir zu berichten.

Ribbentrop

461. Harro Brenner an Adolf von Steengracht 26. November 1943

Ribbentrop lod svare på Wagners forslag af 11. november om frigivelse af deporterede jøder, at spørgsmålene skulle drøftes med RSHA, hvorpå der skulle laves et udkast til svar til Sverige. Ribbentrop havde den opfattelse, at der ikke skulle tages stilling til jøder, der havde skaffet sig nyt statsborgerskab.

Wagner rettede påfølgende henvendelse til Heinrich Müller i RSHA 2. december 1943.

Kilde: RA, pk. 226 (koncept).

Büro RAM zu Inland II 3139 g
Betr. 2 Aufzeichnungen der Schwed. Ges. v. 13.10.43[145]

144 Trykt ovenfor.
145 De to svenske optegnelser er ikke medtaget.

Über St.S. und U.St.S. Pol. vorgelegt:
Der Herr RAM bittet Sie im Einvernehmen mit Inland II eine Antwort an die Schweden vorzuschlagen, nachdem die Fragen mit der Reichsführung-SS geklärt sind. Der Herr RAM ist auch der Ansicht, daß Neueinbürgerungen von Juden nicht berücksichtigt werden sollten.

Berlin, den 26. November 1943.

Brenner

462. Werner Best an das Auswärtige Amt 26. November 1943

Dagsindberetning for to døgn, hvor Best også kunne melde om fem dødsdomme, der var eksekveret som led i de af førerhovedkvarteret krævede gengældelsesforanstaltninger (Rosengreen 1982, s. 76f.).

Kilde: PA/AA R 29.568. RA, pk. 204.

Telegramm

Kopenhagen, den	26. November 1943	15.30 Uhr
Ankunft, den	27. November 1943	02.00 Uhr

Nr. 1454 vom 25.11.[43.] Citissime!

Bitte die folgenden Tagesmeldungen (durch Fernschreiberstörung verzögert) Herrn Reichsaußenminister zuzuleiten:

Über die Lage in Dänemark berichte ich für den 22. November auf 23. November, daß die folgenden Sabotagefälle gemeldet worden sind:

In Kopenhagen Brand einer dänischen Flugzeughalle mit 30 ganz oder teilweise zerlegten veralteten Militärflugzeugen,[146] Beschädigung eines parkenden Polizei-Lastwagens, Beschädigung eines Gerätelagers der Marine im Fort Charlottenlund, sowie 4 kleinere Sabotageakte gegen Privatgeschäfte ohne deutsches Interesse.[147] In Jütland 3 Eisenbahnsprengungen bei Aarhus[148] und eine Kabelsabotage in Fünen Sprengung eines Transformators in Elling bei Nyborg.[149]

146 Der var sabotage mod flyvemaskinemonteringshallen på Holmen, hvor en eksplosion udløste en storbrand, hvorved en række danske fly brændte (RA, BdO Inf. nr. 24, 25. november 1943, Übersicht über die im Monat 1943 gemeldeten Sabotagefälle, bilag 4 til KTB/MOK Ost for tiden 16. til 30. november 1943 (RA, Danica 628, sp. 9, nr. 7273), Alkil, 2, 1945-46, s. 1225).

147 Foran Dagmarhus blev et af Gestapos transportkøretøjer bombesprængt af Holger Danske som gengæld for de foretagne henrettelser, og på Charlottenlund Fort blev en køkkenbygning og en telefoncentral udsat for en sabotagebrand af Holger Danske. Til dagens mindre aktioner hørte BOPAs brandbombe mod A. Søeborgs Chokoladefabrik, Jagtvej 95-99, og branden i Andersson Asks Skindforretning, Nørrebrogade 32 (RA, BdO Inf. nr. 24, 25. november 1943, Alkil, 2, 1945-46, s. 1225, Kieler, 2, 1993, s. 150, Kjeldbæk 1997, s. 470, Birkelund 2008, s. 676).

148 Der var et par eksplosioner på havneterrænet i Århus, dels ud for Mindebrogade, dels i en benzinvogn på Gasværkskajen (Alkil, 2, 1945-46, s. 1225).

149 Der var sabotageeksplosioner på koblingsstationen "Østfyn," samt mod lysmasterne nord for Ellinge ved Nyborg (RA, BdO Inf. nr. 24, 25. november 1943, Alkil, 2, 1945-46, s. 1225).

Über die Lage in Dänemark berichte ich für den 23. November auf 24. November, daß in Kopenhagen 2 Sabotageakte (Transformatorenstation und kleinere Maschinenfabrik) stattgefunden haben[150] und daß bei Näsby Fünen mehrere Leitungsmaste zerstört wurden.[151] Am 23. November 1943 wurden 4 Saboteure und am 24. November 1943 1 Saboteur von Kriegsgerichten zum Tode verurteilt.[152]

Best

463. Werner Best an das Auswärtige Amt 26. November 1943

Dagsindberetning.

Kilde: PA/AA R 29.568. RA, pk. 204.

Telegramm

Kopenhagen, den	26. November 1943	15.20 Uhr
Ankunft, den	27. November 1943	02.00 Uhr

Nr. 1463 vom 25.11.[43.] Citissime!

Ich bitte die folgende Meldung unverzüglich dem Herrn Reichsaußenminister zuzuleiten:

Über die Lage in Dänemark berichte ich für den 24. auf 25. November, daß in Kopenhagen 3 kleine Sabotageakte gegen Ladengeschäfte stattfanden.[153] In Odense wurde ein Tank der "Dansk Petroleum Kompagni" beschädigt; der durch Auslaufen von Öl eingetretene Schaden trifft ausschließlich dänische Interessen.[154] In Hilleröd (Seeland) und in Sonderburg wurden zwei kleinere Betriebe (Metallgießerei und Tischlerei), die für deutsche Interessen arbeiten, beschädigt.[155] In Jütland eine Kabelsabotage.

Dr. Best

150 BOPA og Holger Danske gennemførte i samarbejde med SOE et dagangreb mod transformatorstationen ved Lygten på Nørrebro, og der blev af Holger Danske udført sabotage mod maskinfabrikken "Transmotor," Finsensvej 10 (RA, BdO Inf. nr. 24, 25. november og 25, 30. november 1943, Larsen 1982, s. 94-96, Kjeldbæk 1997, s. 470, Kieler, 1, 1982, s. 143f., Kieler, 2, 1993, s. 150, Kieler, 1, 2001, s. 328f., Birkelund 2008, s. 676).

151 Tre dobbeltmaster til den fynsk-jyske samleskinne ved Næsby, nær Odense, blev saboteret (RA, BdO Inf. nr. 25, 30. november 1943, Alkil, 2, 1945-46, s. 1225 (opgiver i stedet Villestofte)).

152 De fem dødsdømte var Georg Christiansen, Sven Christian Johannesen, Oluf Kroer, Anders Wilhelm Andersen og Otto Manly Christiansen. Henrettelserne blev eksekveret 2. december 1943 og meddelt offentligheden to dage efter (*Faldne i Danmarks Frihedskamp*, 1970, s. 90f., 222f., 248f., 25, 92. Den tyske meddelelse er trykt på dansk hos Alkil, 2, 1945-46, s. 860).

153 Det drejede sig om en sprængning på gaden i Passagen mellem kaffeforretningen "Andalusia" og marskandiserforretningen "Den gamle Hytte," Gl. Kongevej 4, hvorved en række forretninger fik vinduerne ødelagt, et bål hos skrædderfirmaet L. Koppel A/S, Købmagergade 50, og et sabotageforsøg i Uplandsgade 56 (RA, BdO Inf. nr. 25, 30. november 1943, Alkil, 2, 1945-46, s. 1225).

154 Der var en bombeeksplosion ved DDPAs Esso-tank, der lækkede og 15.000 kg. solarolie løb ud. Der blev anvendt engelsk sprængstof (RA, BdO Inf. nr. 25, 30. november 1943, Alkil, 2, 1945-46, s. 1225).

155 Der var en eksplosion i metalstøberiet, P. Mogensensvej 14, Hillerød og ild i snedker- og møbelværkstedet, tilhørende snedkermester Otto Ericht, Oehlenschlægersgade 37, Sønderborg. Begge virksomheder arbejdede for den tyske værnemagt (RA, BdO Inf. nr. 25, 30. november 1943, Alkil, 2, 1945-46, s. 1225).

464. Werner Best an das Auswärtige Amt 27. November 1943

Best indberettede om udviklingen af befæstningsarbejderne i Jylland. OKW pressede hårdt på for at få øget antallet af arbejdere hurtigt, hurtigere end OT, von Hanneken og Best fandt det nødvendigt. Best påpegede de store skadevirkninger, som tvangsforanstaltninger ville have for de tyske interesser i Danmark. Han understregede, at lederen af OT og von Hanneken delte hans synspunkt.

Kilde: PA/AA R 29.568. RA, pk. 204. LAK, Best-sagen (afskrift).

Telegramm

Kopenhagen, den	27. November 1943	09.45 Uhr
Ankunft, den	27. November 1943	15.10 Uhr

Nr. 1470 vom 26.11.[43.] Citissime mit Vorrang!

Ich bitte, den folgenden Bericht unverzüglich dem Herrn Reichsaußenminister zuzuleiten.

Mit Bezug auf Telegramm Nr. 1553[156] vom 11. November und im Anschluß an Telegramm vom 18. Nr. 23[157] berichte ich über die Entwicklung der Befestigungsarbeiten in Jütland folgendes:

Alle Maßnahmen zur Beschaffung der erforderlichen Materialien, Arbeitskräfte, Unterkünfte usw. sind planmäßig angelaufen. Auf die dänischen Behörden habe ich stärksten Druck ausgeübt mit dem Ergebnis, daß sie sich in jeder Weise bemühen, allen deutschen Forderungen gerecht zu werden. Der mit der Leitung der Arbeiten beauftragte Einsatzleiter der Organisation Todt, Landesrat Martinsen, ist mit dem Anlauf der Arbeiten zufrieden und rechnet damit, alle Termine einhalten zu können; er ist aber besorgt, das seine Planung durch Eingriffe des OKW gestört werden könnten. Aus Befehlen und Anfragen des OKW an den Wehrmachtbefehlshaber Dänemark schließt er, daß OKW nur hohe Zahlen sofort eingesetzter Arbeitskräfte sehen will ohne Rücksicht darauf, ob dieser Einsatz für den gewollten Erfolg zweckmäßig ist. Insbesondere scheint das OKW wieder mit dem Gedanken zu spielen, die allgemeine Zwangsarbeit der dänischen Bevölkerung anzuordnen. Hierzu stelle ich fest, daß Wehr[macht]befehlshaber Dänemark, der OT-Einsatzleiter Landesrat Martinsen und ich völlig darüber einig sind, daß diese Maßnahme einerseits nicht notwendig ist und daß sie andererseits sowohl für die Befestigungsarbeiten, wie auch für die übrige Ausnutzung des Landes nur schädliche Auswirkungen auslösen würde. Die Dänen, die sich nicht als ein besiegtes und unterworfenes Volk fühlen, würden auf die Einführung der Zwangsarbeit mit Massenflucht und Obstruktion reagieren, die sich auch – wie der OT-Leiter Martinsen fürchtet – bei den fertiggestellten Arbeiten der ersten Linie auswirken würde, bei denen insbesondere die ausfallenden Fachkräfte keinenfalls durch Zwangsarbeiter ersetzt werden könnten. Auch bei den übrigen Befestigungsarbeiten wird nach der Auffassung des OT-Leiters durch die Arbeit […] und gut bezahlter Kräfte sehr viel mehr erreicht, als durch Zwangsarbeit. Da im übrigen die Einführung der Zwangsarbeit Vollzugsmaß-

156 Pol. I M 2575 gRs. Telegrammet er ikke lokaliseret.
157 Wahrscheinlich Nr. 1423 – bei Pol. I M (V.S.). Trykt ovenfor.

nahmen gegen zehntausende renitenter Landeseinwohner notwendig machen würde, müßte ich für diesen Fall um Verzehnfachung der hier eingesetzten Polizeikräfte bitten. Im übrigen muß ich pflichtgemäß darauf hinweisen, daß die Einführung der Zwangsarbeit und die mit ihr verbundenen Maßnahmen unvermeidbar dazu führen würden, daß die landwirtschaftliche Mehrproduktion des Landes, deren Hauptgebiet gerade Jütland ist, und damit die Lieferungen in das Reich zum Erliegen kommen würden. Damit würde die Fleischversorgung des Großdeutschen Reiches für 6 Wochen und die Butterversorgung für 5 Wochen sowie die Lieferung des gesamteuropäischen Zusatzbedarfes an Gras- und Fruchtsämereien ausfallen, was nach Mitteilung des Staatssekretärs Backe die deutsche Ernährungswirtschaft entscheidend beeinträchtigen würde. Ich bitte daher, darauf hinzuwirken, daß von der Anordnung einer allgemeinen Zwangsarbeit in Dänemark abgesehen wird, die für die Durchführung der vom Führer befohlenen Arbeiten nicht erforderlich ist und die im Gegenteil nur das deutsche militärische und wirtschaftliche Interesse (von dem politischen spreche ich schon gar nicht mehr) einschneidend schädigen würde. Ich betone nochmals, daß ich hiermit nicht nur meine Auffassung, sondern auch die des Wehr[macht]befehlshabers Dänemark und des OT-Einsatzleiters Martinsen ausspreche.

Best

465. Werner Best an das Auswärtige Amt 27. November 1943

Længe før HSSPFs ankomst til København havde Best uden held forsøgt at få en afgørelse angående jurisdiktionsproblemerne i forbindelse med sabotagebekæmpelsen. Førerhovedkvarterets og OKWs krav om gengældelsesaktioner aktualiserede spørgsmålet. Best traf da en direkte aftale med Günther Pancke, som han meddelte videre til AA. HSSPF skulle have domsmyndigheden og Best benådningsretten (Rosengreen 1982, s. 88).

Se endvidere telegram nr. 1578, 23. december 1943.

Kilde: PA/AA R 101.040. RA, pk. 228 og 438a. LAK, Best-sagen (afskrift).

Telegramm

Kopenhagen, den	27. November 1943	09.45 Uhr
Ankunft, den	27. November 1943	13.30 Uhr

Nr. 1474 vom 27.11.[43.] Citissime!

Im Anschluß an Telegr. v. 24. Nr. 1459[158]
Nachdem ich die Frage der Gerichtsbarkeit mit dem höheren SS- und Polizeiführer besprochen habe, bin ich auch mit einer Regelung einverstanden, nach der der höhere SS- und Polizeiführer Gerichtsherr wird, wenn ich das Gnadenrecht gegenüber dem ergangenen Urteil erhalte.

Best

158 Recht. Telegrammet er ikke lokaliseret.

466. Werner Best an das Auswärtige Amt 28. November 1943

Best klagede over, at Terboven havde været i København *incognito* og påfølgende havde henvendt sig til rigskommissær Karl Kaufmann og blandet sig i spørgsmålet om anvendelsen af den danske skibstonnage.[159]

For AAs holdning se notitsen til Ribbentrop 30. november. I sine erindringer skriver Best, at Terbovens angreb på ham blev slået tilbage, og Terboven ikke mere betrådte dansk jord, undtagen under en nødtvungen mellemlanding (Best 1988, s. 82f.). Dog havde de indirekte nok en konfrontation, se Terboven til Herbert Backe 3. april 1944. Duckwitz udbreder sig også om Terbovens forsøg på at blande sig i danske forhold, som ifølge Duckwitz var en torn i øjet på ham, hvilket er ubetvivleligt (Duckwitzs erindringer u.å. kap. III, s. 29f. (PA/AA, Nachlass Georg F. Duckwitz, bd. 29)). Meissner 1996, s. 280 refererer Terbovens forsøg på indblanding i forholdene i Danmark på grundlag af Bests telegram og konkluderer, at København derefter blev skånet for Terbovens besøg og fortsætter: "Duckwitz behøvede ikke at interessere sig for spørgsmål, som berørte den tyske krigsmarine. Det hørte under admiral Mewis, som i Renthe-Finks tid havde været flådekommandant i Danmark [!], og som nu residerede i København [!] som Kauffmanns særlige udsending." Bortset fra at Mewis først kom til København igen i oktober 1944 er Meissners fremstilling af Duckwitzs rolle i forhold til Kriegsmarine uden ethvert sagligt grundlag, som det vil fremgå i det følgende.

Kilde: PA/AA R 29.568. RA, pk. 204 og 228. LAK, Best-sagen (afskrift). PKB, 13, nr. 869. Best 1988, s. 82f. og 1989, s. 141-143.

Telegramm

Kopenhagen, den	28. November 1943	14.56 Uhr
Ankunft, den	28. November 1943	21.15 Uhr

Nr. 1478 vom 27.11.[43.][160]

Ich bitte den folgenden Bericht dem Herrn Reichsaußenminister vorzulegen:
Der Reichskommissar Terboven hat sich ohne jede Mitteilung an mich vom 16. Oktober bis 19. Oktober 1943 inkognito in Kopenhagen aufgehalten[161] und nach seiner Rückkehr nach Oslo dem Reichskommissar für die See-Schiffahrt, Gauleiter Kaufmann, fernmündlich Mitteilungen über ungenügenden Einsatz der dänischen Handelsschiffahrtstonnage gemacht, auf die hin der hiesige Schiffahrtssachverständige Duckwitz am 21. Oktober 1943 nach Hamburg bestellt wurde. Dort eröffnete ihm der Gauleiter Kaufmann, der Reichskommissar Terboven habe ihm von Oslo aus fernmündlich folgendes mitgeteilt: Auf Grund seiner in Kopenhagen getroffenen Feststellungen müsse er fordern, daß die dänische Handelsschiffahrtstonnage stärker als bisher für deutsche Zwecke eingesetzt werde. Die dänische Dampfertonnage sei nicht genügend ausgenutzt, ebenso die Kleintonnage, von der insbesondere Schlepper und Eisbrecher abgegeben werden müßten. Die aufliegende Motorschiffstonnage müsse, wenn sie mangels Brenn-

159 Hans Kirchhoff skriver, alene med henvisning til Bests telegram nr. 1478, at det lykkedes Best at få en førerordre, der satte en stopper for Terbovens visitter (Kirchhoff, 3, 1979, s. 122 note 3). Det er ikke tilfældet.

160 Bemærk, at nr. 1478 øjensynligt er sendt efter nr. 1479.

161 Under dette såkaldte "inkognito" ophold var Terboven og Ministerialrat Müller fra Oslo ikke desto mindre på besøg hos Best privat (Bests kalenderoptegnelser 17. oktober 1943), ligesom Holger Danske havde kendskab til besøget og planlagde et attentat mod Terboven på Palace Hotel 17. oktober, attentatet blev imidlertid opgivet. Den dybere mening med attentatplanen "står noget hen i det uvisse" (Birkelund 2000, s. 267 og 2008, s. 672).

stoffs nicht ohne weiteres eingesetzt werden könne, durch Umbau als Dampfer einsatzfähig gemacht werden.

Auf Wunsch des Reichskommissars für die See-Schiffahrt fand am 4. November 1943 in Kopenhagen eine Besprechung zwischen dem hiesigen Schiffahrtssachverständigen Duckwitz und dem Senator Otte und dem Regierungsrat Gustav aus Oslo statt, in der folgendes festgestellt wurde:

1.) Mit Ausnahme der beiden Passagierdampfer "A.P. Bernstorff," (den der Reichskommissar Terboven gekauft hat), und "Aarhus," ist Dampfertonnage in Dänemark nicht aufgelegt, alle Dampfer fahren entweder für die Versorgung des Landes, was unmittelbar oder mittelbar deutschen Interessen dient, oder stehen dem Tonnageeinsatz in Hamburg zur Verfügung.
2.) Die aufgelegten Motorschiffe können mangels Brennstoffs nicht in Fahrt gesetzt werden; ob ihr Umbau in Dampfer zweckmäßig und möglich ist, hängt einerseits von technischen Fragen und andererseits von der Frage des Materials und der Kapazität der Werften, (die in Dänemark zur Zeit voll belegt sind), ab.
3.) Eisbrecher und Schlepper können aus Dänemark nicht abgegeben werden, da in den letzten Eiswintern wegen Mangel an Eisbrechern bereits Fährschiffe und Frachtschiffe (unter beträchtlichen Schäden) zur Freihaltung der wichtigen Fahrstraßen nach Norwegen eingesetzt werden mußten und da wegen Mangel an Schleppern bereits von Fall zu Fall auf Schlepper aus dem Reich zurückgegriffen werden muß.

Am 21. und 22. November fanden in Kopenhagen Besprechungen des hiesigen Schiffahrtssachverständigen mit dem Leiter des Tonnageeinsatzes beim Reichskommissar für die Seeschiffahrt, Direktor Bertram, und dem persönlichen Referenten des Reichskommissars für die See-Schiffahrt, Hörn, statt. Hierbei wurde festgestellt, daß die in Dänemark aufliegenden Motorschiffe vom Reichskommissar für die Seeschiffahrt mangels Brennstoffs nicht in Fahrt gesetzt werden können. Das einzige, was aus der aufliegenden Motorschifftonnage herausgeholt werden könnte, wäre die Übergabe einiger Passagier-Motorschiffe an die Kriegsmarine von denen maximal fünf dieser Schiffe nach ihren Typen für den Urlauberverkehr oder als Uboot-Ziel-Schiffe verwendet werden könnten. Direktor Bertram wird diese Frage mit der Kriegsmarine klären und über das Ergebnis dem Reichskommissar für die Seeschiffahrt Bericht erstatten.

Da die ganze Aktion von dem Reichskommissar Terboven veranlaßt worden war, ist dem Direktor Bertram die Frage gestellt worden, ob die Tonnageversorgung Norwegens gefährdet und damit dem Reichskommissar Terboven ein Anlaß zu seinem Vorgehen gegeben sei. Direktor Bertram erwiderte, daß bis jetzt sämtliche Tonnagewünsche für Norwegen erfüllt worden seien und auch in Zukunft, wenn nicht außergewöhnliche Schiffsverluste eintreten, erfüllt werden könnten.

Ich feststelle also, daß der Reichskommissar Terboven sich ohne jeden Anlaß und ohne jede Berechtigung in die Lenkung der dänischen Tonnageeinrichtungen eingemischt hat und daß die von ihm geübte Kritik sich als völlig unrichtig erwiesen hat. Da ich annehmen muß, daß der Reichskommissar Terboven diese Kritik außer gegenüber dem Reichskommissar für die Seeschiffahrt auch gegenüber anderen Stellen – vielleicht sogar gegenüber dem Führer – zum Ausdruck gebracht hat, berichte ich über diesen Vorfall mit der Bitte, jeweils für die erforderliche Richtigstellung zu sorgen.

Da sich Reichskommissar Terboven übrigens vom 24. auf den 25. November wiederum ohne Mitteilung an mich inkognito in Kopenhagen aufgehalten hat, habe ich ihn nunmehr schriftlich gebeten, mir künftig – schon unter dem Gesichtspunkt der Sicherung seiner Person – jeden beabsichtigten Aufenthalt in Dänemark rechtzeitig mitzuteilen.[162]

Best

467. Werner Best an das Auswärtige Amt 27. November 1943

Dagsindberetning, hvor også det tyske sikkerhedspolitis offensiv blev medtaget.

Der havde den sidste uge været en stribe razziaer i København: Den 22. på Nørrebro, den 23. på Frederiksgade, den 24. afspærring af Saxogade, den 25. visitationer på Vesterbrogade, den 26. afspærring af Studiestræde, og det fortsatte de følgende dage (BArch, R 70 Dänemark 6, KTB/BdO de anf. dage).

Kilde: PA/AA R 29.568. RA, pk. 204.

Telegramm

Kopenhagen, den 27. November 1943
Ankunft, den 27. November 1943 19.00 Uhr

Nr. 1479 vom 27.11.[43.] Citissime!

Ich bitte, die folgende Meldung unverzüglich dem Herrn Reichsaußenminister zuzuleiten:

Über die Lage in Dänemark berichte ich für den 26. auf den 27. November, daß in Ribe (Jütland) ein Posten einer Batterie durch einen Schuß von einem unbekannten Täter leicht verletzt wurde. Sonst ist nur die Beschädigung einiger Fischautos bei Krusaa (Jütland) und ein Brandstiftungsversuch in einer Tischlerei in Kopenhagen gemeldet.[163] Die deutsche Sicherheitspolizei hat in der laufenden Woche (21. – 27. November) 16 Personen wegen illegaler Betätigung und Propaganda, 10 wegen versuchten unerlaubten Grenzübertritts, 6 wegen Spionageverdacht und 11 wegen Sabotage und Waffenbesitzes festgenommen.

Best

468. Günther Pancke: Besprechung mit Heinrich Himmler 28. November 1943

Pancke blev 28. november 1943 kaldt til møde med Himmler i dennes hovedkvarter. Baggrunden var givetvis de forudgående sabotager i Danmark og Panckes (og Bests) modstand mod kraftigere soneforanstaltninger, som de havde været drøftet hos Hitler efter Langåsabotagerne. Himmler ville nu vise Hitler, at der blev gjort noget ved sagen.

162 Det fremgår af Bests kalenderoptegnelser, at han ikke traf Terboven under dette ophold.

163 To (eller tre) lastvogne med levnedsmidlerne til Tyskland blev saboteret ved Nygaards Hotel i Kruså, og i København blev Modelsnedkeriet, Vedbækgade 4, saboteret (RA, BdO Inf. nr. 26, 30. november 1943, Alkil, 2, 1945-46, s. 1225).

Mødet kan tidsfæstes af Himmlers notitskalender, hvoraf det fremgår, at Pancke var hos Himmler på Hochwald 28. november 1943 om aftenen efter kl. 20, mens dets indhold alene kendes gennem Panckes efterkrigsforklaringer (23. og 30. august 1945, LAK, Best-sagen og i retten 17. juli 1948 (ref. i *Politiken* 13. juli 1948)). Himmler havde ifølge disse givet ordre til en skærpet kurs over for sabotager og attentater. Det vil sige, at sabotager skulle følges af modsabotager og overfald på værnemagtsmedlemmer med gengældelsesmord på sabotørernes økonomiske og moralske understøttelsesgrupper. Det skulle ske inden for 24 timer. Ved sin hjemkomst havde Pancke meddelt Best dette, og der var straks blevet sendt et andragende til Ribbentrop og Himmler om, at ordren blev trukket tilbage. Svaret kom et par uger senere og var en ordre om at møde hos Hitler i Ulveskansen 30. december (Rosengreen 1992, s. 77f.).

Se også 4. december 1943.

Der kan stilles spørgsmål ved forløbet i Panckes forklaring. For det første var han hos Himmler tidligere, end han senere ville vedgå, for det andet lod Pancke tre kommunister likvidere 4. december som soneforanstaltning, fulgt op af Bests offentlige begrundelse for den skærpede tyske kurs dagen efter, ligesom medlemmer af den planlagte tyske terrorgruppe var ankommet til København før mødet i Ulveskansen. Tillige fandt flere likvideringsforsøg på danske sted, mens Best, Pancke og von Hanneken var under rejse til Ulveskansen. Der var foretaget de første modterrorforanstaltninger *før* mødet med Hitler, et møde som kom i stand på baggrund af de seneste store sabotager i Danmark, som der ikke var øvet gengæld for.

Kilde: Himmlers Notizkalender 28. november 1943 i RA, Danica 1000, T-84, sp. 25 (uden billednr.).

Sonntag 28. November 1943

...

Hochwald

... Pancke ...

469. Kriegstagebuch/WB Dänemark 29. November 1943

Von Hanneken kunne meddele, at der havde fundet en lang række jernbanesabotager sted, der havde afbrudt forbindelsen til Tyskland i længere tid. Han bad om tilladelse til etablering af en højere kommando i København, hvortil han fik positivt svar 2. december.[164] Endvidere ville han have Best til at give værnemagten ubetinget forret til benyttelse af alle danske banestrækninger.

Svaret er ikke lokaliseret, men Best gav ikke tilladelsen, og von Hanneken tog på ny sagen om fortrinsret op 10. marts 1944.

Kilde: KTB/WB Dänemark 29. november 1943.

In der Nacht vom 28. auf 29.11.43 und am 29.11.43 wurden insgesamt 19 Sabotagesprengungen an den Eisenbahnstrecken, die ins Reich führen, ausgeführt. Die Strekken waren längere Zeit nicht befahrbar.

OKW wurde um Genehmigung gebeten, aus Tarnungsgründen die nach Kopenhagen begriffene Oberfeldkommandantur mit “Höhere Kommando Kopenhagen” zu bezeichnen.

Der Reichsbevollmächtigte wurde aufgefordert, eine Verfügung zu erlassen, wonach die Interessen der deutschen Wehrmacht auf allen dänischen Eisenbahnstrecken den unbedingten Vorrang haben.

164 Det positive svar fremgår af Günther Toepkes skrivelse 3. december 1943 om oprettelsen af “Höheren Kommando Kopenhagen” (KTB/WB Dänemark, Anlage, 3. december 1943).

470. Werner Best an das Auswärtige Amt 29. November 1943

Best orienterede AA om, hvordan finansieringen af de efter 29. august 1943 overtagne statsvirksomheder skulle finde sted. Det skulle ske ved et lån fra de midler, der tilgik værnemagten.

Kopi af indberetningen tilgik værnemagten.

Kilde: RA, Danica 1000, T-77, sp. 693, nr. 903.453. RA, Danica 465, Moskva, Osobyj Archiv 1458/ 21/76.

Abschrift Ha Pol VI 5121/43

Der nachstehende Text darf unter keinen Umständen im Wortlaut weitergegeben werden.

Die Deutsche Gesandtschaft in Kopenhagen berichtet unter dem 29. November folgendes:

Im Anschluß an Telegramm von 26. Nr. 1468[165] berichte ich, daß die Finanzierung der von der Wehrmacht zu übernehmenden dänischen Staatsbetriebe durch die mir unterstellte Verbindungsstelle im Einvernehmen mit den zuständigen Stellen sichergestellt worden ist. Sie erfolgt in Form eines Vorschusses, den der Intendant beim Wehrmachtsbefehlshaber aus den Besatzungsmitteln gibt. Es ist zunächst eine Summe von 5 Millionen Kronen vorgesehen worden, wovon auf die Orlogswerft 1 Million Kronen entfallen. Die Überwachung des Kredits und die Rückzahlung erfolgt durch Verbindungsstelle.[166] Nach vollständiger Rückzahlung des Kredits etwa entstehende Gewinne werden zu Gunsten des Reichs eingezogen und an Reichshauptkasse abgeführt. Die Ausnutzung der Kapazität der Betriebe ist somit von der finanziellen Seite aus sichergestellt.

[uden underskrift]

471. Walter Forstmann: Übernahme der Orlogswerft 29. November 1943

På grund af Orlogsværftets ringe kapacitet ønskede Rüstungsstab Dänemark ikke direkte at overtage anlægget, som det skete med de øvrige danske militære produktionsanlæg efter 29. august. Forstmann foreslog på et møde 9. november med de danske forhandlere, at værftet blev overladt til B&Ws ledelse, men det blev afvist fra dansk side. I stedet blev det overladt det tyske skibsværft Howaldt AG i Hamborg, som skulle videreføre det på den betingelse, at der indtil videre kun måtte repareres tyske og danske handelsskibe på orlogsværftet. Efter krigen skulle værftet på ny overgå til den danske stat med fuld kompensation.

Howaldt AG var ikke begejstret for ordningen, når der ikke kunne bygges nye skibe på værftet, men aftalen blev slutteligt konfirmeret i rustningsministeriet i januar 1944 (Giltner 1998, s. 156f., 227 n. 38, 39 og 42).

Kilde: BArch, Freiburg, RW 27/11 og 12. RA, Danica 1000, T-77, sp. 696, KTB/Rü Stab Dänemark, 4. Vierteljahr 1943, Anlage 16.

Nach der Entwaffnung der dänischen Wehrmacht mußte u.a. auch über das Schicksal der Orlogswerft entschieden werden. Deutscherseits wurde daher mit den zuständigen

165 Trykt ovenfor.

166 Verbindungsstelle der Hauptverwaltung der Reichskreditkasse. Se om dette Verbindungsstelles virksomhed Best til AA 10. november 1944.

dänischen Behörden in Verhandlungen eingetreten. Es wurde zunächst vereinbart, daß die Werft nicht von der deutschen Kriegsmarine, sondern vom Hauptausschuß Schiffbau betrieben werden solle. Später sollte dann eine deutsche Werft die frühere Orlogswerft übernehmen. Es wurde vereinbart, daß die Orlogswerft zur Instandsetzung von Handelsschiffen in Betrieb genommen werden soll, wobei dänischen Schiffen der Vorzug zu geben sei. An Neubauten wurde vorläufig nicht gedacht. Auf keinen Fall sollten deutsche oder dänische Kriegsschiffe gebaut, umgebaut oder repariert werden. Deutscherseits sollte eine Werftleitung eingesetzt werden, wofür die Howaldtswerke A.G., Hamburg, gewonnen wurden. Die Übernahme der Orlogswerft durch die Howaldtswerke erfolgte am 29.11.43. Sie wird treuhänderisch verwaltet. Von der Orlogswerft ist eine kaufmännische und eine technische Leitung eingesetzt worden.

Gemäß Absprache mit dem dänischen Außenministerium werden auf der Werft deutsche und dänische Handelsschiffe repariert, ferner nimmt die Maschinenfabrik deutsche und dänische Aufträge entgegen.

Das der Howaldtswerke zu übertragende Benutzungsrecht umfaßt die Orlogswerft in ihrem Bestand am 10.11.43. Die Docks und das feste und schwimmende Inventar sind eingeschlossen. Die Übernahme erfolgte aufgrund einer Inventur über das gesamte Eigentum der Werft. Rückgabe der Werft an den dänischen Staat erfolgt auf der gleichen Grundlage bei Kriegsende. Die Vorräte an Roh-, Hilfs- und Betriebsstoffen werden nur als Ausgleichslager verwendet. Die Bestände an Vorräten sollen grundsätzlich durch Nachschub der Materialen aus Deutschland konstant gehalten werden.

Forstmann

472. Werner Best an das Auswärtige Amt 29. November 1943

Best meddelte indholdet af en aftale, der var indgået mellem de tyske myndigheder og UM i anledning af, at det var overdraget Howaldt-skibsværftet i Hamborg at drive orlogsværftet i København. Best bad om hurtigst muligt at få rustningsministeriets accept, da der var fare for, at arbejderne på værftet fandt anden beskæftigelse.

Kilde: PA/AA R 29.568. RA, Danica 465: Moskva, Osobyj Archiv 1458/21/76. RA, Danica T-77, sp. 693, nr. 902.454f. RA, pk. 204. PKB, 13, nr. 668. EUHK, nr. 115 (uddrag).

Telegramm

Kopenhagen, den	29. November 1943	18.50 Uhr
Ankunft, den	30. November 1943	03.10 Uhr

Nr. 1468 vom 26.11.[43.][167]

Am 29. August wurde neben anderen Betrieben der dänischen Wehrmacht auch die Orlogswerft von der deutschen Wehrmacht in Besitz genommen. Die anderen Betrie-

167 Der er noget galt med nummer eller dato: Nummeret 1468 og den efterfølgende dato 26. antyder, at det er fra 26. (passer med de øvrige numre).

be werden vom Rüstungsstab weitergeführt. Die vorläufige Finanzierung erfolgt durch Kredite, die aus Besatzungsmitteln gegeben sind und innerhalb kurzer Frist zurückgezahlt werden sollen. Die Orlogs soll gemäß einer Weisung des Beauftragten für den Schiffsbau- und Marineprogramm beim Reichsminister für Rüstung und Kriegsproduktion (Herr Desch, Fernsprecher 11-00-52, Apparat 1056) an den Hauptausschuß Schiffbau Länderbeauftragten Dänemark 29. Novb. von den Howaldt-Werken A.G. Hamburg übernommen und treuhänderisch für ihn geführt werden. Der Reichsminister für Rüstung und Kriegsproduktion will zu diesem Zwecke einen Vertrag mit den Howaldt-Werken schließen.

Es ist zwischen dem Länderbeauftragten Dänemark des Hauptausschusses Schiffsbau und dem dänischen Außenministerium der nachstehende Entwurf zu einem Übereinkommen abgesprochen worden:

1.) Die Orlogs wird zur Instandsetzung und zum Neubau von Handelsschiffen in Betrieb genommen, wobei dänischen Schiffen der Vorzug gegeben wird.
2.) Es ist vorläufig nicht an zivile deutsche und dänische Handelsschiffsneubauten gedacht; auf keinen Fall werden deutsche oder dänische Kriegsschiffe gebaut, umgebaut oder repariert.
3.) Die Orlogs wird weder an der Bergung noch an der Reparatur der versenkten dänischen Kriegsschiffe beteiligt werden.
4.) Das vom Befehlshaber der deutschen Truppen in Dänemark erlassene Streikverbot hat Gültigkeit für das auf der Orlogs beschäftigte, von der Werftleitung angestellte Personal. Dieses Personal erhält in der Zeit, während die Werft unter deutscher Leitung steht, die gleichen Lohn- und Pensionsbestimmungen usw. wie bisher. Bei Streitigkeiten zwischen der deutschen Werftleitung und dem dänischen Personal werden auf dänischer Seite die Verhandlungen von dem zuständigen dänischen Ministerium geführt.
5.) Deutscherseits wird eine Werftleitung eingesetzt, die für die Dispositionen der Werft verantwortlich ist. Voraussichtlich in Frage kommt hierfür die Firma Howaldt-Werke A.G. in Hamburg. Der übernehmenden Firma wird die Auflage gemacht, daß durch Überschuß im Betrieb oder auf andere Art und Weise kein deutsches Kapital in dänischen Kronen geschaffen werden darf.
6.) Das dieser Firma zu übertragende Benutzungsrecht umfaßt die Orlogs in ihrem Bestand am 10. November 1943; die Docks und das feste und schwimmende Inventar sind eingeschlossen. Die Übernahme erfolgt auf Grund einer Inventur über das gesamte Eigentum der Werft. Rückgabe der Werft an den dänischen Staat erfolgt auf gleicher Grundlage bei Kriegsende.
7.) Die Vorräte an Roh-Hilfs-Betriebsstoffen werden nur als Ausgleichslager verwendet. Der Bestand an Vorräten soll grundsätzlich durch Nachschub der Materialien aus Deutschland konstant gehalten werden.

Auf Wunsch des dänischen Außenministeriums soll das Abkommen von mir unterzeichnet werden. Ich bitte, mir nach Fühlungnahme mit dem Reichsminister für Rüstung und Kriegsproduktion mitzuteilen, ob das Übereinkommen in dieser Form von mir unterzeichnet werden kann. Ich bemerke, daß die benötigten Betriebsmittel bis zur Höhe von etwa 900.000 Kronen den Howaldt-Werken entweder in Form eines Privatbankkredits oder aber vorschußweise aus Besatzungsmitteln mit einer Rückzahlungsfrist von einem halben Jahr gegeben werden sollen.

Die Angelegenheit ist daher dringlich, weil bei längerer Hinausschiebung der Ingangsetzung der Werft eine Abwanderung des Personals zu befürchten ist.

Best

473. Werner Best an das Auswärtige Amt 29. November 1943

Dagsindberetning.

Kilde: PA/AA R 29.568. RA, pk. 204.

Telegramm

Kopenhagen, den	29. November 1943	18.55 Uhr
Ankunft, den	30. November 1943	03.10 Uhr

Nr. 1484 vom 28.11.[43.]

Ich bitte die folgende Meldung dem Herrn Reichsaußenminister unverzüglich zuzuleiten:

Über die Lage in Dänemark berichte ich für den 27. auf 28. Nov. 1943, daß in Kopenhagen ein Lichtspieltheater durch Brandstiftung beschädigt wurde und daß beim Brand eines Lagerschuppens Ausrüstungsgegenstände der Marine Wasserschaden erlitten.[168] Zwei weitere kleine Sabotageakte gegen Privatpersonen ohne deutsches Interesse.

Best

474. Werner Best an das Auswärtige Amt 30. November 1943

Best meddelte, at kontorchef Anton Vestbirk på grund af sygdom blev erstattet af gesandt Bjerre ved forhandlinger i Bukarest om østersølandenes træbehov.

Kilde: PA/AA R 29.568. RA, pk. 204.

Telegramm

Kopenhagen, den	30. November 1943	13.00 Uhr
Ankunft, den	30. November 1943	17.10 Uhr

Nr. 1485 vom 29.11.[43.] Geheim.

168 Der var brand i Metropolteatret, skadens omfang var ringe, og en eksplosion i Kriegsmarines depot i DFDS' lagerbygning på Islands Plads 29. Depotet indeholdt udstyr til skibe og skibsbesætninger, udstyret blev alene vandskadet (RA, BdO Inf. nr. 26, 30. november 1943, Übersicht über die im Monat 1943 gemeldeten Sabotagefälle, bilag 4 til KTB/MOK Ost for tiden 16. til 30. november 1943 (RA, Danica 628, sp. 9, nr. 7273), Alkil, 2, 1945-46, s. 1225).

Auf Drahterlaß Nr. 1600[169] vom 20. November.
Offizieller dänischer Vertreter der Dänisch-Deutschen-Finnisch-Schwedischen Kommission zur gemeinsamen Behandlung der Holz-Bedarfs-Deckung in den Ländern des Nordsee- und Ostsee-Raums Kontorchef Anton Vestbirk ist infolge Krankheit an Teilnahme Sitzung in Bukarest verhindert. Zwei Sachverständige der Arbeits-Gruppe I der Kommission teilnehmen. Gesandter Bjerre Bukarest ist dänischerseits beauftragt Kontorchef Vestbirk zu vertreten.

Best

475. Werner Best an das Auswärtige Amt 30. November 1943

Dagsindberetning.
Kilde: PA/AA R 29.568. RA, pk. 204.

Telegramm

Kopenhagen, den 30. November 1943
Ankunft, den 30. November 1943 17.10 Uhr

Nr. 1486 vom 30.11.[43.] Citissime!

Ich bitte dem Herrn Reichsaußenminister die nachstehende Meldung unverzüglich zuzuleiten:

Über die Lage in Dänemark berichte ich für den 28. auf 29. November, daß in Nordschleswig an den Bahnstrecken Padborg-Rothenkrug, Tinglev-Gravenstein und Tinglev-Tondern an 19 Stellen Sprengungen stattgefunden haben.[170] (Die Aufstellung eines volksdeutschen Sabotage-Schutzes in Nordschleswig ist in Vorbereitung und wird nach Beschaffung der erforderlichen Ausrüstung durchgeführt werden.) In Kopenhagen drei Sabotage-Fälle (Werkstätte des Dansk Industri Syndikats mit Wehrmachtsfertigung,[171] kleine Maschinen-Werkstätte ohne Schaden, sowie eine Privat-Garage).[172] In Fünen einige Hochspannungsmaste beschädigt.[173]

Best

169 Ha Pol 7160 g II. Telegrammet er ikke lokaliseret.

170 Det var hovedsageligt sporskifter, der blev ødelagt, men skinnestykker var også bortsprængt eller bøjede (RA, BdO Inf. nr. 26, 30. november 1943, (her opgives 15 sprængninger), *Information* 29. november og 3. december 1943).

171 Riffelsyndikatets Hellerupafdeling, Havnevej 3, blev saboteret af Holger Danske, hvorved værkstedet blev delvist ødelagt. Der blev produceret lytteapparater for den tyske værnemagt, hvoraf 11 halvfærdige og 4 færdige ikke synes at have lidt overlast (RA, BdO Inf. nr. 26, 30. november 1943, Kieler, 1, 1982, s. 153-159, Kieler, 2, 1993, s. 150, Kieler, 1, 2001, s. 332-338, Birkelund 2008, s. 676).

172 BOPA udførte en sabotage mod fabrikken Beidil & Madsen, Ryesgade 3, hvorved værkstedet blev lettere beskadiget, mens maskinerne slap stort set uskadt. Dog løb erstatningssummen op i 35.000 kr. Der blev på stedet fremstillet præcisionsværktøj for den tyske værnemagt. Endelig var der ild i direktør Karl Diersens bil i en garage på Brammersvej, Charlottenlund (RA, BdO Inf. nr. 26, 30. november 1943, Kjeldbæk 1997, s. 470, Alkil, 2, 1945-46, s. 1225).

173 Tre højspændingsmaster blev saboteret ved Bellinge (RA, BdO Inf. nr. 26, 30. november 1943, Alkil, 2, 1945-46, s. 1225 (opgiver Kerteminde)).

476. Das Auswärtige Amt: Aufzeichnung 30. November 1943

På baggrund af Bests indberetning om og klage over Terbovens optræden i København og indblanding i sagen om anvendelsen af dansk skibstonnage, blev Ribbentrop foreslået at lade Bests telegram videresende til de højeste rigsinstanser.

Svaret er ikke lokaliseret, men Best erklærede som ovenfor nævnt (28. november) siden at have slået Terbovens angreb tilbage.

Kilde: PA/AA R 101.040. RA, pk. 438a.

Geheim

Aufzeichnung
zum Telegramm des Reichsbevollmächtigten in Kopenhagen
Nr. 1478 vom 27. November.[174]

Das vorbezeichnete Telegramm enthält eine Beschwerde des Reichsbevollmächtigten in Kopenhagen gegen den Reichskommissar für die besetzten norwegischen Gebiete, Terboven, weil dieser sich seit dem Oktober wiederholt ohne Verständigung des Reichsbevollmächtigten in Kopenhagen aufgehalten hat und die Frage des Einsatzes der dänischen Handelsschiffahrtstonnage zum Gegenstand von Erörterungen mit dem Reichskommissar für die Seeschiffahrt, Gauleiter Kaufmann, gemacht hat.

Ich bitte den Herrn Reichsaußenminister um Ermächtigung, das Telegramm in vollem Wortlaut der Reichskanzlei, der Parteikanzlei, dem Reichsführer-SS und Chef der Deutschen Polizei und dem Reichskommissar für die Seeschiffahrt zur Kenntnis zu bringen. Botschafter Hewel würde von dieser Behandlung der Angelegenheit vorsorglich unterrichtet werden.

Hiermit über Herrn Staatssekretär dem Büro des Herrn Reichsaußenministers vorzulegen.

Berlin, den 30. November 1943.

[uden underskrift]

477. Kriegstagebuch/WB Dänemark 30. November 1943

Endnu en dag måtte von Hanneken melde om en serie af jernbanesabotager. Han ville have det tyske ordenspoliti til at stille mandskab til rådighed til bekæmpelsen deraf. Endvidere kunne han oplyse, at generalfeltmarskal Erwin Rommel ville komme og besigtige de danske befæstningsanlæg.[175]

Kilde: KTB/WB Dänemark 30. november 1943.

In der Nacht wurden in Nordschleswig an der Hauptstrecke in das Reich 4 Gleissprengungen festgestellt, die jedoch bis 15 Uhr behoben werden konnten. Um mit allen Mitteln Anschläge auf Eisenbahnanlagen zu verhindern, wurde der Befehlshaber der Ordnungspolizei aufgefordert, seine Kräfte zur Verfügung zu stellen.

Die Divisionen wurden angewiesen, den Einsatz der Sprengkommandos für Beseiti-

174 Trykt ovenfor.

175 Rommels ankomst blev forsinket, så han først ankom 2. december. Opholdet strakte sig til 12. december (Andersen 2007, s. 166f.).

gung von Störungen im Eisenbahnbetrieb zu überprüfen.

Am Abend trifft Nachricht ein, daß Generalfeldmarschall Rommel mit dem Stab der Heeresgruppe B am 1.12. etwa 19 Uhr die deutsch-dänische Grenze erreichen und nachts in Silkeborg eintreffen wird.

478. Werner Best an das Auswärtige Amt 30. November 1943

Det tyske sikkerhedspoliti havde afsluttet sin undersøgelse af oberst A. Hartz' forhold, herunder mistanken om spionage, og Best anbefalede derfor, at Hartz blev løsladt, da det var usandsynligt, at han ville flygte til Sverige (se telegrammerne nr. 1248, 13. oktober og nr. 1440, 16. oktober 1943).

Hartz blev løsladt 5. december og vendte tilbage til Danmark med tysk ordre om ikke at tage ophold i København. Han havde ikke drevet spionage, men fungeret som almindelig militærattaché og indsamlet oplysninger på en for sådanne almindelig vis. Karl Heinz Hoffmann havde under forhørene forsøgt at få oplyst, hvilke militærattachéer, der havde givet ham oplysninger. Anholdelsen var foranlediget af, at det tyske politi havde fundet Hartz' fortrolige indberetninger fra Berlin i Krigsministeriet efter 29. august. Ministeriets direktør, generalmajor J.D. von Stemann havde, trods løfte derom, ikke destrueret rapporterne, som Hartz havde gjort med sit eget arkiv (Hartz 1945, s. 192-197).

Kilde: PA/AA R 101.040. RA, pk. 232 og 438a.

Telegramm

Kopenhagen, den	30. November 1943	19.00 Uhr
Ankunft, den	1. Dezember 1943	01.00 Uhr

Nr. 1488 vom 30.11.[43.]

Unter Bezugnahme auf dortseitiges Telegramm Nr. 1440[176] vom 16. Oktober, mitteile ich, daß vor einigen Tagen der SS-Obersturmbannführer Oberregierungsrat Huppenkothen vom Reichssicherheitshauptamt in Kopenhagen [...][177] um u.a. die Angelegenheit des Obersten Hartz zu besprechen. Er erklärte, daß vom sicherheitspolizeilichen Standpunkt der Fall als abgeschlossen betrachtet werden könne und daß der Entlassung des Obersten Hartz nichts mehr im Wege stehe als allenfalls die Befürchtung, er könne nach Schweden flüchten, was politisch unerwünscht wäre. Unter diesen Umständen befürworte ich die baldige Entlassung des Obersten Hartz. Daß er nach Schweden flüchtet, halte ich für höchst unwahrscheinlich, da die meist älteren Offiziere offensichtlich vorziehen im Land zu bleiben und nur ein Teil der jüngeren Offiziere Neigung zur Flucht zeigt. Außerdem könnten gewiß Vorkehrungen gegen eine Flucht getroffen werden, wenn auch infolge Personalmangels keine volle Sicherheit geschaffen werden kann. Ich bitte nochmals auf baldige Entlassung hinzuwirken.

Best

176 Inl. II 2884 g. Trykt ovenfor.
177 fehlt Klartext.

479. Abschnittskommandant Hinsch: Sicherungsmaßnahmen im Hafengebiet von Frederikshavn 30. November 1943

På baggrund af samtaler med lederne af 16. forpostpatrulje skrev afsnitskommandant Hinsch om sikringsforanstaltningerne i havneområdet i Frederikshavn. Det var alle lederes pligt med alle midler selv at sørge for de værdier, der var betroet dem. En total afspærring af havnen ville ikke forhindre sabotører i at udøve sabotage. Belysning om natten af de anlæg, der skulle beskyttes, var også en mulighed, men dertil var strømforsyningen ikke tilstrækkelig sikker. Det væsentligste middel til sikring af havneanlæggene var at opretholde et godt forhold til befolkningen, herunder politiet, som i Frederikshavn samarbejdede loyalt.

Kommandantens overvejelser blev af admiral Wurmbach betragtet som så vigtige, at han ikke alene helt gjorde dem til sine egne, men lod dem sende til havnekaptajnerne over hele landet, til afsnitskommandanterne og til MOK Ost. Hermed understregede han, at det gode forhold til den danske befolkning skulle prioriteres.

Kilde: RA, Danica 203, pk. 28, læg 290.

Kommandant im Abschnitt Nordjütland — *Frederikshavn, den 30.11.43.*
– B. Nr. G 5858 – — Geheim!

Abschrift

An 16. Vorpostenflottille Frederikshavn
nachrichtlich:
Admiral Dänemark Kopenhagen
der Befehlshaber der Ostsee Postort
17. Vorpostenflottille Frederikshavn

Betr.: Sicherungsmaßnahmen im Hafengebiet von Fr'havn.
Bezug: Verschiedene mündliche Anträge des Chefs der 16. VP.

Die zur Sicherung des wichtigen Hafengebiets von Frederikshavn zu ergreifenden Maßnahmen lassen sich nicht einfach loslösen von der Gesamtaufgabe, die mir als Wehrmachtstandortältester Frederikshavn für das *gesamte* Gebiet zufallen. Es ist daher unrichtig, sie für sich zu betrachten, wenn sie auch den wichtigsten Teil der zu schützenden Objekte darstellen. Ich gehe von dem Grundsatz aus, daß es fast unmöglich ist, alles einfach hermetisch abzuschließen und den Verkehr lahmzulegen, sondern der Schutz muß von dem einzelnen Objekt aus erfolgen. Daher ist es Pflicht der Flottillenchefs, Kommandanten, Kapitäne, Betriebsleiter, Vorstände usw., mit allen Mitteln aus eigener Kraft die ihnen anvertrauten Werte zu sichern. Nur, aber auch nur auf diese Weise ist der Schutz sicherzustellen. Alle Absperrungen im Großen können einfach nicht verhindern, daß Saboteure während der Nacht im Hafengebiet verbleiben oder am Tage unter Zuhilfenahme von Zeitzündungen Sprengungen vorbereiten. Hafengebiete bieten so viele Schlupfwinkel, daß es ein leichtes ist, sich zu verstecken. Eine ausreichende Beleuchtung der zu schützenden Anlagen bei Nacht ist ein weiterer guter Schutz, der natürlich nur zum Tragen kommt, so lange kein Flakalarm gegeben ist. Dieser Schutz läßt sich in Frederikshavn aber auch nicht beliebig steigern, sondern er hängt leider ab von der Leistungsfähigkeit der vorhandenen Stromversorgung. Die Grenze ist hier bereits erreicht. Ein 3. Mittel ist die Politik der Bevölkerung gegenüber, und das ist meines

Erachtens das wichtigste Mittel. Es werden in Frederikshavn nicht einfach Sperrungen vorgenommen, sondern der Belegschaft der Schiffswerft "Fr'havn Värft og Flydedok A/S" ist z.B. kürzlich über den Betriebsleiter erklärt worden, daß die neuen Absperrmaßnahmen kein Mißtrauen gegen die Belegschaft darstellen, sondern zum Schutz ihrer eigenen Arbeitsstelle getroffen worden sind, und daß nicht nur Verständnis dafür, sondern Mithilfe erwartet würde.

Die Polizei in Frederikshavn ist zur loyalen Mitarbeit aufgerufen worden, und es kann mit Befriedigung festgestellt werden, daß sie ihren Stolz darin zu suchen scheint, ohne Nebengedanken ihre Pflicht zu tun. Von der Küstenpolizei außerhalb Frederikshavn kann dieses leider zurzeit nicht gesagt werden. Ein besonderer Bericht hierüber ist noch in Bearbeitung. Die Polizei in Frederikshavn unterscheidet sich durch ihre Mitarbeit heute bereits wesentlich von der Polizei in vielen anderen Teilen Dänemarks. Jede falsche Maßnahme, die als unnötige Härte empfunden wird – und eine Absperrung des Hafengebietes bei Nacht würde so aufgefaßt werden – ist unklug. Schließlich ist ja auch der Erfolg entscheidend, und dieser gibt mir bisher Recht, denn seit dem energischen Zupacken gegen die Bevölkerung am 23. August dieses Jahres, wo die jugendlichen Unruhestifter erheblich zusammengeschlagen worden sind,[178] ist die Zucht und Ordnung in Fr'havn nicht mehr gestört worden.

Abschließend kann ich daher nur noch einmal ausdrücklich betonen:

Die wichtigsten Objekte sind von sich aus mit allen Mittel zu schützen. Diese Pflicht vermag den verantwortlichen Stellen niemand abzunehmen, Aufgabe des Wehrmachtstandortältesten ist es, hierfür die günstigsten Vorbedingungen zu schaffen und alles zu tun, was möglich ist, um Sabotage zu verhindern. Beides ist in Frederikshavn geschehen. Weiteres wird im Bedarfsfalle von Fall zu Fall angeordnet werden.

gez. **Hinsch**

Admiral Dänemark
B. Nr. G 22978 Kü

Geheim!
Stabsquartier, den 25. Dez. 43.

An Hafenkapitän Kopenhagen
Hafenkapitän Rönne
Hafenkapitän Helsingör
Hafenkapitän Gedser
Hafenkapitän Korsör
Hafenkapitän Nyborg
Hafenkapitän Fredericia
Hafenkapitän Sonderburg
Hafenkapitän Esbjerg
Hafenkapitän Aarhus

178 Auguststrejken i Frederikshavn varede fra 23. august til undtagelsestilstandens indførelse den 29. august. Den begyndte den 23. med voldsomme og blodige gadesammenstød med værnemagten i eftermiddags- og aftentimerne, men disse blev ikke fortsat de følgende dage, hvor de strejkende til gengæld krævede udbetalt erstatning til dem, der blev såret den 23. (Kirchhoff, 2, 1979, s. 162).

Hafenkapitän Frederikshavn
Hafenkapitän Aalborg
Hafenkapitän Skagen
Hafenkapitän Hirtshals
Hafenkapitän Thyborön
Kommandant im Abschnitt Südjütland
Kommandant im Abschnitt Dänische Inseln
Inselkommandant Bornholm
nachr.: Marineoberkommando Ostsee Kiel

Schnellkurzbrief

Abschrift zur Kenntnis. Den Ausführungen des Kommandanten im Abschrift wird in vollem Umfange zugestimmt.

[stemplet: Marinebefehlshaber Dänemark]

480. Admiral Dänemark: Lagebeurteilung für November 1943, 30. November 1943

Der havde været et stærkt stigende antal sabotager, heraf tre færgesabotager, der var blevet besvaret med henrettelser, tugthusstraffe og deportationer til Tyskland. Ved indsættelse af fire fartøjer var der dæmmet op for den illegale persontransport til og fra Sverige. Det forhåndenværende overvågningshul ville først kunne lukkes, når de dertil udsete kuttere, der til dels allerede var i tjeneste, blev forstærket med en grænsekommando. Der var ingen tvivl om, at der blev overført sabotagemateriel fra Sverige.

Det overvågningshul med hensyn til sundbevogtningen, som Wurmbach her skrev ligeud om, havde eksisteret siden slutningen af august og var ikke blevet søgt lukket forud for aktionen mod de danske jøder. Wurmbach valgte ikke på noget tidspunkt direkte at nævne, at jøderne kunne slippe til Sverige netop på grund af, at der længe var et stort overvågningshul langs den danske østkyst.

VGADK = Verstärkter Grenzaufsichtsdienst Küste.

Kilde: KTB/ADM Dän 30. november 1943, RA, Danica 628, sp. 3, s. 3159f.

Lagebeurteilung
für November 1943

[...]

B. Lage in Dänemark:

a.) Sabotage

Während sich die Anzahl der Sabotagefälle in der ersten Novemberdekade gegenüber der vorhergehenden Dekade fast verdoppelt hatte, war in den beiden nachfolgenden Dekaden eine geringe Abnahme festzustellen. Zum größten Teil handelte es sich wiederum um Sprengstoffattentate, die vorwiegend gegen dän. Wirtschaftsbetriebe mit deutschen Aufträgen gerichtet waren sowie um Anschläge auf Eisenbahnstrecken in Jütland. Letztere haben mehrfach Stillegungen des Eisenbahnverkehrs in Jütland für kürzere Zeit hervorgerufen. Außerdem mehren sich Sprengstoffanschläge gegen Wehrmachtunterkünfte sowie Überfälle auf deutsche Soldaten. Hervorzuheben sind Anschläge auf 3 dänische Fähren und zwar auf 2 Fähren der Strecke Nyborg-Korsör, von denen die Fähre "Själland" vollständig ausbrannte,[179] und die Fähre Esbjerg-Fanö.[180] Das Minenboot "M 4[45]" wurde im Hafen von Kopenhagen kurze Zeit nach dem Ablegen durch eine Haftmine schwer beschädigt.[181] Bei den Anschlägen gegen Wehrmachtsunterkünfte war der BSO mit einer Explosion in den Räumen der Wetterwarte betroffen. Der Sprengkörper war durch den Schornstein herabgelassen worden.[182]

Im Laufe des Monats wurden 2 Saboteure hingerichtet,[183] und 7 weitere zum Tode verurteilt. Gegen 5 Saboteure wurde lebenslängliche Zuchthausstrafe verhängt und gegen 8 weitere auf Zuchthausstrafen bis 12 Jahren erkannt.[184] Außerdem wurden 31 Dänen wegen fortgesetzten illegalen Verhaltens gegenüber der deutschen Wehrmacht in ein Konzentrationslager nach Deutschland verbracht.[185]

b.) Illegaler Personenverkehr

Durch den vorübergehenden Einsatz von 4 BSO-Fahrzeuge[n] und des Zollkreuzers "Hedda" des Adm. Dän. ist soweit zu übersehen, der illegale Personenverkehr von und nach Schweden etwas eingedämmt worden. Eine Schließung der zweifellos vorhandenen Überwachungslücke wird erst möglich sein, wenn die Hafenüberwachung am Sund durch hierfür vorgesehene Fischkutter, die zum Teil bereits in Dienst gestellt wurden, verstärkt wird und der Einsatz eines VGADK-Kommandos an der Ostküste Seelands durchgeführt ist. Zugesagt ist das Kommando bereits. Einwandfrei ist inzwischen festgestellt, daß die Steuerung der Sabotagetätigkeit in Dänemark und teilweise auch die Versorgung mit Sabotagematerial von Schweden aus erfolgt.

[...]

Wurmbach

481. Rüstungsstab Dänemark: Lagebericht 30. November 1943

Forstmann kunne indberette om et fortsat og stigende samarbejde med dansk industri.

Til gengæld kommenterede han ikke den meget betydelige stigning i sabotagetilfældene, som han gjorde rede for.

Kilde: BArch, Freiburg, RW 27/12. RA, Danica 1000, T-77, sp. 696, KTB/Rü Stab Dänemark, 4. Vierteljahr 1943, Anlage 17.

Rüstungsstab Dänemark
ZA/Ia Az. 66dl/Wi-Ber. Nr. 1032/43 geh.

Kopenhagen, den 30. November 1943.

179 Se Bests telegram nr. 1363, 4. november 1943.

180 Der blev anstiftet brand på Fanøfærgen, der sejlede med OT-arbejdere til fæstningsbyggeriet på øen (Henningsen 1955, s. 206).

181 Se Bests telegram nr. 1412, 15. november 1943.

182 Se Bests telegram nr. 1443, 20. november 1943.

183 Se Bests telegram nr. 1450, 22. november 1944.

184 Se den tyske meddelelse 7. november 1943 gengivet hos Alkil, 2, 1945-46, s. 858f.

185 Se *Politische Informationen* 1. december 1943, afsnit 1.

Bezug: OKW Wi Rü Amt / IIIb Nr. 21755/43 v. 9.5.42.
Betr.: Lagebericht.

An den Reichminister für Rüstung und Kriegsproduktion
– Rüstungsamt –
Berlin – Charlottenburg 2
Verlängerte Jebenstraße.

Rü Stab Dänemark übersendet in der Anlage den Lagebericht für Monat November 1943.

Forstmann

Rüstungsstab Dänemark *Kopenhagen, den 30. November 1943.*
ZA/Ia Az. 66dl/Wi-Ber. Nr. 1032/43 geh. Geheim!

Vordringliches
Die Elektrizitäts- und Gasversorgung im Berichtsmonat war ausreichend. Für die Elektrizitätsversorgung des jütländischen Raumes wird der Verbrauch des Winters 1944/45 auf mindestens 125.000 KW geschätzt, während gegenwärtig nur 75.000 KW installiert sind, da der Bedarf von Industrie und Landwirtschaft ständig wächst. Eine Belastung wird wahrscheinlich durch Anschluß der im Bau befindlichen Wehrmachtanlagen noch weiter steigen. Die notwendigen neuen Aggregate sind bei der AEG bestellt und müssen so rechtzeitig geliefert werden, daß sie noch Ende Oktober 1944 in Betrieb genommen werden können, wenn größte Schwierigkeiten in der Stromversorgung in einem für Deutschland industriell und wirtschaftlich wichtigen Teil des Landes im Winter 1944/45 vermieden werden sollen. Die rechtzeitige Lieferung der Anlagen ist nach Mitteilung der AEG nur möglich, wenn sie in eine Dringlichkeitsstufe aufgenommen werden. Die notwendigen Verhandlungen zur Einstufung sind vom Rü Stab Dänemark eingeleitet.

Im Berichtsmonat wurden 148 erwiesene Sabotagefälle verübt, die sich wie folgt aufteilen:

1.) gegen Eigentum, Unterkünfte usw. der Besatzungstruppe		33	Fälle =	22 %
2.) tätliche Angriffe gegen Wehrmachtangehörige		5	–	3 %
3.) tätliche Angriffe gegen Reichsdeutsche		3	–	2 %
4.) Sabotageakte gegen Betriebe, die				
a.) mit mittelbaren u. unmittelbaren Wehrmachtaufträgen aus Deutschland		26	–	17 %
und				
b.) mit Aufträgen der Besatzungstruppen belegt sind		10	–	7 %
von a) u. b) schwere Fälle mit ca. 1 Mill. D.Kr. Schaden:	9			
von a) u. b) leichte Fälle:	27			

5.)	Sabotageakte gegen dänische Betriebe ohne direkte Wehrmachtaufträge	43	–	30 %
6.)	gegen Verkehrsanlagen, Eisenbahnen usw.	28	–	19 %
	Insgesamt:	148	Fälle =	100 %

Von einem deutschen Kriegsgericht wurden gegen Saboteure zwei Todesurteile gefällt und vollstreckt.[186] Am 23.11.43 wurden 31 Dänen, darunter 4 Frauen, alle in Odense beheimatet, wegen kommunistischer Betätigung in ein deutsches Konzentrationslager Überführt.[187] Der zivile Ausnahmezustand hält noch an.

1a. Stand der Fertigung

Wertsumme der seit der Besetzung Dänemarks über Rü Stab Dän. erteilten unmittelbaren und mittelbaren Wehrmachtaufträge (a-Aufträge):

am 30.9.1943	RM	463.061.087,-
Zugang im Oktober 1943	RM	11.172.696,-
am 31.10.1943	RM	474.233.783,-
Auslieferungen im Oktober 1943	RM	9.867.621,-
Aufträge des kriegswichtigen zivilen Bedarfs: (C-Aufträge).		
am 30.9.1943	RM	68.262.481,-
Zugang im Oktober 1943	RM	1.227.624,-
am 31.10.1943	RM	69.490.105,-
Auslieferungen im Oktober 1943	RM	1.681.536,-

Im Berichtsmonat waren belegt:

mit A-Aufträgen (bzw. A- und C-Aufträgen)	491	dän.	Betriebe
Außerdem nur mit C-Aufträgen	99	–	–
sodaß	590	dän.	Betriebe

gegenwärtig unter Betreuung des Rüstungsstabes arbeiten. Die große Anzahl der von diesen Firmen beschäftigten Unterlieferanten ist nicht festzustellen. Für Aufträge der deutschen Besatzungstruppen (B-Aufträge) sind außerdem rd. 350 dän. Firmen beschäftigt. Bei diesen handelt es sich zu etwa 60 % um Bauunternehmer.

Für die nach Dänemark verlagerten Aufträge auf Werkzeugmaschinen (Fräs- Kurbelwellenschleif- und Bohrmaschinen) und Elektromotoren besteht die Gefahr erheblicher Fabrikationsverzögerungen wegen Fehlens der erforderlichen Kugellager. Die Schwierigkeiten sind durch die infolge Feindeinwirkung lieferunfähig gewordenen deutschen Spezialfabriken entstanden. Die Einfuhr aus Schweden ist so verschwindend gering, daß dadurch dieser Engpaß nicht beseitigt wird. Eine Anfrage an das Rü Amt ergab, daß mit der Wiederaufnahme der Lieferungen der deutschen Kugellagerfabriken erst Ende Dezember 1943 gerechnet werden kann. Rü Stab Dänemark veranlaßte, daß die an Maschinenlieferungen interessierten, deutschen Firmen von sich aus durch Beistellung evtl. noch vorhandener Bestände den Zeitraum bis zur Aufhebung der Lieferungsschwierigkeiten überbrücken.

186 Se Bests telegram nr. 1450, 22. november 1943.

187 Se *Politische Informationen* 1. december 1943, afsnit I.

Für die Sperrwaffeninspektion sind zwei Firmen namhaft gemacht worden, die Anker und Entschärfeeinrichtungen für Sperrwaffen-Geräte herstellen können. Die monatliche Ausbringungszahl dürfte vorläufig je 300 Stück für beide Vorrichtungen betragen bei einem Gesamtmonatsbedarf von etwa je 1.000 Stück. Für Halbkugeln mit einem Durchmesser von 800-900 mm bei einer Blechstärke von 3-4 mm besteht wegen Fehlens großer Pressen keine Herstellungsmöglichkeit in Dänemark.

Über die an die Firma Philips-Kopenhagen verlagerten Aufträge fand zur Förderung der Fabrikation am 28.10.43 eine eingehende Besprechung mit Dr. Heyne, Mitglied des Industrierats des Reichsmarschalls, Dr. Nolte und Dr. Rohrer, Treuhänder des Reichsmarschalls für alle Philips-Unternehmen statt. Am gleichen Tage waren bei Nordvärk A/S, vom RLM/GL Generalin. Mahnke und vom Industrierat des Reichsmarschalls Dr. Werner, um den Anlauf der Reparaturwerkstätte für BMW-Motoren 801 zu beschleunigen.

Infolge FS RM f. R.u. K., Rü. A., Rü II/2 Nr. 18823/43 v. 28.10.43 und Rü. A., Rü I, Nr. 19700/43 v. 10.11.43 wurde die Dienststelle "Waffen- und Munitionsarsenale in Dänemark" mit dem Sitz in Kopenhagen aufgestellt. Dienststellenleiter ist Major Frh. von Hauenschield unter Beibehaltung seines Aufgabengebietes als Leiter der Abt. Heer beim Rü Stab Dänemark.

1c. Versorgung der Betriebe mit Roh- und Betriebsstoffen

Der deutsche Lieferungsrückstand an Eisen und Stahl betrug am 30.9.43 15.346 to. – Abnahme gegenüber dem Stand vom 31.8.43: 386 to. – Für NE-Metalle ist der Stand 191 to bei 9 to Verminderung.

Die Deckung des Bedarfs an Ferro-Legierungen, insbesondere Chrom, war wegen der nach Anordnung E 54 beizubringenden Freigabescheine außerordentlich schwierig und zeitraubend. Deshalb veranlaßte Rü Stab Dänemark eine Besprechung in Kopenhagen, an der Vertreter der Reichsstelle Eisen und Metalle, der Fachgruppe Edelstahl und des Fälleskontoret for Jern og Metal, sowie die technischen Leiter der dänischen Stahlgießereien teilnahmen. Es wurde ein neues Auftragsverfahren für Dänemark festgelegt, wonach die dänischen Gießereien Ferrochrom über Fälleskontoret for Jern og Metal und Rü Stab Dänemark bei der Fachgruppe Edelstahl als beauftragte Stelle der Reichsvereinigung Eisen beantragen. Gleichzeitig sind Verbrauchsrichtlinien aufgestellt und die Einrichtung eines Bereitschaftslagers von 6 to Ferro-Chrom bei A/S Jernkontoret zugesichert worden, über das nur mit Zustimmung des Rü Stab Dänemark verfügt werden darf. Des weiteren wird bei der Firma A/S Varde Staalvärk ein Bereitschaftslager von 15 to Ferro-Mangan affiné angelegt, für das gleiche Handhabung wie für Ferro-Chrom gilt. – Die mit der Reichsstelle Eisen und Stahl getroffenen Vereinbarungen bezüglich Ferro-Mangan bleiben in Kraft. –

2b. Lage der Treibstoffversorgung

Schwierigkeiten in der Treibstoffversorgung traten nicht auf. Es wurden 560 Ltr. Benzin und 234.240 kg Dieselöl angefordert und nach Prüfung 520 Ltr. Benzin und 161.840 kg Dieselöl zugewiesen.

2c. Lage der Kohlenversorgung

Im Oktober 1943 wurden eingeführt:

	194.500 to	Kohle	(September 143.300 to)
	36.200 to	Koks	(September 53.800 to)
insg.	230.700 to		(September 197.100 to)

Es wurden 29.871 to Kohle (im September 27.900 to) an die dänische Staatsbahn abgegeben. Da diese Menge den Monatsbedarf nicht deckt, ist von der deutschen Reichsbahn im Aussicht gestellt, einmalig eine zusätzliche Menge von 20.000 to zur Verfügung zu stellen.

Die Kokseinfuhr ist stark zurückgegangen, so daß ein Ansteigen der Rückstände in der Auslieferung der ausgegebenen Rationierungskarten unvermeidlich war.

Die dänische Braunkohlenproduktion beträgt monatlich etwa 150.000 to, die heizwertmäßig etwa 50.000 to Steinkohle entsprechen.

Die Produktion könnte verdreifacht werden, wenn die zur Verteilung notwendigen Transportmittel zur Verfügung stünden.